復刻版

海の外

第1巻

『海の外』第一号～第二七号
（一九二二年四月～一九二四年七月）

森　武麿　編集

不二出版

復刻にあたって

一、『復刻版　海の外』全7巻・別巻1は、信濃海外協会海の外社発行の『海の外』第一号（一九二二年四月）より第二五三号（一九四三年六月）まで、及び後継誌の長野県開拓協会発行の『信濃開拓時報』創刊号（一九四四年七月）より第一一号（一九四五年五月）までを全7巻として復刻・刊行するものである。

一、刊行は第1回配本（第1—2巻）、第2回配本（第3—4巻）第3回配本（第5—7巻）の全3回配本からなる。

一、第2回配本時に、森武麿による論考「満洲移民とブラジル移民—信濃海外協会『海の外』を対象として」と、本復刻版の総目次・索引を収録した別巻を附す。

一、復刻にあたっては、原本は適宜縮小し、白黒、四面付方式にて収録した。

一、頁の破損、印刷不鮮明の箇所については、可能な限り副本にあたったが、補えない箇所についてはそのまま収録した。また未発見のため収録することができなかった巻については、「全巻収録内容」に欠号として示した。

一、表紙のうち特徴的なものに関しては、第1巻に口絵として収録した。

一、資料の中には、人権の視点から見て不適切な語句・表現・論もあるが、歴史的資料の復刻という性質上、そのまま収録した。

※使用した底本の所蔵館については、「全巻収録内容」に記載しております。ご提供いただいた各機関のご協力に感謝申し上げます。

（不二出版編集部）

復刻版　海の外　第1巻

収録内容

『海の外』

一九二二（大正一一）年　第一号〜第九号

一九二三（大正一二）年　第一〇号〜第二〇号

一九二四（大正一三）年　第二一号〜第二七号

全巻収録内容

配本	収録巻	号数	発行日	備考	使用原本
第1回配本	第1巻			海の外	
		第一号	一九二二年　四月二〇日		長野県立歴史館
		第二号	五月一日		長野県立歴史館
		第三号	六月一日		長野県立歴史館
		第四号	七月一日		長野県立歴史館
		第五号	八月一日		長野県立歴史館
		第六号	九月一日		長野県立歴史館
		第七号	一〇月一日		長野県立歴史館
		第八号	一一月一日		長野県立歴史館
		第九号	一二月一日		長野県立歴史館
		第一〇号	一九二三年　一月一日		長野県立歴史館
		第一一号	二月一日		長野県立歴史館
		第一二号	三月一日		長野県立歴史館
		第一三号	四月八日		長野県立歴史館
		第一四号	五月一日		長野県立歴史館
		伯剌西爾移住地建設号	六月一日		長野県立歴史館
		第一五号	七月一日		長野県立歴史館
		第一七号	八月三〇日		長野県立歴史館
		第一八号	十月一日		長野県立歴史館
		第一九号	一一月二五日		長野県立歴史館
		第二〇号	一二月二五日		長野県立歴史館
		第二一号	一九二四年　一月二九日		長野県立歴史館
		第二二号	二月二〇日		長野県立歴史館
		第二三号	三月三〇日		長野県立歴史館
		第二四号	四月三〇日		長野県立歴史館
		第二五号	五月三一日		長野県立歴史館
		第二六号	六月三〇日		長野県立歴史館
		第二七号	七月三一日		長野県立歴史館
	第2巻	第二八号	八月二五日		長野県立歴史館
		第二九号	九月三〇日		長野県立歴史館
		第三〇号	一〇月三〇日		長野県立歴史館
		第三一号	一一月三〇日		長野県立歴史館
		第三二号	一二月三一日		長野県立歴史館
		第三三号	一九二五年　二月二一日	南米ブラジル「ありあんさ」移住地建設号	長野県立歴史館

配本	収録巻	号数	発行日	備考	使用原本
第1回配本	第2巻	第三四号	三月三一日		長野県立歴史館
		第三五号	四月二五日		長野県立歴史館
		第三六号	五月二六日		長野県立歴史館
		第三七号	六月二六日		長野県立歴史館
		第三八号	七月二六日		長野県立歴史館
		第三九号	八月二六日		長野県立歴史館
		第四〇号	九月二六日		長野県立歴史館
		第四一号	一〇月二六日		長野県立歴史館
		第四二号	一一月二六日		長野県立歴史館
		第四三号	一二月二五日		長野県立歴史館
		第四四号	一九二六年　一月二五日	南米ブラジルありあんさ移住地一覧	長野県立歴史館
		第四五号	二月二五日		長野県立歴史館
		第四六号	三月二五日		長野県立歴史館
			第四七号　欠		
			第四八号　欠		
		第四九号	六月二五日		長野県立歴史館
			第五〇号　欠		
			第五一号　欠		
		第五二号	九月二五日		長野県立歴史館
		第五三号	一〇月二五日		長野県立歴史館
			第五四号　欠		
第2回配本	第3巻	第五五号	一二月二五日		長野県立歴史館
		第五六号	一九二七年　一月二五日		日本力行会
			第五七号　欠		
		第五八号	三月三一日		日本力行会
			第五九号　欠		
		第六〇号	五月二五日		長野県立歴史館
		第六一号	六月二五日		日本力行会
		第六二号	七月二五日		日本力行会
		第六三号	八月三一日	南米ブラジルありあんさ移住地建設紀念号	日本力行会
		第六四号	九月二五日		日本力行会
		第六五号	十月二五日		北海道大学附属図書館
		第六六号	一一月二五日		日本力行会
		第六七号	一二月二五日		長野県立歴史館
		第六八号	一九二八年　一月二五日		日本力行会

配本	収録巻	号数	発行日	備考	使用原本
第2回配本	第3巻	第六九号	二月二五日		日本力行会
		第七〇号	四月一日		長野県立歴史館
		第七一号	五月一日		長野県立歴史館
		第七二号	六月一日		長野県立歴史館
		第七三号	七月一日		長野県立歴史館
		第七四号	八月一日		長野県立歴史館
		第七五号	九月三〇日		長野県立歴史館
		第七六号	一〇月一〇日		長野県立歴史館
		第七七号	一一月一日		長野県立歴史館
		第七八号	一二月一日		長野県立歴史館
	第4巻	第七九号	一九二九年 一月一日		長野県立歴史館
		第八〇号	二月一日		長野県立歴史館
		第八一号	三月一日		長野県立歴史館
		第八二号	四月一日		日本力行会
		第八三号	五月一日		日本力行会
		第八四号	六月一日		長野県立歴史館
		第八五号	七月一日		日本力行会
		第八六号	八月一日		日本力行会
		第九七号	九月一日		日本力行会
		第八八号	一〇月一日		日本力行会
		第八九号	一一月一日		日本力行会
		第九〇号	一二月一日		日本力行会
		第九一号	一九三〇年 一月一日		日本力行会
		第九二号	二月一日		日本力行会
		第九三号	三月一日		日本力行会
		第九四号	四月一日		日本力行会
		第九五号	五月一日		日本力行会
		第九六号	六月一日		日本力行会
		第九七号	七月一日		日本力行会
		第九八号	八月一日		長野県立歴史館
		第九九号	九月一日		日本力行会
		第一〇〇号	一〇月一日		日本力行会
		第一〇一号	一一月一日		日本力行会
		第一〇二号	一二月一日		日本力行会
第3回配本	第5巻	第一〇三号	一九三一年 一月一日		日本力行会
		第一〇四号	二月一日		日本力行会
		第一〇五号	三月一日		日本力行会
		第一〇六号	四月一日		日本力行会

配本	収録巻	号数	発行日	備考	使用原本
第3回配本	第5巻	第一〇七号	五月一日		日本力行会
		第一〇八号	六月一日		日本力行会
		第一〇九号	七月一日		日本力行会
		第一一〇号	八月一日		日本力行会
		第一一一号	九月一日		日本力行会
		第一一二号	一〇月一日		日本力行会
		第一一三号	一一月一日		日本力行会
		第一一四号	一二月一日		日本力行会
		第一一五号	一九三二年 一月一日		日本力行会
		第一一六号	二月一日		日本力行会
		第一一七号	三月一日		日本力行会
		第一一八号	四月一日		日本力行会
		第一一九号	五月一日		日本力行会
		第一二〇号	六月一日		日本力行会
		第一二一号	七月一日		日本力行会
		第一二二号	八月一日		日本力行会
		第一二三号	九月一日		日本力行会
		第一二四号	一〇月一日		日本力行会
		第一二五号	一一月一日		日本力行会
		第一二六号	一二月一日		日本力行会
	第6巻	第一二七号	一九三三年 一月一日		日本力行会
		第一二八号	二月一日		日本力行会
		第一二九号	三月一日		日本力行会
		第一三〇号	四月一日		日本力行会
		第一三一号	五月一日		日本力行会
		第一三二号	六月一日		日本力行会
		第一三三号	七月一日		日本力行会
		第一三四号	七月一五日	内地版第一輯	日本力行会
		第一三五号	八月一日		日本力行会
		第一三六号	九月一日		日本力行会
		第一三七号	一〇月一日		日本力行会
		第一三八号	一一月一日		日本力行会
		第一三九号	一二月一日		日本力行会
		第一四〇号	一九三四年 一月一日		日本力行会
		第一四一号	一月一〇日	内地版第二輯	長野県立図書館
		第一四二号	二月一日		日本力行会
		第一四三号	三月一日		日本力行会
		第一四四号	四月一日	内地版第三輯	日本力行会

配本	収録巻	号数	発行日	備考	使用原本
第3回配本	第6巻	第一四五号	五月一日		日本力行会
		第一四六号	六月一日		日本力行会
		第一四七号	七月一日	内地版第四輯	日本力行会
		第一四八号	八月一日		日本力行会
		第一四九号	九月一日		日本力行会
		第一五〇号	一〇月一日	内地版第五輯	日本力行会
		第一五一号	一一月一日		日本力行会
		第一五二号	一二月一日		日本力行会
	第7巻	第一五三号	一九三五年 一月一日	内地版第六輯	長野県立図書館
		第一五四号	二月一日		長野県立図書館
		第一五五号	三月一日		長野県立図書館
		第一五六号	四月一日	内地版第七輯	長野県立図書館
			一五七—一七九号 欠		
		第一八〇号	一九三七年 四月一日		長野県立歴史館
		第一八一号	五月一日		長野県立歴史館
		第一八二号	六月一日		長野県立歴史館
		第一八三号	七月一日		長野県立歴史館
		第一八四号	八月一日		長野県立歴史館
		第一八五号	九月三〇日		長野県立歴史館
		第一八六号	一〇月一日		長野県立歴史館
		第一八七号	一一月一日		長野県立歴史館
		第一八八号	一二月一日		長野県立歴史館
		第一八九号	一九三八年 一月一日		長野県立歴史館
		第一九〇号	二月一日		長野県立歴史館
		第一九一号	三月一日		長野県立歴史館
			一九二—一九六号 欠		
		第一九七号	九月一日		佐久穂町図書館
			一九八—二〇三号 欠		
		第二〇四号	一九三九年 四月一日		長野県立歴史館
		第二〇五号	五月一日		長野県立歴史館
		第二〇六号	六月一日		長野県立歴史館
		第二〇七号	七月一日		長野県立歴史館
		第二〇八号	八月一日		長野県立歴史館
		第二〇九号	九月一日		長野県立歴史館
		第二一〇号	一〇月一日		長野県立歴史館
		第二一一号	一一月一日		長野県立歴史館
		第二一二号	一二月一日		長野県立歴史館

配本	収録巻	号数	発行日	備考	使用原本
第3回配本	第7巻	第二一三号	一九四〇年 一月一日		長野県立歴史館
		第二一四号	二月一日		長野県立歴史館
		第二一五号	三月一日		長野県立歴史館
			二一六—二三一号 欠		
		第二三二号	一九四一年 八月一日		長野県立図書館
		第二三三号	九月一日		長野県立図書館
		第二三四号	一〇月一日		長野県立図書館
		第二三五号	一〇月一日		長野県立図書館
			二三六—二四二号 欠		
		第二四三号	一九四二年 七月一日		飯田市歴史研究所
		第二四四号	八月一日		下伊那教育会館
		第二四五号	九月一日		飯田市歴史研究所
		第二四六号	一〇月一日		飯田市歴史研究所
			二四七—二五〇号 欠		
		第二五二号	一九四三年 四月一日		飯田市歴史研究所
		第二五三号	五月一日		飯田市歴史研究所
		第二五四号	六月一日		飯田市歴史研究所
			二五五—二六六号 欠		
		信濃開拓時報			
		創刊号	一九四四年 七月二〇日		下伊那教育会館
		第二号	八月一五日		下伊那教育会館
		第三号	九月一五日		下伊那教育会館
		第四号	一〇月一五日		下伊那教育会館
		第五号	一二月一五日		下伊那教育会館
		第六号	一二月一五日		下伊那教育会館
		第七号	一九四五年 一月一五日		下伊那教育会館
		第八号	三月一五日		下伊那教育会館
		第九号	五月五日		下伊那教育会館
		第一〇号	五月一〇日		下伊那教育会館
		第一一号	五月一五日		下伊那教育会館

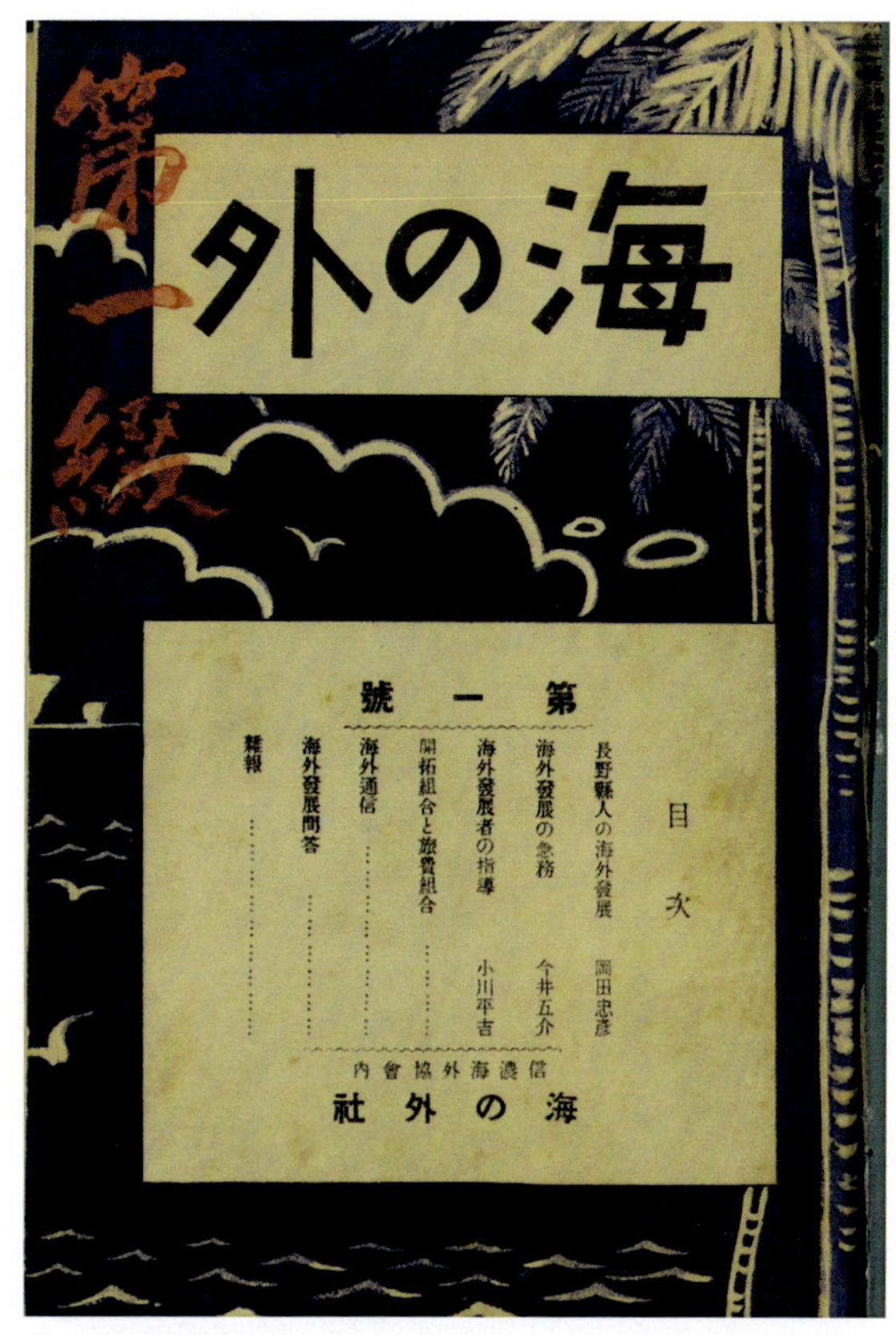

『海の外』第 1 号（1922 年 4 月）

『海の外』第 91 号（1930 年 1 月）

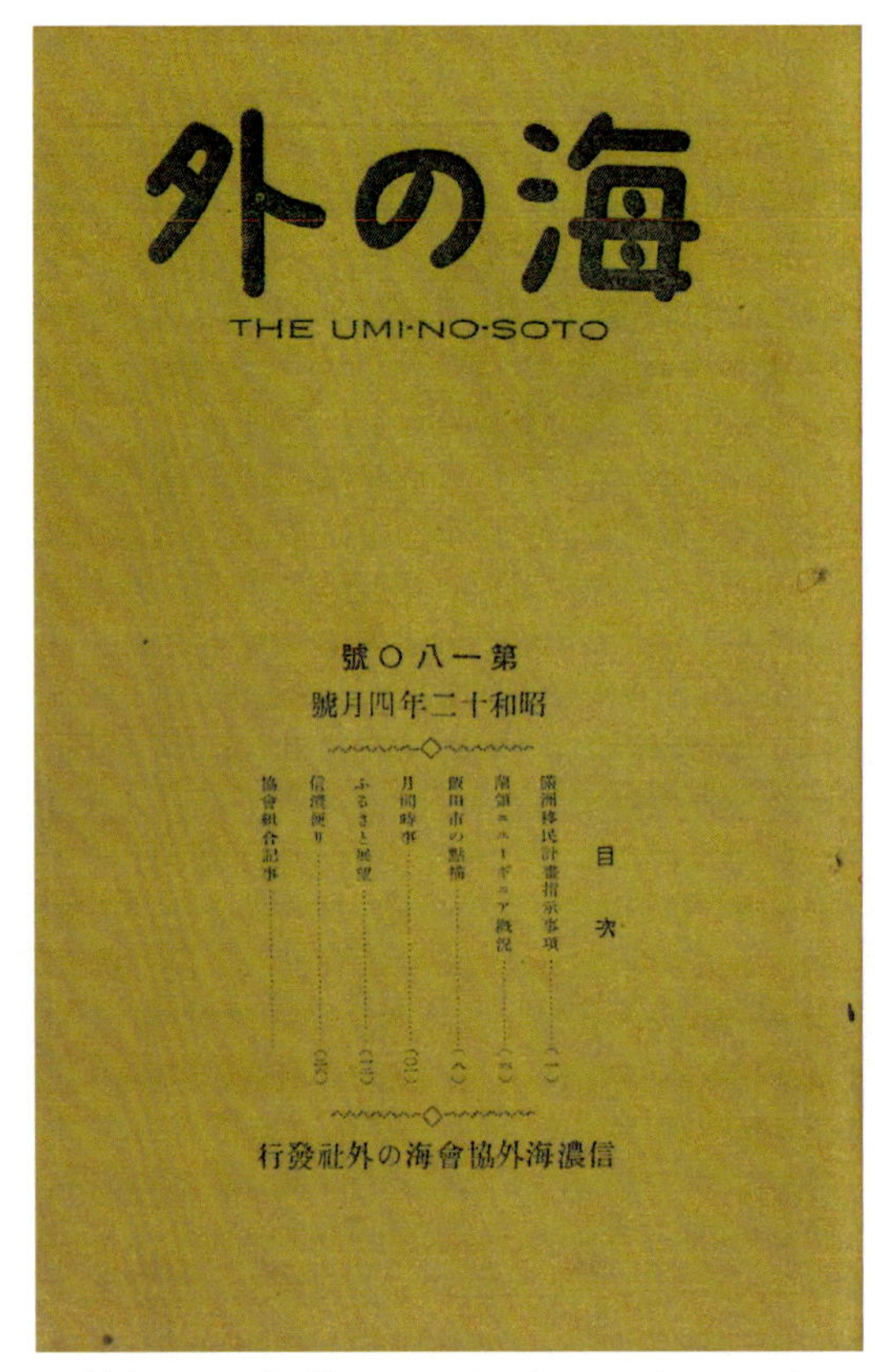

『海の外』第180号（1937年4月）

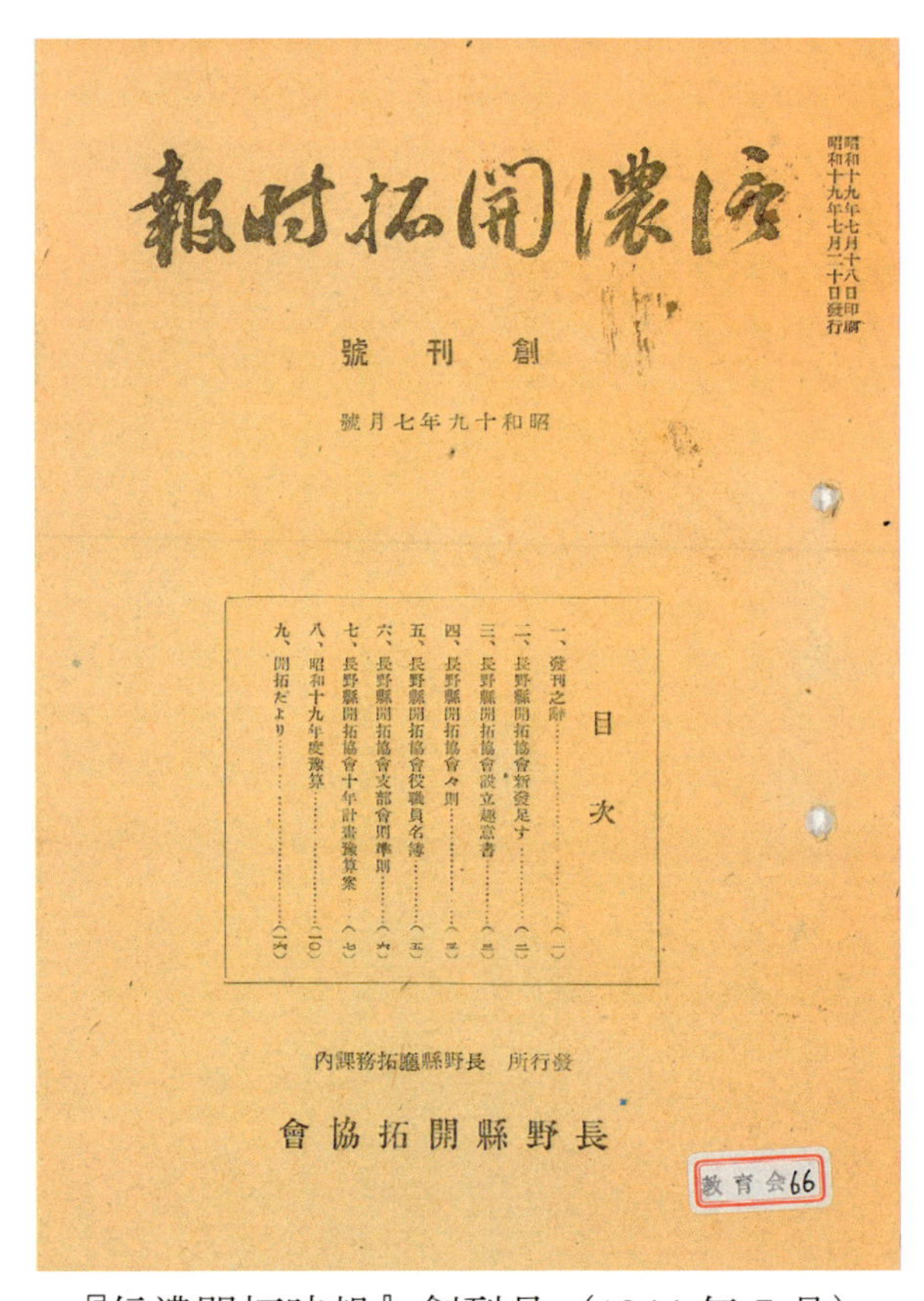

『信濃開拓時報』創刊号（1944年7月）

一九二二（大正一一）年　海の外　第一号〜第九号

第二列の白髯が今井顧問、其左小川顧問、其左岡田總裁、竹井相談役等—

信濃海外協會發會紀念

海の外
第一號
目次
長野縣人の海外發展　岡田忠彦
海外發展の急務　今井五介
海外發展者の指導　小川平吉
開拓組合と旅費組合
海外通信
海外發展問答
雜報
信濃海外協會内
海の外社

長野縣人の海外發展

長野縣知事　岡田忠彦

主唱者を代表して御挨拶致します。小川、今井等諸先輩も御見えになつて居られるのに、私が代表するのは聊か潜越では御座いますが失禮致します。主唱者中、笠原、佐藤兩君は止むなき事故又は感冒等の爲め御出席無いのは遺感とする所であります。諸君には縣下至る所大雪且つは比の寒さにも拘らず、各方面から斯く多數の御參會を願ひました事は深く感謝する次第であります。

我日本の形勢と本縣の狀況から鑑みまして、此塲合縣外に發展するの思想を喚起し着々其の實現を期するは今日最も必須な政策の一つである。之れに就いて少しく趣旨のある處を開陳致したい。

世界に於いて國をなすものは多くあるが、凡そ人口最も多きは支那で四億の民族を有し、次に露西亞の一億三千萬、米國も又一億を算し、之れに次ぐは我日本であります。支那露西亞米國の領土大なることはとても我日本の比ぶべくもない而かも人口は此等諸國に次いで居る。如何に我々日本人が壓迫された憐れな生活にあるかを知るに足る。私が米國に行つた當時一つの笑話がある。知事と云ふ肩書で歩いた所が非常なモテ方であつた。先づ會ふ人毎何れも『貴君の方の面積はどの位あるか』と質問するから私は『米國と日本とは面積の測り方が違ふから一寸即答は出來ない』と答へると『然らば人口は』と來るので『百五十萬』と云ふと益々モテる。米國にも人口百五十萬を有する州は多くない。彼のカリフオルニヤは三百萬人あるが、其面積は日本本土全体に匹敵する。米國の生活が如何に餘裕あるかは是れを見ても充分である。又英本國は四千五百萬の人口を有し、密度から云ふと日本と大差なく、白、和も之れに次ぐ稠密な國であるが、然かも國内には牧場等ありて牛馬等放され、片田舍の生活は誠に悠々たるものである。此等英白和の諸國は久しい間貿易を以て立ち、世界至る處に富を開拓しこれを蓄積して已まず、今尚そうである。然り而して英國は加奈陀、濠州、印度の大領土を占有し更に亞弗利加、南洋等、其領土には日没を知らず。白はコンゴーの大領地。和は蘭領印度等國不相應の領土ありて球上足跡を印せざるなく、而かも優越權を保持し將來の發展に至大なる利便がある。斯るが故に彼等國民は悠々自適人生を樂しむ事が出來るのである。

我國殊に信州の地は嶮しい山の峰迄で田とし畑となし、旦夕耕して尚倦まざるが、悲しい哉自然の天惠と資源に乏しい是は獨り信州のみでない。我日本の富源は果して如何。國民の主要食物たる米は年々不足を來たし、工業原料の鐵はどうであらう。精製せるものは英米に俟たねばならず鐵鋼は支那から得ねばならぬ。棉花、羊毛も又外國に仰ぎ、石炭は多少出るが是とて差したる事もない。僅に生絲其他二三のもので帳尻を補ふ誠に憐れな状態にある。今や我國民は目覺めて海外に雄飛すべきである。海外發展は之れを經濟的見地からするも、社會上より考ふるも正に緊要問題である。

顧るに本邦人にして海外にあるもの其數六十四万である。然るに歐州各國の發展振りは伊太利の六百万、西班牙の四百万、獨乙の一千五百万を排出せるに比すれば遙かに遜色がある。而かも我國の人口增加率は極めて高い。たま〱發展せんとすれば太平洋沿岸に於ては排日の氣勢に妨げられ、滿蒙地方も又意の如くならず茲に於て產兒を制限して是を解決せんと云ふ願ふ亡國的悲哀の叫びを耳にするは誠に以て遺憾とする處であります。國民に發展膨脹の意氣あつてこそ始めて立ち行くのである。宜しく民族を世界に發展せしむる事に相率つて努力すべきである。

最近華府會議に於ては軍備縮少の曙光現はれ、世界平和の爲め一歩を進めたやうであるが、世界の經濟戰は一層熾烈となる理由が存じます。其の一面には人種競走、民族の對立は容易に拭い去るべくもない。却つて一段と劇しくなるかも知れない。此間に處して如何に我國家我民族の存立と繁榮とを期すべきかは我々當面の緊急問題である。其對策は種々あら

んも、我國民をして世界至る處に發展せしめ、互に呼應して他の競走に打勝つと云ふ事が一つの緊要なる事であらねばならぬ。血を同じうする民族の團結は至大至强である。例へば常に於ては團結の效果があからさまに現れずとも、一朝有事の日に際し最も著しく其現れを見るのである。亞米利加に於ける獨乙民族及びアィルランド民族が如何に祖國の爲め强大なる聲援を與へて居るか。全世界に亘る英國人が如何に互に相援けて居るか。又猶太人が據るべき本國のなきにも拘らず如何に世界中に經濟的連鎖を構へ、各國に於ける經濟界は元より、政治界、精神界に迄で及んで拔くべからざる勢力を扶植して居るか。誠に平和の戰爭に於て民族の膨張が最先に必要であると云ふ事は萬人の異議なき處と思ふ。

翻つて我長野縣の事情は如何であるか。私は本縣會の當初に於て聊か之に論及を致して居ります。これは本日御手許に差上げてある『海外雄飛』の卷頭に抄錄されてある通りであります。今之を概說すれば本縣に於ける人口增加の趨勢は大正八年には千人に付き十五人三七の增加を示し、本邦全人口の增加十三人に比較すれば本縣に於ける增加の趨勢は稍急なるものがある。この狀況が繼續するものと致せば今後每年本縣の人口は約二万二千以上の增加を豫想せねばならない。假りに一戶平均六人とすれば、每年の增加戶數は三千六百以上を算する譯である。然らば此年々增加する戶數に、從來の如く平均一町步の耕地を有せしむると致せば、假令其一部が都會地の人口の增加を加ふるとするも、尚每年二千町步以上の新耕地を發見致さなければならい。只今の處では幸にも開墾及び荒地復舊に依り耕地となり得るもの縣下を通じ約二萬三千町步であるが、若し今日のまゝの耕地所有の割合を以て進むとすれば今後十年間はこたへ得る譯である。然し乍らこの假定が適中すると致しても十年後の事を思へば寒心に堪へない。人口は依然として增加する平均耕地面積は減少する。今日に於てすら尙一町步內外の耕地に據つて生活を維持するのは困難であるのに、更に平均面積が減少すると云ふ事になつては生活の向上も農村の繁榮もあつたものではない。元より耕作法の改良、農事經營上の協同組織採用等に依つて幾分かこの弊を防止する事が出來るであらうが、これには自ら限度がある。以上の諸點より考へて見ますると本縣は近き將來に

於て或は人口の制限、或は縣民の縣外移住乃至海外移民の必要を痛切に感ずるの時期が到來するであらう。生活の壓迫は引いて思想の動搖を來たし、各種憂ふべき社會問題を釀釀するのである。若し此場合に臨んで狼狽する事があつては甚だ遺憾である。今日に於て速に此方策を樹立して、縣下百年の長計を畫する事が、縣下先覺者の責務ではなからうか。

最近十年間の縣民發展の狀況は明治四十年以前に約二千人、其後大正三年迄では沈滯の時期で大正四年信濃教育會が四大方針の一として縣民の海外發展に努力せられて以來三四年の間に約二千人の渡航者を出せしも、八九十の三ヶ年は岡本米造一派の荒唐無稽の計畫に乘ぜらるゝ者多く、爲めに切角發展しかゝつた縣民の海外思想を冷却せしむる事になつたのは返す返すも遺憾である。何れにしても今日迄での經過に依つて吾人は海外發展について種々の體驗を得たのである。今やこれを基調として世界の大勢に順應し、茲に海外協會の設立を企てこれを根據とし以て大いに海外雄飛を策すべきである。獨乙、伊太利、英國等に於ては夙に此計畫ありて海外移民又は植民は凡て本國と連絡を取つて居る。我國でも岡山、廣島、和歌山等の如き既に海外協會の設立を見て居る。之れに依つて海外に在住する邦人の調査を行い、其實狀を郷土に紹介し、在外者及び其親族故舊をして安んぜしめ、他の一面には縣民海外發展の手引きとなし、或は妻子を海外に呼寄せ又資金を求むるの媒介著となり、以て小にしては縣民の發展、大にしては我民族の世界的活躍を期したいと思ふのである。

由來我長野縣人は峻巖なる天候風土と戰つて獨立自營克く今日の大を致したのである。彼の英國人が炎暑燒くが如き沙漠にありても、或は寒風肌をつんざく地にあつても、能く口に英國歌を唱へつゝ意氣高く而かも嬉しげに悠々としてブリトン人の根底を全世界に築きたるものに比するも決して力量に於て遜色があるべきでない。要は志を立てゝ海外に踏み出すか否かの一事にある。然り而して資本家に於ても能く國運の將來を察し進んで有望なる植民地を求め、是に完全なる教育衛生等の施設をなし、以て有爲なる青年の海外に踏み出すを援くるも又奉公の一端と認むべきである。以上は我々が本會の創立を主唱し聊か微力を盡さんとする所で兼て各位の充分なる御配慮を乞はんと欲する處であります。（文責在記者）

海外發展の急務

貴族院議員　今井五介

今回岡田知事を始め皆さんが卒先して信濃海外協會を設立せらるゝに當り、其の主唱者の席末に列らなる事を得ましたのは、誠に光榮と存ずる所であります。

今や世界は古今未曾有の大戰に依り精神的にも物質的にも一大革命を來たし、此革命に依つて我國の蒙る影響は決して少ないものではありませぬ。又世界の列强も對外政策を根本的に改癈せねばならなくなつて參りました。我國は戰前に於て國民の海外發展は容易に得らるゝものと信じて居た。故に北米合衆國から我大和民族が排斥されても、シベリア、滿蒙南洋及び南米方面に其發展地を求むれば、決して困難は無いと考へて居た樣である。然し此期待は戰後の今日から考へると全然裏切られて殆んど全く絕望の有樣となりました。戰爭以前我國は軍國主義を以て世界に對する事が出來たが、然しながら武力を持つて立ちたる獨乙が亡びて華府會議が開かるゝや、我國が以て世界に誇つた武力も要をなさなくなつて來た。恰も信州出身の雷電が其腕を封じられたと同樣の立場となつた。米國が大和民族の發展を恐れ、其武備を高壓的に制限せしめた事は、將に伸びんとする日本撫子の芽が摘まれたも同樣である。茲に於てか大和民族が世界に對する政策の根本主義は武力ではいけない。乃ち換言すれば經濟的競爭で其勝負を決せねばならなくなつて來た。

此場合に際して我等は如何にして子々孫々の爲め百年の大計を樹立すべきか？　我國民は戰時中勞せずして數十億の利純を得た爲め成金的氣分となり、黃金の津浪に眩惑して小成に安んじた爲め、今後日本民族は如何にせば世界に覇を唱ふべきかの重要なる問題が閑却されて居るのは、甚だ遺憾の存する處であります。

今や世界は武力を拋ち經濟戰爭に其力を傾注し、各國其民族の海外發展に對し少なからぬ大計劃を立てゝ居る。米國の如く國土廣く人口稀薄なる國に於てすら日本人を排斥して居るのに、我國民のみが獨り桃源夢裡に泰平を謳歌し、民族發展の好機を逸しつゝあるは誠に洪嘆に堪へざる處。若し此儘にして數年を經過すれば民族の陷る窮境は思ふに極まりなきもので、私の深憂に堪へざる處であります。

我國戰後の國是として施設すべき所は勿論多々あれども、就中國民の海外發展問題はその最急最大なるものである。乃ち世界何れかの方面に我等の子孫を植ゑ附くべき土地を探索する事が最も大なる問題で我等の子孫及び國家の爲め十分に考慮を要すべき事だと思ふのであります。或人は我國には未だ開墾の余地が多くあると云ふ。政府當局者は數万町歩の土地を開墾して食糧問題の緩和を圖らんと企てゝ居るが、かくの如き方法は日本民族の增加率に伴はざる姑息千萬の事で、人口の限りなき增加に對し限りある土地を以て、我等の子孫に安住を與へんとするは誠に不可能事と云はねばならない。又一歩を讓つて開墾をなし得べき我國土の寸地をも余さざる場合に至つて後海外に發展せんとするも、それは時機を失するにきまつて居る。故に我國に今日若干の余地ありとするも、之れはその儘に豫備に供し置き、對外發展不可能の場合開墾及び耕地整理を行ふとも晩しとは云はれない。寧ろかくする事が安全の計劃と云はねばなりません。

列强の對外政策を見るに、世界が經濟的に安全を得ざる前に其勢力範圍を擴張せんとして居る。かゝる場合日本のみが指を啣へ只茫然として居れば、世界には日本民族の足を入る可き余地を余さざるに至るは當然の事である。これ私共が海外發展の急務を絶叫する以所である。偖我國民が海外發展を實行せんとするの事業は一二の人々に依つてなさるべき事ではなく、日本民族全体の双肩にかゝつた大問題で、官民の共に努力すべき所、小川國勢院總裁の御話によれば、政府も種々研究して居るとのことで正に然かあるべき事だと思ふ。國民海外發展の問題に對して私は數年以前からその研究に從事してゐたが世間に共鳴者を得る事が出來なかつた。然るに最近に至つて海外發展を遂行し、民族の膨脹を計らねばなら

といふ機運に向つて來たのは誠に同慶至極である。氣候風土より論じてわが民族の發展に適する地は南米だと思ふが、その南米移民中わが長野縣人は比較的優秀であると聞くので、私は長野縣下に海外發展の氣運を一層盛んならしめ、以て天下の模範たらしめる事は大切な事業だと思ひます。今日迄での移民事業は營利事業として謂ふ所の營利會社に依つて行はれて居つたのは私の遺憾とする所である。昨冬以來東京の先覺者が、ブラジル企業準備組合を設けた。贊成者が既に百餘名に達してゐるが、遂には三百名に達するであらう。一口一千圓宛を據出してブラジル企業の研究を爲し、有利の事業があれば更に多額の投資を仕樣といふのであります。中央部の有力者間にかゝる機運の發現して來たのは誠に愉快な事で、此の種の人々と各地方の有力者や靑年が協同すれば、日本民族の海外發展を社會的に取扱ふ事が出來る樣に、わが國民の膨脹に一新紀元を劃する事が出來ると信じます。更に此の機運に乘じて國家に於いても國民に於いても、更に一層徹底せる移民政策を樹立し、既に海外にある先驅者と共同して、日本民族を世界の各地に植えつけ、將來拔くべからざる根底を築く事は、民族百年の大計上誠に緊急事であるといはねばなりません。

下目わが民族を歡迎する南米伯剌西爾には、移民と植民の二種類の渡航者がある。前者は珈琲園の勞働に從事する者であり、後者は渡航後直ちに土地を購入して自主の農業者となるのである。日本人は移民として渡航してもよく働いて貯蓄をなし、獨立して土地を購入するの風が盛であるのと、今回伊太利移民が三ヶ年間の契約勞働に從事する協定が出來たので、ブラジルでは日本移民に下附してゐた渡航補助費を中止したとの事であるが、彼國は猶日本植民を歡迎すると事であるのでこれは誠に結構な話である。これは日本國民に獨立心のある證明であるが、時に此の獨立心は一個の障害となる事がある。北米合衆國に在る日本人は勞働者から漸次獨立して土地を求め、子孫の爲め秩序ある發展をなして居るが、彼等米國人は此の發展に恐怖し日本人を排斥して居る。

伯國に於いてもラテン系の人民はよいが、英米人が裏面に於いて小策、否大策を弄する事と信ずる。此の場合我民族は

如何ともする事は出來ない。今日海外發展を論ずるは時機既に遲きの感があるが、それでも猶主張せざるには勝る。私は戰爭中原首相や、其の以前に寺内首相にも相談したが、彼等は余り其の耳を傾けながつたが、今や世界の大勢が斯くの如き有樣となつたるに、我大和民族は泰平を夢みてゐる事は許されない。前述の如く此の問題は國民の双肩に掛つてゐる。之れを遂行するには官民擧つて努力せねばならぬ。

今日有爲の士が空しく腕をこまぬいで就職難を嘆じてゐる。高等教育を施した優良なる國民を用ふる所かないとすれば將來恐るべき欠陥不安を生ずるのである。之れを未然に豫防する方法は彼等を海外に指導す可き一あるのみだ。日本人は海外移住をして少しく小金が出來ると錦を着て故鄕に歸りたがる欠點がある。錦は故鄕に歸らねば輝やかぬものではない數千里の外猶ほ光輝を放ち得るのであるから、海外に發展する者は移民植民と云はんよりは寧ろ棄民―乃ち海外に棄てられたものと思ひ一大活動を爲し其の目的を達せねばならぬ。又我國の現在は生活極めて不安である。食糧に欠乏し、衣服の原料なる綿花羊毛も殆んど全部輸入品であり、鐵の如きも自給自足は出來ない。只生絲のみが僅かに我國の輸入超過を緩和してゐるといふ有樣で、實に心細い感じがする。

醒むべき時に醒めざれば悔を千歳にのこすといふ。我國民海外發展を說くには時既に後れたりとは雖も、猶施すべき手段が無いではないから、諸君の御贊同を得て天下に先んじて海外發展の狼烟を擧げ度いと思ふ次第である。信濃海外協會の如き組織が各府縣に出來、更に中央に其の聯絡系統が建設せられ、其の運用宜しきを得て、わが國民海外發展の有終の美を爲し度いと思ひます。（完）　『文責在記者』

海外移住者の指導

國勢院總裁　小川平吉

信濃海外協會發起人總會に臨席して一言祝辭を述ぶる事を得るのは欣幸とする所であります。

只今岡田君の御演說の如く日本の人口が世界各國に比し驚くべき程多數であるのは最も幸福とする所である。近年人口問題は喧しくなり佛國の如きは色々の手段を講じて增殖を圖つて居り、又米國は廣大なる土地と富源とを持つてゐるが其の人口增加率は多くない。我大和民族は狹い處で非常に增して居り、人口に於ては世界の四番目で、面積に比較したる人口の密度を見ると和蘭の次に位するが、山岳の如き不耕地を除けば世界第一の密度である。舊幕頃は二千五六百萬人、明治維新頃は三千五百萬人、今日では本土のみで約六千萬人といふ驚くべき數に達しつゝある。

北米の日本人をおそれて居るのは、カリフオルニヤに在る日本人の人口增加率の多いのが一の原因である。今後世界に於ける民族の競爭は種々の形となつて現れ來るが、要するに人口の增殖する民族は勝つのである。猶太人の如きは國家を持たないが、人口の增殖に依り其の民族は相當に發展して居て、矢張り今も尙强い所がある。日本は世界無比の國體と歷史とを持ち全く同じ人種が六千万人もある事は世界に類例がない。支那は四億の人口があるが、至る處感情、歷史、風習等相當異り居るが、歐米諸國の如き相違はなく、大体に於て我國と似よつたもので、其の人口の多きは將來恐るべきものである。北米合衆國は各種の人種雜然たる有樣であるのに、日本が斯の如く親族の如き國民を有し其の增加率多く、今後の膨脹に就いて誤りなかりせば、世界第一の優秀國となるべき運命を有する。然るに一時は年々五六十萬人づつ增加して來たが、最近數年の統計によるとさう殖へて居ない。大正七年の如きは流感等の特殊の事情があつたとは云へ、增加率が

非常に少ない。之は實に研究すべき問題であるが、兎に角今後も益々增加して行くのであるから、面積と收容力に限りある本土内に之れ以上容する余地はない。然らば即ち海外に發展するより外はないのである。

南米地方は我民族の來つて開發するを待つて居る。此の廣漠たる所に移民すれば、其所に於ける人口の增加率も、本土のよりも遙に多い。佛國人の如き人口の減少する所の國民も、米國に在る者は其の增加率が多いと云ふ。故に此の如き廣き方面に向つて段々と移住したならば、先方に行つた人も本土に居る人も共に樂になる。併して移住する事は益々同胞人口の增加となり、從つて貿易もこれに比例して繁くなり、段々と本國に入る金も多くなる譯で、即ち國家經濟上の富をも增す事となる。數世紀前歐州各國は殖民の爲めに世界のあらゆる廣き未開の地方を占領したが、今日は最早かゝる地積はないから、他の國家の繩張りの内に移民するより外はない。移住するには政治上經濟上其の他種々の障害物があるから、障害物の少ない所へ行く事が必要である。南米ブラジルの如きは誠に天與の好適地である。幸に此の地方に澤山の移民が行つたならば、我同胞は世界的に益々發展するのみならず、貿易の關係上本國の富を增す事も必然の事である。例へば英國の如きも若し植民地無かりしものと假定せば如何。今日の如き富强なる國家とはなるまい。若しも濠州、加奈陀がなかつたならば英國は今日の隆盛を見る事は出來まい。獨逸の如きも遲れたが、凡ゆる手段を講じて獲得し、又國民を米國に送つて增加を圖り遂に强國となつた。世界大戰の結果は獨逸の力を弱める爲め其の植民地を奪つた。我國にも其の一部が來たのであるが、兎に角聯合國の聲が期せずして此處に一致したのであります。これに依つて見るも如何に植民地の必要であるかが解るではありませんか。

南米は政治上の見地からしても面白味のある所で、今後段々と發展して行き、國を樹つるといふ事は穩でないが村を作る事は出來る。前途誠に洋々たるものである。先づ以て移住を奬勵し、之れが配置、教育等前途に對し立派な物になる樣世話する必要から此の會も生れたのである。

現在中央に何等の施設のないのは遺憾であるが、之は政府に於ても大きな行政機關を作つて民間の施設と連絡し、國家の大方針を誤り無からしむる樣、近く何等かの施設ある事と思ふ。私も微力ながら努力する考である。今日出來た樣な協會が今後段々と各府縣に設立されるに從つて、東京に中央機關の設立は、植民思想の涵養上及び移民者にも必要な事である。今日此の會の生れたのは國家の爲め又縣の爲めで、私も長野縣人として欣喜に堪へない次第であります。

本縣は資源に乏しく人口の增加率多く、人は智識にも勇氣にも富んでゐて、或る意味に於ては我國を代表して居るかの感がある。先には佐久間象山先生が開國論を唱へたが、今日に於いて我縣には幾多の小さい佐久間象山が一杯居る事と思ふ。先に信濃教育會が海外發展を以て四大方針の一つとした相であるが、其の報を聞いて私は非常に喜んだ。かくて我縣人の卒先努力に依り大和民族が發展し行くのである。今日此の會を創立した以上は縣は勿論國家の爲めに充分の御努力を賜り、其の目的を貫徹せられん事を望むのであります。(完)

信濃日誌畧(一)

◉一月二十九日

□海外協會の總會　信州海外協會總會は長野市城山館に開會、總裁に岡田知事、顧問に今井五介、小ノ平吉の諸氏を推し、會則を制定せり。

◉二月二日

□諏訪郡豫算膨脹　大正十一年度に於ける諏訪郡豫算は二十七萬八千百七十七圓にして、前年度議決豫算に比し八　六千百十九圓の增加なり。

◉二月三日

□上田市豫算增加　大正十一年度上田市豫算は三十万圓を突破の見込也

□家主の横暴取締　本縣社會課にては縣下各地に於ける家主對借家人の關係を調査し、横暴なる家主に對しては極力取締を勵行する方針なりと

◉二月七日

□教員の基督教熱　東筑摩郡松本村小學校教員中にて基督教に熱中し教壇に聖像を祀りて生徒に說教を爲す者あり父兄間の物議を釀し居れり。

◉二月十日

□植民科設置希望　上水内郡教育部界にては近く設置さるべき縣立農學校内に植民科を設置され度き希望を具し本縣に對し陳協する處ありたり

□信州鐵道の運動　松本市より越中富山市に通ずる信飛鐵道速成に關し小里松本市長等は上京議會に對し運動を爲すべしと。

開拓組合と渡航無盡組合

目下日本の事情から云ふて海外發展の爲めに重要な仕事の出來る組合が二つある。其の一つは既に日本力行會に於いて實驗された所であり、他の一つは信濃海外協會で實行し始めた。

一、開拓組合

從前の日本の海外渡航は多くの塲合勞働者の渡航であつた。彼等は目的地に上陸後先づ多くの塲合に其の渡航費を父兄に送金し、猶其の勞働に依つて得た金を故鄕に送金した。謂ふ所の出稼をやつてゐたので、故鄕の人々も送金者も、送金の多きを誇として居た。併し時代は進步して資本も人も共に海外に投ぜられねばならなくなつたから、我等は出稼主義を止めねばならぬ。又一部の渡航者は其の勞銀を貯蓄して獨立企業をする者もあつた。併し强大なる資本の活動して居る海外で、日本勞働者が勞働で得た金位を以てしては、對抗して利益を得る事は出來ない。それで彼等の一部は團結して組合事業をやつたが、これは或者は成功し或者は失敗した。海外に移住してからの團結では團結力が薄弱になり易い。それで日本出發以前から團結する事は有力な事である。

南米伯剌西爾は家族移民本位の國であるから、單獨渡航者の爲めには便宜が少ない。だから日本の青年で結婚の出來ない者には折角の伯國も意義がない。さればといふて丁年以前の者が結婚したり、無理算段をして養子等を得、家族急構成をやつても成績は余りよくない。それでこれ等の青年達が團結が出來れば非常に都合がよい。若しそれ若干の資本を有するこれ等の青年が團結せば極めて有功な結果をもたらすに違ない。それで東京の日本力行會ではこれを實行して見たのであるが、此の組合を組織するのに特に注意を拂つた點は其の組合の中心人物選定の點である。ドン栗の丈け較べの樣な青年計りでは組合は出來ない。だから其の中心人物は相當の年輩者であり、人格者でなければならぬ。これと同時に經濟上の主力を持つて居ねばならぬ。感情の行違ひの爲めに半數位の組合員は分離する事もあらう。かゝる塲合に、組合が經濟的に破れる樣ではいけないから

組合長となる者は矢張り資本の主力を所有せねばならぬのである。以上の必要と注意を拂ふて組織された組合は大要左の如き規約を作つた。勿論規約は生命ではないから至極簡單なものであつた。

◉伯剌西爾開拓第一組合規約

第一條　本組合は伯剌西爾開拓第一組合と稱し、日本力行會員を以て組織す。

第二條　本組合は伯剌西爾國内に於いて農業及び土地賣買業其の他の事業を行ふを以て目的とす。

第三條　本組合員は一口五百圓以上の組合資金を出資するものとす

第四條　本組合に左の役員を置く。

組合長一名　副組合長一名　會計二名　書記二名
顧問若干名

第五條　役員の選定は組合資金一口毎に一票を投ずる選擧に依る。但し顧問は本組合に特に關係ある者を推戴す。

第六條　役員の任期は三年とし再任する事を得。

第七條　組合員不都合の所爲ある塲合は總會の決議に依つて除名する事あるべし。此の塲合は組合出資の元金丈け拂戻すものとす。

第八條　本組合の規約は總會の決議にあらざれば改竄する事を得ず。

此の組合は昨年三月組織された。夫婦の組合長の下に九名の青年と一名の婦人とが加入し、資本は約二萬圓を有して居る。外務省でも此の組合を認めて旅券を下附し、組合は七月出帆して伯國に向つた。彼等は一ヶ年間伯國で勞働して實驗を得、第二年目に適當なる土地を購入して開拓に從ふ筈で、塲合に依つては稍大なる土地を購入し、之れを他の同志者に分配し度い希望で居下熱心に活動して居る。

二、渡航無盡組合

海外渡航を志す者にして旅費の無い者が澤山にある。又青年にして毎年若干の金を得ては居るが、これを一括して貯蓄する事の出來ない者がある。又一家の戸主で二男三男を分家させねばならぬ者で、一時に數百千圓を據出する事が出來ない。若し旅費の外に多少の金を與へてやれば戸主の田畑を分配せずに分家の實が擧げられ、長男も二三男も戸主も皆滿足せらるゝ塲合があるが、偖一時に數百圓の據出は出來ない、が何等かの組織があつて毎年五十圓なり百圓なり貯蓄する工夫が出來れば非常に好結果を得らるゝ塲合がある。

茲に於いて信濃海外協會では海外渡航無盡組合を組織して此等の人々の爲めに便宜を計り度いと云ふのである。其の規約準則の骨子を列記すれば左の通りである。

◉信濃海外移住無盡組合規約

第一章　總則

第一條　本組合は信濃海外移住無盡組合と稱し本部を長野縣廳内に支部を各郡、市役所内に置く。

第二條　本組合は長野縣人にして海外に發展せんとする者並に其他一般縣民相互間に於て資金の融通を圖るを以て目的とし信濃海外協會の事業の一部とす。

第三條　資金の通融は無盡を以て之を爲す。

第四條　本組合員たる者は前條の無盡に加入する事を要す。但役員は之に加入する事を得す。

第五條　本組合の存立期間は十年を一期とす。但滿期に至り更新する事を得。

第六條　本組合の公告は雜誌(　　)を以て之を爲す。

第二章　無盡契約欵

第七條　本無盡は二十口以上を以て一組とす。

第八條　本無盡の給付　額は一口金五百圓とす。

第九條　本無盡は二口以上加入する事を得ず。

第十條　本無盡は每年　月　日に開會し十回を以て終回とす。

第十一條　本無盡の掛金は一口に付一回金五十圓宛とす。但無盡金の給付を受けたる者は其次回より規定の掛金以外に第二回金三十五圓、第三回金三十圓、第四回金二十五圓、第五回金二十一圓、第六回金十七圓、第七回金十三圓、第八回金十圓、第九回金六圓、第十回金三圓の割增掛金を掛込むものとす。

第十二條　本無盡の給付を受けざる者は第二回金三圓、第三回金六圓、第四回金十圓、第五回金十三圓、第六回金十七圓第七回金二十一圓、第八回金二十五圓、第九回金三十圓、第十回金三十五圓の割戻金を受くるものとす。

前項の割戻金は年　分の利子を附し、給付を受くる時に拂戻すものとす。但組合支部長に於て止むを得ざる事由ありと認むるときは此限に非ず。

第十三條　本無盡の掛金は開會若くは其以前に組合支部に拂込むものとす。

第十四條　本無盡は抽籤に依り給付の順位を定む。

當籤口は每回二口以上とす。

開會當日出席せざるものは幹事に於て之が抽籤の代理をなすものとす。

第十五條　抽籤は開會當日其未當籤口數の第一番より第二番迄を抽籤したる者を以て當籤者とし第三番第四番を抽籤したる者を以て補缺當籤者とす。但掛金を拂込まざる者の抽籤による當籤の權利は次順位の補缺當籤者に歸屬す。

第十六條　無盡金の給付を受けんとするときは爾後の掛金を擔保する爲め組合支部長に於て承任したる二名以上の連帶保證人を要するものとす。但組合支部長に於て承任したる擔保を提供するときは此限に非ず。

第十七條　無盡金の給付を受くべき權利者にして其權利確定の日より起算して一週間以内に前條所定の申出を爲さゞるときは、其權利を喪失するものとす。

第十八條　前條の場合には第十五條所定の次順位の補缺當籤者を給付を受くべき權利者と認む。

本條失權者の掛金は給付を受けざる者の掛金額に依る。

第十九條　無盡金の給付を受けざる者にして其掛金を二回以上繼續して開會期日迄に拂迄まざるものは此無盡契約に依り有する利益即第十二條所定の割戻金を受くべき權利を其次回分より失ふものとす。

第二十條　無盡金の給付を受けざる者にして掛金を拂込まざるときは當組合は拂込の催告をなすものとす。其拂込の期間は催告の日より一週間とす。

前項の期間内に拂込まざる者は脫退者と見做す。但其權利を他人に讓渡し讓受人に於て其期間内に拂込みたるときは此限にあらず。

脫退者の掛金は之を返戻せざるものとす。

第二十一條　前條第二項の脫退者の權利は當組合に歸屬す。當組合は之を希望者に既掛込金の九割以上にて讓渡することを得。

第二十二條　無盡の缺口又は掛金の拂權を爲さゞる者ある塲合と雖、第一回の抽籤後は給付金額を減少し又は掛金額を增加する事を得ざるものとす。

第二十三條　無盡金の給付を受けたる者にして掛金を延滯したるときは、開會期日より起算して日歩　錢の遲延利息を徵するものとす。

前項の遲延利息に應ぜざるときは爾後の掛金を一時に徵收し之を脫退者とす。

第二十四條　本無盡契約に基く權利義務は他人に讓渡し、若くは質權の目的となすことを得ず。但組合支部長の承任を經たるときは此限にあらず。

第二十五條　本無盡の讓渡を爲したる時は双方署名捺印の上之を組合支部長に屆出で、讓受人は當組合所定の契約書を提出し且通帳の名義書換を請求するものとす。

第二十六條　通帳を粉失又は滅失したる時は其事由を明記し署名捺印の上請求書を組合支部長に提出し新通帳の交附を受くべきものとす。

第二十七條　本無盡にして第十二條の割戻金以外に終回の際殘金あるときは信濃海外協會の收入とす。

第三章　組合總會

第二十八條　定時組合總會は每年　月　日各支部每に之を招集す。

第二十九條　總會の議長は組合支部長之に任ず。支部長事故あるときは　之を代理す。

第三十條　組合員は自ら總會に出席する事能はざるときは代理人を以て其議決權を行使せしむる事を得。

第三十一條　總會の決議は出席組合員の議決權の過半數を以て之を決し、可否同數なるときは支部長の決する所に依る。

第三十二條　總會に於て決議したる事項は決議錄に記載し組合支部長並に支部幹事署名捺印の上一部を支部に保存し一部を本部に提出するものとす。

前項の總會の決議は各組合員に報告するを要す。

第四章　役員

第三十三條　本組合に左の役員を置く

本部　組合長　一名　副組合長　二名
　　　會計監督　一名　幹事　若干名

支部　支部長　各一名　支部幹事　各若干名

第三十四條　前條の役員は信濃海外協會の役員之に任ず。

第三十五條　役員の任務左の如し。

一、組合長は會務を總理す。

一、副組合長は組合長を輔佐し組合長事故ある時は之を代理す。

一、會計監督は本支部凡ての會計監督の任に當る。

一、幹事は會務を處理す。

一、組合支部長は支部の會務を總理す。

一、支部幹事は支部の會務を處理す。

第三十六條　役員の任期は二ケ年とす。但重任する事を得。

第五章　計算

第三十七條　支部長は無盡開會每に收支の計算を作製し一部を本部に送り一部を支部に備へ置くを要す。

前項の收支の計算は各組合員に通知するを要す。

第三十八條　支部長は總會の日以外と雖組合財產に關し重要なる事故ある時は之を組合員に報告する事を要す。

第三十九條　組合長は年一回組合の收支の計算を公告することを要す。

第四十條　本組合員は執務時間中何時にても組合の事務の執行又は組合財產狀況を閲覽する事を得。

第六章　規約の變更

第四十一條　本組合規約の變更は　合員の一般投票に依り其議決權の過半數を以て決す。

附則

第四十二條　本組合總會の實費は其年度に於ける無盡金の給付を受けたるもの之を負擔す。

以上

各部の支部を中心として此の種の無盡が地方的に出來る事は極めて有益な事である。其地方の中流以上の信用ある者が中心となれば鄕黨の青年も安心して行けるし、それから目下子女の海外發展に反對する父母や祖父母を安心させる事も出來るし、婦女子も安心して渡航する事が出來る樣になる。加之、在外先輩者中既に多年の經驗を有する者があるからこれ等の人々を顧問として行けば好都合であらう。

更に若し此の二個の組合を連結した組合が出來れば一層有功なる結果を齎すに相違ないと思ふので、讀者諸君の參考に供した次第である。

信濃日誌畧(二)

◎二月十三日

□蠶品種統一反對　小縣郡蠶種製造業者間には本縣の蠶品種統一に反對意見を有し居れる者有り。漸次同業者間に賛成者あり問題視され居れり

□生絲組合の決議　本縣生絲同業組合聯合會にては評議員會の決議に依り本縣指定品種以外にまゆを購入せる製絲業者に對しては一口千圓以下の罰金を課する旨申合せ其勵行を期す事となれり。

◎二月十四日

□蠶業試驗場位置　本縣蠶業試驗場の位置は長野市外岡田村地籍を適當なりとするに意見一致せるを以て三月上旬岡田知事、竹井內務部長の實地踏査に依りて決定するに至るべし

□無電試驗好成積　松本練兵場に於て名古屋、高崎兩市間と無線電信の試驗實施中なりしが好成積を以て終る。

◎一月十五日

□師範入學志願者　長野師範學校入學志願者數は四百八十三名にして昨年に比し百十六名增加なり。

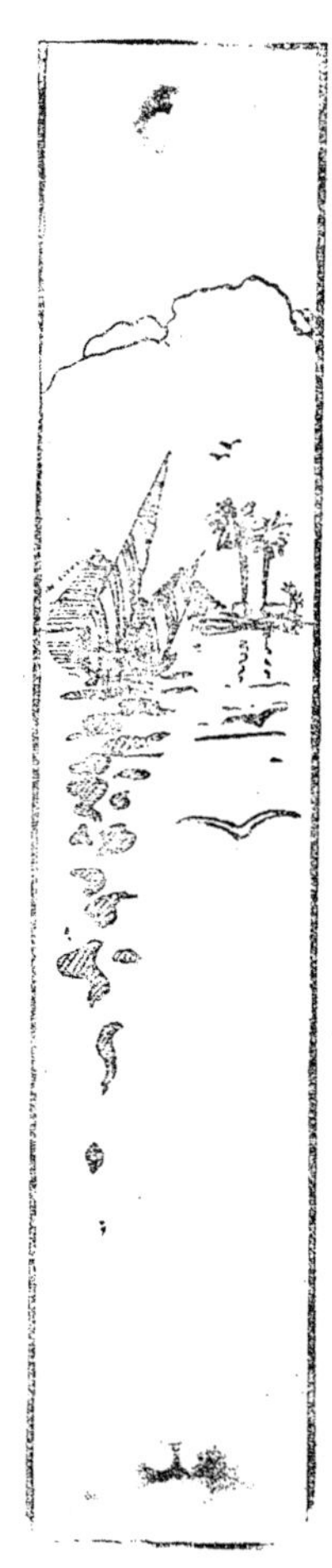

北米合衆國

—▲ワシントンより▼—

紐育市に新しき巣を定めました。向ふ三ヶ年位の豫定で研究をして見度い考へで居ります。二月迄は格別定まつた仕事もないので、丁度軍備縮少會議で仕事がありましたから、昨年の十一月からワシントンへ來て文成課で働いて居ります。色々と新しい事を知る事が出來て頗る愉快に働いて居ります。

種々と御世話になりました火薬や其他の發明品に關し、海陸軍の最高[illegible]の者と話す事が出來まして、未だ具体的に話はまとまりはしませんが何とかなる事と思ひます。陸軍の原口少將にも會ひましたが、陸軍の連中は專問的に頭が働かないと見えて自分の一番苦心した光線と電流とを利用する新しい發明に對して、少しの注意も拂つて呉れませんでした。然し海軍の軍人は僕の知らない色々の事を説明して呉れたり、又僕の話を充分に聞いて呉れたりして下さつたので、今後進んで研究すべき種々なるヒントを得る　が出來ました。

ワシントンへ來て日本のデリゲートのエフヒシエンシーの擧らん事と、語學の不充分な事が特別に目に付きます。而して永らく米國に居つたせいかも知れませんが日本の人間は實に野蠻人の様に見えて仕方がありません。貧弱で而して生意氣で、きらはれない迄も人に好感をば與へません。米國から嫌がられ、いざめられる一つの大きな原因は此んな小さなケヤレスと云ふ事から出發して居ると云ふ事に少しも氣付かぬ日本の外交官の欠點は國民の先覺者が教育してやるより他に方法がないだらう等と感じて居ます。然し一方米國の我儘振りも實に遺憾なく發揮されてゐます。毒瓦斯使用禁止等に就いても第一に禁止不可能を主張したのが米國で他國が一定の方法の下に禁止すべきを主張しても頑として聞き入れません。世界人類の恒久的平和を企圖して軍縮會議を開催した其の米國が、最も非人道なる毒瓦斯使用の主張者であるのを思ふ時、此の矛盾こそは最も良く米國自身が持つてゐる矛盾性を説明してゐるのに氣が付きます。

正月には休みがありましたので紐育に歸りました。丁度伊藤長七先生が尋ねて來られて一寸許り御話致しました。近日中にワシントンへ來ると云ふて居りましたから逢ふてめつくり御話を聞く日を喜び待つて居ります。何れ詳細は紐育に歸つてから申上げます。

米國の專問學校や大學出の青年が集つて『南米研究會』を紐育に作る下相談がワシントンで生れました。其中の一人が近く南米を巡つて日本へ歸る事と思ひますから、其際は宜敷く御願致します。これでさよなら。餘は後便で。

—ワシントンにて　柴田生—

墨西哥

—▲チヤチヤラカ山登山記▼—

一千九百二十二年一月一日、新春の新光を迎へて身も靈も新しき希望に滿ちたる當地青年會の猛者連、松井猪三郎、飯田三次、目黑無水、目黑順、蓮田、玉　等、メヒロ人の案内者一名を加へて同行七名、午前七時頃に常エスクイントラ村を出發した。喜ばし相に妻君と戲れて居る兵隊樣に新年の言葉を交して兵營を通る。村端れの墓場を過ぎる時、其處に眠れる邦人の英靈をとむらつた。其れより七八町にして清水老人の野菜園に行く。野菜園は極く小規模のものではあるが玉菜、白菜、トマテモスタサ、インゲン豆、瓜、茄子等が、奇麗に手入せられた中に大きく生つてゐた。

清水老人は日本を出てから最早三十五年にもなると　ふ頗る古い人であります。最初移民でハワイに渡航し、ハワイからグワテマラに轉航して最後に當國のチヤパスに移住せられ、當地に在留する事正に二十有餘年と云ふ歷史を有する人です。云ふ所に依ると年齡七十餘歲、髮の毛や髯には白毛が多いが、未だ赫々たる勇氣は壯者を凌ぐ有樣で、自ら野菜を作り其の側ら山からレンニマ（薪）を切り出しては町に賣りに行き、夜は屢々山へ行つて鹿を取り來り其の肉を知人に分配したり或は賣つたり等して生活して居ると云ふ事です。老人曰く『私には日本に妻や子供もあり孫迄で出來て居て、歸國する樣毎度云ふて寄來

すんだが、此んな天惠の豊な香氣な所を棄てゝ日本の樣な世智辛い所に歸れるものか』と。老人よりチヤチヤラカ山の事情を聞いて御別れし、少し登れば眺望絶佳の地で少し平地のある所に出た。案内者曰く『此處には日本人の太田ドクトルのランチヨ（氏の別莊と云ふ方が適當かも知れない）があつた所だ』と太田ドクトルは最早故人となられた人であるが、大變土人と親密な交際をせられ、一般の人よりも敬慕せられてあつたが病氣の爲め永眠せられた方で、今でも太田ドクトルを知らない者はない位有名の方であります。

カニヤの林やプラタノの林を通つて進む。林の中に小さな家が一つあつてパネラ（黑砂糖で圓い形をした物）を作る機械等が置いてあつた。誰も住んで居らないがカンタロやヒカラ（コップ茶椀の代用品）や其他の器具類があるのを見て、收獲中丈け人が來るのであるのを知つた。其のランチヨを過ぎると鷄の鳴聲が聞える。此の奧にもランチヨがある等と語りつゝ行けば突然四五匹の犬が吠え出す。其の內に家の中からメヒコが出て來て言葉をかける。我等は登山の目的を語り其處を出る。庭には數十の鷄と數羽の七面鳥が遊んで居た。家の裏にはユカ（マンジヨカ）ピイニヤ（パイナツプル）等が一面に植えられてゐた。此のユカからアルミドロ（澱粉）が出來るのである。

海拔約三百米突に登つて一つの小川に逢ふ。其處で一回清水を汲で持參の菓子を食つて休む。それより少し登ると村では非常に評判のインカントがある。インカントとは何處迄でも行く時丈けは行かれるがもう歸る事が出來ないと云ふ意（恰も日本の龍宮の如き意）の詞で、それ故村ではそれは〲深い穴で入れば出られない底の知れないものだとの評判なので、是非それを實際に見て來たいと云ふのは、チヤチヤラカ登山の目的の一部分であつたのだ。然し此處に來て見ればさう云ふ不可思議の所は更になく、唯だ地が濕つて居るに過ぎないものであつたそこで試に棒を通すと二尺位は入るがそれ以上は入らない。案內者曰く『これは只今は乾燥期だからです。雨期になると絶えず水が出て居て若し馬でも入らうものなら、足が泥深く入つてもう出られないのでインカントの名があるのです』と。

海拔四百七十米許りの地點迄では道があつたが、それから上はもう道がない。そこで案內者を先頭にマテイデ（日本の刀の如きもの）を持つて道を開きながら登つた。あたりは實に樹木繁茂して、天を摩する樣な大樹がある珈琲でも植いるには最適の地である。然しそれを經營する人と資本がないので放つてある。聞く處に依ると官有地であるとの事。暫く間道なき所を突進する程に一大岩石の猪立するに逢ふ。それを少し登れば其處

がチヤチヤラカ山であつた。

快哉!!!　快哉!!!　一同は思はず萬歲を唱えた。あゝ人生の行路も斯くの如き哉等と直に登山の行路を人生に結び付けて語る者もある。空は實に藍を流したる如くに澄んで近郷近在は云ふに及ばず、遠く太平洋沿岸迄でも一つのパノラマとして望遠鏡のレンズに入つて見える。『彼れがアカベタワやエスクイントラノ停車場、あれがアカコヤワ村、あれはもとの榎本殖民地で今は日墨興業株式會社のもの、松井、飯田の兩氏が留守擔當役を務めて居る所だ。あれがエスクイントラ村の屋島商店、あれが水野野菜店、あれが中村酒店、あれが小松、岸本商店と數へて行くと、其の他の商店は皆支那人だ。矢張りエスクイントラ村でも商業の主力は支那人の方にある。チイノ、テイノと馬鹿にするが商業上の勢力は侮るべからざるものがある』等語り合ふ。數へると支那人の商店が十一軒ある。『彼等はよくパリイサアノ同志互に商業道德を重じ力を協せて助け合ひ、遠く離れたパリイサアノの同志ともよく連絡を取つて、機敏に總ての取引をして常に先手を打つて行く。彼等の商賣振りには我等日本人も大いに學ぶ所がある』等と話す人もある。

エスクイントラ村より一寸離れた所に見える農園は、目黑榮太郎氏經營のもの、氏は渡墨後日尙ほ淺きも苦心空しからず今は每日市場に持つて出る樣になつた。あの小山の蔭は堀田農場氏は醫者でその側ら農業をして居られたが今では殆んど農が主で醫は副の有樣で、多くの子供を相手に自身先頭に立つてチマイテを振つて活動して居られる。續いて山本農場、氏は元日墨共同株式會社々員なりしも、會社離散後一大牧場の分配を得、それを經營しつゝ一般の農業をなしてゐる。隣が布施農場、氏は熱心なる內村派の基督者にして純なる信仰の下に正しき生活をして居られる驚くべき讀書家。その次が池田農場、主任清水繁三郎氏は初代カルビン主義者の如き抱負を持ちて聖書の明示する所に立つて眞一文字に進む人。その隣が武村農場、氏は早大の出身で布施氏の養子である。等と各人は知つてゐる丈けの事を喋　て仕舞ふ。ウイストラを過ぎて當郡役所のあるタパチウラに行く汽車が手に取る樣に見える。

色々御互の見聞感想を語り合ひ、持參の辨當を平げて遊ぶ事約一時間半にして歸路に就く。下山は一瀉千里の勢で何の苦もなく一同無事歸村す。晚には岸本夫人の手になりし壽司の御馳走で舌皷を打つて散會した。

—玉川音作—

—▲四千圓の事業に着手▼—

永田先生　幾久しく御無沙汰致しました。何とも申譯ありま

せん。其後先生初め奥樣御子息樣には如何御暮しですか。■殊に御子供衆には健全に御成長の事と推察致して居ります。尙先生には校務の爲め毎日朝早くから夜は遲くまで、彼の會長室に事務を執られて御いでになる事を思ふと實に有難く又何となく申譯ないと云ふ樣な氣がしてなりません。神樣の力に依つて少しでも母會の爲めに盡す事が出來得る樣に、そして母會の益々發展して行く樣に祈つて居ります。

當地に參りまして既に滿四ヶ年、此間品行の亂れた多くの友に交りながらも自分は眞面目に今日迄暮して來る事が出來たのは神樣の御蔭と深く感謝して居ります。今では永利君（二十五歲渡墨後五ヶ年）赤司君（二十三歲渡墨後三ヶ年）の三人にて共同事業を經營して居ります。月給二十弗餘りにて働らき、其金の内日本金九百圓餘り弟の學費として送り、殘る僅かの金を以て資本金四千圓餘りの事業に取り付かうとは思ひませんでした。墨國で何か事業を起して見度いと云ふ望みが今日實現した次第です。只神の力より得た私の事業と云ふより外はありません。私等は新に農園を作り度い考へであります。それ故昨年十一月から四十日餘りを費してシナロア州、テピキ州の方面へ視察に旅行し豫想以外の好結果を得ました。現在の通り順調に行けば二年、永くて三年後には農園を始めらるゝ事と確信して居ります。詳細に通信致し度いですが來る三月五日より墨國首都に於て今度新に發刊する邦字週間日墨新聞を、直接力行世界社に發送致す樣にして置きました故、其新聞を御讀み下さらば墨國一般の事情が御わかりになる事と思ひます。殊に日墨新聞には當地エルモシヨ日本人會より通信致す事に約束もなり、日本人會の書記に選ばれた私と書記長が其の役目を果す事になつて居ります。

—片瀨淺次—

伯刺西爾

—▲レヂストロ讀書會より▼—

又正月になります。何度も〳〵正月を迎へる毎に喜んで待つと云ふ心持が淋しい心持に變つて行く樣な氣が致します。

十月號の『西大西洋』は面白く讀みました。原がやられた樣ですがそんな事は問題ではありますまい。本當を云へば本氣で之を問題にしてくれゝばよいんだが、續けて大勢の犧牲者を出さねば時代の展開が望まれぬ樣では仕方がありません。

故國では雨の爲め不作だつた相ですが、當方では干魃で、秋はどうなる事かと思はれます。二ヶ月も續いた干魃が昨日漸く雨を得たつもりです。カンナは收獲後少しも芽がふかない。米

は何度蒔きなほしても三四寸延びた所で皆枯れて仕舞ふ。十月の終から三度蒔きつけて最後にミリヨを蒔て、それが亦枯れるといふ有樣です。砂糖は矢張り十三四ミル、同業組合は二十ミルを保證してサントス市の倉庫へ積込みましたが、持ちこたへ得るや否やと懸念して居ります。正金銀行から五十萬圓の低利資金が出る樣になつたのは御承知の通りですが、むやみに有難がる伯刺西爾時報紙、五十万計り余計な事だと惡口を云ふ日伯紙。輪湖樣の御歸りは何時頃ですか。

新しき年を迎ふるに當り先生の上に神惠の豐ならん事を祈ります。

—北原文夫—

—▲二百五十町步の經營▼—

其後は久しく御無沙汰仕り候。御貴殿には如何御消光遊され候や御伺申上げ候。其後小生等は御蔭樣にて無事消光罷り在り候間他事ながら御休神下され度く候。

目下御當地は彼のソボ〳〵と降る靜かな雪の音を聞きつゝ、山とし水とし千里一色の美しき、景色を眺められ居る事と存じ候。當地は御承知の如く今が年中一番暑い時候にて、蟬の聲を聞きつゝ扇子片手に西瓜を肴に迎年仕り候。實際四季の變化の少ない國とて桐の葉秋を報ずる事もなく、月よりも花よりも美しい雪の曙などハイカラな氣分は味はれ申されず候。然しうぐひすないて滿目綠紅に映ずると云ふ内地の春の氣分は充分に味はれ、時には仙人の遊ぶ桃源の春もかくやと思はれる樣な暖國的な、世界的な、天國的な何んとも簡單には申し兼ねる樣な氣分に打たれ申し候。目下小生の住居致し居る處は海外興業株式會社の土地にて二百二十アルケール（一アルケール二丁五反）眞平な川岸土地、牧畜に從事致し居り候。風光明眉の地に有之候。川の大きさは御當地の隅田川にも比すべく、流れ緩かに宛湖然沼に面するの感有之候。富士川の壯、熊野川の奇、孰れも天下の奇景には候へども、兩岸の水邊溢して溶々船を浮ぶるの景はとても内地にては想像だも出來ざる感に有之候。

先は新年の挨拶旁寸報迄。

—河野利實—

—▲移民から植民へ▼—

寒さ知らずの御正月を迎へました。昨年に比して雨の少き爲めに、昨日今日の暑さには黑人の顏にも汗が流れて、黑く輝くのも可笑しふ御座います。正月と云ふても蟬も歌ひばトンボも飛ぶ『唐もろこし』は穗を出して半ば茶色の毛を下げた大きな俵も心地良く感じます。

けれ共私共の樣に信州の雪國に育つた者には、何となく物足

らぬ樣な氣が致します。正月と申しても扇子使いで汗を拭き乍ら水瓜を食べる樣な御正月で御座いますので、御正月らしい氣分は致しません。けれ共植民地に來てからは日本人許りで御座いますので、御近所の方が集つて毎夜カルタ等をして遊びます。今日も皆樣が御見えになつて、耕地生活の御話をとせがみますので、色々耕地の生活等を話した所です。

一ヶ年の耕地生活を終つて、昨年の十一月の末に植民地へ參つてから、耕地生活に比してまるで別天地に參つた樣な氣が致しました。船の上からレジストロを望んだ時、何だか故國に歸つた樣な氣が致しまして、輪湖樣夫婦に伴はれて樂しい晩餐を致しました。油つこい食物にあき〳〵して居た私共には、醬油や味噌の日本料理が珍らしく、又美味しく味はれました。久々に妹に會ふた嬉しさに、四方山の話で四五日は過ぎて仕舞ひました。

只今では、ボアビスタと云ふ所にある會社の牧場に居ります。前にはリベイラの大河を控へ、上り下りの舟や、土人白人のレジストロ町に買物に行く圓木舟で、朝夕は賑かなもので御座います。塵深い都の方に、此の自然の仙境を御目にかけたら等と、何時も話して居ります。前の大河の夏の夕等は、等しほ美はしい景色で、國の諏訪湖を思ひ出さずには居られません今ではもう外國に居ると云ふ氣分よりは、日本人許りなので故國の部落に居る樣な氣が致します。

先は新年の挨拶まで。

—淺野春枝—

—▲植民者の世話をした▼—

拜啓　益々御清適何よりの御事と存じます。六月十九日附の御手紙落手致しました。三名の呼寄せ承知致しました。ガルザ殖民地の方に呼寄せすると云ふ名義で、バウルの領事館の方に證明願を出しました。丁度此の間諏訪から、三名許り呼寄せして具れと賴まれたので、其の方もしてやつたのです。

本人の就職については、渡伯後本人の希望を聞いて、成可く其の方面に世話を致しませう。元氣旺盛なる青年の意氣は中々愛すべきものがある。殊に獨力以て海外に向はんとする者は尙更である。然し乍ら渡航後は意の如くならざる爲め、又は余りに自由なる爲め、變心して終には爲すなき者となつて仕舞ふ人が應々ある。元より海外で何か一つ行らうといふ人は、因苦に戰ひ拔いて最後の勝利を得る覺悟でなくてはならぬ。海外に出發前から洋行氣分になつて、目的地に着せば仕事の大半が出來上つた樣な夢想的な考へで渡航して來たら大變である。言語も不通、東西もわからぬ地に自分の一的を遂せ樣とするからには

相當の苦しみは當りまへである。

今僕の處に五十家族許りの日本人が居る。既に御承知でありませうが、有名な石山で、そして荒れた珈琲園である。到底リベロンプレート附近の樣な珈琲園でない。こんな處に居つてどうして飯が食つて行けるか、金が殘るとは不思議だ、と知らぬ人は見て驚ろいて居る。其珈琲園に僕の在住期間、即丁度五ヶ年間余り日本人の移動を見ず、今日尙五十家族働いて居る。決して移民會社から多くの移民を入れてもらつては居らぬ。むしろ他耕地にはより以上分配されて居る。そして現在珈琲園に働いて居る日本人家族のおる所では、當耕地はまづ多數の方でせう。僕の五ヶ年間中、同盟罷工も何も喧ましい問題がなく平穩にやつて來て居る。金も相當に殘して居るやうである。

僕は新來の日本人をこの評判の惡い珈琲園に迎ふるに當つて決して遠慮がない。苦しい仕事を初めから與へてやる。無理だと思ふ程仕事を與へてやる。そして其間に仕事の要領とか、又は日々起る問題に付いて精細に說明してやる。それであるから最初泣いても一年もすれば『呑氣です、樂です』と云ふ樣になつて來るのです。今書いた事柄は兄の既に御承知の事で無益であるが、青年呼寄に付いて渡航者が如何なる覺悟を以てやるべきであるかを一寸記したわけであります。

僕は御存知の通りラヒヤノタコスタ▼シヤードの仕事、即ち珈琲園と植民地の土地賣りをやつて居ります。僕の希望は大いなる日本植民地を造りたい、そして從來の日本人植民地でやるやうな單一なる仕事、即ち米棉許りの栽培でなく工商を作ふ仕事を植民地に起したい希望で、是等を陳述してラヒヤノ承諾の上で初めたのですが、余りに利已的な我儘な地主である爲めに終に初の仕事を實行する事が出來ず、今日に至つたのです。そこで止むなく今日迄での仕事を中止して他の當國經營の植民會社と契約して又新たに始める積りで今其の交涉中です。其の交涉條件中に三千アルケール許りの土地（無論當方にてよく調査した土地）に伯國在住の日本人を所々に入れると同時に日本にて此土地を賣つて植民者を募集する方法を取りたい希望です即ち日本に支店又は代理人を置いて募集してもらふ事。海興又は船會社と契約して他の移民同樣の待遇と船賃とで來る方法を講ずる事。移民收容所に來た上本人の希望に依つて直ちに植民地に行くか、又は珈琲耕地に一時行くかを定める樣にする。土地希望者一家族に付いて代理人に十五圓内外の手數料を出す事。土地は一家族にて、十アルケーラ以上に區分されてある土地園によつて選定する事。若し一家族に付いて、廿アルケール購入の場合は、代理人に前記手數料の倍額を支拂ふ事。この手數料

以外に廣告料を支拂ふ事、手數料は希望家族ありし際假契約を爲すと同時に土地代金の一部として直ちに支拂はしめ、而ふして本人渡伯後土地代金を一時拂又は三拂にして支拂ふ事、植民地に於ては出來得る限り本人の便宜を計る事、若し珈琲園に働いて而ふして土地代金を年賦拂にするとか、一時伯國の農業法を研究するとか、希望の人ある場合には當、方にて善良なる珈琲園に世話する事、大体こんな樣な條件で日本と連絡を取つてやつて見度い希望ですがどうですか、今小生は草案中で今月末出聖の上、マルコンデス會社の重役と直接交渉を始める積りです。大畧の交渉は濟んで先方も承諾して居ります、此の交渉が濟めば來月はサンパウロに移住すると同時に今迄の所は全く止める考です、其の上又大々的に活動して見る積りです、此の仕事が歩を進め得ば一つ力を入れて見樣と思ひます。

輪湖樣は在京ですか。子供が生れた相だ。　―矢崎節夫―

―▲通信材料の取捨▼―

拜啓　近着力行世界に載錄の當農園在留の本多守屋兩氏の通信は、蟻塚の多き恐るべ土地、不備不潔の家屋、不良貧弱の食物、苛酷長時間の勞働を余儀なくせしめられたる風に解せられ候處、實際は蟻塚は皆無、强いて搜索すれば古塚二三を發見し得るに過ぎず、家は日本人三名の現住したるを取明け、清潔に掃除して二室を兩名に提供し、寢臺テーブルなどは各自持ちの習慣なれど、內地より新來の青年の事に付き、農園より材料を與へ老練なる人々に助力せしめ打付けやりしもの、其前休息の爲め兩三日間も本部に宿泊寄養せしめし次第に候。平生の食物は殆ど米、野菜及び肉類を與へ、カツヘーの時はパン、又はビスケットを添へ、常に實費以下（月八圓七十錢相當）にて賄い勞働は体力に應ずる仕事を與へ、每日十時間を程度とし、多忙の節過々十一時間內外に達したるに過ぎず。カンナ積込みには三四貫目の束をば一日數千回も投上げる云々は尠なくとも倍掛けの誇張にて、又自分達未だ曾つて[illegible]起きの刻限を過り呼起されし事なしとの點は、頗る無邪氣滑稽の沙汰に候。雇員待遇上殊に賄に關しては世間並以上の注意を拂い居り、屢々讃辞を聞きたるも右樣の通信は今回が初めての事にて候。併し兩氏は惡意ある人物にあらず、又反感を持つべき節もなき筈にて、右樣の通信は未だ多く世間の比較を知らず又感謝すべき境遇にも心付かず、强いて自己の奮鬪振りを紹介せんと欲し、材料選定を誤りたるに過ぎざる次第と存じ今更ら兩人に對し小言は却つて氣の毒と認め、默し居り候得共、實際は全然事實相違も甚だしき通信に候間何卒御心痛成され間敷願上げ候。　―西原淸東―

海外發展問答

▲渡航せんとする地方に關する書物を讀む事
▲其地方への渡航案內書を讀む事
▲それでも猶了解の出來ない所は質問する事
▲一人一度に三問以內の事
▲返信を要する者は返信料を添へる事
▲要領よく質問する事

問 海外旅券とはどんなものですか。

答 海外旅劵とは日本の政府が日本國民が他國內に旅行するに附いて必要なる保護を與へて下さいと云ふ一種の依賴狀であります、それで旅行する國の領事が裏書するのですが、此の裏書は『承知しました』といふ意味の事です。だから海外諸國に旅行する者は皆此の旅劵を持つて行かねばならぬ事になつて居ります。これが無いと上陸が出來ない場合が澤山あります。

問 海外旅券に幾種類ありますか。

答 日本では二種類ある、一は自由渡航者の旅劵で他は移民の旅劵である。前者は所在地で下附を受くる事が出來るが、後者は寄留後三ヶ月たつか又は本籍地で出願せねばならず、又出帆の三四日以前に出發港の縣廳から受領する事になつてゐる。前者は十圓後者は五圓の下附料を要します。

問 海外旅券下附の手續を敎へて下さい

答 大要左の如き書類を警察署を通して縣知事に出すのです。府縣に依つて多少の差はありまずが長野縣の分は次の通りです。用紙は美濃紙の事

海外旅劵下附願

一、本籍地　〇〇縣〇郡〇村〇番地
一、所在地　〇〇縣〇郡〇村〇番地〇方
一、姓名　（フリガナを附する事）
一、年齡　〇年〇月〇日生
一、族稱　平民（士族）
一、身分
一、職業
一、旅行地
一、目的
一、旅行年限
一、出發港
一、出帆日

右に依り海外旅劵御下附相成度戶籍謄本資產證明書身體驗查書履歷書及寫眞相添へ此段奉願候也

年　月　日　右　〇　〇　印

長野縣知事岡田忠彥殿

これに左の保證書を添付する

保　證　書

〇〇縣〇郡〇村〇番地
何某何男
何　某

右者私の知人（親族）に有之候處今回何々の目的を以て〇〇國へ〇年間旅行仕り候に就ては本人往復の費用は勿論資本金等一切私に於て負担任る可く猶本人一身上に關する一切の事項引受け申可く依て保證書如件

年　月　日
〇縣〇郡〇村〇番地
保證人　何　某印
長野縣知事岡田忠彥殿

者し保證人が二人ある場合には連署する事

此外に本人か戶主及び保證人の資產證明は町村役場から、健康診斷書は醫師から貰ひ、履歷書と手札形で臺紙に貼らざる寫眞二葉と戶籍謄本とを添へる事。

海外興業會社の移民となる者は會社が保證人になつて吳れる筈であり又海外で勞働に從事する者は『海外渡航許可並に旅劵下附願』と見出を書くのである。

問 旅劵は容易に下附されますか。

答 總ての書式がよく出來て居り官廳で內規に差支へなしと認めたる者には一週間乃至四十日位で下附されるが、書式等が面倒だから附近に海外協會の支部でも出來て居る地方では一應出す前に見て貰ふがよい。

問 海外協會へ入會の手續を敎へて下さい。

答 信濃海外協會では會員の種類が普通會員、維持會員、特別會員、名譽會員の四種類ある。會費は年額二圓十圓百圓以上ですが、入會希望者は住所姓名に會費を添へて長野縣廳內の協會へ申込めばよいのです。

問 私は徵兵適齡者ですが海外に渡航する事が出來ましやうか。

答 軍人で海外渡航を禁じられて居るのは現役丈けですから其外の者なら皆外國へ行ける筈ですが徵兵檢查の年には四月十五日以前に出發すれば兎に角だがさうでないと役場の人々が面倒がりますし、又自身から云ふても檢查を受けて仕舞ふ方か好都合であらう。徵兵檢查以前の者が海外に在留する場合には其の所在地の日本公館から在留證明をもらつて之れを日本に送つて四月十五日迄に聯隊區司令官に徵兵猶豫を出願する。三十七歲迄で每年これをやれ〳〵國民軍に編入される事になつて居る。

問 私は海外に知人がありませんが海外協會員になれば紹介して戴けますか。

答 海外協會には目下海外各地に澤山の支部が出來る事になりますから、これ等の支部は後進者の爲めに萬般の盡力をして吳れる筈ですがこれ等の支部の出來ない所でも協會からは紹介をして上られます。又海外の先進者は喜んで後進者の世話をして吳れます。

問 伯剌西爾へ獨身者でも渡航が出來ますか。

問 勿論出來ますが只伯國では家族者以外には渡航費を補助しませんし、渡航後も家族の方が成功し易い樣です。だが獨身者でも三四名團結し協同して活動すれば能率は婦女子を含む家族以上であるから、伯國人も了解する樣になり、渡航者も單獨でやるより都合がよいだらうと思ひます。必要ならば海外協會で獨身者渡航に關する萬般の世話をしてあげる事が出來樣と思ひます。希望者は申込みなさるがよい。

雜報

〇信濃海外協會設立主唱者會　大正十一年十二月廿八日長野縣知事岡田忠彥氏、國勢院總裁小川平吉氏、貴族院議員今井五介氏、長野縣會議長笠原忠造氏、信濃教育會長佐藤寅太郞氏、其他一二の者が日比谷公園側の陶々亭に集合して信濃海外協會の設立の相談を爲し、大正十二年一月廿九日發會式を長野市に開催する事を決した。

〇信濃海外協會創立總會　前記の五氏が主唱者となつて、趣意書と共に發起人となつて戴き度いと云ふ意の書面が縣下の各方面、及び縣外の有力者の所へ飛んだ續々と贊成して來る者があつて、大正十二年一月廿九日、長野市城山館で創立總會を開いた。出席者は縣下各方面の有力者九十名あり、小川平吉今井五介氏等は議會で多忙であるにもかゝはらず東京から出席した。午前十一時開會齋藤助昇氏の主唱で松本市長の小里賴永氏が座長席に着いて挨拶が濟むと、今朝迄病床にあつた岡田縣知事が、眼に綳帶をした儘主唱者を代表して挨拶を述べた。多年移民問題を研究して居られるので、言々皆邦家の急所にふれる。知事に次いで國勢院總裁の小川平吉氏が演壇に現れる。對外問題に對し政界の先覺者である故言ふ所皆會衆を動かす。午後二時になつたので紀念の撮影をなし晝食を取る。縣の社會課の諸君の盡力で萬事が好都合に進展する。午後二時半再會して今井貴族院議員の演說がある。白髯を撫して海外發展の急務を論ずる所、意氣旣に世界を吞むの槪がある。小里議長は規約案を附議し滿場一致で可決し、評議員を選定し直ちに評議員會に入り二三の質問の後、總裁に岡田忠彥氏を副總裁に笠原忠造佐藤寅太郞兩氏を推戴する事に決定、岡田總裁就任の辞を述べ小川今井兩氏を顧問に推戴する事と、別項の役員を選任して後本年度の豫算を附議す。二三質問の後可決確定午後五時散會した

〇信濃海外協會規約　一月二十九日の創立總會で可決した規約は次の通りだ。

信濃海外協會規約

第一條　本會は信濃海外協會と稱し本部を長野市に支部を必要に應じ內外各地に置く。

第二條　本會は縣民の縣外發展に關する諸般の事項を調查研究し其發展に資するを以て目的とす。

第三條　本會は前條の目的を達する爲め必要に應じ左の事業を行ふ。

一　縣民縣外發展に關し立案をなす事。
二　發展地に付き調查をなし其結果を紹介する事。
三　在外縣民と聯絡を計り指導後援をなす事。
四　海外投資の研究をなし之を發表する事。
五　海外發展に必要なる人材を養成する事。
六　雜誌其他の出版物を利用し若くは自ら發刊し又隨時講演會を開く事。
七　海外發展に關する各種の參考品

及統計を募集する事。

八　本會と共通の目的を有する他の機關と聯絡をなす事。

九　前各項の目的を遂行する爲め臨機本會の代表者調査委員等を内外樞要の地に派出する事。

十　移住組合の經營。

十一　其他本會の目的を達するに必要と認むる事項を行ふ。

第四條　本會の會員は名譽會員、特別會員、維持會員、普通會員の四種とす

一　名譽會員は評議員の決議を經て總裁之を推薦す。

一　特別會員は一時に百圓以上を納むる者とす。

一　維持會員は會費年額金十圓を十ヶ年間納むる者とす。

一　普通會員は會費年額金二圓を十ヶ年間負擔する者とす。

一　會費を滿一ヶ年以上滯納する者は會員の資格を失ふものとす。

第五條　本會に左の役員を置く。

總裁　一名　副總裁　二名

相談役　若干名　會計監督　一名

評議員　若干名　幹事　若干名

囑託　若干名

第六條　本會に顧問若干名を置く。顧問は總裁之を推薦す。

第七條　役員を定むる手續左の如し。

一　總裁副總裁は評議員會に於て推薦し、評議員は總會に於て選擧し、相談役會計監督は總裁之を推薦し、幹事及囑託は總裁之を指名囑託す。

一　役員の任期は二ヶ年とす。但再選する事を得。

第八條　役員の任務左の如し。

一　總裁は會務を總理し相談役會及評議員會の議長たり。

一　副總裁は總裁を補佐し總裁事故ある時之を代理す。

一　相談役は會務に參與す。

一　評議員は重要なる會務に付き總裁の諮問に應ず。

一　幹事及囑託は會務を處理す。

第九條　本會の會合は左の如し。

一　總會は毎年一回之を開く。但し必要の場合は臨時總會を開く事あるべし。

一　相談役會は隨時總裁之を招集す

一　評議員會は重大なる事件ある時總裁之を招集す。

第十條　本規約は總裁の發議又は會員十分の一以上の發議に依り總會に附し出場會員三分の二以上の贊成を得るにあらざれば改正する事を得ず。

第十一條　本會の經費は會費寄附金及び雜收入を以て充當するものとす。

第十二條　支部規則其の他本規約を施行するに必要なる細則は相談役會の同意を經て總裁之を定む。

○海外發展講習會　信濃海外協會主催の海外渡航指導員養成講習會は、二月廿四日から長野縣會議事堂で開かれた。廿八日迄で五日間早朝から夜の幻燈まで、話す者も聞く者も皆白熱して居た。講師と講習員の姓名は左の如し。

信濃海外協會講習會出席講師氏名

信濃海外協會總裁　岡田忠彦氏
仝　副總裁　佐藤寅太郎氏
仝　顧問　今井五介氏
長野新聞主筆　山本愼吉氏
長野縣廳學務課長　井上英氏
松本商業學校長　米澤武平氏
日本力行會長　永田稠氏
海外興業會社々員　久保田峰松氏
日本力行會員　鄕間正平氏
長野縣廳社會課長　齋藤助昇氏
信濃海外協會幹事　輪湖俊午郎氏

信濃海外協會講習會出席者

南佐久郡　書記　小池歌助
北佐久郡横取村　手塚吉之助
小縣郡泉田村　小林榮太郎
仝　倉島基
諏訪郡湖東村　土橋信一
埴科郡　書記　相澤直之輔
下高井郡穂高村　岡田宗治
下水内郡聯合青年會代表者　高橋正英
南佐久郡平賀村　鈴木武助
東筑摩郡鹽尻村　佐倉正男
下高井郡往海村　高藤賢郎
上水内郡信濃尻村　岩下文三
下伊那郡役所　羽生與一
東筑摩郡鹽尻村　堀内信一
南安曇郡穂高町　井口喜源治
北安曇郡書記　百瀬傳一
更級郡農會　高野菊太郎
上高井郡役所　丸山辰之助
上水内郡書記　原保次
下水内郡書記　阿部芳春
東筑摩郡神林村　藤牧熊人
下高井郡往郷村　山城倫次
更級郡青木島村　小林國治郎
下水内郡飯山町　西川清記
上水内郡芋井村　傳田利作
仝　芹田村　宮越廣作
仝　三輪村　池田宇右エ門
仝　中郷村　青木卷三
仝　神郷村　氷上肇
仝　吉田村　金子賢治
仝　戸隠村　曾根原千代佐
仝　古里小學校　藤倉芳藏
仝　古間村　山崎慈郎
仝　大豆島村　山岸均
仝　小田切村　池田定吉
仝　若槻村　松本義雄
仝　富士里村　畔上惣吉
仝　吉田町　山崎榮太郎
去　古里村　北島覺誠
仝　長沼村　長沼祐二郎
埴科郡雨宮縣村　半田郁郎
更級郡榮村　宮本彌治郎
仝　鹽崎小學校　西澤太一郎
仝　書級小學校　松林鎗藏
南安曇郡　書記　諏訪安宮治
北佐久郡役所　河合勘次
下水内郡豊井村　林英一

○海外協會支部設立　小縣郡では安藤郡長の熱心なる努力で、二月七日に郡の有力者が一堂に會し、永田幹事の講演を聞いた後支部の設立を決議した。此の外南北佐久更級上高井南安曇下伊那等の諸部に、續々支部建設の相談が進んで居る、

○他縣の海外協會視察　長野縣社會課長齋藤助昇氏は關西の社會事業視察の途次和歌山岡山廣島等の諸海外協會を視察す

○輪湖俊午郎氏南米出發　信濃海外協會組織の爲め多大なる努力を爲し、且幹事として創業の事務を見たる同氏は、三月廿一日神戸出帆の神奈川丸にて南米伯剌西爾に向け出帆の筈。同氏は伯國に海外協會の支部設置をなすべしと云ふ。

○長野縣廳の在外者調査　何れの府縣でも未だ十分に在外者の調査が出來て居ない。海外旅券は所在地で下附されるから其の縣で下附した旅券數では、在外者は知られない。玆に於て徹底的に調査をするには根本的の手段を取らねばならない。長野縣廳では、各都市の小學校を通して根本的に在外者の住所姓名職業等を調査する事になつたと云ふ。

○松本商業學校生徒南米視察　米澤武平氏を校長とする仝校の生徒が、二名南北アメリカへ觀察見學の途に上る事になつた。甲種商業學校程度の生徒が海外觀察に上る事はこれが日本で始めてゞある。彼等は三月廿一日神戸出帆香港新嘉坡ダーバンを經て南米伯國に達し、更にアルゼンチナから智利に出で、ペルー巴奈馬墨西哥北米合衆國等を觀、ハワイを經て横濱に歸着する筈で、旅程約八ヶ月經費一人一千五百圓を準備して居ると云ふ。

○移民局設置案　衆議院に於ける移民局設置に關する建議案委員會は十八日午後四時半開會津崎尚武氏（政友）より本建議案に對する政府當局の所見に付き責任ある答辯を求む。

古谷政府委員　現在の外務省の移民課を以つて移民事項に關して充分なりとは思考せず。甚だ遺憾の點尠なからずと雖之が施設を擴大するに當り其れを外務省の所管外に置く事に付いては反對なり。飽迄も移民事務に關しては外務大臣監督の下に外務省内に設置するの必要ありと信ず。

津崎氏　移民を奬勵し啻に之を海外に送り出せば以て事足れりと爲すに滿足する能はず之を善く指導啓發するの要ありと認めざるか。又斯の如き事務を外務省の所管内に於て行ひ得るや。

古谷政府委員　御說御尤の次第にして勿論當局としても現在の施設を以て充分として滿足し居らざる事は前申し上げる所の如く又斯の如き事務を外務省の所管として取扱ひ差支なしと信ず。

の問答あり。津崎氏左記希望條件提出

一　政府は移民の奬勵と共に海外に於る邦人の拓殖事業を保護奬勵指導し我國海外發展の實績を收むるに力められ度

一　海外事業關係の特殊會社及銀行の活動を促し其監督を統一し海外に於ける邦人の事業を後援せられ度事。

海の外

定價		内地
一部		廿錢
半ヶ年		一圓十錢
一ヶ年		二圓廿錢

郵税四錢　外國要す

注意
▲御注文は凡て前金に申受く
▲廣告料は御照會次第詳細御通知いたします
▲御拂込は振替によるゝを最も便利とす

大正拾一年四月廿日發行
編輯人　永田稠
發行兼印刷人　藤森克
發行所　長野縣廳内　海の外社

正十一年三月　日第三種郵便物認可
正十一年三月廿九日印刷納本
正十一年四月廿日發行（毎月一日一回發行）

（定價金二十錢）

第一列右より五人目輪湖幹事、永田幹事、小林氏。
第二列右より二人目丸山囑託、安藤小縣支部長、井上學務課長、田中相談役、齋藤幹事、（現上水内郡長）等。

信濃海外協會指導員講習會

海の外
第二號
目次
市町村の海外延長……佐藤寅太郎
海外發展の障害……米澤武平
山田長政と其時代……宮下美柿
伯剌西爾植民地建設私見……
信州だより……
雜報……
信濃海外協會内
海の外社

市町村の海外延長

信濃海外協會副總裁　佐藤寅太郎

一、農家の困難

農業は開闢以來民生の因つて立つ所にして、數千年の昔より農民の經驗研究しつゝある所なれば、假令其進歩は遲々たりとも、亦自ら傳統的理由と方法の存するありて、如何に近世學理と學の應用新たなりとも、著しく目覺ましき生産を增加しる得ものにあらざるなり。況んや土地報酬漸減の法則に支配され、不可抗力天災を蒙らざるをえざの危險もあり、文明時代の職業としては頗る割の惡き職業なり、近來農商省種々の施設をなし、農務の改善發達に怠らざるが如きもし、右何分にも最も直接に現在淋れ行く農村の疲弊に對し、農家特に中小農の維持安定のために、徹低したる名案もあらざるが如し右の如くして日本の農家は如何にして立ち行くべきや疑問である、然る時は日本の農業の進歩改善は先づ第一に農業組織を改善し出來得るだけ生産費を節減するに務めざるべからず、第二に古來の極端なる収約的個人的耕作法を改善して或程度まで耕地の擴張を圖らざるべからず。

二、耕地の不足

農商務省の調査に依れば、農家一戸の耕地は田畑合はせて壹町五段乃至二町歩を必要とするとの事である、然るに日本の現在は均平壹町歩を出でざるの有樣である甚だしき土地に於ては一戸平均六反歩弱の部落もある、幸に多少なり國有林原野等の猶開墾すべき場所ありとしても、到底人口增加率に對する耕地を得る能はざるなり。

今我國は世界第一の人口過剩國である、我國の人口の密度は世界の第三位にあり、而ふして我國の排作地の面積は總面積の一割八分六厘なるに、英吉利は二割三分佛蘭西獨逸伊太利は約四割六七分に當るのである。

農作地拾町歩で養ふ人口數

日本	英國	伊國	獨國	佛國	合衆國
七七人	六一、四	二六、七	二五、七	一六、五	七、五

田畑牧場原野面積を人口一人に割當表 （單位畝）

合衆國	佛國	伊國	獨國	英國	日本
二一五	九五	六三	五五	三三	一〇、二

特に日本は明治廿一年人口一人に付き田畑七畝なりしが、大此十年に五畝五歩となり、宅地は二畝九歩より二畝三歩に減じたり。

茲に又食料品中米產額に見るに、大正四年より八年に至る五ヶ年間の平均每年不足額は四百八十萬石なり、其の內大正七年三百七十万石大正八年には五百四十万石の不足なり、大正九年の豐作にても猶不足額あり、大正十年の不足は實に六百萬石の多數に上れり。

近來又土地所有者の變遷を見るに五反步未滿の土地所有者の戶數は年々增加し、明治四十四年と大正八年を比するに

六萬戶を增加し、五反步以上一町步未滿の戶數は八萬戶を減少し、一町步或は五十町步以上の戶數は三千三百戶も增加せり乃ち大農と小農は增加し中農は漸減しつゝあるなり、次に中農減じ盡せば又々小農減じて大農增加し、遂に小農亡びて大農のみとなり、玆に資本家と勞働者の世界とならんとする恐るべきの勢なり、近く歐米今日の弊を見て明かなりとす、彼の新人と稱する輩農業勞働立法を叫び勞働團結を唱ふるは、我國の勢未だ至らざるに早く歐米の弊を輸入するものにして余輩の與みせざる所なり、余は商工業勞働者の增加するは已むを得ざるとするも、農業勞働者の增加するは欲せざる所也、商工業は利益多きものなれば、縱令勞資相せめぐとも和協の道自ら難らず、利益少き農業に於ては兩者の鬪は共だほれとなり引いて國家の健善の基礎に危害を加ふるの恐れなしとせず、大いに戒めざるべからず、以上論じ來りて此の恐れを救ふの道は、只夫れ移民を奬勵して所謂市町村の海外延長を策することが、實に今日の急務なりと考ふるものなり。

三、信濃海外協會

私は久しく信濃敎育會に關係して居りますが、大正五年夏信濃敎育會の五大宣言を發表して、其の一ヶ條に海外發展を掲げました、而ふして全信州汎信州主義を唱導致しました、當時縣下一般之に共鳴して、出版物に講演會に幻燈に、宣傳これ務めたものであります、其の時學務課に中村國穗と云ふ人あり、非常の熱心家にて遂に退官して移植民の奬勵に盡力せり最初には南洋、波羅ハワイ、等に赴きしが、後は專ら(巴西)行となりました、最初波羅に赴きし坂本市之助夫妻は皆師範卒業のもので同志の有爲青年十二名で波羅に赴きました時は、信濃敎育會樓上天照太神の幅を掲げ神酒を拜して送行を致したものである、大正六年には長野縣の伯刺西爾移民僅に七名なりしが、大正九年の末には九百名の多きに達した、主としてサンパウロ州であります、其の內イグアペには日本人五百家族中長野縣百二十五家族に漕ぎ付けました、然るに中村氏流感にて此の世を去り聊か現狀維持でありますが、其の後を引き受けて金井富三郎君が奬勵に務めて居ります、勿論西國諸縣には多くの移住民もありませうが、長野縣の如き山嶽に封じ込まれたる國としては、併も僅々四ヶ年間に此の成

績を擧げたのは蓋し異數の事であります、そこで長野縣の移住者は皆有爲の青年敎育者等でありました、國家的社會的の見地よりして移住するものでありますから、中々末賴も敷く思はれるのであります、今回は又日本力行會の永田稠氏輪湖俊午郞氏熱心斡旋の結果、今井五介、小川平吉、岡田忠彥、笠原忠造、宮下琢磨、佐藤宙太郞等協力して信濃海外協會なるものを發企し、大正十一年一月二十九日創立總會を長野に開きました、夫れで先づ最初の事業として、縣下各郡の選拔生を集めて第一回移民講習會を開いたが可成りの成績であつた、其の內二名は愈々伯刺西爾行きを決心して已に三月二十二日橫濱を出帆致しました、勿論協會の事業は是からで、大いに南米移民の策を講ずるのであります、願くは此の種の會が各府縣に起きまして、それが相提携して海外に押し出し政府が力を盡して後援を爲したら、數年後には大した事が出來るであらうと思のであります、若し我國が躊躇して居る間には、さしも廣大なる天惠の伯刺西爾も、皆歐米人の占有する處となるかも知れぬ、余は今更らに外國の例を引用せざるも、歐米諸國が移民の爲めに力を致せる事は實に非常なものである、顧みて我國の如く開墾すべき土地少く、又大なる植民地を有せざる所にては、此の移民を世界の至る所に送り出して、世界の土地と富の分配に參加するより外、國力發展の道は無いのである。

四、海外發展の可能

更級郡に南澤龜之亟と云ふ人あり、今は巴西サンパウロ州に住す、此人の手紙に曰く、作物の種蒔時期は、一月玉蜀黍三月豆類、四五月砂糖黍植付、八月二回目の豆九月二回目の玉蜀黍、十月より十二月の末迄で稻と云ふ順序にて候、拙者は十月下旬サンパウロ州に到着、十一月半ばに耕地の選定をなし家屋建築に着手致し候、然して十二月二十三日迄でに稻蒔附畑一町半の燒拂ひをなし、其跡片付の後、二十六日午后より蒔付を始め、三月十一日の大　日に終了致し候、蒔付け方法は尖りたる小さき棒にて一尺をきに深さ一寸位の穴を突きあけ、籾種子を二十粒位入れて棒にて又土をかけるので、極めて粗雜なる方法なり、斯くして四斗入れの袋四俵をまき付け候、此收米約九十俵を得申し候、而して是がサンパウ

ロ到着後、兄弟二夫婦二女家族計六人八ヶ月の成績にて候、日本農家に比すれば實に雲泥の差である。私は此手紙を見て巴西は實に農民の天國であると思ふ。顧みて日本は世界第一の人口過剩國で、其人民は所謂五段百姓に甘じて終歲役々として身に繿縷を纏ひ、猶家族の口を糊するに足らずと云ふ、みじめさである。何せ日本人は万里鵬程彼の天與の樂園に遊ばぬのでせうか。侵畧主義の植民は近世の御禁度であるが、未開地開墾は世界の文化に貢獻する所以、即ち人道主義の移民は世界の何れの處にても觀迎する筈である。

玆に又一つ東筑摩の人松本三郞兵衞氏の妻君はる代女史の手紙に曰く『萬里の異鄉にある我々は一時たりとも故國を思はぬ日はございません、夢の中にも往來するので御座います。參りました當時は言葉も通じなく、何をするにも通譯に賴まねば出來ませんでしたが、今は漸く言葉も覺へ、毛唐と話も出來買物も出來る樣になつて、段々此地に馴れ却つて面白くなりました。一日働いて三人で樂しく夕食をすまして色々な話をして大笑する事もあります。參りました當時は此耕地には日本人は一家族もなく、皆外人のみにて閉口しましたが、今は菜大根イモ豆葱等澤山作つて居ります。肥料は少しも致しませんけれども大變太くなります。食物は米麥粉マメ砂糖豚油等です、異國の事とて見るもの聞くもの皆變つた事ばかりで、樂しく暮して居ります云々』嗚呼何等の樂天地ぞや、俚謠に樂は夕顏棚の下すゞみ男はてゝら女はつゝれしてとは悠々たる天地人生の至樂を述べたるものである、孰れか移民を難しとする只決心の度胸如何にあるのみ、私は未だ南米の事は知らざるも、朝鮮旅行中日本移住民の有樣を見て愉快に感じたる事があるから、其中扶餘に遊んだ一節だけ御紹介申します、忠淸南道太田府より湖南線により論山に下車した、湖南線は全羅南北道を貫通して朝鮮の最も肥沃廣濶なる農業地の交通機關なり、論山より人力車にて三里半、途中道路に沿ふて彼方此方に點在する家屋が、鮮人の家とは少し異る設備だと思ふ所を覗いて見れば、果して鮮人ならで內地移住の農業民である、此地方一体は恰適なる農業地にして、丁度春蠶上簇最中であつた、內鮮人何の隔意もなく相依り相助けて働きつゝ、全く平等差別徹癈だきけば此邊にて如何なる時でも日

鮮間何の心配もなし又何の危險もないとの事である、是れ則ち内地人が朝鮮人に同化せられた樣のもので、實際斯くあらねばならぬと思ふ、たゞこの扶餘の地は百濟の故郷で千二百餘年前日本とは最も深き關係を有して居つた事を思い出しては、何となく慕はしく、又彼方此方に我が同胞の農家を望みつゝ、田舍ののんびりした平和の氣に滿て他の都會に見る所の殺伐の風もなく、扶餘の一夕はさながら家庭に居つた如き心持ちがした、若したくはへでもあつたら此邊に別莊でもと慾氣が湧然として起つたのである、人家に接したる肥沃の土地が一坪位に金五十錢ばかり。

扶餘の郡守金昌誠氏快活にして讀書人なり、余がために錦江に掉した錦江に白村江と云ふ、其昔天智天皇の百濟救援軍の古戰塲なり、余會心のあまり百濟の懐古を賦句つた、

扶餘山下七重樓　憶昔歌吹掉鶂舟　憐殺逢唐將一蹶　空傳千載落花流

余は思ふ南米は西歐諸國力を盡して開拓文化の功をなすところ、諸種の設備など行届いてあるとの事であれば、思ひ切つて移住する以上は必ず成功疑ひなしと思ふのである。

五、第四十五議會

以上の如く國家的よりも個人の幸福の上よりも必要且つ急務である所の植民が、政府の施設には如何に現はるゝかと思ふに實に我々の期待に反するのである、今玆に第四十五議會の政府提出案を漁つて見るに、殆んど貧弱極はまる、勿論

朝鮮事業公債法中改正法律案、臺灣事業公債法中改正法律案、樺太事業公債法中改正法律案、内地朝鮮臺灣又は樺太と南洋群島に於ける船舶及貨物の出入に關する法律案、臺灣私設鐵道補助法案、臺灣銀行法中改正法案

等が見へるが元是れ諸島統治上の自然の關係で、特に移植民上の計畫とすべきものに非ず、只一つ南洋廳特別會計法案なるものが、新企計劃でありまず、則ちマーンヤル群島マリヤナ群島カロリン群島一帶の日本帝國委任統治區域で、パラオ、ヤツプ、サイパン、トラック、ボナペ、ヤルートの六民政區設置でありまず、特に廳新在地パラオは横濱より一千七

百六浬、非利賓、ニユーギニヤ、セレベス等に近き方にありまして、日本人が南洋に活躍すべき太平洋の中心點として將來中々有望の處と見へる、夫れから朝鮮總督府で朝鮮土地改良事業會社助成金を置きましたが、之は衆議院の削除を受けました、夫れにつき政府は別に官營案を提出するとの事ですが本年の事には間に合はぬのである、夫れから拓殖局あたりでも多少の考へはあるらしゐが未だ何にも實行の運びに際會せざるの憐れさである、元來今の政府には海外發展植民奬勵には何等の積極的考案はないらしい樣である、若しありとしても實行は先づ出來ないと見て差支へない、獨り政府のみならず全体日本人民の植民觀念に乏しきにはあきれる、今度海軍制限とか陸軍縮少とかの結果、國庫に餘裕か出來るとすれば先づ教育費國庫支辨だとか治水計畫とか、鉄道敷設速成だとか、やれ港灣修築たとか色々分捕りが始まる、其中には營業税全癈などと云ふ途方もない運動が起り、帝國目下の現狀よりして最も肝要なる海、發展移植民奬勵には殆んど盲目である、我輩の考へでは軍備縮少の餘裕は恩給下賜金及び失業者保護救濟の外は、先づ第一に海外發展事業に投資すべきであらふと思ふ、偖大聲に俚耳に入らずとかや、遺憾至極である。

六、移民保護法

政府に只一つの移民保護法なるものがある、然れども保護法は寧ろ取締り法にして却つて移民禁止の意味となり、更らに移民の奬導とならず、甚だ不都合極まるものである、何れ速かに改正して積 極的 移民奬導の道に出でなければならぬと想ふ、顧みて巴西の大なる全世界の人口を容るゝも猶綽々として餘裕ありとの事である、今日迄では巴西移民は一家族に付き二十五町歩を分與せらるるのである、之れを内地にて僅づかに一町歩平均を耕すに過ぎざるものと比較するに非常の差である、我國北海道の如き明治初年開拓使を置きて、移住民を奬導したるものなるに、當時荒漠たる平野の中に打ち立てられたる札幌の如きも今日は人口十万に越ゆるに至つた、北海道の如き寒氣烈しき處にてすら然り巴西の如き暖たかき肥沃の國に於ては、其成功の速かなるべきや又疑ひを容れざる所である。

七、本題

余は常に思ふ、一國一國を守り、一郡一郡を守り、市町村市町村を守る、其心は其市町村の土地は他の市町村の侵入占有を許さざるなり、所謂越石なるものを認めざるなり、之がためには市町村の人々は、最も愛鄉の精神を發露して共同互助の力により其市町村を守らざるべからず、乃ち此に人あり所有の土地を賣らんとすれば、必づ其同村の者に賣るを原則とす、或は又親戚知已篤志者等共同して、或る特定年限を約し、所有權を移さずして、共同委任管理の法を定め、他日財力恢復したる時之を取り戻すことの前途を樂しましむるの希望を有せしめ、而して及ぶだけの兼併の道を絶ち、市町村民の共同救濟の醇風主義により中小農の新立增加保護を圖るべきとす、斯くの如くして市町村が充實して餘力あるに至るときは、其の勢力を區々隣町村などに伸ばさずして、又共同互助の團結力を以て、海外移民若しくは海外興業に資力を投ずべきなり、一口に云ふ時は海外に分家を出すなり、又海外に所謂新田を出すなり、之れ農家の困難を救ふの第一良策にして、對外政策上より社會政策上より國家的見地に於て最も緊急の施設と考へるのである、只政府の施設未だ之れに至らざるを惜みてやまず、然れども國民の自覺經營玆に出でざれば到底農家の困難を救べからず、又國家の大發展期すべからざるなり、偏へに大方識者の奮起を希望して已まざる所なり。

海外發展の障害

松本商業學校長　米澤武平

海外發展の必要の重なる理由が、人口問題から出發して居る事は言ふ迄でもない事である。かく云へば、或ひは人口問題ならば他に解決の方法がある、國の文化が進歩し經濟狀態なども精細に觀察するに至れば、自然に人口調節の可能的ある事と必要である事とに深き注意を拂ひ、遂に佛英諸國の後を襲ふ樣になり、人口增殖は永久に繼續せぬと云ふ論者があるかも知れぬ。然れど人口の增殖が只國の强味であり、又其繁殖せし者を海外に發展せしむる事が國力の伸長である事は疑ひを容れぬ事であるから、是非ともいやが上にも人口の增殖を計り、且これを海外に發展せしめねばならぬ。而してこれが遂に國民の一大理想と云ふ程にまで考へられる樣にならなければならない事で、それには力强い宣傳を必要とする伊太利の海外發展も、彼等が上下擧つて宣傳に務めた結果であつて、今では海外在留者五六百萬を算すると云ふ事で、誠によい手本である。日本が海外に發展する事の諸外國に後れたのは、遠くは德川氏の政策の爲め、近くは大規模の維新の

改革と、改革後の内治に急であつた爲めではあるが、因襲の久しきに養はれて來た多くの障害となるべきものを持つて居たからである。その二三を指摘する事に依つて海外發展の策を明かにしたいと思ふ。

（一）我國の家族制度は諸外國に見られない多くの優れた美しさを持つてゐるには違ひない。親と子の濃やかな情愛とか、兄弟姉妹の柔かな親しみとか數へ擧げたらずいぶんあるであらうが、この家族制度の中核となつて居る家長制度が、家族の自由と獨立を奪つて、ひたすら服從を強ひて來たために。——勿論これは比較的ではあるが、そしてまた家族は、干渉と服從との中に育てられ教育されて來たために、獨立の精神をすりへらされ、いたずらに依頼心のみを育くまれて來てゐる。

およそ獨立の精神は自由のなかに芽ぐむべきものである。責任のないところに獨立の精神は育たない。責任は自由のうちに必ず包まれるものであり、自由は責任が伴つて始めて意義をなすものだからである。人格を尊重することは人格の獨立を認めてやることであり、人格を尊重される事は自ら責任を負はせられ、又獨立せなければならぬ事である。日本の家庭に此事が缺けてゐる事は例を擧げなくとも明白なる事實である。英國の家庭に於ては、子供は氣まゝに放置され、又自分の事を一切自ら爲せられる。極端ではあるが、夫が自ら靴下の修繕をするとのことは不思議とはせられない。かくして自由と獨立の精神は養はれるのである。日本人が上下を通じて『委せ得ない』『爲させ得ない』と云ふ心持ちは、やかて干渉となり、抑壓となり、自由と獨立とを奪つて、結局人格を無視する事になる。かゝる者に何として海外發展なぞ出來やうか？實に情ない事である。

（二）英國人が隨所に其の故郷を發見するのは、常に之れに隨伴する女性の力があづかつて力があるのである。英國で新婚の夫が店を都會に持ちながら、住居は離れた田舍に住む者が、妻に『御前は寂しくないか』と聞くと、『私はまさか友達がないからつて寂しがる樣な女ではありません』と答へる。更に『田舍には劇場も夜會もないがよいか』と言ふに、

『その代り多くの自由と快適とがあります』と答へたといふ元氣なのが英國の婦人である。佛國が國家の力に依つて領土を擴張しても、植民政策に失敗して居るのは、佛蘭西の女が故郷を離れるのを快しとしないがらである。米國の婦人も非常に旅行を重んじて、女子教育の最後を旅行に結ぶといふ程だといふ事である、勿論國民性と國情が異つて居るからでもあるが、日本の女性が學ばなければならない多くのものを暗示して居る。

（三）從來我國の海外移住者の素質か、劣惡だつたことは、日本の海外發展を阻害する一大難礁でなければならない。今まで海外に移住しやうといふものの多くは、内地での喰ひつめ者か、蛇蝎の樣に嫌はれ、遠ざけられてゐたどうしても仕樣の無い『ごろつきと』言はれる樣なものが可なり多かつたと云へる。『あめごろ』だとか、『滿州ごろ』だとか、『青島ごろ』だとかがみんなそれである、獨逸時代の青島と、占領後の青島とを比較すれば思ひ半に過ぎるものがあらう即ち青島の浮虜が身に相當の學問とか技術とかを有たぬ者は無かつたのに比較して雲泥の差がある。日本の植民地に眞先に現れるのは『あいまいや』であるといふことは十分にこの事を裏書するものである。こうして殆んど無智に近い教養のない、まして下劣な者を先驅とする海外移住が、どんなにその發展を阻害して居るかは言を俟たないところである。何卒將來の教育を受けたる青年が。確乎たる決心を以つて澤山出掛けたいものである。

（四）海外に發展せんとする者の成功を目的とするは當然の事である。しかし成功の意義を明白にせねばならぬ。特に僅少なる年月に多大の富でも積まんとする考へは何人も持ち易い事であるが、是れは最も注意せねばならぬ事である、到底左樣の成功は普通にて得らるべきものでない、得られなければ失望する挫折する、海外發展は無駄事だとする。是非とも長き年月間奮鬪努力をなし、秩序的、計畫的に或目的に到達すべきである、同樣の年月同樣の奮鬪をして自國に留るより二三倍の事をなせば成功と考ふべきである。又その成功とて、そこに自分の安住と快適の生活が見出さるることでなければならないことは言ふ迄もないことである。成功と云ふことの意味を我々はもつと深く理解してゐなければならぬ。又少

しく金でも殘ればすぐ國に歸り、家でも新に建て懐手で暮すことを成功と考へる者も隨分多い、それでは秩序的な遠大の事業は出來ぬ。コンスタンチノーブルに移住した獨逸人が眞先にそこに作つたものは墓地だといふことは何を語るか。どしても人間到る處に青山ありといふ氣魂と覺語とがあつて、そこに永住する程の根强さがなければ、とても眞の成功はおぼつかないのである。

五）これも我國の出稼ぎ的氣分の弊を雄辨に物語つて居る例にもれないことだが、彼地を詳細に調査も何もしないで『行けばどうにかなる』位の考で、漫然と飛び出して行くことである。彼等の空想の破れるのは當然のことである。海外發展の基礎を確實にするには、どうしても海外調査を必要とする。その地の地理、人情、産業等の狀態がはつきりしもしないのに、漫然と移住しやうなどといふことは實に危險きわまる冒險といはねばならない。人口を移殖しただけでは國力の伸張は意味されない。人口の移殖と共にそこには自國の文化の開拓がなければならない。海外發展は人口の移殖と自國文化の開拓でなければならない。リヒトホーヘンの支那研究であるとか、支那に於ける宣教師の活動の如きは、そも〳〵何を語つて居るか？諸外國の海外發展に努力する國では、商業會議所とか々協會とか云ふものが熱心に海外研究をする樣である。又獨逸の小學校教師は能く旅行する樣であるが、すべてかゝる目的の下に行はれてゐることなのである。とにかく現在の日本の狀態に於いては移住しない迄も、道樂に旅行して歩くのでさへ、よろこばないことゝしなければならない。金がなかつたら無盡なども一策だらう。邦人の旅行嫌が一掃されるだけでも幸である。かくして地理、人情、産業と云ふ樣なことを明かにすることによつて、そこに彼等の活動の方針は自ら生れる。この研究調査がなく、隨つて方針も立たず又相當の覺語もなく、爲めに隨分珍しき事件を出來する。例を擧ぐれば余が支那滿州を旅行した時の見聞だが、滿州の奥で鯛のさしみを要求し、山東省の博山で日本からわざ〳〵疊を買ひ寄せることを聞いて驚いたことがある。海外移住はこんなことではとても駄目である。處世上の事でも滿州人が韮大蒜を食ふとか、ペーチカを用ふるとか、窓ガラスを

二重にするとか生水を飲ぬまとか皆其土地に對し自然に得たる保健上の重要事である。南洋に行く者などがマラリヤの爲めにひどい目に逢ふが如きも、研究と注意の足らぬから來る慘事である。

（六）前にも述べたが日本人が秩序的、計劃的でよいことは、政治にも産業にも、あらゆるところへその弊を暴露してゐることであるが、わが海外移住者には最もこの根本的の缺陷を見る。西洋人の植民地にはいきなり木が植ゑられる。それは遠い將來を考へて仕事をしやうとしてゐることを明に物語つてゐる事實だ。例へば家を建てるのに將來必要を生じて塲合には、ちやんと建增しの出來る樣に計劃されるとか、金錢を貯蓄するに一定の豫金を立てるとか、工夫したものである。之に比して日本人の樣に目先が早く、一攫千金を夢みて移住地にありても人の成功を左視右顧して、轉々其事業を變更する樣では眞の成功は先ず望まれない。何處へ行つても人類といふ皆欲の深い動物の生活して居る處では、甘い事業をの爲に特に殘して置いてくれる樣な事はない、吾等は須らかく秩序的、計劃的に長き年月に成功を期すべきである。

（七）海外發展者へ其寂寞にたへる工夫をなすを要する。どうせ海外發展の塲所などは長き年月を經るにしたがひ寂寞を感ずる事があるであらう、斯る際に最も有力なる支持者は女性である事は前に述べた通りである。女性の激勵と慰めとに依つて海外に創める苦に堪へもし、樂しみすることが出來るのである。女性は男性にとつて唯單なる慰みではない。人間の生活から女性を切り離して考へる事は出來ないものなのである。生活の樂しさはどうしても女性の受持たねばならぬ分野である。この生活の樂しさこそは人間の能率を高める唯一の原動力である。其他生活の樂しみ又は慰めとなる音樂、繪畫寫眞の趣味とか、讀書運動の樂しみとか、いふものが必要となつて來る。本邦人はこの點に於てより大なる教養を積まねばならない、特に讀書の如きは暖き時は木陰に寒き時は爐邊に得意の時でも失意の時でも教訓ともなり慰籍ともなる『文よまで何につれ〳〵慰めんの春雨の頃秋の長き夜』とはよく詠んだものである。英國の富豪の子が大學を出て月給取りにもならず、漂然としてニユージランドに去つて、一羊飼となり、遂に成功して一大牧塲主となつた。或人が『淋しくはありませんか』と聞くと、平然として、『これが眞個の生活ですよ、此處にこそ完全な獨立と、充分な快適とがあるんですよ』と答へたと云ふことであるこの好個の海外成功者の例を以つて結論にかへる。

山田長政と其時代

宮下美柿

●

昔し昔し浦島太郎は龜にのりて龍宮へいつた、龍宮は物資が豐富て、艶麗花のごとき乙姫樣の御氣に入りとあつて、老ゐもせず死にもせぬ常世の國に、永しへにつきぬ歡樂の香に醉ふて幾年かをすごしたが、望郷の念に堪えられず、夢開くなといはれた玉手函を記念に貰うて歸つて來た。處があけて見たくなつて夫れを開くと忽ち一道の烟立ち上り、身は白髮の老翁となつた、萬葉の古い歌人は『とこよべに住むべきものを劒太刀汝が心から鈍や此君』と歎つた。とこよの歡樂郷に住むべきものを心からかや詰らぬことをしたものだといふのだ。

今の殖民共も外國で折角汗水滴らして得た玉手箱を故郷へ歸つて、忽ち烟として仕無ひ一生の勞苦一刻の夢と化し、失望と後悔とで憔悴せる老翁とならずんば幸甚である。

●

夫れは夫れとして今より丁度三百年前のことである、浦島太郎の樣に姫君の婿となり大得意で居つた人がある、其の頃暮府の御朱印を戴いて、安南暹羅の[illegible]と通商す[illegible]より三艘、堺の浦より一艘長崎より五艘の船が出た、其の中長崎から行つた船主に荒木宗太郎と云ふものがあつた、廣南國と云ふ處へ往來するうちに王の姫君とも相知る仲となつた、どうかして妻女にもらいたいと思つて居つた、或る時王樣から碁をやれと云ふ話である、何か賭けをしなくては面白くないと云ふので、宗太郎は私が勝ちましたら姫君を賜はり度いと申し出た、國王も笑つて肯かれた。結局此の碁は宗太郎の勝となつて、約束通り姫君を妻に申受けた。國王も金泥で模樣のある紙に爾來其許とは親族の盟をすると云ふ書附を下された。

是れは元和八年のことで、大坂落城後八年目のことであつた其の後十一年を經て寛永十年外國との通商を禁ずる樣になつたので、この御姫樣は乙姫樣より情がふかくて、假令東の海のはて迄もと、八重の汐路を遙々と長崎までやつて來て、兩人睦しく暮した、女子一人あつたと云ふことである。

これは山田長政が暹羅國に渡つた頃の日本海國男子の如何に

世界的になつて居つたかと云ふ當時の狀態の一例に引いたのであるが、日本國民が叢爾たる小島國に鬱屈して伸びんとして居た覇氣は國内至る處横溢して居た、是より先き足利氏の頃に八幡の幡を立てゝ、支那南海岸を荒しまくつた所謂八幡船なるものは、日本内地の狹まぐるしい處で攻城野戰に日を送るよりは切りとり强盜武士の常で、イッソ一思ひに唐天竺まで荒しマクレと云ふのが是れであつた、其の高じたものが秀吉の朝鮮征伐となつて失敗の歴史を止め、弓は袋に刀は鞘に天下は無事太平となつたのである。そこで諸大名は永年の戰で疲弊した國力を恢復し國富の增進をはかるのには如何したら好いかと云ふことになつた。薩摩の島津家では慶長の十五年に流球を自分の領分として大分暮しむきがよくなつた、奥州の伊達政宗も何か甘い仕事はないかと考へた末、石卷を自由貿易港として、西洋と呂宋安南あたりとの通商を開かうとした、そこで宣教師に色々なことを聞いて、月の浦と云ふ所に造船所を設けて慶長十八年に支倉常長を歐州に遣はすことになつた、石卷には築城の準備迄して木材も大分集めたが、幕府で青葉山と指定したのでこの方は中止となつた、民間では慶長十四年の御觸れで五百名以上の船を造ることを禁ぜられては居たが、長崎は明との通商も南蠻との通商も許されて居たので自然事情もわかり、少し覇氣ある人は何か一つ海外でやつて見やうと考へて居た、決傑山田長政は斯ふ云ふ時代の人で日本開闢以來最も少き海外成功者の一人否唯一人であつた。

●

山田仁左衛門事跡と云ふ出に『駿河の國府馬場町に山田仁左衛門長政と云ふ者あり、父は紺屋仁左衛門、常に武機軍學を好みいつの頃か駿河府貨物の甲に乙年々長崎へ往來する人と同伴し長崎に至りそれより暹羅國へ渡り住居し、其時彼國隣國と爭ひあり國王の名をチンフウと云ふ、長政が器量あるを知つて相親しみ約し、戰爭の謀を長政にはかる、長政希才あるもの故に彼國の人を日本人に仕立て、武具迄も日本樣に取拵へ日本より加勢至る由を唱へて長政大將として隣國と合戰して勝利を得るによつて國王長政をして嗣子として女を以てめあわすと云々』と

又同書中江庵子の説として駿州わらしなの所民仁左工門と云ふものゝ性質才品胆畧なりけるが、日本の中にてはさせる立身もなりがたく思ひ暹羅に渡り國帝に仕へぬ、國王の弟謀反を起し王位を犯さんとして甚急なり、仁左衛門を唱へて亂を揆し、殘黨までも討鎭め其功によりて長臣となり、後には隣國を打取り、勢ひ漸盛んなり、其時は日本人暹羅へ渡航するもの多し。生國の人々なればなつかしとて對面するに左右に彼士を詣き、驗を持たせシャムの衣服を着て其の形嚴重なり云々。

●

天竺德兵衛と云ふのは寛永十一年十月年十五歳で商船の書記として雇はれシャムの國へ行つた時の事を、八十九歳の時長崎奉行に書いて出したものゝ中に長政のことがある『シャムのテイアの城　ナヤカウホンと申者其國の侍大將にして位はチフウと申して右大臣の位にて御座候、此のナヤカウホンは生國日本伊勢の國山田御師の手代にて國々を相廻り申し候、何方にて欠け落致し長崎へ來り日本の御尋ねものにて、折節シャム國の船出船致し候に付、便船仕りシャム國へ渡り、國王の下知に依つて所々の軍陣に高名致候故、國王の婿になり、其の上シャム國一國を讓り請けて大臣となり、日本にては山田仁左衛門と申候。

●

以上の諸説を總合して考へ見るに、長政が伊勢の人でも駿河の人でも何れでもよい、兎に角徒手空拳でシャムに渡つて忽ち國王の信用を博し、顯要の位置を占めて、勢威赫々たりしものゝあるのは事實である、元和九年にはシャム國から國使が日本へ來て江戸誓願寺に宿所を取つて通商を請ひ、長政から色々土產物の獻上があつた。

日本人が根性がケチになつて信州から江戸へ行く者が臼氷峠でもう國も當分見收めだと涙を流したり、外國人と同化して同じ文化生活を營むことが出來ぬなど之ふのは德川氏鎖國の餘弊で日本人本來の面目ではない、日本人は元來が快活な進取的な世界的な生々した國民であると云ふことだけ申せばそれでよいのである、浦島太郎の樣に玉手箱を得れば故郷許りを極樂淨土であると考へて故郷へ歸つてあけて見たくなる樣ではいかぬ。

伯剌西爾に於ける日本人發展私見

伯國に於ける他國の移住者を大別して二となす。一は全然土着して植民を形成するもの、他は出稼の性質を帶ぶるものにして、既に歐州各國より輸入したる數百万を以て數ふるに至る。前者を代表する獨乙は十數年前既に完全なる植民地を『リオグランデドスール』『サンタカタリーナ』の樞要[illegible]地の全部、及び『パラナー』州の幾部に建設し、其組織殆んど母國と異るなく、殊に敎育機關の如き最も完備し、同環境に在るものは人種の如何國籍の別を問はず獨乙語を以て通用語とし陰然小獨乙國の如き觀あり。後者を代表する伊太利は『サンパウロ』州に多く其地歩を占め、又大小の地主となり敎育機關具備して伊太利氣分を發揮して居ると雖も、之を前者の嚴然南三門眼を下するに比せば及ばざること遠し。

我同胞發展の進路を進むるに當り、前二者發展の跡を參酌するは頗る重要なる問題なるも、遠く他國の例を求むるより寧ろ同胞の爲したる十餘年の經驗を基礎として考案を定むるの優れるに如かず。

サンパウロに於ける同胞植民地成立經歷等一々詳記するは却て繁雜に渡るを以て、讀者に永田力行會長の著書『南米一巡』

を一讀せられん事を望む。

一、三角ミナスの米作地

サンパウロ－の北境に三角形を爲して侵入するミナスの一地區ありて其名をツリアングロ（三角）と云ふ。日本人は何時となく之を呼んで三角ミナスと云ふに至る。此地域は從來サンパウロ州に合併の議論が起る程交通經濟其他各般の事情サンパウロと密接の關係ありて、ミナスの產物がサンパウロ及びサントスに出る要路に當る爲め急速なる發達を爲したる所にして、此處を流るゝ『リオグランデ』と呼ぶ大河ありて其兩岸に低濕の地多く、此低濕地に出入するものは『マレータ』と稱する一種のマラリヤ性の熱病に侵さるゝより、其近傍が牧場其他の爲め開拓せらるゝにも拘はらず、此處に限り不健康地としてブラジル人は勿論歐米人に至る迄て何人も顧る者なく、放棄せられありしが、後快男子瀧澤仁三郎の眼早くもこれを認め、此處に大[illegible]式の米作を始め效を奏し偶々歐州大戰に際し米價の騰貴有象無象を合せて吾おくれじと遠近より集まり來り、目前の利益に眩惑して永遠の畫策は夢にも思はず、手に唾して一攫千金の山師的氣分を發輝し一歩の土地を購入するなく、資本入らず利益[illegible]の小作を爲し、且食料其他日用品迄でも地主より前借し、自己の資力を顧みず勞働力不足の新開地に於て賃金高きに雇人を使用し、六百家族の集團を見るに至り、十万に近き袋數產米を得、大戰中米價高き爲め收支相償ふて多少の利益を擧げ來り開墾土地には次第に熱病を減じ成功を喜びたるも束の間にて、大戰の終息と共に物價下落し損の一字を煩悶の中心とし、二三思慮ありし者の外は殆んど爲す所を知らず、他の地方植民者が霜害虫害にて作物の全部を失ふも、所有の土地は殘り來年の收獲を樂しむの希望あるに引替へ、殘るは負債のみにて進退維谷まるの悲境に陷り、遂に七十餘の家族の逃亡を爲すに至れりこれ自業自得とは云へ、指揮者を有せざる烏合の衆團が暗黑の道を進んで誤るは又不得已ことにして同情一掬の涙なきを得ず。

之に反しミナス州に於ける地主が、殆んど唯一の事業として牧場を設くるや、樹木雜草を鋤除して牧草の種子を蒔くの習慣あるも之を實行し得ざりしが、前記の如く打捨て置きたる三角ミナスの低濕地が多少の前借其他の資金を供給し、收獲の二割乃至五割の利益を收め、四年或は五年の借地の期限經過後には雜草の鋤除せられたる牧場誂向の良地を反還せらるゝの餘得に浴するの幸福を喜ぶの結果を生むに至れり。

日伯產業組合の善後策を引受けたる福川薩然氏の如き、此六百家族の同胞が借地期限の終りたる後、各自の隨意に離散して元の默阿彌に歸するを憂慮し、昨年より切に一植民地を建設せ

んとの希望にて奔走し居るも、今に其消息を得る能はず遺感のなり。

二、ジユキア線の集團

サントス港よりジユキア驛に走る南サンパウロ鉄道會社の鐵道百六十二キロメートルの線路の兩側に、沖繩縣人を主とする約四百餘家族の日本人が米作に從事す。便宜上之を『ジユキア』線の集團と名づけて述ぶる所あるべし。

明治四十一年より數回に渡航したる日本の契約移民は何れも珈琲園に滿足する能はず、『サンパウロ』市に出で來りしも、又志を得ず、彷徨移轉の人となり居る中、沖繩縣人五六の家族一團は右鐵道會社の線路が未だ單に豫定線たりし大正二年に、『アンナディアス』驛附近に地をトして工夫として勞働の傍ら米作を始めたるが、此集團の起源にして、此頃迄は豫定線の兩側は勿論附近一体の地は鬱蒼たる森林にして、線路用として樹木を伐採し又は其伐採され居る處を鐵道工夫の往來する外旅人の往來となり、又農耕地としては認むべき地もなかりしに、昨大正九年には五百家族に近き一團が一萬五千町步の土地を占有し一袋八十リツトル入りの籾七萬八千四百袋を得た。此時價一袋十七ミルの換算額にして總額千三百三十二コントスの收穫を擧ぐるに至れり。官憲又は會社等より何等の援助をも受けず、强健なる身体と生命を賭したる奮鬪と意氣と實力とは他の國民に比して決して遜色あるものに非ず。誰か之を善導して日本民族發展の實を完ふするものやある。

右奮鬪の結果たる收穫及發展勢力と見るべき二三の表を擧ぐ

第一表　大正八年度收益

品目	員數	單價	價格（ミル）
米	三一、七〇〇袋	一五ミル	四七五、五〇〇
馬鈴薯	二、五〇〇	一七	四二、五〇〇
玉蜀黍	七〇〇	一〇	七、〇〇〇
甘藷	五、〇〇〇	四	二〇、〇〇〇
豚	一家平均三百ミル三百家族		九〇、〇〇〇
合計			六三五、〇〇〇

第二表　大正九年度收益

品目	員數	單價	價格（ミル）
米	七八、四〇〇袋	一七ミル	一、三三二、八〇〇
馬鈴薯	三、五〇〇	一五	五二、五〇〇
玉蜀黍	一、五〇〇	一〇	一五、〇〇〇
甘藷	五、〇〇〇	四	二〇、〇〇〇
豚	一家平均一百五十ミル戶數四百		一〇〇、〇〇〇
合計			一、五二〇、三〇〇

以上の收穫を得るに如何なる處に何程の面積を耕作し居るか大正九年度に於ける分布の模樣を明かにする爲め次表を擧ぐ

第三表　ジユキヤ線日本人發展勢力表

驛名	サントスよりの距離	戶數	人口	就地年度	年賦支拂中の地面（町）	買收地（町）	所有戶數
イニアナニ	五八キロ	一〇八	七〇〇	大正八年	五〇〇〇	五〇〇〇	六〇
仝	仝	五	一五	仝八年	三七五		
仝リオプレート	仝	三	一〇	仝八年	二五		
ペルーペ	八五	二〇	七〇	仝八年	二七五〇		
アンナディアス	九二	一五〇	九〇〇	仝三年	二五〇〇	一二五〇	二五
イタリリー	一〇三	二〇	一一四	仝六年	一三〇〇	九〇〇	七
リオペイン	一〇九	四五	一六〇	仝七年	四五〇		
ホルタグランデ	一二〇	二	五	仝七年	二五		
ペードルバーロス	一三一	二〇	八五	仝七年	二二五		
プライーニヤ	一四二	一五	五〇	仝八年	一二五		
ジユキア	一六二	一四	五一	仝四年	二八〇〇	二七五〇	八
計		四〇二	二一六〇		一五五七九	九九〇〇	

以上表示の如き發展を示しつゝあるも。翻て其裏面を見るときは下記の如き種々なる缺陷あり、又如何ともする能はざるものあり。

（甲）　資金の不足及調達難

ジユキア線に來りしものは前記の如く多く珈琲園を出でたる移住の人なりしより、多くの蓄財ある者なく土地購入より收入迄の食料日用品等、悉く之を他の借用に仰ぐ有樣にて、遇々多少の貯ある者も中途にして資金の缺乏を來し、之か調達に苦心しあらゆる手段を盡して漸くサントスの内外人より驚くべき高利を以て借出しを爲し、一時の急場を凌ぐに止まれり、而して

得意の商店より借り入れると知友より借入れるとの二あるが、前者は概して左の如き條件にて借入れるもの多し。

（イ）食料品及び農具等は掛賣りに約二割以上の利息を附し生產物の收益を以て返還すること、す。

（ロ）右の場合には借金額及び利息に相當する生產物の前賣契約を爲し其數を定め置くものとす。

（ハ）現金の借出しは多く二割五分以上の利息を附し前同樣生產物を引當とし前賣契約を爲し其數量を一定し置くものとす。

後者の知友より借出しをなすものは其方法多樣にわたるも、概して二割五分以上の高利を拂ひ、且人によりて前記商人と同樣生產物の前賣契約を爲し、此際豫め定置く代價を過當に低下し、商人以上の苛酷の取扱を爲されたるもの少なからずと云ふ

乙　生產物加工の機關なきに基く損失及び不便

生產物の主なる米は籾より精米して賣却する時は常に二割以上の利益となるにも拘はらず、日本農耕者と連絡を有する精米所なく不得已此損失を知りつゝ籾にて賣却せざる可らざるの狀況に甘んぜざるべからず、尤も當時外國人に依て經營せらるゝ左の精米所あるも、一旦籾を精米所に運び自宅に持歸り而して賣却の時又々之を搬出する等三回の運賃を要し、多額の失費の結果何等得る處なく之を爲さゞるの優れる結果に終るのみ。

大正九年に外人の經營せる精米所

驛名所在地	精米機數	一日の能力
ジユキヤ	二臺	白米九十俵
プライーニャ	一	五十俵
イタリリー	一	百俵
アンナデイヤス	一	四十俵

（丙）　倉庫不足に基く損失及商店の奸計

此の集團の住居する家屋は孰れも堀立小屋にして漸く雨露を凌ぐに足る程度のもの多く、之に反して收穫する米は少くとも六七十俵多きは數百俵に上るもの少なからず、從て之を容るゝものなく一時倉庫に供託せんとするも全沿線中にリオプランコに荷上げ倉庫あるの外、共同倉庫の設けなければ勢即時に之を賣却するか、又は遠くサントスに持出し知己の住宅商店、又は商店の倉庫に一時保管を依賴し時機を待たざるべからず、此結果下記の如き損失を蒙るの悲しむべき現象を呈す。

即賣の場合には耕作者が生產物の始末に窮するを見たる商人又は仲買者は、法外の廉價にあらざれば之を買受けず、さりとて之をサントスに持ち出し運賃を支拂ひ、三人家族の骨子たる夫が農繁期を費して之を賣却する如きは到底出來得べきにあらず止むなく損失を知りつゝ之を手放し自然商人をして利益を專

斷せしむるの愚を繰返さゞるを得ず。又適當なる商機を見計らひ之を賣らんとすれば、勢ひサントス迄て搬出して損失を爲さざるべからず、此場合如何なる成行を來るかを慮ぶるに、產米を持來りし耕作者の足元を見たる商人が前記即賣の如き同様の掛引を爲すに依り、時機を待つ爲め知人の住宅商店又は商店の倉庫に保管を依賴せざるべからず、(勿論サントスにも共同倉庫の設なし) 此の如くにして各人個々別々に保管せられたる少額の米類は、大商人との大口の取引き不可能となり、さりとて各自が時々刻々相場の高下を調査する如き時間と餘裕なく、商機の如きは五里霧中に彷徨し居ると同様、何等見出す事なく只迫られたる必要の時に之を賣るの結果に過ぎず。

さて之を賣らんとするや各所に相場を問ひ合せ買主を求むるに至るや、其數量の少なきと長く安心して保存すべき倉庫なきを知る商人は、餘りに代價を引き下ぐるに集るゝ時のみなるの時。最初保管を依賴をなしたる者に歸り來るや、保管を受けたる知人又は商人は何等かの因緣あるにせよ、利益の一點に至りては奸商と選ぶ所なく、元々此等の人々は品物を後日廉く買取る野心より最初恩惠的に依賴に應じ置きたるものなれば、供託者の云ふ儘に之を低價に買取り耕作者は非常なる損失を爲すの狀態になるものなり。今日の處サントスの精米所に於て精米と兼業に倉庫業を爲すものありと雖も、一旦此處に精米を依賴する時前は同様の結果を逃れんとするも不可能の事に歸着す。

此の如き缺陥あるにも拘はらず、前第一表乃至第二表に示す如く急速の發展を爲したるは必竟するに歐州大戰に依る物價騰貴と云ふ恩惠の爲めにして、假令不少の損失不利益ありしと雖も餘り痛痒を感ぜざりしに、一朝平和の風に市場の高價が吹き落され、剩へ本年の不作は大正九年の隆盛に反して、土地所有者の一部を除く外、何等餘す所なく、或者は離散し凋落するの悲運に趨るは又已むを得ざるの數なり。

三、三角ミナス及ジユキヤに對する私評

伯國開闢以來不健康地として伯人は勿論歐米の勇敢なる白人と雖も未だ嘗て手を着けたる事なき低濕地が、一旦瑞穂民族に發見せらるゝや一挺のフホセ(鉈)は彼等の頭上に躍り、一挺のエンシャーダ(鍬)は彼等の足下に動き、數月を出でずして青々たる稻田に變じ、獸類も敢て住ひ事を潔しとせざりし三角ミナスの一角が、數年を出でずして六百家族の身命を安んずる一村を形成し嘗て人影を見たる事なく、晝尙暗き鬱蒼たる森林も獨り自立營の環境を求めんと移動しありし活氣横溢氣勢緊張快哉叫んで朝に夕に、伐りては燒き燒きては植える同胞の手に依

り三、五年を出でざるに延長る六十餘キロメートルに亘る帶狀の耕作地は展開せらるゝに至れり、嗚呼三千年來一島地に壓搾せられたる精神の反動的膨脹力豈強大ならずや、既に此の力あり世界到る處何物か恐るゝに足らん。

然れども退而靜思する時は、右二集團の此の如く急速なる發展隆盛を爲したるにも拘はらず、又速に衰退しつゝあるは各自の相當の資金なく、(目前の利益に囚はれ無謀の廣大を謀り、組の缺陥を補はざるにありと雖も、其主なる原因は彼等に遠謀深慮を有する中心人物なく各自氣儘の活動を爲して統一なき烏合の衆に過ぎざること、及び土地を買入れずして借地若くは借地と同一の結果を伴ふ年賦拂か未だ拂込を終へざるの二に歸せざるべからず。

四、他の小集團

以上述べしは植民地及集團地の外、在留同胞にして移民契約期間の終了したる數千の家族は、數家族若くは數十家族彼此各所に散在して多少の土地を所有し、又は借地して獨立したるもの、獨立しつゝあるものありと雖も、未だ集團として記すべきものなく、殆んど總てが方向を知らず深く慮らず、其日暮しを續くるに過ぎざれば、力ある志士が彼等の前途を照し民族族展の實を擧ぐる事は最も緊要の事なり。

五、植民に要する三要件

將來伯國に爲す日本民族の植民方法に要するの件決して少なからずと雖も、既往に鑑み將來を考ふる時は左記三要件を大綱とすれば他は自ら解決し得べしと信ず。

(甲) 土地の所有　土地を使用せざる日本勞働者が北米に苦みつゝある事誠に悲慘の極みなるのみならず、伯國於ても前に述べたる如く土地を所有せず借地又は分農方法に依り、他人の土地上に勞働し居る者が獨立の目的を完ふし能はざること、三角ミナス及ジユキヤ線の集團と他とを比較して見るも明なり、故に植民の第一要件としては假令他の不便は忍ぶべしとするも、土地購入を最も必要とす、若し購入し能はずとすれば是非所有と爲し得るの方針を執らざるべからず。

(乙) 植民地の中心人物　文明の進歩は個々區々の運動を許さず。集團一致の大なる丈勢力も大にして進步便益又之に從ふことは云ふ迄でもなく、歐州大戰後の傾向之を證して余りあり、此一致統一を爲すには是非共集團の中心となる人格德望ある人物ありて、之が犧牲となり、智德共に下級なる勞働者の目標となり、指導者となる事を要す。此人物ありて始めて深謀遠慮を旋らし。諸種の缺陥を補ひ以て新開地に於ける不測の困難と戰ふを得べく以て元氣を維持するを得べし。

(丙) 宗教　人は靈のみにて生くる者に非ざる如く又肉のみにて生くること能はず、靈の生命なくして肉の生命のみにて生くるものは鳥獸と選ぶ所なし。故に靈の生命は宗教の信念に基きて初めて之を得べく、之を得て初めて安心し世を送り得るものなれば人として宗教の信念を要せざるものなきも、ことに殖民地の如く新開の處に於て不測の艱難ありて坐折し易く、兩性の平均を得ずして亂倫に陷り易く慰安の具少くして自暴自棄し易く、社會組織の整はざる爲め誘惑に迷ひ易き處には、宗教の信念に依り始めて之に打勝つ事を得べし、伯國に於ける同胞は今日迄如何にして寢食せんかに忙殺され居り、精神修養を語る者だに少き結果、精神上の不具者を生ずる事すら少ながらず結果寒に耐へざる者あり、故に是非共精神の修養慰安の爲め形式に囚はれざる宗教に立脚して、植民の風俗を純化するの覺悟と設備を要す。

六、伯國の地價及土地の賣買

リオ、デ、ジヤネイロ各州主府及市街を爲す都會地に於ては日本各地に行はるゝと同様、一定の標準價を基礎として賣買せらるゝが、玆に述べんとする地價及土地賣買とは斯如き都會地を研究するに非ずして、新來の植民又は農業牧畜に從事せんとして入込まんとする未開地方面に於るものを指へたるものなり、

(甲) 地價　今日迄會社若くは個人の經營に係るサンパウロ州各地に於ける土地の價格は、『レジストロ』の一アルケール代七十ミルレース、梅辨の五十ミル乃至百ミルレース、『ビリグイ』の六十ミル乃至百十ミルレースを初めとし、最低五十ミル最高百五十ミル位にて植民に賣渡されたるものが、現今にては數倍若くは十倍以上の價格を以て賣買せらるゝに至り今後は漸次騰貴するの傾きあり。

然れども此等植民地建設以前に於ける此等の地價を尋ぬれば何等の價格ありや殆んど評價し得ず、價ありて價なきが如き有様なり、一旦植民地の建設せらるゝに當り、又は鐵道線路の豫定せられて、一アルケール五十ミルレースと定めらるゝや其近傍は標準を此に定め以て双方の事情に基き、之を勘酌して賣買せられ始めて稍定まりたる價格を見るに至れり。

右の如く價ありて價なき有様は、大なる地に至りて益甚しく從來の持主は自己の所有地が果して幾何なるを知らず、(現在新式にて場其他諸般の設備を施して、事業を經營し居る者は例外)又資本土地收益を對照して地價を見積る事を爲さず、勿論近傍も同様にして比較すべき價格を見出す事が不可能なれば、唯買收希望ありて賣買の相談あるに當り大概の處を申出で買手が、之に一致して、價格が定まるものなれば、或土地は非常

に高價に或土地は非常に低廉に、到底日本人等の頭腦には不可解の外なし。一例を擧ぐれば余等の居りし『サントアントーニオ』をリオ州政府が日本植民地　買入るゝや、住家製造場現存する牛馬四五十頭家蓄等を包含したる目算三千町歩の土地が代價二十コントスなりしに、マカエ近傍に某の買入れたる某『フアゼンダ』は前の半にも滿たざる土地に、少し許りの牛馬住宅等を合せて八十五コントスとは、固より交通の便否が參酌せられたるに相違なきも、前者の肥沃なりしに反し後着の及ばざるを見る時驚くの外なし、

右の如くなるを以てサンパウロ州に於ける豫定の植民地又は集團地の在る處には今日大概一定の價格あるも、其他の土地に於ては最初の賣買が價格の創定にして其近傍は之に從ふを普通とするの外なし。

(乙) 土地の賣買　土地の價格にして前項の如くなる以上既設植民地又は集團民の住する處には、其土地は適當の價格にて賣買せらるゝも、其他に於ては賣買の方法として何等の習慣なく、賣手買手の手心に依り如何樣にも高下し得る故に、此の手心あるを知らざる新來者が往々失敗する所以なり。

伯國に於ては前に述べたる如く各都會地若くはサンパウロ州植民地の如く、形成されたる住民集團地の外、何等賣買等の行はれざるを以て將來交通等便宜發達に資すべき良地の未だ何人も近づかざる土地を購入し置き、之を所持するに於ては數年ならずして幾倍の利益を得るや必せり。若し之れに測量區畫を施し之を賣出す如くすれば非常の利益を擧ぐる事疑なし。尙ほ南米一巡一一三頁にあるヴイリグヒ會社の賣地の如き、最初會社の手に入りたる時は殆んど無價に等しかりしものが、植民地建設の爲め彼の高値を見るに至るは之を証して餘あり。

(丙) 土地購入の時期　一定の資本金ありて之を利用し收支の豫算に基き損失なきの明なる時之を買入し、事業を經營すること海外興業會社のアニユーマス耕地に於ける如くなれば一般の景況に依り何時之を購入するも差支なしと雖ども、小額の資本又は一定の金額を利用して出來得る丈多大の經營を爲さんとし、又は多數の植民を送る爲に購入する土地の如きは一日も早きを貴ぶは勿論遲くとも今より一年以内に爲すを最良の時期とす。

歐州大戰の結果は戰前に比して一層原料品殊に食料品の缺乏を來し、之が補給を爲すには是非とも適當なる生産地を求めざる可らず、而して今日の處無量の富源を有する廣大なる土地は伯剌西爾を除きては他に適當の處なきは、世界各國定論と云ふべく、利益に慧眼なる米國人は歐州の天地に講和の聲の聞ゆる

や、他國に先んじて伯國に來り、資本家の闘奮み始め之を援助するに政府の權力を以てし、今日迄交通不便の爲め手の着、所なしとて放棄せられありし『ゴヤーズ』『マットグロッソ』兩州に廣大なる土地を購入し、各種の經營を爲しつゝあり。英、佛、獨、伊又土地を求め移民を送り、其數日本移民の幾倍なるを知らず。白、和兩國又之に習ひ、各國多少其趣を異にすると雖も、伯國の産業界に地歩を占めんとして土地の占領を爲しつゝあるは同一なり、此の如くして彼等が樞要の地を得たる後は、日本人が之を得んとするは甚だ難きのみならず、價格上騰して少額の金を以て購入し能はざるべし、これ一日も早く購入するを良とするは理由の一なり。

今日の處未だ一般的に排日の傾向無きも、リオ市に於ける尤も有力にして信用ある大新聞の『ジョルナル、コンメルショ』が時々排日氣分の議論記事を掲載し、二三の小新聞は常に事實を虛搆し惡口罵言を以て排日を宣傳し、昨年練習艦隊の來りし時の如き『パアトリア』と唱ふる新聞は、二週間毎日初面一頁を並に山縣氏の惡口に費し居る如き事實もあり、其他日本移民船の來る度に排日氣焔を繰返してる位にて、巷間傳ふる所に依れば小新聞の或物は多く北米より金員を貰ひ是等の記事を掲載するとの事なれば、北米の保護國の如き有様なる伯國に於ては尤も注意を要すべく、前記の如く各國競ふて土地を購入し、利益を傾せんとするの結果、利害の衝突に關しては如何なる行違を生ずるとも限らず、早晩伯國人の眞意に非ざる而かも強烈なる排日の起らんとは、徒ら杞人の憂に非ざるを恐る。これ一日も早く購入せらるゝを良とする理由の二なり。アルヘンチナ駐在公使中村巍氏、伯國公使館官野田良治氏は暇を賜り歸朝中、本年六月東京立憲政友會定例茶話會の席上にての講話は、伯國への移植民輸送の時期は歐州各國が戰後の回復に忙殺されて居る間に限る事を切言しあり、尚野田氏が九月十八日を以て東北、九州四國の廿六縣下に出張を命ぜられたるは、伯國事狀のプロパガンダ移植民の希望者の間接の勸誘なれば、早晩何等かの具体案として現出すべく、若しその場合サンパウロ州以外に植民地を建設する如きことありとすれば、其近傍の地價の騰貴するは自然の事にて、低價の今日之を購入し置くを良しとする理由の三なり。

（丁）　土地購入の場所　伯國は廣漠なる良土多しと雖も日本人植民地として購入すべき所を考ふるに、北方熱帶圏に屬する所はブラジルの寶庫と稱せらるゝ富源なるも、氣候炎熱なると日本人の踏査したる少きは其適否を知る能はずして冒險の嫌あり。『マットグロッソ』『ゴヤーズ』兩州の如き海岸を距つ

ること遠く、交通不便にして大資本を以て此等の不便を除去するを要し、『リオデジャネイロ』『エスピリットサントス』等中部諸州は早く開けて既に白人の占むる處多く、殘るは汚澤に等しき所、『サンパウロ』州又珈琲園に近く三萬の同胞が競ふて饒利を求め、漸へ社會の組織著定よりて新たに事を爲すの餘裕を存せず南方『リオグランデドスール』『サンタカタリーナ』兩州の小獨乙國の觀ありて、日本人の活動を許すの餘地少なし此の如く觀じ來れば餘す所は、『パラナー』州全体『ミナス』州及『マットグロッソ』州の一部より少額の資本を以て多くの事を爲すの必要ある日本人の活動するに適するのみ。

右三州は『サンパウロ』に接近して、既に交通の便あると同時に交通を設くるの便あり。何となれば何事に限らず世界の何の處たるを問はず苟も事業を爲さんとするには、資本と勢力の二要素が必要なると同樣に、日本人が植民的の事を爲さんとして資本勢力を日本より輸入せんとすると雖も、或程度迄では在伯人の力即ち勢力を用ひざるべからず、若し在伯の土人を使用せんとすれば賃金の點に於て損失多きのみならず、人を得る容易の事にあらず、土着の伯人を使用する賃金の損失少なきも、人數足らず、加之事の性質に依りては其用を爲さゞるあり。勢ひ日本人を使用せざるべからずして之を『サンパウロ』州在の日本人にうる事尤も容易なり、何となれば移民の契約期間終了して來た土着し得ず方向に迷ひ彷徨し居る者四五百家に下らず、此現在の土地購入を爲して利あるの一なり。次は前記の如く交通の便あるを以て生産物搬出の點に於て他よりも便なる其二なり。次に此三州に未だ何等の手を着けざる處多ければ、本人の活動を爲すの廣大なる面積あること其三なり。次ぎに此三州は土地の形狀波狀を爲すも、至つて低く平坦の所多きにも拘はらず、山嶽大河の交錯し瀧多く水力電氣の原動力を求め得るに便なる其四なり。次ぎは此三州が牧畜盛んにして、『マットグロッソ』の如き從來の儘なるも、『パラナー』『ミナス』兩州は早く歐州文明の方法を參酌改良し居りしは世界必需品の原料にして、伯國に牧畜を營むに便利なる其五なり。次ぎには三州は日本人の得意とする米作地面を有する少なからざる事其六なり。

以上の外各州特殊の利益としては『パラナー』州の同名の松は直立の本幹三四十メートルの間枝なく節なく、之を製材にして今現に市場に於て北米産のメリケン松に代りつゝある處の建築材木にて、未だ嘗て斧鉈の入ざる處あると氣候温和にして九州の南端に等しく、歐米人の本食たる小麥の生産地の如き大いに望みを囑し得べく、『ミナス』（ミナスは鑛物の意）『マ

ツトグロッソ』兩州の鑛物に富む事最も著しきものなり。

七、理想植民地の設立

日本植民をブラジルに爲さんとするに當り、如何なる方針に出づべきかは最も必要なる根本問題なれば、之を左の甲乙に別ちて述ぶる處ある可し。

（甲）　最終理想植民地　日本國家としての對ブラジル政策としては、唯一の植民策あるのみ、此根本を決定して貿易其他の枝葉の問題始めて論斷るを得べし、然らば此政策の方法如何。

前述土地購入時期に於て歐米各國競ふて土地を求め事業に著手するを述べたるが、此等は假令政府の後援あるにもせよ個人若くは會社の個々の事業にして、國家としての政策に非す。廣大なるブラジルより見る時は此等に要する土地は九牛の一毛に過ぎず、若し大和民族の全体が手に唾して開拓を爲さんとするならば、其所要の土は伯國に求むる決して難からず、唯難きは時期にして前述の如し、

さて此政策に從ひ要する土地の面積は今之を數字に計算する如き細密を要せず、少くとも五百万人を最低とし益々增加するの方針を以て、此等の人を容れ牧畜農耕に充分なる面積を要するのみ。輸送の方法は現に大坂商船の定期船、郵船の臨時船も同樣の回數なれば、此兩船に滿載するも年六七萬を送る事易々なり。然れども戰後不景氣の爲め日本に旅ける殺船の全部を擧げて之れに充つるとすれば、年々小なくとも五十萬を送り得べく、之を十年計畫として五百萬を送り、一段落とし以後は其發達如何に依り、繼續すると否とを定む可しと雖ども兎も角土地は最初一回に之を購入し置くを要す。

斷如くして既に百万以上の入植を得れば如何に排日の起るも恐るゝに足らず、起り得ざるべし。又如何に歐州が妨害を試みるも何等の効なく、假令米國が例のモンロー主義を以て南北兩米を連續せんとするも、政治上經濟上に一勢力となり又動かす可からざる日本民族の根低を如何にせん。而して此の事柄たるや相當の人物ありて之を提唱するに於ては、共鳴する者すくなからず、二百年前英の東印度會社が『クライブ』『ベス』『チング』の傑物によりて印度を收めたる精神が、今日唱ふる如く恩實形の延長日本を伯國に見出す決して机上の空論にあらざるべし。山縣元民氏の南米馬族論あるも又故なきにあらず。然れども現在に於るけ內地の事情と入とを顧る時は、時期の熟せざるの感なきに非ず。刻一刻變化進行しつゝある時期と大勢は去つて又返らざるに至り、此等の理想が空望に來して山師的の策と同視せらるゝ事を惜む。故に茲には其遠大なる理想として述ぶる事は止むべし。

（乙）　實行に近き植民地　道は遠きにあらず近きより始むべしの古言に基き、完全なる理想よりも多小の不備あるも實行して始めて用を爲すものなれば、徒らに聲の大なるあり僅許りの土地に僅かの同胞を植民するも其益する處少らざるを思ひ、即時パラナー州を選びて左の三案を具せり。尤も實行に就いて要する細密の目論見は別にあるも之を省く。

第一案　一　政府は植民地に要すべき地所として官有地又は民有地とを問はず總べて無償にて建設者に交附す。二　建設者は植民地に關する一般の法律規定に從ひ土地の測量區畫家屋の建築衛生教育の設備等植民に必要なる設備を爲す。三　植民は三百乃至五百家族を在伯日本人より募集す但し移民は契約年限終了したる者に限る。四　政府は植民の現在地より植民地までの汽車汽船賃を支給す。五　政府は植民入植後六ケ月間十二歳以上の植民に對して一人金何ミルレースを支給す。六　土地測量家屋建築費の全部又は幾分を政府は補助する事あるべし　七　土地は三年々賦として其代價は政府の收入とす

第二案　前第一案の五、六、二項を院き七の地代は建設者の收得とするに改め他は前案同樣

第三案　前二案の如く政府の思惠を受る時は政府の干渉を受け建設者の意思を遂行する能はず此等の炊雜を免るゝ爲め土地購入（前案の一）區畫側量（前案二、六）は建設者の自費を以てし、其他は植民自治の精神を發輝する爲め植民の兌抱とし（前案四、五、七）は現今伯國の各州が人口の增加を希望しつゝある所なれば、若し何等の煩雜を殘さゞるの條件の場合には、政府は代價なくして無償の土地を貰ひ受け得ること、あながち出來ざるものとも限らざれば、なるべく費用節減を旨とし左の如く起案せり。

一　植民地は建設者が買入れた土地に設立す。但政府より何等交換案件なく無償にて貰び受る土地あれば此限にあらず

二　土地の側量區畫は建設者之を爲す。三　家屋其他必要なる工事は植民の負擔とす。四　教育衛生等の設備は植民の負膽のとし時宜に依り建設者は補助を爲すものとす。五　土地代價は建設者の收入とす。六　植民は在伯邦人家族の使用する者を募集す相當の信用又力行會員は單身と雖も植民する事を得一体在伯の他國人は一旦逆境に逢遇する時は手足纒の妻子を有せざる單身者は勝手に移轉行動を爲し、他人の迷惑義理等すこしも顧みる者なく、是まで雇主資本家の蒙りし損害少なからず、殊に邦人は此弊多きを感ず。故に伯國に於ては、雇人又は植民等多くは家族者を條件とするも力行會員の如き堅固なる信念の上に立つもの、又は力行會員に非ざるも信用しうべき獨身者と雖も之を入殖せしめ元氣旺盛なる活動を要するより出たる本案の骨子也。

◇信州だより

◉竹井内務部長の渡歐　本縣内務部長竹井貞太郎氏は、内務省より約半ケ年の豫定を以て歐米視察を命ぜられ、去る三月二十二日神戸出帆の香港丸に便乗せられた。岡田知事が既に歐米最新智識の輸入者であるのに、今又部長の外遊あり。將來長野縣政の上に一段清新の氣を帶ばしむるであらう。

◎縣立學校網　本年度豫算縣會の大問題は縣立學校問題であつた。郡立又は組合立で縣立に引直されるものが、小諸商業、長野商業、下伊那農業、東筑摩農業、丸子農業、下高井農商、諏訪蠶絲の七實業學校、南佐久、伊那、大町、下水内の四高等女學校で計十一。新設のものが木曾、松本第二、須坂、埴科の四中學校、豊科、埴科の二高等女學校、上水内農學校の七校で合計十八の縣立學校が殖えた譯で、教育國を以て誇とせる本縣には應しい施設である。右の内一二の實業學校では、殖民に關する科目を加設し度いとの希望もある。猶新に校舍を建築するに數校は、今迄通りの木造を癈し、永久的の鐵筋コンクリート十する相であるが、完成の曉には定めし田舍人の眼をそばだてしむるであらう。

●信州生絲の産額　本年二月迄での一ケ年間に於ける全國生絲の産額は、前年に比して著しく增加し、總數三十四万六百五十一梱半、して、其の内信州人の手に依りて製出されたる分は十七万二千三百七十五梱、即ち五十パーセント六に當る。信州系統の分を更に内譯すれば、縣内工場十一万一千二十五梱半、縣外工場六萬一千三百四十九梱半にして、更に是を地方別にすれば左表の如くである。

縣内工場地方別（端數省略）		縣外工場府縣別（端數省略）	
諏訪	四六三三八梱	埼玉	一三四八九梱
小縣	一二九六一	福島	四三一二
上伊那	一五四八三	愛知	四九〇二
下伊那	七七五八	群馬	三三一一
松本	五六七六	栃木	二二九七
須坂	六六五七	巖手	三三〇七
佐久	五七[illegible]〇	茨城	二〇五九
松代	二二八三	兵庫	三六四七
其他	八一一九	東京	一八四三
		其他	二二一八二
計	一一一〇二五	計	六一三四九

合計　一七二三七五梱

◉樺太行人夫の盛況　樺太廳では本縣から木材伐採の人夫を募集した處、内地不況の影響かも知らぬが志望者豫期以上に多く南北信に亘りて六百人を超ゆるの盛況であつた。其の一部約五百人は、去る四月十日縣廳係員監督の許に出發したが、其の後も引續き三人五人と組を組んで出かける者が多數である。

◉郡市長の異動　久しき間決定せざりし長野市長候補は愈々商業學校長丸山辨三郎氏に決定し、市會は滿場一致で同氏を選擧した。之と相前後して郡長にも四五の異動があつた。早川上水内、安藤東筑摩、飯尾更科、園田西筑摩の四人が勇退し、東筑摩へは下水内の高野氏が轉じ、高野氏の後へは縣會計課長の藤井勝太郎氏就任、上水内へは社會課長の齋藤助昇氏、更科へは見戶浩巍氏、西筑摩へは川瀨宇吉氏がそれ〲就任した。

◉縣下各地の借家料調　本縣社會課での調査によれば、縣下各都會地の家賃は疊一枚を標準として、高きは上諏訪の一ヶ月八十錢、福島、松本の六十錢、下諏訪、飯山、長野、上田の五十錢等で、低きは屋代、臼田、大町、須坂、中野等の二十錢至乃二十五錢位の處である。外國在留の人々には興味の薄い事であらうが、内地は是等が仲々の問題になつて來た。

◉農村の經濟狀態　米の値も絲の値も下る一方で、農家の經濟狀態は豫想以上に窮迫して來た。農家の不振は直ちに都會の商業に影響して、何處にも此處にも不景氣の聲許り喧しい。鐵道の驛夫や職工や其の他の日雇に出て、多少なれ賃金を得る者は幾分緩和されるが、其れ等はほんの小部分で、一般は隨分セチ辛くなつて來た。其んな結果でもあらうか、農村の青年が續々と都會へ出懸けるので、小作等やり手が少く、地主は地所の仕末に困る樣な話が方々にある。

◉屋代町青年の活動　埴科郡屋代町は信越線の開通以來、他の地方とは反對に年々寂れ行く傾向があつた。長野や上田に顧客を奪はれたと云ふ關係らしい。最近十數年間戶數が平均四つ五つ宛減少したとの事である。それに今回中學校が建たるに就いて、十數萬圓の大金を寄附せねばならぬ事になつて、町民の負擔は容易でない。此處に目覺めたのは町村の青年である。尋常一樣の事では此の難局を切り拔け得ない。さりとて急に發展策も見當らぬ處より、一致團結して極端な勤倹力行をやらうと決心し、丁度目下始りつゝある千曲川改修工事の日雇人夫となり土方稼ぎをやつてゐる。たとひ賃金は安くとも、やつて見れば自然に興味も出て、勞働の神聖なる事も体得されて、相當資産家の息子も喜んで働いて居る。此の賞賛すべき意氣込は他日屋代町を復活せしむる原動力となるであらう。

◉隧道崩落の慘事　三月廿八日午前[illegible]南安曇郡安曇村京濱電力株式會社の發電所工事中隧道崩落し、折から坑内に作業中の技手一名、工夫拾八名は生埋めと云ふ大珍事出來したり。會社側は係員總出にて工夫を督勵し、晝夜兼行開堀に從事せる結果、廿九日午前漸く開通したり。拾九名中五名は土砂の爲めに壓死せしが他の拾四名は何等の異狀なく生存したり。慘死者は秋田富山等何れも偏府縣の工夫なり。

◉日本アルプス雪中登山に成功　歐州アルプス登山に成功して世界的山嶽家の名聲を博したる槇有恒氏は、東京の大學生松本の山嶽會員の外に人夫八名合計拾七名を引連れて、去る三月廿六日午前六時南安曇郡西穗高村を出發し、スキーを用ひて雪のアルプス登山をくはだて、同日午後五時半漸く常念坊の小屋に達して同所に一泊。廿七日は鎗ヶ岳の絶頂を極めて鞍部、鎗澤小屋へ一泊。廿九日上高地で燒岳へ登り首尾好く目的を達した。之に就きて全氏は語る『小屋の設備さへ完全ならば雪中登山も何等の危險無く、寧ろ一層壯快である』と

雜報

▲南佐久支部設立　信濃海外協會南佐久支部設立相談會が、四月拾九日の午後全郡役所樓上に開かれた。武藤郡長開會の辭を述べ、佐藤副總裁の協會設立の趣旨を説明せる後、信濃海外協會南佐久支部設立委員選擧其他具體的の事項は各町村より適宜委員を擧げて決定する事を可決した。それから永田幹事の海外事情に關する講演があつて、夜は臼田の旗亭で慰勞の盛宴があつた。

▲上高井更科諏訪　各郡の海外協會支部は四月末より五月中旬にかけて建設せらるゝ事になつて萬事進捗して居る。

▲齋藤幹事辭任　長野縣社會課長にして海外協會幹事として創立以來盡力された齋藤幹事は、上水内郡長に榮轉されたので幹事を辭任した。

海の外

冊數	定價
一部	廿錢
半ケ年	一圓十錢
一ケ年	二圓廿錢

郵税外國四錢要す

注意
▲御注文は凡て前金に申受く
▲廣告料は御照會次第詳細御通知致します
▲御拂込は振替によるゝを最も便利とす

大正十一年五月一日發行
編輯人　永田稠
發行兼印刷人　藤森克
印刷所　力行會印刷部
發行所　長野縣廳内　海の外社

大正十一年四月廿六日第三種郵便物認可
大正十一年五月一日發行（毎月一回一日發行）

海の外

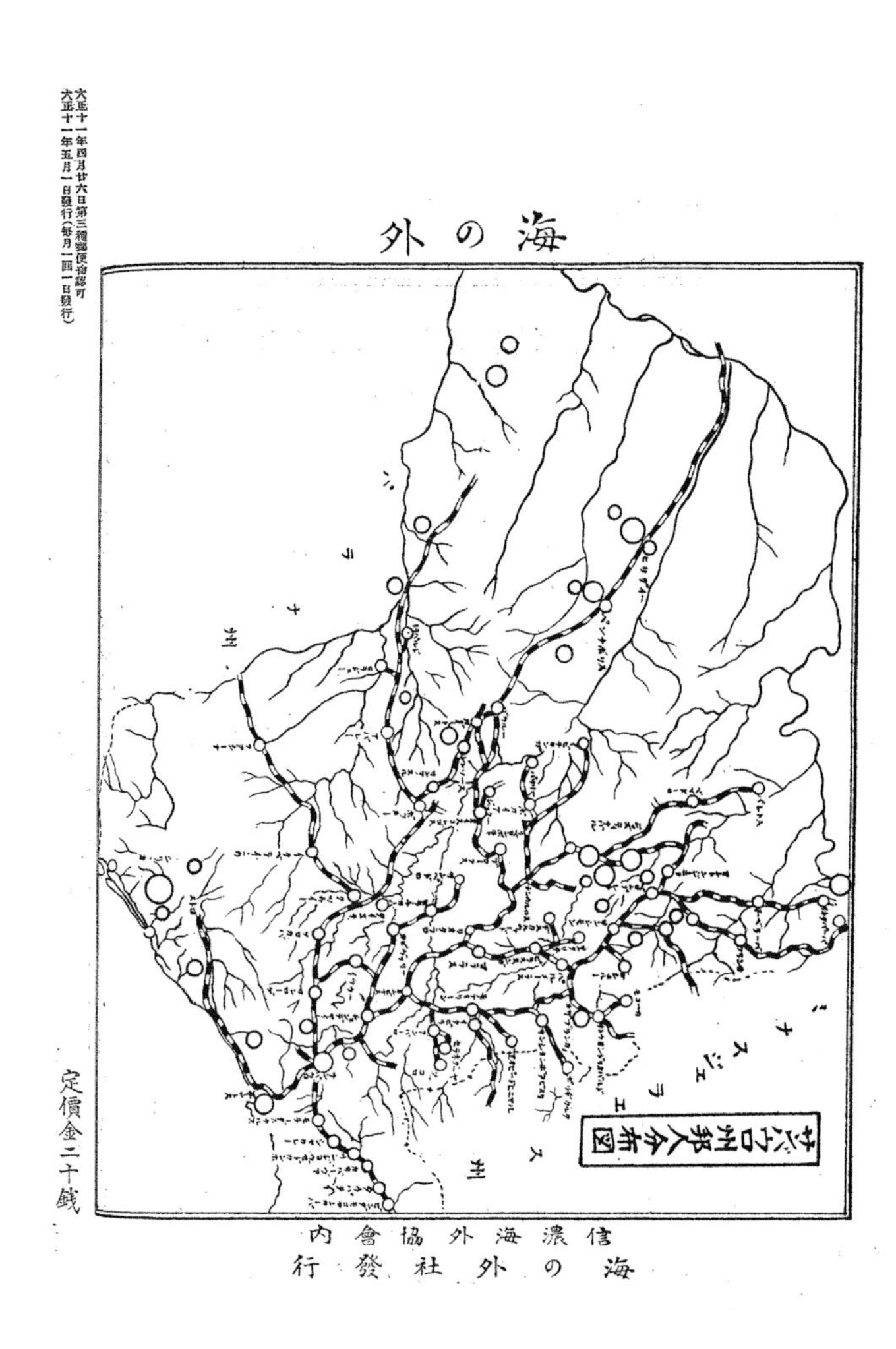

定價金二十錢

信濃海外協會内
海の外社發行

長野縣人七家族で共同して大瀧製糖組合を組織し各二十五丁歩の土地を有し砂糖黍を作り四ヶ月間に砂糖一千俵を製出する計劃。
上圖は組合員の一同

下圖は伯國に於ける砂糖黍の圖

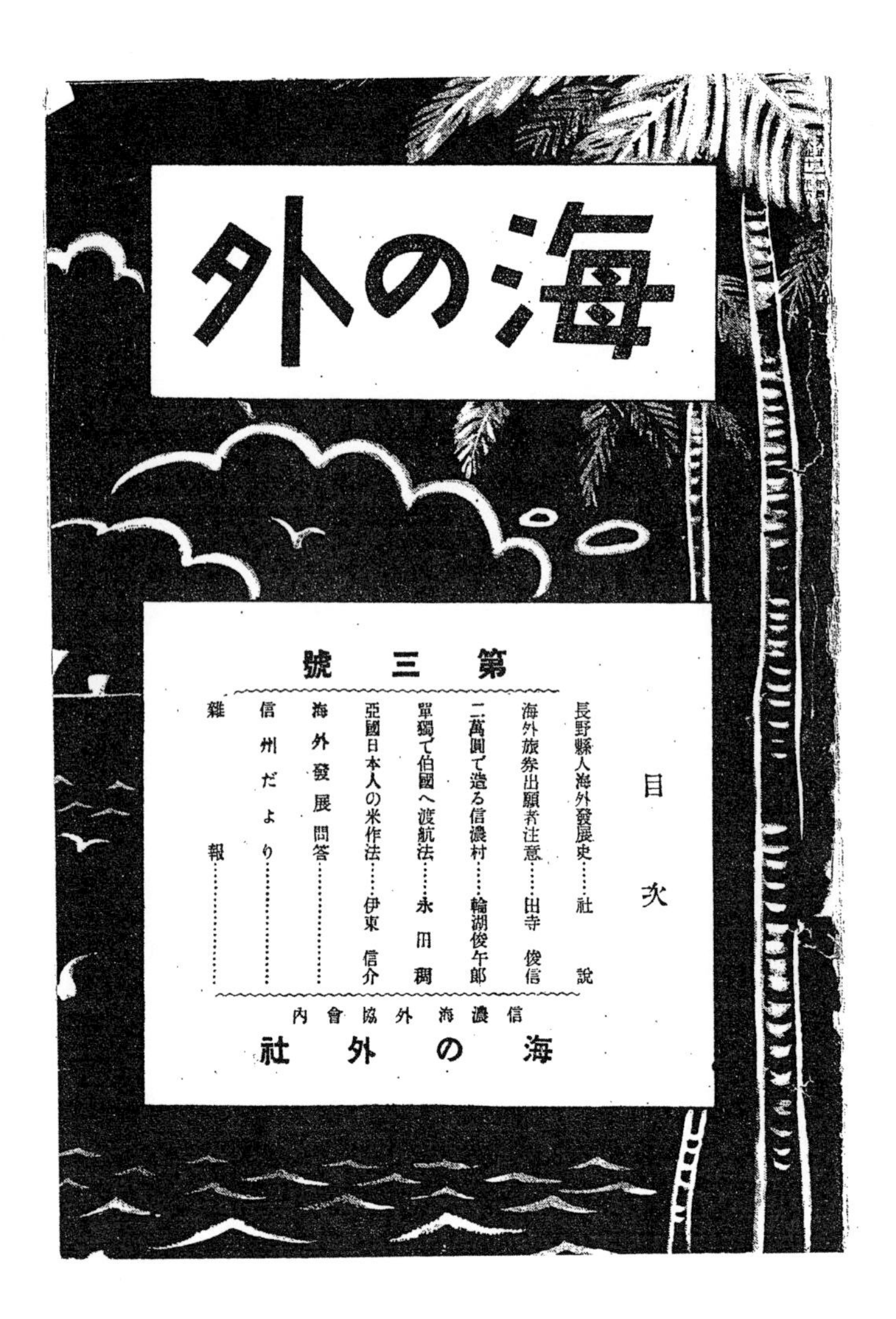

海の外
第三號
目次
長野縣人海外發展史……社説
海外旅券出願者注意……田寺俊信
二萬圓で造る信濃村……輪湖俊午郎
單獨で伯國へ渡航法……永田稠
亞國日本人の米作法……伊東信介
海外發展問答……
信州だより……
雜報……
信濃海外協會内
海の外社

長野縣民海外發展史

（一）

近世日本國民海外發展の歴史は、明治元年の布哇官約移民から始まる。乃ち布哇のカメハメハ王が日本に來朝せられ、日本人の勞働者を要望され、政府が陣頭に立つて其世話をしたのである。チョンマゲ頭に漫頭笠を被り、背中に丸に十の字を染め拔いた法被に豆絞の三尺帶を締め、紺のモヽ引に草鞋を穿いた日本人が三百名、橫濱港から布哇に向け出發をしたのである。此三百名の海外海展先發者中に長野縣人が果して居たか否を今は調べる暇はない。日出から日沒迄勞働して食事の外に月給が墨西哥銀の四弗であつたから、彼等は滿足する事が出來ず、政府から派遣した視察官もかなり失望して歸つて來た。かくて布哇移民の成績は思はしくないと云ふので、明治十七年第二回の移民を送る迄中止せられた。明治十七年から日清戰爭の年乃ち明治廿七年迄の拾ヶ年間は、布哇移民の全盛時代であつたが、當時の政府は移民募集を土地と人口との關係から打算し、人口稠密で生活に困難を感じて居る府縣を限つて移民募集を許可した　乃ち新潟、廣島、山口福岡、長崎、熊本、鹿兒島等の諸縣から續々として移住者を出した。我が長野縣の如きは人口割合に少なかつたので此移集團域に入れてもらへなかつた樣である。當時移民として契約勞働者で渡航した長野縣人はなかつた樣であるが、布哇及び北米合衆國渡航が非常の利益をかち得ると云ふので、信州の青年達が血をわかした事は事實と見ねばなるまい。それで布哇移民全盛時代に長野縣民は自由渡航者として布哇や北米に渡航するのであつた。信濃海外協會の主唱者にして顧問たる今井五介氏が始めて北米に渡航されたのは明治廿年前後だと云ふから、氏の如きは當時から既 長野縣民海外發展の先驅者を以て自任され又實行して居た譯である。

日清戰爭は我國の大勝利を以つて完了した。此時には日本人は布哇よりも北米本土の方が金儲けにも苦學にも適當するすの体験を持つて居た。北米では丁度支那人排斥が着々成功して、其結果各方面に支那人に代つて勞働に從事するものを要るので、日本人を歡迎して吳れた。日本政府も青年の北米渡航に全幅の好意を持ち、中學校の二年位を卒業した者には續々旅券を下附し、或村では受持の巡査が青年の間に渡米を勸誘して歩いた位であつた。かくて日本人の北米本土に渡航する者激增し、從つて長野縣下の青年が振つて渡米したのであつた。特に何事にも先鞭をつけねば承知の出來ない小縣郡民達は、盛に北米方面に活動を始めるのであつた。かくて日清戰爭から日露戰爭迄の間は日本人の北米合衆國集注全盛の時代だと云ひ得る。從つて長野縣人も盛に北米に渡航した。

日本々國から北米本土に直航する日本人が多數あつたのみならず、布哇から北米本土に轉航する者も頗る多く、時に依れば一船一千二百を越えた事さへある。此所で布哇に砂糖製造をやつて居た米國人は、其農場から日本人の減少する事を非常に苦にして居た。何か機會があつたら日本人の北米本土轉航を禁止したいと考へて居た。所へ日露戰爭に於いて日本軍は着々勝利を得て、遂に奉天の一戰に决勝を得た。これをきツかけに桑港の新聞紙中、砂糖業關者に係を有するものは公然排日の記事を掲げた。そして『奉天で露西亞を擊破した日本の軍人は方向を轉じて加州に來襲し全加州を領有するであらふ』と云ひ、『日本の勞働者は賃金が低廉で從つて我等の社會文化を破壞する』と云ふたかくて着々排日運動が功を

奏し、桑港の學童問題となり、米國の屬領地から日本人の北米本土への轉航禁止となり、謂ふ所の『日米紳士協約』となつて、『日本政府は自ら北米移民を制限する』事になつた。猶も米人は排日運動の手をゆるめず、或は日本人に土地の所有を禁止し、或は入國者に試驗を課し、更に在米日本人會は自ら寫眞結婚の權利を放棄し、日本政府は呼寄に極度の制限を加ふるに至つて我國民の北米渡航は其終局に近づいたのである。今大正四年度に於ける各府縣の在外者及び送金高を示せば左の通りである。勿論いゝ加減の統計だ。

府縣	在留者數	送金額
長野	二、三二四人	五三、一八五圓
石川	六五	――――
和歌山	一三、〇三九	一七九二、二七二
福岡	一八、六八三	一四八五、二五七
山口	二〇、八六九	一四一三、八九九
靜岡	二、三二五人	二四、九〇八圓
德島	三一八	四二、九二五
沖縄	一一、七八九	七五一、九六〇
熊本	二八、六五三	――――
廣島	四四、六五三	三六三九、五五三

右の如く大正四年度に於て長野縣人在外者は二千三百二十四名あつて、其送金額は五萬三千余圓であつた。

北米合衆國では日本移民の來住を排斥したが、日本々國では人口は盛に增加し、生活は日と共に困難となつて何所にか其發展の口を發見せねばならないに拘はらず、政府にも民間にも此大事業を引受けて進む者はなかつた。移民會社の三四が僅に南米移民を送るのと、日本力行會が海外渡航者の世話をする位に過ぎずして、國民の海外渡航は火の消えた形であつた。併しながら日清日露に兩役の結果亞細亞大陸に對しては驚騰に價する發展を遂行した。新領土の臺灣には十二万朝鮮に二十萬、滿州に十二万、支那に何万と云ふ樣に隨分と發展した。信州人は常に其中堅であつた樣である。勿論數に於いては關西諸府縣には遠く及ばなかつたが、其質に於ては常に優秀であつた。

排日問題の結果旅券下附が困難になり、米國行きの旅券一枚が百圓から一千五百圓で賣買される時代が來た。從つて縣の旅券係には誘惑の手がとどいて、不正に旅券下附をやつて不正な金を取る者が出來た。青森、靜岡、和歌山に次いで長野縣にも此事件が出來た。外務省から大目玉を食ふて旅券下附がやかましくなつた。只さへ制限しやうと云ふ方針の所へ取扱者がぶる〳〵して居るので大正二年頃迄長野縣は旅券下附の最も困難なる縣であつた。熱心な者は止むを得ず諸他の府縣へ行つて旅行券の下附を受けねばならなかつた。

米國の排日と日本政府の消極主義と縣廳の旅券下附難とは甚だしく長野縣人の海外雄飛をさまたげたが、時代は永久に其儘では過ぎなかつた。先づ第一に海外發展の大旗を振りかざして奮起したのは信濃教育會であつた。大正四年度の教育會は其五大方針の一として、海外發展主義の教育をやらふと云ふ事になつた。縣の學務課には今の代議士津崎尙武君が狂熱的に海外發展論を唱へる。信濃海外協會の副總裁佐藤寅太郎氏は當時縣視學の主位に居つて、又盛に海外發展をやり故中村國穂君は始め更級郡視學として信　教育會に最初の實地運動をまき起すと云ふ風であつた。

大正四年二月更級郡小學校長會は半日を海外　展研究に費し、日本力行會長永田稠氏の講演を聞いた。それが動機となつて先づ更級郡では三月中旬から二週間にわたり各町村に海外發展の講演會を開く事になり、永田氏は幻燈機を持參して日夜講演をやり歩いた。只に更級のみならず大正四五兩年間に永田氏は信州の各地に於て二百五十回以上の講演をやり、少なくとも十二萬五千人に海外事情を述べた。更級教育會では植民讀本第一第二の兩卷を編輯して之を青年會や補習學校の教科書に用ひる程であつた。永田氏の外には當時東京で海外社を組織し、雜誌『海外』を發行して居た。法學士朝日胤一君が、時々信州各地で講演をやつた、中村國穂氏は更級郡視學から縣屬となつて縣の學務課に入り、津崎、佐藤の兩氏と共力して信州海外發展の中心を形成し、師範學校には内堀校長あり、小學校には藤森克君今井新重君等があり、相應呼して海外發展の風分をまき起した。海外發展主義の教育が信州に起つた事は全日本に此氣分を呼ぶに充分であつた。各府

縣から長野縣の教育視察に來る者は、皆海外發展主義の教育を學習して歸り、其府縣で此主義を宣傳するの、大正四年から歐州大戰の初期迄は、日本の青年達は海外雄飛を熱心に考へて居た。

紐育土地建物會社長岡本米藏君が掃星の如く信州に現はれた。其著書と其雄辯と其利益ありさうな話とは、海外發展に醉ふて居た長野縣を直ちに捕虜にして仕舞ふた。津崎、中村の兩君は相次いで岡本氏の傘下に入り、内堀校長の如きも大いに共鳴し、基年ならずして該社は信州教育者を中心として約十二万圓の資金を奪ふて行くのであつた。これは殘念な事であつた。由來海外發展の事業は急いではいけない。先づ人が行つて然る後に資本が行く可きである。長野縣の小學教師が紐育の土地へ放資すると云ふのは、余りに急ぎすぎた。紐育土地建物會社が大坂及び東京朝日の大攻擊を受けるや、小學教師を中心とした信州海外發展論者は直ちにへこたれて仕舞つた。津崎氏は岡本氏と意見を異にして其會社を去つて又信州に來らず、只中村君が海外興業株式會社の移民募集代理人として奮闘を續けるのであつた。信州の海外發展史を書く者は、故中村國穂君を忘れてはいけない。彼は海外發展論者であつたのみならず、一身を直接此事業に投じて倒るゝ迄實行を遂行したのであつた。氏は信州に海外發展の大旋風をまき起した。信州各地の講演會は一時皆海外論であつた、此外に氏は一切の印刷物を利用した。更級教育部會編輯の植民讀本が第一第二の二卷あり、更に仝氏が個人で編輯した、『植民讀本が一册』『ブラジルとフイリツピン』『南米ブラジルの信濃村』『ブラジル』『南米ブラジルに雄飛せる長野縣人』(信濃教育會編)の外小さい印刷物は數へ切れない程であり、長野の日刊各新聞に海外の記事を掲載した事も數へきれない。更に彼は直接に人を送つた。氏の手を經て南米ブラジルに渡航した者が三百家族一千余名、仝じく南洋に行つた者が四五百名はあろう。かくして氏は信濃人海外發展の總本山を以つて自任して居た。然るに困難な問題が出て來た。

それは多く當時の海外發展には北米の事情が話された。一日の勞働賃金が七圓になる十五圓になると云ふ樣な事であつた所が北米ばはに渡航が出來ず、止むを得ず彼等は南洋や南米に行つたのだが、海外事情に訓練のない發展者達は、南洋や

南米も北米仝様な所だと思ふた。が、實際はこれ等の地方は現金を殘す所ではない、又故國へ送金の出來る所ではない。永住の覺悟を以つて功を五年十年の後に待たねばならぬ所である。故に渡航者も其父兄も皆失望した。それに『伯剌西爾には直經三尺の蛇が居る』とか『連れて行つた妻君を土人に取られてしまつた』とか云ふ愚にもつかない流說さへ行はれ一方世界戰爭のために景氣がよくなつて、縣民は一時海外雄飛を忘却した樣に見ゆる。玆に於いて中村氏はかなりの打擊を受け從つて考ふる所もあり、實地に南米視察の必要を感じ、之れを實行する事になつた。乃ち永田力行會長と共に南米一巡の途に上る筈で、着々其準備中であつたが遂に流感で倒れて仕舞ふた。中村氏の志をついで奮起したのは當時松本女師範の附屬で主事であつた今井新重君だ、氏は中村氏の後を次いで海外興業の移民募集をやるのみならず、片倉組との了解を得て、場合に依れば宏大なる土地を南米に穫得する希望を以つて、渡南の準備中であつたが、これ又夫婦共流感で倒れてしまつた。それに佐藤寅太郎氏は學務課を去つて代議士となるといふ風で、信濃の國の海外發展は九天の上より九地の下に陷沒するの悲運に向つたのであつた。

歐州の戰爭は片附き、一時好景氣であつた日本には再び不況が襲來した。一面では普通選擧とか社會問題とか農村問題がまき起つて來た。そして一般の國民はこれ等の運動に幻惑されて、其根本問題に達し得ない。乃ち日本に之れ等の問題の起つて來る根本が、移住に依る平等觀と人口の割合に富源がないからで、之れが解決には民族的大移住それは羅馬帝國の滅亡後歐州に行はれた樣な大規模な移住が行はれ、一大富源を得るにあらざれば永久に解決の出來ないものだと悟る者は少ない。乃ち民族の大方針國家の根本的大政策の樹立が出來ないから、國民は行く所歸着する所を知らずして、暗雲徒らに低迷するの悲境に陷つて行くのである。

『もう愈海外に行くより仕方がない――少くとも縣民の海外移住は縣是の重要なる問題で、之れを組織的に遂行して行かねばならぬ』と考へる者が出來て來た。內輪の話が進んで大正十年十二月某日、日比谷の陶々亭に小川平吉（國勢院總

裁）今井五介（貴族院議員）岡田忠彥（長野縣知事）佐藤寅太郎（信濃教育會長）、笠原忠造（縣會議長）と外一二の者が集まつて、信濃海外協會組織の下相談をした。伯剌西爾國から二度目の歸朝をして居た輪湖俊午郎君が長野に行つて事務に當つて、本年一月廿九日長野の城山館に縣下の有力者百余名が集合して、遂に協會の組織をした。これは長野縣の海外發展運動が愈組織的に實施せらるる緖で我縣の海外發展史上の一新紀元である。信濃海外協會の第一次の仕事は各郡市から集まつた海外發展指導員の養成講習會であつた。第二次の事業は各郡市に支部を設立する事であるが、これはおそくとも六月中には大部分の目的を達する。第三の仕事は在外長野縣人との聯絡であるが、これは縣の在外者調査と相まつて着々進捗し每月の『海の外』約五百部は海外各地に分配され、在外者の居住地の明かなるに從ひ着々步度を進めてあらふ。かくて內外相一致し東西南北相應呼して活動し得るの日は段々に近くなつて來た譯である。日本の府縣に海外協會の組織あるものは和歌山、岡山、廣島、香川、山口、福岡、熊本と我とで八個ある。此上にもう五六個も出來れば中心地に中央會を組織する事も出來る樣になつて、實際の運動に好果を擧げ得る事は火を見るよりも明かである。偖、私等は玆で海外に在る長野縣人を一覽しよう。（海外在留者表參照）

	合衆國	伯國	支那	南洋	布哇	カナダ	墨國	新坡	ペル	亞國	西亞	英國	其他	合計
南佐久	三四	一四	二三	六	二	一	二	—	—	一	一	一	六	九〇
北佐久	九	二五	二一	二	—	—	一	四	—	一	—	—	二	六五
小縣	二〇三	七七	五〇	六七	三四	五三	二	四	五	—	六	—	七	五〇八
諏訪	一一五	二九	—	二	一	一三	—	一	八	二	—	一	二	一七四
上伊那	一二〇	一二〇	四六	三四	一	八	一九	一	—	一	一	三	一〇	三六四
下伊那	一一七	八七	二七	一一	二三	—	—	二	—	—	一	—	一	二六九
西筑摩	四一		三	—	五	—	—	五	—	—	一	—	二	五八
東筑摩	五三	四二	三三	一四	三	七	一	—	—	二	—	—	八	一六三
南安曇	一一三	三一	一六	二四	—	三	一	二	一	—	—	—	四	一九五
北安曇	一五	九	一九	一	二	三	二	—	—	一	—	—	—	五二
更級	二三	六九	八八	二二	八	一	四	七	一	二	—	一	五	二三一
埴科	二七	四八	三八	一〇	六	六	二	—	五	三	二	二	四	一五三
上高井	七	五三	三二	五	一三	五	二	一二	一	—	—	二	二	一三四
下高井	一九	一七	七	—	—	—	一	—	—	—	—	二	一	四八
上水內	一一	六六	五四	二三	二六	三	七	—	一	七	三	二	六	二〇九
下水內	九	一八	二四	二二	—	—	二	—	一	一	—	—	一	七八
長野	四	三	一五	一	—	一	—	—	一	—	—	—	一	二六
松本	二四	三	一	一	—	八	—	—	—	一	—	一	—	三九
上田	三一	—	—	一	—	四	—	—	—	—	—	—	—	三六
合計	九七五	七一二	四九六	一四六	一二四	一一六	四六	三八	五四	二一	一八	一四	六二	二八九二

右表は最近に長野縣廳から市郡役所を通じ、各小學校で出來るだけ詳細な實地の調査をしたもので、今日では之れを信ずるより外はないのであるが、私の承知して居る在外者で名簿中に無いものなどがかなり多く、且諏訪から支那へ一人も行つて居ない樣になつて居る所などから見ても、十分に信賴する事は出來ない。必ずこれ以上あるに相違ないのである。大正四年に貳千三百廿四人の在外者があり。本年度は貳千八百九十貳名あるから。七年間に五百六十八名增加した事にな

つて居るが、これはどうも增加の現はれ方が少な過ぎる樣に思ふが、先づ統計から此位の所に目安を置くより仕方がない

私の承知して居る在外長野縣人會又は信州會と云ふ樣なものはかなり澤山ある。大連、撫順、比島のミンダナヲ、桑港ローサンゼルス、アルヘンチナ國のブエノスアイレス市、伯國レジストロ植民地等で、此外に私の知らないものがあり、又會としての組織は出來て居なくても、仝鄉者相會して種々なる仕事をして居る所は更に澤山あるに相違ない。信濃人は協同が出來ないと云ふが、在外の縣民は皆よく一致團結して事に當る樣である。これ等の諸團株には今日迄中心がなく聯絡が出來なかつたが、信濃海外協會が組織される事によつて、追々統一が出來て行く樣になるであらふ。此意味から云ふても海外協會の組織は、長野縣民海外發展の新紀元と申さねばならぬ。

送金を目的とする移住は既に時代後れだ。本國の資本が海外に投資され、本國の人々が之れを運轉して行く事になつて行かねばならぬ時代になつた。長野縣人海外投資の第一次の運動は紐育土地建物會社の株を買ふ事であつた。一般の人々は之れが全然失敗に終つたといふて居るが、仝會社からは時々『我等の豫言が適申した』と云ふ意味の手紙などが來るさうである。從つて今日では成敗を斷言する事は出來ない。縣民海外放資の第二は更級郡敎育者有志の南洋ボルネオ椰子栽培組合である。これは每月三圓を貯畜して南洋に放資して居る、組合員の一部には中途退却した者がある樣だが、猶三四十名の者は此事業を遂行せんとして既に四五千圓を送つて居る樣である。此外個人として各種の海外事業に投資して居る者は少なくあるまいが、多くは在米日本人の樣に海外で貯畜した金を資本として、海外で事業を經營して居る樣である。私達は信州の人と共に其資本の投下せられん事を多年熱望して居たのであるが、最近に至つて誠に快心の報に接したのである。それは片倉製絲紡績會社長片倉兼太郎氏と、上諏訪の素封家土橋源藏氏及び第十九銀行の黑澤竹重氏が相携くて歐州視察のに上られ且仝氏等の主要なる目的が南米企業であつて、場合によれば數萬町步の土地を購入せらるる計劃だと傳聞さるる事である。而かも土地購入の目的は、只これを私利私慾の目的とせらるるにあらずして、一般長野縣民の將來

のために利用せらるゝ券を持つて居るとの事である。此の如きは實に信濃人海外發展に經濟的新紀元を開くものであつて信濃海外協會の組織と共に、合せ祝す可き一大福音であらねばならぬ。

信州の山は日本アルプスとして日本山系の王者である。信州の水は流れて周圍の諸縣の田園をうるほして居る。信濃の教育は嘗つて其範を日本に示した。信州の製絲は今や世界の市場を支配せんとして居る。信濃海外協會は新理想の海外發展指導の重任を負ふて立つて居る、此場合に信州資本家が南米への投資を開始する事は如何にも愉快な事である。約三千の州在外者は多年の海外生活に於て既に充分の体驗を持つて居る。これに資本を投じ優秀なる後繼者を送りさへすればよいのだ。信州海外發展の二大新紀元が其曙の光を見せて來た。如何にも愉快な事である。今や試驗時代は過ぎて實行の時代に來た。今や探險時代は去つて企業時代に來た。人的方面から云へば不統一なる自由渡航から移民會社へ。移民會社から系統ある海外協會への時代に、資本的方面から云へば出稼ぎの故郷送金時代から勞働賃金を貯畜して海外企業の時代へそれから本國の資本を海外放資の時代に進んで來た。其指導者達が考へて居る樣な文化的海外發展の急先鋒として信州の縣民が世界各民族と競爭の第一線に立つべき時代が來た。如何にも愉快至極な事である。私は長野縣人海外發展の概畧を考へて今や滿身の血が湧き肉躍り骨鳴るの壯感を禁ずる事が出來ない。（一一・五・二〇日）

海外旅券下附出願注意

信濃海外協會相談役　田寺俊信

海外旅券下附出願者は先づ左記旅券規則の拔萃を一讀する必要がある。

旅券規則拔萃

第一條　外國ヘ旅行スル者ニ下附スル旅券ハ外務大臣之ヲ發給シ外國ニ於テハ帝國大使公使及領事官貿易事務官ヲシテ之ヲ發給セシム

第二條　旅券ノ下附ヲ請フ者ハ書面ニ左ノ事項ヲ記載シ之ニ戶籍謄本又ハ其氏名本籍地及身分ヲ證明スベキ文書ヲ添附シ內國ニ於テハ本籍地又ハ所在地上級行政廳（東京府ニアリテハ移民ニ限リ警視廳）關東州ニ於テハ關東都督府外國ニ在外公館ニ出願スヘシ但シ關東州ニ於テハ關東都督府外國ニ於テハ帝國大使公使領事官又ハ貿易事務官ノ認定ニヨリ戶籍謄本又ハ其ノ他ノ文書ノ添附ヲ省畧セシムルコトヲ得

一氏　名（片假名ヲ以テ傍訓ヲ附スヘシ）

一本籍地（本籍地ト所在地ト異ルトキハ所在地ヲ併記ス）

一年　齡（滿何年若クハ何年何月生）

一身　分（戶主家族ノ別家族ナルトキハ戶主ノ氏名及ビ戶主トノ續柄ヲ記載スヘシ）

一職　業

一旅行地名

一旅行ノ目的

本條ノ願書ニハ最近ノ撮影ニ係ル本人寫眞二葉（手札形半身無臺紙）ヲ添附スヘシ但シ父又ハ母ノ旅券に併記スヘキ五歲未滿ノ子ニ附テハ此限リニアラス

第九條　旅券下附ヲ受クル者ハ其ノ旅券面ニ署名スヘシ若シ署名スルコト能ハサル時ハ代署セシメ本人之ニ實印ヲ捺スヘシ

旅券ニ查證スルコトヲ必要トスル國ニ旅行スル者ハ其ノ定ムル所ニヨリ查證ヲ受クヘシ

第十條　左ノ各號ノ一ニ該當スル者ハ旅券ノ下附ヲ受クルコトヲ得ズ

一、豫戒命令中ノ者

一、支那又ハ朝鮮在留禁止命令中ノ者

第十一條　第二條ノ規定ニヨリ旅券ノ下附ヲ受ケタル後六ヶ月以內ニ出發セサル者ハ旅券ヲ返納スヘシ

第十二條　旅行者歸國シ若クハ歸着シタル時ハ旅券ヲ返納スベシ旅券ノ下附ヲ受ケタル者死亡シタルトキハ其遺族ヨリ之ヲ返納スヘシ

第十四條　旅行十年ニ及ビ歸國セザルトキハ旅券ヲ受領シタルトキヨリ十年以內ニ帝國大使公使館領事館又ハ貿易事務官ノ查證ヲ受クベシ其後十年ニ及ブ每ニ亦シ

第十六條　旅券ヲ紛失シタルトキハ直チニ屆出ジベシ之ヲ發見シタルトキ亦同ジ

第十九條　左ノ各號ノ一ニ該當スル者ハ其旅券ヲ沒收シ百圓以內ノ罰金若クハ科料又ハ三月以下ノ徵役若クハ拘留ニ處ス

一、第二條第三項各號ノ事項ヲ詐稱シ又ハ第十條各號ノ一ニ該當スル者其事實ヲ申告セス其他詐欺ノ所爲ヲ以テ旅券ノ下附ヲ受ケタルモノ及之ヲ幇助シタルモノ

一、他人ノ氏名ヲ記載シタル旅券ヲ使用シ又ハ之ヲ使用セシメ其他不正ノ目的ヲ以テ旅券ヲ授受シタル者及之ヲ幇助シタルモノ

一、旅券ニ帖附シアル寫眞ヲ取換ヘ該旅券ヲ使用シ又ハ之ヲ使用セシメタル者

一、本令ニ依リ旅券ヲ返納スベキ塲合ニ之ヲ返納セズシテ使用シ又ハ事實ヲ僞リテ旅券粉失ヲ屆出タル者

長野縣下で出願する者は縣知事宛にして、本人の所轄警察署へ提出するのであるが、之を受領した警察署では受持ちの巡查に命じて必要と認むる事項を調查させる。乃ち本人の兵役關係や戶主保證人等の資產、或は北米に潛入する恐れありや否とか又は本人が所罰されて居るや否其費用や資金などは誰が出すかなど、兎に角其內規に從つて必要と見らる事項を調查して報告させる。これは本人と戶主と保證人とが別々の所に居住する塲合には別々の巡查が調查し別々の警察からの報告が集まらねばならない。警察でも海外旅券の事計りやつて居る事か出來ないので相等の日子を要する事になる。

偖、警察で調查が出來るとそれが縣廳の旅券係の所へ廻送して來る。玆にも外務省から種々な內規が來て居るので、それに照合して見て所置せらるゝ由。來海外旅券の下附は府縣知事の權限內にあるのだが、各府縣から出來るだけ均等に人を出さうと云ふ點や、又下附の手加減を一致させる爲めに今日では一應外務省の移民課と相談する事になつて居るから、縣で下附してよからうと思ふ分は移民課に交涉する、外務省でもよろしからうと云ふ事になると下附せらるゝのであるが、今日では旅券が『移民』『非移民』の二種に別れて居る。『移民』の旅券は縣から本人へ直接には下附されず、其乘船する港の所在地の縣廳から愈出發する以前に下附される事になつて居り、只『非移民』の方丈けが縣から直接に下附される。手數料は『移民』の方が五圓、『非移民』の方は十圓である。かくの如く書類が所々を轉々として迂回して行くし、又不明不審の點などがあつて照會しなほす事などがあるから、出願して早いもので十日位、普通二十日から四十日を要する事になるのである。出願者でしきりに催促する者があるが必ずしも當局者か意地惡にして居るのではないのである。當局者としては上司からの命令がなければは自分勝手の事は出來ないが、手加減の出來るだけは出願者に便宜を與へて居るのは勿論の事である。（談。文責在記者）

二萬圓にて出來る信濃村

在伯國　輪湖俊午郎

五段百姓と云ふ言葉が證明する通り、日本の農家では其田畑が一戶當り五段位しかない。信州で見ても四百戶の一村の耕作面積が二百町歩しか無い。私の村が五百戶で二百三十町歩あるに過ぎない。これが農村の根本だと思ひます。小作人は小作が高過ぎて困ると云ふて土地を返付する。地主は利廻が惡くて利益にはならないと云ふてこぼして居る。南半球を見て北半球に來ると、人類が御互に殺し合ひいがみ合ふて居るが不思議に見ゆるのである。

そこで二百五十町歩の信濃村を伯國に建設する案を立てゝ見た。これは私自身確信を有するのみならず、多年伯國に在留せられたる野田外務書記官も此計畫を見て、『これならば十分に遂行が出來ると』保證された所のものである。

土地はサンポーロ州內

伯國は日本の二十二倍もあつて、今日では其僅か一部分が開拓されたに過ぎない。南部のサンタカタリナ、リオグランデ州の如きには獨乙人の植民地がある。パラナ州の如きは非常に日本人を歡迎して居て、若し數百万町歩の土地でも得ようと云ふならば、此州などは最も面白いと思ふし、ミナス州の如きゴヤス州の如き又農牧に好適の土地である。伯國全國何れの地方も日本農村の建設に適する樣であるが、私は矢張りサンポーロ州が小さい計畫の信濃村建設などには最も適當すると思ふ。尤もサンポーロ州には既に幾つかの日本村があり、レジストロ植民地の一部の如きは立派な信濃村がある。信州人が百五戶も集團して三千五百町歩以上の土地を所有して、信州語を使ふて信州の習慣に從ふた村が出來て居る程である。

由來サンポーロ州は伊太利人、西斑牙人の根據地で、伯國中では一番開けた州であるが、日本人が三千町歩や五千町歩の土地を得て一村を建設するには、先づもつてサンポーロ州がよさうの樣に見ゆるのであるから、私ば日本人の植民を入れたりする便宜上から此州を選むことにする。

二百五十町歩に珈琲

土地は先づ二百五十町歩として主作物を珈琲とする。乃ち二百五十町歩の半分百二十五町歩に珈琲七萬五千株を植えるとするのであるが。此方面の就働家族は十家族とし、一家族に十二町半の土地を五年契約で小作をさせる。伯國には珈琲園契約移民となつて移住した者がある。其契約の期間を經つたが未だ獨立企業するには充分の資金がなく、勞働者としてより有利なる小作をやりたいと云ふ人々が澤山あるから、この種の人々と小作契約をするのだ。此家族は分與せられたる十二町五段の土地に掘立小屋を建て、開拓し珈琲の種子を蒔くのであるが、珈珈は三年間は樹が少さいから其間に米豆棉等の間作が出來る。其間作か小作人の收入となるのであるが。此外本計畫では始めに原始林伐木だけは當方でやる事にしてあるし、五年目に珈琲がよく成育して居れば一株につき五百レースを支拂ふので。小作者は七千五百株につき三千五百ミル（約千二百圓位）の收入を得られるし、珈琲は四年目からはかなりの收穫があるから、勞働をして居たよりは大なる利益であり、小作五年にして立派に企業資金と農業經營の實地經驗を得られるのである。

珈琲栽培はサボンーロ州に於ける最も安全なる農作物の一つて、普通五年から六年で一人前の結實を見、それから約三四十年は充分の結實能率を維持する。それで勤勉なる一家族が五年契約で七千五百本を請負ふものとすれば、同家族の收益は大畧次の通りだ。第一年目から第四年迄は珈琲樹の手入れの傍間作の棉花米豆其他の農作に主力を注ぐから、平均年額は日本金七八百圓から二千圓の利益がある。第五年度には前記の間作物結實珈琲及び七千五百本の請負金があるから少なくとも三千圓を下るまい。故に五年間の合計收益は五千圓位と見る事が出來るのである。殘りの百二十五町歩は適當なる單獨渡航者及び家族者を入れて養豚棉花米等の歩合耕作をさせる計畫である。

二萬圓の用途

信州の一村が二萬圓で建設が出來る。其資本金の用ひ方は大要左の通り。

- 一金一萬圓　土地二百五十町歩代金及不動産移轉稅登記料及道路費。
- 一金參千五百圓　百二十五町歩森林伐木費
- 一金壹千圓　初年度農場管理費
- 一金五百圓　農業小作家族募集費
- 一金五千圓　運轉資金

（日本金一圓を伯貨三ミルレースとしての換算）

地代一町歩四十圓と見た。現在伯國で一アルケール乃ち日本

の二町五段歩が、土地がよく停車塲に一里から二里位の間の所が三百ミル（日本金百圓）で買へる。この買方も年賦の方法もあるが、一時拂にすればかなり割安に買へるのだから、二百五十町歩を一萬圓と見れば十分によい所が得られる。

森林の伐木は日本人よりも伯國人を傭ふた方が早くて上手であるからさうする事にして。壹千圓の管理費は少な過ぎる樣であるが海興などの樣なハイカラなやり方をせぬことにすればこれで澤山。移民募集費は伯國の日本字新聞の廣告費が主なるもので、十家族や二十家族ならば手紙でも出來る。運動資金の五千圓は塲合に依つては善良なる小作者に掘立小屋代や農具代など一時貸してやる資金にするのである。

損益豫算書

一、支出の部

年度	金額	摘要
第一年目	一五、〇〇〇圓	前頁記載の投資總額
第二年目	一、〇〇〇	農場管理費
第三年目	一、〇〇〇	仝右
第四年目	一、〇〇〇	仝右
第五年目	一、〇〇〇	仝右
	一二、五〇〇	契約者へ支拂
第六年目	一、〇〇〇	管理費
	八、六二五	珈琲生産諸費

備考　六年目には六十基瓦入の精製珈琲收穫量九百三十八俵を得らるゝ見込みだ。一俵の生産費が十一圓四十錢と見る最近十ヶ年間の平均産額は珈琲千株に就き十四俵なれども茲には十二俵半と見積つた。

二、收入部

年度	金額	摘要
第一年目	なし	投資するのみ收入なし
第二年目	三、〇〇〇圓	米豆棉花等の歩合作收益
第三年目	四、〇〇〇	仝右
第四年目	五、〇〇〇	仝右
第五年目	五、〇〇〇	仝右
第六年目	五、〇〇〇	仝右
	一八、七六〇	珈琲賣却代金

備考　珈琲の價格は現在一俵三十圓臺なれども二十圓と見積つた。尙伯國貨幣相塲は戰前普通日本の六十錢が一ミルレースでつたが、戰爭中二ミル一圓換。現在は三ミル一圓換となつたが將來は少なくとも一圓二ミルの相塲に復歸すべく豫想される故に第六年目の利益はこれを日本に送金すれ

ば更に多くの利益となる。

三、第六年度於ける資產狀態

- 一金七萬五千圓　七万五千株の珈琲を有する土地百二十五町歩代
- 一金七千五百圓　他の百二十五町歩の見積價格
- 一金四千六百三十五圓　現金現在高

合計八万七千百三十五圓

備考　六年間の收入合計四〇、七六〇圓及運動資金五千圓

六年間の支出合計四一、一二五圓

第七年目以後は

珈琲其他の生產に依る純益が一萬五千圓から二万圓ある見込みてある。だから若し九家族が組合を作り、一家族渡航費の外に二千圓宛を支出して自ら此計畫を實行すれば、小作者としての利益が六年間に約五千圓と十二町半のコーヒー園と其他に十三町歩半合計廿五町歩の地主になれるわけである。一家族四五人の六年間の努力に依つて之れが確實に出來るのだから、信州農村の青年達も大に考へねばなるまいと思ふ。

又中產級の投資事業としても極めて面白い仕事である。地主が土地を現在の相塲で小作人に賣り渡した所で、農村の小作人には何等の利益にならない。却つて農村の金が地主に集めらさて其結果は面白くない。故に中產級の諸君は壹萬圓の資金を得て行くと此種の愉快な事業が出來るのである。

又產業組合なども目前の小さい利益に幻惑されずに、遠大なる子孫の計畫をなすには、百尺竿頭一步を進めて開拓組合を組織し、大に海外に向つて發展する事が宜しからふと思ふ。長野縣人の伯剌西爾に在留する者既に一千二百名に達し、短かきも一二年永きは五六年の体驗を有し、後進者のために十分に盡力するのもある。北原君の如きは日本船の着く每に必ず一週間から十日間も犧牲になつて、或ば土地を見つけてやつたり、或は小屋掛の手傳に行つたり、或は經營法を實地に指導してくれたりして居る。

其他の縣人も北原君同樣に盡力してくれるし、及ばずながら私も大いに盡力する決心をしてゐるから、長野縣人諸君の發展を熱望するのである。

〇　〇　〇　〇　〇

〇　〇　〇　〇

單獨で伯剌西爾へ行ける

永田稠

家族移民のブラジル

拾二歳以上の家族を含む夫婦者が南米伯剌西爾では歡迎される。珈琲園の契約移民の船賃補助は無くなつたが、一定の土地を購入して定住する所謂『植民』には、渡航費の全部を支給されるのである。それに海外興業會社では伯國に行つて會社の土地を購入する者には、船賃を一時立てかへてくれるから、三人の一家族が同國に渡航して二十五町歩の土地を買ふて、百姓となるには約千圓あればよい。乃ち一人前の支度金や小使が百五十圓内外、此外に土地代の第一回拂込みや其他の費用に約五百圓合計九百五十圓程あれば、二十五町歩の地主になる事が出來る。千圓ならば日本の田を二段歩賣ればよい。それで南米で子孫の代まで食つて行ける基礎が出來るのだから、信州の農村で每年借金を出かして行くよりは余程結構な事である。所で南米に行きたいと云ふ青年が妻君を見付ける事はなか〳〵困難だ。信州中を鉦や太鼓で探しても南米に行かうと云ふ女はない。稀に居つても其父母や其親族が反對する。妻君は見つかつたとした所で十二歳以上の家族を見つける事は更にむづかしい。それであるから折角金が出來ても『伯剌西爾渡航は家族でなくては駄目だ』と聞いて尻込みをする者が澤山ある。これ信州許りではない日本國中皆さうである。所が時代は進步した。中村公使や野田領事の報告や其他の人々の運動が功を奏し、此頃では

單獨者の渡航が出來る

事になつたのである。地方の縣廳や警察署では、舊習慣に依つて旅券をくれない所もあるさうだが、東京府の如きは相當の者にはドシ〳〵旅券を下附して居るのである。信州の如き海外協會が出來、知事を始め多數の人々が縣民の海外發展を痛切に感じてゐるのであるから、舊習慣を捨て、ドシ〳〵下附する樣になると思ふ。所がそれには相當の要領を知らねばならないのである即ち旅券を下附する當局には夫れ夫れ心配がある。それで其心配が無くこれならば旅券を下附してやつても大丈夫だと思

はせる様な出願をしなくてはいけない。然らば當局の心配とは何であるか？（イ）農業勞働に耐ゆること、伯國は農業國で市街での仕事は少ないのだから農業勞働に耐へない者が渡航する事は本人も困るのみならず、宮憲や日本人も迷惑すると云ふのである、それであるから農家の子弟で十七八歳になり米俵がかつげる位の体力を有すれば此心配はなくなる。（ロ）若干の資本を有する事、伯國では純勞働から企業の資金を得る事は中々容易でないし又單獨の勞働者では仕事口を得るに都合が悪い。だが千圓以上の資金を有すると云ふ事になれば、相當に獨立企業が出來るのであるから、此金が一時に出來なくとも戸　に五六千圓の資産があつて必要に應じて送金が出來ると云ふ事が明かになれば當局の心配は無くなる、（ハ）相當の計劃を有する事、身体强健にして資金を持つて行ける事になつても伯國の智識が無く一定の計劃がなければ、事業を經營する事は出來ないそれ故出願者は伯國の智識を有し、其國に於いて企業し得ると云ふ事を示さねばならない。即ち渡航する時に何程の金を所持し第一年にはこう第三年には此程度に進んで行ける豫想であると云ふ事を知つて居らねばならない。（ニ）先方に信頼の出來る知人のある事、企業の方針は立つて居た所で知人が全然なく信頼の出來るものがなければ、行つた所で取りつく島がない事になるから、或ひは北原地價藏君だとか或は輪湖俊午郎君だとか、又は諏訪出身の矢崎節夫君だとか云ふ人々を知つて居るなり責任ある紹介狀でも持つて行けると云ふ事にならねばならない。（ホ）保證人を有する事、戸主に五六千圓の資産ある外に出來るたけ地位、名望、資産のある保證人を要する。旅券を下附する當局者は、相當の保證人があれば將來問題の出來た時に『こう云ふ立派な保證人があつたから下附した』と云ふ事が出來るのである。先づざつと以上の如き要件を具備した出願の仕方をすれば、旅券は大概下附せらるゝのである。尤も目下當局者は學校出のものを嫌ふて居るから、中學校卒業者などは自身の履歴中に中學校を卒業したなどと書かない方がよい。小學校卒業か補習學校をやつた位の所がよいのだと云ふ事を忘れてはならない。

願書に上申書を添へる事

海外族券下附願の書方は本誌の一號に書いた通りに、願書と戸籍謄本と寫眞と保證書とが入用であり、猶手續を面遠にする事を好む縣では履歴書や醫者の診斷書や資産證明書などを添へさせる所があるが、これ等は余程時代に後れて居る。さて願書は形式が定まつてゐて出願者の計劃などを當局に知らせるには

都合が悪く出來て居る。それで上申書を添へるがよい。其書式などは勿論一定してゐないが、私は次の樣なものを添へさせてゐる、

上申書

私儀祖先傳來現住地に於いて農業に從事致し居り候處利益甚だ少なく動もすれば損失を來たす現況に有之候所聞く處によれば南米伯剌西爾國は土地豊饒氣候温和にして農業に適するのみならず非常に日本人を歡迎するとの事に有之候精々調査の結果戸主の承認と保證人の後援とを得金二千圓の資金を以つて渡航し農業經營に從事する決心に有之候猶大体左記の準序により步度を進むる覺悟に有之候

一、渡航第一年には本縣諏訪郡出身にして海外興業會社アニューマス農場主任矢崎節夫氏の許に至り實地に伯國農業を研究可仕矢崎氏には信濃海外協會より責任ある紹介狀を與へらるゝ筈に有之候

一、第二年目には一千五百圓を投じて土地十アルケールを購入し實地に農業に着手する筈に有之万般の指導は本縣出身の北原地價藏氏より受くる筈に有之候　此年は収支相つくなう可しと存し候ヘ　ども止むを得ざれば豫備金五百圓を使用する筈に有之候

一、第三年以後は相當なる結果を得可きは本縣出身者の實例によりて明かなるも病氣天災等にて出費を要する場合には保證人其責に任じ一切公官等に御世話相掛け申す間敷候也

依つて上申書如此候也

年　月　日　　右　何某　印

猶不明の點は海外協會支部なり本部に就いて聞けばよく敎へてくれる筈である。

渡航後はどうするか

旅券の下附を得れば渡航する。偖渡航後はどうするか、願書に書いた通り矢崎君の所に行つて世話になるのも宜しい。又既に長野縣出身者が一千人以上も伯國に居るのだから、夫れ等の人々の所に身を寄せて伯國農業の實地研究をするもよい。家の都合で持つて行けると思ふた金が持つて行けない場合があらふが、それでも心配はない。資金のある者は至極結構だがないからと云ふて悲觀するには及ばない。事實に於いて金を持つて行つて、其金あるがために愚圖々々して金を使ふて仕舞ふた者もあり、金がなかつた爲めに一生懸命に働らいてよい結果を得た者もある。が、金は出來る丈け持つて行くがよい。持つて行つて

銀行に入れて何時でもつかへる樣にして置き、滿一年位は實地に研究をして見て、愈確實だと云ふ事になつてから土地を購入するがよい。實際に單獨者が一人で企業する事は中々容易な事でないのだから出來る事なれば、同志相集り

開拓組合を組織する

がよい。組合の組織は產業組合の方法に依る事だ。若し其村で名望もあり資產もあり相當に年を取つて居る者を中心人物とする事が出來れば更に好都合だ。これに旅費丈しかない者も旅費の外に五百圓千圓三千圓と支出の出來る者を加へるがよい。そして先づ十人か十五六人以上にならずに小さい組合で團結の固いものがよい。出來れば一村で組織し氣心の知れた者丈けが集まるに限る。それから渡航後は矢張一年間位實地に勞働して見て、それから適當と信ずる所を購入して開拓に從事するのである。そして段々大きくなつて行くのであるが、迎妻でもする樣になつたら、人々の希望に依つて土地の分配をするなり又他に新しい植民地を建設するの方法を講じて行く樣にするがよいと思ふ。先づこれで單獨者が伯國渡航が出來ると云ふ事が知れたと思ふが、其渡航費は船賃二百五十圓乃至三百圓、被服其他百五十圓を要するから四五百圓を要すると見ねばならない。

夫婦丈けの植民

伯國移住者は十二歲以上の子供を含む三人家族の者でなければならぬと心得て居る者が多　が、夫婦丈けの植民が行ける事も承知して貰いたい。乃ち其募集區域の二割だけは夫婦丈ゝの者でよいのである。長野縣で假りに百家族の植民が出來るとすれば、其內の二十家族だけは三人でなくてよいのだ。夫婦二人だけでよい　其手加減は其地方の海外興業の募集代理人の手でやる。長野では金井富三郎君の手でやれるのだから、この邊もよく知つて居る必要がある。

乃ち伯剌西爾へ行くには三人家族の移住者八割と夫婦だけの者二割は船賃を貰ふ事が出來る。同時に單獨渡航も出來るが此の方は船賃の補助はない。それで家族構成の出來るものはやるがよい。が出來ないからと云ふて悲觀するには及ばない。どしどし渡航して自己の運命を　拓するがよい。日本娘がないならば伯國婦人と結婚する位の意氣がなくてはならない。諏訪の矢崎氏などは伯國の立派な婦人と結婚して居る。

亞爾然丁の米作

亞國農商務省技師　伊藤信介

從來亞國に於ける米作事業の狀況並に將來に關しては、當國農商務省の報告其の他に依り發表せられておりますが、在留日本人間には此國の米作と云ふものに就いて知られて居ないのみならず、今後日本人が內地事業卽ち農牧業方面に發展し手を染めるに重大な關係がありますから、槪畧ながら記述して同胞諸君の參考に供する事に致しました。

亞國に於ける米作歷史

亞爾然丁に於いて米作を始めたのは隨分古いものでありまして十八世紀の頃北方のパラグアイ、アルヘンチナ國のミシオネスを根據として發展したゼスイット派の僧侶に依り米作を行はれたもので、籾種は其時代に伊太利、西班牙邊より輸入したものであると云ふ說があります。今一つは隣國ボリビヤから亞國のツフイ州とサルタ州を經てツクマン州まで米が播種せられたのであります。ボリビヤ方面から來た米種は遠くペルー國から入つたものであると云ふ話であります。

亞國農商務省と米作に關する施設

亞爾然丁農務省當局者が米作に關して熱心に研究を始めたのは最近の事であります。其れは千九百十年米國より技師を招聘して、米作を研究し獎勵する事になつた爲に亞國に於ても大々的の計畫を立て米作を獎勵する事になつたのであります。同時に伊太利や西班牙等より專問的技師を招聘してミシオネス州とツクマン州とに米を試作せしめたのでありますが、成績が擧らず失敗に終りました。其後千九百十二年に私が農務省の命でブエノスアイレス州のパラデロと申す所のパラナ河の河洲に於いて日本から輸入した籾種で三十町步程の米田を作りましたが、好成績が擧がりましたので、千九百十三年に米作獎勵法を作り亞國全國水利の便ある所へプロパガンダを行ひ、籾を無料で與へて獎勵致しました、其年にはツクマン、サルタ、フフイ、ミシオネス、サンファン諸州を合せて約三千八十一町步の米田が出來、收穫が五千二百五十噸程ありまして、平均一町步千八

百キロ位の收穫となりました。價格としては五十二万圓程であります。

歐州戰爭と米作

亞爾然丁の米作も歐州戰爭がなければ急速には發展しなかつたのでありますが、幸か不幸か歐州戰爭が突發して、外國米輸入困難なるを同時に米の價格の暴騰するにつれ、內地米作の奬勵の結果左記の統計に示すが如き發展を致しました。

年度	播種面積	收穫高(籾)
一九一三―一四	三、〇二一(町步)	四、五三〇(噸)
一九一四―一五	四、〇八八	六、一三二
一九一五―一六	七、五〇〇	九、一〇〇
一九一六―一七	七、七三一	一〇、三七五
一九一七―一八	七、八一一	一二、〇五九
一九一八―一九	七、二八八	一三、九一八
一九一九―二〇	九、三二四	一八、五〇〇
一九二〇―二一	一〇、一六五	一九、八〇〇

以上の統計で見ますと播種面積と收穫高等を比較する時は面積に比較してより以上の收獲がなければならないのですが、土地肥沃の程度や水利や天候如何又は米作に對して深い經驗が足りぬ等其他種々なる事情により日本內地の收獲に比して非常に少ないのであります。乍然如斯成績で收支相償ふかと云ふ疑問がありますが、此の國の米作は日本の米作と順序に於ても非常に差がありまして日本では少ない面績から非常の努力と研究とを以てより以上の收獲を得る事を努めますが、此國の米作は其反對に少ない勞力を以て大なる面積を耕しますから、たとへ一町步の面積から日本の如き大なる收獲を得ずとも、大なる面積から少しづゝでも間違なく相當に收穫があれば、滿足もし又充分收支相償ふのであります。從來とても日本人が亞國內地に於ても米作をやつた事がありますが、最初の二三年は大低利益が擧らない爲に亞國では米作は非常に困難だと申しますが、無理もない事だと思ひます。それは日本人の習慣として少ない面積から多くの收獲を得んとつとめるからであります。矢張り亞國の米作は日本式でなく亞國式に米作をやらぬと、成績も擧らねば收支も相償はず往々にして失敗する事がありますから、今後同胞諸子中亞國に於て米作をなさんと計劃を立てた時は、前記の要領を充分知ると同時に研究する必要があります。

亞國米作の將來

前記の統計に示しました通り、亞國に於ける米作の事業も年々發展して參りましたが、まだ〳〵前途遼遠であります。戰後再び外國米の輸入增加となりまして內地米作發展を阻害し、大

なる影響を與へる樣になりました。勿論これは內地の生產高が少ない爲外國米輸入に依り內地の需要を充す必要を生ずるのであります。その上米と云ふものに知識のない當國人は內地米より外國米の方が遙かに品質に於いても食料品としても上等であると云ふ事が頭の中に浸み込んでおりますから、例へ內國の事業を奬勵し保護する必要があつても內地米を喜ばないのであります。一方に於て內地米は確かに外國米に比して品質精米等其他總ての點に於いて劣等であると同時に改良する必要が目前に迫つておるにも拘ず、十年一日の如く在來米を播種して居るのであります。右の理由にて此の際外國より優良種を輸入して內國產の米種を改良し、尙進んで舊式機械を使用する地方の精米會社も新式精米機械を使用して精米に大改良を行ひ、外國に對抗する必要があるのであります。今一つ當國米作發展を阻害するものは輸入米に對する關稅率が非常に低い爲自然の結果として外國米を奬勵する事になります。又米穀取引所も何も好んで內國米の品質の惡いのを買い入れずとも利益ある然して關稅の安い外國米を取扱ふ事が利益あるといふ事になつたのであります。以上の如く關稅率の低い結果として外米の輸入容易なるため發展すべき米作も發展せず依然內地の生產額は到底國內の需要を充す事が出來ないのであります。乍然此の關稅率も政策上や明年の大統領の改選其他當局者の利害問題を控えて居りますから、早急に解決する事は困難でありますが早晩關稅率改正せられて內地の米作事業の保護奬勵せらるゝは事實であります。一方當國か年々外國より輸入する白米の高約三万五千噸乃至四萬噸でありまして、內地の生產額を合すと一年間の需要は約五萬噸以上にもなります。而して此多額なる收量を產出せしむるには少くとも內地の米田を四萬町位まで增加せしめねば到底國內の需要を充す事は出來ないのでございます。又內地到る處に四万町五萬町水田に適する土地がありますから近き將來に於いて當局者の施設その宜敷を得れば此の米作問題も容易に解決せらるゝ譯であります。同時に亞爾然丁は年々歲々人口の增加と外國より移住者の多い國であります。自然米の需要も現在より增加し其結果として亞國に於ける米作事業は有望と見て差支へないのであります。

亞國米作と日本人

今日迄亞國に於て米作をやつた日本人は數へる程少ないのでありまた大底失敗しましたが、其原因は左記の如きものでございます。

一、大抵の場合日本流の田植式を行ひ勞力を浪費して失敗する事

二、一つの場所に辛抱せぬ事
三、言語の通ぜぬ關係上喧嘩口論して飛び出す事
四、多くの日本人は獨身者にて土着の出來ぬ事
五、一日も早く金をつくつて逃げ出す事

其他種種なる事情もありますが以上の如き理由にて日本人の米作は失敗であります。乍然今後亞爾然丁の米作が發展するに從ひ日本人の米作家の發展も容易な事だらふと思はれます。又日本人にて當國人と共同の事業をするなり又小作人となるも土地を買つて地主として米作を行ふ事も何れも自由であります。まして米作と密接な關係を有する日本人の亞國に於いて米作の事業に從はんとする時は當國人に歡迎を受くる次第でありますが參考の爲に當國の米作法を添えておきます。それは下記の如きものです。

米種

現在當國の米作に種籾として普通使用せられて居る中に亞國在來種と輸入種との二種類がありまして、全部晚熟種であります在來種と申すのは十八世紀頃から播種せられて來た籾で當國ではテイボコロリナと申し其の籾種に各地方で別別の名稱かついて居ります。例へばクリオロ、コクオラード。クリオロ、ブランコ、ブラスエンヨ。或はサルテンヨと申す中で最も良種として奬勵されて居るものにはクリオロ、コフオラードとかサルテニヨであります。又在來種の中に日本種に近いボリータとかボリータグランデと申すものもありまして相當に播種されて居ります、輸入種は千九百十二年日本から輸入せられたるもので九州地方から輸入されたるもので名稱はありませんので『キユウシウ。』と云ふ名をつけました。此籾種は非常に成積がよく今日では亞國內地のみならず伯國のリオグランデドスール までプロバガンダせられてオロスジヤボネと申して大變歡迎せられて居ります。輸入種の中には今一つ伊國產の『ヴイアロネネグロ』と申す籾がありますが現在まであまり好成積を擧げて居りません。在來種輸入種どちらにしても亞國の土質に適した籾ではありませんから、今後共世界各國の優良種を輸入して現在の亞國種を改良する余地があります。然らざる時は年々歲々收穫上多大の損害を表す事と思はれます。

米作法

亞爾然丁の米作法は大体大農式で勞働賃金の高い當國では全部牛馬の力や機械の力等を應用並に利用しております。耕作播種收穫等に於ても其効力の多少耕地面積の如何にもよりますが、出來る限り人力を使用せぬ事にして居ります。只除草期には地味の肥沃なる爲に雜草の成長非常に烈しく機械を以つて除草す

る時は完全に其目的を達せられざるが爲に人力を使用して充分除草致します。又米田をつくる時にも日本內地の如く完全なるものをつくることはありません。之は勿論勞力不足の當國の事でありますから充分に水が溜らずとも稻が成長して熟するに足るだけの水分があればよいので、水を溜めて完全な水田をつくる事はありません。其結果として水分の不足なるが爲に米の粒も小粒であります。又日本の樣な田植式は經濟上から見ても不適當でありますから現在では行はれて居りません。

播種から收穫まで

當國では大抵七月八月九月中に二度土地を耕作して播種期の一週間前乃至十日位前までに耕作した土地をならして始めて播種器を以て籾を線上に蒔きます。勿論土地は温氣を帶びて籾の發芽する位に止め置きます。決して水を溜める事はありません播種期は地方により異りますが九月下旬より十二月初旬まで播種となつて居ります。播種後十五日位にて發芽しますから其間に米田の區劃を作り水の溜る位のものを作ります。其後は注意して灌漑をなし除草は大低播種後一月半每に致します。普通二回位除草をする習慣があります。稻播種後大低百五十日で成熟期に至るので愈々稻が實つた頃を見計ひ手鎌又は器械にて刈取り十日間位の後に脫穀して麻袋に入れ精米會社に送ります。

以上の如く大体に說明致しましたが當國の米作法はまだ〳〵兄分に改良する余地があります。同じ大農法によりまして米作を行ふに當りましても米國並に伯國の米作法は遙かに當國の米作法より進步して居ると見て差支へありません。何れにしても勞働賃金の高い當國に於てはなるべく機械力を利用して多くの面積を耕作し、たとへ當國の米田一町步の面積よりの收獲は他の諸外國の收獲率に比較して小額なりと雖收支相償ふものとなつて居ります。

收穫率

地味及天候の如何により收獲に差がありますが平均一町步の收穫は二千五百キロとし場合によりては四千キロ位收穫する事があります。

肥料

亞國の米作には今日迄習慣として特に肥料を使用せず只稻の成長期間中幾分の鑛物質を含有する河の汚水を水田へ流入せしめる丈であります。

灌漑

灌漑用水は直接山間より流れ來る水道口により水田へ流入せしむるものと水田より下流を流るゝ河水をポンプに吸ひ上げて灌漑するものと二種あります。何れも各地方の地勢に從ひ兩者

を應用して居ります。

害虫

從來內地の米作地に於て發見せられたるものは主に『いねはがた病』で他の病菌はありません。又當國に於て有名なる『ランゴスタ』『ぱつた』の一種でありましたが此の害虫の發生期と稲の成熟期とは時期を異にする爲に余り被害はありません。

籾の相場

戰前米作地方に於いて籾の相場は精米會社渡し一キロ九錢より十二錢でありましたが本年の收穫期迄は年々暴騰して二十五錢より三十錢まで相場が立ちました。

白米の相場

內地米（戰前）　一キロ　（亞貨）二十八錢より卅五錢
仝上（戰爭中）　仝　仝　卅五錢より五十錢迄
仝上（現在）　仝　仝　卅錢より卅五錢迄
外國米（戰前）　一キロ　（亞貨）三十錢より四十錢迄
仝上（戰爭中）　仝　仝　四十錢より六十錢迄
仝上（現在）　仝　仝　卅五錢より四十錢迄

小賣相場は卸相場へ三割乃至四割掛なり

米作小作人の利益

各地方により多少の差があるが土地借料農具籾代灌漑用水代其他雜費差引左記の如き純利益があります。

初年度は一町歩につき五十圓の利益
二年度　八十圓
三年度　百十圓

借地料は現在一町歩大低十圓より十五圓でありまして米作地方は地價が安ければ土地を買入れる事が便利であります。大低一町歩五十圓から百圓致します

海外發展問答

兵役と海外渡航

問　徴兵檢査以前の者は海外に渡航する事は出來ませんか。

答　丁年以前の者でも海外渡航はいくらも出來ます。

問　本年檢査の者が外國に行けますか。

答　四月十五日以前に出發の出來る準備の出來た者は行けますが、全日以後になつたら絶對に行けない譯ではないが檢査を受けて行く方がよいでせふ。

問　海外に居る者が適齡になつたらどうすればよいですか。

答　徴兵檢査を受けたい者は歸朝するのですが、支那だけは日本の徴兵官が出張しますから其指定の所で檢査を受けねばなりません。其他の諸國に在留する者で徴集を延期したい者は、其地の在外公館（公使館大使館總領事館領事館領事館分館等）から在留證明と云ふものを貰ひそれに徴集猶豫願書を添へ四月十五日迄に聯隊區司令部に着する様に町村役場に提出すると其年度丈け徴集を猶豫されるのです。毎年斯の如き手續を三十八歳までやると國民軍に編入されるのです。

問　海外から檢査を受ける爲に歸朝する者には旅費が官給されますか。

答　日本々國では寄留地から受檢のため歸郷するもので旅費のない者には其人の請求によつて官給する事になつて居りますが、海外からの旅費は前例がないからどうなるか知れません。

問　在外者が徴集猶豫中に歸朝すれば檢査を受けねばなりませんか。

答　從來は法文上は檢査を受けねばならない事になつて居たが陸軍の方でも一人や二人のために大變面倒であつたから實行して居なかつたのです。それに今度は徴兵猶豫中の者が歸朝しても一ヶ月間は公然猶豫せらるゝ規則になりましたから此期間丈けは大丈夫な譯でます

答　海外からの歸朝者に一ヶ月の猶豫を與へて戴いた事は有り難い事ですが實際問題になると一ヶ月計りではどうする事も出來ませんがもう少し永く安然に滯在する事は出來ないでせうか。

答　船の出帆が後れたとか本人が病氣になつたとか止むを得ざる事情にある者にはもう少し延期せらるゝ事になつて居りますから余り心配をせずともよいでせう。加之徴兵檢査期間外（五月から八月迄以外の時期）に歸朝すれば多くの場合檢査はありません。

問　三月出發して南米に行く者は四月十五日迄に在留證をもらふ事は出來ないがこれはどうすればよいですか。

答　此場合には船會社から何月何日何丸で出帆したに相違ないと云ふ證明をもらいそれを持つて旅券を下附された府縣廳に行くと承認書といふものをくれます。此場合渡航者は外國へ到着するや直ちに在留證明をもらつて送らねばならぬ事になつて居るが實際は第二年目からでよい様です。

問　何かの都合で四月十五日迄に猶豫願を出す事の出來なかつた場合はどうなりますか。

答　此場合は法文上からいへば猶豫を取消される事になるのですが、多くの場合は其人の實際の檢査日迄に到着すれば村長が叱られる位で猶豫が出來る樣ですから在外者は四月十五日迄に着する樣に出すがよいがそれが後れさうでも思ひ切らずに出す方がよいです。

問　四月十五日は勿論實際の檢査日迄に猶豫願が出せなかつた場合はどうなりますか。

答　この場合は其人と徴兵官の手心で色々に取扱はれます本人の事情によつて未決のまゝ翌年迄待つ例もありますがこれは一番同情ある取扱です。第二は檢査場に出頭せざる故をもつて告發されます。檢事が握りつぶす場合と法によつて處分する場合とありますが大概は罰金五圓以下で濟む樣です。それから本人の事情によつては徴兵忌避と見られますがこうなると罪は大きくなります。

問　私は歸休兵ですが海外渡航が出來ませうか。

答　歸休兵は現役ですから日本の領土と植民地以外へは渡航出來ません。

問　私は輜重兵で三ヶ月徴集されましたが海外に行けませうか。

答　輜重兵で三ヶ月召集された者は現役で而かも三年位續きますから其現役中は海外に行けません。

問　私は第一補充兵ですが海外に行けませうか。

答　これは聯隊區司令官に相談して見て補充の番號により全官が從集せらるまいと認定されると行けるしさうでないとそれまで待たねばなりません。

問　軍人が海外へ行くには兵藉手續がいりますか。

答　召集通報人と云ふものを本籍町村內に定めて旅行屆をするのです。此屆をして置けば軍隊では在外者の部に入れ戰時の第一召集の部から除いて置きますから小さい動員ならば召集されずにすみますし又勤務演習召集を受けません大動員には皆歸朝するのです。

問　在外公使館から在留證明書を得る能はざる場合はどうなりますか

答　かような場合は實際上から云へば餘り多くはありませんが、それでも南米の奧や西藏あたりに行つたり又通信の出來ない地方に行つた場合にはあり得る事ですが、かゝることを豫期した場合には手紙でよいから其旨を故郷に通信して置きます　檢査の場合に父兄が其手紙を實證として寛大なる手加減を乞ふ事が出來ます。

問　本國で動員下令の場合在外軍人はどうなりますか。

答　動員も種類に依ります小さいものならば在外軍人を召集しませんが大動員になれば召集通報人から出來る丈け早く通知され又出來る丈け早く歸國應召せねばなりません。

問　此の場合歸朝せねばどうなりますか

答　充員に應ぜざる罪に依り重き處分を受けねばなりません。

□　編者曰　質問自由自在且無料　□

信州だより

○信濃美術展覽會

四月廿日から三日間長野縣會議事院で信濃美術展覽會が開催された。中村不折、池上秀畝、矢澤弦月、丸山晩霞、篠原新三野本文雄、小室孝雄、關晴風、中村簗峯、太田南海などといふ大家を始めとし管內十數人の美術家が奮つて出品したのみならずわざ〳〵東京から出向いて陳列やら說明やらに努めたので唯さへ親しみ深き同鄕人の作品に一層の興味を惹いて開會三日間共ナカ〳〵の盛況で有つた。引續いて松本市の公會堂に開いたが此處でも豫想外の繁昌で有つた。由來信州は理屈の國だと言つて居るが一方には斯うた方面を持ち更に詩人文學者にも乏しからず流石に文化の淵叢と自任するだけある樣だ。

○淺間山麓濁流　出し

今年の春程氣候の不順だつたのは珍らしい。二月中に炬燵やストーブの無くてよい日があつたり三四月頃メッキリ寒く櫻の花等が雪に埋れて見たり、そうかと思ふと五月初めから夏服夏帽で出歩く樣な變調である。其結果だらふが淺間山麓では雪溶水が押出して大珍事を惹起した四月廿四日午後五時淺間山南谷から大雷の如き音響と共に數丈の濁流山麓の耕地を侵し、北佐久郡小沼村字三谷部に浸入し、居宅水車土藏等計十七棟の外に五十歳位の女一人と豚馬等の多數を洗ひ去り、信越線にも故障を生じ十時間以上も不通であつた。淺間山は何時も火を噴いて人を驚かすが今度は水で人騷がせをした。流石信州の名山何か仕出かさなければ虫が落附かぬと見える。

○縣內諸物價表（四月十五日現在）

白米一升	三八錢乃至四三錢		木炭一貫目	三〇	五〇
精麥	一八	二一	牛肉百匁	八〇	一二五
小麥粉一袋	四二〇	四八〇	馬肉	四五	七〇
大豆一升	二〇	二五	豚肉	五〇	八〇
小豆	二二	三〇	鷄肉	一〇〇	一六〇
鷄卵一個	五	八	酒一升	一一〇	一六〇
三盆砂糖一斤	二八	三五	男日傭	一二〇	一八〇
鹽鮭百匁	一五	二五	女	七〇	一二〇
醬油一升	五〇	七〇	大工手間	一八〇	二五〇

○十九銀行南佐久銀行併合

南佐久郡臼田町に本店を置く資本金七十五萬圓の南佐久銀行は上田市第十九銀行の買収に依りて併合する事になつた。南佐久銀行は明治十四年の創立に係り爾來四十年間東信地方の金融機關として貢獻する處多大であつたが、同行重役諸氏は財界の

推移に鑑み且縣知事及日本銀行支店長の勸奬に基き今回の決行を見るに至つた。

○湖水の利用

信州の山の中では僅少の水溜も等閑には出來ない。諏訪湖、野尻湖、木崎湖、松原湖等何れも近來一般人の注意を惹き學術の方面や生産の方面からも將又遊覽地、避暑地としての方面からも調査研究される樣になつて最寄々々で色々の計畫をして居る。諏訪湖の魚族養殖や天然瓦斯利用、野尻湖畔の別荘建築、木崎湖の夏季大學等近來の發展はナカ〳〵目覺しい。此夏は右の諸湖を研究の材料に全國湖沼大會が催されるそうである。

○日本アルプス溪谷の石灰から酒を造る

日本アルプスの溪谷を貫流する黑部川は景色のよいのと高峰博士の經營する東洋アルミニユームの會社が出來た爲に有名となつたが、同會社では更に其附近に豐富に有る石灰石を利用して酒を造る方法を發明し近く一千萬圓の資本金を以つて黑部化學工業會社を創立し六十萬石の酒を造り出す計畫だそうだ。一方理化學研究所でも米を原料とせずして上等の日本酒を造る事が發見されたとの事禁酒國のアメリカ人などには無用であらふが日本帝國の上戸黨には一大福音とでも聞へるであらふ。

○信州交通機關の二大計劃

信越線御代田驛から望月を經立科山麓を諏訪湖郡に出で湖水の西岸を岡谷驛に聯絡せしむる鉄道と小縣郡丸子鐵道を延長し松本市に出づるものとの二線が計劃され前者は既に創立總會を終り後者も近日中に株式募集を始めるとの事である。此二線が完成すれば縣下の交通上甚だ便利となる譯である。

○耕作地問題

農業が割に合はぬといふので小作人が田畑を返還するの傾向が著しくなつて來た。昨年迄は左程ではなかつたが本年は縣下各地に問題が起つて眞面目に論じて居る。今まで一向研究されて居なかつたために兩方共確乎たる論據がなく、從つて根本的の解決は六づかしい樣である。大体地主側が讓歩して從前通り作つて貰ふ事になるらしい、差當りはそれで納まりもしやうが元來極めて僅少の耕作地を抱へて天井知らずにかさむ生活費を支辨し十數億の國縣税町村費を負擔せねばならぬのだから當底やりきれたものでは無い。年々世知辛く物騷になるのは當然だ此時此際窮迫の道唯一海外發展あるのみとは　强ち手前味噌でもあるまい。

○飲田町の大火

五月四日午後九時半に、愛宕町より發火し折柄の强風に火は忽ち四方に燃へ廣がりて消火の術なく愛宕町知久町本町廣小路

追手町等飲田目貫の場所を大半燃き盡し翌五日午前三時半漸く鎭火した。燒失戸數三百五十八重輕傷者五十餘名損害三百五十万圓と云ふ未曾有の珍事であつた。原因は全くの失火らしい。火災保險は全体で漸く二十六萬圓足らずで、罹災者の窮狀見るに忍びず本縣は急遽視察員を派して實狀を調査夫々應急救助の手配をなすと同時に善後策につきあらゆる手段方法を講じて飲田町民の便宜を計つて居る

◉支部設立經過

當海外協會では縣下各郡市に支部を設立する事になり、總裁佐藤寅太郎氏が專ら其衝に當つて奔走されて居る。農家が稍急がしくなつた事と一般經濟界の不振とで時期は甚だよくないが何人も其必要を感じて居る事だけに同情と好感とを以つて集まつてくれるのは心强い。今五月中には全部終了する豫定である。

雜報

◉信州實業家の南米視察

片倉製絲紡績會社長にして信濃海外協會相談役たる片倉兼太郎氏、信州實業界の有力者にして全協會評議員たる土橋源藏氏及黑澤竹重の三氏は七月廿三日横濱港を出帆し八月英領加奈太に上陸、それより加州、墨西哥、桑港、羅府等を經て紐育に出で別項の伯剌西爾觀光團と共に八月十八日同港出帆南米伯剌西爾に渡航し猶遠大なる希望を以つて適當の土地を購入し更にヴルガイ、アルヘンチナの諸國を視察し歸朝の筈、日本人南米發展の爲めに多大なる便宜が與へらるる樣になるであらふと觀測されて居る。

◉伯國觀光團組織さる

東京商業會議所副會頭山科禮藏氏は嘗て親しく南米南洋等重要なる旅行をなし猶伯國企業準備組合の組織に就いては着々歩を進め既に組合會員百數十名に達し企業調査費拾數万圓に達する迄の努力をされて居たが、今回伯國獨立百年祭を機として有力なる觀光團を同地に送る運動を起し農商務省とも了解を得着々其進捗を見て居るが日本の六大商業會議所からは各代表員を加入せしむ可く、東京は三島彌吉氏選定せられ横濱も決定したから其他も着々人選を見るとの事であり、更に三井物産會社、同合名會社、大坂商船日本郵船、東洋汽船、正金銀行、日本銀行日本砂糖業組合等からも代表者が加はる筈で多分一行は廿名に達せ可く山科氏自身も再度渡航せらるるであろうし海興外業、松平社長も行かるゝと云ふし仝社の青柳郁太郎氏も同行さるゝ事になるだらふとの事だ。此觀光團は七月廿日頃横濱出帆八月十九日紐育から、伯國獨立百年祭に參列の後各地を視察さるると云ふ。

◉揮旗農學士の伯國移住　長野縣諏訪出身にて札幌農學校卒業後堤商會社員として滿州、豪古、西比利亞、カムチヤツカ方面から北米合衆國各地の企業調査に盡力して居つた揮旗農學士は今回一家族を擧げて伯國に移住し農牧業を經營する事になり、七月一日横濱港出のメキシコ丸で出發さるる筈である。

◉藤原爲好氏伯國留學　留學と云へば歐州か北米に限る樣に思はれて居たが諏訪中學卒業の同氏は南米伯剌西爾國へ留學する事になつて、既に五月の船で出發した。同氏は將來伯國で一大活動をやる希望であるが他の移住者の樣に渡航後直ちに事業を始めるでなく少くとも七八ヶ年間は同國の學校で勉强し充分の素地を造つた後に大いに活動するとの事である序に東京で要する學資があれば伯國で優に勉强する事が出來ると云ふから、或意味から云へば外國語學校で勉强して行くより此方が早道だらふとの事だ。

◉海外協會支部續々出來る

佐藤副總裁森幹事及各地有力者の盡力に依り信濃海外協會の支部が續々と組織されてゐる。五月中に組織の出來る見込の各地は松本東筑摩聯合支部、諏訪北安曇上水内北佐久等で既に出來上つた小縣更級上高井を加へれば八個に達するが猶有志の希望では五月中に全縣下の各郡市支部を組織して仕舞ひ度いと意氣込んで居る。

◉東京臨時事務取扱所　を小石川區林町七拾番地に置き幹事永田稠任に當り東京の事務と『海の外』の編輯等の仕事をする由、電話は普通長距離で一二四八番。

◉海外縣人會と支部設立

信州人の海外各地に雄飛せる者頗る多く稍多數在留する所には信州會、長野縣人會等の設置せられて全鄕者相依り相助け合ふて居たが今日迄之等各地の團体を聯絡する工夫がなかつたが、今回信濃海外協會の組織を見たので之等各地の長野縣人が聯絡し氣脉を通ずる工夫が出來た譯である。既に滿州の信州會からは聯絡の申込があり米國方面の縣人會も海外協會に期待して居るさうだから漸次聯絡が出來て行くと思ふし、又未だ此種の團体のなかつた所では協會の支部として組織せらるると思ふ。又日本内地でも各地に縣人會がある樣だからこれ等も續々聯絡が出來又東京にも支部組織の相談がボツ〳〵あるとの事であるから世界的に長野縣人の團結が出來る日も遠くはあるまい。

◉取消　本誌第一號十一頁信濃日誌[illegible]中二月七日教員の基督教熱の項は東筑摩郡役所の申出に依り取消す。

海の外

冊數	定價
一部	廿錢
半ヶ年	一圓十錢
一ヶ年	二圓廿錢

郵税四錢 外國要す

注意

▲御注文は凡て前金に申受く
▲廣告料は御照會次第詳細御通知致します
▲御拂込は振替によらるゝを最も便利とす

大正十一年五月一日發行

編輯人　永田稠

發行兼印刷人　藤森克

東京市小石川區林町七十番地

印刷所　力行會印刷部

發行所　長野縣廳内　海の外社

海の外

大正十一年四月廿六日第三種郵便物認可 大正十一年六月一日發行(毎月一回一日發行)

パラガイ
ブラジル
パラナ河
亞爾然丁
アンデス山系
チリー
コルドバ
メンザ
ロサリオ
ウルケイ
ブエノスアイレス
ラプラタ河
バイアブランカ
ネグロ河
サンマチアス海
パタゴニア高原
サンハルゲ湾
マゼラン海峡
フォークランド群島
フエゴ島
ホーン岬

定價金二十錢

信濃海外協會内
海の外社發行

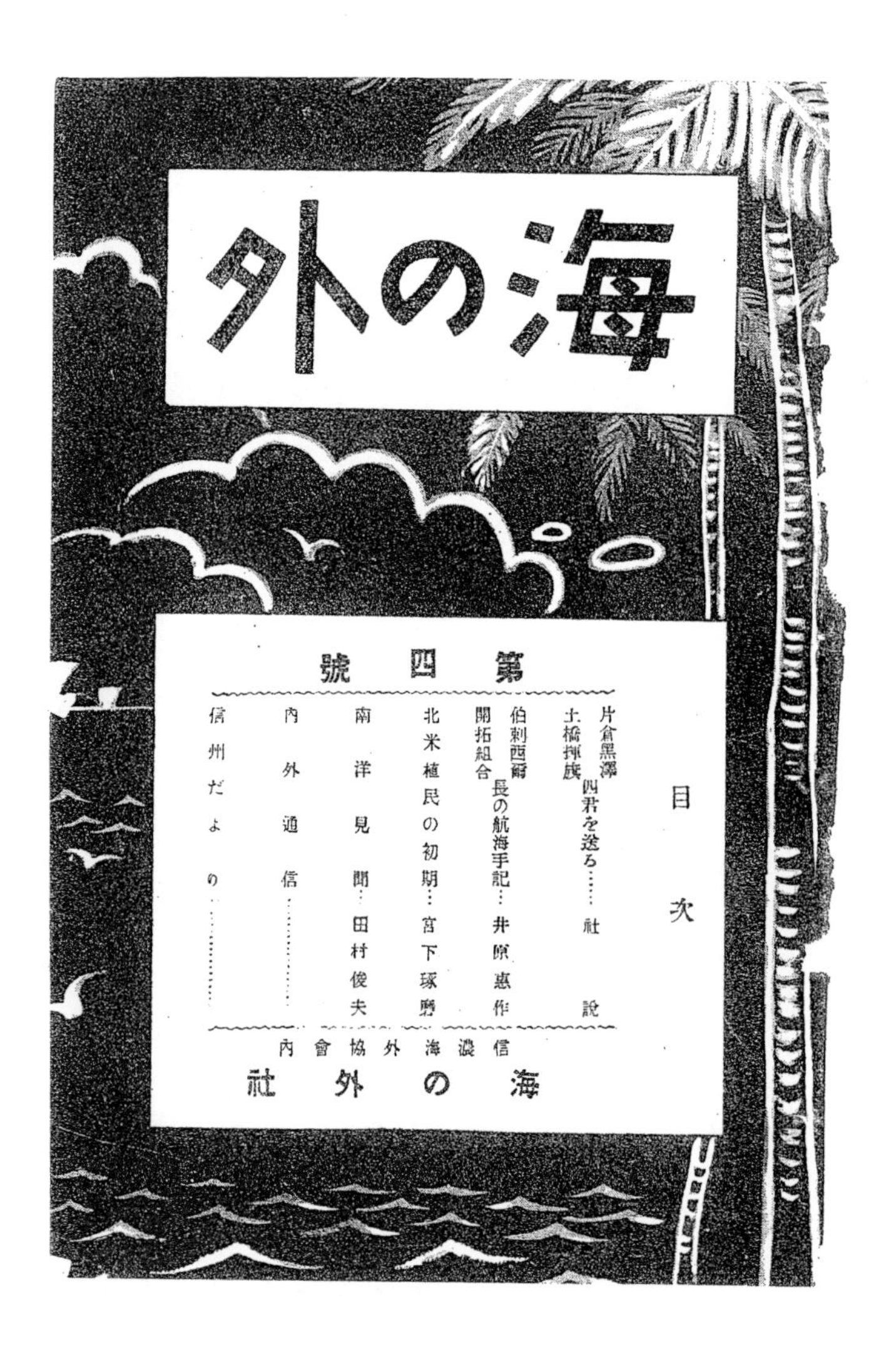

第四號

目次

信濃海外協會内
海の外社

送片倉・黑澤・土橋・揮旗四君

上段中央片倉兼太郎氏右黑澤利重氏左土橋源藏氏
下段揮旗深志氏一家前列右より揮旗氏令嬢母堂
後列右より夫人養女はる子

片倉、黑澤、土橋、揮旗四君の南米旅行を送る

信州の海外發展論者の立塲から見れば、本年は實に喜ばしい年である。一月廿九日には信濃海外協會の發會式が擧行され、二月には郡市選拔の海外渡航者指導員の講習會が開かれ四月には本誌乃ち『海の外』が呱々の聲を擧げ、六月末迄には二市二郡を除いた信州の各郡市に、信濃海外協會支部の設立を見て玆に大體に於て信州人縣外發展の系體が出來上つたのである。之れ丈けでさえも日夜縣民の發展を祈つて居た者から見れば欣喜雀躍に價するのであるが、私共は更に大なる喜びの福音を傳へられた。それは片倉兼太郎・黑澤利重・土橋源藏・揮旗深志の四君が南米旅行を決行せらるゝの報である。此四君の南米旅行は種々なる意味に於て信州人海外發展の爲めに新紀元を作りつゝあるのだ。

北米合衆國や英領加奈太は勞働賃金が高く、生活費が比較的に安い所であつたから、これ等の地方では資本を携へざる信州人が着々ミ地盤を建設して行く事が出來たのである。然るに之れ等の無資本者に適當なる地方は、排日に次ぐに排日を以てし、今日では如何ともする事は出來ない。南洋にせよ南米にせよ勞働賃金は日本よりも安いのであるから、これ等の諸地方に發展せんとする者が勞働賃金を貯蓄して、これを企業資本とする事は仲々容易では無い。だからこれ等の地方に渡航せんと欲する者は多少なりとも資本を携行するの必要がある。然るに一方から考へると今日の程度に於て海外に渡航せんと欲する多くの青年達は、不幸にして資本と稱する程の金を持參する事は出來ない事情にある。だから折角南米方面に渡航しても、意の如くに成功をする事が出來ない。若しも茲にある資本家があつて、或は廣大なる土地を買ふて、之れを提供してくれるとか、或は農業資本を貸與してくれるとか、何等かの價値を與へらるゝ事が出來れば、彼等は非常なる勢を以て發展する事が出來るのである。況んや南米には既に一千五百に近い信州人が渡航して居て彼等は長きは十年少なきも三四年の移住地生活に馴れ、其言語、其事情其事業經營等に對しても、最早相當の經驗を有して居る、乃ち今日では只資本さへ行けば彼等は直ちに偉大なる能率を發揮し得らるゝの地位であり、紐育の土地投資などの如く、全然信州人の無經驗な所とは其事情を異にし、既に事業に投資の安全時代に到着して居ると云ふ事が出來るのである。されば此場合に信州の資本家たる諸氏の南米旅行は、實に意味の深長なるを思ふのである。勞力と資本とが車の兩輪の如くに並進す可き日本の海外發展は、今日迄は勞力のみの渡航で從つて片手落であつた。特に南米方面に於て此傾向が甚だしかつたのであるが我信州の資本家が此方面に膨脹せられたる事は、啻に信州先發者の爲めに幸福たるのみならず、誠に日本全國の爲めに慶賀すべき事である。

信濃系蠶絲業者の勢は既に日本を覆ふて居る。更に進んで其植民地に進撃して居る、朝鮮に、臺灣に、樺太に、青島に、或は支那に、養蠶のある所、繭の産する所信州の青年は製絲家の資本を携へて突入して居る。今日では最早日本の勢力範圍

離れて他邦の領土に、其經濟的進撃を試みねばならぬ程度に進んで來て居る。乃ち百尺竿頭更に數歩を進むべきの運命下にあると云ひ得るのである。此際信州財界の有力者が相携へて南米視察の途に上る事は、實に愉快な事だと云はねばならぬ。

揮旗深志君は諏訪中學校から札幌の農科大學を卒業され、露領・蒙古・北米等に幾多の企業調査に從ふて居たが、今回決する所あり一家族を擧げて南米に移住しやうとせらるゝのである。今回迄海外に渡航せる日本人の大部分は、其學歴から云へば中等學校の卒業者は極めて少なかつた。外務省でも『學校出はいかぬ』と云ふた。移民會社でも『農業勞働者に限る』ミ云ふた。移植民の社會的發達の理想と過程に就いて何等の考慮も持たない彼等から云へば、それは當然の事かも知れない。が、智識階級を加へなかつた我國の移住者が世界的に其評判を惡くし、各國から排斥の口實を作つて今日では其始末に困つて居る。世界から排斥されて其始末に困つて居りながら、彼等は猶『智識階級は海外發展に無用だ』と主張して居る、如何にも愚な事だ。世界の天涯地角何れの處か智識階級が無くて理想的に發達して行く人類の社會があらうぞ私共が海外各地を巡歷して常に遺憾に思ふ所は、教養ある人々の少ない事である。共に語る事の出來る人々の誠に少ない事である。在外者間に智識の根源となり道德の中心となる人物の少ない事である。新日本の海外發展は、從來の舊習慣を打破し、智識階級者を先頭に立てねばならない。此意味から云ふて揮旗君の南米移住は極めて有意義であると云はねばならぬ。況んや北海道の新天地の經驗ミ、蓄産に關する薀蓄とを有する君の南米視察をや。

私は揮旗夫人について更に數言を費さねばならない。今日在外同胞の最も苦痛とする所は女性の欠亡である。在外者の社會的欠陷の大部分は其源因が女性の不足から來て居る。それから今日の在外者、殊に南米に於ける在留同胞間の社會的缺陷の内最も大なるものゝ一つは婦人達の啓發運動の殆んど皆無なるにある。教養ある婦人は少し居る。併し彼等は謂ふ所のプリメラ、クラッス（第一級）に屬して、一般的移住者との交渉は殆んど絶へて居る。かゝる場合に揮旗夫人の如く高等の教育を受け多年教育會に盡力せられたる方の渡航は在外同胞の爲めには此上もなき幸福と云はねばならない。

片倉・黑澤・土橋の三氏は七月下旬横濱出帆、英領加奈太より北米合衆國太平洋岸三州の地を經て紐育に至り、全地より伯剌西爾・アルヘンチナ・智利・秘露から巴奈馬を經て、再び紐育に上陸更に歐州各地を巡歷せられ印度洋を經て明春三月歸朝せらるゝ筈であり、揮旗君は神戸から移民船に乘り新嘉坡・南亞を經て伯國に直航せらるゝと聞いて居る。各位の到る處に長野縣人が在留し、所々縣人會の設立されて居る所などもあると思ふ。〻位は今や獨り長野縣人のみの私有すべき人々ではないが、どうかこれ等海外在住の同縣人の爲めに出來る丈けの時間を割愛して、御後援と慰舞とに御盡力下されん事を切望します。猶所在の縣人會等と信濃海外協會との聯絡に就いても十分の御配慮願い度いと思ふ。

北米合衆國に於て多くの視察者は、在留同胞を日米國交の源因として看察する事に急にして、我日本民族が異人種の間に發展し、社會的の發育をなして行く立場、乃ち移住せる日本民族の社會的發育の立場、換言すれば日本民族　移住能率研究の立場から、在米日本人を見てくれる人々の少ない事は誠に殘念な事である。日本民族と異民族と交渉　一番永い歷史と、其研究材料が太平洋岸三州の地に埋藏されて居るのだから、どうか之れを充分に見て來て戴きたいと思ひます。

在米日本人の大部分が農業者であり、加州では既に其借地權が無くなりかけて居ります。彼等の内には日本へ歸る者もあり其地に止まるものもありますが、更に再移住を考へて居る者が少なくないと思ふ。之れ等の人々の爲めに南米が如何に利用せらる可きであるかと云ふ點も、よく御考へを願い度い。私共の考へる所では、日本の農民を直ちに南米に移住させた丈けでは、理想的の發達は困難だ、之れに北米で試練を受けた人々を加へねばならぬと信じて居ります。南米に志を有する思慮ある日本人は、此一事を忘れてはならぬと思ふ。

勿論絹絲絹布に關する事を主として百般の事情を視察せらるとの事であるが、南米に於ては土地を殊に見て戴き度いと思ふ。將來世界人類の生活資料は多く之れを南米に得ねばならぬ運命にあり、其土地が此源動力である以上は、南米に土地を有する事は一切の根本である。況んや日本の二三男の爲めの活動的地盤は、思ふに世界に於て南米程よい所はないと思

ふからである。私は思ふ、日本人の一番欲しい物は土地であるを。其土地の一番よい所が一番安く得らるゝ所　南米の價値があると私は思ふて居る。十二万圓で三萬六千町歩の土地が買へ、十五萬圓で四萬町歩の土地が得らるゝ。諏訪一郡を長さ六里幅二里と假定すれば、十二平方里の一萬八千百六町歩だ。諏訪郡丈けだつたら約六萬圓で購入する事が出來るのだ。私共から見れば信濃河畔一千五百町歩の土地を流さぬ工夫をする爲めに一千萬圓を投ずる事や、西天龍の灌漑工事に數百萬圓を投ずる事などが、如何にも不思議に見えるのである。伯國で一千萬圓の土地は二千四百萬町歩ある。正に日本の全耕作面積の四倍だ。

更に吾人の熱望に耐へざる所は、從來の南米企業者と其事業とを精細に調査研究せられん事である。此種の人々の内には隨分舊式の頭があつて、實行の出來ない利權の獲得を試みて、本國の資本家を誘ふてゐる者がある樣に見ゆる。私共の主張が正しいか彼等のやり口が正統か、此邊は十分に見て戴き度い。殊に伯國に關係ある會社の營業狀態は十分に見て戴き度い一千万圓の巨資を以てして、今日迄利益を見る能はざるのは、伯國が悪いのか會社の經營が宜しくないのか、此見境が附かぬ爲めに、日本資本家の南米投資に逡巡する者が實に澤山ある。私共の所見は畧定まつてゐるが、遺憾ながら空論者の所見ミされてゐる。資本家諸氏の立場から斷乎たる判斷を下して戴く事は望ましい事である。伯國がよくないならば私共は斷乎として全地を斷念せねばならぬし、會社の經營不良の爲めに利益がないならば、私共は新式の行き方を要する。又會社の經營も宜しく伯國も悪くはないが、其利益を擧ぐるに猶永き年月を要するならば、此間の事情をも詳知して居らねばならぬと思ふ。

永い間の御旅行であるが、氣候風土等に關しては、餘りに御心配の必要はないと思ふ。赤道直下と雖も海上は波平かに涼風颯々たるものであるし、新嘉坡と巴奈馬に於て多少暑いかとも思はれるが、此邊も亦夕方驟雨の後巴蕉の葉陰にさし上る月は、何とも云へぬ慰めであります。さりながら、十分御健康の点に就ては御注意遊ばされ、幾多の材料と極まりなき感激とを以て、芽出度御歸朝遊ばされん事を、切に祈願致します。

（一一・六・一五日）

伯剌西爾開拓組合長の手記

伯剌西爾開拓第一組合長　井原惠作

井原惠作君は多年合衆國で農業の經營に從事して居たが、感ずる所あつて南米に行く事になつた。乃ち伯剌西爾開拓第一組合を組織し其組合長として渡伯した。玆に記す所は其航海畧記である。（編者）

十一月三日　晴

新らしき布を以つて舊き衣を補ふ者はあらじ。蓋は補ふ所のもの反つて之を破り其の綻び尤も甚だしからん。又新らしき酒を舊き革嚢に盛る者はあらじ。若し然かせば嚢張り切れ酒もり出でて其嚢も亦壞らむ。新らしき酒を新しき嚢に盛りなば兩つながら存すべし。（馬・九〇十六）

我々伯剌西爾行きも此の意味でありたい。囚へられたる風俗習慣は横濱出帆と共に脱し、生れ變つた生活、云ひ換へれば新生の門出である。舊日本の延長は物の見事に北米に南洋に其の失敗の足跡を殘した、前車の覆るは後車の戒めでなければならない、我等は再び失敗の二の舞を演じたくない、其處に自分等の渡伯の意義があると思ふ。

然し自分の本能性は理性を裏切つてか、横濱出帆のあのシーンは純に深刻に自分の涙を流さした、苦の彼方に樂があり涙の對岸に喜びがあると云ふかも知れない、止めて呉れ自分等にはそんな安價の慰めに滿足出來ない、泣いて泣いて苦しんで祈る所に自分等は慰められ滿足するのだ、獨り子供のみは何を思ふて居るかニコ〳〵笑つて居る、あゝ自分等も子供の樣になりたい。五時觀音崎の燈臺を右に眺めて日は西に沈んだ。十一時迄室の整理やら歌やらで過して寢た。三等船客二十九名、一等白人夫婦一組。

十一時福井屋に頼みし漬物の來て居ないのに氣が付き無線電信で長崎に送る樣に頼む、今宵の初夢は何處をたどるらむ。

十一月四日　晴　六十八度（今後共室内溫度正午の事）

五時一同起きた風のため動搖甚だしく頭が重い、[illegible]板で体操の聲勇ましく聞へる、自分の不甲斐なきを慣[illegible]。

朝食の食缺は自分始め五人あつた、十時頃から起きて甲板で運動す、大分元氣に成つた、右手に土州の山々を眺めて病に惱

み行を共にする能はざりし武内兄弟を思ふて彼の全快の一日も早からむ事を祈る。

朝食ぬきのために晝飯は美味に食ふ、松原君相變らず食べ過ぎて困ると云ふて居る。

夜は五目並に唱歌に各々思ひ〳〵に氣晴らしゝて十時寢る。器械の音のみが轟々として夜の靜けさを破つて聞へる、

横濱を去る（正午）百九十哩、長崎迄四百九十哩、

十一月五日　曇　七十度

六時一同起き揃つて甲板にて体操をす、約半時間の後は全身汗ばみて体温甚だ高まるを覺ゆ、

朝食後約一時間聖書研究をしゝ馬太傳より始む、自分の司會にて一章二章を研究す、マリヤの處女降誕にて大分議論ありしも神の全能を認める場合は問題なき事に決す。

今日の標語は神共にあり（インマヌエル）なり、嗚呼凡ての力、凡ての生命、凡ての愛、此一言。明日は長崎入港にて一同元氣付く、先頃打ちし無線電報の返事福井屋より來り、長崎に送つたと云ふ、一同喜ぶ。

横濱を去る四百十哩、長崎迄二百七十哩、

十一月六日　晴　七十度

起床後一同兵式体操す、今日の午後二時長崎に到着との事にて一同勇み立つ、朝食後馬太傳三　殿岡の司會、研究中上陸の仕度にて甲板にてウィンチの音、人の足音等にて騒々しく三章のみにて、切り上げ閉づ、始めて見る長崎の景色は中々に内地に見る能はざる様なり、點々たる山、緑濃き中に秋の色彩をなしたる落葉樹の紅なる有様、さながらパノラマを見る心地す、左に三菱造船所を眺めて海岸約數町の處に我がメキシコ丸は止まる。

それと前後して石炭を満載せる船の來るは〳〵見る間に我が船を二重三重に取り巻きぬ、船には鹽風に磨かれたる荒男の中に妙齢の婦人の甲斐々々しく身仕度せるが澤山に載り居たり、之れ我が船に石炭を積むなり、自分等は午後二時一同上陸、商業町をぶら付きたる後とある支那料理屋に入りて久振りに腹の虫を満足さす、長崎の町は一目の中に見ゆれど例に依つて道の峡く穢きを如何せん、長き傳統の然らしむる處か生活の餘裕なき爲か、識者以つて何となすか、日本湯に入つて後船に歸る晝來て居りし石炭積み人足の居るは〳〵蟻の物を運ぶが様に各々手送りに船に入れて居り、一分間に八十回バスケを送ると器械の替りに人間を使ふ國は他に何處にかある、此の國民に眞の創造を求むるは夫れ自らの誤りなり、今日又約十五人の乘客あり大低はシンガポール行き、二人の白人はケープタウン迄なり、

先きに自分等の室に二人の伯剌西爾人乘れる爲め、言葉の練習に大變都合よかりしに、又二人の白人を加へられ又英語の勉強出來る様與へらる、エホバの名は偉大なる哉、安き眠りに入る。

十一月七日　晴　七十二度

未だ明け切らぬ長崎の町、山々を眺めながら一同体操す、今日は荷物の積込みにて止むなく聖書研究は休む、午前八時身体検査を行へども一人の悪き人なきは感謝なり、福井屋より送り呉れし漬物をボーイに頼み持つて來て貰ふ。

未だ薄暗き中より甲板上は靴屋、果物屋、日用品屋にて一杯宛ら縁日の心地す、二時出帆の豫定なりしも上陸せる船員の歸らざる爲豫定を後るゝ約一時間にて出帆す、之れにて當分故國の名殘なる爲一同三百九十二　並に奮闘の歌を唱ふ、海波爲に躍るを覺ゆ、一時間の後には長崎の山々見へずなり、全く故國を離れし心地す、誰かゞ横濱にて故國を離れる時涙の出ない様では仕方ないと云ふた一方に、故國の足を洗ふて全く絶緣して行けと敎へらる、之の二つの矛盾は人間が生存する爲に他の生物を日々殺さなければならない矛盾と同じく、あく迄矛盾だと思ふ、夜もすがらカルタ等をして遊ぶ。さらば故國よ。

十一月八日　晴　六十八度

船は玄海灘に差し掛つてか宛ら木の葉の如く動く、一同甲板にて体操すれどもやゝもすれば吹き飛ばされさうにて思ふ様に出來ず。朝食に出席者は數人ありしのみ。

終日床に横はる御陰にて本は讀める、彼方此方にて物の落ちて破れる音聞ゆ、御婆様の好意で貰つて來た一升入りの醬油が倒れて床一面に流る惜しい事をした、終日波の音を聞きつゝ横はる、小兒の寢倦きて起きたがるには閉口。長崎より百八二十哩ホンコン迄八百八十六哩

十一月九日　晴　六十八度

夜の明けぬ内より小兒は起きたがる、仕方なしに起きる、今朝も未だ波は高い甲板に出でて少時体操す、波の御陰で今日も終日床にあり、種々の本を讀む中に天路歷程の一節に神と惡魔嗚呼良く似て居る事よ、さりながら神は十字架を負ふ、惡魔は十字架を恐る。負ふ十字架に救根ざし恐る十字架に亡び根ざす。亡びに至る道は廣く救ひに至る道は狹しと、嗚呼難いかな、夕方より風收まり波柔ぐ、冬の寒さに惱まされし草木の一陽來復の春に裂く様な元氣で芽出し來る様に、波の靜まると同時に元氣付き食堂に出でトランプ等にて大騒ぎす、自然の偉大なるに我々人間の如何に弱く力なさよ。波に惱まされ苦しむ時には眞に祈りたい氣になる、其の口其の手は少時して人を罵り惡をなす、何時になつて救されるゝか長崎より四百十八哩、コロンボ

迄六百五十哩。

十一月十日　晴　七十二度

小兒は不相變倦きて早く起きて困る、小兒の聲に皆も起きる大分靜かな日だ、例によつて体操す、大分練習が積んで上手になつた。八時聖書研究、山口兄司會の下に馬太傳四章、何者にも動かされぬイエスの力強き信仰の一部を學び、一同力を得た事を感謝す。今日の標語『主たる汝の神を試むべからず』嗚呼信なき我等には稍もすれば此の言葉を疑ふて神の存在を見失い失望す、然し神は我々の思はぬ處に日用の總てを供給なし呉れた、勿論今後も斯く有る可きを思ふ。創造の始めより永遠變りなき大自然と共棲を續けて行く、其の心地は如何にも生き〳〵した男性的な生活だ、自分等は今儼肅なる想念に接して居る。

見ぬ戀の様に心は躍る、嗚呼大自然の共棲。

御前達と此の行を共にする間のみが自分等の生命だ、榮だ惠まれた生活だ。されば長へに變らざる友たらむ事を。長崎より六九二哩、ホンコン迄三七九哩。

十一月十一日　曇　七十七度

支那近海に入りて風なく波靜かなる好天氣、一同の体操日々に上達す。朝食後松原兄司會の下に太、五章、の研究イエス畢生の力と熱心とを以つて弟子達に敎へし此の章は余りに言外の意味を含んで了解中々困難なりき。最後に全章第十九節『是故に人若し誡の至微き一を壞り又其の如く敎へなば天國に於いて至微き者と云はれん、凡そ之れを行い且つ人に敎ふる者は天國に於て大なる者と謂ふ可きなり』此の節に於いて意見二つに分れ天國上にも現社會同樣の階級あるならむと云ふ人と、現在に於いて如何なる行いをなせばとて一旦罪を赦されし以上神が愛にして萬人平等なる以上階級のある筈なしとの説に分れ、中々に一致點を見出さず結局後日の研究問題に附したり。

然し自分は思ふ、之二樣共現在の基督敎に於ては眞の見解にて、我等が救はれて天國に於いて神となる事の出來る迄は一致出來得ざる事ではないかと思ふ、基督敎に於いて神の子になる事は事毎に說いてあるが、神になる事迄は我等に敎へてない、親鸞の『其のまゝにて救はれ佛となる』迄行かなければ徹底しない樣に思ふ。後日此の解決を御願したい。今日の標語は『汝等は世の光、地の鹽也』明日ホンコン上陸にて乘客一同踊り立つと見れば數十の支那漁船アンペラを帆として悠々然たる樣して見ゆ。明日は東洋に於ける英國の根據地を見舞はんと一同喜びつゝ寢につく。長崎より九三〇哩、ホ港迄一四一哩。

編者曰く。香港よりコロンボ迄畧す。

十一月廿八日　曇　八十八度

今朝二時頃より燈臺島等見え一同は甲板で大騷ぎ、午前八時波止塲を去る數町の處に投錨す。と見るコロンボの建物赤きベンタに彩れら、見るからに暖きを思はす、鳥の樣な色をした印度人が呑氣に自分等の船の廻りをボートを漕いで居るが異樣に思はれる、九時英國官吏の旅劵の撿査があつた。然し上陸が出來るか否かは判明しないと云ふ約一時間後上陸の許可が出た。然し夕の五時迄には歸船する樣との事だ。皆は余り熱いので上陸しないと云ふ自分は、田島、鈴木、神澤、渡邊の諸兄と上陸自動車の客引が五月蠅く付き歩くには閉口した。

郵便局に行かふとした處一人の印度人が流暢な日本語で私は日本人の商店に働いて居る者ですが郵便局に案內しましようと云ふ道々種々話すと仲々日本語は上手だ。郵便局から引返して彼の商店に行く店の入り口に最近の東京日日新聞がある、誰でも御覽下さいと書いてある。岡尾某が愛想良く迎へて異れて種々當地の樣子を聞いた、目下當町に約十五人の邦人が居るが皆店を持つて居る者ゝ店に働く人のみだ。話して居る中にボツボツ商賣氣を出して寶石を持ち出した。田島君外少しづゝ買はされた、此の店の向ひ側は印度人の店で日本海軍御用命所と書いてあるので試みに入つて見た。彼等は驚くばかりの流暢な邦語で『向ひと比較して見て下さい』と云ふて又寶石類を出した。

彼等の商賣の上手な事は猶太人以上だ。又仕事に對して忠實な事にも驚く、斯くして彼等は世界各國語に精通して居る。此處を去つてオモチャ樣の寺等を見る。ぶら〳〵して居る彼等は皆商店の客引きだ、四方八方から五月蠅く言ひ寄るのと乞食の多いには閉口した。漆の樣な色の彼等は又極めて無神經である。暖いコンクリート道を然も跣足で平氣で步いて居る勿論帽子等用ゐない、ビンロー樹から取つた物を始終口に入れてモグ〳〵して口を眞赤にして赤い唾を道と云はず所かまはずはき出す、穢い事甚だしい五時歸船す。澤山の印度苦力が船に働らいて居た。彼等は人さい見ればシガーを一本異れと云ふ何處迄も乞食根性だ然し斯く迄に墮落せしめたは果して誰の罪か、自分は思ふ世の終りには彼等の罪はソド、ムゴモラより易いであらうと。

十一月廿九日　晴　八十四度

朝早くからウインチの音がガラ〳〵して積荷して居る。豫定の通り午前八時出發、自分等の船の前後左右にはさすがに澤山の商船が淀船して居るが、ユニオンヂヤックの旗は殊に得意に見へる。約二時間でコロンボは見へなくなつた。自分は思ふ如何に無智な彼印度人でも時代の趨勢に從ひ彼等の自覺は必づや自己の自由と、平等とを欲する時の遠からざる事を。彼等には

自己を捨てゝ一切衆生を救つたシャカの樣な、近かくはタゴールの樣な哲人の血の通つて居る事を信ずる。彼等三億の民が自己に目覺めた時の勢は今より想像に余りあるものであると思ふおゝ神よ、彼等迷ふて居る小羊共を救ふて下さい。

シンガポールで乘つた七八人の印度人は皆昨日下船した爲め船は淋しくなつた、彼等が居る時は騷々しいと思つたが、愈居なくなると何となく物足らなく感ずる、人は矢張大騷ぎする事が好きと見へる。日比谷邊りで所謂輿論を代表すると云ふ群衆心理成金の出來るのも無理ない事と思ふた。一同甲板でピンポンに終日暮す。コロンボより四四哩、ダーバン迄三六〇六哩

十一月卅日　曇　八十八度

少しは波立つて來た、然し一同元氣此の上なし。前航守屋兄弟の船で大分の病人死亡者があつたので、自分等も內心懸念して居たが少しの惡い人のないのは實に感謝だ、九時聖書研究、太、十三章渡邊兄の司會　標語『義人は天國に於いて日の如く輝かむ』キリストの說きし天國の譬へも自分等には仲々理解出來ない點が續々出來て來る、然し子供の平和な無邪氣な謙讓な狀を見ると眞に天國の樣な心地がする。

風なく暖くて室には仲々居られない、食事の時室に入ると熱い食事をするので汗びつしよりになる。熱いのと無聊なのと航海に馴れたのとで思いながら緊張を缺いて來る、敵は外にのみなく多く內にある事は謹むべき事だ。コロンボより二九八哩、ダーバン迄三三五二哩

十二月一日　曇　八十八度

朝來風なく浪なく油を流した樣だ、從つて蒸し熱い。九時聖書研究、太、十四十五章磯兄司會。標語『口に入る物は人を汚さず、口より出ずる物は人を汚すなり』今日は赤道を通る事とて船では晝には赤飯の御馳走十二時半汽笛で通過を知らす。仰げば太陽は眞上に居る、人の影は短かく寫る是からは追々影が北に寫る方角に進むのだ。何だか別な世界にでも行く樣だ左側に小さい島が四ツ五ツ見へる、熱帶地特有の背景の高い樹の間に二三十人の家らしい物か見へる例の日獨戰爭當時獨逸の潜航艇が盛に活動したは之の附近だと、御陰で郵船の常陸丸も茲でやられたとの事だ。コロンボより五六〇哩、ダーバン迄三〇九〇哩

十二月二日　晴　八十四度

平穩な航海と無聊の爲、出發當時の樣な張切つた、氣分涙ぐみ度い樣な氣分が日に失せて行く、從つて神樣から離れて行く樣に思ふ。然し少し波でも立つか、病氣にでも成つて苦しい時に又眞に祈りたい氣分に成る、否眞實に祈禱する、

自分等は神の愛を徹底的に覺る事が出來なかつた、何故愛の神が世の中に惡を造つたか、何故人を苦しむる病を世に出したか等種々思ふた、然し苦しい時、病の時、深刻に考へ神に近づく事が出來る樣、其の處に神の愛は働らいて下さるのだ。

九時聖書研究、太、十六章、田島兄司會、標語、『己を捨て其十字架を負いて我れに從へ』終日甲板に涼み夕方ピンポンに遊び大騷ぎす。コロンボより七七八哩、ダーバン迄二八七二哩。

十二月三日　晴　八十二度

嗚呼今日で滿一ケ月の航海を續けた、先月の今日自分等の歴史に對しても忘るべからざる日だ。

九時聖書研究、太、十七十八章井原司會、標語『若し各々其心より兄弟を赦さずば我が天の父も又汝等にその如く行ひ給ふべし』少し波立ちければ鈴木姉晝飯缺席。他は皆元氣旺盛にて食事を待ちもどかしく大騷ぎ、今日火災其の他非常に際して立ち退くべき時の各人の乘るべきボートそれに對する動作等を表に造つて食堂に發表した、何だか各人の神經は過敏になつた樣に見受けられる。コロンボより九九四哩、ダーバン迄二六五六哩。

十二月四日　曇　九十度

夜溫くてよく寢られない爲、誰の顏にも睡眠不足の疲れた狀が見へる、昨日發表した火急の場合に處する練習をする。第一の笛で後方甲板に假裝火災を起しポンプ、ホース等を庫から取出し約五分間の後、第二の笛で火事は益々擴がり最早防ぎ切れず、一同規定のボートの側に救命器を身体に付けて艇長の命令通りに今にもボートを下して逃げる處までやつて、第三の汽笛で止めた。万一斯樣な場合になつたらと思ふて笑事にはなれなかつた。澤山のイルカの群が浪を押して泳いで居るのが一入の眺めだ。コロンボより一二三五哩　ダーバンまで二四一五哩。

十二月五日　晴　九十度

無爲な一日であつた、これまで自分等が聖書研究に使つた處はダーバンで石炭を積み込むに必要なため、今日ボーイ達が片付けた。食堂は到底おられない爲め中止した。各自思い〳〵に本を讀む者、ピンポンに熱中する者、五目並べに頭から湯氣を出して居る者等で何もしない一日を過した。コロンボより一四七七哩、ダーバンまで二一七三哩。

十二月六日　晴　八十八度

子供に起されて眠い目をこすりながら甲板に出る。船の進行の反對側から金色の光を放つて赤い太陽が跳り出る單調な毎日の航海に日の出ゝ日の入りは何とも云えない慰めであり自然美の偉大なるに思はず襟を正さしむる。此の邊は何時も荒れる處だそうだが、今度は誠に穩で、胃の弱い自分等、なれない初旅

の婦人達には感謝だ、終日雜然たる中に終つた事は遺憾だ。コロンボより一七二八哩、ダーバンまで一九二二哩。

十二月七日　曇　八十四度

食堂は熱いと暗いとで堪られない爲後方甲板の上に莚を布いて青空の下で聖書研究を開く殿岡兄司會、太、十九章、標語『先のものは後になり、後のものは先になるべし』イエスの云はれた事は聖徒達に云はれたでなく自分等に直接云はれた樣に思はれてユダの樣に暗い心になる、前航守屋兄の時倒れた姉妹達は大底この邊であらうか　雄々敷しくも我が民族の發展と自分の眞生命を得やうとして中途空しくなつた兄弟姉妹達よ、決して死は空しくないのだ、出發した動機と御前達の靈とは偉大な力と發奮を故國の男女に與へたであらう、幸に安んぜよ、コロンボより一九六五哩、ダーバンまで一六八五哩

十二月八日　晴　八六度

海は又油を流した樣な平穩さになつた。

毎夜拾二時頃迄熱くて寢られない爲誰れも睡眠不足で彼方此方でゴロ〳〵して居る爲め今日も聖書研究を休んだ。考へれば隨分我儘な信者だ自分の寢るだけ寢、食べるだけ食べて云はゞ暇の時祈りもする、感謝もする、あゝ彼のパリサイ、サドカイの徒と何の異いがあるかゝ思ふと冷汗が流れて來る。コロンボより二二一五哩、ダーバンまで一四三五哩。

十二月九日　曇　八十二度

後方甲板で聖書研究、太ノ二十章山口君司會標語『爾曹の內首たらむと欲する者は爾曹の僕たるべし』今日ヨブ記を讀む信仰もヨブの樣に徹底すれば總てが感謝であるを、自分等は云ふ病の中にも慰めあり、困難、迫害の中にも喜んで感謝せねばならぬと然し自分等の弱い信仰と愚なる心とは到底出來得ない事をはがゆく思ふ、コロンボより二四六三哩、ダーバン迄一一八七哩

十二月十日　晴　八二度

早朝鮮かなる日の出を見る、一同甲板に車座になりて淸き光をあび乍ら聖書研究をなす。太ノ二十一章殿岡君司會標語『爾等信じて祈らば求むる處悉く得べし』此章研究中遇々奇蹟に就いて議論百出せり諸說皆一理ある事乍ら根底に於いて信なくば只不思議とこそ思ひ奇蹟の如き何等の價値なきものなり、我等は信じて祈る處に奇蹟は先づ可なり、奇蹟に依つて信仰は得らるゝものなり。コロンボより二七〇三哩、ダーバンまで九十七哩。

十二月十一日　晴　八拾八度

シンガポールから乘つたポルトガルの兵士達七人はダーバンで降りる爲め最早仕度して喜んで居る、八時聖書研究、太、二二

章、磯君司會標語『己の如く爾の隣りを愛すべし』
今日も亦非常の場合の練習各自救命器を着けボートの縄を解いて下す仕度をして止めるボートには水食料燃料總て必要品を積んでますと云へば出す許りに成す、今日は日曜日で二時にシルコの御馳走があつた、コロンボより二九五五哩、ダーバンまで六六哩。
十二月十二日　雨　八十二度
風が中々強い從つて浪も少し高い、八時聖書研究、太、二十三章神澤君司會標語『爾曹先づ杯と盤の内を潔くせよ然らば其の外も清まるべし』此の頃圍碁に熱中して一生懸命だ、一体人間には斯ふした勝負事を好む先天的の素質を持つて居ると見へる、今ボルトガルの兵士連金が無くなつたと云ふて衣類、ツランク、靴皆余分は賣つた兵士も彼等の様な呑氣な考へで居られては國家も安心は出來まい、コロンボより三一九一哩、ダーバンまで四二九哩。
十二月十三日　雨　八十度
此の航海中に於いて今日が一番浪が強い從つて船の動く事は隨分だ然し一同元氣だ、八時聖書研究、太、二十四章田島君司會標語『天地は癈れん然れども我が言葉は癈れず』仲々難かしくて滿足な解決は六ケ敷い、午後七時から食堂に三等船客全部の懇親會を兼明日ダーバンと四五日にしてケープタウンに下りるボルトガルの兵士並びに、人の露西亞人の送別會を開く、司會は植民學校の磯畑君、各自自己紹介から始まつて隱藝に移りサイダ、コーヒーを飲み乍ら隨分盛會だつた、彼等兵士達露西亞人も歌ふやら踊るやら充分に彼等の意志を吐露することが出來小さい乍らも異民族に好感情を持たすことが出來て大淺嬉しかつた十時自分の閉會の辞と感想を以つて閉じ、それより一等機關士の重態と云ふ事を聞き我々兄弟達で祈禱會を開いて各自の眞心を盡して御願い致し十一時眠りに入る、外は尚大風が吹き荒んで船は木の葉の様に吹き流さる、明日の正午は愈ダーバンだ
コロンボより三三九六哩ダーバンまで二二四哩。
十二月十四日　晴　八十四度
朝の中は霧が一面にふつて居て少し先は見えない爲に船は汽笛を吹きつゝ進む波も大變烈しい、八時聖書研究、太二十五章井原司會聖書研究に引續いて一等機關士の爲めに祈禱會を開く皆熱心な祈りがあつて十時閉會、其の中に船は一時進行を止めた、暫くして愈々巖壁に横付けた、此の時から霧が晴れてダーバンの町も遠く緑の續く野山が見えて自分等の心は跳る、と見る港の左右はユニオンジヤツクの旗が我が物顔に吹き流されて居るそれと前後して澤山のアフリカインデアンが集まつて來た口唇

厚い顔の長い所等は猿の兄弟分を離れる決して遠くないと思はれる、進化論者が人間の先祖を猿と云ふのも無理はないと思ふ例に依つて英官吏の旅劵の撿査が有つて、十二時上陸許可が出た、然しこの邊の人足は道徳心等はないので人の物を取る事等は平氣に思ふて居るで皆室を空ける譯に行かない。妻と子供を残して一同町に行く、コロンボの様な乞食や案内人のないのと町の整理の良く行き届いて居るのが心地がいゝ、日本人の發明したと云はれる人力車を例の角や鳥の羽を付けた車夫が呑氣な飛び様で居るのが異様に感じさせる、商業町はさすがに美しい建物が並んで居る、丁度クリスマス前の事だで何れも店を飾つて客を引いて居る、前は邦人のレストラントに入るを斷つたさうたが、今は彼等も考え直して感情より計算に重きを置いてか心良く迎えて呉れる然し一般が好感を持つて居ない事は事實だ例の亞佛利加特産の駝鳥の卵に種々の細工をしたのが店に澤山見受ける、然し品物は仲々高い安いのは石炭ばかりだと云つて笑つた、夕方歸船したが室は暖いのと石炭を積む爲ウインチの音が騒々しくて仲々寢られない、猿の様な土人が判らない事を話し乍ら石炭積みに一生懸命働らいて居るが石炭の色と大差はない位だ。
十二月十五日　晴　八十二度
昨夜は夜通し石炭を積んで居た爲、安眠は出來なかつた、當ダーバンは荒井君が苦しめられ、前航守屋兄の時斃れた姉妹達の眠つて居る處とて、同じ運命に進まうとする自分達には思出の深い處だ、今日も神澤、田島、渡邊君等の組は早朝に町に行つた、後組の自分等は婦人と一所に午后出掛けた、巖壁の近く迄電車が來て居るので、二階電車に乗つて見る、一人三ペンニー（約十錢）宛日本の電車程美しくはないが混雜しないから心地がいゝ、約一哩許り乗ると昨日行つた商業町に來る、郵便局前で下りて郵便局に用を達す、前は小さい公園右横は市役所博物館右横はナショナル銀行も隔つて所謂ブロードエイだ、賑やかな事は銀座や日本橋の比ではない、博物館を見物する、一等國の日本が博物館、植物園の入場料を取るに反してシンガポールでも當ダーバンでも入場料は取らない、亞佛利加特産の大きい獸や珍しい虫、鳥類世界の名畫を集めたと思はれる油畫等は驚くの外はない、駝鳥の卵の周圍二尺五寸位のものもあつた、例の斑馬は丁度虎の類かと思はれて恐ろしい様に思はれた、總てが自分等の想像や上野の動物園にあるのより大きく美しい、大低皆を益する事があつた。
町を見物し五時電車で歸船した、未だ石炭積最中で塵埃が飛んで來るやらガラ〳〵の音で落付かない、少し離れた處に英國

船で四本煙筒の大きい美しい船があるので、見物に行つたが夜は見せないと云ふので歸つて來て寢る。

十二月十六日　晴　八十四度
石炭積で粉末が遠慮なく飛んで來て室には居られない、今日は植物園と動物園とを見物に行く當地の電車は乗替がないで一々金を拂はねばならぬので大變不經濟だ。先づ植物園へ行つた、緑の滴る様な常夏國の草木が高く或物は低く仲々立派に植られてある、然し大体にシンガポールの植物園と大差はない、終つて反對の方面に電車を飛ばして動物園に行つた動物園は大した事はなく日本の上野の動物園の方が余程整ふて數も多い。

歸つて隣に淀泊して居る英國商船のアルンデールカスサーレ號を見物に行つた、ボーイは喜んで案内して呉れた、室内は實に立派だ、三等船客も四人宛のルームになつて居てスプリングのベツトに洗面所も着いてゐる、スイミングバアスは一等のスモーキングルームの際りに隨分廣くある、皆泳いで遊んで居る三等にもスモーキングルーム、リーデングルームも備へて船客をして無聊を感じさせない、流石、世界に殖民地を持つて居る英國の植民政策は第一歩に於て旅行者を樂しく旅行さすべく努力して居る事は小さい様で大きい問題だと思ふ。

日本の船が三等船客は飯を食ふ荷物位に思ふて居るのと比較して脊壤の差に驚く、今大に海外に發展せんとする日本に於ては航海を樂しく送る事の出來る様識者の御一考を願い度い。

十二月十七日　晴　八十二度
最早ダーバンも大抵見盡した、今日も石炭積をやつて居る土人が小さなバスケツトに一杯宛運んで居る蟻の物を運ぶ様に。

正午から海水浴場に海水浴に行つた、當所は川が近くにある爲水は餘り清くない、然し人工で海水浴場は隨分設備を整えて子供の浴場大人の浴場と種々造つてある、澤山の老若男女が入り亂れて泳いで居る、十二月中に海水浴は日本邊りでは像想出來ない事だ、當地は今春なのだ外の者は皆泳ぐ、自分は側の椅子に腰掛けて見てゐたら一人のボーイが椅子代として三ペンスを要求した、樂しい一日を當所で過して五時歸船す、夕食後又散歩に出掛けた者もあつた。

十二月十八日　曇り夕方雨　七十八度
愈々今日で御別れだ、船は昨日迄石炭積で汚れた爲大掃除だ豫定通り正午出帆、出帆に先ち先日下船したボルトガルの兵士が別れに來て御互に堅く握手して別れた。

人間の情は万國共通と見える、然るに何故種々の問題が起るのか隣人の愛が足らないからだ、自分を愛する様に他を愛し得ないからだ、夫れが徹底する迄は軍備縮少も國際條約も空の空

だ根本の問題を忘れて末の問題を出して居る、愚の頂上だ、今一人の獨逸人が乗つた彼は永らくアルゼンチンに住んで居たこの事で歸ると云ふ語は御手の者だ。風と雨とが烈しくて船の動搖は甚だしい。

十二月十九日　晴　七七八度
昨日から引續いて波は隨分高い、昨夜は二回窓から海水が飛込んで、端に寢て居た自分は思はぬ洗禮を受けた。

今日も度々浸入するには閉口だ、然し皆元氣で一人の欠食者もなかつた、甲板に出て見て居ると二十度位の角度に上下する自然の偉力には人力は九牛の一毛にも及ばない。

正午ボルトガルの商船が本船の近くを之も風に惱まされ乍らダーバンの方へ通つた、夕方も何處かの船かダーバンに向つて行つた、終日床で讃美歌等を歌ふて暮した、ダーバンから一八一哩、ケープタウン迄六三二哩。

十二月二十日　晴　七十五度
昨日に引替えて今日は靜かだ、昨夜十一時頃一人が甲板からイーストロンドンの町が見えると云ふて來たで寢た者迄飛起きて甲板に走り出る右手に明るいイルミネーションが見えた船は余り沖を通つて居ないと見えて、陸地は始終見える富士に似た形の高い山も見える。

朝七時甲板で聖書研究、殿岡兄司會太ノ二十六章標語「我父上、若し適はば此の杯を我より離し給へ、然ど我心の從を成さんに非らず聖心に任せ給へ」此間危篤を傳へられた一等運轉士はダーバンに五日淀泊中丈け病院に入院船の出帆と共に乗船したが自分等の祈りに神様は答えて下さつて大分全快に近づいた事は感謝である、打算を超越して眞實に祈る所に與えられるのである、ダーバンより四〇〇哩、ケープタウン迄四一二哩。

（編者曰く、以下畧す）

信濃日誌畧

●四月十八日　花の盛りに降霙　長野地方には花の盛りに霙が降り四圍の連山には降雪ありて、再び寒氣加はれり。
●四月二十二日　小作爭議解決　埴科郡戸倉村に於ける小作爭議は、地主側一割五分引を主張せるに對し小作人側は二割五分を要求して容易に解決するに至らざりしが、双方の讓歩に依り近く解決するに至るべし。
●四月廿七日　教員の海外派遣　本縣では小學教育の完成を期す可く毎年一名宛の教員を選拔して歐米視察をなさしむべく經費一萬圓を豫算に計上せる由。

北米植民のはじめ

宮下琢磨

今でこそ北米合衆國と云へば金のある國、天惠に富める國、文明の利便を盡く備へて居る國であるが、肇國の由來を尋ぬれば幾多の難關もあり、悲劇もあり、犧牲もある、國民に不撓の大氣魄と勤勉努力の結晶が、幾多の困苦艱難に打ち勝ちて遂に開拓の効を奏したのである、話は三百年の昔英國エリサベス女王の當時に溯る。

今より三百四十年前と云へば、日本では豊臣秀吉が旭日の昇る勢で、三十餘州に課し、大阪城の修築にかゝつた年である、其當時大英國を治しめす帝王は、エリサベス女王で北米の殖民が此の時分に始まつたのである。

ウオルター　ローリーの大計畫

—▲船の難破で大失敗▼—

ウオルター●ローリーは王の寵臣で、人格も高く見識のある名士であつた。ある日王に、自ら北米に航し新領土を建設して見たいと云ふて願つた。けれども自ら渡航すると云ふ事は聽されなかつたので、異母兄ギルバートに四艘の船を率ゐ新世界の開拓を依囑することになつた。

時は西暦千五百八十三年六月(天正十一年)軍人にして國會議員を兼ねたる忠勇の士ギルバードは四艘の船に一年間の糧食を積み込んだ。其出發に當りては盛なる壯行の式は行はれ、女王は美しき宮女をして、此の名譽ある司令官に黄金の錨を捧呈せしめられた。歡呼の聲を後にプリマス港を解纜して二日、艦隊中の最大の船は船中惡疫起れりとて引き返した。ギルバートも如何とも仕方がないので殘りの三艘で出掛けたが、人々の意氣は阻喪して居る、日數を重ねてニユー●フアウンドランドについた、記念の柱を建て、英國の所領たる事を宣言したが、霧が深くて寒氣激しく船員の不平と失望とで永住の見込は立たぬ、復もや南方の暖地に移らんとして航行中暴風の爲に最大の船は難破し百名の船員は海底の藻屑となつた。怖氣のついた船員は歸心矢の如く、とても見込がない船を還すか、還さぬか、歸さぬならば覺悟があると騷ぎ立てる、剛勇のギルバーも今は如何とも致し方がないので餘儀なく歸る事にした、此時ギルバーの乘れるはスクワイレル號と云ふて僅か十噸の二檣船であつた。一日天候險惡怒濤逆まき船は木の葉の如く波間に飜へり、其の夜中遂にスクワイレル號は沈沒して仕舞ひ、只一艘の船のみ命からがら歸國した、かくして第一回の計畫は全然失敗に終つた。

第二回の計畫バージニアの開拓

—▲食糧缺乏で空しく引あげ▼—

ローリーは第一回の計畫が失敗に歸したので深く悲しんだが更に第二回の計畫を立つる事に決心し、翌年春四月復二艘の船を艤し南方氣候温和の地を選んで殖民することにした、海上恙なく着した處は北米カロライナの海濱である、花は咲き亂れ、綠樹の下に優しき鹿はさまよひ、土人の性質も温順であつた、一行は滯在數十日の後、此の吉報をローリーに報告せんとして歸國した、ローリーの喜びは如何ばかりか、早速女王に謁して右の趣を奏上し『希くはバージン（處女）王陛下の御名を記念せん爲め、其地をバージニアと呼ばん』と乞ひ女王の許を得た、是れが即ちバーニヤ命名の由來である。

ローリーは此の報告に基いて、今度の從弟サー、リチヤード、グレンザルをして七隻の船に百八十名の殖民者を乘せて渡航せしむること、した。一行は無事バージニアに着し初めて住居すべき家を造つた、グレンザルは八日の間其の地方を歷遊し翌春需要品を積んで來ると約束して歸つた。

翌年の春となつたが待ちに待つたグレンザルの船は影もない夏となつた、或る日帆船が見えると云ふので狂喜して濱邊に出て迎へると、こはグレンザルの船にはあらで南米に於て西斑牙軍と戰へる本國の軍隊が立ち寄つたのである、故郷懷かしと思へる殖民等は矢も盾もたまらぬ、

『吾等は食ふものとてもない、グレンザルの來ぬ中に死んで仕舞ます、どうか國へ連れて行つて下さい』

と口々にせがむので、將軍も拒みかねて連れ歸つた。折角開けかゝつたバージニヤは復も草木と野獸の世界に歸つた。

引き歸つてグレンザルの船は需要品を滿載して來て見れば、こは如何に小舍の中には人一人だに無い、血眼になつて搜し廻れど白人の影も見へぬ、グレンザルの失望は如何ばかりか唯、英領にる權利を保留する爲め十五人の人々を殘して歸つた。

第三回の計畫

—▲ローリー氏の悲慘なる運命▼—

ローリーは第二回の植民も有耶無耶に歸したが、其の一行がもたらし來れる煙草や馬鈴署を見て、バージニヤの農業の有望なるを信じ、今度は妻子眷族を同伴する移民を送りてローリー市の創設をなさんものをと第三回の移民を送ることゝした、第一回より五年目千五百八十七年の四月、一行は北カロライナに上陸し、先年グレンザルが守兵として殘した十五名は何處と搜し廻れど小舍は風雨に壞れ、荒草離々として人影もない、只それかと思ふ人骨のあるを見て人々は深き哀愁に鎖された。

兎にも角にも程よき處を選びローリー市の基礎を作つた、主管者はジヨン、ホワイトと云ふもので百名近き植民地の知事になつた、其の娘は部下の者の妻となり一人の女兒を生んだ、是れ米國に於ける英國人の初めての幼兒であると云ふので一同は深く喜んで其の名をも、土地の其の儘バージニヤと命じた。

知事ホワイトは需要品を整へんものと本國に歸つた、然るに本國は西斑牙の必勝艦隊が襲ひ來ると云ふので、上下擧つて其の防禦法を講ずるに忙はしく、ローリーも植民計策に力を注ぐことも出來ず、ホワイトもはやる心を制しつゝ三年の月日も空しく過ぎた。既にして西斑牙艦隊も全滅して始めて安堵の胸をなで下したが、ローリーは植民事業に大金を費やし、財政甚だ不如意となつたが、猶も屈せず二隻の船に需要品を積み込ませ植民地へと還らしめた、ホワイトは植民地の人々や如何に、最愛の娘や孫の身の上を案じつゝ、ローリー市に還りて見ればこは如何に、ローリー市は影だになし、只荒野に凄風の吹き荒むのみ、ホワイトも茫然として自失せざるを得なかつた、是非なく歸國してローリーにかくと告ぐれば流石のローリーも涙に咽び、搜索船を派遣する事前後五回に及びしも遂にその行末はわからなかつた、バージニヤ植民の計畫はやむなく放棄する事となつた。

ローリーの事業は米國史の冒頭を飾る悲慘なる事蹟であるが併し地の中に拋げ入れられたる一つの麥の種はやがて幾萬穗の麥となつて發育した。

此の計畫後十年を經て再びジヨン、スミス等のバージニヤ渡航となつて幾多の艱難曲折を經て遂に今日世界文化の焦點たる北米の建國の基礎は出來たのである、此れ等は次に述ぶることゝして簡單にローリーの最後を配して此の項を終る。

ローリの悲しき最後

—▲世にも稀なる夫人の貞節▼—

女王エリサベス崩ぜられジエームス一世位につかせらるゝやローリーは嫉視の的となり、小人の爲めに謀られて罪なくして恐ろしきロンドン塔の中に幽閉せらるゝこと、なつた。己に死刑を宣告せられてウ井ンチエスターの古城に移されたが、夫人が寢食を忘れ、奔走哀願の結果終身禁獄の身となり再びロンドン塔に送り還された、夫人は歎願して十歳になる愛兒を伴ふて獄に入り朝夕夫を慰めた、ローリー獄に在ること十二年、夢寢忘るゝことの出來なかつたのは、海路はるけき米國の新天地である、書を國王に呈して南米ギアナを占領するの任に當らん事を乞ふた、國王は金鑛の所在を知るものローリーの他あらざるべしと思ふて派遣すること、なつた。自己の餘れる財産と有志の寄附で十二隻の船を仕立て荒波を凌いでギアナに向つたが西斑牙人の爲めに撃破され、獄中で育てた愛兒ウオルターも戰死した、悲嘆失望、鴻圖を懷いて英國に歸つた、夫人は走つて港に赴き夫妻相擁して號泣した。

時しもローリー逮捕の嚴令は下つた、妻は急ぎ佛蘭西に避難し給へと勸めた、ローリーも小舟に乘つた、岸邊を離るゝ五六町ローリーは船長に吾は『吾はギアナに出發する際英國に還ると云ふた、今此の約束を破るは余が生涯に汚点を殘す譯である[illegible]して呉れ』と船長は切に其の非なるを諫めたが頑として聽かない、遂に船は戾された、直に捕へられやがて死刑の宣告は下された。時は一千六百十八年十月廿九日希世の傑士は六十七歳を一期として終つた。

海外笑話

●明治二年に始めて日本から布哇へ官約移民がいつた。彼等の服裝は、白の漫重笠、紺地で脊中に丸へ十の字の染拔きの法被を着、豆絞の三尺帶をメめ、紺の股引に、草鞋を穿いた。頭にはチヨンマゲのあつたのは勿論だが、『布哇に行くにチヨンマゲは要るメイ』と云ふて、大部分の者はきり落したが、猶二三名は、チヨンマゲを振り立てゝホノルゝに上陸した。

●此御連中には布哇が東にあるか西にあるかを知らない。船で夜があけると、甲は西へ向つて手を合せて拜んだ。彼は勿論お日樣を拜む積りだ。乙『甲君…何を拜むのだ…』、甲『お日樣を拜むのさ』、乙『お日樣は西から出ないよ』、甲『ムんニアわしは故郷を拜むんだ』と。

●移民會社が始めて南米秘露へ移民を送る時、『和服じやいけまい』と云ふので、古軍服の拂ドをしてそれを着せた。秘露では日本の『移民』が來るとて喜んで待つて居ると、日本の『軍人』がやつて來たので、『日本軍が秘露占領に來た』とて、膽を消し上陸を許可せざる事正に四ヶ月であつた。

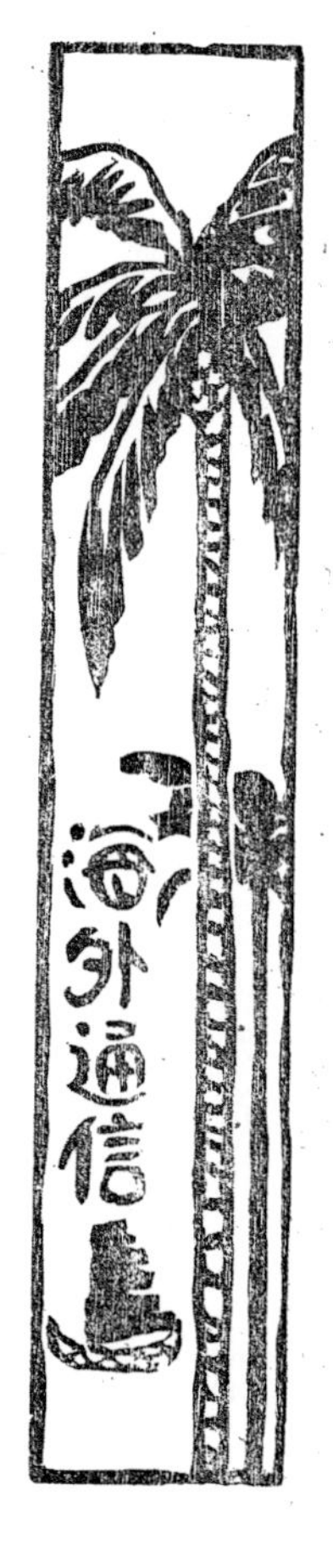

內外通信

―▲露領樺太の農業▼―

大正九年五月二十四日尼港在住同胞七百有餘の生靈の爲に露國政府の樹立する迄之れが代償として占領した沿海州一帶の內の帝國に因緣の最も深い露領樺太の農業はドンナものであらうか北極圈內の事であるから目下盛に歡迎される南米の如き發展は望まれないが然し此方面に志す者の參考もがなと思ふて此稿を認めた。

露領樺太は圖に示す如く、オホック海の西に在りて、東北に長く延長四百六十二露里（百五十里）東西廣さは百露里（二十五里）狹きは二十五露里（六里）にして北緯五十度より起り五十四度三十分に至り東經百四十一度三十分より百四十四度に至るので、其面積三萬五千平方露里（約四百万町歩）であるが、其農牧業に適する地域は約十四萬町歩に過ぎないのである、而して其中の半分は在來の村落地に使用せられて居るが故に、今後新に移住民の開墾すべき地積は、現今判明してゐる所では約二千九百町歩に過ぎないから、爰に收容し得べき農民は最大限度二千戶內外のものと思ふ、元來本島は千八百六十九年より流刑場と定められて居たので、其後千九百五年其制度は廢されたれど、兎に角三十六年間も特種の徒刑場たりしが故に、自由移民は極めて少數で、守備隊の兵士で滿期退營後歸農したるものとか又は流刑囚の親類等である、かゝる狀態だから本島の殖民事業は急速に効果を收むる事は出來なかつた、殊に農業は古來より未だ行はれず、殆んご顧みられなかつたが、近來は餘程開拓される樣になつた、農業に適する地は海濱の谷間沼澤附近にして、是等の地域には河川の流出物堆積して、腐敗したる天然肥料を多量に含み、生產力は頗る盛であるが、降水量過大なるが爲、屢々作物の病氣を惹起す患がある、作物は裸麥、小麥、馬鈴薯、玉葱、人蔘、大根、午蒡、胡瓜、麻、ソ菜類等で相當によく出來る、內地で想像すれば雪や氷の中で何が出來るかと思ふが、雪の深く積つた下は存外暖で秋蒔の作物は凍死處か上機嫌で來春を待つて居る樣だ、最近本邦人で野菜類の栽培に着目して四町歩以上の耕作をして居る者が七八人ある、軍政署にても鋭意之が奬勵に務め、種子の下附、其他種々の便宜を與へて居る。

―▲在亞港小林巽▼―

―▲滿州信濃協會趣旨▼―

大正十一年一月二十九日信濃海外協會の設立發起總會は長野市城山館に於て開催せられたり近時我縣人にて海外に活動するもの尠少ならず又將來海外に飛躍の志望を有する者一層多きを加へんとするの際先輩識者の主唱に依り海外渡航者の指導並に指導員養成の爲め該協會の實現したる獨り海外活躍の雄志を懷く我が縣人諸士の福音たるのみならず國家將來の爲め眞に慶賀に堪へざる次第なり然るに該協會精神目的及び事業の內容を見るに伯剌西爾・南洋・南北アメリカ等に限られ列强既に日本の優越權を承認し支那も新條約を俟つ迄もなく之を默許したる滿蒙を度外視したるは頗る遺憾に堪へざる處なり茲に於いて吾人は奮起以つて在滿蒙縣人を糾合し滿州信濃協會を設立し我國朝野の久しき提唱たる滿蒙開發及び達成の一助ともなるべき權威ある團体たらしめんと欲す謂ふ迄もなく人口は拓植の活資　也即ち活資本たる我同胞を滿蒙に移植するは開發の第一義ならずや第一義たると同時に名實共に我が範圍たらしむる唯一の途たらずんばあらず茲に設立趣旨を陳べ大方縣人諸賢の御贊成を乞ふ所以なり

滿州信濃協會々則

第一條　本會ハ滿州信濃協會ト稱ス

第二條　本協會ハ南北滿州並ニ蒙古地方在住ノ長野縣人及其他ノ同縣人ヲ以テ組織ス

第三條　本協會ハ別記趣旨ヲ貫徹スル爲メ會員中ヨリ二名若クハ三名ヲ選拔每年一回縣下ニ出張シ滿蒙紹介ノ通俗巡廻講演ヲナスモノトス

第四條　本協會ハ機關雜誌『滿州信濃』ヲ發行シ會務報告、會員ノ動勢其他參考トナルヘキ事項ヲ掲載シ每月一回會員ニ頒布ス

第五條　本協會ハ本部ヲ大連市隱岐町二十四號地ニ置キ必要ニ應シ各地ニ支部ヲ設ク

第六條　本協會員ヲ分チテ特別會員正會員准會員ノ三種トス

一　特別會員　ハ本協會ノ維持費トシテ二十圓以上ノ寄附者ヲ以テス

二　正會員　ハ南北滿州並ニ蒙古地方在住縣人ニテ本協會所定ノ會費ヲ負擔スル者ヲ以テス

三　前項以外ノ縣人ニテ所定ノ會費ヲ負擔スル者ヲ准會員トス

第七條　本協會員ハ本協會ノ所要ノ經費ニ充ツルタメ一ケ月五十錢ヲ負擔スルモノトス

第八條　本協會員タラントスルモノハ原籍現住所ヲ記シ署名捺印ノ上本部若クハ支部ヘ便宜申込ムモノトス

第九條　本協會ニシテ退會セントスルトキハ其ノ理由ヲ附シ本部若クハ支部ヘ便宜申込ムモノトス

第十條　本協會ハ維持費トシテ寄附ヲ受ク寄附者ノ芳名ハ滿州信濃誌上ニ掲載永ク記念ス

第十一條　本協會ハ將來法人組織ニ變更スル事アルヘシ

―▲端穗俱樂部會則▼―

―▲主事原　韻▲―

第一章　總　則

第一條　本會を瑞穗俱樂部と稱す

第二條　本會の事務所をシヤトル市に置く

第三條　本會は同志の者を以て組織す

第四條　本會は會員一致共同を計り交誼を厚くし智識を交換し娛樂を共にするを以て目的とす

第二章　會　員

第五條　本會の會員を別ちて名譽會員普通會員の二種とす

第六條　名譽會員は役員の決議により推薦するものとす

第七條　本會に入會せんとする者は會員の紹介により幹事に申し出で役員の承諾を經べきものとす

第三章　役　員

第八條　本會の目的を遂行し事務を整理する爲左の役員を置く

會　長　一名　　副會長　一名　　幹　事　二名

會　計　一名　　評議員　若干名

第九條　役員は每年本會定期總會に於て會員一般投票を以て選擧す　尙當選者同点の時は年長者を採る　尙評議員は役員會の推薦に附するものとす

第十條　役員の任期は滿一ヶ年とす　但し休期中缺員を生じたる時次点者を以て補繼す

第四章　會　合

第十一條　本會の會合は左の如く定む

定期總會　　役員會　　親睦會　　新年會　　春季運動會

第十二條　定期總會は每年十二月第一日曜日に之を開き臨時總會は役員會に於て必要と認めたる塲合又は會員五名以上の請求ありたる時之を開き役員會は必要に應じ開會す　親睦會は役員會議により或は會員の希望により隨時之を開くものとす　春季運動會は五月の交之を催し　新年會は一月第一日曜日に開催す

第十三條　會議の議長は會長之に當る會長事故ある時は副會長之に當る

第十四條　本會員は指定されたる凡ての會合に絕對出席の義務を有し出席の有無に係らず會費を負擔すべきものなり　事故ありて出席不可能の塲合は豫め幹事迄通知すべし

第五章　文　學　部

第十五條　本會に文學部を置き機關雜誌を發行して會員の消息を明かにして併て會員相互の智識を交換せしめ又演說討論會を開き以つて本會の目的を遂行するの一助とす　尙遠隔の會員に對しては折々慰問狀を發す

第十六條　前項の事務を整理する爲役員中より主任一名を選出し主任の指命により必要に應じ若干名の補佐を推薦するものとす

第六章　財　政

第十七條　本會員は通常會員として年一弗を十月三十一日までに會計まで納付するものとす　臨時費は寄附若しくは他の方法によりて之を集む

第十八條　本會の基本金として新入會員は入會の際金五十仙を納むるものとす

第七章　雜　則

第十九條　本會々則の修正は總會に於て出席人員三分の二以上の協贊によりてなす

第二十條　本會主催の事業は一般會員の協贊を經べきものとす

第八章　慈　恵　部

第廿十條　本會員及び家庭の不幸病氣或は不慮災禍の際は役員に於て見舞をなし贈品に對しては役員にて適當の處置を採る

ものとす

役員

會長　平林破魔雄　幹事　望月五六
副會長　伊藤豊作　仝　小池代治郎

評議員

荒川山壽　平林利治　望月積善　長谷川英人
黑岩滿次　片瀬與市　伊藤恒司　太田留吉

會計　渡邊宗七郎

南洋見聞

田村俊夫

思想を國家に結びつけて、人口の調節するには、怎しても海外發展を旺盛ならしめねば不可ぬと、喋り立てるのが海外發展論で日本には持つてつけものである惡い事ではない、然乍ら、近き過去を觀る時、日本の海外發展論者の多くは、余りに淺薄であつた、余りに無責任であつた、發展論の爲の發展論をやつて、得意がつて雜誌記者的の喧騷者が、講演に各地を巡々して感激性に富める、無經驗の青年をそゝのかした事、それは幾多の人材を空葬したか知れない、考へ可き事で、そゝのかされた青年にも、余り感心を持つ事は出來ぬが、論者にも感心すべき何物をも見得ない『南へ南へ』この言葉は、一時頗る青年の心を囚へた、詩的で如何にも美しい言葉である、外國へ行く事夫れ自身に、或得意感と好奇感とを致して、舊來の傳統から免れ新天地を開切しやうと意氣込んだ青年の多數は、海外發展論と皮層的見解に依れる南洋調查の報告に雷同憧憬して、奮然と日本を後にしたのであつた、そして其大部分は、辛慘なめて不幸の境涯に縛られ再起する能はざる谷のごんぞこに身を置いて仕舞つた、最近の歷史は南洋に於いては感じ能はぬ次第である、海外發展は非常に宜しい、けれども頗る重大な問題で、夫れ丈やはり人材を要する事である、過去は失敗ではないが余りに人類の一部分を空死せしめた、今後取る可き南洋發展策は如何、愼重研究す可き問題である。

(一)　日本青年の南洋發展

先ず南洋の產物を見ねばならぬ、然して其最も有望なるものゝ中で、最的のものはゴムであらう、タバコ、ヤシ、茶、カ、

オ、コーヒー、米數へ來れば惶なし、扨ゴム園に働く勞働者の種類を一瞥して見る、

印度人、馬來人、支那人、ジャワ人、次ぎに日本人

以上の中で今は既に日本人の勞働者は駄目である何となれば勞賃の關係こ勞働の關係である、印度人、馬來人、ジャワ人の勞賃は一日平均約四十錢より五十錢で最低限的である、次に支那人の勞賃は、彼等よりは少しは高く一日七十錢より八十錢である、而して日本人を傭ふ事は傭主に取つては面白くない結果を招致するは、必然的に考想せらろ、何かこなれば日本人は勞働するに情實を挾み、のみならず勞賃を高くせねばならぬ、かくて勞力の、資本より過剩になつて居る當地に於ては、斯かゝる所の日本人を傭ふ筈がない、こうなると、日本人が勞働から成り上らうと云ふことは今の處不可能であると斷言して差支ない日本人は体軀弱く、入院者が多いので費用が掛つて資本家側には悅ばれぬ、又長續きせぬ事實もある、風土病、マラリヤ、ホームシック、其他の病疾、暑氣、てふいふものに對抗して立つていけた所で、日本青年の赤手空拳、南洋に發展せんと云ふ事は、今の處絕對不可能である、況んや宗教的に訓練のあるもの至つて僅少なる日本青年に於てをやである、浮薄な思想と單純な思想から、無分別にも今の南洋に出賂けやうとするに於ては我々は絕對に反對の意志を表明する、但し宗教信奉者の、眞實の信仰の程度如何に依つては、これは別の問題である、何となれば、植民史が雄辨に語つて居るではないか。

(二)　南洋の勞働者

前にも書いた通り、印度人、ジャワ人、馬來人、支那人等の勞賃の低い者が、そしてそれによつて生活をしていける者が南洋働くには都合がよい、日本人が若しも南洋に發展せんとならば、心的要素の次には何といつても資本の投入である、兩者相俟つて進むならば、南洋は恐らく世界有數の有望地と云ふべきであらう、扨、ゴム園に働く者の爲めに、英國の政廳の如きは、最も嚴重な法律を作つて實行せしめて居る、勞働者の住宅の如き、病院の設置の如き、注目する價値が充分にある、住宅は大低二種に見譯けられる、床下を六尺程高く取り眞中を一段低く四尺位に廊下を作り其兩側に幅七尺位のこれも矢張り廊下的の床を造つて長家を作る、一軒四十人入る事になつて居る、次にもう一つは床を地面と高さを同じくする事、それには必ずコンクリートで固める事になつて居る、前者と格好は畧同形である、四十人の勞働者に對して、千五百圓乃至二千圓の設備が要る由である、で廊下的の長い室に、ゴロ〳〵皆は寢せるのである、夫婦者は別に狹い一室を與へる、病舍の設備は必ずする事

になつて居る、勞働時間は八時間乃至九時間又八時間半の所もある大概朝六時から十一時、それから午後の一時より五時迄、受負制度にして働かせれば、勞働者は一心に働くので傭主側には倍の利益があると言はれて居る、そして賃銀は別に大差がないのである、勞働者で比較的に歡迎せらるゝ者は、ハイナム島の支那人である、眞自目に働き至つて溫順である、彼等支那人の一ヶ月間の生活費用は八弗乃至九弗である。

勞働者の喧嘩はよくあつて、大低が人種團位の鬪爭である、又日本人は割合に殺されぬが、白人が多く殺され易い、白人の高慢な對度は、彼等無智な者の心に迄、刻み込んで居るのである此等の現象は大いに考想の余地を有する、殺人の犯人が逃げたら必ず捕縛せられない。彼等の生活に食物として主要なものは米でラング米、シャム米を食する、フイ〳〵教徒は絕對に豚、酒を飲食しない、一般の勞働者は外出時に着物を立派にする、日本の勞働者よりも見るべき點である、金を彼等は貯蓄せぬ、其日暮しの者が多い、園內に酒保を置いて一擧兩得を占める事は大がいの者のやる事で、其方が終局園の爲になる、支那人はよく阿片を吸ふ、阿片は一箱四十錢に價する、一日一服する間はやつて行けるが、二服吸ふ樣になつては立つて行けぬ、自覺的にも、制度的にも、阿片を止め樣とする傾向が出來て來た、之は非常に喜ばしい現象である。

(三)　將來の南洋

世界をおしなべて現代は財界不況であるが、其風は南洋にも訪れて、今南洋は面白いと云ふわけにはいかない、當地に於ける相場は一パンド二十七八錢で、好況當時は一圓七八十錢であつた、惜しむらくは、私は統計を調查する余裕を持たない、採培協會に功入して居るゴム園で四十二個こかあると云ふ、勿論日本のである其他は日本を合計したならば八十位はあるだらうと思ふ、統計を見能はぬのが如何にも殘念だが仕方がない。

今、南洋の開墾情態如何と云ふに、馬來半島は約二割五分、ボルネオ、スマトラは各約一割、そして勞力は勞賃の僅少と相俟つて居る、資本の投入と人材の傭用こ相平行して進むならば南洋は世界の頭株として生きる所がある、只ゴムのみならず、タバコ、ヤシ、カヽオ、茶、コーヒー其他見る可きものは多數である、又は商業乃至工業的にも南洋は生きる可能がある。

世界の注目は今後太平洋にある、そして西太平洋は事更に問題とする場所であり、南洋は其問題を解決するの一つの鍵鑰となる、夫れは今後日本が如何に南洋に勢力を延し侵入するかに依つて決定せられるのである、將來の南洋は見逃す可からざる所、又吾人の一考を要するであらう。

(四)　宗教人と南洋

何とか云ふ日本の博士が南米を視察して驚いた事は、獨逸の植民政策であつた、植民的地は勞働者の新天地を開墾せんとする所で、外界との交涉は比較的否絕對に平生は中止せらる。

人間は然乍ら慰安を求めずには生きて居られぬ、而して勞働それ自身に快樂を求める事は、氣狂人でない限りに於ては不可能である、故に彼等は何等かの慰安を求める、夫れに迎合して植民の眞の效果を擧げんとしたものが、宗教を信仰せしむる事である、獨逸人の南米に於ける、牧師兼醫師の發展が素的な效果を擧げて居る事、即ち植民に宗教の絕對必要を感じ其好果に驚歎したとは其某博士の視察談で、吾人も同感である、國家の爲にと云ふ觀念と信仰と云ふ決心と滿足に依つて、南洋も同じく開墾すべきであらう、浮薄な海外發展策は、愼まなければならない、單純な理論は皮層的見解や視察は眞の好果を擧げるものではない、時に人を殺すのである、海外發展論者は宜しく實行を兼ね經驗を持つたものでなければならぬ。

南洋に空死した人材は數限りがない。

一千九百十三年が南洋開拓の初端であつた。

打算は信仰である、千九百十三年に、渡南せる一ゴム園主の語るを聞けば、今迄來れる青年は輕卒であつた、そして皆自分々々を殺して仕舞つた、これからは資本の投入と相俟つて人材の必要、就中宗教の人が是非とも必要であると云つて居た、海外に新生活の創造に向はんとする者愼重に考へべしである。(完)

信州だより

◉養蠶の狀況　蠶絲國を以て天下に冠たる本縣を通じて春蠶の最盛期となつた、早い場所はソロ〳〵繭が出初めた樣だ、五月末に一時糸況が活氣を呈したに連れて、繭價も急に釣上げられて伊豆の初取引には一貫目十四圓を呼んだ、三四月頃には桑畑の手入にも氣が進まなかつた養繭家も之には一寸魂消ただらう、俄に景氣付いてドッサリ掃立てた、幸霜害もなく桑の生長もよいので存外收繭額は多いだらうが、價は其後製絲家、銀行家の警戒で遙に下落し、盛りには十圓內外と云ふものらしい、昨年一昨年に比すれば餘程好い譯だが、一方諸物價は依然として下らない、今矢張り算盤がふれそうにもない、別項にも記する通養蠶が主要である本縣の農業家はごうしても行詰ると云ふ外は有まい、因に一昨大正九年の縣下春蠶の收繭額は三十一万一千

二百八十石で有つたそうだ。

●河東鉄道開通　善光寺平交通の主要機關たるべき、河東鐵道屋代須坂間十六哩は存外速に竣工して、去る六月十日に目出度開通式を擧行した、停車場が屋代、松代、金井山、町川田、綿内、須坂の六個、停留場が東屋代、雨宮、岩野、井上の四ヶ所都合十ヶ所で昇降が出來屋代、須坂間を一時間餘りで走るのだから甚だ好都合になつた、之に前號所載の佐久小縣から諏訪、松本に通ずる二線が完成した曉には、信州の交通に一大進展を來すものである。

●在外同情者　加州ロスアンゼルス市日米興業株式會社々長藤本安三郎氏から信濃海外協會設立の事を賛して即座に特別會員たる事を、岡田總裁宛申込まれた、同氏は猶廣島、熊本、山口、和歌山等の海外協會が彼地に支部を設立して盛にやつて居るを報じ、是等と同様當協會にても速に支部を設立せよとの希望を鳴らして來た。支那方面の在留者も又皆之の擧に賛し、青島、大連、安東縣等より長野縣人會の會員名簿、や入會申込書を送つてよこした人が澤山ある。

●長野市の中央道路　長野市としては水道以上とも云ふべき、大事業である、中央道路取擴に着手した、停車場から大門町の行詰まで十四五町の間を十間幅に改修する筈で、兩側の商店は二間乃至三間宛切取られたり引下げられるので當分は隨分混雜するだらう、之が爲にギ園の御祭禮や恒例七年一回の御開張も延期云々の話もある、兎に角竣工したら縣下無數の道路となる事だらう。

●波多學院のトラクター　東筑摩郡波多林にある感化院縣立波多學院では、其所屬の廣き原野を開拓する爲に、農商務省からトラクターを借入れて、使用して居るが、其威力には驚くの外はない米國ベスト會社製の三十馬力のもので重量八百八十貫速力は普通一時間一里十町幅四尺宛開拓して行くのであるが、之に要する燃料は僅に石油二升だとの事である、先祖代々幾百年來未だ曾此の改良進歩なき農具に依頼せる本縣の農業界には驚異に價すものである、小作問題の喧囂より農業組織の改善を主張するに至れる此際、農具は最も重要の問題であらねばならぬ、我國の農業界も大に機械力を利用して餘れる勞力を他方面に供給する道を講ずるのが農村問題解決の最良方法ではあるまいか因に波多學院で其後買入れたるは、前記のものよりも稍小形で二十馬力のものだそうだ。

●支部設立經過　支部設立の事は前號にも報じて置たが、其後の經過は先月二十七日上伊那、廿八日北安、廿九日南安、卅日上水内、六月一日下高井と連續進行した、各所共佐藤副總裁

を煩はし、南北安曇へは永田幹事も出席して海外事情を講演された、何處でも甚深の賛意を表し、即座に設立を決議し豫定會員は勿論より多數の會員を可成速にこしらへやうと云ふ意氣込で有つたのは心强い事である、之れで全縣下下伊那と上田長野市を除くの外は一應濟んだ譯だ、松本市、東筑摩、下高井、下水内の四郡市は會員募集を先にし、大概出來た處で、創立總會を開かうと云ふ申合せであるが、何れにしても同様の成績を擧げ得ると信じられる、今迄に決定した支部長及副支部長は、左記の通りである、幹事以下の役員は報告未着の分が多くて、此處に掲げ得ざるを遺憾とする。

	支部長	副支部長	
北佐久郡	鈴木　登(郡長)	大塚宗次(小諸町有力家)	
小縣郡	安藤兎毛喜(仝)	小林榮太郎	遠藤　肇
諏訪郡	佐藤光男(仝)	片倉兼太郎(製絲家)	丸茂文六(同)
上伊那郡	堀江忠也(仝)	網野泰藏(上伊那町長)	原才三郎(上伊那教育會長)
西筑摩郡	川瀬宇吉(仝)	手塚光雄(縣會議員)	伊藤　淳(福島町長)
南安曇郡	手塚十五七(仝)	藤森　傑(豊科町長)	
北安曇郡	大久保幸次郎(仝)	清水鎮雄(郡會議員)	福島幸重(北安曇軍人分會長)
埴科郡	横田克己(仝)	田中佳年(縣會議員)	矢澤頼道(松代町長)
更課郡	見戸法巍(仝)		
上高井郡	岡本啓造(仝)	田中　邦次(郡會議長)	宮澤貞助(縣會議員)
上水内郡	齋藤助昇(仝)	荒井　昇(郡會議長)	小林一重(郡視學)

●本縣農家經濟の困疲　本縣農會にては、縣下農村經濟の調査をなし、農商務省へ報告したそうであるが、其調査中農家の一ケ年を通じての收支を見れば左表の通り收支相償はざる場合が多い。

	収入	
上水内郡		
自作	一二〇五圓	一一三三圓
自作兼小作	八七〇	八七八
小作	四八九	四八〇
小縣郡		
自作	一四一八圓	一四一四圓
自作兼小作	一六一四	一五八五
小作	九八八	九九七
東筑摩郡		
自作	一二三三圓	一二〇二圓
自作兼小作	二三六五	三四二七
小作	一三九九	一三八五

一方長野農工銀行方から覗いで見ると預金は前年より、二割五分減の 百四十一萬圓で貸金は二割増の六百三十一萬圓差引三百萬圓の貸出超過で明に農家經濟の惡化を證明して居る猶又個人經濟 外郡市町村の起債額を見ると既に許可されたものが二百二十三万圓と云ふ巨額に上つてゐる、昨十年度だけに就て見ても借入の百三十萬九千百圓に對して償還額は僅に二十五万九千百九十二圓に過ぎない即ち約百五萬圓の借入超過となつた譯だ此上に中等學校建築寄附其他で起債は益々超過する一方である、實際此通りとすれば何とか窮通の道を講ぜねばならぬが問題が問題だけに解決の方法は容易でない。

●建築費用木材の缺乏と住宅難　信州の山の中で材木が不足だとはチト受取れない 様だが事實は事實、アメリカ松や樺太松が越後の直江津へ山と積まれてそれが、大部分長野縣へ入るのだそうな、成る程長野や松本に居て見れば家がなくて困てつ居る者許りだ、ナゼコンナ狹い處に詰め込みたがるかと疑はれる之れも都會に憧れる一現象だらうが、今少し眼孔を大にして千里曠漠無限の資料と志の自由とを得らるゝ新天地を求めて活動する氣になれないものかも知れん。

●長野市の隣接町村の併合問題　何度も〳〵問題になつては其都度オジヤンになつた長野市の隣接町村新田三輪吉田併合云々の問題が又起りそうだ、長野市では無論の事、熱望し切つて居るが今迄の行掛に鑑みて愼重の態度に出でるであらう、町村の方でも利害得失を計量して十分研究の上議を進めるであらう、岡目で見る者は大勢からばかり推斷して明日にも實現するかの様に觀察して居るが、當事者は双方共考慮に考慮を重ねて居る様だ、差向ドッチにも目星い土木工事が幾つもブラ附 て居るので見當が、一寸つき兼ねるだらう。

海の外

定價

冊數	定價
一部	廿錢
半ヶ年	一圓十錢
一ヶ年	二圓廿錢

郵税外國四錢要す

注意

▲御注文は凡て前金に申受く
▲廣告料は御照會次第詳細御通知致します
▲御拂込は振替によるゝを最も便利とす

大正十一年七月一日發行
編輯人　永田稠
發行兼印刷人　藤森克
東京市小石川區林町七十番地
印刷所　力行會印刷部
發行所　長野縣廳内　海の外社

海の外

大正十一年四月廿六日第三種郵便物認可
大正十一年七月一日發行(毎月一回一日發行)

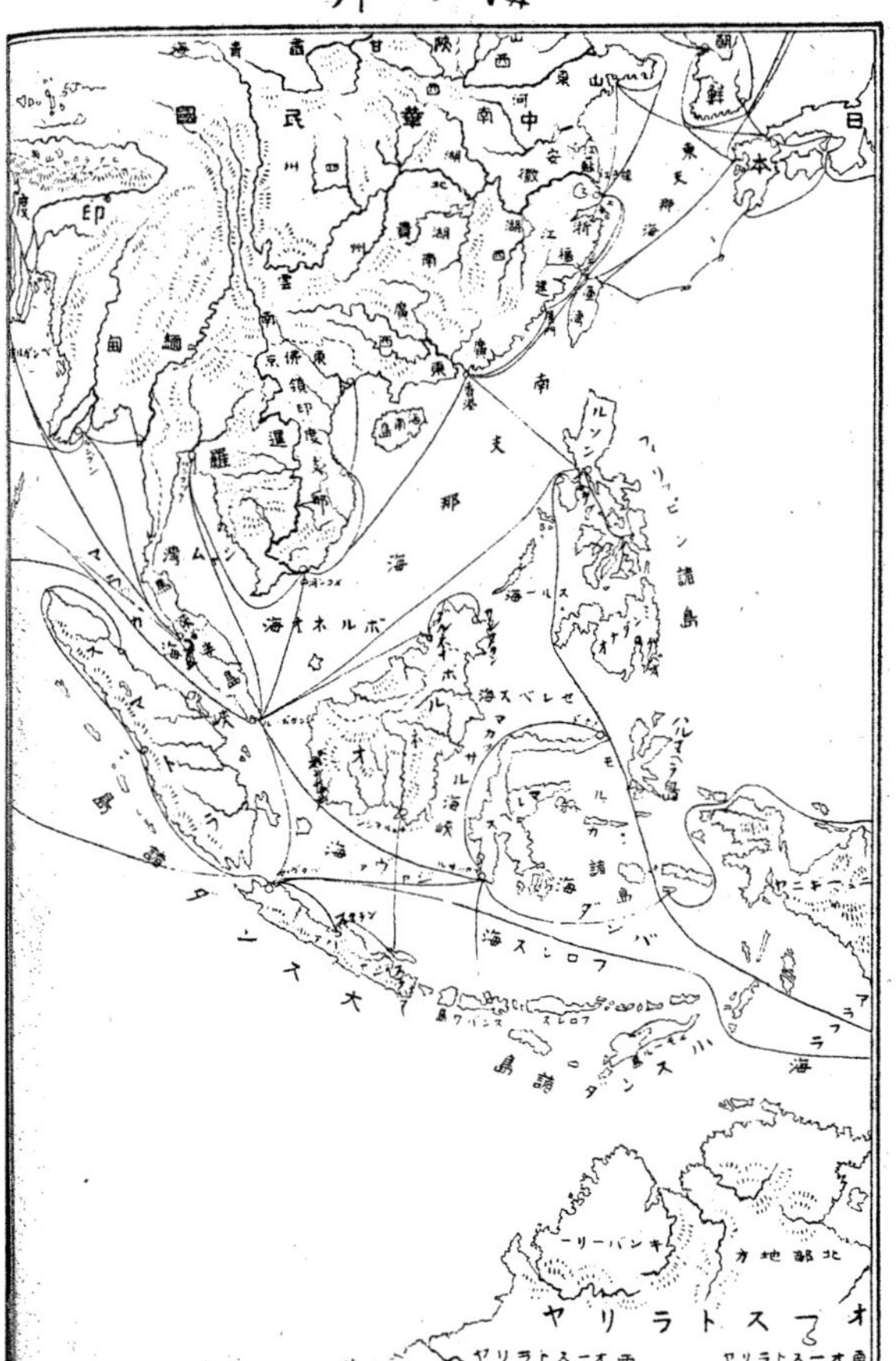

定價金二十錢

信濃海外協會内
海の外社發行

諏訪中學校出身矢峰節夫君（海外興業會社ブラジル國アニユーマス農園支配人）

海の外

第五號

目次

信濃海外協會内
海の外社

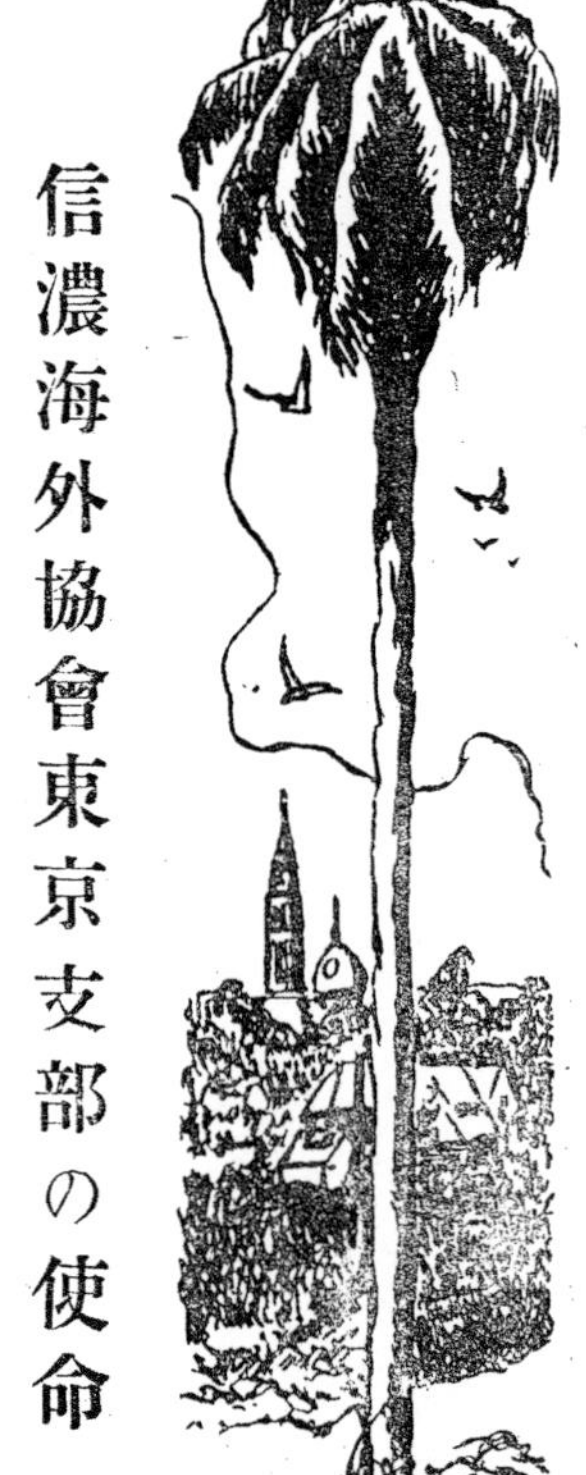

信濃海外協會東京支部の使命

大正十一年七月九日の晩、在京長野縣出身の有力者約七十名が、京橋の第一相互館に集まつて、玆に信濃海外協會東京支部の設立を見、永い間此の組織を要望して居たものは殆んど雀躍する程に喜んだのである。

在外同胞の間でよく聞く言葉であるが『何んだ海外迄來て縣人會等を作る馬鹿があるか、四海同胞の世界は外國人と共同生活をして行く意氣でなくてはならぬ筈だ』と、これは如何にもご最の言葉であるが、然し、同し日本語でも故鄕の言葉は我耳に鮮かに聞えるし、天涯萬里の地に於ては故鄕を同じゆうする事その事が、言ひ表はす事の出來ない親密を以て、我等を結びつくるのであるから、異境に於て縣人會や同鄕會の組織せらるゝのは當然の事で、人類の本能を滿足せしむる仕事であると思ふかくて我長野縣人も諸他の縣人と同樣に至る所に同鄕人會を組織するのである。

個々別々に其地方に出來た縣人會は、其儘でも極めて有意義のものであるは事實である。が、これが若しも其故鄕と確實に

（上）ラテンアメリカの各地に產する纎維植物エネケン
（下）ブラジル國へ渡航せる日本人植民家族

聯絡が出來、更に世界各地に散在する同郷人會と意志の疎通が出來れば、これ等の組織系統は啻に同郷相親み、お互に寂寥を慰安さるゝの程度から進出して、積極的經濟的に一大活動を試むる事が出來る樣になつて來る。乃ち個々の縣人會は多くの場合に精心的の慰安であり精神的の團結であるが、これ等の個々が相聯絡するに於ては精神的經濟的に發育向上する事が出來る樣になつて行くものである。今日迄組織された同郷人會が、故郷に何等の聯絡が無く、又、同種類の團体とも意志の疎通が出來ない短所を持つて居たのに、信濃海外協會が故郷に於て組織され其支部として東京に一團体の生れ出でた事は此点から云ふても、大に祝賀せねばならぬ事である。

長野縣と縣外の各地と相脉絡する事は有意義の事であるが、如何にひいき目に見ても長野縣は『田舎』であり『地方』である。『地方』と『地方』との聯絡ではまだ物足らぬ所がある。今日の如く政治も實業も世界化して行く塲合に於ては、少なくとも之れ等の中心地は接續点を持たねばならぬ。長野縣と縣外及び海外との間に、政治、教育、實業其他の中心地たる東京が介在する事によつて、極めて重要なる仕事が達成せらるゝのであるから、此の意味から云ふて東京支部の信州人縣外發展助長上の地位は極めて重要なものであると云はねばならない。

信州には其郷土に勿論偉い人が居つて、其郷土の事業を經營して行つて居るが、東京には又信州出身の偉い人が澤山居る。之れ等の人々を網羅せる組織はそれ自体に於てよい働きが出來るのであるが、之れが故郷や其他の各地との中間に居る事に依つて更に面白い仕事が出來るのである。故郷の政治や教育其他に關しても、將た其他の地方に在留する信州人に何等かの便益を與ふる点に於ても、東京に在留する信州人と其團体が大なる貢獻をなし得るは誠に明かなる所であろう。信州に於て人々は勿論雜多の事業をやつて居る。と同時に東京に在留する信州人は又極めて種々なる方面に關係を持つて居る。故に故郷から出て來て仕事をしやうと云ふ人々に對しても、或は他郷から日本に來て何か始めたり、或は紹介したりしたい人々の爲めにも東京在留の縣人は極めてよい地位に居るし、又東京在留の人々が故郷に對し、又は海外各地に對し更に一段の仕事をなさんとする塲合にも、世界各地に信州人の團体を有し聯絡を持つて居る事は極めて好都合の事である。乃ち東京に人物が澤山居る事と各方面の事業に關係して居る人々が多い事、それが聯絡すると云ふに於て得らるゝ利益は莫大なもので、此意味から東京支部の設立は極めて深長なる意味を有すると云はねばならない。

祖先以來幾代か定住された土地では、其人物や其職業や其資產や其信用やがよく解つて居り親類なども澤山あるから、別に社交機關などは不用である。が、移住地で…東京に在留する信州人は皆移住者である…尤も必要なものは社交機關である。相互の親睦を計り、暇な時間を有用に利用し、異境に住む者の通有なる寂寥から免れ、相互扶助をして行く爲めには是非とも社交の機關、殊に同郷者の相會し得る社交機關が必要欠く可からざるものである。東京支部は此重要なる仕事をして行く萌芽である。此点から云ふても東京支部の設立が又意義のあるものになつて來る。

信州に勿論財界の巨人があり此種の社會的事業を助長するの熱心家がある。が、東京には信州出身者で巨萬の富を有する人々が多く、又社會的事業に趣味を有する人々が澤山ある、此点から云ふても信濃海外協會を經濟的に助長し維持して行く爲めに東京在留の長野縣關係者は尤も有力なるものであると云はねばならない。ある意味から云へば東京が其經濟的の策源地であると見ねばならぬのでろう、これも亦看過す可からざる事である。

天下の事業は資本家のみにて運用せらる可きものでない、必ず勞働者が無くてはならない。東京で事業を經營する信州人が東京に在留する信州人勞働者と密接の關係を保持して、信州人獨持の奮闘力を利用する事は、勞資共に利益する所である。之れと共に先進者と後續者とは是非共、相互扶助的の聯絡を有する事に於て、同郷人の發展向上は期待せらる可きものであるから、此点から見て東京支部が在京信州人勞資の中介者たると共に、先進後續兩者の中間者たるのみならず、信州人縣外發展の前進陣地の機關として大に重要なる地点にある事を思ふ時、我等の任務の益々重大なるを感ぜざるを得ないのである。

信濃海外協會東京支部は、之れ等誠に重要なる使命と任務とを期待せられつゝ生れて來たのである。願くば同志の犧牲的努力に依つて圓滿急速な發達をなし、着々其任務を遂行させて行き度いものである。同感の士の御儘力を切望して止まざる次第は更に此所に存すると思ふ。

―▲ブラジルの初一年▼―

（前段省畧）入伯後一ヶ年の感想を申し上げても未だ淺薄な研薄究で何も解つて居りませぬが、自ら考へ亦舊い御方に聞いた事を記すならこうです。氣候は寒暑の差の最も少い處です、攝氏十度位でせうか、眞夏の候は雨季で常に降雨の爲頗涼しい好天氣の日と雖ども自ら大氣の動くせいか、日本に居た時の眞夏土用中の極な蒸し暑さは更ら無し。樹蔭に憩へば涼味津々。六七月の候とてもその頃は乾燥季にて降雨實に稀にして只降雨の節少しく冷氣を覺え冬服を着て見度いと思ふ事もある。それで螢は季節を選ばず飛ぶ樣です。生活は殊に容易です。日本の樣に必須な材料が澤山無ければ困ると云ふ樣な事は有りませぬ此處では耕地に居れば家屋は無賃で、鍬さへあれば喰ふて行かれ金も殘ります。事務上の才の有るものは尙樂に儲かる譯です新移民の内は氣候に馴れぬせいか少しは病氣する。別に風土病程のものも無い。伯人等は病氣とても云ふなら藥よりは營養物の攝取を大にやる樣であります。或は當を得て居るのかも知れませぬ。極早く入伯した方々は非常に病まれたさうですが、後進者は中々考えて居て相當滋養物をやりますから、舊い方の病まれた程に病まなくなつたそうであります。私は入伯後未だ一回も病みませぬ。牛乳は安いし肉は澤山、それに豚は日常の食物に使用するし、パンに米の飯、うどんなどがあるから食物は大變良ろしい、私丈は先づ結好な處と思ひます。多い日本人諸君の中には或は氣に召さん方もあるかも知れませぬ、只少しく物足りないのは、日本の如く新聞雜見せ物興業等の物が自由でない点であります。それもうんと勉强して伯國物が讀める樣になれば結構ですがそれにはかなりの努力が必要であります。伯國も中々入伯後早々から大金物にはなれませぬ。然し働き甲斐は有る處と思ひます。五年十年後に於いては成程と合点され植民地にても入り、人生一代をこれに費したならば其甲斐や日本のそれに比較して非常の相違だらうと思はれます。それは人に依り安田翁の如く一代に幾億の金をも積まれませうけれど何人も十人が十人其通りには行きますまい。ブラジルは日本の樣に頭を動かさなくとも身体を自由に働かせば餘裕を生ずる處です。それ丈け樂であります。何といふても將來の國です。これからです。

四月二日—グアタバラ耕地にて　村松生—

―▲サンパウロ州邦人馬鈴薯栽培狀況▼―

サンパウロ市の直ぐ西ヴイラコチヤ驛より東北方一里計の地點に、大正三年から本邦人が馬鈴薯の栽培を始め漸次發達して現在は主として關西九州方面の人が六十五家族之れをやつて居る。最近の作附反別二百七十町步。年二回の收穫全量二萬二千餘俵、一俵(約三十九貫目)。一家族の平均收穫三百三十俵。一俵の價格約八圓。即ち一戶平均二千五六百圓の生產を樂々やつて居る。土地が肥えて居て肥料はあまり入らず土質は輕くして砂質を含む故耕作至つて容易に。一方生產物の需要は益々增加し。價格は騰貴の一方で隨分有利の事業と目されて居る。大正五年その處に組織されたる日本人會は今や基礎强固に、交通衞生敎育其他諸般の設備も完成し、三十一名の學齡兒童は尋常一年より高等一年に至る各學年に分れ、午前は日本敎師に午後は伯人敎師に就きて立派に敎育を受けて居る。現在の耕地は大部分借地で、一ヶ年一反步につき一圓五十錢乃至二圓位の借地料を支拂つて居るが、地價の安い今の内に買入れたならば一層有利だらう。

昨年四月からコチヤより一つ手前のバルエリー驛附近にも、二十三家族の邦人が全じく馬鈴薯栽培を始め、十二月迄に約五十町步へ植付をする樣になつた。此耕地は昨年入耕の際一町步百六十圓の割合で全部買ひ入れたものだ。此處にも直ちに日本人會が組織され、子弟はバルエリー町の伯國人小學校に通學して居る。

（三月六日　藤田總領事報告）

―▲伯國南部の小麥栽培狀況▼―

ブラジル はもと小麥の輸出國であつた。一世紀前には三万石。半世紀前には二萬石の外になほ製粉としても若干の輸出をして居たが。間斷なき政治的紛爭が耕地生活の秩序を亂し其結果小麥地帶を荒廢せしめ、遂に國內の消費量を滿たすに足らず今日では每年二億ミルレース（約千萬圓）の輸入を見る樣になつた。世界屈指の農業國でありながら、小麥を毎年七八千萬圓も輸入するのは頗る逆の話である。伯國人も玆に氣付いたらしく、最近數年間南部三州（サンパウロ州に接せるパラナ州外二州）に於ては、小麥の栽培俄に勃興し年々數量を增加しつゝあるが、元來地力豊沃なるが故に極めて疎放的の耕作法であり且肥料の如きも開墾後數年間は何等施す處なくして、猶一反歩より一石二三斗の收穫を得つゝあるが、何にせよ地域徒に廣く住民稀薄にして勞力不足せる爲め容易に國內の需要を充すに足らず。前況の如き輸入をなしつゝあるのである。南部地方は氣候適順・地味肥沃に土地の價格は寧サンパウロよりも低廉で、將來我移植民の發展地として恰好の地方である。

（二月四日　藤田領事報告）

—▲日秘貿易概況▼—

大正八年中日本よりペルー國へ輸出したる總價格は三一六九〇八磅ペルー國より我國に輸入したる高は九一一九二磅にして合計四〇八一〇〇磅の貿易額となれり。之れを十年前に比すれば輸出に於ては二十倍、輸入に於ては殆んど皆無より九萬磅に達するに至れり、輸出の重なるものは五萬磅以上の綿製品。一萬磅以上の絹製品・金屬製品・陶磁器及玻璃品・木材及同製品・雜品・食料及香味料・藥劑及醫療器具等にして輸入の重なるものは綿花・羊毛・コカイン・皮革等なりとす。

（二月廿二日　領事森活氏報告）

—▲亞國に於ける外米輸入狀況▼—

大正十年中アルゼンチナに輸入せる外國米の數量及國別は左記の通りである

スペイン　一五五〇〇石　　伊太利　一四〇石
日本　二〇〇〇　　合衆國　一〇八〇〇〇
ブラジル　一五〇七〇〇
計　二七六三五〇

以上の中政府の公認せし私設倉庫に於て種子物檢査所官吏の撿査を經不合格の部分は燒棄てられたるが其割合日本は最も少く最良の成績を示したり。（三月十四日　荒井領事報告）

—▲上海便り▼—

六月廿一日午後七時上海北四川路奧斎酒樓に於て長野縣選出當地東亞同文書院に修學中の留學生中同院第十九期卒業生に對する送別會を兼ね長野縣人懇親會を催し相互に意志の疎通を計り午後十時和氣靄々の中に散會せり當日來會せるは第十九期卒

業生四名在留學生拾名長野縣人在留會員拾五名外に香港三井物產會社へ赴任の途にありし竹村英昌氏之に加はりたり。

（六月廿二日　伊藤道儀君報）

—▲英領カナダより▼—

今日は御送附下されたる雜誌を見てむらくと書いて見たくなつたので、ペンの行くまゝにまかせます。私は今晩香坡の人となつて活動してゐます、各方面にやつてゐるのです、今日迄にいろくの實人生を經驗しました、アメリカの地たる太西洋岸にまでかけめぐり玆にしばらく留つてゐるのです、非常にいそがしい身となりました。私は結婚もしました、上伊那高遠の士族で小松あや子と云ふのです、河南に宅がありまして松本女師を大正五年に出で〻來る時迄、先生同じ美篶小學校の訓導をしてゐました、昨年赤子が生れて（七月十三日）瑠璃子と名づけたのです大きくなつて來ます、この間まで彼は當地の國民學校の訓導に出でゐました、子供の爲めに今休んでゐます、私はこの晩市へ來て暫らくインペリアル美術社を起して繪畫事業專業にやつてゐました、主に肖像畫油繪ですが千三百枚以上賣つて今は客もそうなし不況の風が來たので副業にまだやつてゐます。今は白人美術家と共に北西美術社に加はつてやつてゐます主業としては、社長マキボイ、副社長ガーデー氏の銀行『日本金融社』に入つて現金掛副主任をしてゐます、他に、御送附申し上げた婦人『雜誌』家庭の者をしてゐます、妻も事業を助けてくれますので、都合よく行きます、其他私は勞働者の味方でして早大出て前に東京朝日、萬朝の記者をして來て今當地の記者をして（大陸日報）にゐる、鈴木悦君と共に勞働週報に關して私は今年より其經營任として、雜誌の經營に當つてゐます一般は失業の時ですが、私共は幸に地方の人が信用してくれて大活動出來、ほんとに自分にはあきるほどの事を兼ねて居るのです、まだあるのですハ、それは學生の一人としてやつてゐる事です、それは當地にカナデアン、コンサート音樂學校がありまして、其學校に入つて（月謝が高い）ロンドンの第一帝立、バーミンガムカレッヂ優等生で、ペッオールドさん以上の美聲を持つてゐますが、（オルフイムで毎夜四五十弗取つた人）この人について聲樂研究してゐます、青年の時に活動しないものは生きてゐる功なきと思ひ、あれこれたのまれるまゝに進んでゐるのです（忙がしいので銀行へ行く前三十五分間に書くのです亂筆はゆるして下さい）日本へ行つたら東京で信州青年と云ふ雜誌を起してやりつゝ音樂で進んでみたいと心算中なんです、先生の御助力をたみ居ます。（今年は東京は非常に寒いそうです

ね、この地も寒かつたが、雪は山にあるきりで、日本より暖いのです、もう又大活劇する春が來ました）三月一日から四日間三浦環さんがバタフライやりにこの地に來ますので待つてゐます。

家庭雜誌は私と石井嘲骨君佐藤とし子（田村とし子）鈴木悦君でやつて居るので、婦人の向上を主とし當地唯一の雜誌となりました、此の地には發行物も澤山出來ました。

植民地の空氣もよく判りました。歸宅したら先生の御助もしたい樣考へてゐます。宗教に就いてはすぐ近くのメソジストへ行つてゐます、先般は宗教青年會を擴張する委員として佐藤書記生等と共に助力してやりました。

小林武義君はオカーガンに行つてゐましたが思はしからず出晩して信州人の店に出て居ます、高松數馬君は金融社に居ましたなれどもあわれ肺病におかされて澤山の血をはき、すでに三ヶに月余りジエネラル病院に入つて居るが身寄り少なくほんと氣の毒です、再び元の如くなられるか心配して居ます、カドバ街五一二の熊本屋の田中さん等が深い知人らしいのです、今日まであまり知人もこしらへて居ないので氣の毒です、時々行つて見てやります、熊谷ですかあれは其後私が三年余りトロントモントリアルに生活する頃彼はコロンビヤ州に留るとてオーシヤンホールに行き、勞働中惡しき友に誘はれ宗教は何處へやらむしろこれをのゝしり遂にバクチの主業と化し、出るに出られず氣の毒の立場に居たのですが、最近改心の氣見えて勞働組合に入り眞面目に勞働し始めましたから先御安心あられたし。

私と來た征矢君はメリケン行きとしたのが無音で歸國してやはりもと巢の小學校教員となり上田に居るからと年賀で始めて知りました、今日その手紙が手に入りました、平林はトロントへ私と共に行き眞面目のもので隨分（パン屋にはたらいて居る）金をためた樣だが別れてからどうなつたかトント判明しませんあれと一所に來た今一人は山に入つて木切りして居る樣です。

戰後の動搖がこの地へ素晴しくひびいて來ました。（後畧）

二月廿三日—加奈陀晚香坡市てに　林　光　月—

—▲シンガポールより▼—

長い間御無沙汰致してすみませんでした、先生には御遠者で日々會務に忙殺せらるる事と遠察致します。

今春、守屋昇君に依賴致し置きました、小生注文の書籍先生が買ひ求め御送本下されし由、厚く御禮申し上げます、十一点正に受取りました、代金は近日中に當製材所支配人奧地平松殿內地人事業視察機械購入の目的にて出發致す事に相成り、同氏は力行會の事業に非常に贊意を持ち居り、東京へ立廻る折は

是非力行會へ二三日厄介に成り度き由申して居ります。是非力行會へ立寄られる樣小生も薦めて居ります、で本の代金は少し遲れますが同氏に依賴して送金します故惡しからず御承知願ひます。

又奧地氏はシヤムに長年居り同地の事情にもくわしく御座いますから、又當馬來地方の事情も併せて御聞き取り願ひます。同氏の話しによるとシヤムは日本民族發展地として、最適の國他情にて只治外法權があるため今の所入植出來ざる樣に聞いで居ります。尙同氏はシヤム人と共同シヤム人の名義にて米作其の農業に從事せし事あり、恐らくは邦人中シヤムへ鍬を入れたるは同氏が最初と思つて居ります。

此處に一年あまり奮鬪せられし大矢君は過日葛田齒科醫院部へ轉勤いたしました。二年來の當地の不景氣は依然たるものゴム價は一ポンド廿四五仙の所（戰前一弗五十仙以上）苦力賃も支那人五十五仙、印度人四十仙、馬來人卅五仙位日本人も多數入り込んで居たが、不景氣と共にドンドン國へ歸り、是れでは邦人の發展は前途遼遠です。

日英同盟の解かれた事なれば早晚當地も英人の壓迫が濃厚となる事であらう英人も此不景氣にはうんと弱つてゐるらしい、人員陶汰でゴム園を追ひ出された失業者の處分にも困つたらしい、何處でも高給の白人を斷り、印度人馬來人を使ふ樣になつて來てゐる。ゴムの値もなかなか上り相もない、皆炻んど不景氣の調子になつたしまつた樣である。

氣候の變化もなく、見るべき風景もなき當地にも天のみは何時も變り行き、實に好い慰安であります、送つて下された天文學の本は、本當に有難い、聖書と共に唯一の慰め手であります。

もうオリオン星は姿を沒し、シリヤス、キヤノーパスは美しい、十字星も壯嚴である。

北極星は見えません、北斗は今我一人顏に北に光つてをります頂天には乙女座、牧夫座が輝く、南のサソリ座は本當に美くしい。熱帶地は空氣乾燥してゐる結果、星が非常に美しく光つて見えるそうであります。何だか日本より天が近い樣に思はれます。

海外へ出る會員諸君に是非天文學書を求められん事を御薦め致して下さい。信仰の助けにも偉大な効があります。

—馬來半島ジヨホール十字製材所　加藤虎男—

—▲チリー共和國▼—

其後私は未だに落ち着かずがたぐ\して居りましたが、今度愈々田舎に良い仕事が見付かつたので、此處でしばらく働かうと思つて居ります。

其れはサンチヤゴとバルパライソとの間にあるキヨタと云ふ處で、人口約四万、サンチヤゴへ汽車で三時間、バルパライソへ一時間と云ふ位置にあるのです、私の居るのは町から一里程離れたラウテンと云ふ農牧場です、ラウテン家は約六千町歩の土地を持ち、其中二千町歩は水のかゝる良い土地を持つて居ります、此處に生活して居る家族が百五十戸、教會あり、學校あり、商店あり、洗濯屋あり、全く一村の様です。

平地の略中心に主人の家があります、二町歩の庭と、四五町歩の屋敷、畑があります、是が私の掛りです。

庭は夏になると三人もの仕事人夫を使ふ相ですが、唯今は私と啞が專問で働いてゐるのです、言葉のわからない私には啞を使ふ位好都合な事はありません、私が來てから言葉のわからない日本人と啞とが、主人の庭で働いてゐるのが問題になつて、わざわざ主人の庭の方へ、迴り道をする者があります。一昨日(十一月一日)はトードサントのお祭り日で、仕事の方は休みでした、然し私等二人は知らずに十時頃まで働いて、今日は朝から何だか變だと思つたら、祭り日であつたと氣が付いて、其れから休みました。

畑の方には種々雜多の果物、野菜及び鷄、七面鳥等が飼つてあるのです、智利の事情に通じない私は、是には持てあましてゐるのですが、仕事人夫を雇つて其の言ふ儘にやつてゐるのです、

私はサンチヤゴに二三ヶ月住んでをりましたが、今の田舎の生活の方がどれだけ良いか知れません、土曜日の午後などに庭を通つて家に歸る、小供等にはバラの花を三ツ四ツ切つてやると、ムチヤ、グラッシヤを言つて嬉しさうに持つて歸ります。日曜日には主人の庭の中にある教會で、解らない説教を聞いたり、小供と遊びながら庭の批評を乞ふたりするなど、實に田舍でなければ味ふ事の出來ぬ面白味があります。

先日私が庭で働いてゐると主人が來て、今日は日本の御祭りでないかと云ふから、私は天長節だと答へました。日本人は偉いと云つて、其日の新聞をくれました。お送りしますから御覽下さい。智利がいかに日本に好意を持つてゐるか、其他競馬や籤引がいかに公然行はれつゝある事を知る事が出來ると思ひます。

私は近頃特に西語の研究の必要を感じてゐるですが、字引がないので閉口するのです、金澤さんのハポネース、エスパニヨ

ールの方は買つて來ましたが、エスパニヨール、ハポネースの辭典は未だ出來てゐなかつたのですが今は如何で御座いませう若し本が發賣されてゐる樣でしたら、私の家(上那郡伊那村宮下)へ御知らせ下さいませぬか御願致します。言葉は矢張り字引で覺えたものでないと、聽き覺えは、カタコト交りでいつまでも上達しません樣です。殊に私の樣な聽覺えのニブイ者に於いてをやです。益々御神の御榮の爲め御盡方下されん事を祈ります、會員諸兄へ御よろしく御傳言下さいませ、

—在チリー　武知軍藏—

—▲メキシコより▼—

先生に於いては益々御健全の由蔭乍ら喜んでをります、降つて私も相變らずの元氣にて働いてをります故御安心下さいませ、御送り下さいました信濃海外協會の『海の外』は確に受取り端から端まで一字も落ちなく讀みました、海の外社の方へも今から引續いて日墨新聞を送る事に致します。

却說今度は先生に御願致したき事が出來ました、それは外でもありませんが先日一寸御通知申上げました、齒科醫呼寄の件に付きてです。實は私の實兄(松本五〇聯隊に在り)に賴み心當りの人を世話して貰ふ考へでありましたが、それも丁度になら ず齒科醫は大坂に行きし由であります、外の齒科醫に話しても思ひ切つて外國に出る考への者がなき由の通知に接し、實に殘念に思ひをります、それ故先生は一昨年當國も御視察なされたし、又當國に於いて醫事が如何に有望であると云ふ事も御承知の事と思ひます故、先生より一人齒科醫を御世話なし下さらば私は非常に喜ぶ次第であります。當地に來りて後の心配は決してありません故その處は御安神なつて御世話なし下さる樣一重に御願ひ致します、實兄に送りし手紙が先に先生の御手許に回送されてある事と思ひます故それを見て詳細なる事は御知り下さる樣願ひます。先生も甚だ御多忙の事と思ひますが、御一報下され度御願ひします。最早一日に百三四十圓を賣り上げると云ふアイスクリーム店の多忙さ故又次便に申上ます。　至急

大正十一年六月一日　—北安出身　片瀨淺次—

—▲開拓組合の一員▼—

私共の行動は既に御承知の事と信じます。總ては井原さんから聽いて居られます、從つて私から直接に通信する必要を感じませんでした、もし惡かつたら許して下さい。

私は三月一日から聖市のカーザ日本に働く事になつて、今毎日荷物の配達と事務の方をやつてをります、仕事は大變樂です

暇の時にはいくらも勉强出事ます、忙しい時には余り歩くために股すれがして夜なぞいたくてたまらない時もあります。昨夜からすぐ近くにあるアンダウワド學校に通ふ事になりました先生は仲々親切です教はるのは主に文法で同じカーザ日本に働いてゐる人と私と二人きりです、而し先生の本業はタイプライターです、少さい學校です、夜は七時半から八時半までゞ勞働してゐる吾々には大變好都合で、一週間に火木金の三時間こうして私は出來るだけ最善を盡して勉强します。

こういふ理で目下の所組合員中で最もうまい事をやつているのはこの私でせう、あゝ私はこれが苦痛です、或は年齡からはそれでもよいでせう、而し多くの會員にすまない氣がしてなりません、それでこの機會に此の目の腐るまで勉强したいと思つてをります、私は勉强するために守屋井原兩氏に聖市に廻されたのですから出來るだけ勉强したいと思つてをります、而し樂の樣で最も疲れる歩く職業には思ふ樣に勉强の出來ないのは全く殘念ですどうか許して下さい、何時も母會を思はない時はないのです、そして聖書を講義された事を思ひ出しては感激に打たれるのです、私は今最もよい所にをるでせう、而し私は次に來るべき最も苦痛は覺悟してをります、都にをると云ふその事は既にブラジルはよくない事としてをります、從つて多くの人は信用しないのですと云ふ樣な理で心配も出來る事でせうし勿論身体に於いても强くなりませんから、其の苦痛は非常なものと思ひます。初めから農事に從事して居る者は同じ仕事をするにも樂でせう、同じ仕事は私にとつては二位三位の重荷となる事と信じます、而し私はその事は覺悟の前です、少しも恐れません、其時に『終りまで忍ぶ者は救はるべし』と信じます、最も大き又最も重い荷を負へる者が最も大きな救を得らるゝ事を信じます、其意味に於いて來るべき私の苦痛は私の希望であり光明である事を信じます。

以上は今日金を集めに行つた歸途で、身の毛のよだつ程感慨打たれた事ですから早速今日夜學から歸ると書き初めたのです。今の所私の生命は勉强にあると思ひますから精々勉强します、聖市にいる間は一ヶ年か一ヶ年半の豫定です、其間にはかなり言葉も分かる樣になるでせう。

次にブラジルへよい人を御送り下さる事を待つてゐます。

大正十年三月廿四日夜　—諏訪出身　神澤久吉—

—▲結婚致し候▼—

其後は思ひながら御無沙汰致しました、會長先生始め御一同樣如何御暮しで御座いますか、定めし御壯健にて同胞向上發展

の爲めに相變らず御盡力御奮鬪の御事と蔭乍ら喜び申上げます毎々力行世界御送り下され深く難有感謝しつゝ拜見致し居ります、幸私も渡伯後極めて丈夫で御座います、そして力行會員島根縣人遠藤常八郎樣及守屋さん井原さんの多大なる御盡力の許に前記遠藤さんの親友同縣人山藤傳氏(クリスチヤン)と去る四月七日婚約なり、同四月廿二日井原さん御夫婦及守屋さん御夫婦立合之上結婚式を擧げました● 他事ながら御安心被下樣御願致します。山藤は島根縣那賀郡都野津村出身にて大正三年單獨にて渡航し其れより處々の植民地にて働き少しばかりの資金を作り、昨年の五月より當處サンパウロ市を去る事四里タイパスに來り、約四アルケールの土地を借りて馬鈴薯栽培に從事、今日に及びしもの、私も愈新生活に入り家庭の樂しみを受けつゝ無事平穩に毎日私を今の境遇に導き給ひし神樣に感謝しつゝ働いてをります。是れよりは一層奮ひ立つて何處迄も出來る限り主の爲め母會の爲め盡す覺悟で御座います。筆末ながら會長樣御家之上及び母會の上に天父之厚き御恩寵の益々豊ならん事を祈ります。草々可祝

大正十一年四月廿五日

—伯國にて　前姓鈴木きん—

—△新婚者の北米生活▼—

私共結婚より出帆に至る迄種々御世話樣になつて有難う御座います。御蔭樣で無事桑港に上陸致しました。

私は此國の衣服について知る爲めに、ソーイング、スクールへ通つて居りましたが、幸にも規定より余程早く終る事が出來ましたので、此度私共二人は白人の家庭へ這入つて働く事になりました。家族は親子三人と云ふ少人數、家はなかく\立派なものです。之より前三四ヶ所のアパートメントに働らひて見た私は此度こうした家に働きまして段々住居といふものについて知る事が出來ます。次は食物何々と私の知り度い事はまだく\たくさんあります、然し何處迄行き得らるゝか、主の許し給ふ道に向ふて忠實に進み度いと思ふて居ります。

丁度故國はみどりの香の高い初夏の頃と存じます。こゝではそうした花から若葉、若葉の美妙な變化に接する事が出來ませんでした。ほんとうに大自然の其のさゝやきを感じ得る心の用意をほしいのです。

何やらつまらぬ事を書きならべました、どうぞ御家族樣及び盤井さんによろしく申して下さいまし。　さらば

—渡邊(舊姓竹内)けさゑ—

墨國の農業企業

上高井郡綿内村出身　玉川音作

ここに墨國チャパスに於て事業を始めんとするに要する資本の概畧を表に作つて見ました。

第一表は小規模の牧場經營に要する初年度の豫算表であります。少し大きな牧場は二カバイリーヤ又は三カバイリーヤありますが一カバイリーヤあれば小じんまりとした牧場が出來ます。之れを三分して家畜を、初めには第一號其の次には第二號次に第三號と云ふ具合に、順に廻して牧草を食して行くものであります。

牧場はとても初年度には未だ家畜を放す樣にはならない。第二年目から牧草が充分に繁茂して放牧する事が出來るのであります。

それ故初年に米を作つて食料を取つて、第一糧食を準備する事を忘れてはならない、それに要する費用は第二表にあるは墨國に於いての米作初年度豫算表を表したものであります。

之れ等の各表に住宅、家具、什器、生活費が入つて居りますから、若し之れが一家族で二事業を兼ねてやるものとすれば之れ等のものは一回計算に入れゝばよいものである。

第三表、は當會のコーヒー園フレアスで、昨年までに投資した決算表であります。それで今迄に入つた收入即ちコーヒーの收穫は一昨年（一九二〇）約八十キンタル（一キンタル―二十四圓で賣つた）、昨年（一九二一）約百二十キンタール（一キンタル二十圓で）それだけであります、本年は二百乃至三百キンタール豫想。竹内樣の御手紙にもある通り大きくやるには多くの資本を要するが、やり方に依つては極く小規模のやり方もあるのです、少なくも理想的の植民地を建設せんとする我等は一年勝負の作をやると同樣に是非永年的のものを植えてボツ〳〵と健實な基礎の下に進まなければならな

いと思つて居ります。珈琲の收穫は順調に行けば前年の倍となります。

第五表はコロンビアの松井氏が昨年米を作られた決算をそのまゝ一タイルダに縮めて計算して、如何程の利益があるかと云ふ事を表に作つたものであります。

米の相場も高低があるもので、安い時には一キンタール八圓と云ふ事もある。高い時には二十圓乃至二十五圓と云ふ事もあるので、平均相場を取つて十二圓としたのであります、本年只今の如きは十五圓乃至十六圓して居ります。

一　確實にして利益ある牧場經營に要する費用

面積四十二町歩のものを作るとして約四千圓乃至五千圓を要す

内譯

土地代	一町歩十五圓、測量に七十圓、土地代登記料一〇〇圓、會社組織五〇圓、	八五〇圓
牧草植付け		八〇〇
杭棒	一間に一本、二千百本、一本四仙。（一人、一日二十本、一ポストを切りて打つ事を得）	九〇
針金	三段にして四十ロールを要す。一ロールは十八圓	七二〇
針金[illegible]つ[illegible]	クラバス百斤	四〇
針金を付ける手間賃	一ロールの針金に三人、都合百二十人	九六
家	住宅一個、ランチリア三個、大百圓、小四十圓	二二〇
家具一式		八〇
農具費		三〇
一年の生活費	一日二圓	七三〇
家畜の集合場	コラール面積約四リイルダ、開墾費三圓二十仙、二百米の針金八圓、百本の杭四圓、其他	二〇

合計	三、六七六
二十頭の小牛を買ふとして、一頭約二十五圓	五〇〇
三頭の馬、一頭五十圓	一五〇
種牛二頭、一頭百五十圓	三〇〇
合計	四、六二六

此二十五圓位で買つた小牛が約一年半もすると一頭が五十圓に賣れる、それ故資本があつて相當にその智識を有するものが牧場を經營するならば有望なる事業の一つであります。

二　米作豫算表（初年度、五人家族兩親に子供三人）

支出

土地代	四十二町歩を買ふとして、一町歩十五圓の割、測量費七十圓、登記料百五十圓、（會社組織）	八五〇
開墾費	初年に一町歩を開くとして	一九、二
家（住宅）	日給八十仙を拂ふとして、簡單なバロマの家約五米四方	五〇
寢臺	四脚一個五圓	二〇
蚊帳	四帳一個七圓	二八
机及び腰掛	約十二枚の板其の他	二〇
炊事道具一式		二〇
農具費一式		三〇
種子	約二三アロバの籾	二、五
除草手入れ	二回除草、日給八十仙	三八、四

一ヶ年の生活費	主食に米、一日に約八斤、一斤十五仙、副食物、日用品及讀書費、	七三〇
收穫費	一キログラム二仙、四十八圓。（六ヶ年保存）二十五枚の板（籾を干すに用ゐるもの）二十五圓。（三ヶ年保存）ペタチ（日本のアンペラ）十五、枚十八圓。（三ヶ年保存）麻袋八枚、八圓。鎌、ハケ二圓四十錢。秤、十圓。馬を借りて運搬するとして（馬一頭一圓。一馬方六十仙。一回に三頭）十四圓四十錢。其他の雜費五圓。	一三〇
精米費	百斤に付き二圓	四八
合計		一、九八六
收入米	二十四キンル代（十二圓替）	二八八

三　竹内氏の調査に依る

當地は一九一五年に購入したもの、當時紙幣通用し居り通貨にて千九百七十五圓六十錢、測量費二千百六十一圓九十錢、を加へて四千百二十七圓五十錢にして當時の相場よりすれば金貨二千二百二十九圓七十錢に當り、之れが當時の土地代十カバリナ即ち四百二十町歩（百英町）になります。

當時の經費を示せば一九一五年以來一九二一年迄に約四五、〇〇〇圓

内譯

土地代	（測量費共）四二〇町歩	二二三〇
珈琲園	植付け總面積約一〇〇〇キルダス即ち二〇〇英町にして之に必要の苗木を設けて苗を育て、植付け前伐木し、植付に際し下草を刈りて植付けを行ひ、其の後の手入即ち除草、隱蔽樹の間伐、剪定に用ひる費用	一九、四七〇
パテオ	庭（コーヒーを干す所）器械（コーヒーの皮を取つて洗ふもの）	二、二〇〇

トーマ	（機械の動力を起すために水をひく小川）	二、〇〇〇
道路	大小延長、一七三キロ米	二二〇〇
收場	一五〇クイルダ	六七〇
家具什器	十四棟、三十六室	五八〇
家屋	住宅、勞働者住宅、倉庫、物置等	三二〇〇
器械、器具、（農具）		一七五〇
家畜		一三〇〇
材木		六〇〇
其他（給料、食費、雜費）		八六三〇
合計		四四八九〇

若し唯珈琲苗を仕立て植付けをするだけには千クイルダス（一〇〇英斤）に三五〇〇乃至四五〇〇圓にて足り、其後の手入れ即ち除草、間伐、剪定等に年々一六五〇乃至一九〇〇を要するのみなるも、一家族で臨時に二三の勞働者を雇入れてやる程の栽培では二〇〇クイルダス以上の珈琲園を經營する事は困難です。

稍規模を大にして一通りの機械を据え付けてトーマ（小川）パティオ（庭）ベニフヤシオ（機械）の設備をなし、獨力で相當の道路も設けるためには結局 カバレーロス以上の珈琲畑を經營をする事が得策とし、それには約六乃至七萬圓の資本を要する事と思ひます、勿論資金千乃至數千圓を持ちて、小規模の經營法にも充分の自信を有するも珈琲とか棉牧畜とか一種類のものを専問的に耕作したり、飼育する事は創業當初の數年間は異状の困難に遭ふ事し多くしば〳〵危險性を伴ふ事を覺悟しなければならないと思ふ。

四 米田一クイルダの收支計算

支出開墾費		七〇
播種費		四〇
除草手入	三回、一回六十仙	一八〇
收穫	一キロ二十仙九十二キロ	一八四
乾燥	約三日間	三〇
一麻袋	一個九十仙、三年間使用に堪ゆ	三〇
一竹籠	三十仙　仝	一〇
アンペラ（ペタル）	一枚一圓五十錢、仝	五〇
板	籾を干燥す爲（三十クイルダに三十枚要す一クイルダに一枚價一圓五ケ年間使用に耐ゆ）	二〇
干場を作るに二人を要す（一日六十錢、一圓廿錢の卅分の一）		〇
一頭の馬の借賃		一、〇〇
精米賃		二、〇〇
馬方	一日に三頭の馬を使はせる爲め、一日に六十仙なる故	二〇
貯藏箱	三十クイルダの米には二十枚の板を要す、十ケ年間耐へる	〇七
ロンダ	三十クイルダに二人を要す	〇四
種子代		一〇
合計		九、五九〇
收入	一キンタルデ白米	一、二〇〇
差引純益		二四〇

北米植民のはじめ（二）

宮下琢磨

「我等は幸に今迄は無事に居たが、行末も知るべきである、の莚に居る思ひをして居るよりは、一層新世界へ渡りて、ノルかソルかの一勝負をするが勝ちだ。」

希世の傑士ウォルターローリーの心血をそゝいだ植民の大計劃も、あたら畫餅に歸し終つたことは前回說べた通りであるがウォルターローリーの悲慘なる末路が、却つて他の人々の更に新たなる奮起を促す動機となつたと云ふのは、奇しき困緣である夫れはジエームス王即位以來、兎角前のエリザベス王の時代に權勢ありし者を煙たく思ふて虐遇する、最も其目標となつたものはウォルターローリーである、朔る高潔の名士すらも、免かれない、昨日は人の身の上、今日は我身となつては考へずには居られない。

斯う云ふ連中が貴族にもあれば、學者にもある、又實業家にもある、此の連中が相一決して、ロンドン會社の組織となつたのである、そこで王の勅許を得て、一百噸を越えざる三艘の船を艤し、百五名の植民者を乘せて、故國を後にバージニヤ指して出帆する事となつた。時西暦一千六百六年も暮れ近き十二月十九日であつた。日本で云へば關ヶ原の戰爭がすんで六年目、其

の前年秀忠が将軍となり、此年江戸の増築工事も竣工し、昇平の氣象融々たる慶長十一年に當る。

勞動者十分の一の植民

—▲復もや慘憺たる境遇▼—

今回の一行は百五名と云ふが、多くは地に鍬を入れ顔に汗して働く人々ではない、勞働者は僅に十二名で其の中大工が只四人、婦人は一人もない。此等の人々が天涯萬里の異鄕に於て開拓に從事せんとするのである、穀物を得る術も、雨露をしのぐの道も知らない、無謀と云はなければならぬ。

船は雜然無秩序の團体を乘せて日數を重ね翌年四月二十六日にチエサピークの入江に着いた。國王の名を其儘ジユームスタウンと名づけた。さて其のあたりの風光はと云へば綠樹は鬱蒼として茫々たる海に對し永き船中の憂さを忘るゝものがあつたが、愈そこに住むこなると暑氣と濕氣とは遠慮なく一行を苦しめる、且つ飲料水がわろく、茂樹密林何處より手を下すべきかしかも其食料は永き航海で己に乏しきを告げて居る、毒虫に責められつゝ樹の下蔭を假りの宿りとして果敢なき夢を貪る様なみじめさで、何んで勇ましき活動が出來やうぞ、皆半死半生である、病人は頻々として出來、死人も日に三人四人とある事も珍らしくない。其の年の秋には半數五十名は荒野の土と化し、幾多絕壯なる人は只病人の介抱と、死體の始末とに忙殺され、失望と悲愁に鎖された。

此の時に於て涸れたる精神に雨露を與へ蜜雲の間に光明を投じ、やゝもすれば暗愁に沈まんとする衆心を鼓舞激勵して行つたのはジョン、スミスである。

快男子ジョンスミス

—數奇に滿てる彼の運命—

スミスは豪傑的氣象の快男子である、青年の頃より冒險事業が好きで、三十歳に滿たざる頃から佛蘭西國内を巡歷し、埃及の海岸を經、伊太利に入り匈牙利に行つた、折柄土耳古と戰爭中であつたので匈牙利人の爲めに加担して大に戰功を現はした處が武運拙なく身に重傷をうけて遂に捕虜となり、土耳古の首府へ奴隸として送られた、かくて仕方なしにクリムの域砦で働いて居るうちに、工事長の處置を憤慨し夫れを打ち殺し、直ちに馬を奪ひ乘りて露西亞の國境迄逃げ延び、其處で一婦人の憐みによりて無事に匈牙利に歸つて來た、更に故鄕へ歸る積りで大陸の横斷旅行をして居るうちに、阿弗利加に内亂があると聞いて又もや冒險の精神勃々として禁し難く、急ぎモロッコへ飛

んで行つた、其の後英國へ歸つた處新世界の話が出て居るので此の一行に加はる事になつたのである。

扨スミスは此一團の主腦となりて、幼稚なるバージニヤ民政の衝に當り、離判せんとする人心を鎭撫し、附近の土人をなづけ、食糧などを集め冬の準備をした。

ある時富源を求むるべく二三の同伴者と共にチツカホミニーの流れを溯つた、進み進んで深く內地に入るや、土人の襲擊に遭ひスミスの同伴者は殺され、彼は捕虜となつた。彼は少しも騒かず懷中より羅針盤を取り出して徐にその不可思議な作用を說明した、蠻人は大いに驚いてスミスを敬ふた。復もやジエームスタウンに手紙を送らんとて頻りにペンを走らせたのを見て益々驚異の眼を見張つた。今度不思議の捕虜を得たと ふ評判である、そこで酋長ボーハタンが其の捕虜を連れて來いと命じた、スミスは又もや羅針盤の說明をして少しも臆した風がない、酋長は此奴必定魔法使に違ひない、早速殺して仕舞へと云ふ事になつた。

斯くなれば如何に剛胆して機略縱橫のスミスも仕方がない。マナイタ上の魚で唯首を垂れて、觀念の眼を閉じるの外はなかつた。あはれ幾度か生死の境をくゞりたる快男子も今は絶對絶命利刄一下萬事休するのである、蠻人は酋長の命によつて斧を振り上げた、其の刹那物蔭より躍り出でたる一少女はスミスの首を抱いて、身を以てスミスを被ひ聲を放つて泣いた、この少女こそはボーハタンの最愛の娘でポスホンタスと言ふて、知慧も容貌も人に勝り、蠻族の花と崇められた可憐な女神である、今やスミスの不幸を憐みて泣いて父にその助命を乞ふたのである、父も拒み兼ねて遂に赦し友人として歡待され、蠻族の信任を得て平和の條約を結ぶを得、命の親のポカホタンス、及び其の從者を伴ふて貰ひ受けたる穀類を携へてジエームスタウンに歸つて來る事が出來た、奇しきは彼の運命なる哉。

第二回第三回の新植民者

—赤復無爲徒食の輩—

折しも故國より新移民者の船が着いた、異境に寂しき生活を爲せる生殘者の歡喜は如何ばかりか、天使の來迎の如くに喜びと希望とに躍り立つたが、夫れも束の間彼等は唯空想に驅られたる懶惰なる紳士か金堀りで、スミスが如何に焦つても終日らかして働かうとはしない。これ等は金鑛を見附け出して一攫萬金の利を射やうとするのである。スミスもあきらめて彼等に拘はつて居らずに植民地の色々の計劃を立てたり、チエサビークの入江とか其の河口の踏査をしたりなどした、三千哩も航

行して幾多の有益なる發見をしたのも此の頃である。

此の探險より還りて後着々植民地秩序が立ち始めた頃第三回の植民が七十名やつて來た。其の內二名の婦人があつた。これはスミスを喜ばせたが其の他は失望せしめた、なぜならばこれ等ば矢張り前同樣の人達であつたからである。スミスの實際希望して居る植民者は大工と農夫と園丁と漁師と鐵工石工と木の根を堀る人夫であつた。

如何にも非常識の譏であるが今から三百年も前の植民觀念の幼稚な時代の出來事として笑れもすまい。現に日本よりの伯國移民にしても第一回は（明治四十一年）七百九十三名で要求は純農者であつたがさて愈純農者となると百餘名を數へるのみ、後は各職業の失敗者か去もなくば浮浪者酌婦や宿場女郎の成れの果ての構成家族で大失敗を招いたと云ふ事である。昔しも今も一度は經過すべき道程で致し方がない。

そこでスミスは强制勞働を課する事にした、曰はく

『植民者ハ一日六時間ハ必ズ勞働ニ從事スベシ、夫レヲ終ハレバ各人勝手タルベシ、働カザル者ハ食フベカラズ』

爰に於いて紳士連も手をポッケットにして居る譯には行かなくなつて、無器用な手つきで斧を振り上げたり、畑を作つたりした、ジエームスタウンも一定した住居らしいものになつて來た

スミスの富國と衰微

—▲移民地の恢復と自由の曙光▲—

スミスの施設經營も着々其の成果を擧げんとする時、一の不幸な出來事が起つた、それはスミスが作業中に火藥の爲めに重傷を負ふた事である、新開地ではとても治療は出來ぬので惜しき別れをバージニヤの同胞に告げて英國に還つた

スミスが英國に還つて、植民地經營につき力說する處は、バージニヤより黃金と暴富とを獲んとするは英國の眞の利益ではない。規律正しき勞働を以て永久の策を講じなければならぬ、勞働によらずんばバージニヤより何物をも待望する事は出來ぬ

と喝破して、ロンドン會社の人を始め、一般の人が濡手で粟の空想を醒まさせるに力めた。

さてスミスの出發の後はと言へば、頭の抑手がなくなつたので復も放縱懶惰の舊態にかへつて、懷手して貯藏してある食料を食ふて居る、坐して食へば山も空しと云ふに、況して餘り裕ならぬ食料は追々缺乏を告げて來た、第一策は土人に食料を分けて貰ふと云ふ事だが、これはスミスの個人的勢力なき今日スゲなく拒まれた、少し執拗に先方の感情を害するやうなやり方

をしたものは殺害された。今は只餓死の外はない、此上は海賊となつて食料日需品の强奪を相談する海賊組も出來た、病人も出來る、死人も出る、逃亡者もある、四百九十名の植民市は六ケ月たつかたゝぬかに六十名に減少した。

植民地がドン底の窮境に陷つた時、即ちスミスが歸國した翌年にデラエラ卿の船が新移民と需要品とを載せて來た、地獄に佛とは眞に此の事で、瀕死の移民團も干天に雨を得たる樣で漸く蘇生の思ひをした、卿は嚴肅なる宗敎的儀式を行なひ、秩序を正し、勤勞を勸勵し、皆々安堵の思ひをしたが、卿は病によりて間もなく歸國することゝなつた。

引き違えてサー、トマス、ゲーツと云ふ人が六艘の船に三百の移民を乘せて英國を出發して新植民地にやつて來た、此等の移民は最早空想家ではない、着々勤勞を以つて成果を擧げやうと云ふ連中であるから餘程心强い。

ゲーツは宗敎的に基礎を置いて人心の統合を圖り、各人に土地の私有權を認め數町歩づゝ有分せしめて、各生産に骨を折らせた。そこで荒野にも鍬がは入り、皆其收穫を樂しんだ、其の結果野菜花園は庭園を麗しく彩り、野外の畑街道までも麥や煙草が軟風に波うつ迄になつた。共產主義者の理想は實際問題としては到底成立せぬ事は斯ふ云ふ原始的の社會組織に溯りて考へて見ればわかる、ロバルト、オーエンなどの理想鄕も失敗に了りロシヤの現狀について見ても思ひ半ばに過ぎる。

かくして植民地の政治も緒について生活の安定を得來つた際千六百十四年にトマスゲーツは英國に歸つた、夫れより五年を經て千六百十九年にイヤドリー殖民地總督として來た、此 年六月始めて植民地會議がジエームスタウンに開かれ、殖民地を分ちて十一區とし、各區より二人の代議士を選出し、植民地會議と云ふものが成立し始めて、米國の民政的自由の曙光が東雲を染むるに至つたのである。

英語の讀本などによくある、土人を欺いて火藥を地に蒔いて見せ地から生えるものだと說いて、火藥を賣りつけたりしたのも此のバージニヤ初期の植民である、のみならず馬賊のやうに舊恩人のスミスを救ひしボーハタンの娘をさらつて來て其贖償を酋長に要求したりした、これは酋長後の諒解を得て想思の青年と正式に結婚した、此娘は英語を習ひ本國で夫妻中なる生活をし、是が動機となつてボーハタンとも友情厚くなつたと云ふ樣な話しもある、バージニヤの話はこれでとゞめる。

信濃海外協會支部設立運動經過

—▲松筑支部▼—

前に信濃海外協會創立せられし以來、本會より屢々支部設立の勸誘を蒙り、予亦本會相談役の一人にてもあり、旁々其必要を認めしにより、支部設立の企をなさむと決心した。けれども海外へ發展を要するのは、何れかと云へば、都市よりは農村の人々の方がより多く必要と思はれるので、本市單獨にて支部を設立するよりは隣接する東筑摩郡と合同にて一の支部を設くる方策の得たるものなりと認め、高野郡長と協議し、去る五月三日本市公會堂に於いて、郡市在住の本會評議員並に有力者の會合を求め、支部設立に關し協議を爲す事に致した。然るに當日は追々養蠶期の季節に向つて居りし關係か、會する者僅かに二十數名に過ぎざりしも午後二時三十分開會高野東筑摩郡長一場の挨拶をなし、次いで本會より特派せられし藤森幹事の本會設立の趣旨說明の後、協議に移り、松筑支部を設立することに滿場異議なく決し、漸次夫々會員の募集を爲し、本年秋期に於いてその發會式を擧行することゝなし午後三時四十分閉會した。

右の次第で、吾松筑支部は未だ產聲を上ぐるに至らず、本會に於いてもこれより漸次會員の募集に着手する豫定である。

—松本市長 小里賴永—

—▲小縣支部▼—

今回本縣岡田知事を始め小川代議士・今井上院議員・佐藤代議士等の信州の巨星卒先して海外發展の必要を唱え、一月二十九日信濃海外協會の創立總會が開かれた。其の趣旨綱領は謂ふ迄もなく長野縣民の縣外發展にして、近來幾何學的に增殖して行く人口は、本縣の如く山岳重疊し溪谷深くして耕地の狹隘なる土地に於ては其の收容を許さない狀態になつて居る。其結果は食料の不足となり其他生活上必須なる物質の缺乏となり、農村青年の都下集中となりて生活上の不安を釀成する現象を目擊することの多き加ふに至つた。然るに之を救濟すべき社會的施設のなきを痛憾し、一日も早く救濟機關の設立を要望したのである。今回信濃海外協會の生れたるは誠に機宜に適したる施設

と云ふべくして寧ろ創立の遲かりしを恨む位いである。本郡の人口は十二萬百二十一人。耕地千五百十八町五反歩にして一人當り一段二畝强に過ぎず、一面出生死亡割合を見るに出生四千三百六十六人に對し死亡二千九百八十八人にして千三百七十八人の增加を見つゝありて物質之に伴はざるは火を見るより明らかで他より之を求めつゝある狀態であるので、信濃海外協會の生れたるは干天に雨を得たる感がある。本部に在りては信濃海外協會創立總會が終ると旬日ならずして郡會議員町村長小學校長を召集し支部設置　協議をなし、永田稠氏の海外發展の必要膨脹的國民の移植地としての伯國事情に就き累說する處あり、滿場異議なく可決し支部長副支部長其他役職員の選定を了り有機的に活動をする準備が整つたので、本部に指導員養成の目的になる講習會へ二名出席し受講せしめ、終了後直ちに日本力行會の幻燈機を借り受け數ヶ村に亘り幻燈講演會を開催し、協會創立の趣旨並に伯國風物人情等を紹介し、郡民の縣外移動海外發展を力說せるに、毎回青年男女雲集し非常なる盛會を呈し、渡伯希望を訴へる者質問をする者在外姉兄の安否を問ふ者等多く、係り員を手古摺らせ、中には單獨渡伯の希望者も數人あり內二名に對し願書を作成し渡して置いたから近く提出することゝ思ふ、之の次に遣るべき仕事は會員の募集であるが、農閑季を利用し臨時總會を開き大々的に募集する計畫である。

―▲南佐久支部▼―

長野縣南佐久郡に於いては同支部設立の目的を以つて去る四月十九日午後一時南佐久郡役所內に協議會を開く、本會より佐藤副總裁永田幹事及藤森幹事出席佐藤副總裁よりは協會設立の趣旨に就きて、永田幹事は海外事情を、武盛郡長は支部設立に就きて夫々講演あり、今回は追て各町村に設立委員を設け會員の募集其他支部活動上の任務に當らるゝ由、尚去る六月二十八日午後一時郡役所內に本會の本郡評議員會を開くべく計畫なりしが其運びに至らざりしを以つて近く同會を開き協議する筈。

次に全郡の海外在住者左の如し。

井出惣兵衛。井出欣一。中島昇。上田實。井出彥一郎。古清水義雄。宮澤四郎。井出猪仲。武川保平。菊池喜藤太。油井文一郎。井出貞三。出浦義毅。櫻井勝三郎。畑良三郎。高畑久雄島田藤吉。日向新。日向保良。井出憲三。山下信太郎。川村吾藏。阿部清。木內篤。阿部武八。高桑佐一郎。油井國太郎。大工原虎男。佐々木信治。森泉菊三郎。高橋常治。澤路武。小林武平。井出久美治。武藤眞喜太。小須田直。片井正雄。池田倉助。鈴木四郎。尾崎吉助。柳澤又助。島崎孫衛。北澤勝助。小

須田勝造。大井壽一。片井吉次。小林新三郎。尾羽澤義胤。金井英雄。市川保治。木下源彌。小林藤次郎。野澤町並木伯太郎木村善治。並木週造。臼田五一郎。市川彥八郎。吉澤稍一郎。鷹野芳之助。荻原猪平。木內樂助。岡村得。青柳吉助

―▲下水內郡支部▼―

下水內郡に於いては信濃海外協會下水內支部を組織して本會と連絡をとり、大いに協會のため努力してこの機關に依つて以つて在外の同郡人との交渉を便にすると共に、郡內に海外發展思想を普及せんと高野前郡長時代より屢々其方法を研究中なりしが、三月下旬郡長の交迭ありしため一時この方面の事務も一寸中絶せしもあだかも可し、藤井新郡長は縣會計課長在任中本會評議員として會計監督と云ふ本會中樞の位置に在りし關係上早くも前郡長の意志を繼承し先づ會員を募集して組織の要素を堅め、然る後健全なる支部を設立せんと五月下旬本會の創立發起人として評議員たる飯山町長、稻本久太郎新聞記者代表藤井富二郡聯合青年長高橋正英の三氏に會同を求め、郡書記萱津近藏氏を常任幹事に選任し協議の結果以上四氏先づ郡內各町村の有志篤志家に向て入會勸誘に活動することゝし、町村長會同の席上藤井郡長高橋正英二氏より本會の趣旨を懇談して後稻本、藤井、高橋萱津の四氏相携へて先づ飯山町內に出動し篤志家に募集を試みし結果、西川大六氏の特別會員を筆頭に牧野長藏、高橋幸作、牧野莊右エ門、池川九萬兒、島津雄三郎等を始め維持會員の申込續々として現はれ、次いで稻本町長、藤井富二の二氏は町內に高橋、萱津の二氏は村部へとそれ／＼手分して各町村に亘り有志の間に誘說の結果、數日を出でずして特別會員一維持會員十四、普通會員三十二名の如き申込を見るに至れり、これ一には以上の四氏の活動と藤井郡長の熱心なる劃策にも依れど、又以て同郡內有志有力家が夙に海外發展の思想に傾き居りしを窺知するに足るべし。尤も下水內には西川大六氏の後援にて坂本市之助氏を始め十數名の南洋に發展して目下着々事業を進めつゝある等の關係あり、其他飯山町秋津村柳原村等よも海外に事業を經營する者は小郡の割合に多き次第なれば、已に海外思想は一部の人々には疾く發達せるを見る。而して七月下旬には各町村を通じて特別會員一名維持會員二十名以上普通會員八十名以上に上らんとするの見込にてこの豫定數に達する日を以つて支部創立總會を開き、本會より岡田總裁、小川顧問（代議士）の臨席を得て講演會を催し、支部役員の選定をなし、引續き飯山町外各村に於て活動寫眞及び幻燈應用の講演を試み本部幹事永田先生の出演を求め講習を終へたる高橋、西川、林

岡部　四氏等も講演して海外思想の普及宣傳を大々的に試みんとの計劃なりと云ふ。因に八月が一般に頒分せる頃はすでに支部設立の運びに至り、各町村に講演を開催しつゝある時分なるべしと想像しつゝこの通信を認む。七月五日永田、岡山、水內の募集より歸りて。（ＳＴ生報）

信州たより

◎三樹氏に幹事囑託　新に岡山縣より本縣社會課長とし轉任せられたる三樹樹三氏に例に依り當協會幹事囑託したり岡山縣は海外發展の先進國にし既往は勿論現在も渡航者甚だ多く其海外協會の如きは永き歷史を有し基礎も强固に有力なる團体として此方面に貢獻する處多大なりき、三樹氏は前任地に於て該協會評員たりし經驗あり旁々我信濃海外協會の爲大に祝福すべき事なりとす。

◎上海東亞同文書院講演　上海東亞同文書院講演部の事業として、本縣出身同書院學生十牧勝、坂口幸雄、和田齋の三君が縣農務課の後援を得七月十日から仝十九日迄の間に長野、屋代、上田、大町、松本、伊那、上諏訪の七ヶ所に支那事情講演會を開催した、時節柄緊切の問題だけに何處に於ても相當注意を喚起する處が有つた。

◎松本市鐵道開通二十週年祝賀會　松本市では六月十五日に鐵道開通廿週祝賀會を擧行したが、之に就て元市助役深澤榮二と云ふ方の話には面白い事がある。明治二十五年の年末に當時の町會議員五名が篠井線第二期工事を非第一期工事に繰上げて貰ふべく運動の爲に上京し、代議士降旗元太郎、上條謹一郎兩氏の斡旋で衆議院に請願して甘く其目的を達し其結果三十五年六月いよ／＼汽車が松本迄開通する樣になつた。すると近鄕近在から辨當持參で汽車見物に來るものが非常に多く松本町は其爲に數日間大繁昌で有た現小里市長は當時北海道空知支廳長を奉職し止めて居た。知事は押川則義氏で篠ノ井建築所長は現鐵道省石丸次官其他當時の技術員は今皆立派の高等官に出世して居る。開通式におもいり變つた御馳走をとの事でビラを出した

ら來列者一同が非常に珍らしがつたものだ、猶數學に現はれたる二十年前と今日とを比較すれば、戶數の六千二十九戶が一萬百十二戶、人口の三萬二千八百三十七人が五萬二千五人、自轉車の七十三臺が三千百八十臺、料理店の百五軒、藝妓百三人が同二百二軒三百五十一人となつた、近來長足の發達をなせりと稱せらる、松本市二十年間の變化は以上の如くであるが、之を南米あたりの新開地へ持つて行つたならば僅に四五年のものであろう。

◎質屋に現はれた景氣　昨大正十年中上田市內質屋の數が二十四軒、貸出高十二万七千九百二十八圓、此口數二万六千八百七十五口、受戾高十二萬千五百三十三圓、此口數二万三千六百四十四に、流質高三千十八口一萬六千三百八十一圓。大正九年に比較すると店數が一軒增して、一ヶ年の貸出高は千二百九十九口二萬三百七十七に減じ、受戾千四百八十口の七千五百四十一圓の增し、流質は七百十九口の五千四百三十八圓增してある。更に之を一口の平均額から見ると、大正九年は五圓二十六錢で有たのに、同十年は三圓九十九錢となつ居る、小さい上田市だけに少額なる金錢の貸借が最も行はるゝは、以つて世相の一面を窺ひ知る事が出來やう。

◎縣下の麥作狀況　昨秋播種當時連日の降雨の爲め蒔付も遲れ種子も害せられた爲發芽宜しからず、且農家經濟不況の結果、施肥も不充分であり、其上今春來氣候の激變甚だかりし故、概して不成績に終つた、收穫豫想は昨年より一割九分平年より一割二分の減收といふのである。

◎木曾踊りの出世　木曾福島の町長伊藤淳氏（西筑摩副支部長）は鄕土の誇りとして多年木曾踊りの宣傳普及に努められたが、今回宮內省御用理學士田邊尚雄氏より伊藤氏への通信によれば最近朝香宮御殿に於て北白川宮東久邇宮の各殿下同妃殿下女王殿下始め諸王女方多勢御集會盛大なる家庭踊の御催しがあつた、際田邊氏の御教授申上げた『木曾のなかのりさん』を最も御賞美遊ばされ幾回も繰返し／＼御踊り遊ばされたとの事である。信山の大自然にはぐくまれた純粹素朴なる所が雲上の方々の御思召に叶つたのであらうか兎に角木曾踊としては無上の出世といふべきである。

◎安筑地方蠶種の危機　松本中心とする安筑地方の秋蠶種は從來關東方面を得意先とし、年々多額の移出をしたものだが、近來は後進地の爲に兎角壓倒され勝になつて來た、原因は種々あるであらふが、主なるものは製造法が少しも進步せず舊式の方法を踏襲するのみなる故に、品種品質共に善良ならず、其上肥料並に人夫賃の高價なるに從而製造費は存外多額を要するに一

方岐阜縣の蠶種家の如きは近來精良なる品種を而も安價にドシく縣下へ移入する勢なれば本縣の蠶種家が今にして覺醒するに非ずんば、此處數年の間に殘らず得意先を奪はるゝに至るであらふと、實際家は何れも憂慮して居る。

●夏の信州　夏の信州はなかく賑かだ、避暑に來る者、登山するもの、林間學校や講習會の開設等目を突く樣に行はる、避暑地としては輕井澤は何と言つても永い歷史と立派の設備とを擁してお客を呼ぶ事は第一等だ、此他に野尻湖、富士見高原、戶隱松原湖、等皆屈指の避暑地となつた、登山は何處でも意の儘であるが、最近一二年甲信境の赤石連山が注意される樣になつた、寧日本アルプス以上だとも稱せられて居る、林間學校も佐久高原、伊那の駒ヶ岳山麓、有明山麓等都會學生の憧憬する處となつて居る、講習會では夏季大學の名の下に木崎湖、輕井澤、戶隱、野尻等皆東西の學者名士を聘し、立派の講座を開いて居るから各府縣よりの聽講者が隨分多くなつた、殊に今年は植民事業に造啓深き千葉豊治氏の講演が木崎、輕井澤兩大學で行はれた●

●干魃と洪水　今年の天候は一月以來徹頭徹尾變調である、六月の梅雨期に少しも降雨が無かつた爲に稻の植附に困難し、諸方で激烈なる水騷ぎを演じ、南安曇と東筑との間の梓川沿岸の如きは數日に亘りて爭亂決せず數十人の怪我人と百數十名の刑事關係者とを出した程で、田植の早い南信には遂々仕付をなさずに終つた場所も有たと思ふと、七月に入るや否是は又幾十年に稀な程の豪雨で、縣下各河川、共增水甚だしく、田畑の流失の浸水道路橋梁の破損無數と云ふ有樣だ。

●伊那電車延長　伊那電車上片桐大島間二哩四分は先月十三日開通し愈々下伊那郡の一部に鐵路の軋る音を聞く樣になつた、飯田町迄の開通も早そう遠くは有るまい。

●淺岡前師範學校長頌德碑建設　淺岡先生といふのは明治十九年から仝廿六年の十二月迄長野の師範學校長を勤めた方であるが、其感化が偉大で有た爲三十年後の今日當時の子弟や開接に其感化に浴した者が追慕の情禁ずる能はず壽碑建設の議を起し縣の內外多數者の贊成を得滿一ヶ年にして見事に完成し、六月十七日師範學校表庭に於て盛大なる除幕式を擧げ次いで同校講堂に於て頌德式を行つた、先生も遙々東都より來會せられ、來賓には岡田知事以下諸名士の參列が有た。

●金井富三郎氏の轉居　海外興業株式會社長野縣代理人金井富三郎氏は今度長野市南縣町縣廳東門涌く轉住された。

●振替貯金口座設定　當協會にては今回振替貯金の口座を設定した。長野二一四〇番といふのである。

信濃海外協會 東京支部設立

信濃海外協會在京評議員諸氏が發起人となり、大正十一年七月九日午後五時から東京市京橋區南傳町第一相互館の東洋軒に信濃海外協會東京支部設立相談會を開いた。此會に來會せられた人々は左記の通りである。

有賀文雄、藤原咲平、藤森佐金治、福澤平太郎、濱種治、堀內明三郎、平川房吉、堀內文治郎、市川謙重、今井登志喜、伊藤耕之進、市川將雄、岩波貴夫、今井五介、伊藤傳三郎、片倉兼太郎、小澤眞悟、上條韓治、小平三郎、龜井唯三郎、小林澄兄、小林滿、久保田榮吉、木村贇夫、小林次郎、加藤正治、金子雄之進、小林寬治、北澤種一、丸山郁治、御子柴朔郎、村上俊泰、三溝茂門、宮下琢磨、三樹樹三、長田新、根橋淸二、中村久四郎、中林正已、中川紀元、永田稠、小川平吉、大倉發身、大井包高、尾澤琢郎、尾澤良一、澤柳政太郎、篠田稻雄、志賀三行、佐藤太郎、關延世、相馬愛三、白澤保美、酒井祐之助、佐藤寅太郎、鹽入太輔、佐藤秀松、土橋源藏、戶田千葉、塚原嘉藤、竹內潔、上原靜夫、和田猪三郎、矢花寧二、湯本武比古依田豐、山岡万之助、大工原銀太郎、平林廣人、跡部賢重郎、樋口秀雄、青木正已、金井階造。

今井五介氏は信濃海外協會設立に趣旨に就いて演說をした。永田稠氏は海外各地にある信州人會長野縣人會等が、本協會に對し多大の期待を持つて居ると云ふた。小川平吉氏が座長に推薦されて支部設立を滿場一致を以て可決し、支部の規約を議定した佐藤寅太郎氏は仝協會組織と其後の經過に就いて話した。來會の諸氏を全部評議員にお願する事になつて評議員會が組織され、茲で理事の選擧をする筈であつたが、滿場一致で座長の指命に任ずる事にし、座長は左記の諸氏を指命した。

岩井猪三、井出鄕助、堀內明三郎、畔田明、植原悅次郎、山邊常重、塚原嘉藤、今井登志喜、名取夏司、志賀三行、依田豐、加藤正治、大倉發身、鹽川三四郎

直ちに理事會が開かれ互選の結果理事長には法學博士加藤正治君が當選、仝氏就任の挨拶が滿場の拍手に迭らるゝと、理事長は、支部會計に土橋源三氏を、幹事に宮下琢磨永田稠の兩氏を指命した。それから澤柳博士の「北米に於ける信州人に就て」と云ふ有益な講演があつて、無事支部の設立を了し、一同送迎會の食堂に急いだ。

●送迎會

最近に海外から歸朝せられた長野縣出身者藤原銀次郎、田中穗積、藤原咲平、長田新、澤柳政太郎の諸氏を迎へ、又最近に海外旅行の途に上らる、片倉兼太郎黑澤利重、土橋源藏、有賀文雄、擇族深志の諸君を送る爲めに、信州出身の在京者が信濃海外協會東京支部設立相談會から直ちに送迎會に移つた。すき腹は東洋軒の優秀な料理をつけ込んだ後、デザートコースに入ろと佐藤寅太郎君が赤い色の輝いた顔をして、立つて送迎の辭を述べ、之に對して澤柳博士が來賓を代表して謝辭を述べ且有益にして趣味のある物語をされた。一同歡をつくして散會したのに十時過ぎであつた。

●東京支部理事會

七月十六日の午後六時理事長加藤博士理事堀內、今井、志賀、依田、大倉 諸氏佐藤副總裁、宮下永田の兩幹事が日比谷の陶々亭に集まつて、信濃海外協會東京支部の理事會を開いた。種々相談の結果大要左の決議をなし、欠席の理事に通知した。

一、事務所は他に適當の場所を發見する迄小石川區林町七十番地永田稠方（電話小石川一、二四八番）に置く事

一、事務整理に必要なる物品を購入する事

一、支部の經費月額二百圓以內とし適當なる事務員一名を置く事

一、東京及橫濱にて維持會員（年額會費十圓）二百名を募集し之等を評議員に依賴する事

特別會員（一時金百圓以上を據出するもの）を出來得可くんば五十名位を得る事

海の外

定價

冊數	定價	
一部	廿錢	郵稅四錢
半ヶ年	一圓十錢	外國要す
一ヶ年	二圓廿錢	

注意

▲御注文は凡て前金に申受く
▲廣告料は御照會次第詳細御通知致します
▲御拂込は振替によるゝを最も便利とす

大正十一年八月一日發行

編輯人　永田稠
發行兼印刷人　藤森克
東京市小石川區林町七十番地
印刷所　力行會印刷部
發行所　長野縣廳內　海の外社
振替口座　長野二一四〇番

海の外

大正十一年八月一日發行（每月一回一日發行）
大正十一年三月二十六日第三種郵便物認可

定價金二十錢

信濃海外協會內
海の外社發行

茅野恒司君の家族（記事參照）

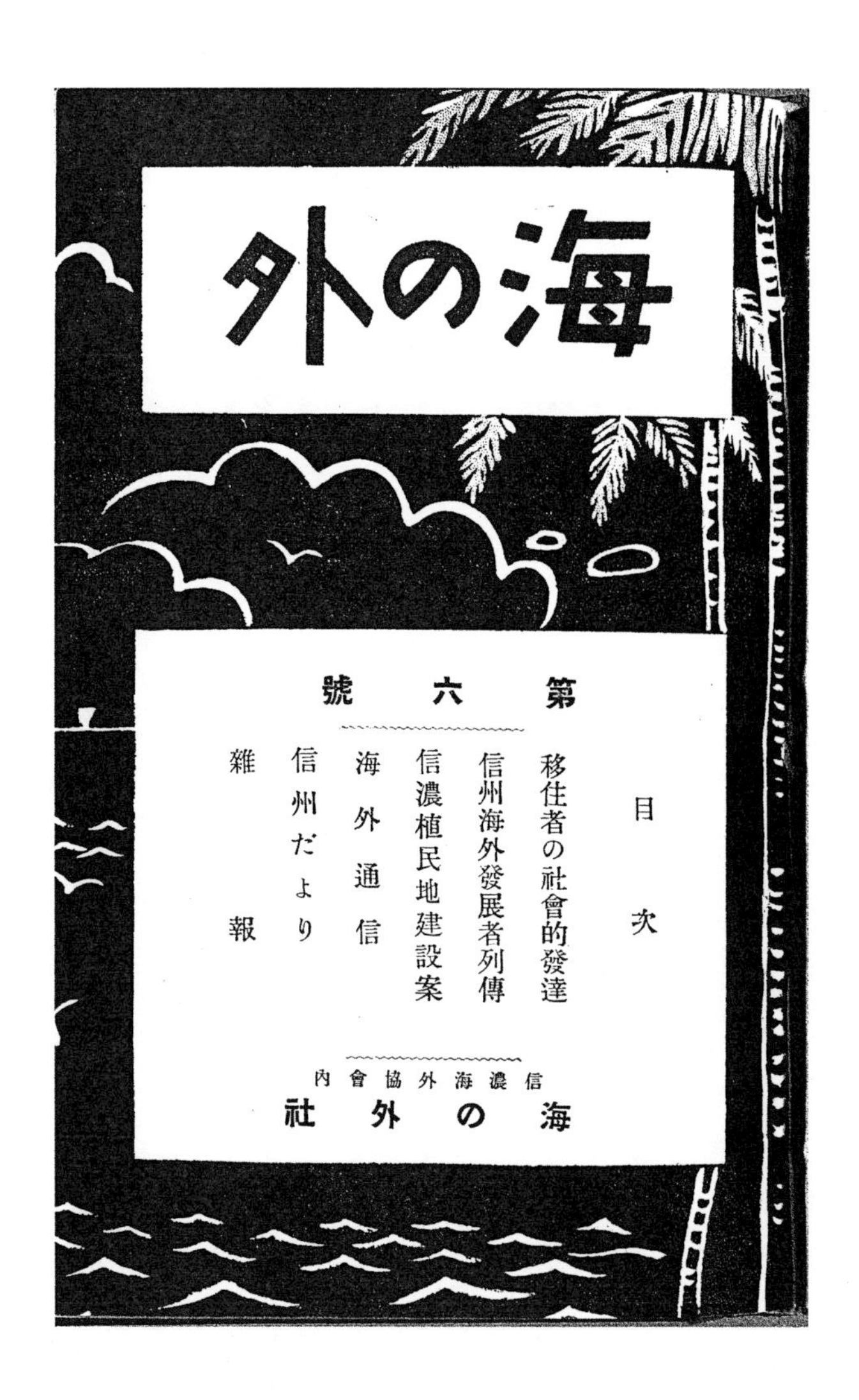

海の外
第六號
目次
移住者の社會的發達
信州海外發展者列傳
信濃植民地建設案
海外通信
信州だより
雜報
信濃海外協會內
海の外社

移住者の社會的發達

人が其生れて育てられた故鄕を出發して知らぬ他鄕に行くには種々なる源因と理由とがある。功名富貴手に唾して得べしと考へるのもあろうし、事業に失敗して鄕里に居られなくなつた者もあろうし、失敗はせずとも將來を考へて今日の事業を幾年繼續してからが何の得る所も無いから、他鄕に希望を抱くものもあろうし、或は又何等かの犯罪を以て身を其故鄕に置く事の出來ない樣な場合もあろうし、就職難や生活難に追ひ立てられて仕方なしに他鄕に行かねばならなくなつて來る者もあろう、又、隣人や友人が海外で成功した話を聞いて、然らば僕もやつてやろうと奮發する者もあろうし、學校を退學させられたり又は落第したのが動機となる者もあろう。又、其故鄕を出發するに當りても、或者は旗を建てゝ村中の人々から花々しく送り出されるものもあり、或は夜逃同樣にこそ〳〵と逃げ出す者もあり、又は私かに二三の友人のみに送られて出て行く者もある。單身孤獨で行く者、可愛い女房を連れた者、一家一族を卒ゐたもの、其種類は種々雜多である。かくの如く移住者の鄕里出發

の源因や理由や、形式は樣々であるが、然し其心持ちは大体に於て一致して居る者である。功名富貴手に唾して得べしと大なる希望に輝いて居るものでも、失敗に失敗を重ねて尾羽打ち枯した者でも、其故鄉の境の峠の峰から其鄉里を顧みては、業若し成らずんば死すとも歸らずと感じて、云ひ知れぬ武者振ひをするのは同じであろう。誰か鄉里を出て、隋落しようと思ふ者があろう、皆錦を故鄉に飾り度いのである。故に移住は其出發に於て精神の緊張であり、懺悔であり、奮發であるのだ。移住者の强靭なる理由は玆にあり、移住者が成功する理由も玆にある。米國の植民學者ヘンリー、モーリスが『移住は人を善くする』と云ふたのは此邊の消息を語るのであろうと思ふ。

移住者は心細い樣なさむしい樣な恐ろしい樣な、又、今迄感じた事の無い樣な底力を心の奧底に感じながら、其目的地に進んで行く。若しそれ其目的地が海外萬里の地である場合などに於ては、一層の緊張し切つた心持を持たせらるゝのであるが、それが内地であり日本語の通じ、知人のある所でも、始めての移住者は同樣な心持ちをして其目的地に達するのである。目的地には先行の人が居つたり親戚の者が居たりして、特別なる便宜を與へらるゝ場合も少なくはないが、それも余り大なるたのみには成らない。所詮は自分で自分の運命を開拓して行かねばならぬ事になるのである。多くの當今の移住者は獨身者であるが故に家族を連れて居るものに比較すれば氣樂ではある樣なもの丶、又心寂しい場合が多いのである。

目的地に着た移住者は、先行知人、親戚者、桂庵、新聞廣告又は既に定結したる契約等に依つて仕事口を見つけ、運命開拓の第一歩に入るのであるが、氣候、風土、水、食物の違ふ事や、仕事が馴れて居ない事、知らぬ他人の間に介在して居る等の事情から、始め數ヶ月の間は心身共に特に多くの疲勞を感ずるし、想鄉的神經衰弱乃ちホームシックに罹つたりして、移住者の一番困難な時代を經過せねばならない。此困難と戰ひつゝ移住者は一歩一歩と其事業大成の土臺を建設して行くのであるか、此時代に移住者の助けとなるものは、早く其土地の事情を知る事　成る可く多くの知人を有する事、自己の職業が出來る事。其土地の言語に通ずる事である。海外に行く者が其國語を一日も早く學ばねばならぬのは當然であるが、日本内地の移住者でも全樣で、東京に行つた者は東京語を、大阪に出た者は大阪語ろ語り得る事が大切だと云ふ事を忘れてはならない。又此時代には盛に鄉里に手紙を出す、又鄉里の父や母やの親切なる同情ある手紙が非常に移住者を奮勵させるものであるが、移住

者取扱に馴れない日本人は、殆んど此大切なる手紙を事を知らないのである。

目的地に達してから數年の間は移住者の基礎建設時代である此間に建設せられたる基礎の上にのみ其將來は運命づけられるのだ。此基礎の内容は移住者の能力以外に土地、職業の種類、信用の程度、資本の多少、言語等が數へらるゝ。將來發展の不可能な目的を選定し其所に行つた者は、努力に酬いらるゝ程の結果が得られない。其職業が將來有望のものでなければ、技能は奧堂に達しても成功は出來ない。其移住地で信用がある者でなければ駄目である。おれの故鄉には財産が何十萬あり、おやじは何々の公職をやつて居るなどと云ふても移住地では本人の信用の外は通用しないのである。それから此時代に勞働賃金を貯畜しそれが企業の資本になるのであるが、此多少は直ちに本人の運命を左右する。それから海外に於ては特に言葉の出來る事が大切で、これが出來なければ殆んど事業の經營は出來ない事になるのである。移住者の爲めに此時代は極めて大切であつて其成功と否とは此時代の準備如何に依つて決定するのであるが、此時代を空費する多くの移住者を見るのは殘念な事だ。

既に移住地に於て其職業を覺へ、信用も出來、資本も出來、其國語にも通ずる樣になると、玆で愈企業時代に這入つて行くのであるが、企業は獨身ではやりにくいので多くの人々は此時代に結婚する。或は其土地で知り合になつた婦人と夫婦になるもあり、或は其地の先行者の娘を與へらるゝもあり、又は寫眞結婚をやる者、迎妻の爲め一時歸國する者もあると云ふ樣になつて行く。移住者の生活は其事業と共に段々複雜になつて行くのである。移住地に於ける社會的の地位も此頃から得らるゝ樣になる。一介の勞働者で東西に仕事を追ふて流浪して居る時代には、殆んど人は相手にしてくれないが、一定の所に落ちついて小さくとも一個の事業を始め、加之、結婚をしたと云ふ樣になると責任のある關係者が出來て來る。乃ち事業の方面では商取引が出來て金錢の責任ある受授をする樣になり、家族の方では妻の生家や妻の友人などが增して來て、獨立の戶主として親戚友人の間に交際をして行かねばならなくなつて來る。社會的に責任の出來る所に社會的の地位が出來て來る。結婚し企業した事に依つて全く豫期せざる方面の人々と知り合になつたりする樣な場合が多くなるのである。企業は銀行との關係を生じ、結婚は教會乃ち宗教との關係になり、子供が生れる事によつて幼稚園や學校乃ち教育との連結が出來、段々と進步するに從ひ銀行の役員、教會の評議員、小學校の學務委員と云ふ樣なものに選擧される樣になると、もう其地の政治にいやでも關係せね

ばならなくなつて來て、或は村や町の議員ともなり、海外では同鄉人會や日本人會の役員などにさせられると云ふ風になつて來る。此時代は準備して來た基礎建築の充實時代とも云ふ可き時期であつて、完全なる社會人となつて來る時代である。準備時代の欠點から案外の失敗をする事もあるが、多くは完全なる準備が出來て居れば、全く自己の思ひもよらぬ程の信用を得、社會的にも經濟的にも案外の、豫期せざりし成功をする事が出來るのである。が、此時代は調子に乘り安い時代であり、他人の毀譽が相半ばして來る時代であり、處世に苦心を要する時期である。

此時代の末になると家族の數も增加して來るし、其事業も大体に於て安固なる基礎の上に立つし、社會的の地位も確定する樣になり、特殊の間違ひが無ければ安全なる生活を樂しむ事が出來る樣になり、海外などでは場合に依つては日本人を代表して各國の各人種と肩をならべて種々なる交涉の任に當る樣な事になつて來るので、啻に日本人の間のみならず、世界各國の人々の間で批評せられ地位づけらるゝに到るのである。以上は移住者個人の社會的發達の經路であるが、一民族の移住地に於ける社會的發達の經路を考へるのも亦有益な事である。

一國の勞働者がある職業を求めて或る土地に行く。男計りで金を取る事の外に望みのない、誰れも其國語が、よく解らない、外國人の所へ買ひ物や遊びにも行けないと云ふ有樣で、如何にも悲慘な生活である、集まつては酒を飲み女の話をして、時に依ると賭博と喧嘩をやると云ふ有樣である、これが人類の生活かと怪まるゝ位である。が、其内に利發な男があつてブロークンながら外國語の話が出來る樣になる、外國人が日本の勞動者を欲しがる、世話をしてくれるなら相當のコンミッションを出さうと云ふ話になつて、玆に先づ日本人の桂庵が出來る。人は誰でも自分のやつて居る仕事が一番つまらなく見える、他によい仕事を一生懸命でさがして居る、言葉は不通で困つて居る所へ桂庵が出來たと云ふので皆押しよせて來る。氣早の連中は仕事をやめて來る。從つて桂庵ではそれ等の人を宿泊せしめねばならなくなつて來て玆に始めて宿屋が始まる。土間へ布團を布いたに過ぎず、お客樣も家族も全じ物を食ふと云ふ事から出發する。それから外國人から物を買ふのが面倒だと云ふので小さい商店が出來る。桂庵と宿屋との兼業の外に、商店と宿屋との兼業が出來る、其宿屋に寢たり仕事の出來るのを待つのがたいくつだと云ふので、宿屋の土間に玉臺を据へて、玉突が始まる。かくて酒屋か出來料理店が進步する。其内に誰彼の妻女が來

る。其妻女が必ずしも夫婦仲がよくない。中には水をさす者が出來て夫婦別れをする。其女か淫賣を始めて女郎屋が出來る。

勞働者は勞働賃金の置き所に困る。勞働に行くに持つては行けず、合宿所へ置けば盜まるゝ心配がある。それで桂庵なり宿屋なり商店をやつて居る者の所へ預託する。それが漸次發達して外國人の銀行へは言葉が通じないから行けないと來る。日本人の間で小さい送金所預金所が出來遂に銀行が出來る樣になる。人か病氣になる始めは二三人で見てやるが病氣が重くなつて死んだりすると、二三人の友人だけでは見きれなくなる。同鄉の人が集まつて葬式をする其後で縣人會が出來る。又、外國人と日本人全体との利害關係などが出來て來て、日本政府にたのむ事の出來ない場合などが出來、從つて各縣人會を聯合させて日本人會を組織すると、玆から在留者の政治が行はるゝ樣になつて、其代表者會では日比谷の議會のまねをする、其議員選擧運動をやると云ふ樣になつて來る。子供が生れて幼稚園が出來、幼稚園から小學校となり中學校高等女學校が出來る樣になつて來る。熱心な宗教信者があると、始めは其家で集會をする、其内に牧師なり悔教師なりが來て家を一軒借りて教會を始める。遂には立派な會堂が出來て來て、玆に宗教生活が社會的に出來て來る。筆の達者な議論ずきな青年が謄寫版で月報を出す、それが週報となり、菊二倍版で各號取まぜの活字で新聞を出す、それが隔日に出る樣になり、廣告料や購讀料を始めて日刊新聞を出す樣になつて、玆に通信機關が出來る。企業者が集まつて同業組合が出來、更に進んで商業會議所になる。かくの如くにして一介の勞動者の集團に過ぎなかつた移住地が段々發達して遂に先住者と全樣の境遇に達する樣になるのであるが、日本人の移住が後れて歐米人の社會的發達の後になつたので、北米合衆國人などは、日本人の此移住地の社會的發達の過程の中途を見て、日本人が後れて居ると云ふのである。が、此過程は單に日本人のみの踏むべきものではなく世界の諸人類の皆踏まねばならぬ所である。英人でも米人でも皆左樣だ。南米の獨逸人などは未だ此過程に居る部分などが澤山あるのであり、北米合衆國内でも南歐からの移住者が此過程中にある者は澤山にあるのである。

植民の素人は移住地には多くの犯罪があると思ふて居るが、移住者は移住地では惡い事は出來ないものである、言語不通事情不通の所が惡事をせよとて出來るものではない。移住者の犯罪統計は移住後第四年目に至つて始めて普通の數に達すると云ふ有樣である。

移住者も移住者を送り出す家族もこれ等に關係を有する者も皆此過程を承知して居らねばならぬ。此間南洋は駄目だと云ふて歸つて來た者に遇ふた。彼は二百圓の金を持つて比島に行つた。ダバオに上陸した時には金二十圓しかなかつた。言語不通事情不通職業不知で東西南北もわからぬ所へ、只の二十圓の資本で『將來有望』な事がありつこはない。彼は海外に行けば猫でも勺子でもぬれ手に粟をつかむ樣に錢が取れると思ふた。上田の人が二十圓の金を持つて長野に來たと假定して見給へ、手を下す餘地や成功の望などが始めからある譯はないであらう。彼が若し移住者發達の經路と移住地の社會的發育の順序を知つて居たら、一年に米の二度取れる南洋が駄目だと云ふて信州の利益のない小作畑へ歸つて來る筈はない筈である。

自己の家族から移住者を出して居る者も三年や五年で成功を豫期してはいけない。一体君達が三千年もかゝつて得たる結果が田五段に古い家一棟ではないか、信州の大成功者二千年の努力に依つて資産一億に達しないではないか。私達は明確に移住者のたどるべき過程を研究しそれを承知して居らねばならないそして意志強く根強く、其基礎を強固に作り立てねばならぬ。

信州海外發展者傳（一）

茅野恒司君

○

彼等の處分方法に就いて連日開いた職員會議は終りに近づいて居た。教頭は全職員の意志を代表したと云ふ形で

「最早、校長の裁量にお委せするより外に致し方はありませんでせう」

こ云ふた。原校長は暫らく瞑目して考へて居たが

『此際、斷乎たる處置を採る事にして、彼等二十餘名全部退校を命ずる事に致しませう、甚だ殘念ではあるが校紀をまげる譯には參りませんから』

職員會議が散會した後教諭達は處々で二三人宛私語して居た。淺ず臥語は

『如何に校紀とは申しながら、信州の秀才廿人の首を斬るこは如何にも殘念至極で後座る』

こ云ふた。高橋漢文は

『いや、當代の師範學校では秀才の教育は出來ん、退校させられた事が却つて彼等の爲めによい事であらう』

と云ふた。誰が何と云ふても、彼等廿名は長野師範學校から放逐さるべく運命づけられて居た。或者は直ちにお隣の中學に入校した。或者は東京に出て陸軍に行つた、高等工業に行く者、或は大學に志す者などがあつたが、茅野恒司君丈けは

『僕は運命を海外に開拓する。骨を埋む豈故山の地のみならんやだ』

と叫んで飄然として橫濱阜頭を旅立つのであつた。

香天の意氣を以つて乘り込んでは來たが、流石に北米合衆國は彼の目に一個の感激であつた、其建築、其市街、其人文、皆彼の感激ならざるはなかつた。彼はスクールボーイこなつて米人の家庭で働いた。八時から四時迄小學校で語學を習ふた。夏休には農園に勞働して學資を補給した。そして將來雄飛に必要なる地盤の建設に努力した。

○

マウント・ウイルスンの殘雪は太平洋に沈まんとする夕陽に紅く輝いて居る。其裾野にはオレンジの白い花が濃厚な香氣を放つて居る。スヰートピーの花が一年中咲き盛り、和蘭苺が冬の眞最中に成熟するロス・アンゼルスの市街は、夏は避暑の客が集まり、冬は避寒に來る者で一杯になつた。

桑港の大地震以後ボツ〜と日本人の移住者が、此南加州の平野に入り込んで來たが、彼等の農業的天才は直ちに機會を捕へた。ロス・アンゼルス市を中心として半經拾七哩の郊外には、三萬の日本人が四萬英町の農園を經營し、ロ市の新野菜市場には毎朝日本人の野菜馬車や自働車で一抔になつた。彼等はロ市に野菜の專賣權を得たのみならず、彼等の栽培する花と蔬菜とは遠くシカゴや紐育の市場に聲價を得たのであつた。啻に蔬菜の栽培のみならず、砂糖大根の生產なども着々として日本人の手中に落ちて來て、今や南加州の農園には拔く可からざるの地盤を彼等は建設するのであつた。

ロス・アンゼルス市の近郊にサンタ・アナと云ふ小さい美しい町がある、電車でハンチントンビーチの海水浴場へ行けるが其中途にスメルザと云ふ村がある。茅野君は此村に運命開拓の第一着手を試みたのである。

もちろん徒手空拳者は勞働によつて資本を得ねばならない。一二年の勞働によつて若干の資本を得、農業の經營法を學び、附近の米人と知り合ひになり、それから步合耕作をやる。步合耕作と云ふのは土地も農具も其他一切の必要品を提供し、日本人は勞力のみを提供し、其生產の半分を取るのである。步合耕作から小作へ、小作から地主へと順次に步度を進めて行くのである。

○

サンタ・アナを中心として三百家族一千五百人の日本人が在住して各種の事業に從ふた。太平洋岸三州の地が地勢から二分され加州は其南方勢力で、桑港には『日米』『新世界』の二新聞があり、ロ市には『朝日』と『羅府』とがあつた。これ等は皆もちろん田舍新聞であるが在留民の爲めには其耳目であつた

と同時に、指導の機關であつた。茅野君は直ちに此機關を握つて『新世界』と『朝日』の通信員となつた。毎日一定の紙面が提供されるので、啻に三面記事のみならず、其地方民指導に必要なる議論も書いた。

スメルザに小さい教會があつた。日曜日には獨身者は自轉車で、夫婦者は馬車に乘つて集まつて來た。牧師も偉い人ではなく集まる者も多くはなかつた。併しながら動もすれば男女の間が亂れ勝になつたり、キャンプで賭博を打つたり、料理屋が出來てアイマイ女が出沒したりし易い移住地の、風紀を正し眞實に理想の植民地を建設して行く爲めには、此教會は最も重要なものであつた。茅野君は此教會の柱石であり、茅野夫人は婦人會の中心人物であつた。

勞働者が金をためて企業に進むと結婚する。加州の氣候のよい上、若い夫婦が、肉や卵を盛に食ふと、子供はいくらでも產れる。子供のある所に幼稚園と小學校が入用になる。日本内地では町村があつてこれ等の教育機關を設備してくれ、これを強行する爲めに國家の權威があるが、移住地は烏合の衆である。

『君、少し幼稚園に寄附してくれんか？』

『嫌だよ、人より先きによい女房を持つて、樂しい事をして子供を產み、其教育費を獨身者に出せとは、そりやひどいじやないか』

ご萬事がこうであある。遠大なる移住地の將來を思ふて子女教育を完成ぜんとする者の苦心がいる。茅野君は常に此犧牲者であつた。

○

日本人は砂糖大根の步合耕作や小作をする。製糖會社が此大根を購入する。其代價の評價は其大根の含有砂糖の分量に依るのであるが、其撿査は砂糖會社の試驗室でやるので、大根の耕作者達は

『お前の分は十七%だよ』

と宣言されると、何事にでもニコ〜する日本人は、矢張り

『オーライ』

こ云ふより外はなかつた。かくて何れの製糖會社もゴマカシに依つて多大の利益を得て居た。識者達は之れを知つて居たが、之れには自作の大根の含有糖量を正確に撿査しなくてはと云はれるこ二の句がつげない。のみならず、耕作者が團結しないと

『君の大根は買はないよ』

こ云はれるとどうする事も出來なくなる。然かも製糖會社ば日

本人を團結させない爲めに、あらゆる誘惑の手段を弄するのである。茅野君達は此間に慣れして。一方に於ては試驗場に分析を依頼し、一方では耕作者の團結を計つた。其結果は直ちに表はれて來た。含有糖量が一%増加すれば一英町一噸以上の増収になる。二%増加すれば一英町から三十弗。百英町の三千弗の利益である。北米合衆國全部で日本人の耕作して居る砂糖大根は五萬町歩以上もあらう。然らば一%の増加に依つて七十五万弗、二%の増加であれば三百万圓の利益である。小さい資本の移住者が大きな資本家に對抗する唯一の方法は團結あるのみであるが、それが中々日本人には出來ないので、先きに立つ者が常に苦心をするのであつた。

○

北米合衆國本土に約十三萬の日本人が居り、五十二三の日本人會があつてこれが在留民の政治機關である。參政權を取る事を忘れて居た在米日本人達は、此機關に依つて其政治慾の滿足をさせて居る。又、これに依つて日本人が團結して其權利を擁護したり、故國に對して種々なる運動をしたりするのであるが自治やデモクラシーの訓練のない日本人が、歴史的因襲のない移住地、而かも自由平等の國なる米國に居るので、日本人會の經營は實に骨が折れる。

『馬鹿くさい＝さんざ骨を折つて人に惡く云はれる＝』と云ふて引ッ込んで居れば、在留民達は遠慮なしにだれて行く。幹部の地位に立つて切り廻せば

『なんだ、あいつ生意氣ぢやないか？』

と云ふ。又、日本人會幹部の地位を利用して私利私慾を計るも少なくない

『故國觀光團長となり度い丈けの爲めに、日本人會長になりたがつた』

など、批評される者がある。此間に自分の村の日本人會を纏め更に諸多の日本人會と聯絡して、在留日本人全部の權利を擁護し福利を増進して行く事には、其純眞なる指導者が、どれ程の苦心をするかは、日本の代議士などの猶知り難い所であらう。

茅野君は日本人會の花形であつた。彼は幾度もいくたびもスメルザの日本人會長に選擧された。彼は南加聯合日本人會の會長にも幾度か選擧された。

羅府日本人會が周圍の聯合日本人會に對して我儘をした事などがあつた、羅府の幹部は云ふ

『なんだ田舍の百姓共、僕等についてさえ來ればよいんだ』

と、地方の有志は叫んだ

『羅府の繁榮は我等のお蔭じや無いか、それで居て今回の如く

我儘をするとは何事かッ＝』と。

茅野君は地方團体から推されて其代表者になつた。そしてあらゆる健闘を辭しなかつた。在留民の社會は谷川の水だ、小せり合ひをしながら進歩して行く。在留民の政治的訓練の出來て行く處に茅野君達の苦心が表はるゝのであろう。

○

『日本人の魔の手は加州のみならず、全米國を掩有すせんこ、我輩は此日本人の魔手をゆるを以て唯一政見こす。願くは賢明なる加州の諸君＝私輩をして米國の上院議員たらしめよ』

とジエームス、フイランは暴獅子の如く加州の選擧場裡に表はれて來た。況んや『日本人土地所有禁止法』の一般投票が全時に行はれると云ふので、加州の天地は覆えくり返る樣な大騷ぎである。殊に日本人は一般投票が可決確定し、フイーランが當選するに於ては二重の不利益であるから、一切の手段を盡して奮闘せねばならない

『此際せめて投票の一枚でもあればなア』

と、今迄參政權を得る事を忘れて居た元老は叫んだ。而かも

『在留十万全胞の地盤は根底より破壞せられんこす、此際一肱の御盡力を乞ふ』

と云ふ血の出る樣な電報に對して

『日本は米國の政治に關與する能はず』

とて故國の朝野は冷然こして居る。茅野君は有志と共に憤起し

『よし＝寸鐵を帶びずして戰はう＝』

『彈丸は我になし、口こ筆で戰はう＝』

サンタ、アナ公會堂にかれた日本人側の演説會場は米國人と日本人で立錐の地もない。茅野君の開會の辭が始まると、屋外に進軍の譜を奏する軍樂隊の太鼓とラッパの音が聞えて來た。米國の在郷軍人團が强迫と干涉爲めに來たのだ。二百五十人の軍人團＝。彼等は演説會の解散をせまつて拒絶せられ、立合演説をせまつてさん〴〵惡たれて會場を混亂させるのであつた

これが文明の國民か？

日傭勞働者も下女も學僕も軍資を提供した

『私共にも加勢させて下さい』

と云ふて黑人の幾人かも來た。幾萬のトラクトが店頭、自働車電柱に貼付された。

味方も敵も印刷物が間に合はなくなつた、敵は味方の印刷物の『ノー』の上に『イエス』を貼つた。味方は敵の『イエス』の上に『ノー』を貼つた。ハリウッドと云ふ町の岬の上にフイラン一派の造つた幅五間長さ三十間もある排日額面は、夕方出來上つたが其翌朝は何物にか破壞されて見る事が出來なかつた

最後の夜が來た。羅府では二百五十名の義勇團が出來て、五十臺の義勇自働車に分乘し、夜の一時から朝の四時迄の間に三十萬册のパンフレットが分配された。或自働車は襲撃されて前ガラスを破壞された。或自働車はブローニングの連發拳銃の彈をくぐつて來た。

全加州の田舍の農村迄、日本人の居る所にはパンフレットが夜中米國人の家から家へ配布された。其翌日私は日本人會を訪ふた、幹部は三十日間不眠不休で眼は血走つ、て赤く肉はやせ顔は青くなつて居た。各地からの電報が刻々と集まつて來る日本人會下の街上には幻燈を以て標示する投票の結果を知らんとて集まつて來た同胞が滿ちて居る。何と云ふ緊張した氣分であらう＝

『一般投票第一號（乃ち日本人土地所有禁止法）は可決＝

『ジエムスフイランは落選＝』

これが其結果であつた。茅野君は此運動の中心に出入して一切の惡戰苦闘を敢てした。

『とうとうヂャップ（日本人）に落された』

とフイランは嘆息した。

○

茅野君は今も猶健闘して居る。將來も勿論さうである。

雜錄

▲觀光團紐育着　片倉翁等の南米觀光團は紐育着、彼地實業家の各種歡迎會ありて、三日間滯在南米へ向ふとの電報ありたり

▲ラテンアメリカ協會觀光團　志賀重昻氏を團長とせるラテンアメリカ協會主催の南米觀光團は八月十二日横濱發のカナダ丸にて伯剌西爾に向け出發せり。

▲揮旗深志氏出發　前々號に紹介せられたる仝君一家はラテンアメリカ協會主催南米觀光團と同船にて八月十二日横濱を出發

▲タコマ丸のツリスタン・ダ・クーニア島訪問　大坂商船タコマ丸は英國政府の依頼に依り英國宣教師を送るべくツリスタンダ・クーニア島訪問せりと同島は三年目にて汽船の來訪を受けたる爲め大に歡迎せられたりこ各新聞は神足船長の談を滿載す

▲支那勞働者放逐　米國に於ては十數年來日本人勞働者の入國を禁止しつゝあるも、日本人の勞働を禁止せるを聞かず。然るに我國に於ては支那人勞働者百五十名程東京府下千住に於て勞働に從事したりし故を以て逐放せり。然るに彼等は千住を去り本所、深川、大島町等に散在して尙勞働に從事しつゝありとて都下の新聞一齊に騷ぐ。臭いもの身知らずとは此事か。

海外通信

後進者の爲めに

＝船中及び墨國バイエス迄の汽車について＝

拜啓御手紙二日に拜見致しました。御影様にて去月三十日安着致しましたから御休心を願ます。殘念なるは古川君の病魔に侵された事で御座います。未だ何の報知も當分にはなく一日千秋の思ひで待つて居ります。多分昨日頃出發すべき靜洋丸（布哇）には保科氏も居る事でしやうから此の船で古川君も來て呉れゝば非常に好都合だと思ひます。

豫定の如く玉川兄をエスキントラに訪問致し、色々の方面に於て將來參考となるべき多くの資料を得る事が出來た事は非常の感謝で御座います。氏もそろ〳〵エスキントラ郡日本人の中心となりつゝ働かれて居らるゝ樣に見えました、慶すべき事で御座います。

船中

難航海であつた事は御承知の通りで御座います、基督信者は唯我等の外に一人も見えず船中はさびしきもので御座いました船中では朝早く起きて水夫どワッシデシキを手傳ふ事は非常に衛

生に又自己の爲めになる事こ思ひます、今度の腦脊髓幕炎等は相當の運動と日光にさらされて居れば豫防出來る病氣ださうで御座います。但し古川君は例外でした、朝の仕事を助けますと三等食に比較にならぬ朝食位は食べられるし、毎晩風呂を使ふ事が出來ますから好都合だこ思ひます。桑港等で買物がある時は甲板の倉庫番に依賴すれば買つて來て吳れます。サリナクルーズで下船する者は桑港入港前の日位に事務長に話して二等客となる事が善いと思ひます。羅府から變更しても船賃には變りがありません。此船賃三十九圓。食事は十人位で共同で食べるのですから、一組〱に渡る食券を持つて飯時に取りに行くのです。茶腕、ハシは各自に渡りますから、小さい密柑の空き箱に入れてつるして置くがよい。

船中必要品

一、ふきん　二
一、バケツ（洗濯するにも洗面にも之れあらば非常に便利）
一、履物（三船客は板裏草履、二等客はスリッパ）
一、疊表（デツキに腰を下すに便利であり服がよごれません）
一、パンツ（船中では悪いものが必要、軍隊の夏服樣のものがよい）
一、ヤカン　一個
一、洗濯石鹼二本（自分は甲板の倉庫番にもらいました）
一、カラー（自分で洗濯出來るソフトがよいと思ひます）
一、食料品はなるべく多く買つて來る事、（船中は食物が悪い）
一、ボーイに心付をする時に十五圓か二十圓やつて、何か食はせて吳れと云へば、別室に呼んで三度三度普通以上の食事をする事が出來る方法がある、之をすれば別に多くの買物をして來ずとも良い、菓子か果物があれば大丈夫だ。果物は着く港迄あれば澤山だ、各港で買えるから。

旅行注意

一、大きい荷物は野口氏に依賴エキスプレスにて送る事、眞直に來るならばワイシャツ、下シャツの着變えを要せず、但しカラ必要。
一、洗面器は旅行には不必要、毛布はなくとも善い、但し寢冷えせぬ樣に持參する事もよし。
一、水筒はマホービンより軍隊式の丈夫の物がよいと思ふ。
一、アルミニユーム製大形コップ、車中でコヒー牛乳の賣りに來た時に買つて呑むに都合がよい。之れがなければメキさん、メキシコ人）と交代にする事になる。
一、パンの樣なものは時間は早くとも場合に依つては買つて置くがよい。
一、水を飲む故仁丹の樣のもの を持參する事も善い事だ。
一、手荷物に對する車中の注意は都留兄からもあつた。時計、金錢等の貴重品は內ポケットにおさむる事。
一、金を受取る時には僞金の有無を調べるる、僞金は輕く音が悪く、色が悪い。
一、今の處墨國の紙幣も見えない、サンルイス迄は墨貨、サンルイスからバイエス、タンピコ方面は米貨が多く用ひらる紙幣も同じ。
一、乘物には賃金を定めて後にする事も敎えられた。
一、『首府以北の人には注意を要する』事を眞面目な人から耳にした。
一、宿屋には食堂があるから都合がよい
一、何時の汽車で何處へ行き度いこ云へば商賣だから間違なく起して吳れるから心配は無用だ。

發車時刻及汽車賃。

一、サリナクルース發午前五時サンエロニモに約二時間を費す前にホテル、アラセンこ云ふのがある、一泊一圓五十錢自働車で十分位走れば小橋氏の家がある=二十五錢
一、エスクイントラ行　午前三時發午後四時着、十一圓二十錢

下車して同じ方向に約一町尙左に一町程行くこ右側に Don Laura の土人の家があるから『岸本氏に行き度いから馬を借せ』と云へば案內人が付いて行く、七十五錢から一圓位、少し進むこ小川がある、橋はないが馬が渡る左右ゞ場綠樹鬱蒼たる中を通る、但し道は二間或は三間ある眞直だ約四十分位にて着、歸りは午前七時頃タパチラ方面から來る汽車に乘る、午後八時頃にサンエルニモに到着、同アラセン、ホテルに宿るがよい。

一、サンタルクレシヤ行汽車がサリナクルーズから來る、午前七時頃、汽車賃三圓四十八錢、午後一時半頃着、其のまゝ下車したら同じ方向に約一町左に小高き處がある、屋根に白く薄くホテル、ウニベルサルと書いてある、家迄に約十三間の間煉瓦で敷詰めてある。此の停車場の前には大きい川があり鐵橋がある、夜食附き二圓
一、コルドバ行き午前　時發午後九時着、七圓七十錢客引が澤山來る、下車して人の多く行く方に三十間位進むと向側に土壁がある、之について行くと馬車軌道もある、約二町進むこ向側に Hotel Pasize と云ふ大きい旅館があるから一泊するがよい、前は首府に出る汽車の停車場だから非常に便利だ、サンタルクレヤから來る汽車を待て午後

十時頃に首府を立つのがあるらしい、之に乘れば首府で一泊せずにサンルイスに立つ事が出來るらしい、　宿二圓、朝食コヒーパンで五十錢
一、首府行き午前九時三十分、午後九時着、七圓五錢、館前には澤山パイナップル等の賣店が開かれるから車中で食べる物を買ふがよい、正午に Espetonza 驛に着大きいレストラントがある、上等の客は此處にはいつて行くのです、首府の停車場は人こ馬車自働車で歩む事が出來ぬ程だ、何でもよいから遠藤氏を尋ねるがよい。

Cafe Japones Calle de Dolores にやつて吳れこ云えば連れて行くから賃金を先に定めて乘ればよい、大概始めの者は一圓位は取らるゝだらう、此の附近は旅館が多いから今晩旅館を世話して吳れろと賴めば、世話しいがして吳れると思ふ、泊賃には變りがない。

一、サンルイスポトシー行午後七時發朝八時着九圓八十五錢

此の停車場は Buena Vista と云ひコルドバから來た時着いた停車場の裏に來る、遠藤氏の宅は大通りより一寸引込で居るが、公園こ大通のり間だし、町を見て歩くには都合のよい處だ、サンルイスに着いたら日本の赤帽格が澤山居るから、葦原氏に行きたいこ云へば連れて行く、五十錢位やればよい

El Nipon Calle Allhon be ga N6 と云へば知らぬ者がないサンルイスの日本人會長とも云ふべき佐々木定三氏が居らる、から一寸訪問して行く事もよい事だ。

一、バイエスに行くのは不確實だから注意するを要す。賃金四圓八十錢、カルデスで晝食する、バイエス驛は一寸した處だから氣を附けるがよい、誰か來る者があれば誰かが伺ひに出る、葦原氏に依賴して電報を打つて置く事が必要時日を確實に。

書く事はこの位なものですが、墨國の鐵道ですから發着の遲速がありますから注意すべきです。但し度々車掌に切符を示して於けば乘り越す樣な事はありません、驛に着く前に切符を取りに來ます。

旅行には少しの心配は要らぬ、サリナクルーズから當地方面に來る人があつたら、其人と乘れば好都合だと思ひます。

一昨日大雷鳴こ共に雨を與へられました爲め、第二回の玉黍蜀播種で多忙であります、長年間の經驗を重ねて後に何んとか成る事だと思つて居ります。

上高井郡川田村出身　倉島芳之助

—▲ブラジル國土地賣物▼—

昨年三月伯國聯邦農商工務省土地殖民局の發表する所に依れば同局に於て現に賣物として登記せられ居る伯國各州內の地面は左の如し、追つて希望者はリオ、デ、ジャネイロ市カエスファール三番官設報道並勞働者就職案內所に就き問合はすべし。

ミナス州

一、アントニオ、シヨゼー、デ、アンドラー所有イタビラ郡面積七百町歩栽培及び畜に最も適す。
二、モンセニヨール、ムルタ所有アラスアイター郡廣さ間口二里廿七町奥行四里十八町。
三、エウゼビオ、フエレイラ所有ボワソス、デ、カルダス郡ドラード、ドエステと稱する千六旦六十町歩の耕地ドラード河之を貫通す。
四、アルナルド、リベイロ、デ、アルメーダ所有南ミナス鐵道ビイアス、フオルテス驛面積千七百五十町歩價格十五萬圓。
五、テオドーロ、デ、ヴスコンゼーロス所有ピタングイ郡、面積三千二百五十町歩、甘蔗栽培及牧畜に適す鐵道の便あり價格七万五千圓。
六、テイト、エヴエンゼリスタ、マルケス、ギマラエス所有オーロ、プレート支線ウイグエ停車場近傍面積千二百五十町歩を含金地牧畜適すに適す。
七、アントニオ、ロバト所有アバエテ郡西ミナス鉄道サンフランシスコ驛面積千四十町歩價格一万七千圓。
八、マルコス、シリアーノ、ヌネス所有ゴヤス線面積七百五十町歩穀物、果實、珈琲、及牧畜に適し住宅、貯水池、機具、家畜、運搬車等附屬、氣候最良。
九、リンセーロ、ソエルナンデス、デイアス所有コンセイソン郡面積不詳穀物及牧畜に適し貯水池の外多量の良木に富む、氣候良好價格九千圓。
十、アレシヤンドリナ、トリニヨ所有ボンテイーバ郡レオポルディーナ鐵道の便あり、有ゆる作物殊に珈琲及牧畜に適す、住宅の外珈琲除皮機及電氣設備を有す價格九萬圓本地面は一の耕地を構成するも面積不明。

以下各州に亘りて數十口、概ね右の如きものゝみ、其如何に大ゲサで有り、價格の底廉であるかゞ窺はれる。

—▲ハルピンだより▼—

北滿政事經濟上の中心地ハルピンは、露國が露亞銀行の名に依りて今より二十六年前東支鐵道敷設並に營業權と共に支那より獲得したるなり、爾來此の地をトして東洋のモスコーたらしめんとして軍事上經濟上の策源地として着々其功を奏しつゝありしが日露戰爭によりて一時中斷し、其後歐州戰爭によりて異常の發展をなし現在に於ては北滿貿易の重鎭として健全なる發展をなしつゝあり、市街は松花江の中流に位し、南は大連東はウラジオ西は滿州里を經て西比利亞に通じ、交通上より見るも亦滿州の中心地たり。

氣候は廣漠無邊の大平原たる關係上、大陸的特長を有し、寒暑共に極端なり、冬季に於ては零下四十五度に降る事あり然れ共三寒四溫なるものありて、四溫に入れば風穩かに北方の冬さるを忘れしむ、雪國の長野縣人に取りては左程の苦痛を感ぜず夏季は極暑百五六十度に達すれども、概ね晝間少時にして夕陽西に傾けば涼風到り苦熱何處へか去る。

人口概算二十五万なれども、居住常ならざる支那苦力と最近に歐露より來れる露國避難民等は此外なるを以つて、實際の當地人口は三十万以上と稱せらる。日本人の始めて當地に來りしは明治三十年にして漸次其數を增し、歐州戰爭中の好景氣の時に於ては七千人を數へたり、然れども大正九年の不況の結果現在は約半數に減少せり、內本縣人は極めて少數にして言ふに足らず。

産業方面を顧みるに農産物はハルピンの生命とも見るべく、大豆年額六十万噸、小麥四十萬噸、製粉業、油房業盛なること北滿第一と稱せらるゝも、地域の廣きに比すれば猶足れりと言ふべからず、耕作法其他改善の餘地ナカ〳〵多し、輸入品の重なるは綿糸、綿布、毛織物、石油、燐寸、雜貨にして、歐州戰爭中は殆んど日本品の獨占なりしが、戰後漸次歐米品の爲めに其地歩を奪はれつゝあり、我國製造業者並に商人の奮鬪努力を要する秋といふべし。

＝ハルピンにて　瀧澤政造＝

―▲大正十年中支那生絲輸出概況▼―

種類	數量	價格
白絲（繰返さゞるもの）	三五九六八貫	一三六五三七九圓
同（繰返したるもの）	一四七六八〇	六四七五九五一
同（機械製）	一二六八一四四	七二四七九三〇三
黄絲（繰返さゞるもの）	一二三四七二	六一九一九八四
黄絲（繰返したるもの）	一六八一六	七二一七八八
同（機械製）	一三一六〇〇	六四一九七〇二
野蠶絲（繰返さゞるもの）	九〇七六八	一七三四九二八
同（機械製）	五〇二五七六	一六七五三九四九
蠶繭	五三一〇七二	二一七八五六一
屑生絲	一一六五八七二	五九九〇九〇二
屑繭	二九八六五六	四三四六八〇
合計		一三一二八七一二七

―▲ブラジルに於ける畜産業▼―

ブラジルは世界の大畜産國として印度米國に次いで第三位にある、大正五年の産總額は五十億ミル（其當時約二十五億圓）以上であつたといふ、現今は更に數段の增加をなして居る。畜産の種類は牛が主で冷藏肉として盛に各國へ輸出する。

―▲大正十年獨逸海外移民狀況▼―

大正十年中に於ける獨逸海外移民の總數は二萬三千四百五十一名で、其內男子一萬二千七百五十名、女子九千三百九十九名（他の一千三百二名は性別不明）で男子の數と餘り懸隔のないのは移住地に於而健全なる發達を遂ぐる最緊切の要素である、移出先は戰爭前の北米を主としたるに引替、今日は南米特にブラジル、アルヘンチナを第二の故鄕として選ぶの傾向が著しくなつた。

―▲サンパウロ州朝日殖民地事情▼―

コーヒー地帶の中央アララクアラ驛を去ること數里ノバ、ヨーロッパ、ノバ、ボウリセア兩停車塲の中間に朝日殖民地といふのがある。大正三年に日本人二名の入り込みたるを始めとして漸次其數を增し現在は四十家族が一千五十町歩（四百廿アルケールス）の耕地を所有し外に十九家族の小作日本人と二十三家族の小作外國人とを併せ合計八十二家族三百四十九人が一團となつて居る、地所の百九十町歩は未墾で、八百六十町步が耕作され其中三百七十五町歩にコーヒー、三十二萬七千七百五十本を植えてあるが、樹齡が若いので昨年始めて八百餘袋を收獲した。コーヒー園の他は甘蔗、米、棉、豆、玉蜀黍、煙草等の栽培に充て、猶コーヒーの畝間にも棉花、豆等を作つて居る昨一ヶ年間の生産は左表如くであつた

所有物			
コーヒー樹	三二七七五〇本	牛	二五頭
馬	五二頭	豚	四八五頭

収穫物（一ミルレースは現在は甚だ下落して我が卅錢位だが時によれば五十錢位になる）

種類	數量	價格
米	四〇二八袋	四二一九四ミルレース
棉花	八六五四〇瓩	一四〇七〇七
豆	四三〇袋	六四五〇
玉蜀黍	二二四〇俵	二二六八〇
砂糖	五五俵	一三七五
煙草	一二八〇貫	一七六〇〇
コーヒー	八七五俵	一五七五〇
合計		二四六八五六

即ち一戸平均三千ミルレースの生産であるが、三四年の後本業のコーヒーが盛に結實する樣になれば、收穫は數倍に增加するだらう、コーヒー樹は六年目頃より結實し、爾來三十年乃至四十年間は毎年結實し、一本より三十錢內外の實を收穫し得るは確實であるそうだから、隣接せる州政府殖民地監督官バストス氏は能く日本人の爲めに斡旋助言をして呉れるから日本人は之を便として氏を師父と仰ぎ万事氏に相談すると云ふ又氏の語る處に依れば、日本人は勤勉にして用意周到なること獨逸人以上であるが一面成功を急ぎ投機的に農業を營む傾向あり日本人の爲めに惜む、云々と。

―▲蒙古地方事情▼―

蒙古の各地は漸次舊態に復しつゝあり入國許可書は、滿州に於ける支那官憲で自由に交付せられ、商會代表者は無期限入國許可書を所持して居る、蒙古政府側でも入國に際し何等の故障を唱へない、天津に本店を有する米國商ウイリヤム、フォルブス商會、ビテルマン商會及アンデスマイエル等は多量の羊毛買占をやつて居る、又英國の食糧會社は蒙古に屠畜場を建設し綿羊二万頭乃至三萬頭、牛一萬頭の買入を命ぜる等、英米資本家の活躍目覺ましきものが有る、此他諸國商人も羊毛取引に手を染めつゝある。

▲―米國に於ける外國人出入狀況▼―

本年二月を最終とする八ヶ月間にアメリカ合衆國に出入せる外國人の數は、入國二二六、八四一人に對し、出國一五二、六四九人で、差引七四、一九二人の增加である、此內日本人は三七二三人の入國に對し三、一一四人の出國で差引六〇九人だけ米國在住者を增した譯で有る。又日本以外の國で主なる入國增加

はヘブライ人の四一、二七三人、獨乙人の一七、六一一人。英蘭人の一二九、五二八人愛蘭人八、八〇二人、スコットランド人の八、六六一人等で、出國增加の重なるは、波蘭人の一、九二〇三人西斑牙人の五、二〇〇人、勃塞黑山國人の三、五八一人、南部伊太利人の三、五二五人葡萄人の三、三七〇人等である。次に大正九年に於けるニューヨーク市在留外國人の數は左の如くである

露西亞人	一九九四、三五六人	伊太利人	八〇二、八九三人
愛蘭人	六三七、七四四人	墺匈人	六〇三、一六七人
獨乙人	五九三、一九九人		

而して同年のニューヨーク市白色人口中兩親の米國人なる者と外國種白色人との數は次の通りである。

	大正九年	（大正九年迄の十年間に於る增加）
生粹の白色米人	一、一六四、八三四	二四、三五一六
外國種白色人	四二九、四六二九	五四、六七八五

―▲ブラジルの生産米▼―

大正八年度ブラジルに於ける米の栽培面積は、九十五萬町歩（長野縣水田の約十二倍）産額約千二百萬石にして、其一部分は歐州市塲に於て聲價を博して居る、其內日本人の多數が米作に從事せるサンパウロ州の産額最も多く、ト七萬五千町歩、約二百五十萬石を占めて居る、廣漠無邊の伯國で、前現の米作地は九牛の一毛にも足らざるもので、今後益々發展の餘地がある殊に近來歐州各國に於て米を食料と爲すの傾向を有し、伯國に於ける米作は將來最有望である。

―▲米國に於ける自働車狀況▼―

主人が自働車を所有する塲合には其家族も自働車の所有者なりとして計算する時は米國人總体の約三分の一は皆自働車を所有し居る譯である、加州ロスアンゼルスに於ては自働車の速力取締上警察官は飛行機を採用するに至るべしと云ふ、昨年夏季中國內道路に改善を加へたる延長は三十五万哩十四万哩以上に達した、これ皆自働車使用の爲めである、ミシガン州デトロイト市のゼームス、ハットンといふ人は今より十八年前に一つの自働車を所有したが是れが米國に於ける最古のもので今日迄に十萬哩以上を行走したが猶使用に堪え運轉を經續して居り行走哩數に於ては矢張り最高のレコードを持つものであるといふ、又昨一ヶ年に製造されたる數は商業用及乘用のもの百六十六萬三千五百五十臺運搬用のもの十五万四千五百五十臺ゴムの原料四億八千万ポンドを使用したといふ。

信濃植民地建設案

在伯國　輪湖俊午郎

人口の增加は民族世界的膨脹の最大要件であります。去り乍ら民自ら國を鎖して出づるを知らず、爲政者又其道を開かずして遂に過剩に陥る時、そこに社會上經濟上忌むべき不祥事の續發するは必然の結果と存じます。我國の現狀は正にソレであつて國民の海外發展は實に禍を轉じて福となす最良手段の一たるを失はぬと信じます。さは云へ現代の世界に無主の國は無い以上一國が他領土へ赤裸々なる移植民政策を構ふるは到底國際上至難の事と考へられます。故に地方的に目覺めて策を茲に致し勞資相扶けて其理想の實現に勉むるを最も有効と存じます。

我が縣が日本全國諸府縣に先んじて海外に一大植民地を建設し、以つて過剩の人口を之れに移し信州百年の計を圖るは、やがて日本民族に對する至大の奉仕と存じます。

南米特に伯國南部諸州が日本人の發展に好適の地たる事は在伯同胞十五年の過去に鑑みて極めて明白な事實であります。

帝國の前途を憂へ民族の將來を思ふ諸賢に訴へ私は此地に百萬町歩（日本耕作面積の六分の一）植民地建設を提案致します一つに故國諸彦の熱誠如何にあることで伯國の現狀は頗る可成否は能性たるを斷じ得るのであります。同案の内容を概說致しまする前に、私は日本人の最も多く現住する伯國聖州に就て大略申上げ有志の御參考に供したいと思ひます。御存じの通り同州は伯剌西爾共和國の南部に位する一州であつて、面積は我國の本州四國及び九州を併合するに足れども人口は僅かに三百七十五萬を出でないのであります。氣候は四季を通じて極めて溫良、土地又肥沃にして殆んど有ゆる農作物に富み、而かも同州全面積中農作物に適せざる土地は百分の二に過ぎぬと云ふ事であります。額に汗を厭はざる農民は此地に無限の希望を養ひ得るのであります。商も工も農業の進歩に促されて榮え、千九百十八年度のサンパウロ州工業生產額が五億六千萬ミルに達し

翌年度の同州貿易額輸入三億八千萬ミル輸出十億八千七百万ミルの盛況を見たるも全く同州農業の發達に起因する處と存じます。善良なる農民招致は伯國が世界に叫ぶ一枚看板であり同時に、サンパウロ州の州是であつて過去三十年間に同州は、伊太利人の七十万を筆頭に西班牙人三十萬、葡萄牙人二十五萬、其他を合し總計百四十萬の外來移植民を誘致したのであります。而して日本人は四萬人約一萬家族と概算されて居ります。其數に於ては南歐人に比すべくもないが其奮鬪力と實成績は彼等に譲るとも決して劣らぬ狀態にあります。同胞の九割五分迄は悉く農業に從事し廿五町歩以上の土地を有せる獨立自營者其半ばを占め他は主として珈琲耕地に就働して居りますが、日本人農民一家族の耕作面積は平均年八町歩内外と存じます。

試に一昨年度に於ける同州全農民の耕作面積及び種別を擧ぐれば

珈琲	一、二〇二、五八二町歩
甘蔗	八二、九八五
棉花	一五二、八七七
米	一七四、五二五
玉蜀黍	九四二、一三〇
葡萄	四、八四五
煙草	三三、一一七
馬鈴薯	七三、六〇〇
其他	一二二、八三五
合計	二、七八九、五二六

でありますから其百分の三弱は實に我が日本人の手に依つて耕された譯であります。現代の日本にも未だブラジルと浦鹽とを誤茶味噌にし南米と南洋を同一ヶ所と心得て居る方々のある世に、早くも印度洋を越え更に太西洋を横切り斷る發展を遂げつゝあるは聊か意を强ふするに足る次第と存じます。而して前表に見らるゝが如く同州の主要產物は實に珈琲であつて其產額は伯國全部の七割五分を占め世界總產高の五割に相當すると云ふ事であります。珈琲樹數約八億万本を算し就勞農民五十萬に達するのでありますが、年々約其一割内外の家族は耕地にて貯へたる資本を以て珈琲園を出で、既成植民地に入り或は新たに植民地を開き獨立自營の農民となるのであります。之は中農を以て健全なる發達を遂げんとするサンパウロ州の最も喜びとする所であつて、耕地勞力の補足はこれ迄主に南歐に求めて居たのであります。然るに世界動亂の勃發と共に移植民の入國は一大頓挫を來たし、戰後の今日も尚ほ意の如くならず爲めに、八億本の幾割かが現在雜草に埋もれんとする苦境に立ち至つて居る

のであります。本年三月よりサンパウロ州政府が珈琲園行き渡航者一人に付き英貨十五磅を我日本人に補助し、殆んど無制限に來住を歡迎しつゝあつたのも一面無理からぬ次第と存じます誠に以つて我が農民世界的雄飛の絶好期であると云はねばなりません。人種の平等と市民權獲得の自由とは伯國の憲法に於て保證され、參政權を除くの外何れの國民たるを問はず伯國人同等の權利義務を確認されて居ります。數は勢であります。今の中に民族百年の計を此地に劃し、其貫徹に完然なる組織と英斷を以てするならば、最早成功は寸分の疑ひなき處と確信致されます。帝國領土内の開拓は他日に譲るとも決して遲くないのであります。豐葦原の瑞穗　國には土地を持たぬ農民が多く增加せんとしつゝあります　彼等の將來や果して如何、目覺めて所謂危險思想に走らんか。眠りを續けて祖先の墳墓に自滅せんか否とよ、海の彼方にこそ彼等を富まし國を利するの天地があるのであります。知らざる民に罪はあらず、知つて之に導かざる識者、知つて之を行はざる爲政者に罪があるのであります。

盡し海外の事、機を逸して再び捕ふるは難し。信濃植民地百萬町歩計劃の精神も又こゝにあるのでありまして、誠に民族奉仕の先驅たるに生命があるのであります。

該案内容の概畧

一、土地百萬町歩　＝信州耕作面積の五倍半＝

（イ）先づ第一着に適當な信州の方々から伯國の實地視察調査をして戴く事。

（ロ）然る後信州の資本家諸氏から適當な土地百萬町歩内外を買つて戴く事。

以上は機を見て成るべく速かに實行を必要と致します。何となれば戰後歐米の資本家は漸次土地の方面に眼を注ぐ樣になりましたから、ウカ〳〵して居ると將來有望な地帶にまとまつた大きな土地を得る事が困難になるからであります。まとまつた土地でないと經濟上からも又勢力扶殖の點からも不便であります。條件次第に依つては州有地も多少貰ふ事が出來ると考へますから百万町歩購入資金約三百万圓と見積ります

一、移植民五萬家族　（人員約二十萬人）

（イ）縣民の移住は着手期より二十ヶ年計劃とし伯國事情の徹底的紹介渡航移植民の後援等凡て社會奉仕的の事業は信濃海外協會其他の機關に依賴すること。

（ロ）移植民は農民家族を以て原則とすれど、必要と認むる程度に他の職人家族獨身者をも入植せしむ。

（ハ）渡航費補助或は其他の便宜に關しては日本政府及植民地所在の州政府に交渉のこと。

資金少なく直接植民地に入りては獨立不可能の者は一旦サンパウロ州の珈琲園に働くこと。

一、移植民地の管理及施設

（イ）管理事務所は植民地に置き、其管理は土地を買つて戴いた資本家團より一名、信濃海外協會より一名、植民者より一名の三名をこれに當てること。

（ロ）植民に賣渡すべき土地は時價を以つてすること。

（ハ）交通（道路）、學校、醫局、農事試驗場は大体植民の負擔とするも出來得る限り州政府の援助を乞ふこと。

一、諸工場其他

製材、精米、製棉、製糖、製粉、肉類加工、瓦及煉瓦製造、金融機關其他は適宜信州資本家の力に依賴すること

以上は信濃植民地百万町歩計劃の筋書でありますが、今直ちに此大事業に着手するには二つの困難があります。ソレは信州資本家が伯國の事情を實理に調査してないと云ふ事と、縣民が海外發展に對して常に不安と疑問を抱いて居る事であります。故に是非共信州の資本家團及其他の識者に充分なる視察をして戴き、其上一大計劃の第一歩を進めて戴きたいのであります。第二に縣民の海外發展に對する不安と疑念を拂ふには有ゆる機會機關を利用すべきは勿論でありますが同時に小規模の植民地を建設して組織的經營に依る實際の成績を示して見せる事が必要と考へます。ソレが即ち三年計劃の五千町歩植民であつて、百萬町歩植民の準備に外ならぬのであります。

一、購入土地五千町歩

（イ）サンパウロ州内に適當なる土地五千町歩を信州の有志から買つていたゞくこと。價格約三萬圓見當。

（ロ）五千町歩を二百に分ち一地區を二十五町歩とし植民に時價を以て賣却すること。

（ロ） 五千町步の內三千町步（百二十地區）は新たに日本より渡航せる植民家族に分讓すること
（ニ） 他の一千町步（四十區）は數年サンパウロ州にあつて伯國農業に經驗ある信州人其他に賣却のこと。
（ホ） 殘りの一千町步は日本力行會に引き受けて貰ふ事

一、植民者

（イ） 本縣から百二十家族の渡航を要求するのですが一時に全部を望むは困難につき、二年計劃こし六十家族を初年度に渡伯せしむること。
（ロ） 蓋し此植民地建設の目的は伯國の有望を實證し縣下に示すにありますから、植民家族は成るべく長野縣全般に亘つて廣く（二ヶ村から一家族位）募るを必要とす
（ハ） 渡航費のみにて渡航する者は珈琲園に於て資金貯蓄の爲め相當の年月を要し、從つて植民地に入るのも遲れ勝ちなれば、二三男の分家すべき家族で資金（一家族の旅費等一切）千圓乃至千五百圓位を調達し得る農民こす
（ニ） 渡航費の補助關係及び伯國農業の概略を經驗する必要上前期家族はまづサンパウロ州珈琲園に一ヶ年間働き然る後植民地に入る者こす。
（ホ） 伯國內に求むる四十家族は十分農業に經驗を有し且つ後進者を導くに足る善良分子を選び初年度に全部入耕せしむること。
（ヘ） 日本力行會から引受けて載く土地へは農業上の新知識に富む若干名を在北米の會員に求め土地購入こ共に漸次渡伯して貰ふここ。

一、施設其他

（イ） 二年度の終り若しくは三年度に入りて該五千町步の信濃植民地は全部植民者入耕の狀能となる。道路、學校衞生は其費用を植民各自が負擔すべきも、或る丈け州政府より援助の道を開くここ。
（ロ） 生產機關例へば製米、製粉、製棉其他は信州の中小資本家にして載けば自他共に利益あるが假にさなくとも彼地に於て充分これ等の都合つくべし。
（ハ） 該植民地の農產物製產能率は少なくとも年に米二萬俵實棉十二万貫甘蔗一万四千噸玉蜀黍一萬俵豚一千頭內外を下らざるべく此外に尙若干の雜收入を豫想さる。

信州たより

●長野縣の耕地整理問題　本縣で漸く耕地整理の必要を認め其筋の勸誘と當事者の自覺との結果各所に其計劃があるが、本年は未だ曾て豫想だにもしなかつた小作爭議や强度の干魃やでそつちのけの形になつて居る、併し農事改良といふ事が肥料とか品質こか、餘り効績の擧り難い方面にばかり齷齪せず耕地整理とか機械力使用とかいふ樣な組織經營の方面に移つた事は一段の進步であらふ更に深く人口問題食糧問題乃至移植民問題を取扱ふ時代の有る事に注意せねば大勢に順應する事が出來ぬ。

◉輕井澤の變遷　世界的避暑地として我も人も許して居る輕井澤が漸次其實を失ひつゝ在るのは惜しむべき事であるが、其原因は何處にあるか、內地人の成金連や物數奇連が無闇矢鱈に入り込んで俗惡化しつゝあるも一つであうふが、主なるは物價の馬鹿高いに依るらしい、只でさえ日本は世界一の物價の高いこ言はれて居るのに輕井澤は更に一層甚だしい爲に簡素を貴ぶ外國人は漸く之に飽き始めて來た、元來輕井澤の開祖と云ふのは外國の宣敎師達であつたそうだが、それ等は今日大部分輕井澤を避けて他に適意の場所を見付けて行つて終ふ、現に野尻湖畔などにはメッキリ外國人の別莊が殖えて來た、本年新たに出來たのばかりでも四五十戶來年は優に百を越えるだらふといふ勢である、永遠の計に乏しき我國民の鑑戒となすべきことである

◉上水製絲組合の好況　上水社こいふのは產業組合法に依りて經營せる長野市附近の唯一の製絲場である、由來長野市附近の養蠶家は繭の販賣に非常なる不利益を蒙りつゝあつたこいふのは、附近に製絲場が無く他所から繭買の來るのを待つて居るので、他の信州各地とは其点が主客轉倒、從つて買手は力味方題であるさすれば此地方の養蠶家は常に殘念がつては居つたものゝ如何とも術なく切歯扼腕するのみであつた、遲れ馳せながら今年やうやく前記の製絲組合が成立して、差當り百釜此夏挽から繰業を始めた、此地方の春繭の出盛りには只さえ安くされるのに今年は丁度其四五日間橫濱糸況の下押しゝた影響を受けて二圓方も下落した際で、養蠶家に取りては一層慘憺たるものであつた、が組合製絲加入者は供繭に對して略普通賣價に等しき內拂金を受取つたので今後繰絲に依つて得べき配當豫想額一貫目に付二圓乃至三圓はそれだけ高く賣れた事になるので、組合員の喜びは一通りでない、組合の幹部も非常な意氣込で釜數增

加の計畫をして居るそうだ、二倍にしても三倍にしても愈儲かる事は確實だらふ。

●長野市外町村併合成立　長野市としては唯一窮通の途こもいふべき隣接町村併合が成立する樣になつた、隨分久しい間長野市民の希望であり、懸案であり、幾度もやりかけては失敗して來たが機運の到來こ岡田知事の透徹せる處置とに依り存外速に解決が出來た、問題の古牧村や大豆島村迄が自發的に併合運動をやる樣になつたのは所謂時は凡てを解決するといふ處へ當はまるものだらふ、併しながら外形だけの併合は寧ろ徒に繫累を加ふるに止まる內容に於ても其實あらしむるは今後相方の努力を要する處である、吾々長野市民は從前の如き姑息、退嬰を事とせず、積極的、進取的に各方面の施設經營にいそしまねばならぬ、併合條件の主要なる一として電車の施設といふ事があるが、是れは少し考へものだと思ふ、停車場と大門町こをつなぐ一線は別として他には當分必要の無いものである、利害を顧ぬといふならばそれ迄であるが、收支相償はしめんこするならば十年後を待たねばなりますまい。

●社會主義團の暴行實地撿證　諏訪郡岡谷地方に社會主義と自稱し、富豪、大製絲家等を脅迫し、狼籍を動く一團あり、先日來片倉製絲王の本宅を始め山一林組、丸通運送店等に於て脅迫暴行をなし、立派な主義の爲に可惜味噌をつけつゝありしが餘り度々の亂暴に地方人は其筋の取締を望む事切なるより、木寺撿事は去月中旬同地に出張一々暴行の實地撿證を行つた。

●東洋事情活動寫眞　平和博覽會開期中同構內に於て晝夜開演し最多數の入を取つたこいふ東洋協會の活動寫眞班が信州へ來て八月四日から同十日迄七晩小諸、大屋、篠井、長野、吉田、松本、豊科の七ヶ所で開演した、我信濃海外協會の各支部の應援で何れも滿員の盛況を呈した、南洋や歐米のフィルムの無いのが遺憾であつたが、映寫も說明も巧妙で海外發展の宣傳には甚だ有効であるこ思はれた。

◉木曾谷の景氣　木曾谷の春蠶は一般に近來にない好成績で概算七万貫の收繭があり、價格も丁度高い頂上で、平均一貫目十一圓餘に賣れた樣だから、ザット八十萬圓、それに先月中開催された福島の馬市には約一千頭二十万圓の賣り上げが有つたから合計百萬圓、一戶平均丁度百圓に當り、銀行預金がメッキリ增加したこの事である。

●南アルプス登山熱　何事にも新しきを好む人情は登山に迄も現はれて、今年は南アルプスと呼び始めた、諏訪伊那こ甲州との境界に蟠居せる東駒ヶ岳から赤石山へかけて一帶へ登攀するものが非常に多くなつた現に先年日本アルプスの峻峰を遍ねく

御登破になつた朝香宮殿下にも、七月十九日から八日の御程日程で御登りになつた、連日頂上や谷底の未だ石室の設備も整はぬ場所に夜を御過しになつて、完全に御目的を達せられたなど恐れ多い事であるが此山を天下に御紹介になつたこ申すべきである、此外諏訪の靑年團や伊那の敎育會やの大規模な登山が續々行はれた、信州は飽く迄山が名物であるが吾々の如き山よりも海、海よりも海の外を常に考へて居る立場から見れば聊か物足らぬ氣もするが、幸小學校兒童の海岸生活の試が增加して來たのは稍意を强くするに足る、登山の事を云へば其繁昌に連れて種々の事故も頻々と起つて來た行衞不明だの岐路に迷つて難儀したのといふ事が每日の樣に傳へられる、遂先頃も仙臺高等學校の生徒が槍ヶ岳の絕頂から墜落慘死したなども其一つである。

◉製絲工女の洋服　我海外協會諏訪支部の副支部長丸茂文六氏は曩に其經營に係る、上州新町の製絲工場に實科女學校を開設して世の視聽を集めたが、今回又甲府其他各所の分工場共併せて千五百名の工女に輕快なる洋服を着せる事とし、七月十八日から一齊に着初めをさせた、ガス辨慶縞の地質へ便利と美觀とを兼ね具へたる仕立を施したので見るからに氣持がよさそうで工女連は大滿足で暑さも忘れて繰糸にいそしんで居る、工女の服裝につきては一部製糸家が以前より考慮して居たが、今回丸茂氏の試みは大に參考材料となるものである。

●郡長の更迭　上高井郡長岡本敬造氏が千葉縣理事官に榮轉したのに始まり北安と北佐久こに移動があつた。上高井へは北安の大久保氏が轉じ北安へは上田警察署長の諏訪好平氏が榮轉した、又北佐久の鈴木氏は縣廳に入り國勢院に轉じた稻垣氏の後を繼いで農商課長となり其後へは內務省警保局から田口泰藏氏が來た、同時に警察署長こ縣の警察部とに若干の移動が行はれた。

●長理縣は晩婚で而も死產が多い　本縣社會課で最近調査した所によると本縣では人口千に對する出產三二、五一中死產三、一五で全國の平均死產全二、一五に比して正に一だけ多く全國の九番目である、又出產總數百中死產が八、八と云ふ多數で全國の平均七、四に比べると實に憂ふべき狀態であります。一面本縣內の醫師及產婆について調べて見ると、醫師の方は人口一萬に對し二、九五人で、全國の平均八、〇八人よりばズット少なく、產婆に至りては人口一萬に對し二、九五人で全國平均の六、二六に比すれば其半分にも達しないといふ狀態である、之れ等も死產の多い一原因と目する事が出來やう、併し茲に面白い現象は由來死產の多い原因の一つが早婚であるとされて居る

のに、本縣は非常に晩婚で有ると云ふ事である、數字に表はれたる處によると全國で指折の晩婚國であるそれにも拘らず死産の多いと云ふには其間に何等かの理由が無くてはならぬ、此點大いに注目すべきである、猶本縣に於ける離婚の數は甚だ少なくこれは喜ばしき現象である。

◉長野縣内十町歩以上の地主調査　本縣農會では秋季に於て縣下の地主會を開き、小作保護の件に就き研究する處あらんが爲めに十町歩以上の地主を調査中であるそうだが、既に報告して來た各郡市の調査は左の通りである。

郡市名	農業者	農業者以外	合計
下水内	一一人	一五人	二六人
西筑摩	七三	一五	八八
下伊那	五三	一三	六六
上高井	一五	二	二一
上田	一	一	二
埴科	四	二	六
更級	二三	一三	三六
小縣	二一	一二	三三
南安曇	五二	九	六一
松本	〇	四	四
北安曇	二〇	一〇	三〇
諏訪	三	五	八
上伊那	五六	一二	六八
北依久	三九	三七	七六
南佐久	二六	一五	四一

又同じく縣農會に於て自作農を甲乙丙の三階級に分けて其各に對する公課額を調査せる處に依れば甲の階級収入千八十八圓のもの百五十六圓乙の階級収入千十三圓のもの百三十圓丙の階級収入九百七十三圓のもの百二十一圓三者を合計したる収入三千七十四圓の諸掛は四百七圓即ち千圓の収入に對して百三十圓一割三分と云ふ事になる、從前此種の調査は往々肯綮に當らぬものゝみで有つたが今回のものは實地に就て綿密なる調査を遂げた結果であるから先以て標準とするに足るものだそうだ。

◉本縣郡市長會議　内閣の更迭地方長官會議の再會等で自然延期となりたる本縣郡市長會議は先月十七日十八日の二日間開會された其際社會課より提出した指示事項は左の三項であつた

一、社會事業の奬勵に關する件　社會事業は時代の要求にして今後益々其重要を加ふべく縣に於ても之が爲に特に事務課を設け事務職員を置き以つて社會的施設の指導奬勵に努めつゝあり近く講習會を開催し斯業に關する一般の觀念を深刻ならしむる

と共に地方に於ける當事者を相會して事業遂行に關する諸般の協議を遂け相互の連絡發達を圖り進んでは各地方に社會事業に關する委員を設置し適切なる事業の振興を期せんとす各位に於ても宜しく日新の時勢に應じ既設事業の健全なる發達を圖ると共に地方の事情に鑑み適切なる施設を奬勵し以つて社會政策の遂行上遺憾なきを期せらるべし。

一、部落改善に關する件　部落改善に關しては從來各位の配慮を煩はしたる處にして漸次其の歩を進めつゝありと雖も從來の弊風に顧みて尚未だ差別の偏見を脱せざるもの有るは遺憾に堪えざる處なりとす而して之れが施設經營に關しては國庫は縣の支出額と略同額の奬勵金を交附せらるべきを以つて縣は各郡市施設の狀況に應じ右奬勵金と併ぜて相當の額を支出すべき計畫なるを以つて各位能く地方の實情に鑑み改善上適切なる方途を講じ其促進を圖り之れが完成を期せられん事を望む。

一、海外發展に關する件　海外發展は帝國の國是にして又現時宣傳せらるゝ人口問題生活問題を緩和すべき最も有力なる積極的方法なりとす本縣の地勢産業人口增加の趨勢並に縣民の素質に鑑み海外發展を策するは緊急の要務なるを信ず曩に縣内有志の主唱に依り信濃海外協會の設立を見爾來各位の配慮を煩はし東京及各郡市に渉り支部設立せらるゝに至り其基礎漸く鞏固ならんとす而して同會の事業として講習會機關雜誌の發行海外在留者の調査其他海外事情の宣傳に依り海外思想を喚起すると共に一面移住者の指導誘掖に努め着々歩武を進めつゝあり各位は一段の努力を以て海外思想を皷舞し該協會と聯絡を保ち其事業の大成を期せられんことを望む。

又同じく社會課より諮問事項として提出し各參列員が熱心なる態度を以つて意見の交換をなし今回の會合中最緊張せる場面を現はしたるは左の一事項なりとす。

一、生活改善に關する件　本邦物價の高率は世界稀に見る所にして之が調節は當局の鋭意畫策しつゝある所なりと雖も其の原因の一は戰時の好況に慣れたる國民の驕奢の風の今尚存するに在るを以て物價調節の爲め講ぜらるゝ諸施設と相俟つて上下相戒め這個の弊風を矯止し冗費を節約し生活を合理的ならしむるは刻下の急務なりと信ず此美風を作興すべき具体的方法につき各位の意見を開陳せられたし。

雜報

◉下水内支部總會

八月廿日の午前十時から飯山町で信濃海外協會下水内支部の總會が開かれた。藤井支部長は前月から長野に出張して種々盡力した。當日は小川顧問、岡田總裁三樹藤森兩幹事の出席があり、既に入會を申込むだ會員は豫定數に達して居り其他に新しく入會を申込む者もあり、各町村長學校長青年團長等郡會議員縣會議員其他名譽職等の參集する者多く、無事組織を終り小川岡田兩氏の熱心にして有益なる講演もあり一同滿足して散會した。

◉支部主任會議

信濃海外協會支部は上田市長野市下伊那の三つを殘して全縣下及び東京迄組織され、既に豫定の會員募集を終りたる所もあり、余り熱のあがらぬ所もあるが、兎に角今度の市郡長會議にも知事の指示事項として注意された事は別項記載の通りであるが、此際各支部で實地に仕事をする者の打合せ會をするがよかろうとの事で、九月上旬中に縣廳内に信濃海外協會支部主任會議を開催すると云ふ事である。

▲小平權一君歸朝　農商務事務官たる仝氏はゼネバの勞働會議に政府代表の一員として出張し更に歐州各國で小作問題を調査中であつたが、八月十五日に無事歸朝した。

▲北澤種一君歐米留學　東京女子高等師範學校教授北澤種一君は今回文部省より教育學研究の爲め英獨米の諸國へ二ヶ年間留學を命ぜられ、十月十日横濱出帆の諏訪丸で出發する事になつた。

▲永田力行會長信州出張　八月十六日諏訪郡湖南村仝十七日米澤村の青年會に海外發展の講演をした仝氏は九月中旬より縣下男子の中等學校を一巡して海外發展の講演をするとの事である。

海の外

冊數	定價
一部	廿錢
半ヶ年	一圓十錢
一ヶ年	二圓廿錢

郵税外國四錢要す

注意
▼御注文は凡て前金に申受く
▼廣告料は御照會次第詳細御通知致します
▼御拂込は振替によるゝを最も便利とす

大正十一年九月一日發行
編輯人　永田稠
東京市小石川區林町七拾番地
發行兼印刷人　藤森克
印刷所　力行會印刷部
發行所　長野縣廳内 海の外社
振替口座　長野 一二四〇番

海の外

大正十一年九月一日發行（每月一回一日發行）
大正十一年三月二十六日第三種郵便物認可

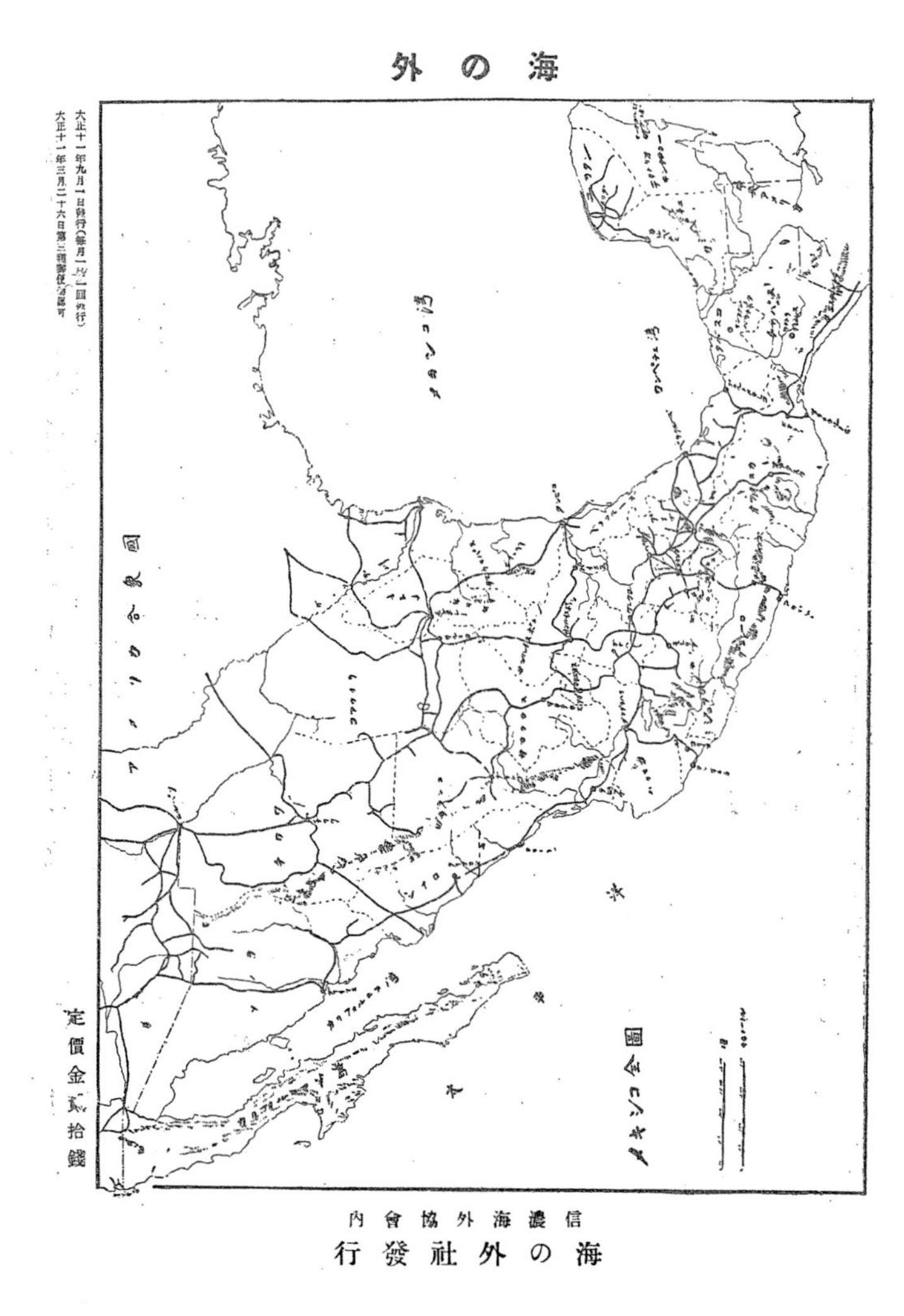

定價金貳拾錢

信濃海外協會内
海の外社發行

ブラジル國ピリグイ植民地コーヒー園

ブラジル國首府リオデジャネイロの夜景

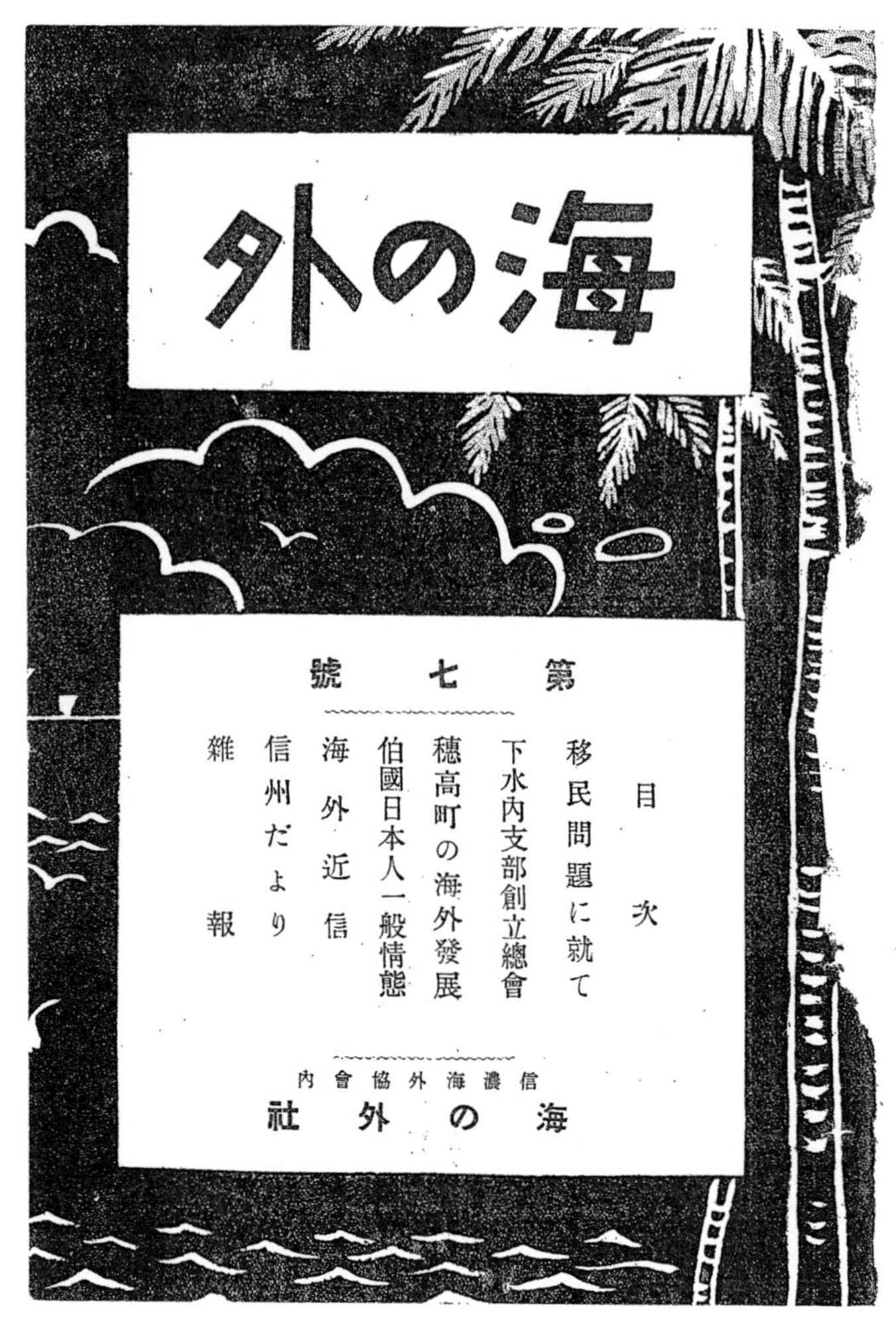

海の外
第七號
目次
移民問題に就て
下水内支部創立總會
穗高町の海外發展
伯國日本人一般情態
海外近信
信州だより
雜報
信濃海外協會内
海の外社

移民問題に就いて

木崎夏季大學に於て　千葉豊治氏講演

華府會議の結果と國民の生存問題

最近——殊にワシントン會議の終つてから——米國から歸つて來た人々の話によるも、日本代表の報告によるも、又民間の渡米者、米人の來朝者でも、皆口を揃えてワシントン會議の前まで非常に險惡であつた日米關係はあれを機として、大へん良好になつたと云つてゐる。之等の人々の見解は各異るであらうが、其根本を分解するに、以前は米國は日本の行動について眞の了解の機會がなかつた。例へばシベリアの問題にしても、參謀本部と外務省との二重外交が累をなして、參諸本部がぐん〳〵出兵するので外務省のいふことなど當にならないといふ樣なこと、又支那の問題にしてもあの世界無二の好市場に、日本がその門口に控えて、帝國主義的政策を行つて諸外國の支那に於ける活動を妨げて居るといふ樣な誤解が多かつた。それが米國人にしても支那に利害關係を持つたもの及支那の北京、天津、上海等の都會に生れて內地の本當の事情は知らずに米國に留學してゐたものなどによつて、日本は支那のレパブリックを妨げつゝありといふ樣な宣傳となつて、日本は支那に於て特別の野心を持つてゐると解釋されて居たものであつた。米國側では山東問題にせよ、例の二十一ヶ條問題にせよ、もし日本が承知しないやうなことがあつたなら、高壓的にでも此際解決せねばならぬといひ、日本側では今後の會議は英米が相談して列國會議の席で日本をいぢめるのだといふ樣にいつてゐたのに、愈々會議が開けて見ると案外にも米國に對して無條件同樣に日本が承認したといふことによつて、在來の誤解を一掃して大へんい〻結果を得たといふのである。これが日米問題の根本的解決としてどれだけ成功して居るかといふことは別にして、少なくとも會議前とて甚だしく緊張的であつた兩國關係を平穩にしたといふことはいへると思ふが、然し私の見る所によると極東の問題によつて米國の誤解を取り去つたと云ふことは、日米問題の根本的解決としては關係の極めて薄いものだと思ふ。

成程ワシントン會議に於ける日本全權の對度は米國側から見れば豫想外であつた。今迄支那人にきいた侵略主義、新聞雜誌に見た軍國主義の日本を代表した全權の態度は實に豫想外であつた。然しこれは當然のことであつて日本の外務省は昔から自主的外交といふのをやつたことがなく、其場になつて先方の出樣一つにこちらの態度を決めて來た。で今度の會議にだつて、當局の間に特にこれといふ確定意見は持合はせてなかつた。加藤全權は歸朝後軍艦比率問題について、六割も可、七割も可といつてゐたといふが、これ即ちとりもなほさずそのかけひき主義的外交であつて極東問題の根本解決については無策無方針であつたことを自ら告白したものである。それで會議に臨んでは衆寡敵せずといふ形勢を見てとつて、米國の提案には一應贊成して通し。加藤全權は最初の軍艦比率問題に於て、『大体に於て米國提案に贊成である。唯二三の細末の點に於て修正案を提

出することがあらふ。』といつて、先づ第一に贊意を表してゐる。山東問題にしても、民政署までも作つて、あの豐富な炭山礦山を控へた山東鐵道のことゆゑ、經濟的に鋭い米國人の眼光では、どうせ一筋縄では日本の手から奪ふことは出來まいと思つてゐたのに對して、英米側から、小弱國の面目を立てることが世界平和の爲めに必要であるといふ前提から、其還付を提案せらるゝや、これにも亦大体の贊意を表して出た。獨乙から取つたものながら一時の占領地故還付するが當然であるといふことになつて來た。米國人はこの海軍問題、山東問題に對する日本の豫想外の態度を見て、今迄の支那人側の宣傳はだいぶ誇張されたものであつたといふ感じをもつ樣になつて來た。從來極力日支の間を中傷しやうとした駐米公使ドクトル、ライン氏が其立場を失つたといふような外交上の副產物まで出來た。

日本全權は平和的であると歡迎されたことは我々にとつて喜ぶべきことであるに相違ないが、然し是れは偶然的結果である。此偶然に對して當局は日米問題の解決成れりとて手前みその吹聽至らざるなしであるが、これは國民全体の生存問題に對してたいした關係はもつて居ない。眞に日米の間に橫たはる大問題はかゝる形式外交とはなれた內部的方面に存在して居ると思ふ。

人種的差別を撤癈せよ

私共アメリカに住んだことのあるものから見れば、アメリカ人程親しみ易いものはない。どこまでも開放的である。日本人同志本當の兄弟であつても到底これほど迄にはと思はる〻親しい交際をして與れる。この親切な米人に向つて自分の息子のために、あなたのお孃さんをお嫁に欲しいと云ひ出したとすると、十中の八九迄はきまつて『否』と答へる。それは日本人側にも免れないことだと思ふが、この人種的僻見に根をもつた日本恐怖の念といふものが實に甚だしいものである。それは限りなき日本人の人口增加率に對してゞある。理想の世界建設を企てゝゐる米國があの豐饒な土地に豐富な資本を持ちながらさつぱり働く所の人手を持つてゐない。そこへ有色人種の手が加はつていくといふことは、米國の產業上實に重大關係をもつことで

ある。然るにこの有色人の子孫はだん／＼米國の土地に非常の勢で繁殖しつゝある。彼等米人は國家、子孫百年の大計の爲めに、どうしても此一時の產業上の不便位は忍んでも、有色人種の繁殖を防がねばならないと考へる樣になつてゐる。

この問題は到底ワシントン會議の樣な形によつては解決する事の出來るものではない。加ふるに生存生活の問題が加はつて來ると、たとひ軍器がなくとも捨身になつて戰はねばならなくなる。

この人種的僻見の取り去られぬ間又民族移住の自由を協定せぬ間、如何に軍備を制限するも到底戰爭の禍根をとり去つて永久の平和を望むことは出來るものでない。

巴里の平和會議には、人種差別徹癈案を提出して置きながら、ワシントン會議には議題にすら、しなかつたといふ事は、どうしても形式外交の成功だけに止まるものであつて、我々の考へる根本的解決とは、はるかに遠いものといはねばならぬ。

我々は今日國內に於てすら、その共產主義思想を滿たすことは出來ないのに、米國に對しては、土地の自由開放を要求しても、通るか、どうかといふことについては疑問ではあるが、然し將來どうしても働くには必ず職業が與へられねばならぬ。職業を求むる人の爲めにはどうしても、人口の稀薄な土地への移住はこれを認めていくといふ時代は、どうしても到來せねばならぬと思ふ。

土地狹小にして人口多く生產少なき我國の前途

御承知の通り日本は細長い國土の中央に脊梁山脈が走つてゐて耕地といふものが極て少ない。それに農業は極端に收約をやつて來たといふもの〻、土地の生產力は、何ヶ年來同一の米作をなして來て肥料を澤山せずには收穫なき有樣にまでなつて來て土地の生產力は極端に衰へてゐる。最近農商務省の開墾助成法實施以來五ヶ年渉りて、一千人の人員と、多額の經費を費して奬勵したのに對して、開墾の請願が、四萬五千町步からある。しかもその大部分は、府縣代議士の所謂御土產案で、實際着

手されたものは二萬五千町步に過ぎない。茨城縣の如きは、助成請願の最も多い地方であるに係はらず、林地の方が增加して耕地は自然に減少してくるといふ事實がある。地主が田地にするより、山林にする方が經濟的にい〻と考へてゐるからである

一方人口問題食糧問題から、世界人口調密の狀態を見るに、一方里の現住人口は

日本	二二三九	獨乙	二二一六	英吉利	一九〇八
佛蘭西	一一六一	米國	一七六		

であつて、米國の密度は日本の十四分の一にしか達してゐない。而かも此全面積中に日本には耕地か至つて少ない。即ち

國名	全面積	耕地
獨乙	五四〇〇百町步	二二五〇萬町步
佛蘭西	五二〇〇──	二一三〇──
米國	七七〇〇〇──	一一八〇──
日本	三八五〇──	六〇〇──

何れも日本に較べて廣大な耕地をもつてゐる。其の外シベリヤは十六億町步の中に人口一方里十二人、カナダは九億三千三百万町步の中に人口は一方里十四人、か〻る澤山の餘裕をもつた土地が、どれもこれも皆鎖國的政策をとつてゐる、其の土地の開發に最も必要な勞働者の入國をこばんでゐる、而かもそれが日本人であるが故に入國させぬといふにあるに至つては最も思をいたさねばならぬ事と思ふ。吾々は自分の領土內に自分の生存出來る土地の餘裕をもつならば、何處にどうして他人の土地が如何に廣大なものが橫たはつてゐやうとも、それに對して何物をも要求するものではない、然るに今後五十年間の短かい間について考へても果して自給自足が出來るかといふに前途は極めて暗膽たるものである。最近五十年日本人口の增

加率は千人に對し一三、五人これを通算すると、年六十万人の増加をして來てゐる。現在でさへ不足して來てゐる土地に、此の人口をうけ入れたならば、今後の狀態は、おして知るべしではないか。今日でさへ米の不足は三百万石から五百萬石、麥はアメリカから一千萬與、其他滿州から多量の雜穀まで輸入してゐる。衣住の原料はどうかといふに、これは殆んど絶望た少量の生絲を生産するといふ外、綿と羊毛は全然生產してゐない、一方住居の原料はどうかと謂ふに、今日の日本の材木は、アメリカの二倍價格を出して、同じ材木が得られないではないか。かく生產が少ない許か、今日では生產費が過大になつて、容易な事では手に這入つて來ない、然らば今後到底生活の壓迫は、益々はげしくなるものと見ねばならない。此のやうに日常衣食住の原料に甚だしい脅威を受けて居る、これが對策としては、安價な物資を輸入する方策を講ずるか、さもなければ人間を海外に流出するかの方法に待たねばならぬ。

產兒制限論の失敗

所が人口調節のための海外移民は侵畧主義だといふ非難があつて、最近内地に人口調節の消極的方法として、產兒制限論が唱へられてゐるが、其効果は疑はしい。此の方法は外國には、既に二十年來行はれて居ることであつて、殆んど公然の秘密であると謂はれてゐるものであるが、それで世界のどこにも人口の絶對的減少、繁殖率の減少してゐる國がない。(佛國は例外として)オランダは此方面に最も進步した所だと云はれてゐても人口增加率は一四、八乃はるかに日本を越へてゐる。何れの國も七、五——一四、五の增加率を示してゐる。これは社會問題や、婦人問題、殊に婦人の健康問題としては、あながちにとがむべき方法ではないかも知れないが、人口問題の解決としては全然失敗してゐる、更に積極的方法即ち拓殖開發の方法によらねばならぬ事を示してゐる、不毛の廣い土地を擁してゐて、多くの物資を得ることの出來る未開の土地をもつてゐて多くの人々が、其の先祖が繩張りをした事だけの理由によつて、他の勤勉な人の爲めに其の土地の開放をこばむといふ事では眞に世界

國は無いとも云へる。もつと世界に於て生活の出來る門戶を開放してもらはねば我々の幸福は、得られない。これで世界の平和をつくれと云ふは無理である。眞に世界平和を念ふならばその民族に生存出來る丈の土地を與へるべきである。之れを主張するのが即ち日本の權利。又義務である。こんどのチタ政府との交涉についても唯鑛山や森林の利權のみに着眼して、土地を扱ふ自由を認められないと云ふことでは、何等食糧問題の解決に影響するとは云はれない。

人類生存上の相反する二ツの欲求

今迄述べた通り世界各國が軍備の制限や領土不可侵の協議をして、世界の平和を保ち得ると信ずるのは、單なる形式外交で國際的親善を解決し得るといふ官僚者流のあやまつた見解である。かやうな立場からして、ワシントン會議の結果、日米間題の眞の親善がむすばれたと云ふことは出來ない、どうしても人類移住の自由や通商貿易上の問題を考へねば眞に根本に橫たはつて居る大問題は解決出來るものでないと思ふ。一体、人類の生存の欲求に根ざして居る根本問題の上から見れば全く相反する二つの欲求が對立して居るのである、この二つの点に着眼してその方面より突進するでない以上到底この根本的解決は絶望と云はねばならない。これは恰も富豪對貧民の爭鬪の樣に不安定な狀態を繼續するばかりである。で、日米の爭の根本事實——日本移民の困難なる關係の二三の事實の上から今其の一端を述べて見たいと思ふ。

私の考へによれば國と國とが戰爭をせずに親善關係を結ぶには、それは廣大なる領土と豐饒なる耕土とを有する國家が世界人類のために同情を以つて公平にその土地を提供すると云ふ大理想、大度量を示すと同時に一方狹小なる領土に自己の生存が脅かされると云ふ國民も自己存在のためには國內に於て最善の努力をしてこれ以上に開發の餘地を見出すことが出來ないと云ふ眞の叫びがあると同時にその國民は所謂鄕に入つては鄕にしたがうと云ふ態度であらねばならぬ。他國民が數千年を費して建設した風俗習慣に對し之れを尊重するだけでなく、寧ろその文化の向上發展に貢獻することの出來るだけの素質を持つてゐることが最も肝要である。

この兩方面の努力が合致したならば將來に於て必ずや理想の平和と云ふことも望み得られると思ふのである。それで今日日米間の移民問題に見まするに米國側から申せば我國の移民によつて何等利澤を得ないばかりでない、土地は荒らされる、風俗は劣惡にされる、到底彼等の忍ぶことの出來ない程の痛手を與へて居るのである。これについては細かい內容にまで立至ることはやめるが時間の許すかぎり述べて見たいと思ふ。

生存欲の强大——排日の事情

元來人類の生存欲の强大なものであるといふことは、おどろくべきものである、その一例として、カリホルニヤ州に於ける狀態を述べて見ると、實におどろくの外はない。カリホルニヤ州には一千九百六年日米間に締結せられた所謂『紳士協約』と云ふのがある。これはその主要な眼目は今後カリホルニヤ州へは勞働者を送らぬといふことにある、これはその原因が數字の示すところによつて余儀なく出來たところのもので米國側から申せば自衛のためとでもいふより外はない。

一千八百九十年の國勢調査によると二千三十九人であつた日本人は、その後十年をへた千九百年の調査によると實に二万四千三百人と云ふおどろくべき多數に上つてゐた。その增加率は實に十二倍である。米國側の不安に驅られるのも無理はない。所謂太平洋岸の排日問題が聲を上げはじめたのはこの頃のことである。そこで前に述べた紳士協約が生れたのである。

ところが一千九百十年の調査によると七萬二千百五十九人と云ふ多數に上つてゐたからアメリカ人が一驚を喫したのは敢て不思議ではなかつたのだ。それと同時に一種の不安にかられたのは想像の外である、殊に婦人の增加に就ては更に恐怖の念をさへ感じたのである、日本人に土地所有權を禁じたのも、土地の小作を禁じたのもこの頃の事である、これは加州からいへば自衛の途に外ならぬので、いくら在米の同胞が其の弄法をならして絶叫しても、何の好果もない両人種の生存慾はますます爭

人類の恒久的平和の理想の炬火をかざして居るものとは謂へまいと思ふ。

貧弱なる日本——土地開放は平和の眞諦

我國はワシントン會議に於て、弱小國の面目を立てゝやつたといつて居るが、所謂弱小國とは如何なる國の事であらふか、支那人は我々日本人の樣に、人口食糧の問題に苦しめらるゝ樣な事は全然ない、極めて天下太平な個人的幸福を受けつゝあるといふべきである。私が最近の旅行で知つた所によつても、支那人は極めて安い勞銀で働いて居る、例へば滿州で三十錢、山東では廿五錢、小供が八錢、女が十錢といふ樣に極めて安いものである、そして一日の生活費といへば、十二錢から十五錢位一日十五錢から十八錢位の貯蓄をして居るといふ。それに對して日本人は一日の勞銀が二圓內外でゐて、生活費は二圓五十錢から二圓八十錢位である。直ぐ目の前に滋養のある安い豚肉が支那人の手から買へるに係らず十倍近い價を出して數等滋養の劣つた鮪のさしみをたしなむといふ流義だ。食物溫度の無効な消費をして居る。かく支那人は少額な費用で有効な衣食住の利用をして居るから彼等の間の働く者にあつては生活の不安といふことは全く無いのである。この點から見ても日本人は到底支那人の足許にもよりつけない。成程北京政府は猫の眼の如くにその主宰者がかはつていく、而も支那人は北京政府に向って何等の全財產の保全の上に期待をもつて居ない。上海には今日十七の民間銀行があつて、中央銀行である中國銀行の紙幣を使はうとするものは民間銀行の保証を要するといふ現狀である。支那人自身は中央集權的統一よりも部分的統一によつてよく自ら治めつゝあるもので北京政府などはあつてもあてにならないボクロ位にしか考へてゐない。讀書階級といふ寄生虫、役人、督軍などの軍人連中が來て村をかきまはすのが困るので、そのよけに租稅だけは出してやる。が、それをとりに村へはいつて來ては困るといつて居るところすらある。

日本は五大國の一である。否今日に於ては三大國の一であるといつて居るが、人民の福利と云ふ点から云へば日本程の小弱

闘の狀態を招致するのみであつた。

これて一九二〇年の國勢調査によると實に十一万二千人と算せられた、然しその實数は十三萬五千人、こんな樣子で、あらゆる方法が効果ないのを知つて、更に日本婦人の入國を禁止したのが、所謂寫眞結婚の禁止である、其の理由とする所は愛を根底となすべき結婚が寫眞によつて行はれるなどは、全く野蠻行爲である。かゝる非文明的な人類は入國を禁止しなくてはならないと云ふのが、彼等の申し分であつた。それは一應尤もにもきこえるが、內地の事情から云ふと何も彼等の申し分に理由は立たない譯であるが、彼等の心底は、恐るべき日本婦人の移入を禁ずるの一方法たるに過ぎないのだ、そうしてあらゆる機會に日本人排斥の宣傳は行はれた、曰く『カリホルニヤ州は荒廢しても百年の將來を恐れるのである』と。私は選擧運動の時加州知事の排日演說をきいたことがある、『土地と女とはすべての繁殖のもと』であるとの標語が恐ろしかつたからだ。あらゆる惡罵を以て、排日の宣傳につとめて居るのであつたが、其の趣旨とする所は、日本人の恐るべき繁殖率にあつた。この樣に排日の問題は益々火の手が擧るばかりで、在米同胞はこれに對して着々反對の活動をして、あらゆる方法で、これに對抗して居る。例へば土地の小作禁止にあつたので其の代りに一定地區の作物栽培を勞働契約の形でやつた、これは一度加州撿事總長の起訴する所となつたが、訴訟の結果は邦人の勝利になつた實例もある、寫眞結婚の禁止も、觀光團の旅行を利用して、州法にふれない方法で其の實を擧げると云ふ樣な次第で、加州に於ける兩國人の爭鬪はあらゆる手段方法をつくしてゐる、そうして依然として日本人の增加する事は、たへる事なく最近カリホルニヤに出生した子供は約五六千人と概算せらる、のである。

けれどもその反面には實に悲慘の事情が伏在して居るのである。それはメキシコ國境から入國するの事實である、由來南米は邦人に對して、門戶を解放してゐるので、過去二十年の間に、十萬人にあまる日本人を移入したのに係はらず、それが今日は四萬五千人位しか居住して居ない、其の大部分は國境を越へて、カリホルニヤに向つて侵入を企てたので彼等は所謂、北米

入國團を組織して數人乃至數十人の同志が、あの砂漠に等しい廣漠の土地を中途に出沒する馬賊樣のもの、危險を冒し、病氣にたへ其の半數位は行衛不明になつて、僅かに二三人が入國することが出來ると云ふのが常である、食糧や飲料水の缺乏と命懸けで戰つて悲慘の最後を遂げるものや、たとへ無事に砂漠を通りこしても、國境護衛官吏に銃殺されるものや、とらへられて牢獄に投ぜられる者など、實に悲慘は到る所に演ぜられてゐる、私は北部カリホルニヤ州である四十名の邦人の勞働者中正式に入國の旅券をもつてゐる者が、僅かに十三名にしか達してゐないのを見たのである、北部でさへ然り南部の樣子は大体判明するではないか。

現在々外の邦人は五十八萬人、其の中十三萬五千が北米、內加州に八万、布哇に十一萬、米領計廿五萬、關東州、滿州、支那大陸に計卅二萬、加州在住同胞のいかに多數であるかといふことは、加州其のものが土地の生產力が豐富で、人口が稀薄である上に、入國後成功の途も極めて容易であるといふ事が云へる、つまり邦人の移住に最も適した土地に外ならない、斯樣な次第で、兩國將來の葛藤のたねは加州に伏在するのであつて、これが解決の爲めに、法律で移民禁止をやるなどは實に無理な事で、如何なる法律を以てしても其の增加率を妨げると云ふことは出來ないのである。一片の形式の外交的辭令などに依つて親善を結ばんとするは所謂木に依つて魚を求むるの類である。

大國民の教養——國家主義教育の弊

私は先年排日問題の最も盛な時に、彼の國に於ける知名の官吏や實業家、教育家、宗教家二百五十名に對して、五ヶ條をかゝげて排日の理由如何を質問した、其の返答が百三名、其の重なものを分類して見ると、第一日本人は不同化であること、第二日本人は不公正なる競走をなすこと、第三は共同の社會組織に這入らぬことの三ヶ條であつた。これを日本人の側から公平に冷かに觀察すること、在外邦人に同化力のたりないと云ふのは事實であつて、其の實例は世界の到る所に見られる、殊に布哇

などで見る所によると、私共でさへ一見眉をひそむる態のものがあつて、其他滿州、シベリヤ到る所この批難を見るのである然らば、その最大原因は何か、これが肝要の問題になつて來る。抑々我國民教育が誤られたる國家主義であると云ふことは、この國民性をして非常に偏狹なものにしては居らないか、世界的に同化性ある大國民として大度量のある品格が備はらなければならない。そして大度量をもつて世界人類相愛する態の國民を養成することに歸着すること、思ふ。然してそれは既に現在海外にある移住民に望むよりも、將來の國民たる兒童敎育の上に注目することが、却つて捷路であると信ずるものである、甚だ粗雜な意見ではあるが、これを要するに、大國民として、充分の教養ある品格を備へしむることが最も重要なる事と考へられる。(畢)

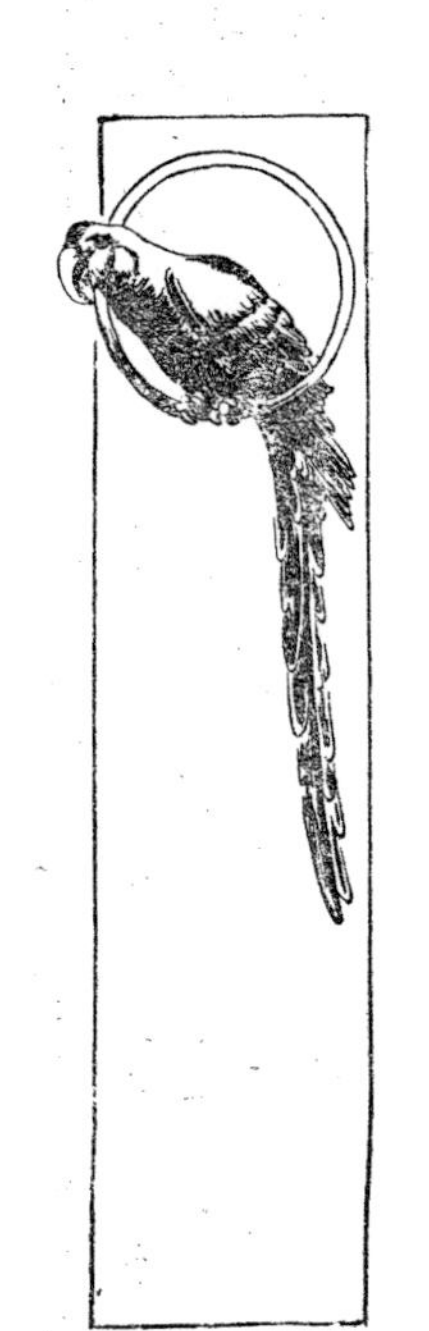

信濃海外協會下水內支部創立總會に臨みて

特別會員　飯山町　西川大六

本日信濃海外協會下水內支部の發會式を擧ぐるを得たるは誠に慶賀すべき事と存じます、殊に本日は小川顧問、岡田總裁、小田切代議士其他諸賢の御臨席を辱うしたるは一段の光榮と存じます。

何事もそうでありますが殊に海外發展の如きは、唯單に猛進する人のみではいけません、之れを後援することが又甚だ大切であります、私は平素政府に於て、今少しこの事を考へて吳れねばならぬと思て居りましたが、色々の事情があつたでせう、其處迄に至らぬのは遺憾で有ります、此場合に我が長野縣に於ては、先般有志諸彥の主唱に依り、海外協會が組織せられたのは誠に機宜に適したるものと存じます、之れで私の數年來の希望が一部達せられ、厚く謝意を表する次第であります。

扨今此處に生まれた海外協會は、如何にすれば完全なる發達を遂け其目的を貫徹することが出來ませうか、戰爭をするには兵糧、彈藥が必要であると同樣に、相當の資金がなければなりません、私は今此處にお集りの諸君に、お願いたすのは御銘々に一つの分家を出すお心持て、此協會の爲めに盡力して戴きたいといふことであります、と申してもそれ程多額の御出資を願ふ譯ではありません、諸君が一夕の快樂を買ふの資を節約して戴けば宜しいのであります、諸君は既に其お心持で會員にもなり、支部設立にも御賛成下さつた譯ですが、更に進んで益々多くの會員が出來る樣御勸誘を願ひたいのであります、そし又單に會員になつたり、會員をこしらへたりといふのみでなく、仕事の性質をよく御了解下さつて、海外に人を送るのは自分の代理者をやるのであるといふ位にお考へを願ひたいのであります海外渡航が往々中途に於て挫折するのは、資力の足らざるに原因するのが多いと思ひます、私は大正六年に、當飯山小學校に奉職せる坂本市之助君夫婦と、其弟及び他の有志者九名仝計十

二名のものが、英領北ボルネオへ渡航したのをよく知つて居ります、のみならず應分の後援をした一人でありますが、同君等の資金が餘り豐富でないのを殘念致しました、其通り彼地渡航後は思ふ樣に行かず、坂本君等三人を除くの外はヒリッピンへ轉航し其處でも目的が達せられず、誠に悲慘の結果を來したのであます、坂本君だけは幸相當の資本を所有せし爲、踏止まりて奮鬪し、今日では兎に角三百英町即ち我百二十町歩程の豊沃なる椰子林の持主となり得たのであります、餘事の樣ではありますが、坂本君に對する後援者の一人に攝州三影の人で山岡千太郎といふ方が有ります、今は京都に閑居して專文筆に親しんで居りますが、其御厚志は私は忘るゝ能はざる處であります。

猶海外に渡航するには資金の外に先方の事情を調査研究する事が大切であると思ひます、それ故我海外協會に於ては、其重なる事業として、確實に綿密に先方の事情調査研究し、渡航者をして出發の第一歩を誤らしめざる樣にして貰いたいものであります、又滿堂の諸君に望む事は、此事を常に縣内のみの事とせず、盛に聲を揚げて共鳴者を求め一面には先輩諸彥の助力を得て、政府を動かし、國家として相當の施設をなさしむる事に御盡力を願ひたいのであります。

穗高町の海外發展に就て

研成義塾長　井口喜源治

長野縣人在外者調に依りて見ると南安曇郡穗高町は總計七十五人と云ふ圖抜けて多い數を示して居る、なぜ穗高だけが左樣に多いか其の事情調べて見度くなつて彼處の研成義塾の井口塾長に照會した處左の稿を寄せられた參考となすべき節が多いので氏の許諾得て其まゝを掲載する（編者）

武陵桃源の如き南安曇東穗高南北約半里東西一里人口三千五

百の地も、汽車が東方川扉の沿岸に烟を吐く頃より、都會の浮華の淫風や生活難の颱風は漸く侵入して來た、多くの青年が、紅燈緑酒に耽溺するを無上の快樂として居るうちに、明治廿四年相馬相藏氏の主唱にて立てられた禁酒會員や、同三十一年創立された研成義塾を中心とする少數の青年は、毎日曜の夜會して聖書の研究に熱中して居た、既に靈眼の開けた彼等は、ソロ〳〵迫害や嘲笑を受けたり他の青年と段々離融するに從ひて、メーフラワー號の壯擧や、ワシントンの事業や、リンカーンの熱誠等を思ふて、自由の天地に憧憬して居たが、荻原碌山氏は繪畫の研究の目的を抱いて、明治三十四年の春渡米して、紐育の美術學校に入り、望月音三郎氏は、既に明治二十七年にシヤトル市の古屋商店に入つて其店員になつて居たから、北米の事情は明かに此團体には知られて居たのである、三十九年の頃東京力行會の派遣員谷龍平氏は來つて、北米渡航を盛に勸誘したから、恰裝塡された大砲に口火を點じた樣なもので彼等は自己の新運命を開拓せん爲めに、又義塾を後援せん爲めに、或は一家の生活難を救はんが爲めに、續々渡米の途に上つたが、其の時の彼等の意氣は實に素晴らしいものであつた、今其の當時を思ふと全く夢のやうである、四十年は最盛時代、四十一年に入つてから縣屬系の旅券賣買事件など有つて旅券下附が保安課に移つてから、渡航者の資格が大變六ケしくなり、海外發展に大頓座を來たすに至つたのは實に遺憾至極のことである、大河を決するが如く溢れ出た青年は、忽ち政府の手で防止してしまつので、若し彼の洪水が六七年間繼續したならば、今頃海外協會設立の必要は無かつたのである。

當時合衆國及び加奈陀に渡航した義塾出身者は、東穗高の外北穗高、西穗高、有明、七貴三田常盤等に亘りて、四五十名に達したが、其後妻を呼寄せる者等有て、目下東穗高一ヶ村だけで海外在留者合衆國男卅名女十八名、加奈陀男一名、ヒリッピン男八名であるが、海外が生れなる子供や滿州や青島等に在留する人々を加算すると、約七八十名に達すると思ふ、其の八割は義塾出身者である。

在外者の狀況を見るに、特別に頭角を表はして居る者は無いが、ポートランドに雜貨店を開いて居る東條氏や、シヤトル市附近のタマスに農業をしてゐる平林利治氏、平林俊吾氏の園体、ボンテアツクに養豚をやつて居る伊藤一家、シヤトル市では雜貨店の平林破魔雄氏、片瀬與一氏、望月秀一氏、園藝家の望月積養氏、洗濯屋の望月五六氏、桑港の寫眞屋相馬智氏、ロスアンゼルス市の聯合商會の望月融氏は先づ成功した方であると思ふ、本國への送金は渡航後二三年の間は相當にやつたが、

妻帶する、子供が生れる、生活費や交際費が增加する、排日熱の影響をうけて借りた土地を取り上げられたり、職業を失つたり、戰後の不景氣の打擊やらで送金するものは餘り無くなつた樣である從つて廣島地方の樣に白壁の家は海外在留者の生家であつたり、銀行が其の送金によりて立てられたりする樣な事はない、つまり在外者の送金が村の經濟に餘裕を興へると云ふ程には未だ行かぬ。

ヒリッピン渡航者は大抵麻の耕作に從事して居るが、價の底落や色々の困難を嘗めて居る樣である、唯一人望月政次氏と云ふ菓子屋の次男が、ダバオの港で菓子屋をやつて居るが、其所の饅頭が評判で上陸する者は必ず買ふ事になつて居ると云ふ樣な話もある、現在歸朝して居る者のうち望月音三郎氏は横濱の古屋商店の支配人として敏腕を振ひ、勝野重山氏は加奈陀に歸化して材木商を營んで居たが、今は松本市に居住し、望月一郎氏は東京に會社を立て、アメリカ松の輸入を營んで居る、歸朝者は以上三家族である。

合衆國や加奈陀ならば着ちに飛び出し度い青年は澤山あるが寫眞結婚禁止以來連絡は殆んど斷たれた有樣であり、ヒリッピン渡航者には病死者が多く出たり、南米方面は未だ一人の先登者も出ない爲實際の事情が知れず、それに北米方面ならば半年過ぎぬうちに、渡航費位は送金する事が出來た爲めに、融通が容易で、旅券さへ得れば誰にでも行かれたが、南米方面は其の便宜が無い爲めに志望をもつても其の準備が出來ないと云ふ者が多い樣である。

伯剌西爾の日本人の一般情態

明治四十一年皇國移民會社が、最初七百名の移民をブラジルに送つてから爾來拾數年を經て今日に至つた、而して現在日本人の數は凡そ三萬五千人を數へ（實際は四万に近い）着々と成績を擧げてゐる。

其の中の二割はコーヒー耕地勞動者で三割は獨立農業者所謂土地を所有せる植民者である、三角ミナス州リオグランデ沿岸に土地を借り米作を試みて居るもの、新コーヒー受負、綿作、馬鈴薯作のやうな半獨立農者は三割ある、斯くの如くブラジル在留の同胞は大部分農業者であるが、他に官吏、會社員、商店員、職人などの數も少なくない、今では日本醫師も四人居るし獸醫、測量師其他各方面の人々が入り込んでそれ〴〵活躍して居る、最う少し解り易いやうに區別を分けて簡單に批評を加へて見やう。

耕地勞働者

近頃ブラジル政府は日本移民契約を解除したと云ふやうな記事が新聞に見へて居た、耕地勞働即ち伯國政府から渡航金の凡そ半額を補助して貰つて契約移民となつて來ると云ふ事は餘り喜ばしい事でないと私は最初から思つて居た、耕地勞働はブラジル農業を修得する上に於て最初耕地で働くことは非常に宜い事であるが契約移民では一種の奴隷である、本政府で補助するなら特別だが、ブラジル政府から金を出して貰ふと云ふ事は一等國民たるの尊厳に關する、私は今度の移民契約解除は反つて日本人の爲めによい事であると考へて居る、

植民者

誰でも植民地にさへ入れば安樂な平和なそして二三年の中に大金持になられるやうに思つて入るものが多いが、なか〳〵そんな都合のよい事は無い。

第一日本人が土地を購入して植民地に入る最初の考へは先づコーヒーを植へ付けて、それを他に賣つて早く日本に歸らうと云ふ樣な考へから植民地に入るのが大多數をしめて居る、であるから皆浮腰で其場限りの仕事ばかりして居る、住宅も關まはなければ衛生の設備も閑却勝ちである、娯樂機關も備へられなければ、修養教育機關もない＝勿論近頃各地に小學校が建築され青年會なども出來て体育智育の增進に努力して居るが、それも形式に流れて甚だ振はない＝たゞ目先の金儲けに斗り沒頭して『跡は野となれ山となれ』の捨鉢的に朝から晩まで何の慰安も理想もなく狂猪の如くに働き續ける、そして顔は過勞と營養不良の爲め貧血して青ざめて居る、子弟の教育も學校のある所では世間の義理へから泣き〳〵出して居るが、それでも家の仕事をさせる爲めに通學させないものもある、要するに今の植民者は金を以つて人生の最大目的視して金の爲に、凡てを犧牲にして敢て悲しとしない樣である、個人々々が自分の金儲にのみ

沒頭して居る爲同志間に何時も暗鬪があり激しい競爭がある。

倫理道德は廢れて家長が連れ養女と姦通したとか、妻を虐待したとか、或は娘を他に嫁せんとする時娘の配遇者より金を取ると云ふ樣な非倫道が行はれる樣になつた、これが現今伯國にある日本人植民　狀態の一般である、而し私が斯樣に植民者を酷評したからとて全体に通じて皆然りであるといふのではない中には立派な理想に向つて着々と發展して居るところもないでもない。兎に角植民地經營の目的は短期間の金儲仕事ではなくて、永遠に土着する目的で子孫には立派な教育を施し眞の樂園を造る目的の人々が建設せねばなるまい。

日本人植民地

目下サンパウロ州內にある日本人植民地といふべきものは數多あるが、その代表的の世に多く知られて居るものは、海外興業會社經營のイグアペ植民地、ブラジル政府所轄の植民地、英人經營のビリグイ植民地、など其重なるもので、他にサントス港沿岸ジユキヤ線に沿ふて、沖繩縣人同志が米作甘蔗栽培に從事してゐる一集團地（植民地とは云はない）があり、聖市近郊に馬鈴薯を專門とするコチヤ植民地がある、モジヤナ線に入つてはリオ、グランデ沿岸で米作をしてゐる二三の植民がある、（此處は多く借地）ソロカバナ線ではブレジヨン植民地、バイペン植民地などがある、それから日本人植民地の多いので有名なノルエステ線には前記ビリグイ植民地、上塚植民地、平野植民地其他二三、植民地がある。尙ほこの他にもチケリー、東京バルボーザ、自由、福壽、ドラドン、ガルサ、ボアソルテ、香川、ボアビスタ、東洋、萬歲、朝日、黃金等の二十家族三十家族の植民地は澤山ある。

一体この植民地は大正四年五年頃から一時非常に流行したもので、日本人はよく土地の地勢、高底、市場への遠近、地味の良否などに頓着なく買つた爲、後になつて色々失敗した例も澤山ある、大正七年の頃であつたか、北海道から移住した某氏一族がブレジヨン植民地で熱病には冐される地勢では採め、資本金は浮浪人等にごまかされ散々な目に逢つた樣な事もある、これらなどは惡人共に陷し入れられた爲めにも依るが植民地開拓に從事する人はブラジル事情に精通し、且つ農業の一通を知らねばならぬことは勿論である。

兎に角植民地を開拓して一かどの村を作る迄にはいろ〳〵と苦心せねばならぬこともあるだらうし、伯國事情特に農業經營などに就いて色々と知つて置かねばならぬ事もあるから、最初の植民地入植者は急いで山を買ふ必要はない、買つて了つてから便の良い安い土地などはいくらも町の附近に見付かるもので

ある。成るべくならば信用の置けるブラジル事情に明るい人に一々世話して貰ふのも安全な方法であらう。

商工業者

として日本人間に餘り發展してないのは實に遺憾である、商店として指を屈するものはサンパウロ市に藤崎商會日本貿易位のものであり、リオ市に二三の商會があるに過ぎない、尙其他小さな日本品の雜貨店はあるが甚だ微々たるものである、藤崎日本貿易會社の如き日本商店の代表的のものでも歐米各國の商店から見ると實に見すぼらしい有樣である。

工業者としてはサンパウロ市に家具製造に從事して居る二三の外其他に餘り見ない、商工業に有望なる伯國で日本人が農業方面にのみ發展してこの方面にばかり見られないのは遺憾である、これと云ふも皆な農業移民であり、資本家の渡航しない爲めにも依る。

市街勞働者

として重にサンパウロ市に居る日本人は大工、自動車運轉手、園丁、家庭奉公、工場職工などが多い、一時は市街勞働も景氣よく耕地を嫌ふ青年達がどし〳〵市街に出たがその多くは墮落したり浪放人になるのが多く給金も餘り得られい爲健實な青年は皆田舍に歸る樣になつた。

自動車運轉手食付一ケ月百五十ミルレース乃至二百ミルレース
園丁　食付一ケ月百ミルレース乃至百五十ミルレース
家庭奉公　食付一ケ月八十ミルレース乃至百二十ミルレス

其他職工にも樣々あるがペンキ工などは一日七ミルレース乃至十ミルレースも取る、鐵道工事の勞動など一日八時間勞働で六七ミルレースは儲ける。

然し一般に市街勞働に從事する人は多く青年であるから金はいくら取つても、大底女と酒、衣服になつて了ふ、そして伯國は特に賭博の盛んな所で富クジ（ロテリヤ）競馬のかけになつてしまふ、故に青年に市街勞働者は餘り成功者がない譯である。

半獨立農

（即ち借地農）半獨立農とは重に步合耕作、受負農業、借地農などを言ふてゐる、三角ミナス州、リオ、グランデ沿岸に沿ふて米作をやつて居るもの、サンパウロ市郊外で馬鈴薯を作るものジユキヤ線で米作をするもの、或はコーヒーの步合耕作をなすもの、その重なるものである。半獨立農業者は一般に好成績でミナス州で米作をやつて居るものなど一家族で千俵以上も收獲する人が多くある、中には米國式の機械耕作をし三四十家族一團となり大々的に米作をやつて居る所謂米成金者もある。

伯國はコーヒー耕作に次いで米作に成功して居るものが多い

パラナー州、サンパウロ州のジユキヤ線イグアペ植民地皆な日本人米作地として成績を擧げて居る。

馬鈴薯作、コーヒー步合作（コーヒーを手入して實を半分半分に分ける）などまた相當成績を擧げて居る

ブラジル國と日本人

一度伯國へ上陸して見ると、日本で考へた樣な野蠻國ではなく港灣の設備、市街の美麗、到底も東京の比でない事に驚く。亦市街を遊ぶ紳士、婦人達の美しく着飾つて競ふて流行に遲れまいとして居る所など歐米の大都市と變りがない、サントス港然りサンパウロ市亦然りリオ、デ、ジヤネイロ市に到つては流石は南米の小巴里であるとうなづかれる、人口郊外合せて百五十萬のリオ市は三百廿餘方哩のブラジル大國の政治上の都市のみでは無く、伯國の商業地亦伯國第一の貿易港である。

五階七階の歐米人の商店が櫛比し、路上の雜踏、リオ市百萬の人口悉くこの街路に集つてゐるかと思はれる。

世界の美港リオ、デ、ジヤネイロの風光又一軸の畵てある、港口花崗石から成つた岩壁、屹然として灣頭に立ちしかと見れば邊りには翠色滴る幾多の島々が彼方此方に見える、市街の背後海拔一千尺のコルコバドーには遊覽の爲め態々電車を架設してあるなど、伯國の市街を見れば、規模の雄大凡ての設備に驚かされて未開國どころか大文明國だと思ふ。

然しまた一度田舍行の汽車に乘つて內地旅行をして見ると、風俗習慣また邊りの光景に原始的な田舍人の生活振りを見る。

驢馬に荷を負はせ數十頭の一隊が遠い市場に何日もかゝつて荷を運ぶ八頭或は十二頭も付けた牛車が僅かな荷を積んで緩慢に數日旅行を續ける茸ぶきの家に住んで居る百姓達がまだ汽車電車も見ないで死んで行く人もあると云ふ有樣で、勿論子供を學校にやるでもない。

歐州の文明國に生れた國民でも五代三代伯國の山中に住んでスツカリ退化し土人の樣になつて居るものもある。市街には絕えず歐米の文明が輸入されて居るが廣い內地奧深い山中にはこの文明を送る機關がない。伯國は面白い國である、國內の法律よりも地方の權力者の命令が國法よりも尊重される傾がある、法律などを知らなくとも平氣で安心して默つて暮して行ける、誰れも干涉するものがない。伯國は自由の國、平和の國であるとも一面統轄の出來ない放從の國とも言へる。

旅行する時汽車に乘るにでも切符を買つて直ぐに汽車に乘り下車する前に車掌にその切符を渡すまでだ、凡てがこんな風に簡單で結婚登記でも二人で役場に行けばその場で登記して吳れる、出生登記、死亡屆凡て皆斯んな風に簡單で濟む。

田舍の子供が煙草を喫しても銃を以て山に狩しても自分で酒を造つて飮んでも煙草を栽培しても誰一人何とも言ふ者がない

教育も何もあつたものでない、近頃サンパウロ政府では義務的に小學教育を强制して居るが、田舍の子供などは到底も立派な教育は授けられない、歐州移民の子供がその親達から夜幼稚な宗教談話を聞く位のものである。

日本人の學齡兒童も二三千人はある、然しその十分の一も學校には通つて居ない、學校の數は十二三もあるがサンパウロ法令に依つて十才以下の子供には外國語は教えられない事となつて居るので日本語を授ける事が困難である、教育を授けられない子供は末にはどうなつて行く事か？

母國當局者が餘程腰强く交涉し旗色を鮮明にして、日本移民の教育に方針を授けないと今の歐州移民の樣な原始的な非文明國人になりはしまいかと云ふ心配がある。子供の父兄達もたゞ金儲けに腐心して子供教育といふ事は閑却がちであるから、今でもそろ〳〵日本人が退化しそうになつて居る。話はまた〳〵脫線するが伯國は遠いが一時の出稼でなく、少なくとも二十年位の計劃て、また出來るなら永住の心算て、植民するなら面白い國である。中には日本植民を恐れ批難する新聞紙など無いでもないが、一般に日本人を排斥する傾向などはない。追々あるかも知れないが各國人から成り立つて居る國であるから北米の樣な事はあるまいと思ふ。

たゞ內地の同胞が今の中にどん〳〵入り込んで各地に植民地を造り、伯國人となつて地盤を造つて置く事が一番安心である。

伯國人と日本人とよく相似てる点は、感情的である事、酒賭博を好む事、藝術趣味を有つてる所など共通の点であらうと思ふ、ラテンアメリカ人の酒賭博を好む事は三度の食事よりも好むと云ふ有樣で、リオ市やサンパウロ市の樣な大市街で公然ロテリヤ（富籤）競馬の賭などを許してゐる位で、之を禁じられては食事を斷たれるよりも困ると云ふ事である。

海外笑話

倅「お父さん、學校で聞いたが僕も是非南米のブラジルへ行つて出世したいと思ふから、許し下さい。」
父「何處へ行きたい、もつとはつきり云つて見ろ。」
倅「お父さん、ブラジルと云ふ國さ。」
父「何だかよくわからぬ。もつとはつきり言つて見ろおれはそんな赤ひげの云ふやうな事はわからぬ日本語で言つて見ろ。」

倅「外國の名を日本語は困りましたね……………あつ、そうだ、南米のブタジル（豚汁）わかつたかね。」
父「うん、わかつた豚汁か、豚汁か、よし〳〵。」

海外近信

一、セーラ、ド、ヴツヴオカ（一名ドミイラ富士）登山記

上高井郡豊洲村出身　植木太郎君

＝斷崖絶壁を攀ぢ、大木を伐りて道を開き乍ら＝

私は伯國レジストロ植民地に陣取る平和の戰士であります、私共は廣野滿々たる此ブラジルに活動し得るを大に喜ぶ次第であります、併しながら我が故山長野縣に於ては比較的海外思想の乏しきを感ずるのであります、どうか母縣の人々に此黄金に滿つる伯國に注意して貰いたいものであります。其の意味を以て私は信濃海外協會の組織されたることは甚だ喜ばしき事と存じます、それはさて置き信州の夏に最も繁昌する登山に就いて當國の狀况を一寸申し上げて見たいと思ひます、アンデス踏破とでも申したら少しは信州の方の御參考にもなりませうが、そんな譯には參りません、當地青年會の發起で我等が名づけたりイベラ富士の頂上を極めて見やうと云ふ事になりました、山は海拔一千四百尺と申したら定めしお笑ひになりませうが、隨分嶮岨な斷崖絶壁があり、それでない處は千古の大森林で、人跡の未だ曾て及ばざる處ですから、一足進むにも先づ以て道を作つて行かねばなりませんですから、其の困難は到底信州の登山者の想像以外であります、途中寫眞を撮るなどで幾分暇つぶしはありましたが、兎に角遠くもない低い山に登るに朝八時に出て午后一時漸く峰に達したのでも御推察が出來ませう、絶頂は勿論眺望が非常に好いのですが何にせよ大木の茂りに妨げられる

のですから、其處で一同相談の上木伐りを始めました。高さ何十間と云ふ大木の根本へ備をつけて風下に倒す事の痛快さは又格別で信州登山者の味ひ得ない處でせう、歸途は非常に捗取り田中甲子亀君（上伊那飯島村出身）の宅へ歸着し慰勞會を濟ましても未だ幾分明るかつたのは意外でありました。

二、ブラジル近信

聖州モヂアナ線ダスフローレス耕地　瀧澤宗一君

＝生活の安定を得多少に不拘金の殘る域に入る＝

拜啓其後は仕事に忙殺せられ遂以外の御無沙汰失禮致しました、昨年末御送附下すつた新聞紙有難嬉しく拜讀致し、尚同胞諸氏へも回覽に附し皆々非常な喜びでした、早速御禮申し上ぐべきでしたが、折柄除草の眞最中筆を持つ暇もなく今日迄延引致しました、どうぞ御許し下さいませ、御蔭樣で渡伯以來不馴の仕事と兎角不安になり勝の吾々新來者も、將に一ヶ年三ヶ月六千五百本の珈琲樹手入と間作地より五十一俵（一俵五斗入）の籾を收穫し其他玉蜀黍も少量なれども豆等も收穫致し茲に始めて勞働の報酬として生活の安定と云ふ喜びを得これよりは多少に拘らず金の殘る域に入るべく着伯後猶日淺き今日かく前途に光明を見出し得たのには眞にブラジルの賜物と感謝致し家族一同笑顏を揃えて目下珈琲採實に日を送り居ります故、餘事ながら御安心下さい、先づは一寸御禮に併せて近況お知らせまで猶末筆ながら貴殿の御健勝を目下母國官民の共に叫ぶ、海外發展移植民の勸誘の國家的事業に御努力あらんことを切に御願申し上ます、去る五月二十八日には神奈川丸の新移民九家族入耕其後會社の玉置佐市氏御來訪下さいました。

三、一農年を過して

伯國ダスフローレス耕地　高山盛政君

＝邦人卅家族中縣人十二家族勢力あり渡航準備の注意＝

拜啓入耕以來永らく御無沙汰平に御容赦被下度候、御蔭樣にて私共始め同縣人入耕者一同無事一農年を送り申し候、入耕當事は土地の食物、氣候習慣等に馴れぬ爲少々苦痛を感じ候ひしも、目下は內地以上の氣樂なる好適地と思はれ申し候、左に耕地の模樣一寸申上候。

當耕地は聖州第一の都會なるサンパウロ市を西へ距る事百餘里の處に有之、海拔二千七百尺、多少ウネリのある高原地にて開墾後二十餘年珈琲樹を始め諸作物見事に成育致し居候、耕地の廣さは約三里四方有之、其約三分の一はカフェー園其他は森林、牧場、米作地等にて誠に宏大なるものに御座候、カフェー全

部のコロノ（植民）約百五十家族の內、邦人三十家族程有之候家屋は全部煉瓦にて其の上に白く壁を塗り、屋根は當地の瓦にて葺き、中には家屋內迄も煉瓦を敷き詰めたる者も有之候、家屋の破損せる處は耕主側にて直ちに無賃にて修繕致し呉れ候、邦人三十家族の內福岡縣人十家族、長野縣人十二家族、居住致じナカ〳〵勢力を有し居り候、本耕地には風土病たるマラリヤ等更に無之、クラビニヨース町へも一里半位なれば病氣の際は特約の醫師が無料にて直に來診し呉れ候。

猶今後渡航者の御參考に一寸申上置候小生等は當初寢具に重きを措かず候ひしが、冬季の夜中は意外に寒く困却致し候、依りて毛布、布團等澤山携帶するが宜しく、農具として珈琲園にては日本の鎌は都合よく使用せられ候が其他は更に必要無之候食器は日本在來のものだけにし、洋食皿、サジ、フォーク等は當方にて買入るゝ方安價にして、且都合宜敷く御座候、被服を新に作るとすれば折襟がよろしからんと存じ候、但し勞働服としては詰襟が勿論都合よろしく候、雨具は洋傘の丈夫なるものにて結構、又雨カッパにしてもよろしく候、雨カッパなどは當方に於ては非常に高價に御座候、以上概畧には候へども御序を以て今後の渡航者へ御披露下され度く候早々

四、沿海州に於ける米作

露領沿海州に於ける米作は一九一六年（大正五年）に開始せられウスクリ地方の試驗場にて、農業家ブルガコンスキー氏に依りて試作せられ大成功を得たるを以て嚆矢とす、附近の鮮人は之に倣ふて翌年米作を試みて成功し、隣地滿州に於けるレコードを破りたり、今や米作は大に擴大せられポシエット地方よりニコリスク、ウスリー地方に及び、各所に水田を見るに至れり、此地方一體土地の濕潤なるは米作に適せる所以なるも溫度十分なりや否や從來疑問とする處なりしが種々研究の結果夏季の溫度は之れに充分なる事を明かにせられたり、現在は耕地完全ならず土地改良の如きは殆んど顧みられざる狀態なるを以て從つて收穫量甚だ少なきも今假に一町歩の收穫量二石內外とするも米價の高騰せる今日それにても相當の利潤ありと云はば、將來米作地として有望なりと斷ずるを得べし。

右はロシア側の報告なるが、最近視察し歸られたる千葉豊治氏の如きも沿海州の米作に就きて、十分見込みあるべきを確言せられたり、米作に就きて世界獨特の技倆を有する日本人が手を下すに至らば彼地の發展は期して待つべきものあらん。

五、撫順炭坑の現況

內外一般炭界の活況に連れて、撫順炭も九月以降俄に出炭を增加すべき形勢であるが、大体の計劃としては、本年度內に三百七十萬噸出炭の豫定で、愈々九月の上旬から新計劃の增堀に着手し十月以降は日々一萬一千噸の採炭を見るべく大に緊張味を帶びて來た、此變調に對して、滿鐵本社に於ては山元が果して要求に應じ得るや否を氣遣つたが、撫順は昨年來出炭制限中に於ても、一方には採炭上の準備行爲を着々進行した爲、支障なく豫定の計劃を進行し得るに至つた事に就ては、早川社長も非常に滿足し感謝狀迄送つて來たそうである、之に依つて炭坑員は日曜公休日の廢止にも拘らず、大に乘氣になつて活動し始めた、尙來年度は四百万噸以上四百五十万噸位迄出炭の豫定であるが、現在に於ても一日一萬五千噸迄の能率を優に發揮し得べく、露天堀のみにても一日一万噸は樂であるから、山元としては當分需用に追はるゝ樣な氣遣は無いと云ふ、斯くして撫順の景氣も漸次恢復すべく何れの方面にも生氣を帶びて來た。

六、アニユーマス耕地より

諏訪郡四賀村出身　矢崎節夫君

＝排日は日本人自身責任あり、國際的大國民の教養が肝心＝

海の外第一號一部確乎拜見致しました、海外宣傳の爲に信州に此種の雜誌の出來た事に双手を擧げて贊同の意を表します。曩に信濃海外協會が組織されし事を一友人から聞きました、竊に其發展を待つて居りました、不幸にして未だ其會則を拜見する事が出來ませんが、要するに海外發展の指導機關として出來たものと信じます、故中村國穗氏が熱心な海外宣傳者で有りし事は大正六年以後渡伯した人々によりて承知して居ります、其當時小生は中村氏の伯國視察を熱望して居りましたが、不幸にして故人になられた事を痛切に遺憾に思ひます、然し故中村氏同樣に縣下に熱心な海外宣傳者を有するを聞いて、益々意を强くする次第です、兎に角信濃教育會が中心となりて、海外に人を送り出すべく勉め居るのは實に一異彩を放つて居ると思ひます。年々六七十萬の人口が增加しつゝある我が國に於ては國外に生活の道を講じなくてはならない、即ち海外に發展せねばならぬ、同樣に國力增進も海外に求めなくてはならないのである、其故に今や官民擧つて海外奬勵に勉めて居ります。海外に出る多くの人々が今尙明治初年に渡米して、一攫千金の利を得た事を夢想して出る人の有るを遺憾に思ひます、之れ海外の事情に暗き事を證明して居ると同時に日本人の頭に海外思想の乏しい事を證明して居ります、又一方在外同胞の活動振や外國に旅行

する者の動作等を見ても痛切に海外の事情に疎き事を感じます、相當に學識有る人々が今尚外國で赤毛布式を發揮して愧ぢざるを見て驚く外はないのです、明治の時代であれば德川三百年の鎖國の弊を受けた爲めだとも口實が設け得るが、明治の年代四十有五年世界的に進步し自由の教育を經て大正の時代に入り來つた今日、德川時代に其罪を負はすは古臭く意氣地無き事を證明して居ります

國民が自發的に發展するに非らざれば其民族も國家も發展するものではありません

其唯一の方法としては教育に依らねばなりません、小さな國民の時代から教育せねばなりません、幼年時代先入主となつた教育は後日に大なる影響を及ぼすものであります、教育法が單に字を教へ、數理を說くだけの詰込主義では何もならぬ、即誤らざる時代教育を施さなくてはならないのです。

海外に在る多くの同胞は、相當に學識あり卓見ある人々なるにも拘らず、何故事業が伸張せぬか、他の諸外國人の活動に比して貧弱なる事、實に御話にならぬ、此の原因の一として

一般的に社交が拙劣である

而して動作に於て赤毛布式である、日本に於ては變はり者が持てるか知らぬが、諸外國人の集まる市場では變はり者は嘲笑の種となるのみであります、世界の何處へ飛び出しても笑はれずに堂々と仕事を爲し得る、素養を作るには新時代の教育を施した國民でなくてはならないのです。

我國の地位が世界五大强國の中に列するに至りたるにも拘らず海外到る處に虐待さるゝは如何、南亞の如きに至つては吾々日本人を異人種と同待遇にして白人種よりは劣等のものとして居る、コハ決して日本が最近世界の强國になつたと云ふ恐怖心から起つた結果ばかりではありません、又有色人種で有ると云ふ許りでも無く、日本人の日常の動作振りに、彼等

白人種が嫌ふ点の有るのを悟らなくては

ならない、丁度現代成金が華美の生活をなし、金を荒く使用するにせよ、此を歷代長者の目より見る時極めて野卑に見ゆると同樣に感ずるのであります。

ブラジルの家庭に奉公して居る或邦人が、伯人は何だ三等國民ではないか、吾々は一等國民であると怒鳴つた者が有ると聞きました、伯國人の家庭に下男奉公をして居りながら、我等一等國民なりと自稱するに至りては、其無常識に啞然たらざるを得ない、然して此種の觀念を持つて、動作中に表はして居る者も尠しとせない、歐米諸國は近き將來の資庫であるブラジル否

南米諸國に向つて勉めて好感を買ひ仕事を爲さんと努力して居ります、而して彼等は漸次拔くべからざる勢力を扶植しつゝあるのです、友邦に生活する以上は其國家を尊重し、紳士的態度を以て萬事を處する事が事業を伸張せしめ、國家の威力を發揚せしむる原因となるのです、今や我國民は全力を擧げて海外に發展せねばならぬ時機に遭遇して居ります、而して我民族の到る處强烈な排日の聲を聞いて甚だしく氣持が惡いのです、坤圜球上僅かに南米の一角ブラジルに於てのみその聲を聞かず、ブラジルは風土に於ても活動する上に於ても樂天地であります、此の樂天地だけには排日の聲を擧げさせたくないのです。

海外に活動せねばならぬ時機に至つて居る今日、是非社會的教育と竝んで海外思想を普及せしむる事は教育上一大急務と思ひます、そして此の教育を受けたる人士の渡航多きを切望するのです、我が長野縣は教育に於ては他に一步拔きんでて居ると聞いて居ります、其教育の盛なる山國に海外協會が創立せられ機關雜誌の發行せらるゝは實に機を得たものと思ひます。

ブラジルに在住する長野縣人は大正六年以後俄に其數を增し今や到る處に活動して居ります、併しながらブラジルの廣大無邊なるに比すれば極めて少數であります、將來大いに渡航せん事を望みて止みません、ブラジルの事情、邦人の活動狀況等に就ては、動もすれば誤り傳へられたる点が有ると思ひます、何れ機を見てお知らせ致しませう、海外興業會社のアニウーマス農場を引受けてから日淺く、殊に昨今多忙期ですから簡單に意見を申上げ取敢す贊同の意を表する次第であります。

七月十五日

七、キユーバより

上伊那郡飯島村出身　芦部猪之吉君

＝キユーバは糖價暴落より不景氣のドン底＝渡航奬勵と同時に資金後援者が必要＝

信濃海外協會にて藤森克君。—！　貴下爾來打絕へて御疎遠多罪ゝと兄等と分かれてから一寸二昔になるね—、僕が諏訪を去た時に第二號が數へ年三つで有たのが、一昨年（適齡前一年で）當國へ渡航して來たのだから、月日の推移には實に驚かれる亦老いたりと云ふべしだね！。

偖今回は愈々永田君や兄等が相呼應して多年絕叫し來りし縣人海外發展の組織的機關が設立せられ兄等の奮鬪が從前よりも一層有効的のものとなりたるは痛快に堪へず、機關雜誌海の外御送附下され大なる趣味を持つて拜讀した（第一號と第二號とを接手第二號は紛失せしと見ゆ）我等も今後なるべく奮發して

通信する積りである、今回我等同鄕の者及當地方に居住して居る長野縣人七名別記之通協會へ加入する事になつたから宜敷取計を願ひます、尙縣人の當國に在住する者はハバナ市の大平慶太郎氏外四五名有るがソレ〴〵協會に於ては取調の事と思ふ。

我等在外者として協會に向て最も希望する事は、協會が大聲疾呼して海外移住を奬勵すると同時に海外に在りて小さき農園小規模の食料品店雜貨店等でさへ經營するだけの資金を持たざる者の爲に若干の資金を鄕里の有力者より醵出融通するの氣風を奬勵喚起せらるゝ事である、御承知の如く一昨年糖價の暴落以來當國は甘蔗の樂園より急轉直下して不景氣のどん底に陷り海外生活には珍らしき生活難を實現する事になつたので、僅か四百人足らずの邦人の頭上に大恐慌が見舞つて來た、そこで財界に於ける自然陶汰法（とも云ふべきもの）が行はれて來て永久在外の希望無き者は續々歸國の途に就き、若干の資金有る者は僅少の賃錢にて勞働するよりは、よき收益を得んとしてイスラ、デ、ピーノに行きて（イスラへ行きし長野縣人は更級郡の近藤忠人君と上伊那郡の吉澤正君との二人である）ペッパー栽培を開始し、或は各地の都邑に小規模の商業を始め、或は墨國に轉航して永久的事業に着手する樣な傾向になつたが、大多數の者は我等と同じく資本を持たざる爲永久在外の志望有ると無きとに拘らず、方向轉機の道なく相變らず所得の少き勞働に從事しつゝ時機の展開を待たざるべからざるの悲境にあり、（埴科郡の瀬在君は鹿兒島縣人某と共同にてセントラル附屬農園約三町歩の權利を買收し昨年から野菜の栽培を始め僕と第二號とは農園に就働しつゝあるのだ）僕等は同じく農業をするならば、當國よりは寧墨國を適地と認め、將來は彼地に轉航せんと考へて居るのであるが、例の無一物組の方故渡航期は未だに決定出來兼ねて居る、僕は過去數年失敗の經驗よりして海外に人を送るならばそれと同時に資金を融通し援するの必要を痛切に感ずるもので有る、兄等が此方面に向つて努力奮鬪せられん事を切望して已まざる次第である。

長野縣海外渡航奬勵の順序から云ふも、此數年來講演に幻燈に講習にあらゆる努力を以て渡航の宣傳奬勵をやつて來たのだから、今や第二期の事業として、資金融通の奬勵勸誘に全力を傾注すべきであると思ふ。

舊友諸君に一向御無沙汰で濟まないが、御序を以て宜敷く願ひます、今回加入せんとするは下記七名であるが、下伊那郡市田村出身今村廣美上伊那郡飯島村出身小林百輝同小林武夫同芦

部猪之吉同安夫小縣郡長窪古町出身櫻井恭平埴科郡五加村出身瀬在藤治猶會費として金七弗は八月一日附在桑港住友銀行支店へ依頼したから御承知を乞ふ。

八月六日

八、滿州撫順通信

回啓貴會愈々御盛昌奉賀候、猶七月二十八日付貴翰正に拜誦御來示敬承仕候、陳ば貴會が縣人海外發展に貢獻する抱負を以て種々劃策御實行の段、爲邦家慶賀至極に奉存候、吾々は其の擧を壯にして且有意義なる點に大いに共鳴する者に御座候、吾々縣人會は當地在住者の親睦を圖るを第一とすれども、進んで母縣の人々に海外の實相を宣傳し且縣人の視察者又は企業者に便宜を計り度き考にて貴會とも充分に連絡を取り、其主旨を貫徹致度希望に有之、此目的を遂行する爲には一撫順地方のみにては其効果甚だ薄きを以て、在滿州各地の縣人會と連絡を取り在留同縣人會聯合會を或る地点に開設可致、目下協議中に有之就中大連、奉天、安東、長春、ハルビン等賛成を得たれば追而中央の地たる奉天に於て代表者會議を開き、協議之上此聯合會にて貴會と充分の連絡を保ち、以て此目的を遂行致べく準備中に御座候、而して當會の腹案として第一に實行致し度き事項は

一、滿蒙の事情の眞相を宣傳する事
二、滿蒙の事情に關し質問に應答する事
三、單獨又は團体の視察者に對して便宜を計る事
四、對滿企業者に調査方法を指導する事

凡そ右各項を協議に附し度と存候、猶貴會にても御高見も候はゞ承り置度候。

次に當會としては貴會の主旨を全會員に告し、可成雜誌の購讀を勸誘する事とし、本會としては一部の御送附を乞ひ、尙貴會の趣旨に贊成し意を表する意味に於て、金拾圓寄贈度候間御中の爲替御査收被下度候、先は右貴答迄如斯御座候早々敬具

九、輪湖君の消息

本會創立に多大の盡力を與へて吳れた輪湖俊午郎君は、三月十八日力行會の渡伯行、海外興業の移住團と共に、神奈川丸で出發、無事渡伯、其後益々健在で活動して居られる。

七月十三日　サンパウロより

久々御無沙汰、着伯早々イグアペに歸り留守の整理を終り一昨日一寸出聖仕候。

これよりボツ〳〵海外協會伯國支部の仕事にとりかゝるべく候當地總領事よりの話に依れば今度實業團の一行に加はり片倉

御本家御來伯とのこと。欣喜の外なし、これ等も皆貴兄の御勢意による事と存じ候、必ずや同氏等の御備巡に依り信州人の伯國發展に新紀元を劃する事と存じ申候、遠から伯國開拓第一計畫を提案致すべきに就き充分御考思の上御盡力を願上候、猶ほ來年度よりは多少なりとも支部費を豫算に入れらるゝ樣今より願ひ致し候。

松商生徒は現に伯國視察を終り先月十七日守屋氏と共に亞國に向ひたれば今は大平洋にあるべしと存じ候、

『海の外』第一號落掌、こちらでも二國會員を作る積りなれば百部位づゝ、一二四小生宛送つて置いて貰ひたし。會員一通り決定すれば直接日本より送つて貰ふ事とす、會費は一まとめにして送るを便と思ふ。これから『海の外』へも通信を書く、何にしろまだごたくくして居るから落ちつかぬ。

千、砂糖の國より

上伊那郡飯島村出身 小林武夫君

＝將來は墨國に＝

＝寫眞を御送り申し候＝

前略 當國の砂糖は賣り出しを政府の手に收め、下落を防ぎし爲め一時（斤當り）十仙までになりし砂糖（白砂糖）も目下は十二仙となり申し候、然し一般の不景氣は引き續きにて候。

メキシコのソノラ州に在る片瀬君から農場の共同經營をなす可く一日以來交渉を受け居り、目下熟考中に候、交渉纏まらば今九月或は十月頃渡墨せんと存じ居り候、小林百輝君は相變らずハテボニコに在つて奮闘中に候も將來の事業につきてつひ十日許り前に當地に來り會談仕り候、仝君は一メキシコ人につきて此の五日頃渡墨すべく大体定まり居り候も會談の結果小生と歩調を一つにする事と存じ候、安夫君は目下ハグエヤルに在り矢張り百輝君と仝日當地に來り會し申候、仝君は田舍生活（砂糖黍畑の仕事）を希望し、よき處ろ物色中に候、仝君は尚ほ二三ヶ年當國に働き然る後渡墨いたすべく候。

先日五十弗を拂つて寫眞機を一機購ひ申し候、先日小林君とシエスに行つた際、昨年九月肺病にて死亡せし親友笹尾君の墓を詣で候、其の節撮影せしもの仝封いたし候、自分にて現像せしもの不出來にて候へ共御笑納め被下度候。

二伸、私は悪い習慣で手紙を書いて後を讀直しても餘りやらず、加ふるに世界一の文章下手、力行世界へ轉載せられしものを讀んで何時もながら驚き赤面いたし申し候、力行世界は力行會の機關紙とも言ふべき、書中誤字、落し字之有候節はよろしく御訂正の上御轉載を希望いたし候。

牛田郁郎君の親父死亡せられし由、彼れの抱ける海外發展の

大慾望の總てを放擲せざる可からざるに至れる君の心を察しやり申し候、氣の毒に耐えず候、讃美歌の三二一を歌つて與れろとの希望有之、西方の空をしつゝ歌ひ申し候。

力行世界へ御轉載だけは御カンベン願ひ度候、先日の手紙に雜誌を送るべく當地會員間に廻して云々と有之候も何れか途中にて紛失せし候や、未だ到着仕らず殘念に候。

十一、事業を擴張して

埴科郡五加村出身 赤池邦之助君

＝援助者を得たく＝

拜啓其の後は御無沙汰のみ打過ぎ誠に申譯無之候、皆樣無事業務に奮勵益々發展の事と遙かに此方より相察し吾が大和民族の爲めに身を犧牲に供し前途の光明を與へんとさるゝ其の偉大なる御心に衷心より感謝して止まざる次第に有之候。

御蔭を以て愚生も無事當地に奮勵いたし居り候間餘分ながら御休心なし下され度候、扨愚生事渡航以來今日迄の汗よりしぼり出したる資金と經驗とを以て昨年當地に經營せし、犬飼の裝粉場を引き受け經營する事にいたし候、しかし仕事も忙しく共に語り共に奮闘努力する友を得たく存じ居り候。

當地にて相當の事業をなし居る犬飼氏とも話しが付き居り候間二三人は呼寄せ得べくと存じ居り候。

T. Murata
25 de Julio 1922
Tarjeta Postal
Via New York
Señor G. Imai
Yokohama
Japão
東京市神田區駿河台 片倉生命保險會社 今井五介殿
No 47 Edicion G. Bourquin y Cia, Buenos Aires
Reproduccion prohibida por ley.

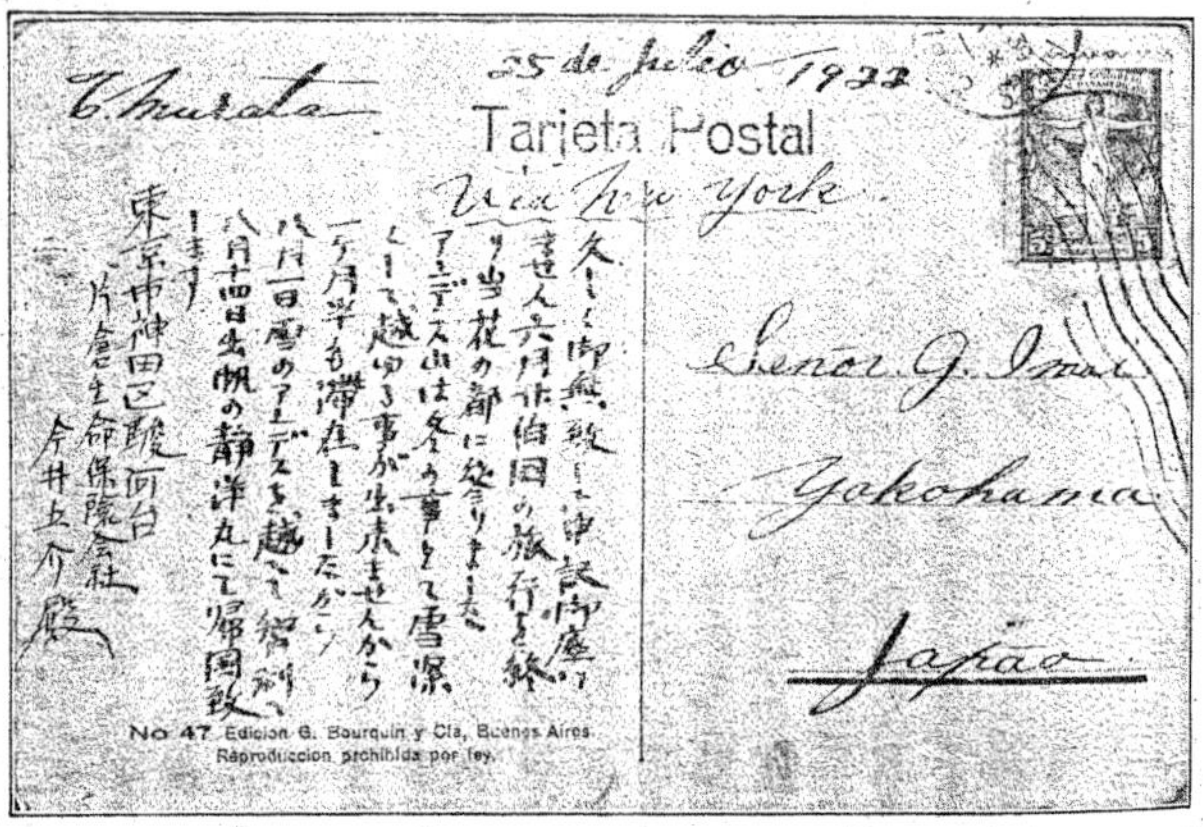

松本商業村田君の近信（ブエノスアイレスより）

信州だより

◈松本聯隊の軍縮

松本聯隊に於ける軍備縮少の影響は八月十五日限り三ヶ中隊を解散する事になつた、解散する中隊は第二、第四、第八の各中隊で、其隊名は削除せらるゝ譯である、除隊された兵士は何れも大喜びで籠を離れた鳥の如く、嘻々として家路に急いだ、高田五十八聯隊に於ても、各中隊に亘りて歸休を命じたが其中長野縣人は百四十六名であつた、是等軍縮 結果はてきめん多大の勢力を信州の農家に供給する譯で、何處にか勢力過剩の壓迫を感ぜずには居られぬだらふ。

◈戸數割の賦課の不均一

改正された戸數割規則では、其實施前から大騒をなし、急遽改正の上塗をしたなどの事もあつたが、扨實施して見ると從前とは非常に違つて魂消返て居る、中產階級や月給取が比較的多く負擔する樣になつて、中には餘り增額にびつくりしてこんな事なら一層商賣替をしようなどゝ言ひ出した教員もある、猶各町村每に賦課率が違ふので、隨分變テコなものになつて居る處もある、職業によりて增減さるゝのは有り得べき事であるが、同じ職業で居ながら甲の村の最高納稅者は、昨年の三倍位になつたかと思ふと、乙の村では大差が無いといふ樣な情態で、どつちかに考へ違ひが無くてはならない、改正の精神が徹底する迄當分ゴタくは止むまいが、租稅なんどいふ問題が天でない南米へでも行つたら此點だけでものびくするだらう。

◈異端者だとて住職非難

下伊那上鄕村字別府採雲寺の壇徒で、基督教信者で有た若い女が死亡した、父兄や親戚は故人の志を酌み、基督教で葬儀を營まうとしたが、村には教會が無い爲に前記採雲寺の庭を借りて執行し裏の墓地へ葬つて十字架の墓標を建てた、之を聞き傳へたる附近同宗の住職數名は、一齊に採雲寺住職に對して非難の聲を擧げたそうだ。

◈仝村の電氣村營問題

上鄕村と云へば此處では村營の發電所を起さんとの希望であるが今迄配電して居た、伊那電氣株式會社との折合が付かぬ爲め許可されぬと有て、村民二百七十何名かゞ大擧出縣知事に面會して陳情する處が有たが、之で問題が解決する譯にも行かず引續き騷いで居るそうだ。

◈下水内郡生產狀態の變化

下水内郡の生產狀態は最近著しく變化して來た、先頃迄同郡は年々一萬石以上の米を移出して來たものだが、本年あたりは却て他郡から移入して居る、米以外の重要產物、木炭は生產が減少して自給も出來ない位になつた、特產物たる疊表内山紙等も昨年以來生產が減じて來たし、更に野菜類に至りては更科上水内等善光寺平から高價を拂つて買入るゝ狀態である、かゝる大變化を來した原因は何處にあるか分らないが、千曲川の下流に日本第一ともいふべき發電所が出來る爲に多數の人が入込んだ事にも依るであらう、現に千曲川を上下する川船が三百艘、之を操る船頭は岐阜縣から四五百人も入つて居るといふに見てもうなづかれる。

◈青年の活動

諏訪郡聯合青年會では八月三十一日評議員會を開き、十月上旬より三週間の豫定で釜山、京城、安東縣、奉天、大連に亘る視察旅行を爲す事とし、詳細は九月十五日の會合で決定決行する筈である。又十一月には最近歐米の留學を終りて歸朝したる藤原咲平、小平權一、長田新、伊藤長七諸氏を聘して彼地視察談を聞く豫定であると。

◈長野縣内職業別人口

本縣で縣勢調査をした結果有職業者無職業者の二方面から見た處に依ると、總人口百五十六萬三百五十六人の内男子七十五万六千三百八十人、女子八十萬三千九百七十六人、有職業總數九十一万六千七百七十一人、内男子四十七万一千四百六十八人女子四十四萬五千三百三人にして總人口に對する有職業者の割合は五八、七五%である、而して職業の種類に基く分布狀態を見ると

職業	%
農業	六〇、六
工業	二一、八
商業	八、四
公務自由業	三、五
其他の有業者	二、四
交通業	二、〇
無職業	一、一
鑛業	〇、一
水產業	〇、一
合計	一〇〇、〇

◈両妃殿下淺間登山

先頃迄輕井澤に御避暑中の東久邇宮稔彦王並に同妃聰子内親王朝香宮鳩彦王並に同妃允子内親王殿下には八月十八日午後九時小諸驛御下車御附女官四名と共に馬に召され吉村小諸町長境澤小諸分署長の御先導にて、夜中御登山途中觀測所に於て御休憩それよりは御徒歩にて絶頂を極め、御來光を拜せられ御無事小諸驛に御歸着遊ばされた、淺間山に妃殿下の御登攀は珍しい事である、猶東久邇宮妃殿下には同月廿五日に善光寺へ御來詣になつた、當日は殿下は藤紫色の和裝に水色の洋傘を召され、數人の御附女官大本願から仁王門大勸進本堂と順次御來拜城山館にて御休憩晝餐を召され、其間本縣小松縣屬の川中島合戰の御説明を御熱心に聽取遊ばされ、午後二時廿四分長野驛發の汽車にて御氣嫌麗はしく輕井澤へ還御遊ばされた。

◙諏訪湖畔に龍宮城出現

十月一日から三十一日間諏訪湖上博覽會が開催される、第一會場を鶴遊館中心の區域に定め、蠶絲館、製作、工業館、貴賓館及協賛會の演藝館を設置し、第二會場は湖明館を中心とせる地帶とし、此處に農業、美術、教育、衛生の各館を設け、更に此両會場を連絡するに湖上に二百五十間内外の天龍橋を架設し、其中央に水產館及龍宮館を建立し、外に特設賣店もあり、頗る規模の宏大なものである、出品は縣内を主とし、縣外の參考品も全國に亘つて申込非常に多く、氣候もよし陽氣も好し、一寸農閑の時期ではあり、製絲家を始め富力多き同地方の事とて湖畔の天地は時ならぬ殷賑を來す事であらう。

◙暴風雨襲來

毎年一二度宛は屹度騒がせる暴風雨が八月の廿三日四日信州へ襲來し縣下一般に被害が有た、最も酷かつたのは千曲川筋で更埴両郡だけで田畑五十四町歩損害四萬圓と號された、作物の被害の外に汽車電車橋梁等の破壞されたものも相當に多く、又丁度登山の季節中急激に來たから山上での遭難者も比較的多かつた。

◙神前結婚年々増加

松本市の四柱神社に於ては神前結婚式を擧ぐる者年々増加して來た、大正十年中には總計四十二組だつたが、今年は一月より八月迄に四十四組であつた、之を職業別にして見ると農業十八組、教員十六組、商業十五組、醫師九組、官公吏十一組、軍人七組、會社銀行員五組、工業三組、美術家二組で有て、益々増加の傾向が有る、長野市でも城山の縣社で早くから取扱つて居る、昨今の統計は不明だが勿論松本市と同樣增加して居る樣だやり樣にも依るが大体神前結婚は式を神聖にすると云ふことについて非常に意味がある、特に信州あたりの樣に婚禮の客を呼

する爲に前後一週間も大騒ぎをするごときは漸次改むべきだ。

◙沈沒軍艦新高と本縣人

八月廿六日カムチヤツカ半島沿岸に於て暴風雨に逢ひ沈沒したる軍艦新高に乘組み船と共に壯烈なる死を進げたる本縣人は左記三十八名である

南佐久二名鈴木寅雄、判野直樹、北佐久三名富岡登、金井一俊大井榮祐、小縣二名榊澤良美、佐藤信好、諏訪三名村田政範、神澤朔光、小口正男、下伊那五名篠田順一、長谷川弘、山崎喜代一、金田賢治、澤村勇、西筑摩一名、中谷利兵衛、東筑摩八名、山口彦貞、松田武人、古田孝子、千野準四郎、鳥羽重登、頸澤種一、小野軒一、宮坂和源、南安曇二名、曾根原廣美、宮島尙文、北安曇、下條傳、中島定一、原喜代松、埴科四名、長田番富、宮原英和治、越田晋平、白石和一、更級一名關保方、上水内三名、小林覺三郎、新井里治、平林友之助

右の外にも未だ有るらしいが、海軍省の發表を見ねば分らぬ。

◙南佐久だより

◆本郡農作物は天候の好かつた爲め育成一般良好、稻作反別三千三百町歩平年より一割七八分昨年より三割以上の增收米總計約八万六千石の收穫を得る見込である。

◆長野縣及山梨縣との交通連絡を密接ならしめん爲甲信連絡鐵道の速成を期すべく両縣關係の有力者氣脈を通じ、政府に陳情をし、一方實地の踏査をすると云ふ段取となつて去る九月二日小川政友會總務の一行山梨縣より長野縣南佐久郡南牧村を經て佐久鐵道に乘車野澤町前貴族院議員並木和一氏宅　泊翌日歸京せられたり、仝氏一行の調査に依り両縣の交通連絡が實現せらるれば其利便は大したものである。

◆永田本會幹事は九月十一日入郡午前は郡立農學校に午後は縣立中學校に於て海外移殖民獎勵に關し夫々講話あり非常に盛會仝氏は翌十二日北佐久郡より順次各郡中等學校巡講せるとの事

◆仝郡下各町村農會に於ては毎年秋季に農產物品評會を開催し農業の改善進歩を圖りつゝあつたが本年は郡内數ヶ町村農會聯合し四ヶ所に之を開催し大に增收の實を擧ぐる計劃なり。

◆仝郡に於ては本年四月本會支部設立の協議會を開催し、猶六月各町村の町村長學校長に創立委員として郡長より夫々囑託し會員勸誘を依賴しゝあるが近く創立總會を開き活動に努むる由

◆此程永田幹事御來郡せられ記事通信方依賴を受けたり御差支御座なくば雜誌に御掲載被下度候

九月十二日　　　長野縣南佐久郡役所

◉編輯たより

▲永田編輯長　本月初旬大体編輯上の打合を了りて、長野縣の中等學校巡講の爲め出發、一意海外發展を終始せんとする君の意氣と熱誠とは必ずや信州青年に多大の感奮を與へる事と信ずる。

▲君の不在中　君が熱血を注ぎたる日本民族移住論策印刷成りて机上に横はる菊枚　十餘頁に亘る堂々たる立言である、時弊を論じ匡救策を講じ遺す處無し、予は其の着々實現せられ本紙に報道するの機會の一日も早からんことを切望するものである。

▲一日栃木縣師範學校某氏來る　同縣では今回教育令發布五十年記念の博覽會を開催するに當りて、海外發展の資料を索めんとして來られたのである、如何なる程度の計劃であるかは知悉し難いが、兎に角結構な企である。

吾が長野縣などは海外發展の資料につき常設陳列場を設けて、何時だれでも研究が隨意に出來る樣にしたいものである。

▲吾が海外協會の創設さるゝや逸早く南米視察に出懸けた松本商業の両少年は其後時々の通信に見ても、意氣軒昂であるのは何よりである。

伯國公使館も両少年を招待して、色々勸誘を試みたさうだが、少年の小視察團を通じて、毋國の意氣込を感得したならば、新天地に活動する同胞はどの位心强く感ずるか知れない。

吾人は年々各學校に於て、此種の企のあることを切望する、我國民の頭から鎖國の陋習を取り去るにはどうしても青年の意氣に俟たねばならぬ。

▲海外の實情は最も多く聞たい處である　海外に居住する諸君はどうか成可毋國後進の爲めに御通信を願ひ度い、又父兄の方にも參考にならうと思ふ樣な御手紙は御發表を願ひたいのです。

▲海外發展に關する感想、信濃海外協會についての御意見等は歡迎します、猶渡航上についての御質問は本紙上で御回答申ます。

（宮下生）

海の外

定價

冊數	定價	
一部	廿錢	郵税四錢
半ヶ年	一圓十錢	外國は要す
一ヶ年	二圓廿錢	

注意

▼御注文は凡て前金に申受く
▼廣告料は御照會次第詳細御通知致します
▼御拂込は振替によるゝを最も便利とす

大正十一年十月一日發行

編輯人　永田稠
發行兼印刷人　藤森克
東京市小石川區林町七拾番地
印刷所　力行會印刷部
發行所　長野縣廳内　海の外社
振替口座　長野一二四〇番

（信）州重要農產物總額百に對する日本人に依る生產額の割合

果實　綿　豆類　馬鈴薯　米　葡萄　[illegible]　[illegible]　種子　花卉　トマト　玉葱　メロン　アスパラガス　イチゴ　セロリー

10　20　30　40　50　60　70　80　90　100

大正十一年十月一日發行（毎月一日一回發行）
大正十一年三月二十六日第三種郵便物認可

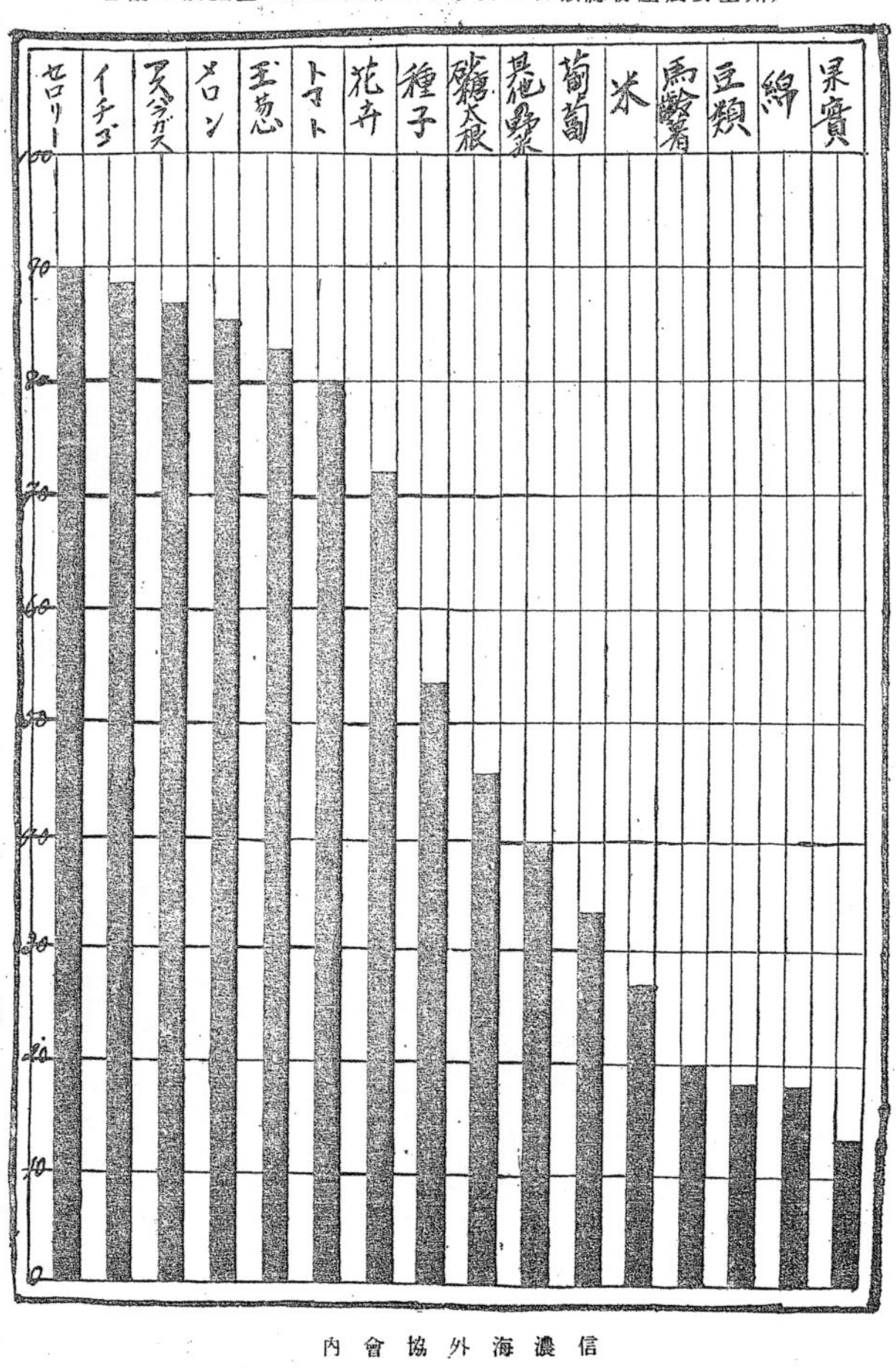

定價金貳拾錢

信濃海外協會内　海の外社發行

（上）ニッパ（沼地に生ずる一種のパートの葉た綴り合せたもの）屋根の下に酷暑も感ぜず。裸体に心地よい涼風の家に吹き込む廂山の大平原が思ひ出される非島邦人の住宅。
（下）馬來土人のゴム樹に刻目を附けてその汁液を採る處。

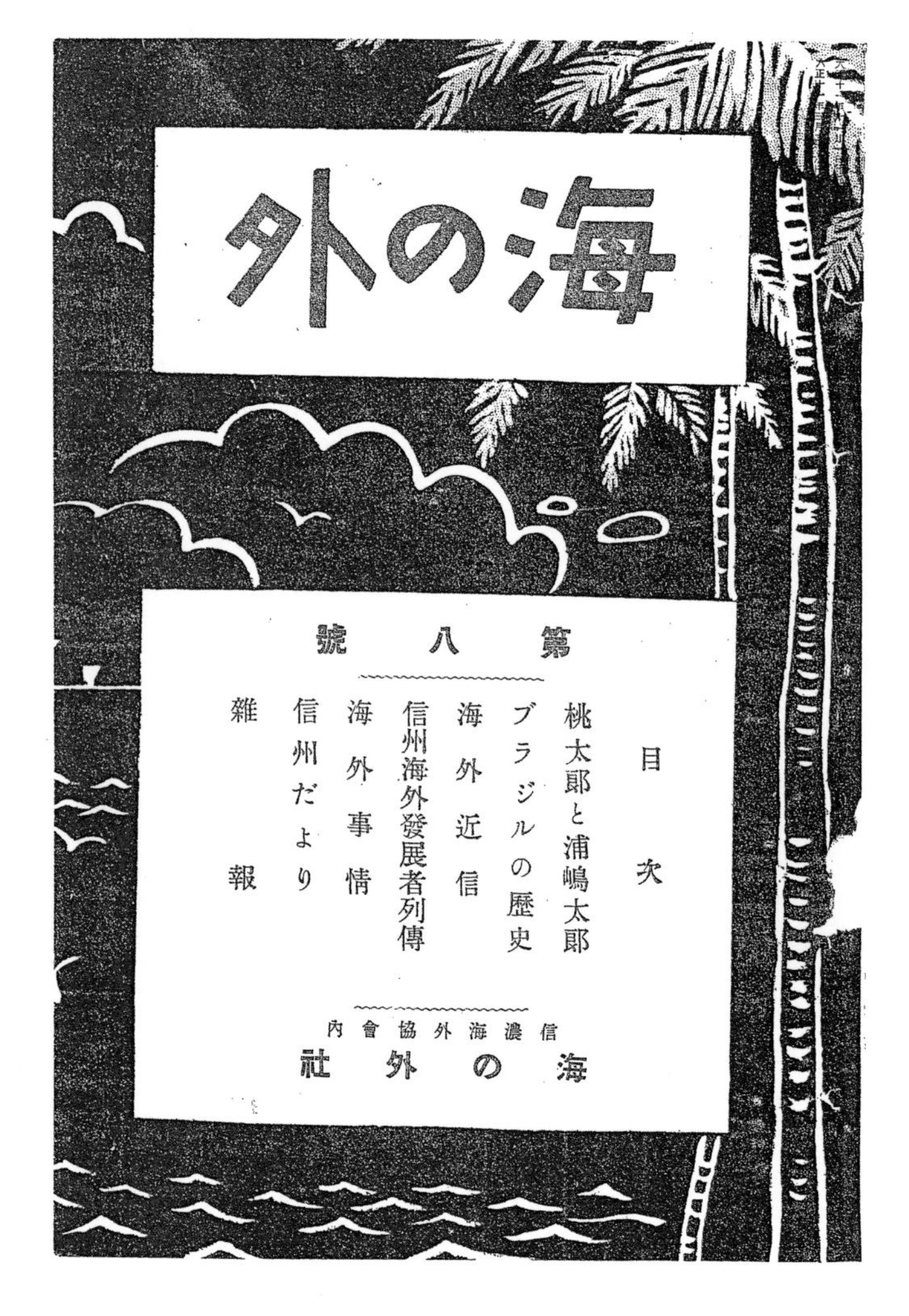

海の外
第八號
目次
桃太郎と浦嶋太郎
ブラジルの歴史
海外近信
信州海外發展者列傳
海外事情
信州だより
雜報
信濃海外協會内
海の外社

桃太郎と浦島太郎

海外發展生

一、作者は豫言者

日本國民と生れた者で桃太郎の話を知らないものはない。併し其内で幾千の人が眞に桃太郎のおとぎ噺を了解して居るかは疑問である。寢物語りに幼兒を寢つかせつゝある母じや人より小學校や幼稚園の先生に至る迄、只一つの面白い話として話して居つて、其作者が畢世の心血を注いで作つたところの此一大豫言の眞意義を沒却して仕まうて居るではないであらうか。今日之れを思へば桃太郎の話は實に理想的な家庭、理想的日本、建設の大豫言であり、兼ねて國民海外發展と大亞細亞主義の豫言である。我國民は此おとぎ噺の偶意を明確に意識しなくてはならない。

二、桃太郎の家庭

桃太郎の父母は一個の流れて來た桃を半分宛別けて食する程左樣に圓滿であつた。其母は河へ洗濯に其父は山へ薪苅りに行く程勤勞主義であつた。又、日本一の壯健な子供を生む程に衞生的攝生的であつた。鬼ヶ島とは海外の事であるが、其事情を家庭で承知して居る程世界的であつた。新聞の海外電報が何であるか理解の出來ない現代日本の知識階級とは其趣を異にして居た。桃太郎の長所を認めて之を助長せしむる程教育的であり、其一人息子を海外に渡航せしむる程剛健であつた。

妻や家族に内所で茶屋酒を飲む不良人、其不良人にかくれて不義をなす妻、不勤勞で、不衞生的で、非世界的で、非教育的で、ヒステリックな現代の家庭は正に三省の價値がある。

三、鬼ケ嶋の偶意

桃太郎の鬼ヶ島は乃ち今日の海外諸國である。赤鬼と云ふたのは當時歐米諸國の人種で、青（即ち黒）鬼は黒人や其他の人種の事である。桃太郎が鬼ヶ島から分取つて來た物品は金銀（乃ち礦産）珊瑚（乃ち海産）綾（織物）錦（美術品）で、實に海外諸國の總ての産物である。鬼ヶ島は今日の南洋、南北亞米利加、濠州及びアフリカの諸地方を意味したものであると知らねばなりません。

四、一人息子の渡航

桃太郎は一人子息であつた、家督相續者だ、而かも彼は平然として海外渡航に志し、其両親も平氣で彼の海外渡航も助成した。何物の愚漢ぞ

『二男三男は海外發展もよいが、長男は止まつて祖先墳墓の土地を守らねばならぬ』

などと弱音を吐く。祖先の位牌がそんなに心配ならば行李に入れて背負ふて行くがよい、石塔もかついで行くがよい、桃太郎の話を寝物語りにして子女を育てた日本の父よ母よ、又此話に依つて育てられた青年男女よ、何故にいつまでグヅ〲して居

るや。

五、團子の偶意

桃太郎のキビ團子は即ち今日の旅費であり資本だ。彼の家庭は總掛りになつて桃太郎の旅費及び雉子や犬や猿やを引率するに足るの資本を準備したのである。現代の父母は其子孫の旅費を準備せざるのみならず、却つて其子女の尻に生きんとするの觀を呈せるは何故ぞや。只、旅費を準備した丈けではいけない資本をこしらへてやらねばならぬ。家と稱する建物の爲めに子弟を犧牲にしてはいけない。其子弟の長所を充分に助長發輝せしめ更に進んで、之を叱咤鞭達するの意氣がなくては興國的國民と云ふ事が出來るのですか。

六、外征の門出

桃太郎の出發の有樣をよく見て下さい。彼は其目的に進む爲めに勇躍しておるではありませんか?、見よ!!!又其両親が喜び勇みて彼が外征を送つて居る。『劒か短かくは一歩進んで突きなさい』と其子を勵ましたスパルタのお母さんの樣ではないですか。桃太郎の出發には喜があつて涙などはあとかたもないのです。

何故に現代の人々は子供が軍隊に入營するとては泣き、娘が嫁に行くとては泣き、海外に其運命を開拓せんとして出發する者は停車場や港に送つて行つては泣くのですか

七、鐵の門の偶意

桃太郎が到着するや鬼が島では鉄の門を固く閉ぢて開かなかつた。鐵の門とは即ち今日の排日である。桃太郎は世界の排日の聲に驚かなかつた。雉子は濠を越え猿は門を攀ぢて遂に其門戸を開いたのである。現代と雖も何れの世界か異人種の來往を衷

心から歡迎する所があらうぞ、米國が排斥するとては其方向に行くのをやめ、英國が强いからとて之れに遠慮し、露西亞は赤いからとて恐れをなして居ては、我國は自滅の外はないのである。桃太郎の外交方針は常に硬であり强であつた。

八、鬼ケ嶋の戰

桃太郎は勿論勇者であつた。『世界で一番强い英國と同盟したから我國民も安心するがよい』などと寢言は云はなかつた。併しながら海外諸國民乃ち赤青鬼共との競爭は中々容易のものではなかつたが、彼が青年時代に鍛練した肉体と其精神、其外交的に得た味方の勇戰とは、遂には海外の諸勇との競爭に打ち勝ち。其礦山、其海權、其工場、其文化等に於て大勝利を得るに至つたのである。其苦心やなみ大低の事ではなかつたであらう。然るに當代海外に志を有する我國の青年が、一攫千金と夢み、海外に行けば金剛石や金銀が道にコロがつて居るかの如く考へ、桃太郎の苦心はせずして其成功のみを求めて居る。又身既に海外にある者か、桃太郎の憤闘主義力行精神を忘れて、失望落膽して居るものがある。

九、犬と猿と雉子

我等は桃太郎の連れて行つた三種のものを考へねばならぬ。此三者は之れを捨てゝ置けばお互に喧嘩をする『犬猿も只ならず』などと云ふ諺があるが、桃太郎に統卒されると一致し活動が出來る。

朝鮮は由來事大主義の民族性を有する事は犬に似たりだ。

支那人の小ざかしき事、北米合衆國が共和であるから、僕等の國も共和國にしたらよからうと云ふた調子の所猿に似て居て其大統領中に袁と云ふのがあつた位だから、桃太郎の猿を支那と見て間違はあるまい。

雉子は其聲鳥類の天者で、蛇が來て雉子を食はんとするや彼は先づ己の身に卷きつかしめ、蛇が段々しめると其終りに羽ば

たきをして蛇を寸斷し之を食ふと云ひ傳へられて居る。それ印度か。印度のタゴールと云ひガンヂーと云ひ其叫び聲は界の隅迄響いて居る。英國と云ふ蛇に卷きつかれて居るが、此上英國が印度を壓迫するに於ては、愈羽ばたきだ。向の羽ばたきが成功すれば英國の蛇は寸斷されて食はれてしまうのである。

朝鮮の犬と、支那の猿、と印度の雉子と、日本の桃太郎との同盟は、之れ即ち大亞細亞同盟でなくて何であら亞細亞同盟の成功の豫言でなくて何であらう。

桃太郎のお噺の作者は實に偉大なる豫言者であり日本第一の文學者であつた。日本一の政治家であり思想家であつた。我國の國是は桃太郎の話で澤山だ。日英同盟何するものぞ、日米親善それ何するものぞやと云ひ度なるではないか。

十、浦嶋太郎は失敗者

一、浦島太郎は怠惰な男　彼は勤勞する事がいやで釣り竿をかついで海岸へぶらりと出て行く樣なまけものであつた。

現代海外に行かうとする青年に君は何故に『海外に行き度くなつたか?』と聞いて見ると『日本ではとても駄目だから外國へでも行けば樂をして金が取れると聞きましたから行きたいのです』と答へる。樂をして金の殘る所が世界中にあるものか。樂をし取つた金の殘つたためしがあるものか、日本で何かやり拔けない樣なやくざものが海外で何が出來るものか。

二、浦島太郎は輕卒な男　彼は龜が龍宮へ連れて行つてやろうと云ふたら、すぐに其言葉に從ふて出發した程、それ程輕卒

な男だ、現代にも此種の青年がある、海外發展の講演でも聞いたり、煽動的な雜誌の記事でも讀むと、前後の關係を忘れて飛び出すのである。海外の事情由來困難なり、周到なる頭の持主でなければ成功は出來ない、浦島の失敗は其の輕卒なる所にあつたと云はねばならぬ。

三、龍宮と美姬は海外の事　日本の藁葺の家屋から海外に出て行くと、それが支那であろうと米國であろうと龍宮の樣に見ゆる。特に海外各國の港に居る美人は正に玉姬の如く見ゆるのである。乃ち浦島太郎の話に偶意されたる龍宮は正に海外の事に相違ないのである。米國に行つた日本のスクールボーイなどが其家の娘に『あたい本統にお前を愛するわよ』など〻云はれて、此娘は僕に惚れ込んだなど考へて失敗する事は澤山ある。

四　宮住ひは家庭勞働　浦島太郎は遂に龍宮でお姬樣の側をはなれる事が出來なかつた。丁度アメリカに居る家庭勞働に從事して居る者が『田舍はきたない』『農園は骨が折れる』『地方は食物が惡い』『活動寫眞が見られない』など云ふて、遂に一生米人の家庭でおさんどんの生活をやるのと全樣だ。

海外で日本人は土地を持たねばならぬ。土地は成功の唯一の方便だが、それを得て確實なる農業に從事する者がない。かくて一朝排斥に遇へば追ひ立てられて、何等の根據もなくなるのである。永久に家內勞働をやつて居る日本人は浦島太郞と全樣た。

五、浦島には永住の決心がなかつた、浦島の生活は吞氣なものであつた。だからもそれだけでも彼は永住すべきであつた。然るに彼の歸朝の意志は年と共にかたくなつて、遂に龍宮から引き上げる事になつた。

今日では日本程生活に苦しい所は世界にない。南洋でも南米でも日本よりは生活が樂である。從つてこれ丈でも海外日本人は歸國を考へてはならぬ筈であるが、其多くは一日も早く日本へ歸る事を考へて永住の意志がない。從つて其事業が腰かけ的であつて百年の大計が起たない、從つて成功が出來ないと云ふ事になるのだ。

六、玉手箱は持つて歸る金　浦島太郎は永年の勞働賃金として玉手箱を得た。丁度日本の在外者が幾年かの苦心の結果いくらかの貯金が出來てそれを持て、唯一の寶として歸る樣に。お姬樣は云ふた『どんな事があつても玉手箱を開けてはいけないよ』と。

浦島は得意になつて洋服の新調したのを一着して橫濱に歸つて來。そして故鄕へ行つて見ると時代は過ぎて居つて知つて居る人はなかつた。これは今日の歸朝者の實驗と一致する。十五六年もたつて歸つて來れば故鄕は乃ち外國だ。僅かに顔を覺えて居るのは年寄り計りだ。それも大半は死んでしまうておる。同年輩の著は、彼等同志は心安だてに話すが、歸朝者には敬語をつかう。同年輩の娘は他村へ嫁に行つて母となり、妻君等は他村から來て居る。子供等は皆成長して殆んど一人も知つて居ない。皆浦島と全一の感に打たれる。

此場合に唯一の誇りは玉手箱なる持歸りの金だ。郵便局や銀行から少しづつ引出してつかう。其內に親類が田畑を賣り來るから買う。中には古い借金を拂つたり、止むを得ずして貸したりする。三千や四千の金は烟の如くに消ゆるのである。故に『玉手箱を開けると煙が出たが、其あとは空であつたとあるが正に其通りだ。

さうすると『浦島の顔には皺がより頭髮は霜の如く白くなつた』となる。一体外國に居る者は[illegible]氣だ氣分か若い、六十七八歲になつて孫娘が嫁に行く樣になつても、女の顔を見ればいやにニヤ〳〵したり、時によると一寸手を出したりする。在外者が日本へ歸つて來て驚く事は、舊友なる同年者が我父の如くに考いたる事だ。所が玉手箱なる所持金を消費すると考へる『モ一度外國へ行くには在留證明の期限が切れたし、又、實際再渡航をした所で始めて行つた時の樣には働けない。さればとて日本に居たつて食ふて行く道はない』と。こう考へると急に年を取る。顔に皺が出來、頭髮が白くなる。歸朝者で一年位で再渡航をすればよし、二三年たつて持つて來た金がなくなつた連中は皆此通りだ。始から龍宮などへ行かねばよかつた。立派な洋服を着ねばよかつた。西洋料理やチャイナー飯を食はねばよかつた。スプリングベッドなどに寢なければよかつた。ポケットに金貨などを入れねばよかつた。ハーフシエーアであんなに儲けねばよかつた。始めから日本の農村で元始的の生活をして居た方が彼の爲めには幸福であつた。

かくして浦島太郎の噺は海外發展失敗者の經路を尤も巧妙に語り得たおとぎ噺である。海外から歸朝したい人々は、も一度浦島太郎の話を聞いて見るがよい。桃太郎は海外發展の成功者で浦島太郎は失敗者だ。こんなよい噺が日本にあろうとは!!!

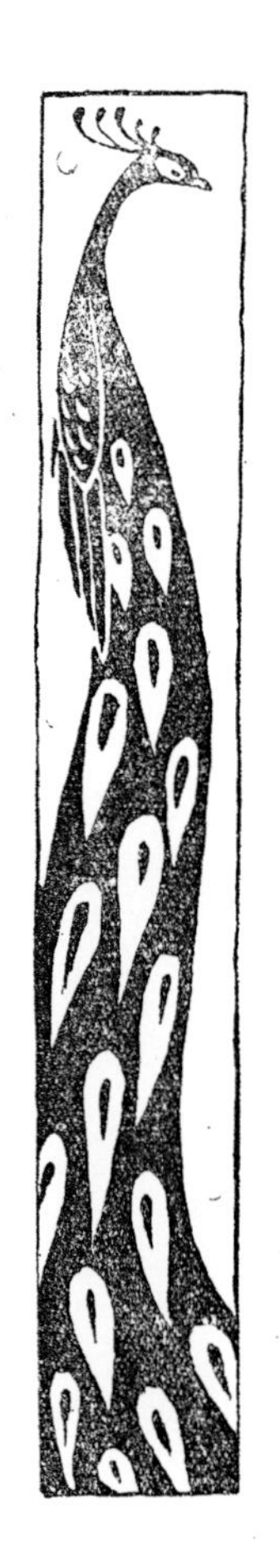

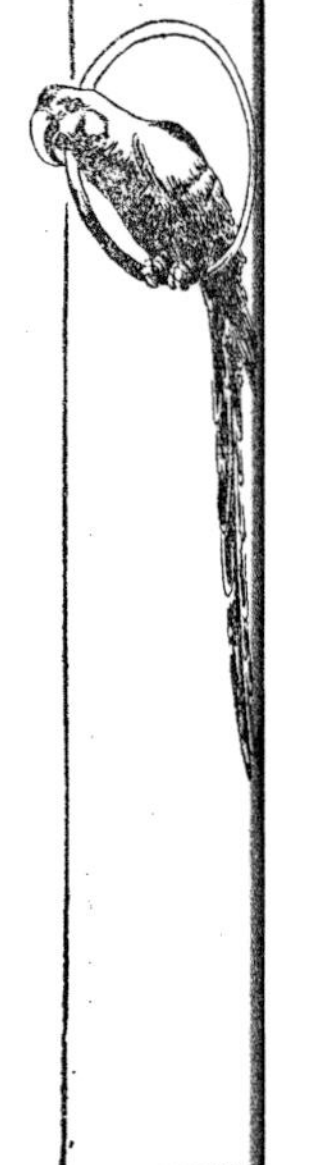

伯刺西爾の歴史

藤森克

ブラジルの發見

西暦千四百九十七年七月、ヴアアスコ、ダ、ガマがホルトガル政府の命を受け、三隻の船艦と六十人の海員とを率いて、東方遠征の途に上り、翌年五月印度の西南岸カルカツトに着してホルトガル人が多年の宿望を達せしより、同國人の射利的冒險心は勃然として旺盛を極め、次回の印度遠征艦隊の司令官撰任の際の如きは、其候補者の多數なりしと、其競爭の激烈なりしとに依り政府は之れが撰擇上非常なる困難を感ぜしが、ペトロアルヴアレッツ、カブラル遂に其撰に當り、バルソロミユー、デイアヅ其副官となり、千五百年十三隻の船艦を率ゐ、若干の宣教師と千二百人の兵士とを乘せて遠征の途に上り、途中潮流と颱風との爲めに西方に漂流し、四月遂に南米大陸に漂着して圖らずもブラジルを發見したり。

カブラルの艦隊は更に喜望岬を迂廻して、其の六艦のみ印度に達する事を得たり。

經營開始

當時葡國は東洋各地の經營に忙はしく、未だ指を南米の開發に染むる能はざりしが千五百二十一年ジョン三世王位に即くに及び始めて之れが經營に着手せり、而して其當初は貴金屬など未だ發見せられず、從つて移住民は皆土地の耕作を事とせり。

是に於てジョン三世は即位の翌年ブラジル移民規則を定め、幅十五リーグ（我が二十一里九町）に亘る海岸一帶の地方を采邑として移住民の一家族又は一個人に分與し、其の地方の土人を使役して耕作に從事せしめ、各自其の采邑內に司法行政の二權を行ふ事を許可せり、其の結果千五百五十年に至りてはセントヴインセント、エスペリトサント、タスイイへオス、マラハオ、ポルトセグロ、ペルナンブコ、バビヤ等の植民地成立し、數個の市府さえ建てらるゝに至りぬ、就中バビヤの植民地は最も繁榮なるものなりき、而して千五百四十九年、トーマス、デサウサなるものブラジル植民地の知事としてバビヤに派遣せらるゝに及び痛く土地所有者の權利を制限して之を王室に收め、又、秩序的植民を開始し、又、マデイラ島より甘蔗を移植して之が栽培を奬勵せり、而してブラジルの天然の產物は染料に用ふる蘇方樹を其の主なるものとす、而して本國との貿易は全く政府の獨占にして、毎春派遣せる艦隊によりて營まれぬ、是に於てブラジルの經營も畧ぼ其の緒につきしと雖も移住民は土人を奴隸として虐使せしを以て、移住民と土人との爭絶ゆる時なく移民の狀態頗る危險なりしかば、移住し來るもの甚だ多からず、十七世紀の半に至り葡國が西班牙より獨立せしまではブラジルは主ごして猶太人囚徒謀反人及び多くの僧侶の避難地たりしに過ぎざりき。

ブラジルの發達と奴隸

千五百八十七年より千六百四十年に至る西葡兩國合併の影響は又ブラジルにも及び、漸次多國の爲めに侵畧せられ、千六百三十年より千六百四十年に至る間北部海岸は殆んど擧げて和蘭の手に歸せしが、葡國の獨立以來次第に之れが恢復して、千六百六十年に至り巨額の價を以て和蘭より其の占領地を購ひ返すことを得たり。

其後ブラジル植民地の基は主として奴隸の力に依りて確立せられぬ、蓋し最初の移住民たる猶太人はブラジルの地味肥沃にして之れを開墾せば葡國の一寶庫たるべきことを呼號せしが、勞力缺乏せしを以て亞弗利加より無數の奴隸を輸入し、土人と共に之れを使役し、土地の開墾耕作に從事せしめたり、爲めにコンゴーグイニヤ等の亞弗利加植民地は奴隸の輸出を以非常なる繁榮をなすに至れり。

鑛山發堀と金剛石採集

此くブラジルに農業植民地として其の基始めて定まりしものなれども其の葡國の寶庫たりし所以は、農產物の豐饒なりしが爲にあらずして寧ろ鑛山の豐裕なるにありき。

ブラジルに於いては千六百九十六年ミナス、ゲラエスヴイラ、リカ等の大金鑛始めて發見せられし以來鑛山の探險發堀の業漸く盛にして、パウリスト(西班牙領よりブラジルに移されし

囚徒ご土人ごの雜種兒)主として此の事業に從事せり。爲にヴイラ、リカ、ヴイラ、ボア、ヴイラ、ド、プリンシペ、等の內地は非常に繁榮なる場所となりぬ、之加金鑛發見後三十年にして金剛石の產地發見せらるゝに及び內地の繁榮は益々發達せり最初金剛石採集の權は唯一の組合のみに許可せられ其の價額を高く保たんが爲めに、其の採集高を制限し、從つて採集に使役せらるゝ人數及び一人の採集高に至る迄制限を附し、其の監督は甚だ嚴重にして法律に依りて許可せられしものゝ外、金剛石の產地に近づくを嚴禁し、又妄りに其の交易を行ふものは罪するに極刑を以てせり。

されご此の人々が黃金金剛石の採集に熱中せし間と雖も、農業も亦閑却せられず、砂糖、綿、蘇方樹等の產額次第に增加するに至れり。

貿易

十八世の半に至るまでブラジルの貿易は定期に本國より派遣せらるゝ船舶によりて行はれしものにして、本國のリスボン、オポルト亞米利加のリオ、ジヤネイロ、パライバ、オリンダ等は當時は最も有名なる市場なりき、當時のブラジル貿易は實に驚くべき巨額に達し、殆んど本國ご他の歐州諸國との貿易の總額に匹敵せり、然るに十八世紀の半に至りポルバルが葡國內閣を組織するに及び、ブラジルの貿易權を擧げて、二個の會社に分與せし以來其の額俄然ごして減少、救濟すべからざる損失を生ずるに至りぬ。

千七百三年以來葡國は常に英國に屈事し、此の新興の海上國ご進退を共にせしを以てブラジルの分離又は他國よりの占領は其の庇護によりて漸く免るゝこごを得たり、而して之れより十九世紀の初めに至るまでは別に記するに足る事件なし。

ブラジル帝國の建設と其の繁榮

其の後ナポレオン一世が歐州全地に其の威を振ひし時に際し葡國は常に英國ご聯合して其の威命に從はざりしを以て、ナポレオンは西班牙を慫慂して葡國を分割すべき密約を結び、千八百七年の末佛軍は葡國王室を捕穫せんとしてリスボンに上陸せしに、葡萄牙王は其の前日を以て既に一族大官を卒ゐて英國艦隊に保護せられてブラジルに逃れ、此に一帝國を組織しぬ。

ブラジル帝國は千八百二十一年迄繼續せしが、主權者の在住は大いにブラジル人民の利益を增進し、諸般の制度着々とて改善設備せられ、通商上の撿束は解除せられ、銀行は設立せられ、教育事業は奬勵せられ、國道開かれて交通機關は著しく發達し

生產事業勃興して、非常の繁榮を致せり。

ブラジルの獨立及び革命

此の如くブラジルは主權者の來住以來長足の進歩をなし、國家的發展を遂げしを以て歐州の平和克復し、千八百二十一年葡萄牙王が再び歐州本國に歸去する時に臨みて、既に元の如く單に一植民地として統治し難きものありき、是に於て皇太子ドンペドロを留めて之を統治せしめしが、翌年(丁度今より百年前)人民は遂に之を擁立しブラジル帝となし、本國より分離して一帝國を組織せり、當時葡萄牙王は本國に於ける權力の恢復扶植に忙殺されしを以て已むことを得ず、植民地の獨立を默許し葡國の植民地唯一にして、且重要なるものを失へり、されども其後兩國の交情は寧頗る親密なりしが、十九世紀を通じて西半球を風靡せし自由の風は遂にブラジルをも襲ひ、千八百八十九年ブラジル國民は時の皇帝ドンペドロ二世を國外に放逐して僅かに持維し來りし葡國との關係を絶ち共和政体を組織しぬ、而して此新興の共和國は未だ充分なる發達を遂げずと雖も其の自由主義に基ける憲政の發達完備するに從ひ國運の隆昌期して待つべきものあり。

ジヤパニースドラマ

加州のある教會から日本の一青年が米國人の家庭へスクールボーイに住み込んだ。午后の八時頃には仕事が終つて自分の室の安樂椅子に腰を卸したが、馬鹿に氣持がよいので、義太夫をうなり出した。始めのうちは勿論小聲であつたが、興が乘つて來るに從つて聲が大きくなり『此なたの隅より表はれ出でたる武智光秀!!!ヤァツ!!!』と怒鳴り出した。

米人の主婦は何事が起つたかと見に來れば、日本人が獨りで笑つたり怒つたり泣いたりして居る。これは發狂したに相違ないと云ふて教會へ電話をかけた。教會員は發狂と聞いて驚いて牧師がかけつけて見ると、なァーんだ義太夫をやつてゐるんだ。牧師と青年とが大笑をするご不思議な顔のおかみさん

『どうしたと云ふんです?』

『ジス・イズ・ジャパニース・ドラマ・マグム!!!』

海外通信

一、ロツキー山の所感

=もゆる様な意志や心を抱く青年の=

重ねて雜誌海の外御送付下され一字もらさず拜讀致しました暫く忘れた故山の御たより又新らしくうかがふこごが出來てうれしく存じました。

紙面を透して郷里の海外發展の熱は私の在郷の折より一層高まり欣躍の情に堪えません、東京支部設立、我が縣民の緊張した氣分がうかがひ知れます、全く海外發展は人口問題を處理する國家的問題で、總ての人が之れに意を止める様になつたのは誠にうれしい事です、それにつけても力行會や其の他の海外發展首唱者の功績を思はずには居られません。

今後我が民族の好發展地は南米各國を理想と存じます、私の海外發展永田先生の御講演による莫大なものであります、私は加奈佗に渡航して日淺く爲せし見るべきもの少しもありません移住者の通則として基礎建設時代を今後若干年過す迄は變化ない勞働生活に賃金を貯蓄するこゝ、英語収得をつゞけるのでございます全く建設時代は堅忍と繼續の努力に終始して居ります もゆる様な心や意志をいだく青年にこの沈默は堪え難き苦痛です、併し基礎建設時代ご思へば將來の得意の時もしのばるゝ

私は大正七年末、定着農夫ごして渡航致しました。滿二年半の年期を經て勞働界に出て一年余未だ前途遼遠です、齡二十二才です。

私が上陸以來私の目にうつつたカナダをひまを見ては紙に書き、もう大部つみました。いつれ發表する時もありませう。

昨年八月伐木の山林生活を辭して、中部平原バンクーバーから千三百哩の、サスカトーン市のある加奈佗大平洋鐵道會社のラウンドハウス(機關車修繕所)に來り、そこに務めて今日に及びました。一日九時間の勤めにて一時間二十三仙五厘です、

本年八月以前は三十七仙五厘でしたが、日本人のみ特別の底下故皆不平を唱へ會社に抗議をしましたが、不成功に終りましたし日本人勞働者は、白人勞働組合に加入して居りませんから、かゝる時に慘めなものです。

私は昨年バンクーバを出立して東方へ向ふ時有名なロツキー山脉を汽車で横斷しました。以後其の時の所感を記します。

八月三十一日午後八時車中の人となつて、加奈佗大平洋鉄道シーピーアールのステーションを出發した、客もかなり乘つてゐた大陸横斷の列車で寢臺車でした。

あたりの景色も見たいけれども夜故に、眼を閉ずれば自然とねむりに落る。目さむれば翌朝未だ早かつた、眼界已に一變して他世界にある心地す。白き砂山に青き木の點々として胡麻墟に見ゆ、汽車は山間を走りつゝあるが左手は湖岸、右手は山麓對岸の山麓にも一つの列車走りつゝあるを見る、トンネルに入つては出る様まるで繪の様だ。

彼の鐵道はカナデアン、ナショナルであると、始めは彼少々早かつたけれども終に我れ勝ちて姿は見えずなりぬ。汽車はいよ／＼ロツキーの險にかゝる。

重疊なるロツキーの山谷を列車はうねり／＼て進む、二ツの汽關はベストをつくして東へ東へと進む。

仰げは高き山頂は雪白く風に飛んで居る。奇岩の重なり居るは中腹のみ見える。全山岩にして山頂は雪に白く中腹木たく麓の常磐木のみ整然として生えて居る。其の下は谷川にて雪溶けの水音を立てゝ流るゝを車中にて賞す。偉大なる價値かな。パノラマの如き山間の絶景は一日行けどもつきず、再びおそひ來る暮色におしき別れを告げた。

この日途中汽車停車なし、乘客に山中唯一の絶景を見せたり車を下りて數十歩斷涯千余尺見るだに足もと冷し、谷底ドウ／＼たる水岩頭松生え何たる景や、一少女の客に其の土地産の果物を賣るあり、予も金十仙を與へて一袋を求む、五分後再び車中の人となる。キヤルカリールに着きしは二日午後〇時、外氣に觸れば寒し、翌朝は平原を突進して居た。

ロツキー山景は日本人にとつては偉大に過ぐ。一ツの峰一ツの谷一ツの湖をも見のがさずとあせれども一日二日の長き身のつかれをいかにせむ。

予が平原／＼と常に理想として思ひこがれて居た平原は今接する事が出來た。車窓より見ゆる原は灰色に尺たらずの草が生え、雨なきを思はしむ。牛馬の四五つれだつてあるいてゐるのも見えた。農家は四五哩に一軒程しか見あたらなかつた。麥畑は今收穫の最中だ。時々都市を通過するがどの市も大きな木なく家屋のみそびえてゐた。

ムースヂョーにつきしは午後五時なりき、ムースジョーにて下車バンクーバを立つて正に四十六時間。

大正十一年十月十日

＝南安曇郡穗高村出身　勝野千秋＝

二、メキシコより

＝日本の書物に接する機會が甚だ稀にて＝

御送附の雑誌海の外第五號數週前正に落手、早速御禮迄もと思ふて居りましたが、元來野生雨の私にも不似人間らしく少々風邪の氣味にて、其の意を果たすを不得數日前より追々快方に向ひ今回こそはと二三行書き始めましたら、在エムバルメ當總長より當鐵道工夫アクシデントにて重傷患者を出せし爲め早速病院車にて、出張せよとの報に接し詮方なく特別列車にて現場に向ひました。思つたより大傷で何んとも手の付け様もなく、應急手術をクロ、ホルムでして早速當鉄道病院本部迄送り届けて本日歸院致しましたら又第六號が到着して居りましたから、何には兎もあれ早速謹で御禮申し上げます。

前記の様な有様で一寸の油斷さへ出來ず、延引の段は何卒御容謝々願ひます。

去る千九百十六年以來、吾が縣人會は勿論其の他の團体には余せ關係したことのない私故、今回始めて吾が信濃海外協會なるものに接したので、非常の親みと共になんだか心強い様な感がします、之れも先生始め皆々様の御蔭と重ねて御禮申上ます今更申す迄も無く外國にある者殊に當墨國在住者は北米地方と違ひ、種々の事情にて日本の書物に接する機會甚が稀れですから、今回の如く海の外でも手にしたら、一字も殘さず讀むことゝ思ひます、從つて其の喜び程度も他國在住者より遙かに多い事と斷定しても間違はありますまい。之れは唯小生一箇の豫想に過ぎませんが、多分他諸兄も同感の事と信じます。

兎に角當地にては日本の書物を得るは實に困難此上も無く、第一米國より求むるとすればポケツトと相談の必要があり、日本より直接之れを求むるとすれば永い時日を要しいろ／＼不安もともないまする故に、之が吾々在墨國同胞にとつて何よりの苦痛でないかと思はれます。

然し西語を修得して西語の書物を讀めば好い様に思ふ人もありませうが、之れは特殊の語學素養のある者以外は、第一素養から始めて相當の時日を要するは勿論、自身の一生を語學に志す人以外は西語の書物などとは、余り掛け離れた見解で普通一般の人には問題外でありますまいか、殊に當地の様な小さなタウンには書物らしい書物はくだらん雑誌小說以外には一寸探し

出す事さへ出來ません始末、殊に先輩諸兄の話には昔よりの宗教を其の儘根本として見るも實に馬鹿らしい物許り、殆ど見る可きものは全然無いと云ふも過言ではないとか、之れは吾々先輩許りの意見では無く、當地在留米、佛、獨人等の等しく口にする所です、多分誰れも之れを否定する人は常識者間は全然ないと思ひます。

然し宗教を研究するには或は却て得る處が有るかも知れません、けれども當地一般信者の口にする舊教は丁度子供だましの様な御說教で、聞いて直ちに之を信ずるは今少々世が退化すれば宜し、若し退化せし限り人間らしい人間は一寸出來ないと思ひます。余り知りもせんカトリツクの事を言ふ事の善惡は別問題としても或はクリスチヤンに飛んだ御眼玉を戴くかも知れませんから最早云はんことに致します。

前記の様な次第で何事に依らず困難して居りましたが、今回皆様の御儘力に依り、吾信濃海外協會を設立されて益々吾縣の海外發展に便宜を與へられつゝ有るのは吾々同胞は俱に感謝の言を知りません、其の進步、發達は近き將來に出現するを期して疑はないものであります。

大正十一年九月三十日

＝伊那町出身　林彌兵衞＝

三、ダバオより

＝悲觀は事に益なく　退嬰は業を破る
吾人は隱忍自重一陽來復を待たん＝

烏兎忽々大正十一年も將に半ばを過ぎた、廣漠たる太平洋上の島地に働く吾等に對して空谷の跫音とも云ふべきは雜誌海の外の到着で有た。始めて此の雜誌を手にした在外長野縣人諸君は誰でも僕と同樣の感を抱かれた事だらうと思ふ。

何か良い材料を見附け、此の雜誌を通じて縣人諸君に御披露致し度いが、悲しい哉我が南洋には差當り何も無い。昨今吾人の耳を打つものは日はくゴムの暴落、日はく砂糖の不況、日くはく何ごと何れも皆悲觀の種ならざるは無い。然りと雖ども悲觀は事に益なく退嬰は業を破る、吾人は隱忍自重一陽來復を待たんとするものである。

當ヒリツピン群島ミンダナオ島に在留せる邦人大正八年には正に一萬を超えたるが本年は減じて二千人弱となつた、概ね薄志弱行ホームシツクに罹りたるもののみ、中には親元から旅費を迄取り寄せたものも有るに至りては腑甲斐無きに驚かざるを得ない、もとより誰一人日本の國を思はぬ者は無い、あの上野の花咲く春平和博を見物せし友人の報告を聞いた時、又戀しき父母兄弟の在せる故鄕野も山も川も湖も路傍に生ひ繁れる草木に至る迄何一つ戀しき故鄕を後にして何故に飛び出したのであらふ。又何故に一日も早く歸國せぬであらうと疑ふは强ち無理ではあるまい、青春時代の若者が軟肌も知らず、何の慰籍だに無き此の南洋の炎熱地で、賃金の安い麻糸挽に從事するは非常の奮勵と努力とを要する。

一萬人が二千人に減ずるのは、自然の勢とも云ふべきだらふだが併し、其處が一考を要する處だ、彼の猫額大の日本歸つて何の發展が出來やう、畢竟蝸牛角上の爭に終るの外なからふ、火の中にも三年と云ふ諺が有る、基督敎徒は忍ぶ者は勝つと云ふ、我等は飽く迄此地に踏止まり、あらゆる艱苦と鬪ひ徐に永遠の成功を求めんと欲する者である。

來れ、信州の建男兒進んで困難の渦中に投ずるが男兒の本懐では無いか、何を考へて思るか、何を躊躇して居るか、綠濃き椰子の樹蔭に腰を下し、沖遠く通ふ土人の小舟を眺めつゝ一杯のドバ（椰子の樹より採收する一種の酒）を傾けて見給へ、言ひ知れぬ雄大の感を覺えホームシツクなど搔き消されて終ふ。

特に希望するのは女子の渡航てある。女子の伴はぬ海外發展は永遠の計と云ふ事は出來ぬ、希はくは信濃海外協會に於て志操堅固の青年男女を選び、生業上よりも、國防上よりも將來益々重要なるべき此南洋の天地に雄飛せしめん事を、終りに貴會の發展を祈る。

大正十一年九月一日

＝ダバオにて　伊藤春好＝

四、ヴイラコスチーナ耕地より

＝經驗より得たる感想を＝

拜啓今回は貴協會設立せられ、海外發展に關し御盡力下被候事大慶に存候、御發行の海の外雜有拜讀仕候、それに依れば母縣當局者及有志諸氏御盡力下被候由、取分此廣々として氣候よく黑人にも、白人にも將又、黃色人にも更に差別を立てぬ伯國に御注目の事誠に嬉しく存じ候。

是よりは以前に勝る健實なる發展が出來得る事と存じ候、次に淺薄なる自分の經驗より得たる感想を申上候。

一、渡伯に就き夫婦家族の意志の統一せぬが大なる欠點と存候能々了解の上に家族を構成し渡航すべきものと存候

一、自分は日本人で有る、一等國民である　毛唐は怠惰物であるなど、日曜際日をも構はず働く如き、同化の精神に乏しき振舞は、やがて排斥を招く原因と存候

一、來耕早々代理人（海外興業株式會社の）の云ふ事と違ふとて不腹を　ふ者の多いのは苦々しき事と存候これは多くは自分の決心覺悟の足らざる故と存候

一、早く金を溜めて日本へ歸らんとあせるは却て不幸を招く基こ存候、土着の志無ければ道徳も人情も薄らぎ、所謂出稼根性を現はし、引きては排日氣分を醸成するものこ存候兎に角日本人としての精神は忘れずに、頭の奥底に据置き行動は何處迄も外國人と同化する樣、つまり自分等の居心地よき樣にするが今後在外者の務むべき點と存候、故に内地當局に於ては棄民を送らず、貴民を送る樣御盡力願度、又、渡航者は第二の日本建設者であると云ふ高尚なる固い決心を以て渡航して戴き度候、さすれば成功疑無しこ存候。

猶當耕地在留日本は唯今の處五十二家族有之候が、大部分本年出耕致し二十五家族だけ殘り候、其の過半は長野縣人にて他は熊本縣其他の人々に候が、府縣の隔は更に無之日本人會を設立し、順序よく發展致し居候。早々

七月十五日

＝サンパウロ州モヂアナ線ヴイルコスチーナ驛にて　宮島文雄＝

五、アルヘンチナより

＝亞國の宣傳を吳々も＝

信濃海外協會岡田總裁閣下

未だ一面識も有りませんが、不肖忠直は五年前に勇圖を懷きて來亞致した者で有ります、未だ何等の有形の基礎は築いて居りませんが常に故郷を愛し、國を思ひ、民族の將來を憂ふる念は寸時も去つた事は有りません折に觸れ機會ある毎に故國の青年に海外雄飛を慫慂致して居りますが。何の反響も無く誠に腑甲斐なく思ふて居りました。

折柄母縣識者の斡旋は信濃海外協會を生み、機關雜誌海の外を通讀致して欣快に堪えません、茲に刺擊を受けた不肖忠直は再び奮起して祖國の爲めに微力をも顧りみず、一書を草した次第であります。

信州の山の中に居て海の外の見えない人々の爲めに、亞國の事情をお知らせすべく、此材料を差上ようと思ひます。

松本商業學校の村田君には當地日本人會々報誌土地賣買法等の印刷物を差上けて置ました。尙郵船の河内丸で歸朝された友人平川末友氏は、在亞農業研究會長で、今度母國に於て南米農牧會社創立の一大使命を負ふて歸途に就いて居られます。同氏には信州に於て亞國事情宣傳に獅子吼をして貰ふべく吳々も依賴して置きました、同船の横濱入港は十月下旬で、平川氏の滯留は約六ケ月の豫定故、恰農閑の時期に際し、甚だ好都合であると思ひます。若し御都合が出來ましたら東京市青山六丁目五六野崎方若くは日本力行會へ御交渉を願ひます。前述松本商業學校生徒村田琢磨氏も南米視察、特に伯亞の兩國に二ケ月余を

費し、先づ精密なる觀察を遂げられました。當國事情宣傳者としては適任者の一人と確信いたします。

色々蕪事を述べましたが、自分の燃ゆる赤誠より迸つたので有ります。何卒惡しからず御諒察を願ひます。今後折々通信を申し上げる心算であります、當地在住小生外河野通信小林一郎の兩君を會員に御加へ下さい猶順次入會勸誘を致します。以上

八月十五日

＝アルヘンチナはて山崎忠直＝

六、シヤトルより

＝排日は世界的發展の善き訓練＝

愛らしき海の外が呱々の聲を揚げるこ共に、矢繼早々今日早くも第五號の御惠送を給はり親しく、亦懐しく拜讀いたしました。御祝詞も中度、會員應募の儀も早々申し送らんと思ひながら遂今日迄失禮いたしました。

かゝる御催の實現は私共の如きものですら渡米早々(四年前)已にく切望いたしたことでございました。其の後年を重ね物を見聞き、人樣と語る毎に益々其の考へを深くした事でございます。故國の地勢と人口の密度から見ても何人も此の際今後海の外に發展するより外に道の無いといふことを御考へにならぬ方ば無からうと思ひます。

就中天惠に乏しい我長野縣に於いて、一層其の感を深ふせざるを得ぬ事と思ひます、而して我々日本移民がその目的到達の爲めに西に馳せては支那に、南に航しては南洋に、東は遙かに米國に、熱帶寒帶に洋を追ひ、地を蹴つて世界到る處に發展して居る譯ですが、其の行く處　處でも年を追つて排日の聲を益々激烈こならぬ處はありません、支那の各地に於ける日貨排斥の如き、布哇に於ける、加州に於ける、當ワシトン州に於ける又、最近に於てはバンクーバー各地に於ける排日の如き、法律上に於ては土地所有權を剝奪し、借地權を短期に制限し、雜婚を禁じ、或は加州に於ける日系學童問題に對する州の容喙の如き、布哇に於いては最近日系米國市民の既得被選擧權に對する妨害の如き、同じ神の子たるべきものをして誠に言語同斷の仕打なりと殘念がる事ですが、今私共が廣く眼を打ち開いて見、冷靜なる心を以てこれを考ふるならば、凡そ此等排日の大半は實に自縄自縛の事に屬し、或る意味に於ては却つて日本の世界的發展力に對する善き訓練、善き經驗である樣に思はれます。

排日の多くが、多くの移民者の無教育と所謂移民根性にして其の風俗習慣を顧みざるに胚胎する以上少なくとも日本で多くの識者論客の唱へて居らるゝ樣な、現實こあまりに掛け隔りがあります。

狹隘なる觀識よりは一日も早く脫却して、實際に外國を研究し國民に海外教育を普及し、之れに對する十二分の理解を持たしめる樣に盡力して戴く事は實に刻下の急務と考へるのでございます。

アメリカの刊行物の發行部數が歐州各國全体のそれを凌駕する程、讀書の旺盛なる、換言すれば常識の發展せる人種の中に世界列强中恐らく讀書力の最も貧弱なる、日本人十萬余も這入つて來て、不仕鱈を發揮し、徒に民族發展を赤裸々に見せつけては排日の一聲も呼びたくなるのは人情の然らしむる所と思ひます。

此時、此際海外協會の如きが設立されて、發展せんとする者を教育し、指導し、外に在る者の啓發を計らるゝと云ふ事は、最も機宜の施設でありまして已に海外に多數を送り居る、廣島和歌山、岡山、山口等の諸縣の如く、早くより此種機關の設立あり、着々奏功せられつゝあるのであります。此時我が長野縣海外協會の出現は晩播ながら誠に結構の事と喜んで居る次第で御座います。

私がアメリカへ參りましてから已に四ケ年になります、短い人生に取つては一時代を劃するに足る長さであります。しかし此四年の間に起つた變化は國家的にも社會的にも、又人類的にも隨分大したものがありましたが、殊に私自身にとりては可也變化に富んだ記念すべき歳月でありました、私共の樣に家守役であり臺所の守りであるものには僅かに人樣の御話や刊行物に依りてほんの僅かばかりアメリカと云ふものを知る事が出來た樣に思ふので御座いますが、それよりもつと私自身にとつて意義ある事は自己及び日本を顧みるの機會を得た事であります。

如何に正しく生くべきか、如何に愛すべきものを愛すべきか如何に憎むべきものを憎むべきかを教へられたので御座います。そうして尚最深刻に感得せられた事の一つは、どうしても我國現代の教育方針が根本的に誤つて居はしないかと思ふ事です、日本では何事も學校で教へられる、大學否官立學校を卒業して居なくては何事も爲し得ずと思はれて居るので、又、實際今の日本はその樣になつて居るので御座います。

然し翻つて見れば、今日程世界一般個性の力の現はれて居る時代はありますまい、世界を支配して居るものは大學を卒業した人でなくも、社會の艱難の大學教育を受け之を卒業して意力体力を養ふた人々であります、炭坑夫から身を起した英の大宰相ロイド、ジョージ、洋服屋であつた獨逸のエーベルト大統領新聞配達上りの米大統領ハーデング等枚擧に遑ありません要するに國家の教育方針は試驗に及第して同じ神の子を眼下に見降

して得々として恥ぢざる態の高等遊民養成の爲めでなくして、人生の職闘場裡にあつてもよく其の勝利をかち得る個性の實際的修練にあらねばならぬ事と思ひます。

その點に於て吾々植民地に在る同胞の善き訓練を不斷に受けつゝあるのでございます、到る處に於て法律の力と社會の力とに依りて排斥され、精神的、物質的に受くる苦痛は偉大なものですが、然ら之は吾々に取つて寧ろ感謝すべき事であるかも知れません。

由來日本人は三百年の鎖國攘夷によりて、外國人との接觸の機會が無かつた爲に、國民的鍛鍊が足りないのではございませんでせうか。今や世界的國際的の動搖の波は日本の岸を洗つて居ますのに、故國の同胞は尙世界の中心より遠ざかりつゝあつて未だ覺醒して居ない樣ではございますまいか。

七千萬の日本人中僅々十萬の在外同胞のみは特に擇まれたるものゝやうに、外國人の眞只中に投込まれ、揉まれもまれて非常なる試練を受けつゝあるのではございます。是實に私共を玉にせんが爲の天意ではないでせうか。

茲にはクドくヽ申しますまいが、猶太人の祖先を考へましても、先づ日本の教育當局者、有識先輩の爲政者に大に九思して戴かなくてはならぬ處こ思ひます。

今日アメリカ國内は可也紛擾錯綜して居ります、殆んで全國に亘る鐵道從業員の同盟罷工、炭坑夫の大罷業の如き、之に對する大統領ハーデング氏の仲裁、不成立政府の發布せるインヂヤレクションの可否論議等で冬季を前に仲々の混雜裡にあります。

斯く國内人の神經益々興奮するに於ては多年各州殊に尙沿岸各州の死活問題視せらるゝ外國移民問題即ち同胞移民排斥問題は如何に成り行くやも計られぬ次第でございます。

吾々はどうしても團結して之れに當らねばならぬ事と思ひます、又故國の先輩皆樣も之に對して指導と援助を忘れぬやうにして戴き度く切望いたして居る次第でございます。

由來長野縣人は内に於ても團結心に乏しいと聞いて居りましたが、悲しい哉外に出て見ればそれは又一層顯著なるものゝ樣に思はれます、當シヤトル地方に在留する縣人も二三百人はある樣に聞いて居りますが、それが會合する機會こてはなく只僅かに十數人の者それもある一部の利害關係を同じゆする人々が時に集り、形ばかりの親睦を計り居る位に過ぎぬものでありま す。

恰も此時海外協會成立し、殊に移民政策に蘊蓄深き岡田知事を總裁とし、其の役員の方々に至つても又全く他縣の海外協會

のそれと餘程趣を異にして、各其道の御方々を網羅しての組織は誠に私共海外在留者に取つて暗夜に燈明を得たる感じが致します。

下らぬ事を余りに長く書きました。今日は之にて筆を擱く事と致します。誠に遠延ながら發會の御祝詞に代える次第でございます。終に望み協會の隆盛と海の外の成長を祈ります。

追て普通會員として入會し度く御座いますが、第一年會費二圓御受取下さいませ、猶當市だけにても未だ海の外の御送附にあづからぬ方が澤山あるやうに聞いて居ります。親しい者の中へは巡廻致し置きました、而して第一號の規約等は當市日本字新聞に載せ、皆樣に御知らせ致して置きましたが、矢張り各自に御送附ある方宜しきことと思ひまして、念の爲め書き添えます。

九月十九日

＝在沙市　伊藤榮＝

信州海外發展者列傳（二）

村上眞一郎君

○

『木曾のネーなかのりさん
　木ィ曾の御嶽キァなんぢやらホイ
　　夏でも寒い　ヨイ〳〵〳〵
あはしヨネーなかのりさん
あァはしヨやアリたやなんぢやらホイ
　たびよヨ添へて　ヨイ〳〵〳〵〳〵』

十七歳には脊の高い郵便配達人が、こんな歌を歌いながら木曾街道に添ふた家々に郵便物を配達して歩くのであつた。村と村のる間が長い所になると、彼は更に自製の木曾節を歌ふのであつた。

『木曾はネーなかのりさん
　木ィ曾は木でもつなンぢやらホイ
　　ひの木や杉で　ヨイ〳〵〳〵
その木ネーなかのりさん
　その木とられりやなんぢやらホイ
　　食ふては行けぬ　ヨイ〳〵〳〵と』
『土地はネーなかのりクン
　土ォ地は狭いしなんちやらホイ
　　畑はなし　ヨイ〳〵〳〵
『ねざめネーなかのりさん
　ねーざめかけはしなんぢやらホイ
　　何ンの役　ヨイ〳〵〳〵か』

彼の頭には悲しさがあり、彼の歌には其の悲しさが明暸に表れて居た。此の如き狭隘の土地で、どうして青年が満足して生活か出來やうぞ、家に相當の資産があつたつてそれを大きくして行く事は出來ない。況んや自分の家には殆んど何物もない、十七歳の若さで郵便配達をして其日を過さねばならぬとは何と

云ふ悲しい事であらうぞ。併しながら彼は仕事に忠實であり勤儉力行主義者であつた。二年余りの郵便配達で二百余圓の貯金をすることが出來たのである。

○

彼はある日第四種郵便の書物一冊を小學校に配達したのであるが、其表記には宛名の外廣告的に『新渡航法』といふ字が書いてあつた。彼は好奇心から其學校長に乞ふて新渡航法を一讀したのであるが、此書物には海外一般の事情や渡航法やが書いてあつた。彼は自分の貯金二百圓で行き得る土地はないかと探して見た。

南洋は一年中夏服でよいから第一服装が安くてよい、新嘉坡迄は船賃が四十五六圓でよい。そうすると百圓あれば渡航する事が出來る。余り百圓で勉强してやうろと云ふので、當時は海外協會もなにもなかつたので、彼は日本力行會へ入會して、海外渡航の準備教育を受くるのであつた。

○

力行會と云ふのは大きな建物で澤山の學生が居ると思ふて來た彼は驚いた。其建物は割合に小さく其修養者は三四十名に過ぎなかつた。更に彼の驚いたのは其精神修養法であつた。其修身が小學校の修身とはまるでちかつて居た。やれ聖書を讀め、それ讃美歌を覺えろ、それ祈禱をしろと云ふ調子で、始めの間は何が何やらさつ張りわからなかつた。こんな事をして居てよいたらうかと思ふたが、二ヶ月目頃から段々面白くなつて來た。そして宗教の理解が出來キリスト教がわかる樣になつて來ると自分の思索の根本が違つて來る事を覺えた。今迄は只金さえ得ればよかつた、經濟的にのみ宇宙を考へて居たのが、黄金以上に貴いものがある事が理解される樣になつて來た。かくて彼は旅劵を得て愈々出發する事になつた。力行會では送別會を開いた彼は其の余興に『仲のりさん』を歌ひ且踊つた。甞て木曾街道で此歌を歌ひながら郵便配達をして居た當時と、今や海外雄飛の希望を抱いて愈々出發せんとする今日とを思ひくらべて、彼は隔世の感に打たるゝのであつた

『嗚呼我が鄕黨の青年達は、今でも猶、アノ信州の山中に、何等の希望も、何等の抱負もなく生きて居るのか?、他鄕の新天地ここに自己の新運命を開拓する事を知らないのだから、誠に止むを得ざる次第ではあるが、彼等の救の爲めに何等かの力法はないであらうか』

など彼は考へて見たりなどした。

○

横濱港頭萬歳聲裡に送られて、彼の乘つた船は碇を擧げた。

相模灣より見たる富士の雄大。駿河灣の航海。紀州灘の大波から、神戸、瀨戸内海、馬關、玄海、長崎の市街等、木曾の山中から出て來た青年の目には皆驚きであつた。香港を經て船が新嘉坡に着くと、先きに仝地にあつた多くの會員達は迎に來て居てくれた。何くれとなく世話をして貰へたので、木曾から始めて東京へ來て飯田町に下車した時程の心配はするに及ばなかつた。

『何アーんだ、外國へ行くのは日本内地の旅行よりは安心なものだ』

と彼は思ふた。

歯科醫學士葛田氏の家族は自分の家にも勝つて優遇してくれたのである。玆に彼は五ヶ年間滯在して歯科醫を學習するの決心をなし、葛田さんでは出來る丈けの便宜を與へらるゝのであつた。

○

彼は其始め海外に居る日本人は皆眞面目で皆奮鬪的であると信じて居たが、玆に來て見て驚いた。女郎屋があつて日本の女郎が澤山ある。青年達は出來る丈け少し働いて出來る丈け多く金を取り、出來る丈け多く遊ぶ事を考へて居た。啻に青年達のみならず、謂ふ所の不良老年なるものゝ數の又少なからざるに驚いた。

『これでは移住地の發達は出來ない。よろしい!!!自分はあくまで眞面目にあく迄奮鬪しやう!!!』

と決心した。そして酒も飲まねば煙草もすはず、勿論女遊びなどは絶對禁止で、一意向上發展に努力した。

葛田さんの家庭はクリスト教の家庭であつた。彼はこれを此上もなく喜び、葛田さんと共に熱心にクリスト教の傳道に勉むるのであつた。

かくする事一年二年三年と經つに從ひ歯科醫の學理も技術も共に進歩して、立派な葛田さんの代理が出來る樣になり、收入なども始めの十五圓から段々增加して、月收百圓以上に達する樣になつて來た。新嘉坡で尤も眞正目なる青年を數ふる者は先づ指を彼に屈するのである。

○

葛田さんの所に梅子さんと云ふ婦人が居た。彼女は氣立てがよかつた。ウソと云ふ事を云ふ事の出來ない程善良であつた。そしてその頭もよかつた。体格も壯健であり、普通以上の苦勞もして居り、一家の切り廻しから何から實に理想的であつた。若し之れに一層の勉强をさせるならば、それは正に玉を磨く樣であつた。葛田さんの夫妻は彼と梅子さんとの媒介者となつて

婚約を結んだ。それと全時に彼女は日本で勉强する事になつた年若きもの丶共に居るはよい事であり、相別る丶は悲しい事であるが、今此悲しみを忍んで相別れ、一層の砌差琢磨する事は他日の喜びを大ならしむる次第である

かみによりて　いつくしめる
　とものまじらひは　いともたのし

ちちのまへに　せちにいのらん
　のぞみもおそれも　ともにおなじ

ともにしのぶ　うきなやみも
　みめぐみとともに　やがてきえなん

わかる丶とき　かなしけれど
　またあひみるは　うれしくあらん

こ丶ろあへば　ことばもあひ
　ひとつのねぎごと　ささげまつる

むすびあいし　このこもがき
　かはらじくちせじ　とこしなへに

かく歌ふて彼と彼女とは相別れ、彼女は今や東京に來て勉强に夜を日に次いで居る。彼は常に其學資を送つて。其學業の成るの日の一日も近からん事を祈つて居るであろう。

○

南米航路の船が新嘉坡についた。廿年間南米に住んで居る外務書記官にして領事たる野田良治さんが便乘して居た。彼は野田さんを訪問して南米の話を聞いた。

『新嘉坡で日本の免狀の無い齒科醫は正式に開業が出來ませんが巴西では如何でせう？』

『巴西では齒科は醫者の仲間に數てへ居ないから自由に開業が出來る』

『私はどこかに理想的の植民地を建設したいのですがどこがよいのでせう？』

『それは人に依つて見方が違ふから一概に斷定する事は出來ないが巴西などもよい所の一つでせう』

などとの話があつた。彼は其後南米の研究に余念がなかつた様であるが、いよいよ志を決した

『神中心の家庭を單位とする新植民を南米に建設する事は神樣が僕に與へられたる使命である』と。

○

かくて彼は大正十一年十一月上旬、五ヶ年間住みなれた新嘉坡から、百尺竿頭一歩を進めて南米の天地を目ざして出帆するのであつた。六年以前には一介の郵便配達夫であつた彼は、今や高遠なる理想を抱いて遙かに南米の天地を望みつ丶、印度洋の紺碧の波を踏破して進んで居るのである。

彼の姓名を村上眞一郎君と呼ぶ。（終）

海外事情

一、世界船舶噸數

最近全世界の海洋航行の目的を有する商船にして、百噸以上のものは五千六百八十萬二千噸を越えた、これを大戰開始の年たる一九一四年に於ける噸數に比し千四百二十八萬八千噸を增加し、其中千六十六萬九千噸は米國一國の增加である。

而して最近一ヶ年間に於ける米國以外諸國の增加は二百五十万噸に及び、之を各國別にすれば獨逸は千十三万千噸、和蘭は四十九万噸、英國海外植民地は全部で二十五萬八千噸、佛蘭西は二十三萬九千噸、日本は二十三萬二千噸、而して伊太利は二十三万千噸を夫々增加したのである。

斯の如く世界の船噸數は近時益々增加の趨勢を示すに反し、獨り英國のみは最近一ヶ年間に於て、商船噸數の減少を見た、即ち一九二一年六月末に於ける同國商船噸數を比較すれば、正に二十三萬一千噸を減少して居る。尤も英國と雖も戰爭開始當時に比すれば現在迄に十七萬六千噸を增加したるも、之れを米國の同期間に於ける增加が前記千六十六萬九千噸に對しては、到底比較にならぬ。か丶る現象は主として英國が多數の船舶を外國に賣却せしに依るものと認められる。

又之れに關し英國人が注意の的となれるは獨逸商船の增加である、獨逸は平和條約實施に依り、其所有船舶の大部分を失ひ一九二一年六月末には總噸數漸く六十五萬二千噸に過ぎざりしが、其後一ヶ年に前記の如く一躍百十三万一千噸を增加して合計百七十八萬三千噸を算する様になつた。

此增加は船舶の新造及び平和條約の好果として一旦外國に割り當てられ又は賣却せられたる舊獨逸船舶を回収又は買戻したるに依るものと認められる。

而して近き將來に於て世界造船工業に一新紀元を與へんとする獨逸に於ける獅子奮迅の競走情態を見れば遠からずして獨逸工場は英國工場より世界造船の注文を驅逐するの結果を齎らすであらふと英國人は大に疑問を抱いて居る。

更に現在各國から所有する船舶噸數を調べて見ると

英國　一九〇五萬三千噸（外に植民地の分二二〇萬一千噸）

米國	一二五〇、三	日本	三三三二、五
佛蘭西	三三〇、三	和蘭	二六一、三
伊太利	二六〇、〇	諾威	二三三、七
獨逸	一七八、三		

二、ロンドン於ける獨逸品

ロンドン市場即ち玩具瓷毛鈇器及ファンシイ、グッヅ出品會は始め前敵國人に對して其門戸を開放し、伯林漢堡ババリア、ニュレンブルグ、エルベルフエルド、ブレーメン等の製品は目下開催中の會場たるイスリングトン區英國農業館に疾風の如く殺到せり。

獨逸が玩具製造に於て再び世界的優越の地位を占めんとする努力は最も大膽にして毫も逡巡する所なく、其外觀より見れば早既に英國市場を奪回するの途上にあり。玩具陳列館は出品會に於ける最も出色あるものにして、出陳玩具の七割九分は獨乙品の占むる所なり、英國製造者は獨乙程多種類を製出する能はず、假令之を製出し得たりとするも、獨乙の如く低廉なる能はず、ニユレンブルグ製女人形は頗る英國製に髣髴し、ゾンネベルグ製男子人形は東ロンドン製と見たり難く弟たり難し。

三、ロンドン在住外國人數

昨年中ロンドン在住外國人數は前年に比して四六四七名を增加し、同年十二月三十一日現在總數は一六、二〇三七名なり、獨逸人は六三六名白耳義人は三三四名減少せり。之に反して米國人は八八八名佛蘭西人は七〇七名日本人は二五二名增加せり

又十年前と比較せる各國人は左表の如し

	一九二一年	一九一一年
ポーランド及び露國人	六四〇四人	五六三八九人
白耳義人	八二〇七	一九七七
佛國人	一六二七一	一三〇二二
獨乙人	一二五四九	二六六三五
米國人	六六三五	四八六九
支那人	二二五	一五八八
日本人	一三二三	三三三
奧地利人	四九三八	七五一

四、滿蒙の役畜

近頃朝鮮產の牛を信州へ連れて來て農事に使役することが流行し出した、今迄此の方面に寧ろ無頓着であつた信州の農業家には頗る珍らしい、又甚だ便利なるものとして持て囃される様だが今試に滿蒙に於ける役畜の状況を報道すれば。

滿州の家畜は牛、馬、騾驢、羊、豚、鶏、犬等であるが役畜としては牛馬驢を主とし、驢もよく使用されて居る、之等の役畜は肥料運搬、整地、播種、中耕、培土、収穫物運搬、脫穀調製等農業上各種の作業一として之れを使用せざるはなく、農民が之れをよく使役すること亦頗巧妙である。

日本の家畜と比較すると、日本内地の役畜としては牛、馬の二種あるのみで、牛百三十万頭馬百五十萬頭であるが、牛の三十萬頭は搾乳用で、百萬頭が役牛と見て、馬と併せて二百五十萬頭、之れを農家戸數五百五十万戸に割り當つれば一戸當〇、四頭耕地全面積六百萬町步に割り當つれば、一頭の負擔面積は二町四段步となる計算である。

滿州及び東蒙古に於ける役畜は馬二百五十萬頭騾驢各六十萬頭牛百萬頭計四百七十萬頭にて、耕地面積千三百万町步であるから一頭宛の耕地二町七段となる、併し日本では畑は勿論水田も二毛作を爲すのであるから、延面積は一頭宛四町步となる譯で、滿蒙の農家の方が遙かに豐富なる畜力を有する事になり其上畜類使役の技術は滿蒙人の方が數等優れて居るから土地の開發力には未だ餘剩がある筈である。

五、支那卵

支那は實に土地廣大、物資豐裕、殊に近年農產の發達著しきものが有る、而して農業の副產物として輸出貿易上最も注目に價するものは卵の生產である、日本内地にも到る處に價の低廉なる支那卵を見るが、斯く生の儘で輸出するのは主として日本で、歐米各國へは種々の加工品となつて輸出される。今昨一ヶ年間の輸出價額を見ると左の如くである

加工品	凍卵	生卵	合計（千両）
一一七〇〇	一四〇〇	一一五〇〇	二四六〇〇

右の内加工品及び凍卵の我國へ來るものは殆んど數ふるに足らざる程で、大部分が歐米各國へ向けて輸出される。一体は加

工品の方が格安であるが、我が國では使用法が知られて居ないから從つて需要が無い譯である、加工品の格安なる理由は春秋の産卵多き時期に極めて安價なる原料を使用するからである、試に卵製品の種類を擧げて見ると

塊卵白　鷄卵を割り、白味を黄味より分離し、アンモニアにて醱酵せしめ六十度乃至七十度の温度にて乾燥したるものである、黄色を帶びたる透明塊で使用の際は五倍程の水にて一晩浸し置けば生卵と同様のものとなる、此方法に雞卵を用ひず家鴨卵を原料と乾すれば、乾燥後白色の透明塊となる、家鴨■■白と稱し、前者に比して二三割安價である。

液体蛋白　雞卵の白味を分離し、硼酸一、五乃至二%を加へて防腐せるもので署名を水白と呼ぶ。

蛋黄　鷄卵の黄味を盆にて乾燥したもので、黄色の粉末となつて居る、之れに機械製のものが有るが、何れも容解宜しく一晩水に浸して置けば生卵の黄味と同様のものとなる。

蛋黄塊　鷄卵の黄味を料學的特別装置にて乾燥したるもので機械製蛋黄よりも一割位高價である、之れが製造所は英米人の所有の係るもの丶みである。

液体蛋黄　鷄卵の黄味に加工すると液体蛋白と同様にしたもので一名水黄と呼ぶ。

猶此外に液体壜入蛋白、液体家鴨蛋黄、蛋白篩屑、蛋黄白粉機械製全卵粉、全卵塊、液体卵黄白等種々の加工品がある、是等の加工品は多分英、米、佛、露等の各國に輸出され菓子及各種食料品の原料となるのである。

支那卵の滋養價値に就ては科學的の證明がないから一般に疑問とされて居る、從而生の儘のは内地品に比して、安價なるが普通として賣買されて居るが、料理屋の手に掛つたものになると平氣で内地卵と同様の代價を拂つて喰つて居る此處等にも日本人の生活が非科學的なる事が窺はれる。

信州だより

■大正十年長野縣の生産力　本縣昨大正十年の生産總額は三億三千五百五十一萬圓で前年よりは二千九百二十九萬圓前々年即ち生糸の最好景氣を呈した大正八年よりは實に二億圓近き減少である、五大産物中繭は前年に比して約一千萬圓の増加で有つたが、生糸米酒麥に於ては何れも減少して居る、今十年の生産額を種類別にして見ると

農産　一三二、七八三、二四三圓　工産　一八七、一八五、三九一圓

林産　九、八二五、三三七　畜産　四、三〇四、〇六七
水産　一、〇四〇、五八五　鑛産　三七三、四四五
合計　三三五、五一一、〇六八

又各郡市の生産價格一戸當を見ると

諏訪	二九八七圓	上高井	一六一八圓
小縣	一三二三	上伊那	一二九一
松本	一一九六	下伊那	一〇一四
埴科	九九八	北佐久	九四五
南安曇	九三〇	東筑摩	八九九
上田	八九〇	北安曇	八六四
南佐久	八五九	西筑摩	七五四
更級	六五八	上水内	六三〇
下高井	六〇八	下水内	四九五
長野	二五四		

で全縣一戸當は千百二十一圓であるから諏訪、上高井、小縣、上伊那、松本の一市五郡の外は皆平均以下である、更に又二十年前の生産額を百として逐年増加の指數を見ると

年	指數	年	指數
明治卅六年	一〇〇、〇	明治四十年	一一九、一
大正二年	一六七、一	大正六年	二六八、三
大正七年	三七四、〇	大正八年	四七五、六
大正九年	三九八、〇	大正十年	三六六、〇

■下伊那支部設立　九月二十三日に下伊那郡支部設立の協議會が開催された、町村長各種學校長、郡會議員青年會長等有志だけの會合で有つたが、さしも信州一の大郡だけあつて新築したばかりの郡廳舍の大廣間が一パイになつた。

郡當局の前々よりの心盡しで協議は一瀉千里の勢を以つて進み何等の遲滯なく議了した、最後に佐藤副總裁の趣意説明と永田力行會長の講演とがあつた。

滿堂の集會者が終始緊張の態度で傾聽されたのは實に氣強く感じた、郡長郡視學其他當局の熱心なる盡力に依り、豫定の成績を收め得る事は確認され、協會として大なる力を得た譯である、因に同支部の役員は左の如く決定した

支部長　臼田郡長　副支部長　有力者　大平谿郎君　教育會長深井次郎君　幹事　郡視學小尾喜作君（會計監督其他は近而決定）

■善光寺前立本尊問題解決　明治二十九年以來十七年間に旦り國寶前立本尊の所有權に關し、大勸進と大本願と繋爭を續け大正七年七月には愈々表沙汰となり、公判廷に幾回となく辨論を鬪はし、其の間長野商業會議所牧野元市長玉置前裁判所長等は是非共和解せしめんと極力調停の勞を取り、和解案を作製する事前後六回に及んだが、玉置所長の安農津地方裁判所長に轉任となり、一頓座を來さんとしたところ、本年一月より長野市聯合青年會が両寺の間に入り、斡旋大いに務めた結果、今回漸く和解の端緒を發見し、十月下旬を期し、青年會提出の覺書元案に両寺共調印する事になつた。

即ち前立本尊の所有権は現在の大勸進寶庫と共に之れを善光寺に移し、現在前立本尊の安置さる丶大勸進寶物殿一部の模様替をなして、現在の場所より二間半程北に移し、別の入口を設くる事として落着した。

それ故大本願に於いては訴訟を取り下げ調印完成の上は玉置所長の來長を乞ひ同氏の名義にて和解成立の形式を了る事と決定した。

雑報

■東京支部役員會　全會は十月廿四日　丸の内日本クラブに開會した。加藤理事長、依田、名取、植原の各理事、佐藤副總裁、三樹幹事、宮下永田の兩支部幹事出席、夕食を共にしたる後種々協議した。これから着々と支部の仕事が出來て行く筈である。

■在京長野縣會人名簿　東京に來て居る　長野縣人は恐らくは五萬人もあらうと思ふ。其内から主要なる人物の住所姓名約二千人を採録した。

厚表紙の謄寫版摺りで、之れは本會の役員用に作つたのであるが、約六七十部余分があるので、實費で分配する事になつて居る。希望者は小石川區林町七十番地の支部宛に送費共に金一圓を添へ申込まれたし。

■編輯の後に

幼児の様な『海の外』も號を重ぬる八子供にしても八月子で、そろ〳〵一人立ちの出來る様にならねばならぬと思ふ。丁度十一月の主任會議には『海の外』の編輯も議題に上つて居る。加藤首相の所謂衆智をあつめて、よりよく發展する心組で居ります。讀者諸彦の御盡力と、御鞭達を希望いたします。

尙在外の讀者諸君の通信、事業、報告等海の外へ投書滋養分を加へらるゝ事を待ちます。

海の外

定價

冊數	定價	郵税
一部	廿錢	四錢 外國要す
半ヶ年	一圓十錢	
一ヶ年	二圓廿錢	

注意
▼御注文は凡て前金に申受く
▼廣告料は御照會次第詳細御通知致します
▼御拂込は振替によらるゝを最も便利とす

大正十一年十一月一日發行
編輯人　永田稠
發行兼印刷人　藤森克
東京市小石川區林町七拾番地
印刷所　力行會印刷部
發行所　長野縣廳内　海の外社
振替口座　長野　二一四〇番

海の外

大正十一年三月二十六日第三種郵便物認可
大正十一年十一月一日發行（毎月一日一回發行）

定價金貳拾錢

アルヘンチナの紋章

信濃海外協會内
海の外社發行

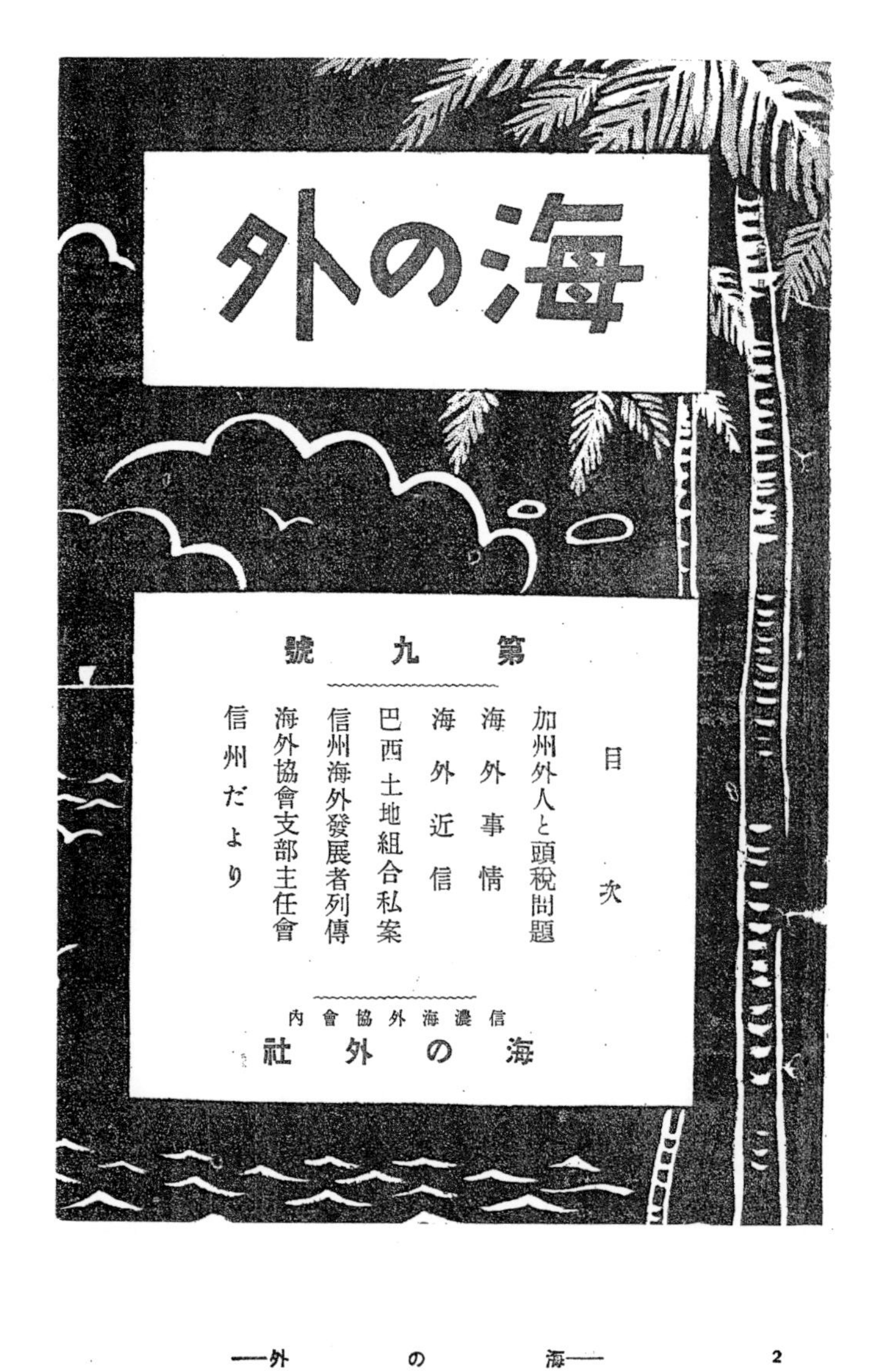

第九号

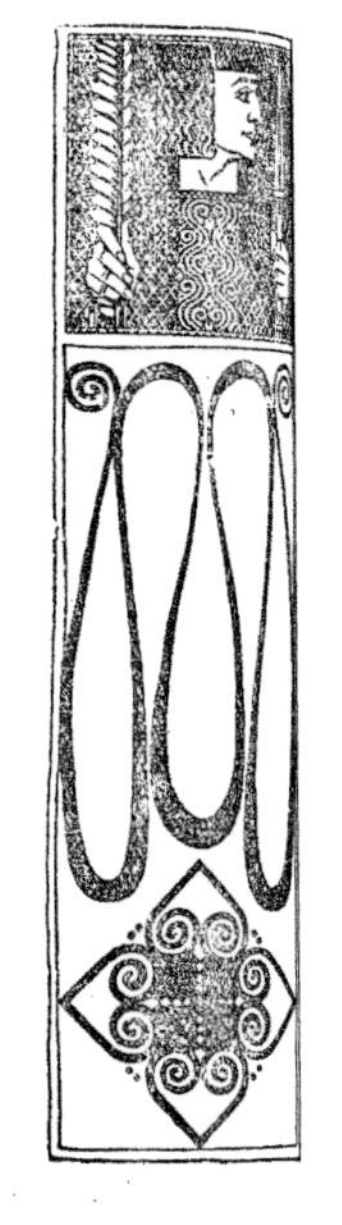

加州外人と頭税問題 並邦人歸化權問題

北米合衆國 南加日本人會長 茅野恒司

千九百二十一年度勵行の加州外人に頭税に對する試訴は我等の勝利に歸し、其の判決文に徵して來るべき加州外人土地法の試訴が頗る有望と思はしむる點かあり、又、日本人歸化權に關する試訴に成功せば加州土地法は自然消滅て、全部無効となるのであるから、此二のつ訴訟の内容を知る事は加州土地法解決上にも日米問題の解決上にも至大の關係があるから其の大要を述べて見やう。

一、加州外人と頭税問題　千九百二十年十一月二日擧行の加州人民一般投票により、加州在住外國人男子二十一歳以上六十

歳以下の被救恤民白痴者狂人ならざる者に對し年額四弗以上の人頭税を課すべく土地法制定と同時に通過を見たのであるが、翌年加州議會は其の徵税額を十弗と定め其の使用の目的は全部教育費に當つる事とし怠納者に對しては五割の罰金を増徵し未納者にして財産ある場合は直ちに沒收され、僅か三時間の口頭通告がある許りで其の沒收財産を賣拂ひ又財産なき者よりは勞働賃金を差押え、且体刑をも併科せらるゝと云ふ法律であつた。徵税官は外人の登錄を嚴重に勵行し八月一日より開始し或者は徵税され或は財産の差押えをされた者があつた。

日本人は日米條約の第一條明文中『該臣民又は人民は何等の名義を以つてするも內國臣民又は人民の納付し又は納付する事あるべき處と異なれるか、或は之より多額なる課金又は租税を徵收をせらるゝ事なかるべし』と規定しあるを以て日本人に對して無効である事は議論の余地がないにも係らず、徵税官は頑として其の主張も辨明も聞入れなかつたのである。

吾等は領事を通し且大使の意見を徵し外交上抗議を申込んで貰い度かつたのであるが、當局者は日米間に重大問題が横はつて居る今日斯くの如き小問題の爲に兩國の係爭問題を醸すは不得策なりとの意見を諒して、吾等より進んで人身保護律を以て該法律執行停止の試訴を提携して、王府在住の照井両吉氏を原告として試詐を提起し加州高等法院に於て爭つたであるが其の主張の要點は第一日米條約違反、第二條修正憲法第十四條に違反すると云ふのであつた。又加州憲法第十三章第十二條には加州內にては如何なる目的を以てするも人頭税は課徵する事を得ずと規定してあり、且近世文明國に於て人頭税は一種の惡法となつて居るのである。

南加中央日本人會はは試訴提起になつて國務卿ヒューズ氏の注意を喚起すべく、一書を呈じ曰く在留日本人は米國の法律命合規則を遵奉する點に於ては他國人に讓らざる處なるも條約或は憲法に抵觸するが如き法律に服從する事能はず行政官として問題を取扱ふ最上の地位にある閣下の考慮を煩はす』と右の請願書に對し國務省よりは手紙を受取つたと云ふ返事をしたのみであつた。

一方照井氏の名義を以て提出せる試訴は九月十二日加州高等法院に於て裁判の決果次の如き判決を得たのである。

第一、千九百十一年四月五日に宣言されたる本國と日本帝國との間に現存する條約の見解により日本臣民なる總ての外國人に對して本法律は全然無効なり

第二、本法は州內の凡ての外國人居住者に對して無効なりそは米國憲法修正第十四條第一項の規定を犯し州の法律の下にある人に對し均等なる法律の保護を拒む者なり

如上の判決によつて昨年度勵行せんとしたる加州外人人頭税十弗徵收の法律は無効に歸し州は多額の費用を支出して登錄を實施して何物をも得ず既に徵收せる金は悉く本人に返付したので事件は完全に解決したのである。

二、日本人歸化權に關する問題　日本人は米國に歸化し得るや否やは米國大審院の決定を見ざる今日に於て全く不明であるが實際に於て現時は行政命令を以て各裁判所は日本人の歸化申請を受理せぬ事になつ居るのである、されば加州の如きは、日本人を目して歸化し得ざる外國人と見做し此の字句を用ゐて、排日土地法の制定をなしたのであるが、若し米國大審院が日本人は『其の資格だに具備せば歸化し得』との千九百六年の修正歸化法に準據して判決を與へなば折角の排日法も全部無効となるので加州在留の同胞の爲には重大の關係を以て居る。該試訴は去る十月三日より四日迄米國大審院に於て審理があつたので、遠からずその判決が下り日本人の歸化權問題換言すれば、加州土地問題の解決ともなし得るではあるまいかと思はれるのである。

現行米國歸化法二千百六十九條に歸化し得る者は自由白人と黑人及其の子孫と規定してある、又歸化し得ざる者として明示されて居るものは只支那人とインデァン米國の土人のみである。即ち千八百八十二年五月六日制定の支那人排斥法律中に規定

されたる條文中には次の如く明示されてある。

今後州及合衆國の裁判所は支那人に歸化權を許可する事を得ず、本法に抵觸する法律は總べて癈止されたる者とす。

日本人に對しては、歸化法中には何等の明文がないから歸化權の有無は全く不明である。

米國の歸化法制定は西暦千七百九十年三月二十六日で、其當時は歸化可能の人種は單に自由白人のみに限定して居る。爾來條・憲法第十四條の制定を見南北戰爭後奴隷の解放を見るに至り、次で千八百七十年七月十四日米國議會は歸化法の修正をなし、歸化可能の人種を自由白人と黒人及其の子孫として今日に至るのであるが該歸化法制定當時は現今の如く世界の人種を只單に黒白二人種に分類してあつたので人類五大別にしたのは米國歸化法修正後數十年で英國の人類學者が皮膚毛髮の色彩によつて分類した者であるから當時の解釋は自由白人と云ふは黒人に對する區別の名であると思はれるのである。

其の後純白ならざる墨西哥人東印度人南歐人等の歸化權は許されて居り、日本人も既に數十名歸化を許され且市民としての權利を立派に行使した實例がある然し中途にして市民權剝奪の訴訟を提起され或は其の行使を拒絕された例もあるのである。

日本人が歸化權有無が不明である故を以て歸化し得ざる外國人として取扱はれ忍ぶべからざる排斥法律を制定せられ區別的の待遇を受けて居る事は誠に殘念である、加州外人土地法の如き殘酷なる法律を打破するには日本人歸化權の有無を決定すべき最後の判決を得る事は最も意義ある事柄である。

米國に於る四大日本人會なる在米日本人會、南加中央日本人會、米國西北部聯合日本人會、オレゴン州日本人會によりてなれる太平洋沿岸日本人會協議會が大正七年度南加州羅府に於て開催されし當時布哇在住の小澤孝雄氏提起に係る歸化權獲得の試訴を後援すべく歸化訴訟委員會を組織して、小澤氏事件の後援をなしつゝ今日に至つて居るが、千九百十九年モレナ事件の判決により小澤事件は時効の關係上試訴として、不備の點を見するに至り是が補充の爲め山下河野兩氏の土地保有會社申請に

關する事件を昨年五月提起して、小澤事件と兩々相待つて歸化權問題の解決をなさんとして居るので之が審理は既に完了不日最後の判定あるべき事は上述の如くである。以下小澤氏事件山下河野事件の內容の大要を述べ大審院に於ける原被兩の主張せる概況を記して見やうと思ふ。

（イ）小澤事件の大要　小澤孝雄氏は米國に於て高等教育を受け模範青年で歸化の希望を有し、布哇に渡り同地に就働中會社の後援の下に後援會の組織となり試訴を提起し下級裁判に於て拒絕され、桑港米國第九巡回裁判所に回附せられ之が審理は終りしも、何等の判決を得ず、同裁判所は三項に亘る質問書を附し、米國大審院の指令を待つたのであるが、遂に米國大審院に上告の手續を踏んだのである、其の質問書は次の如くである。

一、千九百六年六月二十六日制定の外國人歸化に關する法律は千八百七十年に制定せる歸化法に依り制限せらるゝや。

二、日本帝國に生れ其の臣民たる者は千九百六年の法律に依て米國に歸化し得べきや。

三、若し千九百六年の法律が千八百七十年の法律に制限せらるゝものとせば、日本帝國に生れたる其臣民は如何なる事情に據る際に歸化を許されべきものなるや絕對に其の方法なきや。

右の內千九百六年制定の法律とは新移民法中の外國人歸化に關する條項中『永久に米國に忠誠なるなる者は人種の差別なく歸化を申請するを得』と云ふを指すのである。

小澤事件は幾多の曲折を經て今日に至り昨年十月一日を以て大審院に於て開廷の運びになつて居つたが、恰も、華府に軍縮會議開催の折柄とて米國側より延期してを提唱されて去る十月三日迄延期されて有つたのだ該事件は歸化試訴として完全なる者としてあつが、モレナ事件の判決によれば第一歸化證を得て、七ヶ年以內に第二歸化證を申請せねば無効であるといふので小澤氏は十二ヶ年の後第二歸化證の申請をして居るから、小澤事件は勝訴の見込が無くなつたのであるから歸化訴訟委員會は

が欠陷を補ふべく山下河野事件の提起を決行せしめ小澤事件と同時に大審院に於て審理すべく米國前檢事總長ウヰツカシヤム氏に事件を一任して遂に其の企圖を實行したのである。

（ロ）山下事件の概要　小澤事件は上述の如く時効の爲に勝算がないから之が欠を補ふに適當な試訴提起人を見出す必要が起きたので、歸化訴訟委員會は研究の結果ワシントン州在住の山下宅治モンタナ州在住の河野兵太郎兩氏を原告とする試訴を提起する事となつたのである。

山下、河野兩氏は何れも米國に歸化を許され且河野氏の如きは完全に市民權をも行使した事もあるので、右兩人が新たに共同にて日本人土地保有株式會社を組織すべく、昨年五月四日付にて華州の政務長官に之が認可の請願をなした處が兩人とも米國市民の資格なき者なりとの理由により拒絕せられ、仝年五月廿日華州最高法院に向て市民たる吾等兩人に對し株式會社設立不認可の不當を理由とし認可命令の發給訴訟を提起し同時に歸化の許可證及附屬書類一切を提供したるも、之又、拒絕せられ更に再審を請求したる處、同年六月二十八日前同樣却下せられたのであるが、以上は提起者の豫定の行動であつたのだが、茲に於て、最後の方法として同十一月十五日を以て、米大審院に上告したのであるが、該試訴は小澤事件と共に同時に去る十月三日四日の二日に亘り審理ありて、閉廷を見今後約一ヶ月以內に何れか判決あるべき筈である。若し、幸にして山下、河野事件により大審院は日本人に歸化權ありとの判決を與へなば、山下、河野兩氏の有する歸化證は完全に有効となり同時に土地會社設立認可の請願は受理せらるので、該試訴の成敗は我等在留同胞には至大の關係を有するので、加州在留同胞の爲には加州外人土地法は全部無効となるのである。

歸化訴訟の勝訴になつたとしても華州の外人土地法は直ちに無効とはならぬのである。之華州土地法と加州土地法とは次の如き相異があるからである華州の分は『歸化の意志で發表をせざるすべての外國人に對し借地權を禁止し』た者であるから、

日本人にして歸化權ありとの判決を得ば歸化の意志を發表と同時に外國土地法の制限を脫し得るのである、又華州同胞は別に華州土地法は日米條約並米國憲法違反なりとの理由を以て、試訴を提起し加州と同樣目下米國大審院に上告中で來る十一月十三日より加州土地法と同時に之が審理をなす事になつて居る。

歸化訴訟の判決が何れに歸するかは容易に逆堵し難いのであるが、去る十月三四兩日に渡る大審院に於ける原被兩者の辯論は該試訴の歸著點を知るに唯一の參考となるのであるから其の大要を記して見やう。

原告辯護士ウヰフカーンヤム氏の論點の大要は

一、小澤、山下、河野三氏は多年米國內に居住し歸化請願資格は完全なり。

二、千九百六年六月二十九日改正の現行歸化法は（人種の別なく資格ある者には歸化權を與ふべしとの趣旨　歸化法全体の條正にして部分的修正にあらず。從つて舊法（千八百七十年七月十四日制定）第二千百六十九條の規定である米國に歸化し得る外國人は、自由白人並に亞弗利加人及其子孫とする意味は當然消滅したる者なり。

三、假りに千九百六年の改正歸化法が其儘存在するものとしても、自由白人なる用語にあらずして、普通、包括的言語なり、故に其意義明瞭ならず。抑も合衆國議會が初めて歸化法を制定せる當時の自由白人なる用語は赤色インデヤン及び黑人にあらざる總ての人種を指せしものなるは合衆國並に各州の諸法規登錄等の書類に徵して明瞭なり。即ち、歸化法に制定されたる白人とは赤黑人にあらざる總ての人種に對する包括的用語の下に總稱されたるものにして、從つて其當時豫見されざりし日本人も當然其項目中に加はるべきものなり。

以上の原告の論點に對する被告の立場にある華州檢事總長タムソン氏の辯論の要點は次の如くである。

一、小澤、山下、河野三名の歸化資格に就ては何等異議なきも、唯單に日本に生れたる日本人なるが故に現行歸化法第二千

百六十九條の規定に依り歸化の特權を有せず、千九百六年の歸化法改正は部分的改正にして、總体的の改正にあらず。

二、舊法第二千百六十九條は今尚存續す、而して其規定せる白人なる用語は高加索人種及亞弗利加人種並[illegible]子孫[illegible]限定せるものにして之れを合衆國裁判所の判決例及米國議會に於ける議員の辯論に見るも明白に東洋人に歸化權を與ふることに反對せり、從つて自由白人種の明確なる規定なきも黄色人種を包括せずるは疑ひを容れず。

三、既に千八百八十二年合衆國議會は支那人排斥法を制定し同時に歸化を許す[illegible]事に規定し且つ一切の東洋人に對して歸化の權能を與へざる意志を表示せり、其の後歸化法改正に際しても、日本人の自負心を害せ[illegible]差別的字句を避け合衆國は其の欲するが儘に國家の權能に基き外國人の出入及び歸化の特權に對して、法律を制定し、裁判所は之れに從ひて解決を下し居れり。乃ち大審院は當然下級裁判所の法言を尊重し、歸化法制定當時に豫測せざりし、日本人は白人なる用語に包括せしむる如き解決を與ふべからず云々。

猶、又原告辨護士は合衆國の領土内に生れたる者は悉く此の國の市民なりとの規定がある是即ち其當時の立法者の大精神を明白に表示せるものであるから素りに政策の爲めに之れを變更すべきではないと高調した然るに被告の立場にあるタムソン氏は大審院が若し日本人に歸化權を認めたる場合には、之を好まざる太平洋沿岸地方の一大問題となり、日米の國交上新たに紛擾を釀すに至るべしと暗に脅威して居る。

猶、合衆國檢事總長ベック氏の辯論もあるのであるが、要するにタムソン氏の辯論に大同小異である。

其結果米國の最高審判權を有する大審院に於いて、日本人には歸化權が無いと決定したのである。玆に於て加州の土地法は加州の爲めには有力なる法律となり、日本人は土地を所有する事が出來ない樣になつて行くのである。

海外事情

一、海峽植民地の産業

海峽植民地の産業情態を最も雄辯に說明するものは、去る四月中シンガポールに開かれたる馬來、ボルネオ展覽會で有た。其の目的は馬來半島及び英領ボルネオに於ける富源並に事物を江湖に紹介すると同時に英領各地間相互の了解の機を作り併せて昨年來沈滯せる商况の復活を計るので有つたが、一面我が輸入貿易並に當方面に對する企業上にも資益する點が頗る多かつた。展覽會の主要部は林産、農産、鑛産、商業及び土人工藝の五部に大別せられ他に多くの附設物も有つた、今各部の概況を擧ぐれば左の如くである。

A 林産部

元來林産品は人類生活の居住に關して極めて重要なるは勿論總べての方面に亘りて多少共交捗を有し、現今の如く世界到る處木材の缺乏を歎ずる時に當りては殊に注意すべき處なりとす展覽會に陳列したる物品の六分五迄は馬來半島の出品にして殘部は英領ボルネオのものなり、兩者共に木材の粹を集めたものにして大に觀客の注意を惹起せり。

林産部の中央に北ボルネオ、サラワクの陳列に係る一模型家屋あり同地方特有の鉄木(ブリアン)(本邦にてタガ サンと呼ぶ)にて作られ屋内には同じ木にて作られたる家具排列せられて本部中の逸品たり。此家屋は今より十年前同地方に建築せられたる一家屋の模型にして、當時其家屋の火災に遇ひたる際鉄木にて作られたる部分は燒けずして殘りたりと云ふ、謂因ありて燒殘りたる當時の柱をも陳列されたり、鉄木は極めて堅く耐久性に富み釘を打ち込む事困難なるを以て、此模型家屋は組立式なり、木材は大建築材橋梁材として極めて重要なるものなりこれに次いで、人目を惹けるは馬來半島聯邦州鐵道工場の製作に成る食堂車なり、組立構造は馬來半島到る處に産するチンガ

イを用ふチンガイは當地鐵道枕木の標本材なり、又同材にて作りたる大卓あり、美しく磨かれ長さ五間巾五尺の一枚板なり其板を取りたる元樹の偉大を示す爲めに寫眞を添へたり、附近に三種の板張床の出陳ありカバール、クルーイングにて張りたる美しきものにして何れも床板として適當なるを示したるものなり。之に次ぎて英領北ボルネオの出品なる各種の家具あり就中卓子椅子等美しく値段の低廉なるは注目すべき處なり。

部内各所に標本材に關する地圖及統計表等が掲げられ。研究者に多くの便益を與へたり。殊に興味ありしは馬來半島に黒檀の産する事を知らざりしが、今回の展覽會に於て明に之を産する事を示されたり、ステッキも各種陳列せられたり、普通木のものと籐のものと二種あり、前者は磨き目美しく重きもの若くは極めて輕きものを貴しとなす。英國皇太子殿下は御來臨の際カムニング製のものを御買上げ相成りたりと云ふ、後者も前者と等しく當地方の特産にして廣く世人に愛好せらる。籐は各地何れよりも出品あり、製造方法の實況及び其結果に成れる品物とを陳列せられたり。蓋當地方の輸出品として往昔より重要の地位を占めつゝあるもの、此の他ガッタペルチヤ、チルートング護謨は共に電氣事業の發達に從つて益々其需要を增加すべく竹及びダマール、バースネスト等皆此地方の特産物にして注意を怠るべからざるものなりとす。

馬來半島に於ける木材の需要は年額約五百五十萬噸にして其の九十%以上は、燃料として消費せらる而して此等の需要は工業の發達に伴ひ年々著しく增加しつゝあり、現在に於て有用材木を産出し得る森林の總面積は約四千平方里にして、其の包藏せる木材は約五億四千二百万噸と豫想せらる。目今の消費額は成樹木に比して極めて多く從而木材は年々減少しつゝあり當局者はこれを憂慮して防禦しつゝあり。

本邦との貿易上木材は如何なる狀態にあるかを見るに從來より輸入せる有樣にて近年に及びて多少輸出し若しくは輸出を計劃しつゝあるに過ぎず、然ども當地方の特有材木中には本邦の需要に充つべきもの頗る多種なり。家具用材大建築材及堅牢にして工具に適するもの等にして、供給豐富に値段も割合に低廉なるを以て將來本邦に對する重要輸出品たらんとするは向なり以上は主として馬來半島に關するものなれども、更に英領北ボルネオに至れば一層其の豐富なるを見る。即ち種類に於ても共に數倍の多きに及び殆んど無盡藏と稱せらる、今左に此の地方に於て商用木材として取扱はれつゝあるもの、名稱を擧ぐれば大凡下記の如くなり。

チンガール、クルーイング、カポール、ニボング、チルート

ング、ムランテイ、ムラアワン、ウラツトマタア、スランガンバツー、ブリーアン、スランガンカチア、アバア、マンガリース、アバースールー、メランチ、ロンボン、スラアヤ(紅木 スランクニング、ニヤトー、クランヂ、ラングー、カユドソン、ミラバウ、カムニング、カユマラム、ビンタンゴル等なり。

木材以外の林産物にも亦看過すべからざるものあり、其重なるものは籐、竹、護謨、ガワタペルチヤ、果實薬用植物等にして材料極めて豐富なれども、現在は主として土人の事業に屬し支那人の手に依りて小規模に取扱はるゝに過ぎず、若しそれ本邦人の如く工藝に長じたるものゝ實際に手を下すあらば驚くべき産額を見るに至らん事明なり。

B 農産部

熱帶農業と現代人の物的生活との交捗密接なる一事は汎く世人の知る處なるが、今回の展覽會に於て是等豐富なる天恵を展示せらるゝに及び其の世人を稗益する處は頗る大なるものなりき。

農業上より見たる馬來半島の名は護謨の産出に依りて世界に冠絕す現在世界に於ける總産額の半は半島の産出する所なりとす。半島農業の推移を見るに珈琲の栽培二十年にして衰へ之に代りて全盛を來せるは栽培護謨事業なるが、半島に栽培せられてより二十有餘年、現在半島に於ける耕地總面積五十萬町歩の内護謨耕地三十八萬町歩、之れに次ぐは米作耕地、椰子栽培耕地とす。

尚他の一般農作物果物等も種類多く、生育盛にして其の如何に天に富むかを想像せしむるに餘りあり、展覽會に出陳せる物品の名を擧ぐれば左記の如く多種多樣なり。

米穀類　米、粟、唐黍、落花生、豆類、胡麻、

野菜　馬鈴薯、人參、和蘭ミツバ、胡瓜、ニンニク、甘藷、ヘチマ、葱、南瓜、薩摩芋、ホーレン草、トマト、山芋、

果物　バナヽ、ドリアン、ラボタン、マンゴスティーン、ハーコー、パインアツプル、ジャンボーバル、ビリンビリン、ブラザン、ランベイ、ナムアン、ポメロー、ルカン、チヤンベタ、ヂヤツペフルート、オレンヂ、バチヤング、エーヂニアアクエ、タマリンドチコー、木瓜、ポメグラナト、アノナークアモサ

香料　ヴアニラ、丁香、肉荳蔲、胡椒、肉桂、茴香、

此の他　甘蔗、珈琲、コヽア、生薑、唐辛子、ハツカ、鬱金(カレー粉の原料)タピオカ、筍、タバコ、

猪、製油原料、纖維原料、藥用植物、觀賞用植物等各種工業の原料を供給する事無限と云ふべきなり。

D 鑛産

馬來半島に於ける鑛産は殆ど錫に依りて代表せらるゝの狀態にして石炭、金、鐵、ウォルフラム等あれども未だ重きをなすに至らず。北ボルネオに於ては石炭、金の外最近多少に石油を産出す。

半島の錫鑛業は既に數百年を經過し、當初は馬來人、支那人等の中にて幼稚なる採堀を行ひ來りしが、歐州人の渡航し來りしより之れに資本を投ずるもの次第に多くなり、幾何ならずしてコーンウォルを凌駕し、大正三年には四万六千七百六十六万噸を出し、世界金産額の四十%に達し、一躍世界市場に濶歩するの機運に到來せり、其の包藏の量に至りては半島到る處錫有りと云ふも過言にあらざるなり。十數年來本邦人も多數半島に渡航し來り、各種の事業に從事すれども、未だ錫業にて成功したる者なし。最近馬來ゴム株式會社が採掘出願中に在るは稍意を強うするに足る、殊に現在の如き市價低落の際に於て事業を創立し、此の狀態に於て基礎を確立するを得るに至らば將來經營の上に甚だ便利多かるべきは明かなり。

鐵工業に關しては從來記錄に殘りたるもの無きも、各種の鐵鑛可成多く埋藏せらるゝは確實なる事實なり。最近ジョホールバトバハに於て邦人經營の南洋興業公司が鐵鑛採掘に從事し良好の成績を收めつゝあり、其の出品が今回の展覽會に於て最も觀客の注意を惹き大に邦人の爲に氣を吐きたり、北ボルネオの石油も邦人の手（久原鑛業株式會社）にて採堀の歩を進めつゝあり、現在は未だ好成績を得るに至らざるも、將來頗る有望の事業たるを失はず。

C 商業部

今回の展覽會に出品したる各國の商品を概觀すれば、英米佛其の他歐州人關係に屬するものは主として、機械自働車、食糧鑵詰、酒類、化粧品等にして就中自働車は各外國人取扱商人が競走的に自國製の最新精良なるものを出品したるを以て、一段觀客の注意を惹きたり。目下シンガポールに於ける自働車は、自家用のみにしても、四千五百臺に達し、此外乘容用、商品運搬用、農業用のものも亦頗る多し。

外國商人の出品中に在りて特記すべきは、佛蘭西[illegible]、日本館の設立並に濠州商人の努力なりとす。然れども此部面は多種多様なる商品を觀工場的に陳列したるに止まり、之れ等諸國と當植民地との商業關係を表示するに注意せざりしは遺憾とする處なり、之れに反して出品の効果を最も實利的に收めたるは支那

商人なりとす。即ち陳列の爲に建てられたる阿亭（アズマヤ）三十五ヶ所中支那商人の占むるもの八箇所、賣店百七十二箇所中全五十二箇所の多數に上り。而も其の內容徒に數の多きを求めず、支那本國と當地方との商業關係を表示するの苦心歴然として現はれ、參考と爲すべき點多かりき 海峽植民地人口七十八萬中三分二、馬來聯邦及び非聯邦諸州人口二百三十萬中四割を占むる支那人を背後に有する支那商人が、本展覽會に於て商業部出品の大部分を占得したのは寧ろ當然と云ふべきなり。

商業部中の日本館には茶館を之れに附設せり、當初在留日本商人は本展覽會に關し餘り氣乘りせざりしが、此不景氣の際に當り徒に拱手無爲に終るは決して將來に備ふるの所以にあらざるを以て、當地日本人實業協會中堅となり南洋協會附屬商品陳列館、之れが實行の衝に當り、日本館を特設する事となれり、然れども在留邦商の多くは引續き不況の折柄出品に多くの費用を投ずるの餘裕無きが故に、當地に於ける日本人大會社銀行側より協賛寄附金を得別に外務省及臺灣總督府の援助を仰ぎ兎も角本館及び茶館の設立を見るに至りたり。

事情斯の如くなれば、勢、其の內容外觀共に甚だ貧弱の感有るを免かれざりき。

E 土人工藝部

馬來に於ける固有の美術工藝品として現存しつゝあるものは竹及藤細工、竹製樂器、彫刻、武器の象眼及び舊式機織等なるが是等は交通及び文化の發達に伴ひ、漸次癈滅に近からんとする現狀なり、而して古き工藝品の技術優秀にして見るべきもの少からざるに反し、現在のものは往時のものに比して遠く及ばず、是技術の退歩せると名工の出でざるに因ると雖も亦土人種族の性質甚だ怠惰なるに原因するは言を俟たず。

元來馬來の美術工藝品はサー、フランク、エー、スウエテンハムが著書中にも有るが如く、封建時代に彼等としては異常なる發達を遂げたるものにして、今日名ある作品と稱せらるゝものゝ多くは當時に於ける名工が王侯土張の厚き庇護者の專制的慾望を滿足せしめたるものに外ならざるを以て、其の作品は殆んど只徒に累代藏せられ世に公開せられたる事無かりしを以て、好事家篤志者の常に遺憾とせし所なり。然るに今次の展覽會に於て馬來各地方に於ける新古美術工藝品の殆んど全部を一同に網羅し盡し得て、眞の馬來を世に紹介するに至りたるが、時恰も日本畫洋畫家矢崎氏が印度各地の畫行脚を終へ當地を來訪せるあり、純美術に立脚したる其の感想の一端を披歴して曰く、實用を主とせる工藝品はいざ知らず、純美術の部に入るべきものとしては裝飾模樣に現はれたる草木、動物等を圖案化せる罫細

なる意匠を見る外、單獨に繪畫と稱すべきものなきも、彫刻に至りては却つてダイヤ蕃族が迷信に依り著しく娛樂的に作出せる驚くべき藝術趣味豊なるもの尠なからず。勿論我が生蕃アイヌ等術作品と共通の稚拙は免れざるも、自然に對する彼等の憧憬或は恐怖を眞面目に努力して表現せんとする處に一種の單純さと神秘的美感あり。最近進歩せる歐州美術の或る物に一致せる點に於て比較的進歩せるの工藝品とは何等の交渉なきも、當地方出品物中の異彩として特筆すべき價値あるものなりと信ずると云々と。

獨篤志篤學の士が永年の期待に副ひたるのみならず、之れに依りて少なくとも地方の風俗習慣嗜好等の一端を知り、以て將來に資せんとする者の爲絶好の機會たらずんばあらず。試に出陳せられたる品種を擧ぐれば綿及び絹織物、眞鍮器、ホワイトメタル器、ゴザ、刺繍、藤細工、パナマ帽、土器、銀器、木彫籠、細工象眼及被覆細工、木製品、藤ゴザ籠中細工等なり。

二、米國に於ける人造絹糸の發達

米國に於ける人造絹製造業の起原は未だ十年を出でざるに最近異常の發達を遂げ、其數量技工共に外國品を凌駕せんとする狀況にあり、而して日本生絲の價格が將來騰貴せんとする豫想製に關聯して人造絹に對する一般の注意は益々喚起せらるゝに至れり。

今製造業者の觀測する處に依れば、本年度國內に於て產出すべき人造絹は、現今の生產能力を以てする時は二百五十二萬貫（大正九年中長野縣蠶絲及屑物の全產額は二百五萬貫なり）以上に達すべく、前年の百八十萬貫、前々年の九十六萬貫に比すれば驚くべき急激の增加と云ふべし。

初めて米國製人造の產額が產業統計に表示せられたるは大正二年以降の事なるが、爾來消費額の增加に伴ひ國產のみにては到底國內の需用を充たす能はず、昨年の如きは四十四萬貫を輸入したるが如き狀況なりき。然るに米 營業者は此の結果に鑑みて製造所を擴張し、一兩年內に少くも內國消費額は自國製造所に依り供給し、國內の市場より外國の製品を驅逐せんと努力し居れり。

日本に於ける人造絹製造業は二十年以前の創業なるも既に米國の競走に依りて影響を蒙り、事業を緊縮するに至れり、之に反して歐州殊に佛[illegible]の諸國は何れも工場を擴張し、殊に伊太利に於て隆盛を極め居れり。

人造絹を最も多量に使用する製造業者は、靴下、眞田、裝飾用具、襟巻、フランテン、カーペット裝飾シャツ、材料平絹、

小間物、スウエター、ネクタイ等にして其の製造は人造絹のみを使用するか又は綾毛糸等を混用するが、價格の低廉なると相場の割合に安定せるとの爲に一般製造業者間に歡迎せられ益々注意を惹きつゝあり。過去五箇年間生糸は一ポンド 百二十圓平均十二圓位なるも、織物の目的に使用せらるゝ迄には可成精を要するが故に之れが爲め、重量 割五分を減じ、一ポンドの平均價格は十六圓位となるを常とす。然るに人造絹は殆んど三分の價格に過ぎるを以て駸々として生糸の領域を犯しつゝあり、我國の蠶絲業者たるものは之れを等閑に附すべからざるものとす。

海外通信

渡伯後三箇年

下伊那郡松 村出身 田中正勝

拜啓時下御地は追々暑熱激しく樹間に蟬聲繁き頃と存じ候處御貴家（海外興業株式會社長野縣代理人金井富三郎氏）皆々樣には如何御暮し遊ばされ候哉御伺申上候。退て當地は秋風凉しく南國の廣野を渡る頃にて丁度日本の五月か九月頃の氣候に候へば非常に暮し易き頃に御座候。

かゝる頃は毎年原始林の伐木期に御座候へば本年も亦其例にもれず、加ふるに本年は米の收穫豫想以外の豊作に御座候ひしかばその賣り上げの幾分かは本年度の伐木代金に廻りし故、遠ち近ちの日本人は皆其の道に充分の經驗ある伯人を雇用し、又は伯人に請負はしめ、一家の日本人の伐る原始林一アルケール（二町五段歩）乃至二アルケール位を倒す爲めに、此頃は終日山より山に響く斧の音伐木する伯人の元氣のよい叫び聲、大木の悲痛そうな聲を立てゝ倒れる樣、實に壯絶と云はうか痛快と云ふか筆舌に盡し難き心持仕り候。

倒れし後の原始林を見ればさしも南國の天地に青波の如く繁げりし木も半面上に横たはり、唯所々に大木の悲慘なる切口を認め得るのみ。やがて九月十月頃に至れば炎々たる焔は天を焦し、地を燒く燒鄕となり、來年の二月頃は播附し唐黍の收穫と相成る筈にて候。

すれば近隣の日本人も其の機を逸せず奮闘致居候、小生方にても今日迄に半アルケールを倒し、後半アルケール位は本年半頃まで倒す豫定に候、一時前途を悲觀せられし甘蔗も本年一月以降雨量多かりし故其の生育も良好にて、早き方は糖分充分成熟致し候へば晩くも來月初旬より製糖に着手出來得べく候。

珈琲も亦成熟致し、何時にても採集出來得べく候。豚も一アロバ(約四貫目)價格十八ミル位を稱へ居り候現在の當地としては同一の品物多數あれば、其の品物の市場の相場は如何に高く共交通不便の爲めに價格は地方的に下落致し候、現に豚肉の如きもサントス市場一アロバ二十ミル乃至二十五ミルを保ち居り候へ共當地方には豚多數有之候。故前記位の相場にて候。

總じて未開地を開拓せんとするには、植民に對して金融と交通の二機關の伴用する事は絕對に必要なる事項に御座候、若し此の二事項が伴はざれば如何に健實なる植民と雖も目覺ましき發展も活動も至難の業に御座候、故に有識者にして大いに海外發展を唱道さるゝ人は例令移民にしろ、植民にしろ、移住せしめんとする地方の狀況を詳細に考査し、將來其の土地が交通の點に於て有利なりと認めたる上これを勸誘すべきものと存じ候徒らに海外にのみ人を送らばそれにて海外發展と推斷するが如きは盲想も亦甚だしきものと存じ候。

其の確實なる證としては當レジストロ植民地を部分的に觀察して、其の地方の交通便利なる地方は商業又發達して、植民の生産する物品は勿ち販路を得、購入品は比較的廉價にて候へば長野縣出身の植民諸君を見ても晩く入植せし人にても、交通の便よき地方にては徐々成功の道程に上り、又、借金を皆濟する有樣に御座候へ共、不幸にして交通の便思はしからざる地方に在りては、早くより入植せし人にても借金に借金を重ね財政上非常に困難の立場に居り候。かゝる一小植民地且つ年少年月の內に於てもかゝる有樣に御座候へば、今少し大規模の植民地となり且年數を重ねれば兩者間の發展及び活動は非常なる懸隔を來たす事と思推せられ候。

小生は幸にして後れ馳せながら、交通、商業の繁華なる地方に入植致し候へば、現在は早成功の道程に上り候。當地は植民地內最も有利なる地方に御座候。何となれば現在近きは八町遠きは十八町の地點に四個の伯人賣店あり、尙十六キロ米突

(四里)を隔てゝは州政府の創立せるコロニヤ、パリクヘラス植民地即ち俗稱シシリカ地方有り、今や州政府は土木技師をして州立植民地と當レジストロ植民地との聯絡車道(自働車)の測量をなし居り候へば、此の車道開設の上は第一に吾々の現在占領せし地點が最も恩惠を蒙る譯にて二キロ米突を出づれば有名なるリベイラ川の一大支流のカピンザール川に接し。同川は隔日に川蒸氣船往來致し居り候。同船にてイグアペ町へ到着するには僅々七時間にて候、故將來の發展はサントス、ジユキーア鐵道延長線完成と相俟つて當植民地の繁榮黃金時代を現出致す事と確信致し居り候。

小生の在住せる地方は斯くの如き前途を有する場所にて、かく論ずれば當地の將來も明瞭と相成るべく候。加ふるにレジストロ市よりは十五キロ米突を隔ち居り候へ共、會社の建設にかゝる幅四米突の車道開通致し居り候へば、レジストロ市屈指の大商店なるフエリス、ダービー、ジユワキン海興賣店等よりは隔日位に來訪せられ物價の販賣購買共に山中に在りて自由に出來申し候、故賣るべき品物さえあれば何時にても立所に黃金と化し候へば自然金融活氣を呈して居り候、再讀の上賢明なる貴下の公平なる批評を願ふものに御座候。

吾人は內地に在りては中等に位する農家にて候ひき、內地在住當事は田六反歩、畑八反歩を耕作致し居りたるものにて候へ共土地は大多分他人の所有に屬し、自己所有のものは現在日本に殘したる一反五畝歩の畑と已に賣却せし六畝餘の畑のみにて候。

斯の如く小作八分の農家にて候へば坪六合以上もする年貢を拂へば殘米は半年の食糧を滿し得ず、年三回の養蠶も大半肥料代に支拂ひ、殊に稍華美に流れ居り候へば年中來る年も、來る年も金融逼迫にて入費のみ徒に嵩み、一ヶ年の出入は三百圓位は確に借金の部に候。

かゝる狀況は小生高等小學在學當時より引き續き居り候。故將來この家の家長として立つべき小生は如何に。學科の外に現在の不足なる生活難より脫して、光明ある生活に入らんと何時も苦心し、考究致し居り候。

かゝる矢先に大正八年二月初旬、彼の有名なる岸本與君の海外發展奬勵の活動寫眞が松尾小學校にありし時、入場して拜見致候。其の寫眞は何れもブラジルの移植民の狀況にて、茫々限りなき沃野に邦人の平和に香氣に、農業に從事し、生活難の如きは何處吹く風と云ふ如き有樣に、其の當時の小生の境遇と比較して羨望の念堪え難く、我れも一躍渡伯して彼の如き不平不滿の無き暢々としたる豊な生活をと決心致し、兩親を說き伏

せこせしが仲々兩親の心を動す事難く、さりとて自己一人にては渡伯出來ず、空しく發展の機會を逸せんかと憂慮致し居し時、小生の叔父なる上鄕村の吉川喜三氏も亦、岸本氏の講話に渡伯を思ひ立ち小生の家に相談に來られし故、玆に於て兩親の意は飜り、渡伯の途に就かんと親戚故舊の百方引止の話も耳に入れず、現在の生活難より脫して將來安易なる生活に移らんと決心し、同年五月廿七日發の讃岐丸にて渡伯仕候。

前述の如く小生等は眞に生活難の味を知り、土地の狹隘、人口稠密の結果を達觀し候故、當地に來るや直ちに永住、定着の決心を以て徐々に事業を進め候。

渡伯當時は地理の不明、言語の不通等にて種々困難致し候へ共、堅忍不拔の精神を以て事業に從ひ、尙農業の知識養成に務め居り候。然れど持ち來りし貨物は日用品の一部のみにて候へば內地在住の時と違ひ非常に不自由を感じ候へ共、是非なく色々先輩植民達の敎訓に從ひ、農事にいそしみ居り候。

斯くて一ヶ年を送り候處、持ち來りし預託金は土地二口の代金二回分と馬一頭の代金を支拂ひしのみにて、殘りは全部生活必需品食料代に費し候。

第二年(大正九年六月乃至大正十年五月)には預金は一厘も無之、全然自分の力に依りて、需用品を購入するのみにて候へば、小生は經濟に最も注意し、最も興味を持ちしも、此の時にて候ひき。小生の父は腦病を患ひしも有之候へば、復雜の事を非常に嫌ひ、遂には財政も社交も小生に一任致され候。

此に於て小生は二十といふ柔弱なる一青年ながら、一家の中興者として努力致す身と相成り候。朝には星を戴きて起き働き夕には月の輝くを見て仕事を終る等、身体の續く限り熱心に事業に從ひ候。其の時分の道路こそ開通致し居り候へ共、馬車一臺通る事なく非常に淋しく、眞實に奧山住居にて候。家とても當座の假小屋にて候へば霧は不斷の香を焚き、月は常住の燈を揭ぐと申す如き暮し方にて、月澄みし夜半近くの林にて名も知らぬ夜鳥の異樣なる鳴き聲、地形の知れぬ川邊や沼地に聲高に鳴く蛙までが一入異樣の淋しさを添へ居り候。かゝる時にはいつも懷しき生れ故鄕の樣を思ひ出し、戀しき親族の人々を思ひ浮べて夜半の枕を濕らせし事も折々これあり、然れども小生等は祖父母父母弟と一親戚と共に移住し居り候へば、淋しき中にも慰安もあり、心强き所も有之候。かゝる懷鄕心は如何なる人も異鄕へ出づれば皆味はねばならぬ處に候。

十年度の中にはレジストロ市へ少しの買物に行くにも、常に使用せる鷄を六羽乃至八羽位背負ひて八里の道程を厭ひなく市內の茶屋へ賣り渡し、其の金にて買物を濟まし、尙餘りの金を

持ち歸り得る時は少量ながら自分の汗脂の結晶と思へば、尊く亦嬉しく候ひき。今にても思ひ出す事有之候。

或日六羽の鷄を持ち行き茶屋に賣らんとせしに、隣に一出張齒科醫あり彼曰く、『其の鷄は賣物にや』と、僕は答へて『然り』彼は更に、『然らば僕に呉れ給へ、値段は幾何か』僕は『一羽二ミル五百位如何に』彼は『よしそれにて殘らず買はん』とて皆引き取り呉れたり、前には一羽二ミルにて茶屋に賣りつゝありしに、今度は一羽に付五百レース宛高價にて買はれたれば眞に嬉しく彼に心からの敬意を表せし事有之候。

此の事はほんの一例に御座候へ共、萬事に勤勉儉約を旨として一厘も借金をせぬ樣にと働らき居り候。

然る處同年五月二十八日は、渡伯滿二ヶ年目に植民規約中に在る船賃全部を下附され候。小生等は此船賃償還のある事は存じ居り候へ共何等之有るが爲めに油斷する事なく、勵み居り候故五コント(千六七百圓)に近き金貨は二口の土地代金殘額を支拂ひしのみにて全部貯金に繰入れ、玆に理想となし居りし眞の自由獨立時代と相成り候。

然れども預金は常に無きものと考へ、自家の生活費は生產物を以て償ふ事として、益々勤儉力行農事に努め居り候處米も成績よく自家用を除いて五六十俵賣却出來、入植當時伯人より買ひ受けし珈琲は値段よく相成り候故、相當利益も有り、豚を養へば幸福にも種類の良好なるものを得、甘蔗も生育宜しく、事業は意の如く發展して益々順境に入らんとせし時、突如父は急病にて黃泉の客と相成候。

大正十年十二月十三日…此の日は小生の最も悲しき日にて候古諺に『月に叢雲花に嵐』とやら『滿つれば缺る世の習』とかや小生の家に健全なる家たる父が存在し居らるれば、滿足にて候へ共、實に浮世は『憂き世』にて御座候。

戀しき父は植民てふ大望を起して、當伯國に渡り、滿二ヶ年と十ヶ月、事業は發展して成功の緒に就き、光明は榮ある前途に輝き、益々佳境に入り、眞の人世の幸福を味はんとせし時に遂に去り逝きぬ。祖父の落膽、母の悲歎、幼き弟の不幸、小生も狂せん計りにて候ひき、然れども『生者必滅會者定離』の言の如く不可抗力なる運命には、如何ともなし能はず候。

父の死に依りて、小生の双肩には從來より何倍と云ふ責任のり、義務を有する事と自覺仕り候。祖父への至孝、母への慰安二人の弟の敎育、補養等家長たるの重大責は歲若き小生に皆負はされ候、事業の繼續、物品の販賣、購買、社交等に至るまで當然小生の執らねばならぬ義務と相成り候。

斯く父には早く逝かれたれども、幸なるかな祖父は非常なる

健康体にて、七十才の高齢ながらも頭腦確實、今尙、壯者を凌駕する程の元氣に御座候へば小生も非常に心强く候。加ふるに母も亦健康にて種々の事務を處理せられ居り候へば、小生の熱心なる就業と相俟ち、餘りに他の植民諸君と事業上の懸隔を來たすが如き事は無之候、小生は今後益々處世上に留意して亡父の遺志であり、又、小生等渡伯當初の素志を貫徹致す考へに御座候。斯く決心して最初の素志の貫徹に努むる事は亡父に對する至孝なりと愚考仕り候。

望み多き時に逝きし亡父の靈に對し慰安を與へるのに、適當なる道であらふと確信仕り候。德川家康公の遺訓に『人の一生は重荷を負ふて遠き道を行くが如し、急ぐべからず』とこれ有り候如く、小生の如く無經驗にして血氣に逸まる年頃にて候故よく此の敎訓を秘めて徒らに成功のみ早まり、百年の大計を失するが如き事あらば、亡父に對しては不孝の極みと云ふべく、尙祖父に對しても、家に對しても同樣なる子にて候へば自重して眞面目な考慮を以て亡父の遺業を繼承して、亡父の理想とせし子孫を生活の安定を礎き子孫繁榮の基を建設する考へにて御座候。

小生の敬慕せる二宮尊德先生の敎訓道話に『人の成功に達するには勤と儉と讓の三を伴はざる可からず』と、二宮先生は其の境遇に於ては大凡小生と類似の點多々有之と存候。されば勤儉、謙讓は小生の座右の銘として、常に自ら指導致し居り候、向後の道上にも幾多困難なる事もこれある事と推察致し候。然れども前述の如き決心を以て種々の困難に打ち勝ちて光榮ある成功の彼岸に達する樣、努力を惜しまざるものにて候。堅固なる決心と全精神を傾倒せる行動には何物も敵し得ないとの如く『精神一到何事か成らざらん』にて候。

父は伯國の土と化し申し候故、小生は父の靈の保護者として伯國の土と化すべく候へば、如何に當植民地間に浮薄なる移動說其の他種々の危險な流行等ありと雖も、眞面目な頭腦と過去の經驗より、得たる常識と自重せる行動とを以て浮說に浮はず流行に誘はれず、熱心に十年乃至百年後迄も達觀して子孫生活の安定を作り、植民てふ大業の完成に務むる考へにて候。一人の父の死別は小生に取りては最も痛切悲歎の事にて候へ共、父の死に依りて無言の教育を與へられ候。

父の死を唯悲歎とのみして送るは不本意の事と存じ候。小生の定住土着の決心は亡父の無言の敎訓にて候。

併しながら如何に父が此の國の土と化し候とも、氣候風土が良好ならざれば小生とても子孫の爲めの土着永住の決心は有せず候。

交通は前述の如く將來益々有利有望にて候。尙地勢は海外興業會社の仲介にて候故確實にて候。又、病氣も無絕にて候故衛生にも安心にて候、氣候風土に至りては小生の理想と相合し居り候。嚴寒酷暑の候御座なく、年中單衣一着にて勞働出來る故少しの閑も無く徒なる生活費も入用無之候へば、古語に『稼ぐに追ひ附く貧乏なし』の例の如く貧乏も年を經れば富者の位置に入り、富者は益々富み榮え候。

冬の期節無之故に山は綠樹鬱蒼として涼しく、蔬菜類は次より次へと生育して、日本人生活必需品の一なる野菜類の困難も御座なく候。尙、馬牛、山羊等を養育するも十町歩も牧草を植えて、牧場を造り候へば、これ又飼養に不自由なく候。又馬屋を建てゝ馬肥を採らんとする人に年中綠草これあり候へば意の如く馬肥も作製致され候。

斯く氣候も温暖にて候へば、何十俵の米を收穫致し候とも敢てヒビアカギレ等の心配は更に無之候。此點も非常に氣樂にて尙野外の風雅に於て見るならば、螢は年中沃地を飾り、蛙鳴絕間なく平和な歌を歌へ、鳥類次から次へと結實する美果を漁り、芳香奥ゆかしき花へは、絕えず蝶が訪づれ宛ら日本の櫻咲く頃の樣にて候。

身に何等の脅威なく、一日の勞働を終りて入浴し、寢替へ涼しき風の吹き渡る夕景の頃椰子樹の蔭に座し、眞の天然の風光を味ふ心持ちは、狹苦しき日本の地にては到底望み無き事と推察仕り候。如何に風光優雅眺望絕美の處に在りても、心の心配の事あり、生活に脅威有之候ては到底充分なる賞觀は出來得ざるものと存じ候。如何に當地が樂天地と雖ども、萬人皆賞揚するには御座なく、只確實なる地權を握り、事業も成功の緖に就き、財政豊富にして、心平和に、自由に暮す者のみ味ふべきものにして、渡伯費の借金や生活費の借金に八コントも十コントもこれ有る植民が如何で樂天なり、天下の美園と樂しみ賞美し得るものにては御座なく候。

海外にのみ發展せるは忽ち何處も同じく樂天地なりと思惟するは盲想も亦甚だしきものにて候。小生等の如き眞に人生の理想生活に近き生活をなし、樂天地と稱するに至るまでには幾多の困難あり、辛苦あり、かゝる事變に打ち勝つべく努力し、奮鬪したる事多々有之候。

前述の鷄を八里も持ち行きて敗賣したる話の如きも、努力の一端として認め得べき事項にて候と存じ敗。三年前は徒步にて行きし身も、今は三百余ミルもする馬に二百ミルもかけたる馬具を補着して、用事を致し居り候。此れ以外にミシン機も一臺購入致し候へ共、皆小生等の汗脂にて候、斯く人以上に機具を

買ひ整へても尙餘裕ありて、同縣人の事業家に少額ながらも融通致し候、尙又、牧場には八百ミル位する豚も飼育致し居り候。水田も一昨年より作造して、現在總反別一町歩に垂んとし甘蔗の植付反別も二町五反步に亘り、マンジョーカの植付面積も亦一町餘に廣がり、珈琲も樹齢八年を有するが、四百本一昨年より昨年へかけての植付は四百本、其外薩摩芋野菜類に至る迄相當栽培致し居り候。昨年の唐黍播付反別は五町步餘にて候。當地現在の狀況に慮り一作物にては餘りに貧弱ながら多種に亘り居り候事は植民地內にも珍らしくと存ぜられ候。尙今後は十町步內外の牧場を作りて牧畜業を始むるも興味ある事と存じ候

當地の實狀を申せば現在當地には專問的に爲す主作物といふべきものは御座なく候、故專問的に事業を開始せば失敗の跡を止むる外無之候へば、交通運輸金融機關の設立ある迄は多種栽培が當を得候と存候、斯く列記せし成績は小生渡伯三ヶ年に於ける何等の經驗なく常識なく只單に日本居住の農業の經驗と先輩者の言のみにて努力せる結果にて候。今後は此三ヶ年間に得たる經驗、常識を應用して事業を發展さする考にて候へば向後十年の歷史は如何に實現し得るか、今より自重して努力奮鬪の決心にて候。

『古人の語に一年の計を成さんには穀を植ゆべく、十年の計を爲さんには樹を植ゆべく、百年の計を爲さんには德を植ゆべし』と、これあり候。殖產興業たるや子孫の計に候へば、穀も樹も德も交々植ゆる覺悟無かるべからずと存候。此一語は實に植民たる農業者たる小生に對して無二の金言と存候。又英國人の諺に『節制無き處に自由なく、自由無き所に節制無し』と、總べてに干渉あり、注意ある日本國內に居住せる日本人が、外國に渡航するに際して最適切なる注意す可き事と存じ候。

自由鄕も平和な村も理想世界も若し節制が無かりせば如何で求め得べきや。節制は自治共同團体の精神の骨子して、最も放從に流れ、植民に最も必要なる事項にて候。植民に此の精神ありて初めて健全なる發達も出來、强固なる自治團体も構成さるゝ事と深く確信仕り候。

當レジストロ植民地には主作物として市場に雌雄を爭ふと云ふ物品が生產されぬのが殘念に候。然れども鄕に入りては鄕に從へと現在植民地近くの伯人とは云へ、往年ポルトガル國より移住者の中の成功せしものゝ就きし道も大に吾人將來を有する青年及植民には興味ある問題にして、亦實行する價値有る者と存じ候。

小生は早くより玆に着目致し、近隣に賣店を開き得る迄に成功せし伯人と交際を結び、ひたすら彼の成功せし階段及徑過せ

る幾多の價値ある訓話等を聽取致し候故に、小生の想ふには當地は交通餘り繁しからず、亦商人も優柔不斷の者のみにて候故同一物品を餘りに多く生產すれば必定地方的に相場は下落致して收支相償はざるの結果に相成候故に、專問的なる事業はいつも失敗に終り居るの狀況に候。現に小生等渡伯せし折は、砂糖の價格昇天の勢にて會社も亦當植民地の主作物は甘蔗なりと高唱して、製糖を奬勵致し候、併し製糖は御承知の如く米や豆や珈琲等異り機械及馬匹を必要とする事業なれば、從て可成の資本が入用にて會社の奬勵且糖價も一時高かりし故に渡伯費の借金さへ未だ返濟致さざる者が二コント三コントと會社より借用して、無經驗の者が皆製糖業に從事致し候故に、舊植民にして製糖に從事せし者は大概今猶借金の苦境にこれあり候、此の点は大に會社の失敗せる行爲にて、過日當地を視察せし日伯新聞社長は堂々たるイグアペ植民地批評を發表致され候ひしが中には當然せる論多々有之候。

現今當地は珈琲の價格高き故、小生が六十ミルにて買收せる珈琲園は本年の收穫は實に五百ミルの高きに昇り、小生の所有土地は幸にして、土質最も好く豊饒にして當地の總ての作物の生育誠に好く、米作地も十町步餘り亘り、珈琲、甘蔗黍、マンジオカ、牧草、野菜類等何一つとして不作に終るもの無之他縣人はレジストロ植民地悲觀說及不有望說を力說し居る者多々御座候へども、小生は前途有望なるを確信致し、堅忍持久以て現在不有望說を稱ふる處の諸輩に一警を喚せしむる考にて候。

併して將來は天晴一廉の實業家と相成り、眞の海外發展の先驅者の榮冠を握り、海外長野縣人にも彼の樣なる成功者が有りしかと戀々として、土地狹隘なる邦土に生活難と戰ひつゝある同胞に感歎の辭を叫ばしむる覺悟にて候。

併し、かゝる地位を提得する迄には前途幾多の困難と有り障碍の横たはり居る事と存ずれども、前陣の如く終始一貫して堅固なる決心の許に奮鬪努力致す所存にて候。

御地にも此の南米發展の宣傳と發展者の便宜を爲さん爲に信濃海外協會なるもの出來得し事は、海外に在る吾々の最も力强く感ずる處にて本年九月七日は當國が獨立百年祭に相當し首府リオデヂャネイロ市に盛大なる祝典の擧行せらるゝ事は御承知の御事と存じ候。日本よりは數多の實業家視察團及び淺間、磐手、出雲の三軍艦來訪せる由にて候。

當レジストロにても海軍の人及び實業家が若干來訪せらるゝ筈にて候。

我々が斯樣な生活に安定せる處世出來るのは實に、故中村國穗君にて候、我々が渡伯の意志ある故を君に通ぜし、大正八年

二月以來三月渡伯に至る迄の故君の我々に對する親切と努力とは、吾人が年を經て成功の域に達すれば達する程、追憶さるべき尊き印象を與へられたる者にて候。

御貴君は故中村君同一に近き海外發展論者であり、實行者である事は小生の最も敬慕する處にて候、願はくは御身御大切になされ、永久に長野縣人海外發展者に援助を與へられん事を。

信濃海外協會發行にかゝる海の外なる雜誌は、第一號及び第二號は不着に候へ共、第三號を先日入手親しく拜見致し候。

去る頃白鳥支店長と御貴君と小生等の前住地下伊那郡松尾村明田中繽一を訪問せられし折の事繽一氏より逐一報知に接し、直ちに御一報差上げ度く存じ候ひしが多忙に打追はれ不本意ながらも等閑に附し居り候へども、此頃小閑を得て筆を執り意志向く儘文の前後も考慮致さず當地の實況且小生の渡伯せしより今日に至るまで當地概略を甚だ亂筆且拙文ながら記し、一文にても御地の青年諸君の耳に入り候はゞ小生の喜び之れに過ぎず候。先は突如ながら御報知まで、末筆ながら御貴君健康と御多幸を祈り上げ候。敬白

大正十一年八月二十日

レジストロ植民地第二十四區二七—一八一號地にて 謹書

在外各位に謹告

◉諸君の故國信州青年が諸君の後を追ふて海外に雄飛せんとするの熱望は正に盛に燃えて參りました。此際諸君が適當なる後進者を得て其事業を大成し兼ねて後繼者の便宜を計らるゝ唯一の方法は諸君の日常生活や活動の有様を廣く天下に宣傳する事にあります。本誌は諸君の此機關となり度いと思ふて苦心して居る事は、本誌の大部分が海外通信に用ひられて居る事に依つても御承知の事と思ひます。故に諸君が振つて御通信せられんこを熱望します。通信文的のものも勿論結構であるが、始めから本誌の原稿にするつもりで御送附を願ひ度いと思ひます。用紙や文体は何でもよいです。只、徒らに議論に流るゝよりも諸君の苦心を中心とした叙事的のものが一番結構です。

◉第二に諸君に願ひ度い事は信濃海外協會の會員になつて戴き度い事。又、全縣人諸君に之れをすゝめてもらい度い事、それから會費を送つて戴き度い事で有ります。全會は組織早々の際でかなり澤山の經費を要して居りますから、此邊に御同情下さつて萬事御盡力をお願ひ申上げます。

南米巴西土地購入組合私案（稿）

一、巴西共和國の梗概

イ、今國は氣候が日本よりもよい

ロ、全國の土地は豐饒で米が二度取れる程である

ハ、今國では一町歩の未墾地が約十圓で買える

ニ、今國は日本移住者を歡迎するし植民者には渡航船賃を支辦する程である

ホ、約三萬五千の日本人が渡航して居り長野縣人が一千餘人行つて居る

ヘ、凍害が稀にあり害虫も來るし交通機關は未だ十分でなく十分の勞働者を得られず貨幣の相場に變動が多い事などの不便もある事を承知する必要がある

二、子孫の爲めに美田を買ふ

イ、二三男の爲めに美田を買ふ必要がある

ロ、老後生活の保証を得る必要もある

ハ、子孫百年の大計を樹て、やる事も大切である

ニ、娘等を海外に移住せしむる事は嫁入せしむる爲めによい仕方である

ホ、これ等の爲めに毎月五圓十圓の金は必ずしも出來ない相談ではない

三、共同土地購入組合規約の骨子

イ、組合は巴西共同土地購買組合と稱す

ロ、組合の目的は南米巴西國内に共同して土地を購入し適當に處理（分配又は共同經營）するにある

ハ、組合員は毎月（毎年）金五圓（金六十圓）を醵出す

ニ、醵金の年限は五ヶ年とし組合員百名を糾合する

ホ、組合員は五ヶ年の終りに約二十五町歩の土地の所有權を得る

ヘ、役員其の他の規約は普通のものとする

四、組合事業の計劃

イ、第一年度　六千圓の醵金を得
　在巴信州出身者に土地の撰定を依頼す

ロ、第二年度　醵金は一萬二千圓となる
　組合員二名に二千圓以内の旅費を給して渡巴し土地を撿分せしむ

ハ、第三年度
　一萬六千圓の醵金を得る
　二萬五千圓の價格ある土地約二千五百町歩を購入し其の三分の一の地代約九千圓其の資産移轉稅及登記料測量費約二千圓合計金一萬一千圓を支拂ふ
　此年五千圓の豫備金を得

ニ、第四年度
　醵金合計二萬一千圓あり
　第二年度の金八千圓の支拂をなし地權を得
　此年度の殘金三千圓あり

ホ、第五年度
　此年度の醵金は殘金を合せて九千圓あり
　第三年の支拂ひ約八千圓を支辨し一千圓の殘金を得
　一千圓を以て地區の區分をなす

五、土地購入後の處置

イ、當分時期の來る迄放置するも可

ロ、第三年度より開墾をなし得るを以て之を實行するも可

ハ、適當なる小作者を入れて開墾せしむるも可、此場合には三年間小作料を得る能はざるを例とす

ニ、共同して經營する方法もあり、此場合には新規に醵金を要す

ホ、土地代は岡本米造君の經育の土地の如く騰貴するものにあらず、開墾をせざれば必ずしも價格は甚だしく騰貴するものにあらず、故に此の組合には投機心を用ゆる可からず。

備考　海の外第二號第六號を參照されたし
　本案稿は信濃海外協會のものにあらずして全然永田稠私人の私案なる事を承知せられ度し

信州海外發展者列傳（三）

神澤久吉君

＝十九歳で六拾町歩の地主＝

『實、わりア中學へ行かねーか？』

『おらア中學へは行かねーよ、アメリカへ行くだ』

『アメリカなんかへ行けるもんか』

『東京の叔父さんへ賴みァ行けるッてよ』

八ヶ嶽の殘雪が夕日陽に輝き、守屋の山嵐が暖くなり、永らく冬にとざされたる信州諏訪の中山浦の田圃に、カンヅの芽が出でタンポポの花咲き始めたる茅野驛附近の田舍道を、小學校から家路に歸る少年達が話して通つた。

實の父はごうかして彼を中學校に入れ度いと思ふたが、實はどうしても　を承知しなかつたが、久吉は父兄に請ふて中學校に行つた。實が田の草を取つたり桑を摘んだりして居る時、久吉は中學校の制服を着て通りかゝつた。

『實!!!何時アメリケエ行くだ？』と久吉は問ふた

『いまに行くよ』

『行けるもんけエ』

などゝ話し合ふたが、小學校では仲のよい友達であつたが、實は久吉が中學の制服を着て威張つて通るのが癪にさはつた。

『アメリケエ行くか死ぬかだ』

と彼は決心をした。そして万難を排して目的に向つて突進して實ば遂に十七歳の暮れには北米合衆國紐育市に上陸が出來たのであるが、久吉は依然として中學校に通つて居た。

×　×　×

久吉の前途には一大事件が突發した。それは彼の父が死ンだ事である。葬式を濟まし法事を濟まして、親類の者が引取ると彼の兄は云ふた

『久吉、おとつさまが死ンで見りアおめエも中學をやめじアなるめイ、そうして何とか身の振り方をきめぢアなるめイ、うちの身上も兄弟二人で等分に分けりァ兩方共食ッて行けなくなる

おめイもよくかんげイて見るがいゝ。」と。

久吉の前途は實に暗憺たるものであつた。中學を卒業して大學を卒業して、それから信州第一の人にならうと思ふて居たが、其理想は全然裏切られた。

「希望が無くなりア死ンだも同しだなア!!!」

彼は幾度か繰り返へして嘆息した。そして同時に小學校を卒業した誰彼について一人一人考へて見た。實を除いては外の者は殆んど皆希望がなかつた
「久吉、中學校へ行くのを止めたかア!!!」と甲は云ふた。

「サボシ屋へ行こうじやねーか」と乙は云ふた。

「サボシ買いにやア錢がいらア、夜這に行こうや」と丙は云ふた
「どうせ行くなら町の遊廓が面白れエや」と丁が云ふた。

「角　町の連中はな、藝者ア買つてオ〇〇コの中へ刺身と氷をつめたッちうじアねーか、そりア面白れーぞ」と戊は云ふた。

そして皆ンなで大に笑つた。

希望を失ふた久吉にはこんな話は面白くなかつたが、ともすれば皆と一所に遊ばうかなどゝも考へられた。が、彼はフト實の事を思ひ出した。

彼は今や万難を排して「アメリカへ行く」と云ふ聲明を實行して居るではないか。


「彼が北米に行つたからおれは南米に行つてやろうか？」

と考へ出すと矢も楯もたまらなくなつた。

× × ×

家の都合で僕は中學校を止めねばならなくなつた。僕は家に居るのがいやだから海外へ行くつもりだ。父は中々頑迷で僕の云ふ事を聞きさうもないが、どうしても聞かなければ家を出てしまう決心をして居ろ。馬鹿ッ臭くて上諏訪の小さい店の番頭なンかして居られるものか。朝の五時から夜の十一時迄働いて殘るものは借金計りだ。親子兄弟で總掛りになつて、朝の五時から夜の十一時迄働いて殘るものは借金計りだ。僕には『望』と云ふものがない。

君よ。目を擧げて海外萬里の地を見ずや。我等有爲なる青年が雄飛すべき天地はいくらでもあるではないか。何を苦しんでこんな小さい猫の額の樣な所に錄々として生活して居るか赫々たる功名は海外にあり手に唾して日本青年の取にるまかせて居る。僕ば愈行かねばならぬ。君よ共に行かずや

君の愛する　昇より

久吉君

久吉は幾度か幾度か此の手紙を讀んだ、おしまいには熱い涙が頰を傳うて流れた
「ようし!!!海外!!!。ようし!!!海外!!!」

兄との相談はえらい面倒ではなかつた
「兄ンにい!!!おらア海外へ行くこときめたよ」

「海外ッて何所へ行くんだ？」

「南米だよ!!!」

「錢がいくらいるだ？」

「兄ンにいがいゝと思ふだけ出してくれりアやいゝよ」

「手續なんかどうするだ？」

「東京の〇〇〇〇會へ賴むだ。實も其會から行つたから」

久吉と昇とは雄心を抱いて上京した、そして海外事情や外國語や、海外禮式を一生懸命に勉强するのであつた。

× × ×

「徒手空拳を以て海外に雄飛すべき時代は既に過ぎ去つた。北米の諸國は勞働賃銀を貯畜して企業資金にする事が出來たのであるが、南米諸國はこれと全然事情を異にする、勿論徒手空拳から絕對に成功が出來ないと云ふのではないが、出來るならば三百圓でも五百圓でも或は千萬圓でもの資金を持つて行くがよい………それから南米諸　殊にブラジル共和國は家族を單位として取扱ふて居るから獨身者の單獨渡航は余程考へなくてはいけない。若し理想を云ふならば『開拓組合』を組織し、なる可く勞力の團結をして行く必要がある。故に諸君は充分に此點に注意をせねばならぬ」

と最近南米視察から歸られた某敎師は敎へるのであつた。

外國へさえ行けば、樂をして金が殘るし、徒手空拳から一大成功が出來る」と考へて居た人々はもちろんかなりの失望をしたのであるが、其失望は却つて成功の基となるのであつた。かくて茲に『ブラジル開拓組合』と云ふのが出來て、久吉君は其組合員に入つた。

× × ×

警視廳の旅券掛りと組合員とはしきりに談判をし居る
「組合　織をしての渡航ですから、組合員全体に旅券を下附して戴かなくてはしかたがありません」

「君の方で勝手に組合を作つたからとて、當方では海外旅券下附に組合を認めては居らんのだ。神澤の如きは十八歳ではないか、十八歳の少年がどうして一人前の勞働が出來ますか？」

と旅券掛りが主張する。

「それなら神澤が普通の勞働に耐ゆるの体格ならお許し下さると云ふんですか？」

「それはまア必ず許すとは云へないが………」

「じや神澤をよこしますから………」

かくて神澤は旅券掛に行つた。其太い腕をまくつて

「米俵の二俵位なら大丈夫ですから」
と云ふて力瘤をこしらへて見せた。旅券掛は思はず吹き出した
「君の腕の力こぶよりも君の熱心に對して旅券をやろうよ」と。

× × ×

かくて組合員の一行は橫濱を出帆するのであつたが、彼の兄は七百圓を持つて來て
「これがお前の別分だよ」
と云ふて渡してくれた。
一行はブラジルに着いた。そして第一年目は各自が各方面に別れて、各方面の研究をする事に定めて各其緒に就いた。然るに適當なる土地が見附かつたのでこれを購入した。二百五十町步の土地があつて、五万本の珈琲があり、建物が三軒と家畜が十五六疋あつて三千圓程である。
彼等は急電に接して喜んで馳せつけて、皆一生懸命に勞働するのであつたが、茲に一つの問題が出來た。組合員中には金の出來ないものがあつて、彼等の一部は其旅費をも組合員から出して貰うて來た。それで組合に對する權利を定むる場合に問題が出來た。出資　側は
「君等は勞働賃銀を以て出資額にして行かねばならぬ」
と主張し、未出資者は
「出資者も未出資者も全等の權利でなければならぬ」
と言ひ張つた。共同生活や組合の訓練の足らない悲しさは、遂に出資者のみで經營する事になつた。久吉君は勿論出資者であるから其他の人々と共に、熱心に其の事業をやつて居る。
二百五十町步を四人で持つて居るから、若しこれを分配するとすれば、彼の取り分は六十町步である。彼の故鄕の諏訪郡永明村には、十八歳の久吉君が持つて居る程の土地を所有して居る人は有りません。
彼は最近其の知人に書を寄せて
「御盡力に依り信濃海外協會の組織されました事は、吾々在外者の爲めには此上もなき强き後援の力でございます。開拓組合の内から去る可き運命の者は去りましたが、これが爲めに組合は何等の動搖を感ぜざるのみならず、愈其精神の基礎は堅固になつて行きますから御安心下さい。
私は今や燃ゆる樣な希望を認めて朝早くから夜晩くまで活動して居ります。それにつけても我鄕黨の青年が何等の希望もなく碌々と無爲に其日を送つて居るのを見て嘆息に耐えません。どうか彼等の爲めに海外の光明を與へて戴く樣に御盡力の程御願申します………」
（終）

海外協會支部主任幹事會

愈農閑時節を迎へて我が協會の活動すべき機會となつた。其處で活動の方法や其他の打合せをなすべく、各支　主任者の集會を行つた。先月十三日十四日の兩日間各支部の代表者全部が縣會議事院に集まり、東京よりは今井顧問佐藤副總裁と永田幹事とが來會し佐藤副總裁の挨拶に始まり、三樹幹事　座　となりて議事を進めた。

其第一日には新任本間知事の最近の實見談を交へたる訓示及び蠶業同業組合中央會幹事居初寛二郎氏の南米事情の講演あり第二日には懇々老骨を提げて東京より來會された今井顧問の希望演說あり熱心と緊張との充實したる會合で有つた、今回の會合で協議した重なる事項を擧げると

會員募集及會費收受に關して

兩者共今年中に豫定數に達せしむる事

海外思想普及に關して

一、講演會を十二月中旬五日間松本市に於て開催する事
二、幻燈會　縣下を五區に分ち、各區に一個の幻燈機械を準備し、十二月十日より來年三月中旬迄に一通りを終る事
區分と云ふのは、第一區南北佐久小縣、第二區諏訪上下伊那第三區東西筑摩南北安曇、第四區更埴上高井、第五區上下水内下高井と云ふのである
三、活動寫眞、懇談會、懇談會は幻燈會の序を以て、渡航希望者の直接相談する事とし、活動寫眞の方は便宜を得次第、開催する事とす
四、研究調査會　各郡市內の渡航希望者を主とし、其他一般此方面に注意せる人々を以てやる事
五、ポスターの配布　時機を見て實施する事
六、雜誌　各郡市部の近況をも掲載する事とし、其材料は各支部にて提供するものとす

渡航者希望に對する指導並に援助の方法

一、指導の方法　各支部に必要なる材料即ち書籍地圖其の他の印刷物等を備へ附け希望者に貸與する事　調査の手順を啓示する事

二、旅費の調達の方法　各郡市を一區域として渡航無盡を組織する事　全前旅費貯蓄組合を組織する事

會務に關する件

一、會員名簿、會費收受簿等調製に關する件
二、會員報告の形式に關する件
三、會計事務に關する件

等であつたが特に會員募集に就ては此際極力遂行を計る事とし、講演會、幻燈會等も直に實行に取りかゝりて、此の農閑期を利用して、大活動をなすべく固く申し合せて散會した。

四、縣下の海外渡航希望者調

當協會並に海外興業會社の代理人の手を以て最近海外渡航の希望を表明されたる者の數を調査したるに參百二十三名の多數に上り居るを發見した、各郡市別の人數は左の如くである。

諏訪	七六	小縣	三八
下伊那	三六	東筑摩	二六
上伊那	二二	南佐久	一九
上水内	一八	北安曇	一五
更級	一四	北佐久	九
下高井	八	南安曇	七
埴科	六	西筑摩	六
松本	五	上田	三
上高井	三	長野	三

右の中ペリユー行希望者が二九、ヒリツピン行希望者一三で他皆ブラジル行希望者である。

信州だより

◈折井政之丞氏渡歐　兼て海外視察を志したる當協會評議員たる、松本市の折井政之丞氏は愈々其の宿志を遂ぐべく、先月廿六日正午神戸解纜の箱崎丸に便乘、向一ケ年の豫定を以て歐米視察の途に上られた、氏の上陸地はフランスのマルセーユで、夫より英國に渡りロンドンに根據を置きて、フランス、ベルギー、瑞西伊太利、獨逸等を巡遊し、米國を經て歸朝されるといふ、同氏の外遊は我が實業界に資益する處が多大であらふ

海の外

定價		
册數	定價	
一部	廿錢	郵税四錢 國外要す
半ケ年	一圓十錢	
一ケ年	二圓廿錢	

注意
▼御注文は凡て前金に申受く
▼廣告料は御照會次第詳細御通知致します
▼御拂込は振替によるゝを最も便利とす

大正十一年十二月一日發行
編輯人　永田稠
發行兼印刷人　藤森克
東京市小石川區林町七拾番地
印刷所　力行會印刷部
發行所　長野縣廳内 海の外社
振替口座 長野 二一四〇番

大正十一年十二月一日發行（毎月一日一回發行）
大正十一年三月二十六日第三種郵便物認可

中米キユーバ共和國の紋章

定價金貳拾錢

信濃海外協會内
海の外社發行

一九二三（大正一二）年　海の外　第一〇号～第二〇号

南米アルゼンチナ國

首府ブエノスアイレスの夜景　（上圖）
邦人の活動せるメンドサ地方の葡萄畑　（下圖）

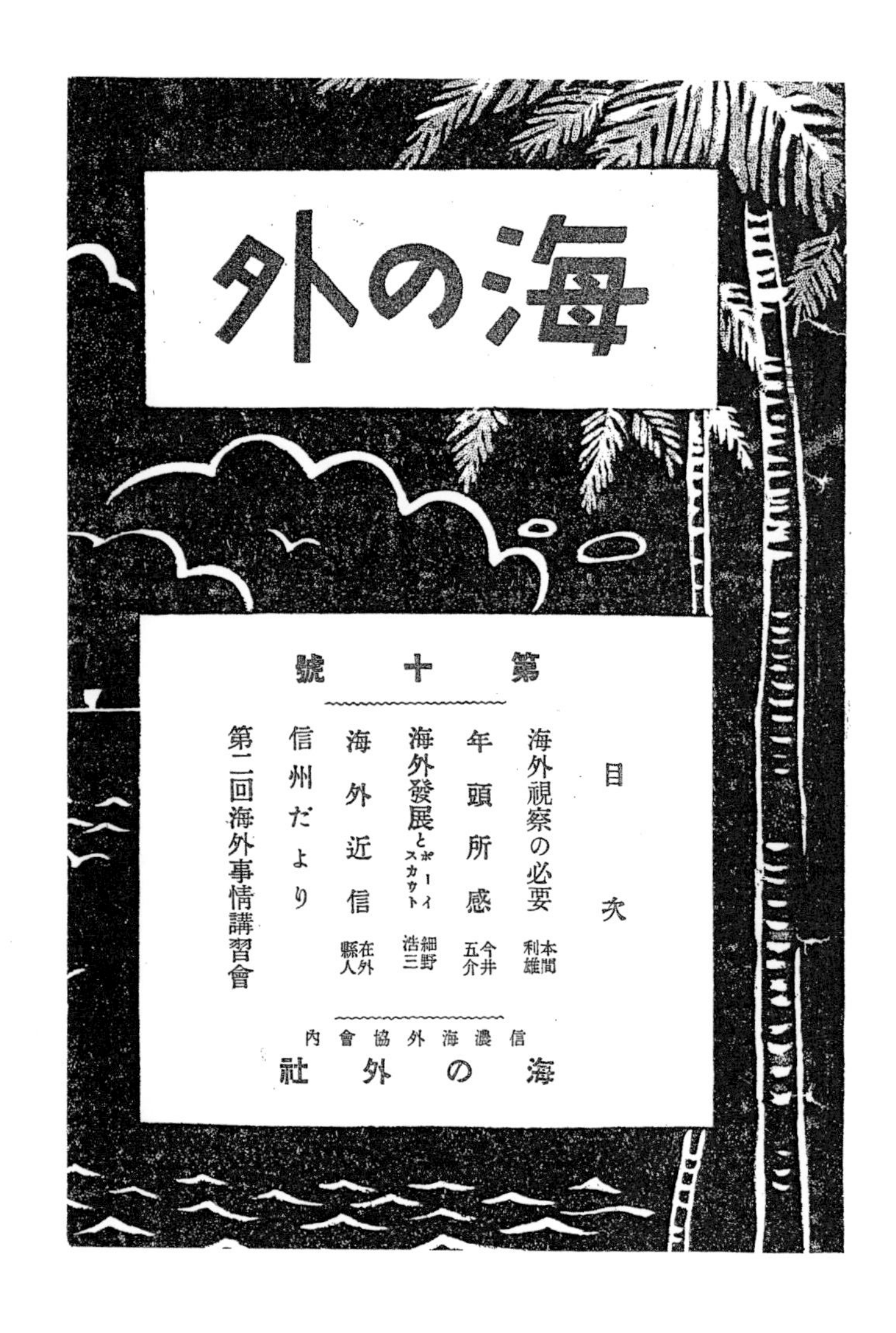

海外視察の必要

信濃海外協會總　本間利雄

海外協會は玆に新たなる年を迎へて更に活躍の途に上ぼらんとするに當りて一言所見を呈したいと思ふ。

海外發展の必要なる事は固より言ふ迄もなく我國民に深く徹底したる所であると思ふ。只其の實績に於て遺憾なる點多き事は是亦吾人の見るが如き有樣である。惟ふに歐米人が海外發展の途に上ぼつて成功を舉げつゝあり又過去に於て大なる成功をなし得たる所以のものは、彼等の祖先は大体に於て所謂漂流的民族であつて、各地に水草を追ふて未開の地に住み新たなる土地を開拓する事に於て常に勇敢であり且つ移住の必要に迫られて居つた、又稍々土地に定着して國を成す時代に於ても、吾々が旅行して感ずるが如く一衣帶水と言はず、僅かに數時間の汽車に乘れば直ちに國境を越えると云ふやうにそれ程極めて密なる關係を保持して居るが爲に、國外に一歩を印すると云ふが如き彼等に取つては尋常の茶飯事である。吾々が長野より東京へ行くと云ふことゝ何等の區別がない位に容易に考へて居るのである。隨つて彼等の親族關係を見ても、或は獨人と英人の結婚、或は佛人と白人若くは英人と佛人と云ふが如き結合は、吾々が他國民族に對して同化して行くと云ふ事柄とは全然其觀念を異にして居るやうに見える。是等の爲に自然に國を出づると云ふことも極めて容易なる習慣を形造る。又一方に於て祖先傳來の所謂風波に抗し冒險を試みる所の彼等の性格は之を次第に擴張して大船巨舶を造り世界の端々に到るまで探險を試み移住することに於て何等の困難を覺へざる程までに海外發展思想を普及せしめたものである、然るに我國は全然是と異にして吾々が各地旅行を試みる上に於ても感ずるが如く、氣候に於て若くは風色に於て其の自然の點より視察して世界孰れの所に行くと雖も我國の美なる山水に及ぶものなしと云ふやうな感じを有つ程天の惠みに浴して居ることが多大である。斯の如く搖籃のやうな島に祖先以來住居を占めたと云ふことは、自然生活に困難を感じ或は不自然なる所の自然と鬪ひ若くは外界の攻擊に堪えて進歩發達すると云ふことの氣象を阻害したると云ふことは勿論である。併ながら今日は最早斯の如き時代ではない大いに發展を試みねばならぬ時代に到達して居るが、併し尚成績の擧り兼ぬる所以のものは余り長く國内に蟄居した爲めに海外の事情に通ぜざりし事及海外に行く事が隨つて極めて億劫になり來たれることが其最大原因のやうに思はれる。海外の事情を知ると雖も現に視察したる者は極めて少なく、多くは圖書出版物の如き物に由つて之を想像するものであるから現實的觀念に乏しい。苟くも自分の故郷を去つて海外に移住若くは活躍せむとする者は前途多大の望みを存するにあらずんば困難なる事である。僅かに間接に文書に由つて知り得たる位の事では到底其決心を決定するに於て十分なりと云ふことは出來ない。併しながら一度足海外に出で、實際の風物に接して見るならば、日本のみが必ずしも人間の生活に適ふなり若くは理想的境地なりと云ふやうな固陋な觀念を去り祖國を思ふと共に益々世界の各地に發展することは容易であると云ふ觀念を養成するやうになつて來る。吾々が歐米各國を巡遊しても、始め出發するに當つては多少前途に於て不便困難を豫想して居る。然るに歐羅巴を廻り亞米利加の陸地に達した時に於て最早既に國に歸れるが如き極めて安易なる感情を有つやうになつて來る。僅か數十日の旅行に於て彼等の習慣に馴れ若くは風物に融和し生活に適合し來れば少しも不便を感ぜず而も愉快なる感じを以て生活を爲すことが出來るのである。故に海外協會の如き海外の移住若くは發展を奬勵企畫する方面に於ては、先づ以て出來るだけ現實に歐米若くは其他の地の實物に就て實際に現實に之を知り得たる人を造ることが最も必要であると思ふ。出來るだけ旅行を奬勵し各種の方面の人々をして成べく多くの見聞を深くせしめたならば、歐米に行くことが吾々が東京を知つて居るが爲に東京に行く事の極めて容易なりとなす程度の感情を以て海外に出るやうになると思ふ。奬勵誘掖　方法は少なくないと思ふけれども　最も有益にして効果あり且つ最も必要なる事は彼を知らしむると云ふ事に在ると思ふが故に、此方面に於て將來十分なる考慮を費し又斯の如き希望のある人に對して出來るだけの機會を與へ援助を與へて實際に於て觀察を遂げしむるやうにする事を望む。

年頭所感

＝須らく世界的大國民の氣風を養＝

信濃海外協會顧問　今井五介

吾が海外協會も、昨年一月を以て呱々の聲を擧げて以來、茲に滿一年、各郡に支部の設立を觀、日に會員數を加へ、益々向上發展の機運に臨みつゝあるは諸君と共に慶賀に堪えざる處であります。

海外發展の急務たるは、既に諸君の耳に熟せる處で、我國の如く土地狹少にして國産尠なく、而かも人口の增加は年六十餘萬を算する際、外に向つて新天地の開拓を圖らねばならぬと云ふことは、誰れでもが痛切に感ずる處であますが、愈之れが實行に當りて兎角之れを難んじ躊躇逡巡するのは一に之れ海外思想の缺乏と、大國民的敎養の缺如に歸すると思ふのであります。

由來我が國民が進取敢爲の氣象に富みたるは、之れを史實に徵して明かなるも、德川氏三百年の間執り來れる鎖國の政策と封建割據の風習とが、各方面の發展に禍し、只知足安分を以て處世の要義とし、各自其の領域を守り祖先の遺產に安居するを以て臣子の本分を完うしたるかの如く考へ、茲に守舊退嬰の風を馴致して仕舞つたのは、實に遺憾至極の事で、大正の今日列國と覇を競はんとするに於て、如斯優柔無氣力で如何にして國を立てて行くことが出來るか、是非共世界的大國民の敎養に全力を注がなければならぬのであります。

彼の歐米列強に於ては、遠く四五百年の昔より、近く此の六七十年來迄或は探險に、或は學者の研究に、或は實業家、政治家の活動に、あらゆる方面の人が海外の發展に苦心し　苟も人力の及ぶ所蠻烟瘴雨の不毛の地も、或は暑熱燬くが如き砂漠と雖も、不撓不屈の努力を以て、現代科學の智識を活用し、之れが開拓に力め、民族の發展に維れ日も足らざる有樣であつた、此の故に政府が大策を定むる前に、既に國民は個人として衆團として、未開不毛の地に入り、着々事業を興し、牢として拔く可からざる根底を作つて仕舞ふ、之れ彼等國民には深く培はれたる世界を以て家とする雄大なる氣魄と事業建設に對する剛健堅實なる性格と犧牲の精神に富んで居る結果に外ならぬのである、若し夫れ此の氣象にして缺如せんか、政府が如何に大策を樹立するも、又軍隊

の威力に依りて一度其の地を占有するも、只領土の空名を克ち得るに止まるのみで、却つて列國の嫉視と干渉とに依り、國家百年の累を胎すのみで國家とし　寸毫の得る所は無いのである、英國人にしても獨逸人にしても、內にありては相當の地位ありて文明的の生活を享樂し得らるゝものが、或は熱帶に或は寒帶に、人力の凡てを盡し、天然を征服し土人と親和し、着々成功して居るのは、一に此の雄　剛健なる國民性の發露に外ならぬので、國家の強みも此處にあるのである。

　コンスタンチノープルを視察して歸つた人の話に『獨逸の出稼人がコンスタンチノープルに來たのを見るに、其の資本金は二三千圓位のものであつたが、來ると間もなく千圓も出して墓地を買つたのを見てツクゞ感じた』との事であつた、人間到る所青山ありと云ふ、此の精神がありてこそ始めて世界に雄飛し得られるのである、僅かの資本を得れば望鄕の念に堪へず故國に歸りて遊惰逸樂を夢みるやうでは大事業は遂げられぬ。

扨て翻　我國の經濟上　現狀を觀るに自足自給に何物があるか、日常必須命の親たる米さへも外國の供給を受けねばならぬ狀態である、國は小にして山嶽多くしかもその山たるや天惠薄く石炭金屬材木皆輸入を俟ちて補給される、加工品に至りては精巧なる器械類は勿論、日常百般　品物より娛樂品化粧品玩具の類迄近年輸入は益々激增する、戰時中折角發展したる貿易事業も漸次門戸を鎖し閉息するの狀況である、之れ實に世界的國民たる雄大の氣魄　く飽く迄彼等を研究し經濟戰に於ては優勝の位置を占有するの意氣を缺けるに基因するもので、戰時中愁じ有利の位置に立てるを以て却つて西洋文化の餘毒を受け、上下只文弱　弊に陷り、一時の享樂に憧　、將來何を以て立たんかの覺悟を忘れ、一等國の虛名に滿足し桃源の夢に昏醉するなど思はざる　甚たしきものと謂はざるを得ぬ。此の故に今に於し何か是喫緊事なりやと云はゞ、予は世界的大國民の敎養を以て最大要務なり　答ふるものである、世界何れの地に於ても彼等と相伍し相角逐し萬難を排し新天地を開拓し事業を創設し經營　るの意氣ありて始めて國內の事業も進運に向ふのである、剛健なる意志に於て　周密なる計畫に於て強健なる体格に於て高尙な　道義心　於て、將た現代科學　活用に於て世界の舞臺に立ちて活躍し得らるゝの技倆ありて始めて國運の進展も期せらるゝのである　今の如くにして只退嬰守舊彼に致され自ら進む所以を知らず只叢爾たる島帝國內に蝸牛角上の爭に沒頭し、　康に安んじ世界の活動と沒交涉の如き　國民は自滅の外はない偏に各位の奮勵を　むのである。

海外事情

故國を後に

上諏訪出身　勝田正武

秋空高く輝き渡る太陽の光に靜かな海面をてらして金波銀波をたゞよはせて居る、眼下を見下せば藍を流した樣な碧海は突き進む船体に碎かれて白き波、白き水泡を後へゝと流して行く。船尾を追ふ海鳥の一羽餌を求めて高く低く海面を飛揚して居る。明日ハワイに着すと云ふのでデッキから船室に戻つた自分は波の音（ザーゝゴーゝと）を聞きつゝ親しき故國への第一信を認めんとペンを走らせます。

一、横濱出帆迄

九月二十八日　兼ね　福井屋の通知にて撿疫があると云ふので午前八時半迄に福井屋に着、番頭、船客（福井屋泊りの）と共に東洋汽船會社の階　にて急ぐ、此所で種痘、腦膜炎豫防注射眼、胸等診察して撿疫終り、自分は番頭と共にメキシコ領事館に行き裏書のサインをしてもらひ歸京す。

九月三十日　同じく午前八時半迄福井屋着、東洋汽船會社にて第二回腦膜炎豫防注射を受く。

十月二日　午前八時迄福井屋着、諸拂ひを濟まして待ち居る人力車に打ち乘り水上署に旅劵の点儉質問あり、（小生には本籍地、生年月日丈け質問してオーライ）水上署より銀洋丸上の人となる。而して午前九時撿疫あり、此際は只脈だけ見て米國醫師が　過し終る。

わざゝ御見送して下さつた諸兄と談る時間もおひゝ切迫して正午には既に出帆なのだ。三十分位前用意のベルは鳴りひゞいて諸兄と確き握手をかはして自分は一人甲板上に立つた折から諸兄の熱誠なる應援歌は應援旗の風にひるがへると見る間

にひゞき渡つた。自分の心は感謝と一人淋しく行くも何んごなく心強い樣な心に滿ちた、朝に夕に鍊へし腕を示す時は近きにありと。やがて船は靜かに埠頭を離れた。甲板と埠頭をつながらし、テップは風にあほられて壯觀を呈した。萬歳の聲……またの會ふ日まで……諸兄の顏も聲も次第〳〵に小さく、諸兄は棧橋へと走つた。

然し第二回の点檢にて集まらねばならなくなつた。諸兄の熱誠なる御聲援に御答へする事が出來なかつた。自分は何となく名殘おしかつた。船は次第に進んで点檢（此際旅券を取調べ船に皆取集む）の終つて飛び出で、横濱埠頭を眺むれば、多くの汽船にさえぎらて既に見えぬ。甲板のへりに自分の應援旗が一本風にゆられて居るのみ。

二、乘船迄の費用

旅券下附の際　十　圓（寫眞三枚必要）
旅券裏書料　二十五圓（寫眞三枚必要）
船賃　百二十五圓
稲井屋へ拂ひ　四圓五十錢
内譯　圓五十錢　稲井屋手數料　八十錢　人力車
一圓五十錢　荷物運搬料　七十錢　辯當
醫師の拂ひ　五　圓
稲井屋御禮　各自の注意
横濱迄の電車賃　三　圓

三、船中の諸感

一、船室　僕の居る三等室は船中で一番廣々として居つて先づ船中での一番上等でせう。毎日三度必ず掃除をしますので清潔です。一等室、二等室は美しいか知れませんが狹くるしいです一室　やはり三人、四人居るのです。僕等の室は四十人（殆ご男、夫婦、四組　位ですが船室の三分の一にも滿たないのです一等、二等船客は洋服を毎日着して居らねばならぬに三等客はそれ程にせぬともよいのです。いたつて呑氣です。

二、食物　一、二等は洋食、（日曜だけ一、二回日本食　三等は日本食、副食物、朝　噌汁に漬物、梅、晝、夕、煮物（肉にキャベツ）魚に、漬物　大根漬にラッキョー）

概して副食物がまづいので鑵詰類を開く必要あり、僕はゴマ鹽をおばあさんからもらつた。之れは腐敗もしずに最も宜敷い後から來る諸兄は必ず御携帶の事。鑵詰は福神漬、牛かん、ラツキョー漬、かつ節等。果實は一人につき一カゴ　餘り多くても腐るから駄目）。菓子類、ドロップス、豆類、鹽せんべい位

三、水、湯　清水は朝一時間、夕半時間だけパイプを開くだけ風呂は日曜日毎丈けです（一等二等は毎日あり）

四、運動　船中の第一週の不足は運動具、娯樂器の無い事です。デッキを飛び廻る位です。何か考へて持參する事が必要です。

五、器具、其他　三等室は毛布もかさない故、布團一枚、毛布二枚續き一枚、枕一つ、洗面器、反つてバケツの方が都合がよい、水さし或はやかん、コップ。腰け掛或はゴザ必ず必要でもない、無くてもしのげる。

六、船醉は殆ど無い、一二日たてば慣れる。

七、船には賣店があります　鑵詰類、菓子類、紙、インク類、揚子類等、しる粉、うどん、すし。

八、演藝部　船員が芝居、茶番をなす。運動會、船客有志。

在會中は非常なる御厚情を賜り、尚ほ出帆の際はわざ〳〵横濱迄御見送り被下有難く御禮申し上ます。

二日目に暴風雨にて船が搖搖だしく、不慣の爲め多少の船醉を感じましたが昨今は少々の動搖は平氣にて愉快で有ります目下汽船會社にて不景氣の爲めか經費節減の目的を以て過度の石炭を使用せざる爲め、割合にスピード出でず毎日一時間十ノツト平均位でおります。從つて　數は割合に多く、（ハワイ着十六日（即ち横濱出帆より十六日間）でございます。

ハワイは上陸出來ぬさうでまります、買物丈けは依頼して買ふ事が出來ると思ひます。先づは御禮旁々御通知まで。草々

酒屋奉公

墨國ミナテツラン市にて　市原眞次

謹啓　早速安着當時の詳報申上可くの所仲か〳〵の多忙にて遲延いたしまして誠に申し譯ありませんでした。水野氏宅着の報は前便で申し上げて置きましたから、又大体の模樣御通知申し上げます。

此所は街と言へば街と云はれるが、日本から來ては一寸も街とは思はれません、戸數は僅かに一五〇軒に充さる小なる商業地にて、御承知の通り當國人は一人も此れに從業致す者はありません、皆外人にて日本人、支那人、土耳古人、西班牙人等が主なものである。日本人は六七十名居り、中店を持ち居る者は皆雜穀店等の類にて、外は少しもありません。日本人會長の宅は眞の雜貨店で日本品が主であります。

此の外吳服類は土耳古人に屬して居ります。支那人はなかなかの勢力にて當地にては一番大きな店を持つて居ります。而も二三年前アイスクリームを賣つて歩いた人だと云ふ事です。

市街は店の外は石油會社の社員連中の合宿所にて作つて居ります、其外學校などは公園の前の赤煉瓦の大きな物か有つたそ

うですが、内亂の爲め破壊いたされて、只戰塲の後を偲ぶに足る、羅馬の廢都　偲ばせらる、銃丸などの穴で實に慘たるものです。今は内亂當時の監獄所も　り直されて立派な學校が出來て居つて、四十人位の生徒が持つて居るそうです、それで二ヶ年も修業するものは日本で入學でも出たより以上に人に敬愛されて居るそうです。大低は卷一から三位までやれば終りだそうです。

役塲も近くにありますが小さな所で、其所には審判所、駐在所、役塲が兼ねて居るので、隨分狹い所です。又監獄も其所にあるそうです。日本では公設市塲などは近頃になつてから出來たのですが、當國にては何十年前に出來たのであると云ふて居りました。そして隨分盛んに賣買いたして居ります。朝の四時から田舍の人が野菜やマンゴとか仲か〳〵甘いものを持つて來るので毎朝食事をしに其所を通る故、小使が入つてたまりませんから、今では外を廻つて行く道も知る樣になりましたから少しは遠廻りでも廻つて行きます。

其の外郵便局やら電信局があります、何處でも朝の九時から十二時まで、三時から五時までゞ一時から三時までは晝寢をするのが通常だそうです。

其の外此の街の總ての勢力とも云ふべき英國人の石油會社がありま す。僅か創立以來十ヶ年にて、成り上り始めは獨人の經營だそうです。前便で申し上げた通り、一萬五六千名の勞働者を使用いたして本國から前途有望なる血氣盛りの賢明なる青年を送りて盛んに事業の擴張を計りて居るそうです。

ポルトメヒコよりタンピコより原油を持ち來りて不足を充して居るそうですその會社の主なる　は世界各國人を使用いたして居る事ですが、日本人は一人も居ないそうです。皆二圓位の下級者のみが五六十名も居ると云ふ事であります。そしてミナテツランの日本人は皆と云ふてもよい位出て居ります。朝夕共に若菜に熱湯をかけた樣になつて歸るのを見ると如何にも　なくなつて涙が出て來ます。

吾々も朝は四時半に目覺しが元氣よく鳴るが、なか〳〵草臥れて居るから元氣のなしに、また鳴ると思つて三十分位過ぎてから起きる朝、朝起きても一日に石油管に四杯位の水故又酒屋故度々多量使用いたして無くなる事が有り、朝は顏を洗はんで食事した事もある。其れを思ふと故國の生活が如何に立派な事で餘り吾々のに經濟が不適當であつた事を思ひ出すのであります。

それから二三丁あ　支那人の家へ毎日二度食事に行くのである。此れは川邊の家で涼しき良き所であるから、非常に氣持の

よいのと食ふこの兩つで隨分樂しみであります。食物も洋食で隨分上等だと思つて居りますが一番澤山ありまして皿が何んでも五六枚のつたと思ひます、朝は卵にクロバンと又コーヒーでありますから來た時分は腹がすいてたまりませんでしたが、今では少しはよくなりました。

朝食が終つて歸つて見ると客が店に一杯で、偶々膽をぬかしてまごつきながらつひには頭が留守になつて計算を間違へる事が度々あります。それで叱言を食ふのが常になつてしまひ、故に鉛筆で計算いたします、日本に居た時には皆暗算で出來たけれ共此所へ來てからは少しも出來ませんまるで駄目です。

田舍　人は朝町での買物をする樣に出かけて來る故六時頃から九時頃までが一番賑かです。始めの中は人の山でも現はれて來た樣で何でも出來なかつたが、今では少し出來る樣になつて來ました。始めの一週間は隨分つらいのであります。

朝夕が一番多忙です。日の中も袋貼りとか酒を瓶につめるとかで少しの暇もありません。特に吾々の店は日本人中の一番多忙で、ミナテトランの町では一番であると注目されて一千圓万圓の賣上は常だそうです。一週間のうち土曜日と日曜日が一番多忙です、何故なれば土曜日は會社の會計日で有り金を使用するのが、土人の習慣故午後になると何處にでも醉つて寢て居るやつが　ります。日曜は半日故一日の客が朝の一度に迎へる、故、何んとも云へない程多忙です。半日の賣上高は實に六七百圓との事で、午後の半日と云ふても店を閉じても客が裏から來る故、其れ等を賣つて　邊　水遊をすると四時半頃で、何處へやる書面も書く暇なんかはありません。私の樣な寢坊は時間がおしくてたまりません。

また五月六日開催の日本人會の總會の役員改選の折、私は書記になつた故、毎日曜に昨年六七月頃より未納の會費の催促狀など書かせられて、故國などへの通信は少しも書く暇かありません。此度の日曜はと待つて段々遲くなる故寢る時間を割いてやつと自宅丈けへは通信文、不明ながら書きました。其の樣な事で遲くなりましたが御勘辨下さいませ。夕は九時に閉めて床に就くのは十時頃であります。

私は店の前の臺の上へ毛布を敷いて寢るが、始めは脊が痛かつたが、今ではよくなりてたまには落ちる樣によく寢られます如何に暴れるも井戸はなし、水も石油鑵に四杯故洗ふ程もない日曜　午後を待ちて、川へ水遊びに行くのです。一週間目に汗と塵で隨分醜くなります。けれ共慣れたらそんなにいや　はな

くなるでありませう。こんな所で止めて置きます。

雑穀店は土人の飯料のトウモロコシを大きくやる店で一貨車など〻大きく買ふ故其の様に多量に來た時に隋分疲れるのでありませう。其外カフエー、米、豆等皆乗り物ばかりです。其れに私共の所は皆倉庫なども自作故、皆やりくり故　隋分仕事がやりにくゝてなりません。殊に私なんか丈が高き故床下の低い所の中の仕事は頭ばかり痛んでなりません。

色々な苦情を云ふが私は仕事がいやでは有りません。力行的に相變らず奮闘の歌を歌つて居ります。それから末筆ながら申し上げます。五月號の雑誌も拝見いたしましたが、見る間が無いから食事の時に持つて行つて見ました。食事を持つて來る暇や其の外食後の僅かの時間で二日かゝつて見てしまひましたが、木下先生は再び母國觀光團長になつて歸國するそうです。

其から多くの諸兄に別々に申上可きですが、多忙に就き此狀で御免を蒙ります。

雲南を捨て

中華民國雲南省 本領事館にて　郷間正平

拝啓移り變り行きます時節柄皆様御障りも御座いませんか。御健祥を御祈いたします。

種々御高配に預りました私も愈々當地の雨期も終りまして地方も幾分安定に歸りましたので、當省城を後に西大理府を經てビルマ國境の問題の地邊馬に向ふ事になりました。

其地に浸畧英國の施設と配備を覗き、都合によりましてビルマ内部に入り英の大陸政策の一部であります、サジア拉薩線、サジア成都線の計畫現狀及愼緬鐵道の現況を視まして、時機を待ち障害に堪えられる自信出來次第總てに於て好都合に運びますならば其儘聖地拉薩に進む考へで御座います　なれど　万一徒らな辛慘多い場合には一度歸朝いたしまして御説の通り更に充分の計畫とを　備いたしまして、再擧を計り度いと思つて居ります。兎に角只　出發いたしまして雲南省西部一帯ビルマ國境を視察して歸京の心組で居ります。

御多用の節恐れ入りますが何卒其の爲め御導きと御高配とをお願ひ申上ます。私よりも參謀本部　那班〇〇中佐にまで手紙を差上ます、山ノ井様にもお願いたしました、尚外務省には先日ビルマ行の旅券に就き當領事館より照會の打電をいたしましたが別に此の後ち手紙を出す事を心がけて居ります。

亞細亜局長〇〇〇氏宛堀氏宛か直接外務省御中として出しませうか其の邊の事も御配慮を煩はし度いと思ひます。私としては外務省に何等の知る人ありません、何卒御迷惑でも今度の

私の行動に對する御意見を當領事館氣付に御手紙を　き度く御願ひ致します領事館より大理府鎭守使公署に廻送して呉れる事になつて居りますから右御願いたします。

八月五日の讀賣新聞の島貫師追悼會の記事を拝見しまして皆様の事を遙かに思ひ偲んで、未だ會の爲めに何事もしない自分の姿を顧みて不覺の涙に暮れて居ります。私は……恨悔の情に堪えられない思で御座います。尚此の上御世話になります　が考へますと。末筆ながら奥様始め御子様方切角お大切になされます様、では皆様御機嫌宜敷く。民國二十一年九月十日

ノロエステの奥より

カンポグランデ市日本人小學校にて　高橋生

前略小生六月下旬ビリグイ　辭し、當地日本人小學校に一寸厄介になつて居ります。ビ殖民地を出たと云ふのは彼の地を捨てたのでも別に重大なる理由があつたのでもなく、たゞ一年か半年も此の地方視察旁々一寸勉强の時間を得る爲めでした。

ビリグイには父母も從前の通りやつて居ります。一見三十近くなつてから放浪の様にも見えますが、私共にはまだ〲一辟地に屈居して一生を過すには少　勇氣が無さすぎるので、マットグロソまで出向つたのです。金と機會さえあつたなら、まだ〲各方面を見學したく思つて居ます。そして又ビリグイに歸つて自分の主義を鼓吹したいのです。ノロエステには十二月の暑中休暇に歸つて遊んで來る心算です。

一兩年前のノロエステ方面は猶分に疲弊した時代でしたが目下コーヒーの價が高いのと降霜の無かつたので、また景氣が付き、誰も彼もノロエステに入り來る様な有様です。リオフエーヨリオペイシ、リオアパカン方面の鐵道延長線も實現するらしく將來のある様にも思はれます。

それから當地方の模様を一寸申し上げませう。當州は昔パラガイ國の領地なりしと云へば、トレスラゴア町のリオパラナを渡りて第一に感ずるは矢張り他國に入つた様な感じのする事です。海の様に見渡す限り瞰眺たる大平原にエマ（駝鳥）が三々五々遊んで居る態、何百千の牛が牧草を食べて居るなど一寸聖州と變つたところ、當地は其の様なカンポ（原の中）にある市街で人口一萬（中日本人千人）トレスラゴア町、聖州の境　より汽車にて十四時間の地点ボリビヤ境パラガイ川沿のポルトイスペランサまでの中間にあるのです。

氣候は高地（海拔五百六十三メートル）なれば極上等新開地になか〱活氣あり面白いところ。住民は主にパラガイ人、ボリビヤ、日本人、獨逸人で少々の土、葡、西、伊、伯人を混へ

て居るのです、商業の覇權は矢つ張り例に依つて土耳其人ですそれから　木人の勢力ですが事業の一展の割に沖縄人の多き爲め外人から侮られるのが殘念です、兎に角日本人として伯國第一の發展地たる事は事實です、何せ日本々土三倍の面積もあるに反して人口は一方哩に三、四人の割ですから、人跡未踏の地多く將來有望の地かと存じます。特に鑛山、漁業、藥草などは一番面白味があるらしくたゞこの方面に着目する人のないことは殘念です。伊藤庄吉ドクトル二ヶ月余當地に滯在して藥草を研究し此度歸へりました我等の爲すべき業は多々あります。例の同胞指導の新聞業　教化　業も目下痛切に必要に迫つて居るのです、小林さんが精神教育を基礎とした聖州義塾の設立を計畫して居られる模　蔭ながら喜んで居ります、時にお願ですが熱帶動植物（重に藥草）及び鑛物に關する本を古本でも宜敷いから見付かり次第御送附致して下さいませんか、代金は直ぐ送りますから成るべく專門的のものが宜しいのです。

海外奮闘青年の内助者たる婦人の渡航無きは私初め一般青年の最も苦痛とするところ、お伽話の様ですがなか〱お伽話ではありませんからね。將來を考へると大問題ですよ。昔南洋に渡つた日本人の現狀を見ましても……。つまらぬ事を書きました。ではさようなら。

獨逸の生活

在伯林　田村俊夫

怠けて手紙も書かず失禮致しました。佛國直通瑞西に三日留り、南獨のツユクツトに　日、伯林には去月二十七日に來ました、いや、知人のない私はひどい目に合ひました、始めにある會社の商事部の一人（日本人）から紹介されて宿まつた家は、狡猾も狡猾、月に七千マーク搾ります。事情の分らぬ金のある日本人はそれでも分つた普通のつもりで大低暮して居ります。こんな家に私の性質として居られたものではないので五日で飛び出し、次は或る有名な雑誌社の記者（特派）と　緒に行つ　借りた家に住みましたが、此の家も其むさくるしく禮儀の無いずるい点に於ては、又仲々の強いものです。一ヶ月居つたが居られません喧嘩（ある一寸した事から）して飛び出し、　度目にはシユクツトガルトの一獨逸夫人からの紹介が傳手となつて一牧師の清い家庭へ這入りました。二度ある事は三度あるとは全くの嘘言で、今は上品な豊な立派な家に清い家庭の一員として贅澤に暮して居ります、こんな立派な室は滅多に在獨日本人としては得られますまい、就中私の様な貧乏人には。然し乍らこう云ふは幸福かしら、こんな生活をする様になりました。

此處の物價は日から日に常に益々昂騰して居ります。昨日五十マーク（ポンド）のバタが今日は六十四マークだなんて時があります。斯かる物價の高いのに拘らず外國　は頗る贅澤を致します、海外爲替相場の具合が素的に外國者に對して利益を與へます、私は月に四十圓、昨　或ひは三十圓で豊かな生活は出來ぬまでもこうして立派に生命をつないで居ります、倹約は出來る丈けして居ります。獨逸人の生活は全く酷慘めで皆上流の家庭でさへも黒パンを食べて居ります。

洋服が今日の相場で一着六千マーク、私の來た時は三千マーク。今六千マークが日本の二十圓ですから日本人には安く當りますが、獨逸人にはとても買へたものではありません、獨逸は來た當時よりは稍靜穏に感ぜられます、來た當時はやれ今は電車が不通だの、それ勞働者の大示威運動だの、新聞が少しも長い間來ぬ等ど、それは〲五月蠅かつたのでした。

有名なレストラント等へ行つて靜かに聞いて居ると、英語を話して居る組が幾つもある、それは外國者が多いなと直ぐ分ります、アメリカ、英國、瑞西其他の國々日本、　那などからずい分入り込んで居る様です。現在日本人は約三百人だと云ふ話ですが聞いただけで調べたのではありません。

此の間の時分は反革命派が盛に蔭に陽に畫策して、所謂政權の收握に努力したとかでずいぶん濃厚な陰鬱な氣分が認められ私の見た丈の示威勞働者の行列等は中々物凄いものでした、獨逸共和國を歐歌した旗や、中には眞赤な共産主義的の思想を含んだ旗や歌を怒鳴りつゝ高く揭げて居るのもありました、此の行列は勞働者が反革命派に對して示威したものだそうです。

獨逸人の中すには余程頭のある理　に富んだ者でもカイザトコイを高唱して居る者が多數居ります。而しはや此國は社會黨のもので、ずつと先き迄今後共和國でおし通して行くでせう。

智識階級から政治に興味を持つ下級の者に至る迄、皆佛國を敵視します、あたり前の事ではありますが　其佛國に對する激越の情の猛烈さ加減は大したものです。クレマンソーが佛國の宰相であつた時には、チーゲルと彼れを呼んださうです、虎の意ですね、今のポアンカレーは更に亦獨逸人に憎む處、奴は人間でないと云つて居ります。一体獨逸成立の當初から既に佛國とこの喧嘩に始まつて居るのです。こうして今後相變らず佛獨は相睨む事でせう、そして此れに乘じ得る國は先づ第一に英國と見て差し違ひはありますまい、おつと余分な事を書きました。

日曜日に　教會へ行きますが、獨乙の宗教界はカトリックの信奉者の數漸次其數を増し來り新教は余り振はない。形式好きの獨乙人だからさう云ふ現象を來たしたのであらう。

獨乙は學術の國だから一般が常識に富み、其心も比較的親しみに富んで居るだらうなんて想像したらそれこそ本當の大間違で、下らぬ奴がべつたりで戰後日本よりも其點は劣つて居る。

日本へ汽車で何時間か三時間位かゝるかいと私にたづねたのが三四名居た。中にギムナジウム（中學と高等學校とを併せた）樣なの生徒が居た。何んとこんな馬鹿者も居るのである。

毎日新聞を見ると必ず自殺者の報告が記載してある、自殺者が多いねと話しかけると、佛國を筆頭に聯合國の奴等が非人間的な事をするから、獨乙に貧乏人が多くなり、食ふに困つたり或は色々な悲劇が生起するのだと來る。

戰後日本人に對しても決して好感を持つて居ない、此の戰争には必ず日本　味方すると思つて居たよと誰れも一樣に云ふ、か下町の下品な智識の無い暮しの内儀さんや人のよい亭主は日本は何れの側、即ち英國側であつたか獨乙側であつたかと　ふ事さえ知らぬのが澤山居るものだ。

兎も角日本人は何處へ行つても憎まれる事は確だが可愛がられる方は六ヶ敷い、大隈さんも下らぬ法螺で一生を過したものだ何の爲めに英國に味方をしたか、却つて戰争しなかつた方がよかつたものを、此の歐州戰争に參加したのは全く大隈内閣の失敗であつた、とはいつも獨乙人に白目で見られる時に起る感じである。何んと言つたつて追ひついた話ではない。

日に日に生活の苦痛を追ふて、時間を消して行く獨乙の人々は實以つて慘めである。卵は食へず、牛乳は飲めず、白いパンは食へず、砂糖を嘗め得ず、街上を歩き或は遊びして居る子供の足は素足であり、顏の色は未だ血色に乏しい、中に稀に青い色の娘を見得ける事がある。戰争の終り頃にはとても非度いもので、戰場に送つて仕舞ふ爲めに（食料其他必需品を）日常生活はどれ程低下したか知れたものではないと一夫人が談つた。

日本は貧乏だが戰敗國よりはずつと富み、且つ、人々の生活が充實して居る。獨乙人が犬を澤山飼つて居るのには驚きました。うつかりして居るとワン／＼吠えられます。

扨之れで止めますまた、後程細しく、色んな事を、[illegible]がありました時に御便いたします、是非御手紙下さいませ、忙しい樣な變な氣持で短い時間に書いたものですから、文意が錯交して居ります、書き直すのは面倒ですから何卒御判讀偏に御願ひいたします。御身御大切に。

追伸

何か御希がの事がありましたら御書き下さいませ、出來る事なら、何でもいたしませう。

では皆樣によろしく。　頓首

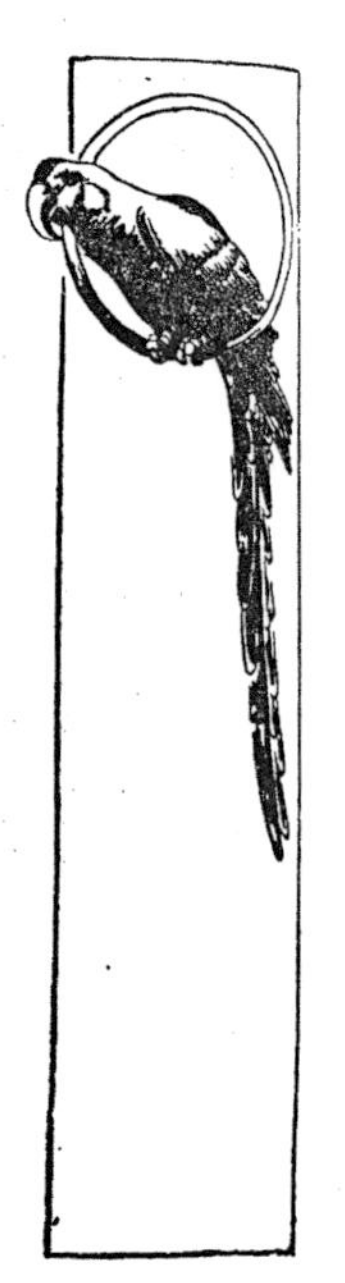

海外發展とボーイ、スカウト

ボーイ、スカウト。直譯すれば少年斥候で、我國で少年團と稱　て來たのが、それに似たものである。

細野浩三

序

一昨年、我東宮殿下が渡英された時、エヂンバラに於てボーイスカウトを御檢閲になつた事、又、昨春、英皇儲プリンス、オブ、ウエールス殿下の御來朝を期して、東京に於て、少　團日本ヂャンボリーを開催されたことなどで、少年團と云ふものが我國に於ては漸くその存在を認められて來たが、此運動は今や世界各國の識者によつて採用され、全世界に普及しつゝあるのである。

近頃東京市長後藤子爵が、非常な熱心を以て、これが、普及宣傳につとめて居らるゝのは、頗る吾人の意を強うするものがある。

實際我國のやうに詰込的教育の多いところでは是非／＼此運動を盛んにしてほんとうに活々した青少年を育て上げたいものである。

海外　展と云ふやうなことも、唯、口や筆で論じて見たところでなか／＼其效果のあるものではない。須く根本方針を樹立して、海外發展に適するやう少青年を教育して行かねばだめである。勿論、當局者方面の根本政策も必要ではあるが、何をいつても人間が出來てゐなくては仕方がない話である、ボーイ、スカウトの教育は海外發展の教育といつてもよい位、その方面に必要な品性、心力の陶冶をなしつゝある、

ボーイ、スカウトの創始者

ボーイ、スカウト創始者の名譽は英國陸軍中將バーデン、パウエル卿に歸せられてゐる。彼は彼の南阿戰争に依つて其驍名をあらはした一軍人であるが、又、一面、憂國の志士であつた。

當時英國の風潮に憂ふべき幾多の點を見出した彼は、この危機を如何に救ふべきかに就いて考慮した。彼は南阿戰争の當時マフエキングの小市を守備した時、在留英國人の子弟を集めて傳令や斥候の任につかしめて、異常な成績をおさめ得たことから、眼を少青年の教育に向け、その教育實際家的の手腕と、組織的頭腦をもつてこゝにボーイ、スカウトを組織したのである。

余は、はじめボーイ、スカウトの運動を知り、將軍の名を聞いたときに、彼を手腕ある一事業家のやうに思つた。然るに少しく彼の著書を讀んだ時、彼は天成の教育實際家だと思つた。

然るに此頃、横濱外人ボーイ、スカウト隊長グリヒイン氏より將軍に關する一佳話を聞いて、彼に關する考へをまた廣めることが出來た。

話はこうである。十年前パウエル將軍は日本を訪問された事がある。その時グリヒイン氏は部下の少年を引き連れて將軍を迎へられた。ところがその時一少年が病床にあつたためにこゝに列する事が出來なかつた。これを聞いて、將軍はさぞその少年は殘念に思つて居るだらう。いつて會つてやらうとわざ／＼其少年を見舞はれたといふことである。

彼はやはり愛の人であつた。自分は之れを知つて非常な滿足と喜びを感じたのであつた。

内村鑑三先生の言葉に『世界は主義によつて救はれない。人に依つて救はる。』といふのがある。誠に然りである。

ボーイ、スカウトの主義精神が如何に立派であり、組織が如何に完備してゐても、運用其人を得なければ、一文の價値もないばかりか却つて、うらはしかるべき少青年を害ふことになる。

英米のボーイ、スカウト

自分がボーイ、スカウト運動に興味をもつたのは、この運動が世界的であつて然かも愛國的であること、敬神を土臺とした四海同胞的精神の發露であること、又その教育法に於て頗る個性を尊重し、自發的態度の養成を目指してゐる點などにあつたのである。

然らば英米のボーイ、スカウトは如何なる組織で如何なる方法をとつてゐるかを概觀しやう。

組織。――スカウト六名乃至八名をもつて一パトロール（偵察班）を組織し、二班乃至三班をもつて一小隊（トループ）を成す。各班には上級斥候より成る班長及び伍長をおく。各小隊には隊長がある。これが各地方で又各府縣で統一され、それを本部が統卒していくと云ふやうな形になつてゐる。然し之れは決して軍隊的組織になつてゐるわけでなく、教育のことはすべて隊長の意の如くなるのである。

此組織が、實に面白いので、あちらでは此パトロールを此運動の土臺だといつてゐる。

我國教育界に於て個性尊重といふ言葉の流行し出したのは隨分古いことであるが、學校教育の實際を見るときに、一向に之れが實行されてゐないのは遺憾である。

これは、今のやうな一學校五十人乃至七十人といふやうな制度では、到底出來るものではないのである。

一パトロール六乃至八人とすると一隊多くとも十八人であるたとへ毎日眞に接觸する機會はなくとも、指導者の腦裏鮮に個性が映ずるであらう。

教育の方針。――（綱領、憲法）

ボーイ、スカウトは英米とも三綱領をもつてゐる。これを宣誓として、各自の名譽にかけてその實行を誓はしめるのである。

第一、神と天皇に忠誠なるべきこと

第二、他人の益を計ること

第三、ボーイ、スカウトの憲法に從ふこと。――（英）

米國は殆んど同じである。

つまりこれは、聖書に教へてある『爾、心を盡し、精神を盡し、思を盡して、主なる爾の神を愛すべし。』『おのれの如く爾の隣を愛すべし。』の意をといたものである。宗派といふものは全々度外視してゐるが、宗教本位のものであることはこれでわかるのである。

憲法は英國は十ケ條、米國十二ケ條である、その精神は殆んど同一である。

第一條　スカウ[illegible]せらるべき者なり。

第二條　スカウ[illegible]なり。

第二條　スカウトは他人の役に立つる。

第四條　スカウトは親切なり。
第五條　スカウトは禮義正し。
第六條　スカウトは動物の友なり。
第八條　スカウトは從順なり。
第八條　スカウトは快活なり。
第九條　スカウトは勤儉なり。
第十條　スカウトは勇敢なり。
第十一條　スカウトは純潔なり。
第十二條　スカウトは敬虔なり。

これ等の綱領、憲法は人類として誰でも重んじなければならぬ点であつて、國體にあふの合ばぬと云ふやうなものではなく、全人類の目標であらねばならぬ。これか、やがて、國際的に偉大な發展をなした所以であらう。

課程。――如何なる課程によつてこれ等の目的に達せんとしつゝあるか。

大部分の少年には學校生活と云ふものがある。だからスカウトの運動が學校課程の重復であつてはならない。學校の手の及ばないところにスカウト運動の分野がある。重復する樣に見える点のないこともないが、そこでゝ違ふ立脚地に立つて居るのである。

スカウトの課程といふのは、少年生活の自然の狀態を考察しこれ[illegible]豐富にせんと企てたものらしい。故に其大部分は野外[illegible]を本体としてゐる。

結繩法、形跡法、觀察法、信號、暗號法、テント生活、自然研究、救急、救難法、各種手藝、水泳其他体育的課業、競走遊戲等はその主なるものであるが、凡て、少年のよろこぶもので有益なものは取入れてないものはないのである。而して。これ等の課程は殆んど全部、遊戲化して、彼等の重荷ならずに學習し、實驗し、練習し得る樣になつて居る。

「Once a scout. always a scout.」「一度スカウトになれば、生涯スカウトだ」とバウエル將軍がいつて居られるが、さもあるべきだと思ふ。

海外發展とスカウトの教育

畏友永田稠君日本力行會長として、多年海外渡航者の友となつてゐる。海外發展について彼の言ふところ傾聴すべきものが澤山あるだらうと思ふ。彼が『新渡航法』に於て、海外發展者に語つて居ることは、第一、我日本の代表者たれ。第二、膨脹的國民の自覺を持て。第三、世界に國境なしと観ぜよ。第四、世界に異人種なしと思へ。第五、我は先發隊なりと自覺せよ。

第六、世界共通の憲法を奉ぜよ。それに加ふるに、健康なる身体、堅實なる志操、永住の決心、信仰の持主であらねばならぬ事である。

スカウト、直譯すれば斥候である。この語に面白い意味があると思ふ。斥候はいつも先頭に立つて重大な役目を持つてゐるのである。斥候が適當に其任務を果すか否かによつて全軍の運命は決するのである。そして彼は人をたのむわけにいかぬのである。いつも自ら頭を働かせて、臨機應變の處置を取らねばならぬ。

未開の土地を開拓するのも、思想界に新眞理を提唱するのも科學界に新發見を齎すのも、皆一種の斥候である。スカウトの意味は先驅者、開拓者、嚮導者の意があるのである。『我は先發隊なりとの自覺』は即ちこれである。

憲法第四條に、スカウトは親切なり』とある。この條項の註釋に、スカウトは總ての人の友であり、他のスカウトは兄弟である。と加へてあるこゝには『國境なく』又、『人種的差別』がないのである。それから綱領、憲法の全部は『世界共通の憲法』である。

我日本人が、世界到るところに於て、排斥されるのは、一つは、偏狹、愛國心に養はれたからではあるまいか。此際大いに國際的思想を養ひ、四海同胞的精神を鼓吹し、世界共通の憲法について考へることは、たゞに海外發展のためのみではないのである。

宣誓の言葉、『全の名譽にかけて……』、憲法第一條、『信頼せらるべき者なり。』等に依つて、如何に各自が名譽を重んじ、責任を感じて居るかゞわかる。永田君の『我日本の代表者』、『膨脹的國民の自覺』等の觀念は、その素因をこゝに養はれ得るであらう。

次に最も實際的に開拓的の作業を學び、興味を呼び起すものは、野營生活である。

野營生活の老巧者であるならば、海外萬里の異境にあつても住むに家のないやうな場合でも、なほ自らを愉快にするの道を發見するであらう。野營生活は自給自足の原始的生活の模型のやうなものであるから海外發展者、特に南米、南洋等、文化程度のやゝ低い地方に赴かんとするものにとつては幾多の教訓と暗示を與へるであらう。

それから、結繩法、各種手藝（特に木工）など如何に原始的生活に利便を與へるであらうか。形跡法、觀察法は人を注意深くするから、人情、風土の異なるところに於ても、これに順應するの道を發見するだらうし、自然研究の趣味は異境なほ知己に

接する思があると共に、幾多厚生利用の道ともなるであらう。救急、救難法は醫師の少ない土地に於てどの位、自他の幸福になるか知れないだらう。

雜駁な見方ではあるが、こんな風にスカウト教育を見てくるときに、これは特に海外發展のために企てられた運動の樣にも見えるのである。

信州にスカウトを起すべし

信州に於て、少年團の設立されて居るところを三四知つて居る。然しこれがどの程度の内容をもつて居るのか知るに由ないのである、今まで、日本にあつた少年團なるものは、實に内容の貧弱なものであり、且つ大人本位のものが多かつたのである特に近來、社會奉仕といふやうな言葉に煩はされて、少年團としては枝葉の問題であるその方面の活動を少年に強いて得々として居る少年團指導者の多いことなど痛嘆に堪えないのである

今まで述べたところで、言ひ足らぬ点が澤山あるが、あちらのボーイ、スカウトの組織や教育は少年心理の實際にぴつたり合致して居り子供本位のものであること、非常に個性を重んじて各自の才能の發達に力を盡してゐることなどを記憶したい。

海外發展を望んで居られる信州の方々よ。あなたの周圍に、先づパトロールのボーイ、スカウトを組織して御覧になつては如何。『貴君はあなたの町で誰かボーイ スカウト事業を企てる人を待つて居るのですか。御待ちなさるな。自分でお始めなさい』といふ名句に動かされて、グリフィン氏は横濱にボーイスカウトを組織されたさうである。

大急ぎで筆をとつたので云ひ足らぬ点がたくさんある。此文について何か御所感があつたら左記へ御知らせ下されば幸です。

東京市芝區田町八ノ六　細野浩三

拜啓　扨本日貴會發行の海の外四、五、六、八、四部御惠與被下正に拜受御禮申し上候、早匆未だ全編は拜見不仕候共此誌御發行に付縣の内外海の内外の信州人の爲めに一道の光明たらしむる事何より難有き事に御座候、日本全國の各地の在住の信州人が此誌を利用され統一機關とも相成候樣なれば此上もなき結構便利且多大の利益ある事と存じ候、切角御努力下され度き希望する次第に御座候、小生は神戸市在住縣人會の常務世話人として既に實際を經過候も今に尙得る所なき平凡の人間にて徒に馬齢を加ふるを最も遺憾と存じ候、尙先に御煩し仕候京阪神戸各會の如き三都聯合會有之候、何卒貴誌の御發展に待ち一大統一機關たらん事を切に望み申し候、貧弱なる小生にて候へ共又出來る丈けは御便利も相謀り度申し候、御提携程を賴み上候、敬具

溝口男一郎

永田大兄机下

投資國としての亞爾然丁

河野通岱

南米は世界の寶庫として無盡の富源を有し、南米開拓は廿世紀の興味ある大問題となれり、

歐州諸國が輓近南米に對する注意は非常なるものにして、諸國爭つて勢力を扶殖せんと努力しつゝあり。合衆國の如きは近來極東に於て日本と無益の競爭を試みるが如きは策を得たるものに非ず、宜しく南米に活躍すべしと稱する論者少からず兼ての理想を實行せんとして盛んに視察員を派遣し畫策しつゝあり

惟ふに南米―亞國の天地は世界列强の經營企畫の焦点たるのみならず、復世界の實業家　學者等に新しき研究資料の提供所たり故に世界各國の知名の士は何れも此地を實地見聞しつゝあり、吾人は日本の識者が南米亞國の研究を試みるの餘地の多大なるを告白し特に其注意を惹起する所以なり。

亞國の利權は英國に依り握られ、其の地盤牢固にして投資額に於ても事業經營の範圍に於ても貿易額に於ても英國を以て第一とす。因に英國が當國の鐵道、銀行、電車、運輸業其他の事業に投下せる總額は數十億に達す。

歐州戰前獨逸の南米亞國に扶殖せる勢力は驚くべきものなりしが戰爭中少なからざる打撃を受けたり、然し戰後は再び發展策を講じつゝあり、然れど亞國は民族上概してラテン文化の本源たる佛國の發展を希望しつゝあり。

今後英、米、獨、佛、白耳義諸國の活動は益々激烈とならん然らば日本の對南米の過去、現在、將來は果して如何か。由來日本は支那滿州極東地方に勢力を扶殖せんとし、後竹越氏の南進論等著はれ南洋に注目するもの少なからざりしが、南米の利は到底南洋の比に非ず、然し日本の朝野の海外發展論者の說述に誤れる所少なからず、且つ南米の實情を解せず無資本者の渡航のみ多く、或る利權を得んとして發展策を講じたる邦人殆んどなし、或者は通商貿易を開始せしが、其方法甚だ當を得ず、

遲々として發展せず、歐州戰爭中歐州品の輸入減少に乘じ奇利を博したるもの多かりしが、戰後は忽ち不振に陷り歸國せるもの少なからずと聞く、實に不甲斐なき次第なり。

余の見を以てせば南米亞國は單なる移住地に非ず、純事業地にして勞動以外に資本を求めつゝあるを以て無資本者の渡航のみにては到底駄目なり。

南米の開發は英國人の資本に負ふ所少なからず亞爾然丁の產業上今日の繁盛を致したるは金力上にては亦英人の力に依る所多く、勞力上に於ては歐州移民就中伊太利人の力に依る事多し然し其の結果は果して如何か。

資本家は勞働提供者より一層有利なるは世界の現狀とす、彼等幾百万の伊太利人が刻苦勞作して得たる僅かの金は唯彼等の生活を維持し、或は鄕里への送金を轉じたるのみにして彼等勞働者よりは其の人數に比例して大成功者と稱するもの甚だ多からべし。之に反して英國への亞國に於ける經濟的勢力は牢固として拔くべからざるものあり、是れ吾人の日本の對南米亞國政策なりと云ふ所以なり。

建國以來白色人種の亞國たる國是を有する當國にては、着色人種たるの日本人の突飛的增加は必ず問題を惹起するならん。

當國では隣國ブラジルの如く邦人の隊をなして來る所に非ず歐米の人情風俗に馴れず、當國の通用語を解せず、西洋禮式を心得ざる邦人が大擧し來るも亞國に於ては勞働上彼等に充分なる滿足を與へず、彼等群集の擧止進退は外人の目に異樣に感じ其結果は唯排日の材料を提供するに過ぎず、身體强く、勤勉、節約、忠實なる歐州移民就中伊太利人を勞働上の競爭を試みるが如きは愚の極と云ふべし、吾人は斷乎として移民政策を排し資本政策を絕叫するものである、尙勞働階級者は企業家と提携して堅固なる邦人の基礎を造るを可なりと信ず、依て以て吾人が日本の資本家識者に大規模の資本投下を勸告し、其覺醒を促す次第である。

亞國は交通不便、資本不足、人口稀薄の爲め未だ開發せられざる富源少なからず、當國は南米十一ヶ國中最も文化啓け、氣候適順にして農業に適し、最も有望なる將來を有す。

亞爾然丁の基礎を强固にするには益々農業を盛んにすると同時に工業を創め、之を保護して公私の富を增殖するに如かず、之が爲には外資を必要とす、亞國の富源は即ち亞國が有する沃野千里の此大陸にして、總ての富は此天與の寶庫より提供せられつゝありと云ふも過言に非ず、少なくとも現狀は然かりと云はざるを得ず。

近代世界全土に惹起せられつゝある土地の縮小は人口少なく

未開地多き南米…亞　の前途の益々多忙にして且つ有望なるを語るものあり、即ち世界人口の調節策として又農產物の供給所として亞國の有する將來の使命は重且大と云ふべし。

今より三四十年前迄は地價低廉なりしを以て小資本を投じて地面を買收し耕牧の業を行ひて莫大の資產を作れるもの少からず特に英人に多し、然し今日にては亞爾然丁に來るも二万や三萬の小資本に一攫千金の機會は無かるべし、然し堅實に利殖せば其利東洋に優る事疑ひを入れず、亞國にて勞働賃金は一般に他の南米諸國より勝ると雖も到底北米に比すべくも非ず、筋力若しくは一定の俸給に因て富を起さんとするものは渡航後多くは悔ゆべし、成功の好望なるは農業勞働者よりも相當の資金を携へ來り土地を購入し農業或は農業製造に從事するに有り、當國にては各國人が利に走る結果眞正の商業道德なるものを認むる能はず、其生產品には往々中繼人或は市場の同盟聯合の掌中に左右されて其價を踏倒さるゝ事あるを以て直接に生產する者は何等の利益を得ざる事さえあり、又或地方に於ては亞國の天然的障害たる干魃、蝗虫、隆雹の害を受け殆んど收穫し得ざる事さへあり、小農業者の獨立成功は非常なる勞苦と忍耐とを有するものに非ざれば失望することあり、此の如き農業發展上の障害あるも目に一丁字なき北西班牙、北伊太利よりの移民は尙本國の生活に勝るを以て單調にして變化なき草原中に非文明的生活をなしつゝあり、草原の連續せる間に漸く一の樂しみは曰くガウチョ式原始的音樂とダンス、曰く牛肉の丸燒、曰くマテ茶あるのみにして他に何等文明的樂しみを發見し得られず、依然として原始的生活を爲しつゝあり、一旦農牧界の不況に相遇せんか彼等は直ちに生活の保證を奪はるゝを以て歐州各國より新來の農業者中には其の住み慣れたる土地を捨てゝ都會に集中するもの少なからず是れ都市は田舍に比してパンの問題の解決一層容易なればなり。

而して學を修め文明的生活に慣れたる邦人が天涯萬里の廣漠なる平原中に此の如き生活の基に何等の不平なく成功し得るやは甚だ疑問とせざるを得ず、邦人の多くが都市に集中せんとする傾向も亦上述の如き或理由を有するに依る。

亞國に於ける日本人の獨立發展は曰くカフエー屋、曰く洗濯屋、曰く何々等なりと雖も先づ指を農業に屈せざるべからず、殊に將來に於て然りとすそは亞國が世界的大農業國にして其農牧界が今猶開拓されず漸く發展の步を進めつゝあればなり。

本年一月の調査に依れば在留同胞約二千名中農業に從事するもの約三百名にして在亞日本人總人口の約二十分の三即ち一割五分は直接農業に依りて衣食しつゝあるものなり、而して亞國

に於て日本人の經營する農園總數約三十組農園の勞働者數約百人蔬菜園耕作町步約二百町步なり、其大部分は首府附近に於て蔬菜園を經營しつゝあり、又首府には四五の花卉園あり、地方に三四の牧畜業者及普通耕作者ありその中日本自ら土地を經營せるものは稀有にして其多くは皆借地經營しつゝあり、又共同にして經營するもの多く單獨にて經營するもの少なし、然して亞國日本人蔬菜園にて生產しつゝある重なるものはトマト、甘藍、花椰菜、甘藷、玉葱、エンドウ等なり、當國に於ける同胞獨立農業者の數及土地に於ける經濟的發展は前述の如く眞に微々たるものにして北米に於ける邦人農業者の如きその計畫の雄大にして經營のよろしきを得たるもの殆んどなし、其理由には多々あるべしと雖も少なくとも其大原因は企業資金の不足に依る今より八九年前には日本人の亞國に在留するもの千名內外にして中獨立農業經營せるもの數組に過ぎざりしが歐州戰爭終局前後俄かに增加し最近在留日本人は二千を算し今日の獨立農業者數は二ヶ年前に培加し益々增加の趨勢にあり、獨立經營の念は愈々勃興しつゝあり、此傾向を以て進まんか日本人の此地に根據を確立する事は遠き將來に非ざるべし、同胞獨立農業者の多くは徒手空拳日本より直接或は隣國地方より轉住し來たれるものにして其創業資本の多くは勞働に依り勤儉貯畜せるものなり

若し當地に金融機關が設置され特別貸出の便宜がありしならば農業經營をなしつゝある人或は正になさんとする人の爲めに好都合にして邦人の發展上見るべきもの少なからざるを信ず、余は是非母國實業家の一考を煩はし度い、若し母國經濟界が此の新設を許さぬならば正金銀行にて在留者の預金を流用し特別貸出の便宜を圖られん事を希望するものである、尙邦人は宜しく勞資協力一致し同業者生產業者は同盟聯合して組合を設け生產品の價格を常に有利に維持し個人間には有無相通じ相互扶助の精神を發揮することを永遠的發展上最も必要とす、亞國に於ける農牧業の將來は有望なり然し農牧業のみ營利的投資上有望なるものに非ざるを以てよろしく活眼を開き製造販賣方面にも發展策を講ぜられんことを切望す、當國に天然の利源莫大なるにも拘らず其財源たるべき輸出品は下記の如き農產品に過ぎず。

重要輸出農產物

小麥、燕麥、大麥、玉蜀黍、亞麻。

重要輸出畜產品

羊毛、凍肉、罐詰、獸皮、獸骨、脂肪等。

而かもその市場は常に浮沈あり一旦市價の下落を見ば國內の經濟界は不調となり從つて商業界も不振となり、人心も爲めに沈み勝ちとなるを常とす、這般の獸類の大下落が國內に大不景氣

を持ち來りたるが如きも此消息を語るものなり、然かも工場に於ける製品値段と牧畜業者が其製造所へ販賣する値段との間には非常なる差額あるを以て牧畜業者は聯合して工場を自己の手に收めんと先般牧畜業者相聯合し政府に或建議をなしたりと聞く內地には工業らしき工業品の輸出殆んどなく、廣大なる天然より產出する天然物は原料其儘或は手加工品として輸出され其等の品物は製品として再び此地に歐米地方より盛に逆輸入されつゝあり、小巴里の稱あるブエノスアイレス市の盛大壯麗なる市內歡樂の夜の光景を見たるものは何人も其の贅澤なるに一驚するならん、然し一度首府を離るゝ時は忽ち一變し何人も都市と田舍との人口の粗密に驚くべし、當國にては都市は過度なる人口の集中が平然と行はれつゝあり、都市に於ける彼等の華美なる生活の要素は皆カンポ（田舍）の賜物にして國內に必要なる製作品工業品の大部分は海外より輸入されつゝあり。

亞國の重要輸出品

食料品、飲料、綿糸及其製品、油類、藥劑及化學用藥品、染料及塗料、木材及其製品、紙及紙製品、製革及其製品、農具機械類、金屬製品、運輸用品、石炭、石材、硝子、建築材料及電氣機械類等。

上述の如く工業らしき工業を有せざる亞國の立國の基礎は甚だ不安定と云はざるを得ず一朝農牧界は不景氣來襲せんか亞國の經濟界には俄然沈衰し國民生活に大打擊を及ぼすべし、依つて余は亞國の建全なる發展上工業立國策を提唱するものである、前記の消息より亞國に於ては天然物加工即ち國土に盛んなる農牧業に附帶せる產業及製作工業の前途有望なるを知るべし、企業家はよろしく此方面に着目されん事を希望す。

農產製造

穀物、澱粉、麵類、乾果、藥品、油類、纖維等の製造。

畜產製造

乳製品、肉製品、骨製品、皮製品、毛製品等の諸製品。

罐詰製造

日本の企業家が潤澤なる資本と技師とを携へ來り食料品製造、製作工業、電力電車運輸業、電氣點燈等に投資企業せば或は面白き結果を得んか、然し其方法に就ては充分なる調査と周到なる注意とを要す、誰か云はん亞國には工業動力として必要なる石炭に缺乏すと、然り石炭は今日國土に殆んど產出されず而し最近世界の工業界に於ける電力及石油の用途を考ふる時は敢て石炭なきを悲嘆するを要せず。

水力電氣に必要なる河川は亞國の或地點に於て發見し得るに

苦しまず、大發電力を有する世界の大湖イグアス湖は北部の國境附近にあり、曾つて北米の企業家此使用權を獲得せんとして政府と協議したる事ありしが政府は之を許さず國有たらしめんとて調査したる事あり、又殆んど無盡藏と稱さるゝ石油の產地はコモドロリバダビアにあり最近議會の大問題となれり。

個人或は會社組織に依る大資本を企業資金となし將來有望なるある地點に水力或は火力發電所を設け附近の牛羊を買収し罐詰或は凍肉乾肉となして有利なる或地方へ輸送すべし、若し日本船に依りて日本國民に低廉なる牛羊肉を供給し得るならば一層好都合ならん、又地方より天然物を買入れ天然物加工を試み或は製革工業に從せば面白かるべし、若し電力に余りあれば電氣熱燈、電力電車輸送を企圖するも可ならん、是に附帶する事は多々あり愼重に計畫調査する事肝要なり、最後に具体的に投資企業の見積書を作成する筈なりしが紙面の都合上玆に記載し得ざるを遺憾とす。

信州だより

圖信州の古物相場　青物屋の店頭は全く秋の色彩となつた例年澤山ある茸類の絶無なのは稍淋しいが他の物は大概豊作で何れの店も品物が裕である、併し其割合に價の安くないのは何故か分らぬ。コレラ流行の爲め魚類を買入れぬ結果だとすればチト敏感過ぎる様だ、試に店頭の小賣相場を聞いて見ると。

胡瓜　本一錢乃至八錢　南瓜百匁四錢　玉菜同四錢　玉葱同五錢　葱一束十錢　夏芋一升十二錢　甘藷百目四錢　人參一本二錢乃至三錢　午蒡百匁五錢　茄子十個十錢　菜三百目位の一束十錢　大根五本十錢　里芋一升十六錢　枝豆百目三錢　サヽゲ同五錢　紫蘇の實一升十五錢　柿百目四錢乃至十錢　梨子同八錢乃至十錢　林檎同四錢乃至十五錢　バナヽ同十錢乃至十五錢　ザクロ同八錢　ナツメ一升二十錢　カヤの實一升五十錢　葡萄百目七錢乃至二十錢栗一升五十錢乃至八十錢

圖信州各所の都市計畫　長野市が附近の町村を併合して大都市計畫を進めると云ふので松本市や上田市でも默つて居れず競爭的に企劃を始め將來の人口三十萬とか五十万とかを豫想し道路公園、水道、地區の配合等何れも市民の興味をそゝつて居る。

諏訪では又湖水の周圍に電車を敷いて湖岸一圓を一大都市とする計劃だとも傳へられて居るが何れも夢の樣な話で幾十百年の後に實現することやら分つたものではない空想に耽つて喜んで居るならば格別百年の大計を立てるとしたら其土地の生命とする處や將來發展の方途や帝國に於ける地位、世界に於ける地

位等を根本より研究して、合理的なる計畫を進めなくてはなるまい。信州の主產物たる製絲業の如きも、既に動くも信州に於いては、行詰と云ふべきで、遠からず轉機の時期の來るのは分り切つて居る。勿論展開の道は幾らも有が、其邊も考慮して懸らねば嘘である。

圖諏訪青年團の壯擧　諏訪郡聯合青年會にては今夏南アルプス縱走の壯擧を企て見事に成功し、大いに青年の意氣を示したが、更に青年をして猫額の如き小天地に蟄居せしむるより、廣く殖民地の風物に接せしむるに如かずとなし、豫て來滿鮮地方視察を計畫中であつたが、太田會長上京滿鐵東京營業所、參謀本部、小川平吉氏等を訪問、交渉の結果、諸種の便宜を得る事となり。諏訪郡出身者並に郡の人々の經營による工場其他の援助をも得る事となつたので、いよ〳〵之を決行する事となつた日程三週間、旅費百二十圓内外にて、下の關より乘船、釜山に上陸、大丘、京城、平壤、義州、安東縣を經て奉天に出で、ハルピン迄行きて引返し、大連、旅順の戰跡を弔ひ、場合に依りては青島へも廻つて歸るとの事、青年會の視察旅行として遠く朝鮮滿州の地を踏むは實に痛快なる壯擧と云ふべきである。

圖一級所の富豪續々農村を去らんとす　南安曇郡穗高村の關某氏が、本年二月中に松本市へ轉住したのに對して、西穗高村が縣稅戸數割を賦課した事より、紛云を惹起したそうだが其の裏面には、農村の重大事として、輕々に看過すべからざる事情が有る。何かと云ふと最近年と共に激增する戸數割を回避しやうとする事である。南安には同樣の問題に腦みつゝある町村が一二に止まらない。温村の如きも郡内屈指の大地主たる某氏が轉住せんとするので、一ケ年に三千數百圓の村稅負擔者を失ふといふ譯で、村當局は弱り切つて居る。隣村の三田村には二人迄も同樣の手段に出づる者が有り、烏川小倉等にも其計劃中の人が有るといふやうに、近來此傾向が著しく目につく樣になつて來た。名譽職も何も打ち捨てゝやる事であり、法律を以て制止する譯にも勿論行かぬので、各村當局が頭を病まして居るといふ事である。

圖土地の持寄り競賣　親讓の田畑はどんな事があらうと、手離しては先祖の位牌に對して濟まぬといふは、昔からの百性道であつたが何時の頃からかそれが全く反對になつて　今日ではなるべく高い値段に田畑を賣つて、都會地へでも移住するのが、賢明なるやり方だと考へられる樣になつた。其一例として最近南信の某村に土地持寄競賣會といふのが行はれ、同村内を始め隣村からも申し込があつて、至極便利な催とされ。宛ら書畫や骨董品でも取扱ふやうに、惜氣もなく賣つたり、買つたり、交

換したりしたそうだ。之れは強ち忌むべき現象でも無い。生產狀態の絶へず變遷して行く世の中だから、生活の道も自然變化すべきが當然である。しかし賣つても買つても餘り大した活動の出來ぬ信州の山の中で、小競合をして居るより、少し遠くへ目を附けて、一續何百町歩とか、間口何里何町、奥行無限といふ様な、而もそれが信州あたりで一二町歩賣買する金で取り遣りの出來るブラジルへでも出掛けて見てはどうでせうか。

圖食用蛙の飼養　南信の某所で折詰に赤蛙の燒いたのを入れて有つたとの事で、最近縣下の中等學校を講演してあるいた永田力行會長を酷く驚かした。それは少しく異るが、農商務省から交附される食用蛙四百二匹は、いよ〳〵本縣に持ち來され、先月七八日頃、夫々希望の向へ交附したが、何にせよ氣候が段々寒くなつて蛙の時期も過ぎんとして居るのであるから、注意して殺さぬ樣にしなければならぬ。交附を受けるは東筑摩、南北佐久、上水內、諏訪、松本、埴科等で、何れも雌雄の番ひものであつて、順當に行けば夥しく繁殖する筈だそうだ、啻に繁殖が激しいのみならず、三年目頃には一尺五六寸といふ驚ろくべき大形のものに發育するそうだから、海に遠く魚肉に乏しい信州の肉食難を大に緩和し得らるゝだらう。

圖本縣　年度豫算　例年ならば六七月頃に既に編制を終るべき本縣來年度豫算は、内閣の更迭其他で大分遲れ、先月中旬漸く查定を終り、編制を遂げたが、遲れただけそれだけ洗練されたものとなつたのである。殊に本年は大勢の推移と政府の方針と財界の趨勢とが何れも眞劍味の濃厚になつた場合であるから、編制至難にし　、當局者苦心の程も思ひやられた譯である。ザット一千萬圓と云へば、頗膨大なるものの樣に考へられるが、時勢に順應する施設をするには勿論甚だ不足であらうが、消極的、又は緊縮主義に傾きたる現代には順應せる編制であると認むべきであると思ふ。そは兎も角今此一千萬圓を本縣の戸數人口に割り當てゝ見たらどんなものか。最近の全縣下の戸數二十九万四百五十六なるを以て、一戸平均三十四圓四十三錢となる。

圖野菜の不作　本年菜大根の不作は、縣下一般慘憺たるもので有たが爲遠く名古屋方面から移入して來るなんどの騷ぎを演じた。從つて値段も滅法高く、菜は一圓に三四貫目、大根は百本二三圓といふ珍價を呼んだ。それでも平常買ひ馴れて居る町場の人はどうかこうか例年の三分の一位つゝでも漬けたらしいが常に供給者の立場に有る農家は、あべこべに金を出すのは馬鹿らしいといふので、我慢して漬けずに置いたといふ向が非常に多い。來年の四五月頃迄漬物無しでは、隨分つらい事だらう。

◇北佐久郡十一月概況

十一月一日より第二回長野縣馬匹畜產共進會を北佐久農學校内に開催せられ、三日には北佐久　赤十字社委員部の總會を小學校庭で催され、尚ほ第二回農產物品評會が北佐久農學校内で開かれたので、それに連日の好天氣續きで農家の仕事も片附きが早かつたことなど、いろ〳〵で人氣が非常に湧き立つて、共進會を見物に來る者、總會に出る者などで、岩村田町は空前の賑であつた。毎日平均二萬人の人出、五日間に優に十万餘人の人が岩村田町見掛て押出して來たのだから、非常に賑かであつたことは想像出來ると思ふ。

十一月十二日に岩村田警察署廳舍の新築が落成したので開廳式が行はれた。この時も絶好の秋日和、式は裏の田圃で行はれ岩盛館で祝宴會が開かれた。來賓には警察部長を始めとして五百餘名頗る盛會であつた。

十一月二十日に郡會議員の協議會があつて、郡制廢止になるので何か記念事業をすることゝなつた。その一は郡制が布かれてから今日迄の狀態を一冊子にして、郡會議員になつた人々に配布する郡制誌の刊行。その二は郡役所へ御下賜になつて居る御眞影の奉安庫を郡役所庭前に建築する。その經費は大凡そ二千圓、その三は郡長官舍を岩村田に於て建築することゝし。郡より二千四百圓補助をなし、總額六千圓位で建てる事、敷地は岩村田町に於て引受て建てることに決定し。岩村田町會でも全會一致で共鳴し。早速敷地の選定にとりかゝり。停車場と舊小諸街道の間の處に決定して、近々地均に着手する事になりたり町では十一人の委員を擧げ原治助氏を專任委員として目下着々進行中にて、遲くも四月迄には完成せんと非常に意氣込んで居る。

郡に共進會、品評　があつてから各町村では品評を會開いて農作物の奬勵に努めて居る。本年は氣候も申分なし農作物も從つてよく出來た爲め、何品にかゝはらず上等の出來であつた。今年は百性の當り年とでも云ふ事でせう。

◇下水内支部通信

◉海外協會下水　郡支部役員氏名

支部長	藤井勝太郎		
副支部長	西川　六	足立幸太郎	
幹　事	寺澤伊八	萱津近嘉	高橋正英
評議員	各町村長	郡會議員	池田九萬兒
	藤井富二	中學校長	飯山小學校長
	丸山喜右衛門	木内一郎	久保田三良左衛門
	島田英之	舊井一郎右衛門	

◎幻燈會開催

海外思想普及の爲本部より藤森幹事の派遣を得て十二月十九日豊平村、二十日永田村、二十一日秋津村の順序にて幻燈開催の所、多數參集し盛なりき。尚一月中旬より其他の町村に於て順次開催す。

◎産業

	養蠶戸數	前年ト ノ比較	蠶種掃立枚數	前年ト ノ比較	收繭數量	前年トノ比較（増）
春蠶	一二、五三三	減 一三九	九、六七八	減 二、六七九	三〇、二二三貫	三五、七四〇貫
夏秋蠶	二、七六八	仝 二〇四	一四、四一七	仝 八九九	三七、二九七	四、二四一

米第二回豫想收穫　十一年十月末日現在

第二回豫想收穫高	第一回豫想收穫高	前年收穫高	平年收穫高	第一豫想收穫高ニ比シ増	前年收穫高ニ比シ	平年收穫高ニ比シ減
四一、八九七石	四四、〇二九石	三八、四四六	三九、〇四一	減二、一三二石	増三、六五一石	増二、八六六石

第二回海外事情講習會

先頃の各支部主任者　の申合せに基き、我が信濃海外協會の主催で先月一日から五日間松本市なる東筑摩郡役所に開催したが、第一日は松本聯隊の勢中佐が、西比利亞事情に就ての講演にて沿海州の米作や、牧畜業の有利有望なる事、露人生活の情況等悉しく話されて大いに興味を喚起した。滿蒙及び東部西比利亞は將來邦人の發展すべき一方面として注意を怠るべからざる事は中佐の講演に依りて一層痛切なるを感ぜしめられた。第二日は海外興業株式會社社員にして、最近ブラジル視察を終つて歸朝されたる玉置佐一氏の講演で有つた。聽講者の多くがブラジル行希望者で有つた爲めに、話は一言一句もらさじものと聞かれた。猶同氏は活動寫眞機を携帶され商業學校の講堂で映寫したが、神戸乘船を振り出しに、船中の生活から彼地に上陸して移民となり、植民となつて珈琲園に働らく狀態や、森林を伐り拂つて開墾をする狀況等順序よく映し、極めて綿密なる説明を加へられた。勿論すべてが實寫であるから彼地に於ける邦人活動狀況を知るには非常に好き材料であつた。三日目は協會の幹事である三樹社會課長の講演で、人類思想發展の歴史を根據として社會組織の進展より說き起して、社會事業に關する明確なる說明を與へ轉じて人口論に移り。マルサスの人口論並に新マルサス主義に批判を加へ。我が國人口の狀態に關する精密なる表に基き、農村問題より海外發展に論及して話を結ばれた。

四日目は永田力行會長の御手のものなる講演で、一々同氏の体驗に基く話だから徹底せる事は言ふ迄もない。殊に內地移住に關する方面は今迄餘り注意されなかつた事柄だけに興味の深きものであつた。

出席者は四十人足らずであつたが各郡市役町よりの出席者十數名を除くの外は皆海外渡航の希望者であつたから、終始熱心に研究的態度を以て聽講され、就中東筑摩郡の某氏の如きは講習の終るを待つて直ちに準備にかゝり、最近の帆の船で南米へ渡航すべく目下專心計劃中であるが、此他にも續々準備に取かゝる人が有るらしい。

海外事情宣傳幻燈會

これも同じく各支部主任者會の際の申合に依り、此農閑期を利用して海外事情幻燈會を縣下各地に開催すべく、それぞれ實行に取りかゝつた。全縣下を五區に分ち、第一區南北佐久、小縣、第二區諏訪、上下伊那、第三區東西筑摩、南北安曇、第四區更、埴、上高井、第五區上下水內、下高井といふのである。

出演者は力行會員が二組、海外興業會社より二組、本協會より一組で、各支部の應援の下に來三月迄に遍く各町村に開催する豫定であるがなかなかの困難事で一大努力を要する。

海外協會に對する縣費補助

我が海外協會も創立以來滿一ヶ年、各郡市大多數は支部の設立も終り漸く組織の完成を見るに至りたるより、玆に縣費の補助を得べく禀請した。幸に縣當局始め一般の是認する處となり大正十二年度に於て若干の補助金を交附される運びになつた。萬事緊縮を要とする場合なるを以て金額は固より餘り多くはないが一つの必要なる施設として認識されたる處に甚大の意義が存する譯だ。吾々協會の事務に携はる者は一層の奮勵を以て一般の期待に添ふべく務めねばならぬ。

東京支部活動

信濃海外協會東京支部には既に約三百名の加入申込者があるこれ等は大概維持會員たる人々であるが、此他の申込が着々增加する樣である。十二月廿日に忘年會を兼ね農商務省農産課長小平權一君と第五中學校長伊藤長七君の歡迎會があり、猶同夜は南米巴西在留日本人活動狀況の活動寫眞があつて、海外興業の白鳥氏が說明をしてくれた。

會告

本會總裁長野縣知事岡田忠彦閣下熊本縣知事として轉任致され候處今回評議員會の決議により長野縣知事本間利雄閣下を總裁に推戴仕り候間右公告仕り候

信濃海外協會

海の外

定價

一部	內地	外國
一部	廿錢	廿仙
半ケ年	一圓十錢	一弗十仙
一ケ年	二圓廿錢	二弗廿仙

海外郵稅

注意
▼御注文は凡て前金に申受く
▼廣告料は御照會次第詳細御通知致します
▼御拂込は振替に依らるゝを最も便利とす

大正拾貳年壹月壹日發行

編輯人　永田稠

東京市小石川區林町七拾番地
發行兼印刷人　藤森克

印刷所　力行會印刷部

長野市長野縣廳內
發行所　海の外社
振替口座　長野　二一四〇番

大正十二年一月一日發行（毎月一日一回發行）
大正十一年三月二十六日第三種郵便物認可

定價金貳拾錢

信濃海外協會内
海の外社發行

目次

現總裁本岡利雄氏

前總裁岡田忠彥氏

伯剌西爾移民の概況

海外興業株式會社專務取締役
龍江義信氏講述

一、伯剌西爾の位置及沿革の大要

伯剌西爾は御存の如く、南米大陸の約二分一を占めて居りまして、大西洋に面せる東西一千哩、南北一千百哩の面積を有する大國でありまして、今より約五百年前葡國海將カブラールに依つて發見せられ、爾來久敷葡萄牙國の統治を受けて居りましたが、西暦千八百二十二年（今より百一年前）に獨立致しまして、北米合衆國の政体に倣ひ共和政体を布きまして、今日に至りましたので、我國とも、明治二十八年、通商條約を締結致しまして、爾來國交は親善を加へつゝあります、而して首府リオ、デ、ジャネーロには我が公使館、並に領事館、サンパウロ市に總領事館、バウルーに領事館、リベロンプレートに領事館分館を設置せられてありまして、本邦人在留者の便利を計られつゝあります、而して同國は識者が産業國として、第二の米國と稱する丈ありて資本と勞力の充實に伴ひまして、世界に雄飛致しますることも遠き將來で無いと期待されて居ります國柄であります。

二、氣候

伯剌西爾は前申述べました樣に、大國でありますからして、氣候も亦熱帶から温帶に亘り殊に邦人の最多數移住して居ります、サンパウロ洲は、既に温帶に近いのみでなく、海拔千五百尺乃至三千尺の高原地帶でありますから、氣候は大に中和せられまして、盛夏の頃でも華氏九十一度以上に昇る事稀であり、冬季にありましては、稀に降霜を見る事が有りますが、全然降雪無く、我國に於きます春夏秋の氣候を、四季に致しました樣な工合で、邦人の保健上に最恰適して居りますから、其の衛生狀態の如きも、日本内地に比べまして、遙に優つて居ります處で有ります。

一勞働者の言に依りますと、夏季の勞働で、一番困難とせられて居りますのは、甘蔗畑の就働で有りますが日中に甘蔗の莖を刈り取る事は成程炎暑を感じますけれども、微風が絶へず吹いて居りますから、大變に凌ぎ易く有りまして、樹陰に憩へば冷氣を感じて直ぐに暑さを忘れる位で、夏の勞働殊に困難なる、甘蔗畑の勞働でさへ、毫も苦勞は無いと申して居ります。

又講話者は一昨年八月頃彼の地に居りましたが、丁度彼地の冬でありまして、一方には落葉樹の有るのに一方には奇麗な花が咲いて居た樣な工合で。大變暮しよい處であります。

三、住民

原始住民は、アメリカ、インヂアンでありましたが、逐次に歐洲人、主として葡萄牙人、伊太利人等が、澤山に流れ込み、又奴隷として輸入しました黑人も居りますので、今日では其等が雜婚致しまして、現に純白の者も居りますし、半黑の者も居り、四半黑純黑等雜居して居ります、換言しますと、伯國々民は異人種の結合になれるものでありますからして、人種異同を以て、差別的待遇を到します樣な事は樂にし度くも無いもので有ります。

四、語學

語學は葡萄語を主と致しますが、佛蘭西語、伊太利語、西班牙語も通用致して居ります、我が移民に就いて見まするに、渡航時一語も知らないものも、渡伯一年後に普通用便位には、何等差支無き迄容易に彼の地の言語を使用して居ります狀態で有ります。

五、人口

大正九年の國勢調査の結果に依りますと、全伯國の總人口は三千有餘萬人で、其中最調密なりと云ふサンパウロ洲でさへ、三百五十万人に過ぎないのであります、大体から申しますと、一方里の平均密度は僅に五十三人でありますが、之を我か國內地の一方里平均二千二百三十九人に比べますと、實に四十分ノ一であります。

サンパウロ洲の在住外國人は、伊太利人の百三十餘萬人を最とし、葡萄牙人百二十万其の他獨逸人、露西亞人等多數居りますが、日本人は僅に三万五千に過ぎないのであります、併しながら日本から移住し始めましたのは明治四十一年からでありますから、止むを得ない事でありますが、四十年前より渡航して居ります、北米合衆國在留者の六万九千餘人に比べますと、伯國が如何に、邦人の發展に適して居りますかゞ證明出來るのであります、

世人或は伯國に於ける邦人が、事業の成績擧がらざるを稱ふる者も有りますが、之は其の事情を知らないものゝ言であります、一般に言ふ處の理由としては、伯國移民の送金が少ない事でありますけれども、伯剌西爾は他の國と異りまして家族制度の移民であり、從て根據を內地に持つて居ないのでありますからして寧土地を買ふ事に努力する者多きと、特に爲替關係に於て、今日送金する事は不利益があるからであります、現にサンパウロ洲に在留する邦人が、十二三年の短日月に於て、其の所有致して有ります土地面積が、既に六万七千餘町步(會社所有六万町步の外)に達して居りますが、彼の四十前年から渡航して北米に在留致して居ります六万九千餘人が現在僅に一万一千八百餘町步の土地を所有するのに比べて見ましても、又在伯本邦移民の生產物の賣價年額約一千萬圓に達して居ります事に見ましても、如何に邦人の移住地として好適當地であり、成功容易なる國柄でありますかゞ知られるでありませう又伯國では西曆一千八百九十一年、共和政府が制定しました、憲法第七十二條に、「法律の前に於ては、總ての人は皆同等なり」との鉄案を定め居れるのであります、即ち外國人に對しましても、外國人なるが故に、何等の差別的待遇をなす處でなく、個人の自由、安全、及び財產所有に關する權利の不可侵を、保証されてありますから、眞に人類同胞四海兄弟の義に、基きまして、大に我が移住民を歡迎致して居るのであります、

六、移民就耕の順序

日本から移住民が、サントス港に到着致しますと、其處からサンパウロ市の移民宿泊所迄、無賃輸送して吳れまして、一週以內は無料宿泊を許し、其の間に勞働紹介局の仲介に依りまして、珈琲園主との間に、契約を結ば

せます、而して我が移民が、契約就勞する、珈琲園と申しますのは、彼の國の澤山な珈琲園の中から、我が領事館や會社支店の手で、豫め調查した結果、日本人の就勞に適する耕地と認めて選んだものばかりでありますが移民宿泊所內には、某耕地に何名入用云々と掲示がして有りますから、我が移住者は、會社員の案內に依り自ら其の好む處を選擇して、契約を結べば可いのであります、是が決まりますれば、更に耕地最寄の停車場迄汽車で再び無料て輸送して吳れるのであります、而して珈琲耕地には、家屋を設け、移民に無料貸與して吳れまして耕地主は移民の家族の大小即ち勞働能力の多少に應じまして珈琲樹を五千本とか八千本、多きは一万本以上も受持たせて栽培せるのであります。

契約は一農年(十一月より翌年十月迄)宛で夫れ以上は任意に、契約を延長する事が出來ます

勞働は受持ちました珈琲樹間の、除草をなすのでありまして、一千本每に、伯貨二百乃至三百五十ミルレースの支拂を受け、尙珈琲樹間に自作致します間作物(米、玉蜀黍、豆、野菜等)の收穫及、臨時の日給收入並に自家飼養の雞豚賣上代等の收入が有りまして、翌年より漸次增加する例でありますが、邦人は一戶一年の純益三百圓から二千圓を收得して居ります、斯の如くして貯蓄致しました金錢を以て、土地を購入し、小地主となるに至るのであります、(小地主とは云へ其の最小單位は二十五町步であります)

目下日本に於きましては、伯剌西爾の名さへ知らないものが多くあるのを見受けますが、將來世界の原料供給國は只南米にあるのみと言はれる位でありまして、將來は非常に發達するに至る事を信ずるので有ります、現にサンパウロ洲に於ては、新しき町が各所に生れ併も非常な勢で發達しつゝあるのであります、

風土が頗健康に適して居ります事は、既述の通でありますが、我が移植民の出產率に就て見ましても、極めて良好でありまして會社植民地に於ける統計上、三夫婦に一人は必ず妊娠して居ると云ふ狀況でありまして而も此の子澤山と云ふ事が伯國では、農業的成効の要因となるのですから、我が國の如く、多兒の爲に困苦を增す狀態とは雲泥の差であります。

七、渡航の經路

伯剌西爾に趣く爲には、概ね次の航路があります、

第一は香港、シンガポール、ダーバン、ケープタウンを經由するもの

第二は北米桑港より、墨西哥を經て、智利ヴアルバライク港へ上陸、それからアンデスを超へ、アルゼンチンよりするもの、

第三は桑港より紐育に出で、亞米利加東岸に沿ふて、趣くもの

等であります、戰前には西比利亞を經由して趣きし事もありますが、其の何れに據りますとも距離に於ては大同小異でありまして、目下我が會社の採用して居りますのは、前記の第一航路であります。

移住者輸送船は、大坂商船及び、日本郵船會社の貨物船であります關係からして、隨て所々の港に寄港しますから航海日數は、約五十日から、六十日の日子を費して居ります、

近時亞米利加が沿岸航路には、快速力を有する船舶を使用致して居りますから、北米經由のものは、約四十日前後で到着し得られますが此經路は經費を費す事が大で有りまして、一等で行きますと、二三千圓を要します之に反しシンガホール經由の分は、一等七八百圓三等二百圓で足ります。

八、河川

河はアマゾン、ラプラタ河等が有りまして、ラプラタ河の如きは、河口を橫ぎりますのに汽船で十時間を要する位でありまして、アマゾン河の如きは流域が廣くありまして、三千噸級の汽船が、二千五百哩の奧地イキトス港迄、通つて居りますので、邦人には想像の出來ない程大きな河であります、

アマゾン河の奧地は熱帶圈內で、而も人文未だ全く開けませぬけれども、北米合衆國人は、此附近に非常に注意をして居りまして、一昨年講話者が、紐育から南米ボリビヤ迄同行致しました、ホップマン博士の一行は夫々專門の學者七名と共に、大仕掛な荷物を携帶し　、アマゾン上流地域の探檢に出かけましたが、其の日數八ヶ月乃至十五ヶ月を、充當にて居りましたり、又事業家達が水雷驅逐艦を利用して、アマゾン流域に注目致して居りますかを、雄辨に語つて居り

ます。

九、サンパウロ州の概況

伯剌西爾は聯邦二十州から、成立して居りまして、就中產業の最も盛でありますのは、サンパウロ州であります、而して此州だけでも、日本の本州、四國、九洲を併せた程の廣さを有しますが、日本の樣に急峻なる山地があるでなく、全般に大きな波狀地であります、講話者が一昨年ホンテ、アルタと云ふ牧塲地帶を自働車で通過しました時、五十八吉米突を一直線に、前進致しました事がありますが、此の長里程の間を仮令起伏は有ても些の屈曲なく、一直線に進み得らるゝと云ふ事は、地勢が如何に平坦であるかを、明確に証明する事が出來樣と思ひます。

右の樣に急傾斜地がありませぬ關係からして、耕作可能面積の如きは日本內地に比較致しまして、實に數倍の廣さでありまして且氣溫の關係上一年中、殆んど耕作に適して居りますから、若し日本と仝樣の耕作を爲すならば、其の產額を我が邦の十倍に達せしむる事は難事では無いのであります。

十、結　論

之を要するに、ブラジルは土地、氣候、國法、民情、產業發達の程度等、其の他有らゆる事情を綜合して考へて見ましても、本邦資本家、技術者勞働者の爲に頗有望なる、發展の餘地綽々であると、申してよいのであります、殊に本邦農民諸子が、最初珈琲園勞働者として、渡航致しまして、漸次に貯金をすれば、二十五町步の地主となり、遂には中地主、大地主となる事の出來る、無比の樂天地であるのであります。

ブラジルは既述の通、原料國でありまして、之を開發するに勞力を必要とするので有りますからして、彼の國の耕主乃至政府は力めて、移民の保護優遇に意を用ひ、便利を與へて居りますが、此の點は世界廣しと雖も餘り他に類例を見ないのであります。

斯の如き國柄でありますから、獨り一般農民のみならず、我が邦の中產階級に屬します、農家と致しましても彼の地で土地を經營する方が、頗有利なので有ります、例へば我が邦で田畑二三町步の所有者が數人の子供に財

產を分けて、遣らねばならぬ塲合有りと假定して見ますれば、一人當り一町步足らずとなりまして、之を貰ひ受けた子供は、何れも不足勝で、親の時代の生計を維持する事は、到底出來ませぬが、是に引替へ長男を家に留め次男三男を、日本で分家させます代はりに渡航費用を與へて、海外に分家を造らせるならば、其の一代に土地は廣くなり、且子孫長久の計をなす事が出來るのであります。

そこで地價の事を申さうと思ひますが、地價は塲所に依り固より、差等がありますけれども、一般に非常に低廉でありまして、目下海外興業株式會社の所有して居ります、六萬町步の土地は、一家族に對し二十五町步を僅か五百圓で、讓與致して居ります、即ち一反步の價値が、貳圓に相當するのであります、併も此の土地は稅金も肥料も當分は要りませぬ、何れに致しましても、邦人の發展の基礎を定めますには、土地を所有するといふ事が肝要であります、目下彼の地には既に邦人三萬五千有餘人渡航致して居りますが、彼の人々等は每日他外國人と伍して勞働に從事し、誠にのんびりした生活をなしつゝあるので有ります。

茲に一言を要します事は、ブラジルは日本に對して、其の門戶を鎖す事は無いとしても、愚圖々々して居る間には、他外國の移住民が段々行て良い所を先占して了へば、結局日本人の入るべき餘地狹少となり、不良となり、且地價上騰するは必然で有りますから、日本人は甘味を外人に吸取られて、纔かに糟粕を嘗めて滿足せねばならぬ樣になるのであります、人口は年々增加し、早晚海外に發展せねばならぬ、運命を有する日本人は此の際ブラジルが門戶を開けて、我等を歡迎して居るのを利用して、可成多數彼の他に移住し、且同時に資本を投下して廣く土地を買收し、確乎たる基礎を今の中に固めて置かねば、日本人は地球上最早何處にも、發展すべき塲所が無いのであります、德川時代の鎖國を悔ゆる、我が現代人が今尙此の猫額大の狹い日本に、群居蟄伏して、徒に共喰生活をなす愚を持續するならば、日本國家の將來は唯自滅するより外無いのであります、國に酬ひ一面に子孫の繁榮を庶幾する人々は速かに決心して、志を萬里の外に進展せらるゝ事を促して止まぬ次第であります。

そこで其の渡航の方法は、各府縣樞要の地に、海外興業株式會社の代理人事務所が設置してありますから、之れに照會せらるゝならば丁寧親切に、萬端の御世話を致しますから、茲には省畧する事と致します。

海外事情

一、伯國サンパウロ州イグアペ郡日本植民地事情　共拓會

今迄植民となつて伯國に渡りたる者は、皆サンパウロ州の東南境、イグアペ郡へ入たのであるが、將來も海外興業會社の手を經て行く塲合には當分同地に入るので有る、昨年の暮に同地の日本人を以て組織したる共拓會の調査に係る書類を寄贈されたから、之に基きて同地事情の概畧を摘記して見る、

イグアペ郡に於ける日本人植民地は、現在桂植民地レヂストロ植民地、セッテバラス植民地の三地域に分れて居るが、何れも海外興業會社の經營に係るものである、以下記述する處は此三地域を總括したもので有る、因に桂レヂストロの兩地域は、既に入植者が充實したるを以て、現今はセッテバラスへ送つて居る、

一、數字に現はれたる一斑(大正十一年九月現在)

	桂植民地	レヂストロ植民地	セッテバラス植民地	合計
面積	八五九町	一七六九三町	七〇〇〇町	二五五五二町
地區數	三三	五五二	二四二	八二七
家族數	二四	四六三	二三	五一〇
人口	二二三	二一七八	七〇	二三七一
小學校	一	二	一	四
砂糖工場	七七	七七	—	一五四
ピンガ酒工場	一四	一四	—	二八
マンジョーカ工場	二	二	—	四
精米所	一	一	—	二
製材所	一	—	—	一
製瓦所	—	二	—	二
試驗農場	—	一	—	一
牧牛	七	二五〇	一四	二七一
馬	二三	三一〇	—	三三三
豚	五九	一五八〇	三〇	一六六九
家禽	一二二〇	一二四六五	七五〇	一四四三五

二、地勢土質

地勢一般に起伏高低多く、錯雜せる形狀となつて居る、低地は自然の儘では陰濕であるが、排水工事を施せば容易に乾燥せしめ得る可能性を持て居る、丘峻地は其傾斜度の緩急に依りて、全部利用し得べき所もあれば裾地だけ役立つものも有る、

土質は一般に單純で有る、即低地は粘土腐植土に富み丘峻地は砂質壤土が多い、丘峻土壤は分析の結果に依れば窒素並に有機物は可也豐富で有るが、燐酸と加里

とは乏しいから將來は補給の道を構せねばならぬ、

二、氣候風土

氣候は槪して高溫多濕で、雨期と乾燥期との差が少い數字に表はれたる氣象狀態は、畧左表の通である、但し季節の區分は、日本とは正反對で、九月十月十一月が春となり、以下順次三ヶ月宛を夏秋冬とするのである

季節	平均溫度	平均最高溫度	平均最低溫度	平均濕度
春	二〇、一	二七、一	一四、八	七四、三%
夏	二五、五	二八、六	一八、一	七九、八
秋	一九、九	二七、一	一四、九	七九、八
冬	一六、七	二五、三	一〇、七	七三、九

季節	降水量(ミリメートル)	晴天日數	曇天日數	雨天日數
春	三六四、八	三八	二〇	三三
夏	六九八、七	二六	一二	五二
秋	三一三、七	五一	一三	二八
冬	一〇四、四	六五	一〇	一七

風土少しも嶮惡ならず、土地特有の病氣も無く、衞生狀態の甚、佳良で有る事は後に揭ぐる如くである

三、農牧業

イグアペ郡を貫流する、リベイラ河は長さ百餘里、無數の支流と共に、舟楫の便を與ふる事絕大で有る、本支流の沿岸全部は地味肥沃で凡べての作物に適して居るが、特に米作地として最適當で有るが故に夙に其名を知られて居る、產額に於ては南部諸州に劣るも、米質の善良なる點に於ては、今尙名聲を擁して居る、最近米作に獨特の技能を有する日本人の入植してより一層注目せられ大に將米を期待する樣になつた、今數種の主要農作物に就きて、其耕作狀況を記述すれば

1、米作　米作は比較的短期間に、收穫するを得且日本人は多年の經驗を有するが故に、入植邦人の殆んど全部は直ちに之を試み多く陸稻を播種せしか、此の耕作法は勢廣き耕地が必要なる故、漸次水田を開き貯水地を設くる等、收約農法に向ひつゝ有る、兎に角米は當地方農產品の太宗にして、輸出品の筆頭に揭げらるべきもので、最近一ヶ年の收穫は、籾十六貫目入四萬俵內外である

2、甘蔗　土地が溫濕で、旱魃や霜や病蟲等の被害が少い爲、甘蔗の生育著しく、近來之を栽培する者が俄に增加した、甘蔗よりは單に砂糖を製出するばかりで無く、伯國人の主要飲料たるピンガ(甘蔗酒)と稱する酒をも釀造するが故に、米作に次ぎて當地方の主要農作物で有る

3、玉蜀黍及菜豆　前者は家畜の主要飼料となり、

又フーバと呼ぶ粉末として人の食料ともする、後者は日伯人共重要なる、食糧として居るから、共に廣大なる耕作面積を占めて居る

4、マンジョーカ　澱紛質の食料品で伯國人の常食とする物であるが、日本人も亦之を食するに馴れ、豚の飼料と兩用に盛に栽培する此作物の有利なるは栽培が容易で、土質の如何を選ばず生育する處にある、

5、其他の農作物　煙草、珈琲、馬鈴薯等何れも前途有望なるは確認せられ、漸次栽培面積が擴大されつゝ有る、

6、家畜　元來日本人は本國に於て、家畜を飼養せる經驗に乏しいから渡伯後、之を試みて失敗する者も往々有たが、漸次に馴れて現時は經濟的飼育法の研究が行届いて、年と共に生産が増加し、將來最有望なる産業の一と目せられて居る

四、工業

工業では未だ見るべきものは無いが、瓦、煉瓦、木材精米、砂糖、ピンガ等の製造は漸次隆盛に趣き遠からず、一層大規模の設備を見るであらふ、石炭は未だ發見されぬが、薪炭は無尽藏と云ふべく、リベイラ川の本支流には非常に多くの瀑布が有るので、水力電氣事業も將來は發達するだらふ、

五、商業

當郡は比較的古き歷史を有するも、人口稀薄にして、一般の生産業猶幼稚なれば、商業も今の處は緩漫で有る併し交通運輸の機關が備はり、一方相當の資本家が手を下す樣になれば、異常の發達を見るべきは疑無き處で有る、試みに大正九年中の對外商業を調べて見れば輸出入合計百三十三萬五千圓、（一ミルレースを邦貨三十錢として換算す）內輸出六十四萬五千圓、輸入が六十九萬圓といふので有る、輸出品の主なるものは米穀で、他の農産物及び加工品は比較的小額である、而して輸出先はサントス港及び首府リオ、デ、ジャネイロである、

輸入品中綿布類と小間物類とは合計で六割餘を占め農産加工品、飲料、金物類、等順次之れに次ぐ、輸入先はリオ、デ、ジャネイロを筆頭にサンパウロ市、サントス港之れに次ぐ、

當地方の商業的價値の計算には、廣大なる未開の自然富源を、算入せねばならぬ、何となれば當地方現在の産業は、茫漠たるリベイラ河岸の自然に、極めて僅かばかり接したるのみで、將來交通運輸の便の開くると

共に、無限なる內地の富を開發し得べきからである。若し夫れ現在のジユキーア迄の鐵道が、當地迄延長せられ、一方イグアペ港の設備が、相當に進んだならば商業的發達は計り知るべからざるものがあらふ、

イグアペ港は人口四千百人を有し、大小三十の商店がある其の大正十年度の貿易總額は六十六萬圓で、內輸出が三十六萬圓である、其主要なる商品は勿論米で、港內六個の精米所で精製さるゝもので有る、

レヂストロの對外商業は、植民地創立日尚渉きにも拘らず長足の進歩をなした、而して其大半は海外興業會社の經營せる商店に於て之を占め、此他にトルコ商人二、ブラジル商人一、最近開業せる日本商人が二三有る。大正九年頃入植者の增加と共に、甘蔗の栽培並に其加工業が俄に勃興し來り、同年中砂糖及びピンガ酒の産額は驚くべき高に達した、然るに同年度は米を始め凡ての農作物も亦豐穰なりし爲、甘蔗加工品を有利に處理する事能はず、其結果大打擊を蒙りたる彼等は、茲に覺醒して、新に甘蔗加工同業組合の出現を見、最近は更に購買販賣組合の創立に至りしも、其運用は猶幼稚なるもので有る、最近一ケ年間のレヂストロ港出入貨物を金額にて表はせば、輸入百二十六萬三千圓輸出七十二萬三千圓合計百九十八萬六千圓で有る。輸入品の主なるは農具、金物類、飲食物、煙草、布帛小間物類等にして家具、食器類、雜貨及筆墨紙燃料藥品皮革類等之れに次ぐ

前揭の如き輸入超過は每年の事で、何時此の勢を挽回し得るか殆んど予測が出來ない、殊に輸出品の筆頭たる、米は耕作面積擴張の餘地が尠く、是以上の收穫增加は覺束ない、幸にして甘蔗栽培及其の加工業が前途有望なるを以て、此の方面に力を注がば貿易上優に均衡を保ち得るであらふ、猶砂糖業に就きて努むべきは製造法の改良である、純良なる製品を得るに至らば販路には少しも困難は無い、砂糖の需用地なるジヤクピランガ並にパリケーラスは共に當植民地に接近して居るから、此の兩地方に幾らでも輸送する事が出來る。要するに當地方の商業は、組織と云ひ設備と言ひ、不完全の點のみ多く改善の餘地が非常に多い。

六、交通狀態

從來當地方の交通は、全然リベイラ川を利用し、舟楫の便に依りたるもので、今も猶存在する土人の獨木船より、漸次發達して現在は蒸汽力を使用する、所謂蒸汽船の三四十噸積より、七八十噸積のものが約十隻で

イグアペ港を起點として、リベイラ川本支流各重要なる地點に、定斯航通をなして居る、されば郡內各地間は比較的、交通の便が有るが、商業上其他關係の密接なるサントス港、サンパウロ市、及び首都リオ、デ、ジャネイロ等との交通は非常に不便で有た、大正元年英國人發起の南聖州鐵道敷設の計劃あり、聖州政府と利子保證特許契約成立し、サントス港を起點とし、ジユキーア、セッテバラス、シシリカを經て、パラナ州の首府クリチバに達せしむる計劃の下に、其第一期線サントス、ジユキーア間は大正五年に竣功した、此の間延長約百哩なつた、併しジユキーアより當レヂストロ迄、約十里の間は現在リベイラ川を利用しつゝある事、前述の如くで、不便たるを免かれぬが、此間の鐵道敷設に就ては、海外興業會社並に英國の關係者が、協力焦慮して居るから、遠からず開通を見るべく、其の曉には當植民地の交通に、一大革命を來すであらふ

植民地內の道路は海外興業會社の手を以て、開鑿し入植者の增加と共に、修繕を加へ、延長を計り來りたる爲、漸次改善せられ、現在は植民各自が此點に注意し或は醵金し、或は勞力を提供して、改善に努力する樣になつたから、忽ちの間に見違へる程好くなつて行く陸上の運搬には、馬車或は馬背に依り、出步るくにも少し遠ければ乘馬で行くから割合に樂で有る、

七、衛生狀態

當植民地は其の開設前、大正二年八月以來、醫員北島研三氏の來任するあり、詳に風土を檢し、疾病を調査し、邦人の來住に適するを確め、而して後大正三年より徐々に邦人の入植するあり、爾來漸次增加して現今五百有餘家族、人口二千餘を算する程になつた、其後人口の增加と共に、診察所及び、藥局は遂次其の設備と藥品とを充實し、大正六年高野留七氏の就任を見、更に昨年に至りて、サビノ氏の雇用を見るに至れり、されば伯國多數の植民地中、當植民地の如きは、醫藥の設備行届けるものと云ふべく、醫員は單に、來診を乞ふを待たず、需に應じて數里の遠き所迄も往診し、暇ある每に講演會、幻燈會等を開催し、平素調査せる材料に基きて、衛生思想の普及啓發に努力するが故に現今は疾病者も大に減少し、有數なる健康地と目せらるゝ樣になつた、併し家鄉を去りて遠く海外に職を求むる者の常として、心身共に過度の勞働を爲すが故に往々營養と相伴はざるもの有りて爲に健康を害する場合

が少くないがこれは植民本來の目的を自覺し事業の經過を實驗するに從ひ、其弊は漸次取り去られつゝ有る、猶入植者の多數が若い夫婦なるを以て、出產が多いと共に分娩時の注意や、乳兒哺育の智識經驗に乏しく、死亡が比較的多數なるは悲むべき事で、姙產婦預所の設備若くは產婆の召來等目下の急務といふべきで有る。

今大正十年中の病氣類別表を見れば次の如くである。

神經五官器病二〇　寄生蟲六二　眼疾八　皮膚筋腺系病二二　脚氣一四　消化器病三九六　マラリヤ一〇　骨關筋病五　呼吸器病一一〇　泌尿生殖器病二八　外傷打撲二六　營養器病五　耳疾三　傳染病二五　齒疾一　血行器病五　蚊咬傷七　流行性感冒五〇　總計七九七

右は總人口二二六八に對するもので、內消化器病恰半數を占め他は比較的小數で土地特有の病氣と稱すべきものは殆んど無い、又同一ケ年間の出生は一五九にして死亡は二一で有る、死亡の極めて少きは、入植者の多くが青壯年にして、老人の少きに依るものと認められる

八、學校教育

當植民地內學齡兒童は、比較的多數にして、其の大部分は祖國直來の者で有るが移住後出生の者にも、そろ〳〵學齡に達する者が出來るから是等兒童の教育には最も注意せねばならぬ、今大正十一年以後三ケ年間の學齡兒童を推算すれば、大正十一年が二六六同十二年が三〇四同十三年が三五〇にして、一ケ年の增加はナカ〳〵に多數で有る

由來伯國の國法として、十歲未滿の兒童に對し、葡語以外の外國語を教授する事を禁ぜられて居るを以て一面には之を遵奉すると共に、一面邦語教授も之を施す必要が有るから、共拓會（後に詳あり）は教育部幹事主查の下に委員七名を擧げて、植民地兒童教育方針を研究し大要記の如く意見を纏めた

當植民地在住日本人兒童教育は、其本体を伯國教育令に置き、一方公認の日本語學校を設け、其の初學年度に於ては專兒童の修學的態度の訓練に努め、爾後補習教育の目的を以て、邦語を授け特に德育の方面に意を用ゆべきで有る

と言ふのである、而して日本語學校は第一小學校內に教師大坪治助氏の名を以て、聖州政府學務官より、大正十年十二月二十三日附を以て公認された、今參考の爲に伯國小學校の種類を擧ぐれば

1、正則小學校　在籍兒童四百名以上を有するもの

2、聯合小學校　同前四百名以下にして七學級を有するもの

3、單級小學校　コハ又次の三種に小別すべきである

イ、田舍小學校　九、十才の兒童を收容し、男女別に教授するもの

ロ、村立小學校　役場所在地に在る小學校

ハ、混合小學校　九、十才の兒童を收容し、男女共學のもの

にして現在レヂストロ植民地内には、田舍小學校一、混合小學校一、なるが近く混合小學校二校を増設する筈である、桂植民地及セッテバラス植民地に各一校宛の設が有る、是等各學校に現在就學せる兒童數は次の如くである、

學校名	男生	女生	計	伯人兒童
第一小學校(レヂストロ)	四一	三五	七六	男女五〇
レヂストロ小學校	九	一	一〇	仝　三四
桂小學校	一三	一二	二五	仝　五二
セッテバラス小學校	—	—	一〇	— —

右各學校に於ける、教育状況を見るに、伯人教師に依る葡國語の進步は實に良好である、邦語學校は前述之通第一小學校に併置せるもの一校にして、其の就學兒童男三八女一三計五一を有し、葡國語教授時間の前後に、邦語教授を施して居るが、之れに關して最遺憾とする處は、適當なる教科書の無い事である、祖國の教科書は、周圍の事情甚だしく異なるより、理解困難にして、殆んど使ひ物にならぬから、當地兒童專用のものを編纂するのが、最大急務である、

九、社會教育

社會教育に關しても亦、共拓會教育部に於て焦慮し、左記の如き施設をやつて居る、

1、講話會　毎月一回各地に巡廻的に之を開き、産業、衛生、現代思想、社會的事業等の諸問題に就きて講演をなし、又懇談的に之等の問題を研究討議し、或は意見の發表をなす

2、共拓誌　共拓會第二年度より編輯し、文化開發の爲に資益する傍、共拓會の通信機關として、毎月百五十部を發行して居る、内容は會務の報告、社會時事農商時事、一般寄書欄、婦人欄、子供欄等を設け、六〇乃至八〇頁のものを出して居る、

3、衛生幻燈　衛生思想普及の爲、幻燈を用ひて各

地に開催し、多大なる興味を惹きつゝある

4、宗教　當植民地内邦人は、未だ宗教的統一なく主として佛教信者なるが、崇嚴なる寺院の建立せられざる爲め歸趣する處が無い、伯國人及び他の外國人は概ねカトリック教徒である、

5、其の他　青年會、婦人會等と相呼應して相互に實績を擧ぐるに努め、又本國より名士の來訪ある每に講演會を開き、其出演を乞ふ事として居る、

十、共拓會

レヂストロ植民地在住の邦人を以て組織し、大正八年八月三十一日天長の佳節を以て發會式を擧げた、自治團体の基礎を作り、殖民地一般の福利を增進するを以て目的とし、諸般の事業を行つて居る、初年度の役員は總選擧の結果會長に白鳥堯助氏、副會長に柳澤竹十郎氏當選し、會長の指名を以て次の如く、各部主任幹事が任命された

庶務會計部原梅三郎氏　衛生共濟部北島研三氏

教育部中島貞施氏(埴科郡中條村出身)　調查部齋藤眞平氏

會員總數四五、之を二十七區に分ち、一區每に正副二名の委員を設け、區內の事務並に本會代議機關に充てる猶當殖民地設立以來盡瘁せられたる、青柳郁太郎氏を名譽會員に推薦した、

當初の事業としては、毎月一回北島氏を聘して、一般衛生及藥草學の講演會を開きたるに、聽講者每に多く非常に有益なるを認められた、第二年度即大正九年度は八月三十一日總會に於て選擧の結果、會長には白鳥氏再選、副會長には管山鷺造氏當選し各部幹事は、庶務會計部に松村榮吉氏(北安曇郡美麻村出身)教育部に北原價造氏(上伊那郡長藤村出身)衛生部に北島研造氏、調查部に永島鼎氏、交通部に中曾根平四郎氏(上田市出身)が就任した、

其後間も無く會長白鳥氏辭任歸朝されたるが故、總選擧の結果、大多數を以て大野長一氏當選就任した、之と同時に各部幹事にも、小異動が有たが、特筆すべき程の事では無い、白鳥氏は青柳氏同樣名譽會員に推薦した、大野會長就任と共に會務要項を改め、左の諸項目を擧げ、之に向て努力する事とした、

1、甘蔗加工機關及び出耕作の研究に關しては、臨時調査會を設け其結果に基きて、適當の方法を講ずるものとす、

2、生産物の市場關係と、輸送力に關する調查改善

3、道路擴張に關する調查及實行方法の研究

4、道路維持規程の編制及び實施

5、區の改正標準決定及び實施

6、植民地兒童の教育方針の討究

7、日本語教室の增築及び新學校增設に關する調查並に施設

8、精神の修養及び、家族慰安に關する集會の開催

6、共濟內規の制定及び實施

10、勞力補給に關する標準(雇傭條件)の協定及び支持

11、植民地樹立に對し、記念事業創始に關する研究立案

12、醫局分院の設置、製糖工場並に、運輸倉庫機關設立に關する請願並に促進期成

13、會報の刊行

14、其の他必要と認むる緊急事項の解決

右の外產業調查會を起し左の如く委員を擧げた

丸山爲治氏(上水內郡長沼村出身)　仁戸田庸吉郎氏

北原地價造氏　石野岩松氏　堀川富助氏

右の調查會は專生產狀態、貨物運輸關係、植民地內の道路、其他各方面の調查を行ひ、植民地一般の產業經營上に著しく貢献する處有りたり、即製糖法の改良緊切なるを認め、甘蔗加工同業組合の練習生派遣に際し之れに補助を與へたるが如き其の一である

又道路維持に關しては、植民地を五部に分ち、各部に部長を置き、之れが指揮監督に任じ、且他の會務をも取扱ふ事とした、各部長は左の通である

第一部長尾山鉋吉氏　第二部長中矢勝一氏　第三部長爲廣熊太郎氏　第四部長羽高權蔵氏　第五部長仁戸田庸吉郎氏

第三年度即大正十年度八月三十一日、總選擧の結果會長に大野長一氏再選、副會長に仁戸田庸吉郎氏當選し各部の幹事も又若干更迭したが、事業には何等の變更なく、從前の計劃を繼續し、徹底的に其の成果を收めんと努力して居る、

十一、其他の諸團体

1、農業團体　共拓會は農產物の有利なる販賣、並に生活必需品の廉買を以て、農家經濟上最大急務なりとし、第三年度會務要項中に之を擧げ、其實行方法として、組合の創設を勸誘した、其結果數個の購買販賣組合が出來、其運用宜しきを得て、能く其の機能を發揮して居る

一方には又、甘蔗加工組合が設立され、製品の改良統一、生產品の有利なる處分、其の他に關して研究努力して居る、同組合の事業として先年糖業の最隆盛なるペルナンブコ洲へ練習生を派遣して、精製法を研究せしめ大に資益する處が有た

貨物運搬馬車所有者も、漸次增加せるを以て、車輛組合も亦創立せられ車輛の購入、修繕等其の他有利ある施設をして居る

2、青年會　青年の團体も、其數漸次增加し、現在十二に達し樣々の名稱を有するも、其目的とする所は大同小異にして精神の修養、葡語研究、体育獎勵、娯樂等である、

3、聯合青年會　昨大正十一年九月、前記各青年團体の聯合成立し、各團体間の連絡を計り、交誼を厚ふする爲、定期に會合する事となつた、差當伯國獨立百年祭記念事業として、數種の運動用具を備へ又若干の体育及び娯樂の機關を設けた外記念館を建設して圖書室を置き大廣間を設けて各種の會合に使用するなど文化的施設として賞賛すべきものが數ある

4、やまと婦女會　大正十年七月十日の創立にかゝり、十五才以上の女子を以て組織す、現在會員六十餘名、主なる目的は社會的慰安に乏しき、植民地婦女子の趣味の養成並に婦人として、社交上生活上必須なる事項の研究である、其の事業としては、隔月一回集會をなし育兒、衛生、裁縫、割烹、伯國禮式等の練習をなし、或は名士を招聘して講演を聞き、又婦人公論婦人世界等の巡廻購讀を爲すの外、趣味養成の一助として、會歌を始め各種唱歌を練習し遊戲を試み、蔬菜花卉の栽培養雞の研究等をして居る、

以上は何もレヂストロ植民地に於ける、各種團体なるが、猶桂植民地及び、セッテバラス植民地にも夫々邦人の團体が有る

5、桂人會　桂植民地內の邦人を以て組織し、今上陛下御即位大典の時を記念として、創立された、自治的團体生活の基礎を作れるもので十八ケ條の會則を有し團結が誠に强固である、大正十年會務遂行上施設要目を確定し、經費支出の分法を講じ、自治的活動の漸く見るべきものが有る、會務の重なるものは敎育、衛生土木、產業、慰安、娯樂等で、之に要する經費は次の如き方法で徵集して居る

戸數割每月戸別に納入　土地割一地區別に納入　所得割所得額の幾分　賦役會用勞役に服す　共同勞役金共同耕作より得る益金　授業料日本語小學兒童の

父兄より納入

6、セツテバラス植民地の邦人團体　同植民地入植邦人は、日淺きにも拘らず、團体生活の必要を認めて眞先に之を組織した、會則目的等は前者と略同じく毎月一回集會を催し、諸種の協議をやつて居る。

二、ハルビンに於ける本邦商品状況

山内總領事報告

本邦商品に對する一般的氣受　目下當地に於て本邦品に對する一般的氣受は遺憾ながら悉く不人氣の一語に掩はれたる感なき能はず、大戰中は素より、其の後に於ても他國が未だ產業の復活を見ず、又船腹の關係上製產品の輸出皆無なりし爲、本邦品は一躍極東市場を壓倒し獨占的地步を贏ち得たるも、一方製造技術之に伴はざる上、地方需給の急なりし爲次々に粗製濫造品を輸出したる結果、需要者間に漸く不滿の聲を發せしめ、日本品と謂へば粗製品の代名詞なりと直感せしむるに至れり、然るに戰後列强は國力復活策として、海外貿易の振興に最意を注ぎ極東市場に向て、製品の輸出に努め、且先に失ひたる地盤に對し商權恢復の商策も加味せらるゝ事とて、各國共競爭上多少の利益を犧牲として、自國品の賣捌に努めたる跡なしとせず、就中此商策を最露骨に示したるは獨逸にして、偶然とは云へ馬克相場の下落は他國に比し、價格の低廉なる結果、獨逸品は購買者間に非常なる歡迎を受くるに至れり、當地露人は獨逸品の愛好者なりしも大戰中輸出杜絶の爲、日本粗製品の代用を忍びつゝ、時到れば再び日本品を使用せずと常に公言し居りたる矢先とて、獨逸品の流入は正しく、當地顧客間の時流に投じたるものと云はざるべからず、米國品も又丙三年前、投賣的商略を試みて、顧客の人氣を繋ぎ、意匠の嶄新奇拔を以て好寄心をそゝりたる後、逐次優良品の輸入に努め英佛伊各國も亦特種技能を有する製作品を、輸入するに至れり、玆に於て是等諸國製品は、品種に於て寧ろ本邦品と異ならず、換言せば悉く競爭品たりといひ得べし、唯其の價格が他に比して低くとも高きは稀なる爲、粗惡品なりとの惡印象と相俟て、漸次人氣を失ひ、當ては日露貿易商として日本品の賣捌を主とせる、當地本邦商の如きも、商略上歐米品を輸入し販賣せざるべからざる立場となり、其店頭七分は歐米品にして殘る三分が日本品に過ぎざる現狀なり、加ふるに內地日本商人（製造主）の商略上不敏活なるは、不人氣を招け

る最大原因なりと云はざるべからず、要するに目下本邦品は外面的人氣と、內に惰性的缺陷と相俟て不評を買ひつゝあり、

消化狀況並に購買力　ハルビン地方が北滿洲に於ける貿易上の中心を占め居る强味は、後方に西比利亞の大市場を控へ居る點、換言せば仲繼貿易によりて存する事舊時も現時も相異る事無し、然るに俗に奧地と呼稱する、西比利亞內地への通商開けざる今日にありては、商取引の範圍も局限せられ從て購買力は舊時に比し、五十パーセントに過ぎず、當地某商會支配人の言に依れば、日本品の賣行は九十パーセント減なりと右日本品賣行は主として露人顧客を相手とせる觀測にして北滿一帶に涉る支那人顧客に對する本邦品の勢力は相當根據を有すと認めらるゝも、一般購買力の減退著しきは事實にして、當地に於ける小賣狀況の如き、戶每に同一品を販賣する店舖あるも、需要者少く、當地第一の百貨店チウリン商會の如きも、店頭の賑を見るは、只食料品部のみなり、又之を商業の最殷盛のキタイスカヤ街に見るも各戶皆店頭に正札を張り顧客の吸引上割引を行ふも品物の捌けに薄く、時々廉賣を行ひ辛ふじて客を迎へつゝあり、

取引方法　當地方より品物の註文を發せんとする場合製造主と、直接連絡ある代理店を通じて買入をなすを普通とす、是等代理店は常に各種の見本を持廻りて、客の依賴註文引受を專門とし居れり、代理店に於て註文を引受くる時は、手付金として、買入値段の二割を徵收し、品物到着後引換に殘金を交附するものにして、比較的價格安き獨逸商の賣込は此流によるもの多し、又別に當地露人ブローカーにて思惑入荷するものあり。之を通じて註文する時は手附金を要せず、又約手拂をも許す故に小資本の買主に取りては、便利なれども多少値段の高きを免れず、尙此以外に巡廻註文取あり。米國製造會社等の試み居る處にして註文引受と同時に製造元に電報し代金は品物到着後指名代理店へ支拂ふか、銀行經由參着拂となす法あり、而して先方が安全と見れば買主は信用狀を發行し貰ひ註文を發し英米銀行は製造元と豫め連絡を執り信用ある店に對しては進んで二割內外の手數料を以て、荷付爲替或は信用狀發行を爲し、便宜を計りつゝあり、因に約束手形は多くは二十日乃至二ヶ月限度を普通とす、

貿易事項の變遷　大戰中は需要力のみ多く製造能力及ばざりし爲賣主は座して買手を待つ姿なりしも、戰後

各國が競ふて海外貿易の發展に捲上重來の勢を示し來りたる今日に於て、供給却て需要を凌ぎたる上、前述の如く購買力頓に減退せる當地市場にありては賣手より進んで顧客の吸引に努めざるべからざる立場に在り、且各國品入乱れて競爭せざるべからず、其の一例を示せば先頃迄は買入先主として日本なりし關係上當地邦商は賣手として、買手たる露人より約束手形を拂出さしめたるもの、今日は反對に買手となりて品物を購入せば自ら約束手形を露人又は外商に拂出し、從而日本の銀行も從前は引受約束手形を露人に請求したるものが反對に日本商人に支拂はしむる如き現象を示すに至れり、

本邦商品中需要增加乃至減退及其理由　當地方の需要關係は前述せる如く奧地杜絕の結果、目下の處部分的なるやの嫌あり、以て將來に於ける全般的趨勢と認め難く、又對露人貿易と對支那人貿易との間に、生活上將又嗜好上多大の徑庭ありて、總括的に之を決定し難きも、奧地を控へたる輸入貿易地點即ち露人相手として、ハルビン市場を觀察するを最實際的なりと思惟せらる、依りて此見地より本邦品に付記、述せんに、各國共同一品を競爭的に販賣しつゝあり、先天的に歐米品は優良なりとの感念を有する露人間には、代用品扱せる本邦品に特種のインテレストを有するものなし、本邦品の消長如何に就ては、主觀的觀察を避け、努めて各方面に涉り、買手方の意見を聽取せるが、孰れも悲觀的乃至冷笑的批評なりしには只一驚の外なし、本國品の賣捌を主とせる邦商が、本來の目的を棄てゝ外國品を輸入販賣し、チウリン商會アギーシェフ商會の廣告に、英米獨佛の製品多數入荷を傳へ、本邦品の顧みられざるが如き、比々皆然りと云はざるべからず。即ち本邦商品中需要增加の勢を示したるもの皆無と云ふも、敢て過言に非ざるべく、減退の趨勢益々濃厚なることにして、其の原因多々なるも、要するに製品の歐米品に見劣りせる感有る事と、價格不廉にして註文品質及び期日共に正確ならざる上、邦商の商權擴張に不敏活にして主動的ならざるに歸因すと認めざるべからず、

內外製品競爭の有無品質嗜好包製及廣告上の優劣　買手方の本邦品に對する興味は以上の如く、孰れも特點を擧げ難き現況にして、箇々の品種に付、優劣比較を試むるは、不可能事なるが、競爭品に付各國品其の特徵を有し、他の模倣追從を許さゞるもの有り、例せば

英國製の毛織物、細番手綿布物、洋釘、佛國品の香水又は婦人用裝身具、伊太利製の美術織物、獨逸品の電氣器具機械類、金具の如き、優越品として、價格の如何に論なく、確乎たる、地盤を有する如き其の一例なり、然るに本邦品として、當地方に顯はるゝものに獨占的地位を占むるもの一もなく、品質に於て他に讓る製作品としては、價格の廉なるを以て、他國品に競爭するのみなるに際し、內地の生產費高きに過ぎ、運賃其の他の關係上却て他國品より高きものあり、一見距離の短きは强味たる如きも、註文期日を逸して信用を失ふが如き缺點多く、本邦製造主の奮起に俟つべきもの尠からず。

三、南洋北ボルネオ坂本市之助君の近況

下水內支部通信

下水內支部の萱津幹事が客年十一月中たま〳〵諸用にて南洋より歸鄉せる坂本知與作君を訪問し其直話を記載する事左の通り

坂本市之助は、本郡永田村の人で、長野師範學校を卒業し、永年小學校に敎鞭を執つて居られたが、感する所有て職を辭し、大正六年九月、弟知與作君と共に約千圓の資本金を持つて、南洋は英領北ボルネオ、サンダカン市へ渡航せられたのであります、

此地の氣候は、年中通じて七十度より九十度の間を昇降し、椰子の栽培が最適業との事であります、坂本君は此に於て、携帶せる千圓の資本金を以て、八十英反（一英反は我國の四反二十四步に當る）を租借し、椰子の栽培に從事された、其の後攝州の人山岡君等の後援を得て、或は既に椰子を栽培してある土地を買ひ、或は土地を租借して栽培し、兎に角只今では三百三十英反の椰子林の所有者となり得たのであります、尙此の外大正十一年中に租借しました、二百英反の土地を持て居られるそうです、そして馬來人四十人を雇入れ（雇人料は被雇人が食費を持つて、一ヶ月金十三圓位）經營せられつゝあるそうです、地所の租借料は、五ヶ年迄は一英反に付一ヶ年金五十錢、六年目より金貳圓五拾錢だとの事であります、坂本君の經營しつゝある椰子林は、三百三十英反で、九年乃至十年目よりは極內輪に見積つても、年々四万七八千圓の收入が有るとの事でありますから、成功の期も間近になつて居りまして、誠に結構なことであります、

サンダカン市附近に、長崎縣人五家族と、本縣人四名

居住して居るとの事であります、此の地の生活費は夫婦に子供一人の三人家内で、一ヶ月金十五圓有れば足るとのことであります、

耕地狹く人口過剩の峽谷に蠢働し、働いても働いても生活の向上どころが、祖先傳來の田畑さへ、維持するに容易でない、經濟組織、社會組織の間に介在せんよりは、相當資本を有する者、若くは後援者有る者は奮勵一番歩を勞働賃金の低廉なる、北ボルチオへ進め、大に活動すべきではありませんか、

因に椰子の利用法を附記すると、概畧左の如くである、尤一口に椰子と言つても其の中には、色々の種類が有て、其の利用法も、亦色々である、又椰子樹は各種共多く、他の樹木の生育し得ない樣な、低濕地帶にも能く生育し、所々に此樹のみの大密林を發見する、

1、サゴ椰子　此の樹の内部即ち、普通の木質部に相當する部分は、凡て柔軟な樹肉で、多量の澱粉を含んで居るから。土人は勝手に此の樹を切り倒し其の樹肉を細かに削り取つて水を注ぎ、極めて簡畧な方法で、澱粉を造り、之を常食として居る、原料が豊富だから一人一日に、二十斤から五十斤位の澱粉を造り得るそうだ、

2、砂糖椰子　若い花梗の先端を切り、その處に節をぬいた竹筒をあてゝ置けば、朝晩二回に一本から二三升より六七升、特別多いのになると、一斗位まで一種の液汁が採れる、而も一ヶ月乃至三ヶ月半續いて採取出來る、それがサゴアエルと呼ばれ中に約一四乃至一五プロセントの糖分を含み、僅かの時間抛つて置けば、醱酵して酒になる、其の味は日本の濁酒位のものであるが、酒精分の含有量は、ビールよりも多い樣である、若し此液を未だ醱酵しない内に、鍋に入れて煮詰めると、褐色の砂糖が出來るので、上戸にも下戸にも喜ばれにのは此の樹である。

又此樹の幼葉を保護するため、葉一枚毎に纖維が一枚宛附いて居る、其の纖維は日本の棕櫚などに比べて、長く軟かで耐水力が非常に強いものであるから歐洲では、植物性馬毛として種々利用されて居る。

3、古々椰子　根は藥用となり、收斂劑として効用廣く、幹は用材殊に柱梁、ステッキ材等に使用され中心にある幼芽は椰子茸と稱して食用となす、葉は敷物、バスケット、帽子、等の原料となり、又屋根を葺くに用ひられる、花梗よりは砂糖椰子の如く分

泌液を採集すべく、幼果の液汁は飲料として重用せられ、果皮の纖維にてはブラシ、綱、敷物等を製造すべく、果殼は堅固にして菓子器、石鹼入、等の細工物として又之を燒きて木炭を造る事が出來る、果肉は即ちコプラで、椰子樹栽培の目的物とも云ふべく土人の食料、製油、石鹼、バタ、等を製し其の搾糟は家畜の飼料となす、南洋產物の主要なるものである、

4、石椰子　別名象牙椰子とも云ひ、其樹幹は古々椰子よりも遙に旌大である、果實は外觀松球狀の美麗なるもので、外皮を去れば、白色石の如き堅固なる球果あり、釦の原料として、輸出される、

四、最近北米合衆國移民動靜

最近北米合衆國政府の統計局より、發表された處に依れば、一昨年七月一日から本年六月三十日迄の、米國入國移民總數は三十万九千五百人で、内男子は十四万九千七百人、女子は十五万九千八百人であつた、勿論此の中には再渡航、新移民、呼寄迎妻等を包含するもので、女の方が約一万人多數なるは、チエッコ、スロヴアキア、ドイツ、イタリー、ルーマニア、各國よりの移民中に婦女が多い結果であると推測される、更に之を細別すると、歐洲よりの入國者は、イタリーの四万ポーランドの二万八千、露國の一万七千、ドイツの一万六千九百、英國の一万五千、アイルフンドの一万等合計二十一万六千三百人、東洋よりの入國者は日本人六千七百十六人、支那人四千百六人、其他總計一万四千二百六十三人と云ふ割合になつて居た、翻つて出國者の方を見ると、總數十九万八千七百人、内男子十四万三千二百人、女子五万五千四百人で、女子の出國者が遙に少いのは、生活が容易な爲であらふと云はれて居る、其の中で歐洲に歸つた者は、イタリーの五万三千六百人を筆頭にポーランド三万三千五百人、チエッコ、スラヴアキア人の七千八百人、スペイン人の六千七百人等總てゞ六万六千人、アジア方面に向け出國したのは一万二千八百人で、支那が六千三百六十二人、日本が四千三百六十八人で有た、之に依りて見ると、支那人は入國者よりも、出國者の方が約二千人から多い事になり、反對に日本人は入國者の方が二千人餘り、多數であつたが其理由が、妻帶又は呼び寄せに基くものであるのは云ふ迄も無い、

海外近信

一、南洋の近況

ダバオ太田會社小林幾玖雄君

一寸申上げます、突然海の外なる雜誌が屆きました。不審に思ひながらも、非常に嬉しく拜見致しました殊に當地の如き、不景氣續きで、ともすれば悲觀に陷りそうな吾々に、如何ばかりの元氣を附けた事でせう思へば渡航當時、麻の値段一ピコル(約十六貫目)七八十圓位せしものが、今は僅に十二三圓(普通物)です、一時は一層下落して六七圓の時も有りました、それ故歸國する人も多く只今では、全盛期の二分一位だらふと思ひます、併し麻の値は十圓もで五圓でも、暮すだけならば内地よりどんなに樂であるかは歸國した人でも、當地に居る人でも齋しく同感なる事と信じます。そうして今年の七月頃から眞田用の麻が市場に出る樣になつて、上級麻は二十圓乃至三十圓位になり、稀には三十六圓位の品も有りました

氣候は内地の夏の樣な暑い事は無く、誠に凌ぎ好くあります、病氣も渡航者の多かつた大正六七年頃には可成有りましたが、今では馴れた故か不景氣の爲か病氣する人が非常に少くなりました、よい事には年が年中何時も穀物を播く事が出來る事です、パライ(陸穗)も二ヶ月や三ヶ月遲れた處が何の障りも有りません。元より二回の收穫は普通です、其の他の野菜、果物等年中下種出來ます、其の上肥料を施すとか耕耘とかはせずに、只除草さへすれば如何なる作物もそれは〳〵見事に出來ます、私の南瓜なども植附けて三年になりますが、以前と少しも變らず蔓が延びては生り、延びては生り實に驚く程です、果物の種類の多い事も想象以外です、又土人の生活と來れば呑氣な事はお話になりません、彼等は年中遊んでばかり居ります、鬪雞とか魚取とかをやつて仕事らしい仕事は致しません、彼等の農業は遊牧時代と云ふそれだと思ひます、主に物々交換で年々居住が變はります、自然の關係でせう何時とは無しに私等まで呑氣になつて終ひました、併し吾々如き穀潰しは内地の米を食はないだけでも、國家の爲と考へまして、可成的面白く元氣よく樂しい月日を送つて、少しは男の意地も樹てやうと思つて働いて居ります、末筆ながら海外協會の發展を祈つて居ります、

二、墨國マサトラン鐵道病院より

伊那町出身林彌兵衛君

御送附の雜誌海の外、只今丁度一ゲームを終り、テニスコートより歸院して見れば、事務所の机上に、人待顔なるを發見、汗砂まみれの手さへ洗はず、早速一通目を通しました、諸兄其の後益々御壯健御奮鬪の樣子、遠隔ながら、懷心に存じます、降て野生儀、至極健全併しながら、相變らず平々凡々の中に過ごし居る始末、只汗顏の外は有りません

當地も暑いとは云ひながら、昨今は冷氣相かはり、裏の入海には最早鴨群が波の背に〳〵餌を求食しつゝ在るを見るにつけ一層涼しさを覺え、今更ながら故國殊に我が田舍の、嚴寒を追想致されます、併し當地の寒さは、決して故國の夫の如く嚴ならず、四季を通じて大差なく、冬の間もシャツ一枚にて働き居る人を往々見受けます、從て其の生活も至極簡易にて、吾々貧乏人には、此上なく好都合結構には相違無いが、一面には又宜しくない事も伴ひます、夫れは外でも無い永らく當地に在留する同胞は、心身共氣候の影響にて誰人も渡航當時よりは、或點に於て退化しつゝ有る樣思はるゝ事であります、

顧みれば當墨國は六七年前、即ち野生渡航當時は到る處に於て、戰亂又戰亂の狀態にて、當國民は勿論我等外國人迄、如何なる事かと、戰々恂々安き日とては無く、旅行等の際は命懸なりしが、現大統領オブレゴン其の職に就くに及び、追々平和に復し來り、從前の難問題も之が解決整理に着手、追々其の實を擧げ居り、以前の比には無く隔世の感有らしめます、殊に數週前迄は當地出身カランザ政府當時の功勞者にして勇猛を以て知られし、カラスコ將軍が現政府に不平を抱き、ドウランゴ洲のムルギア將軍と通じ、干戈を以て政府に對抗する事となり、各所に出沒して、或は汽車を停止せしめ、金銀を奪ひ、農家に押入り、家畜を徵發する等暴行を爲せしも、遂に力盡き股肱と賴むゴンサレス大佐と共に、政府軍の爲に殺され、ムルギア將軍も同じ運命に終り、茲に反政府側は全部沒落し、當國の平和は全ふされ、今後は農業家も、鑛山家も、政府より保證さるべく、將來の墨國は注目に價する事と信ぜられます

終りに臨んで、帝國資本家の當國に手を下すは、帝國の爲希望して止まざる次第で有ります、之は米佛獨等の資本家の續々入國するに刺戟され茲に一書を呈する所以で有ります(十一月廿五日)

大正十一年中海外渡航者調査表　其ノ一（長野縣保安課調査）

國名別＼郡市別	南佐久郡	北佐久郡	小縣郡	上田市	諏訪郡	上伊那郡	下伊那郡	西筑摩郡	東筑摩郡	松本市	南安曇郡	北安曇郡	更級郡	埴科郡	上高井郡
北米合衆國	—	男二 女一	男四 女三	男四 女六	男三	男五 女二	—	—	男三 女二	男二	男一 女一	男一 女一	女三	男一 女二	男一
米領布哇	男一 女一	—	男三 女三	—	—	—	—	—	—	—	—	—	—	—	—
伯剌西爾	男二 女一	—	—	—	男六 女五	男五 女六	男一一 女一一	—	男一	—	—	—	—	—	—
墨西哥	—	—	男一	—	—	—	—	—	—	—	—	—	—	—	—
英領加奈陀	—	—	男一 女二	—	—	男一	—	—	—	—	—	男一	男一	男一 女一	—
米領比律賓	—	—	男二 女一	—	—	—	—	—	—	—	—	—	男一	—	—
英領及蘭領ボルネオ	—	—	男一 女一	—	—	—	—	—	—	—	—	—	女三	—	—
南米智利外五ヶ國	—	—	—	—	男一	—	—	—	—	男一	—	—	—	—	—
英吉利	—	—	—	—	—	男一	—	—	—	—	—	—	—	—	—
佛蘭西	—	—	—	—	—	—	—	—	—	—	男一	—	—	—	—
英北米外十數ヶ國	男一	—	—	—	男二	男二	—	—	男一	—	—	—	—	—	—
馬來諸國	—	—	女二	—	—	—	—	—	—	—	—	—	—	—	—
西比利亞	男一	—	男一四	—	—	男一	—	—	—	男一	—	—	男二六	男六	男一
計	男五 女二	男二 女一	男二六 女一二	男四 女六	男一二 女五	男一五 女八	男一一 女一一	—	男五 女二	男四	男二 女一	男二 女一	男二八 女六	男八 女三	男二

國名別＼郡市別	下高井郡	上水內郡	長野市	下水內郡	合計 男	合計 女	合計 計
北米合衆國	—	男二	—	—	二九	二〇	四九
米領布哇	—	男三 女二	—	—	七	六	一三
伯剌西爾	—	—	—	—	二五	二三	四八
墨西哥	—	—	—	—	一	—	一
英領加奈陀	—	男三 女一	—	—	八	四	一二
米領比律賓	—	—	—	—	三	一	四
英領及蘭領ボルネオ	—	女一	—	男一 女二	二	七	九
南米智利外五ヶ國	—	—	—	—	二	—	二
英吉利	—	—	—	—	一	—	一
佛蘭西	—	—	—	—	一	—	一
英北米外十數ヶ國	—	—	—	男一	七	—	七
馬來諸國	—	—	—	—	—	二	二
西比利亞	男一	男二	—	—	五二	一	五三
計	男一	男一〇 女四	—	男二 女二	一三八	六四	二〇二

備考、本表ハ移民非移民及携帶兒ヲ含ム

大正十一年中海外渡航者調査表　其ノ二（長野縣保安課調作）

渡航目的別＼國別	北米合衆國	米領布哇	伯剌西爾國	墨西哥	英領加奈太	米領比律賓	英領ボルネオ及蘭領	南米智利外五ヶ國
再渡航	男二四 女二	男五 女二	—	—	男七	男二	男二 女一	—
夫其他同伴ニテ	女二	女二	—	—	女三	女一	女五	—
父母夫其他ノ呼寄	男一 女六	男二 女二	男一 女一	男一	—	—	女一	—
産業視察トシテ	—	—	—	—	—	—	—	—
學術研究トシテ	男一	—	—	—	—	—	—	—
商業研究視察	男一	—	—	—	—	—	—	男二
銀行ノ用タメ	男一	—	—	—	—	—	—	—
家內人使用トシテ	—	—	—	—	男一 女一	—	—	—
醫學研究ノタメ	男一	—	—	—	—	—	—	—
材木伐採労働ノタメ	—	—	—	—	—	—	—	—
農業經營ノタメ	—	—	男一七 女五	—	—	—	—	—
農業労働ノタメ	—	—	男一七 女七	—	—	男一	—	—
計	男二九 女二〇	男七 女六	男二五 女二三	男一	男八 女四	男三 女一	男二 女七	男二

渡航目的別＼國別	英吉利	佛蘭西	英、北米外十數ヶ國	馬來諸國	西比利亞	合計 男	合計 女	合計 計
再渡航	—	—	—	—	男一	四一	五	四六
夫其他同伴ニテ	—	—	—	—	—	—	二三	二三
父母夫其他ノ呼寄	—	—	—	女二	女一	五	一三	一八
産業視察トシテ	—	—	男四	—	—	四	—	四
學術研究トシテ	男一	男一	男二	—	男三	八	—	八
商業研究視察	—	—	—	—	男一	四	—	四
銀行ノ用タメ	—	—	—	—	—	一	—	一
家內人使用トシテ	—	—	—	—	男二	三	一	四
醫學研究ノタメ	—	—	男一	—	—	二	—	二
材木伐採労働ノタメ	—	—	—	—	男四五	四五	—	四五
農業經營ノタメ	—	—	—	—	—	一七	五	二二
農業労働ノタメ	—	—	—	—	—	一八	七	二五
計	男一	男一	男七	女二	男五二 女一	一三八	六四	二〇二

備考　本表ハ移民非移民並ニ携帶兒ヲ含ム

信洲だより

一、冬の信州

山の國雪の國なる信州の冬季にも、相當に世人の注意を惹くものが有る、諏訪湖のスケートは其の一つである、年毎に繁昌して、今では土地の人よりも、他所から入り込む人の方が多い位になつて、お蔭で上下諏訪の町は、宿屋は固より、一般商家迄大ぶう景氣附いて居る、殊に本年は、久邇宮樣が御來遊になつたのでスケート界に空前の景氣と光榮とを添へた、寒氣が相當强かつた爲め、長野や松本でもスケート場が出來て大に滑走子を喜ばせた、南信のスケートと相對して、飯山を中心とせる北信一帶には、スキーが大の流行で是又他所の人をも引附けて居る、スキーの日本アルプス登山も、企てられた、未だ成功と云ふ處には至らないが早晩其の目的を達するであらふ、諏訪湖の氷上飛行も人氣物の一つで有た、去月十五日から陸軍航空隊の各種飛行機數臺と、操縦校將並に下士二十餘名とは遙か沖合の氷上に格納庫を造り、約二週間に亘り毎日數十回鮮やかなる飛行振を見せ、數萬の觀衆をヤンヤと言はせた、此の間只一度氷に衝突して、プロペラを碎いた事が有ただけで、他に何等の故障の無かつたの喜ぶべき事で、一面には我が飛行界の進歩を證明するものである。

二、北安曇支部の活動

北安曇支部では、昨年十二月中、郡役所員殆んど全部の應援を得て、手分で各町村に出張して、會員の募集をやつた、其結果特別會員四名、維持會員八名、普通會員百七名を得て、豫期以上の成果を收めた、一氣呵成に此の成績を擧げたる、郡並に町村當局の方々の勞を多とするもので有る、

三、本協會幻燈會

昨年十二月以來の計畫で有た、海外事情幻燈會は、時恰年末多忙の時期に際會した爲め、昨年中は下伊那と上下水內の一部に開催しただけで有たが、本年に入りて各方面共、實行に取かゝり、先月中旬から上伊那、南佐久、埴科の三班が一齊に開始し、安筑の活動寫眞も海外興業會社の應援を得て、東筑摩を振出しに映寫を始めた、下水內下高井方面は雪の爲に支障が多いので後廻はしとし、上水內の平坦部からやり出した、開催地の各町村へは、尠からず御迷惑を掛けるのであるが幸に何方でも好意を以てお迎へ下さる事は感謝の至りで有る

四、上伊那郡の産米

木曾へ木曾へと附け出す米は、伊那や高遠の餘り米、と云ふ俗謡は信州の國歌とも稱すべく、天外地角信州人の在る處必ず唱はるゝので有るが、扨其の謠の意味を爲す伊那地方の産米が、現在どんな工合になつて居るだらふか、上伊那郡役所に於て、調査したる成績に就て見ると、昨大正十一年中の實收高は、作付反別七万六千八反歩玄米十六万七千四百三石、價格四百七十九万六千八百三圓で、一反宛收穫高は二石三斗八升九合となる、之を前年に比べると、反別に於て五十七町八反歩を增したが、斯は新に開墾せるもの若くは、桑園を變じて田とせるものが多かつたのに依る、收穫の方では、前年の一割九分弱。平年の一割九分三厘の增收で有たが、價格に於ては總計四十五万七千餘圓の減少である、同郡內の人口十四万三千七百人に對し一人一石宛と見れば、二万三千七百餘分となるが、此の內酒造用に供せらるゝもの約一万石、製菓用並に糀等に使用せらるゝものを差引けば、漸く自給自足をなし得る程度で、昔の樣に他所へ附け出す分は一向無い事になつた、猶同郡地方の米作と、其の雇人料との關係を

見ると、米價が現在二十七八圓に下落したのに反して勞銀は少しも下らず、寧年と共に此の方面に備はるゝを嫌ふ樣にあり、十七八才の男で三月から十一月迄九ヶ月の間、百圓から百五十圓を要求し、二十才以上になれば二百五十圓位を要求する爲め、到底農家は十呂盤が取れず、目下作男の契約時機に際して困惑の態で有る、山間の小農が百圓二百圓と云ふ、高價な給金を支拂ひ、おまけに扶持は雇主持であるから、此の米代ばかりも三十五六圓、それに被服も若干の給與を要するから、總計では大した支出になつて、やり切れぬと云ふのも無理のない事である

五、農家經濟問題

昨年來縣下各地に小作爭議が起つて、兎角物騷で有たが、固より信州には大地主といふものが、殆んど無く純小作といふべきものも餘り多からざる狀態なるが故に、他府縣に見る樣な大騷動は無くて、どうかこうか年越をしたが、扨能く〳〵調べて見ると、困るのは小作人許りで無く、地主側としても昨今の樣では田地を澤山に持てば持つ程割に合はぬと云ふのが、眞實らしくなつて來たので、今では小作對地主の問題で無く農業其物を如何にすべきか、と云ふ方へ頭を惱ます樣になつた、純然たる農家で有りながら、其の二三男は言ふに及はず、父祖の業を繼ぐべき長男迄が、爭て他所へ出掛けるとか、都會地へ職業を求めて通勤するとか云ふ風で、一般に農業に對して不安を感じつゝ有る心ある者は之を患へて經營の方法を替ゆべく夫々計畫を立てゝ居る、或は機械力を加味して剩餘の勞力を他の仕事に向けるとか、或は二毛作を止めて一毛作にして見るとか、其の他色々に工夫を凝らして居るが、斯んな事では追附そうにも無い、斯は全國的の事だから政府當局を初め、國民全般の研究すべき問題で有る

六、野邊山原開發の議

人口の增加に伴ふて、必然に來るべき一人宛耕地反別の減少を幾分なれ緩和し度いといふ考へは、何人も持たねばならぬ、南佐久郡野邊山原開墾の如きも亦此の方面から必要なる事業と目されて居る、今回關係地方即ち南牧、北牧及び川上の三村の重立者が郡役所に會商し、郡と共力して、一大開墾組合を設立すると云ふ野邊山原は、今十二年度から敷設に着手する甲信聯絡鐵道の樞路に當つて居り、鐵道開通の曉には、輕井澤や富士見高原より以上の避暑地とならふと言はれて居るが、先般農商務省技師の調査報告に依れば、些かの

提塘を築けば、海拔實に一千二百六十メートル（富士見高原より高き事一千尺）の高原に、百二十町の面積（松原湖の四信）を有する一大貯水池が容易に出來、之を利用して、附近に約二百町步の水田を開き一方右池沼の周圍を避暑地としやうといふのが、開墾組合の主眼で有る、同高原には古來若干の水田あり、昨年は反當り一石八斗の收穫が有たと云ふから、右の計畫も不可能では無からうとの事だ或る一方には亦多額の經費をかけて、水田を拵らへるよりも、放牧地として牧蓄業を經營する方か、一層有利で有らふとの說も有る

七、本縣公設市場狀況

本縣では農村の共同販賣奬勵と）中間商人のむさぼる暴利によつて、需要者の蒙る不利益を輕減し、一般人の便宜を圖る目的を以て、町村農會が主催となつて公設市場を開設する事を奬勵したる結果、縣下各郡に於ける公設市塲が年々增加し、僅に夏季二ヶ月の短時間に一村で約八千圓程の野菜の賣捌をした村もある、今昨年中開設された公設市塲の數を調べて見ると、縣下全体で三十四ヶ所の多きに達して居るが、其の中最盛な所は諏訪郡の六ヶ所で賣上が最高位を占め長地村は七千五百餘圓、宮川村は五千六百餘圓、上諏訪町は三千五百餘圓で有た、諏訪郡に次ぎては南佐久及び北佐久で賣上の多いのは輕井澤の四千六百餘圓、桑村の四千九百餘圓、三岡村の三千餘圓等で、縣下總体では約十萬圓の多きに達した、各郡開設の市塲名を掲げると

南佐久　北牧、馬流、桑、中込、野澤、田口、臼田
北佐久　輕井澤、岩村田
小　縣　縣、浦里
諏　訪　平野、長地、下諏訪、上諏訪、永明、宮川
上伊那　伊那町、
下伊那　松尾、會地、龍丘、伍和
西筑摩　木曾、山口
東筑摩　島内、芳川
南安曇　穗高、北穗高、豊科、有明
更　級　篠ノ井、中津、稻里
埴　科　屋代、埴生
上高井　須坂
上水内　長野
下水内　飯山
長　野　長野
松　本　松本
上　田　上田

外國在留の諸君に御依頼

一、先達も御願した樣に會員になつて戴く事

一、諸君の御近所に同じ信州出身の方で此雜誌の屆かぬ方が有つたら其の方の御名前と住所とを詳しく御報告を得度き事

一、御地の產物や風俗習慣を知るべき參考品、美術工藝品等其の他の御寄贈を得度く猶夫々の說明及商品として賣買される品物に就ては御地に於ける代價等詳細御知らせ下さらば好都合です時期を見て之れ等の展覽會を開き度いと思ひますから御迷惑でも急いで御願申ます

一般の方へ

一、海の外一月號は荷物の一部が延着した爲自然發送が遲れて恐縮です

一、振替貯金を利用して戴く際は信濃海外協會の名を以て願ひます海の外社として來るのは貯金局で取扱に困るそうです

以上

信濃海外協會

海の外

定價

	内地	外國
一部	廿錢	廿仙
半ヶ年	一圓十錢	一弗十仙
一ヶ年	二圓廿錢	二弗廿仙

海外郵税四錢

注意
▼御注文は凡て前金に申受く
▼廣告料は御照會次第詳細通知致します
▼御拂込は振替に依らるゝを最も便利とす

大正拾貳年二月壹日
編輯人　永田稠
發行兼印刷人　藤森克
長野市旭町　印刷所　信濃毎日新聞社
長野市長野縣廳内　發行所　海の外社
振替口座長野二一四〇番　信濃海外協會

海の外

大正十二年二月一日發行（毎月一回一日發行）
大正十一年三月二十六日第三種郵便物認可

定價金貳拾錢

信濃海外協會内
海の外社發行

目次

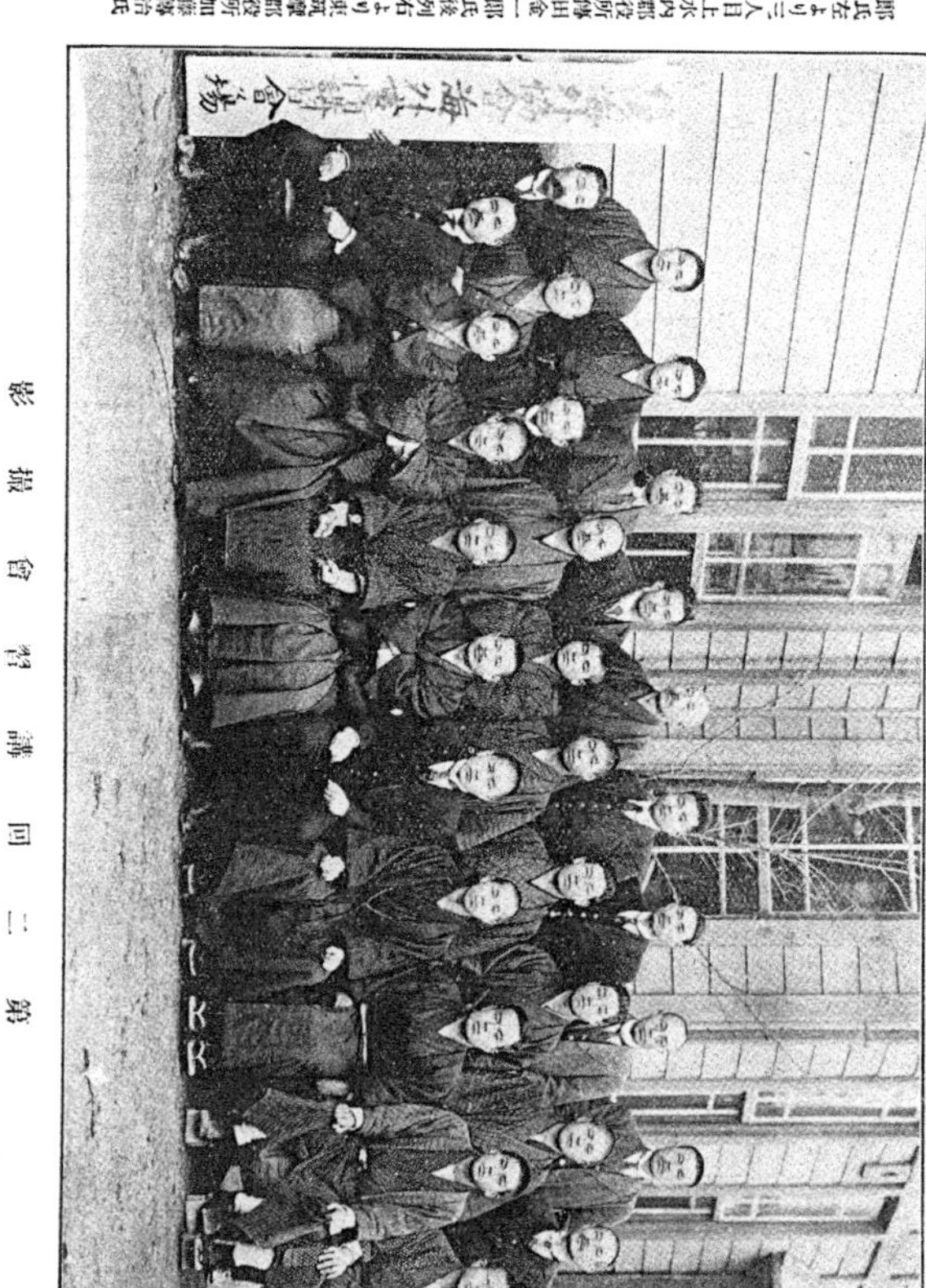

第二回講習會撮影

前列中央洋服を着けたるは社會課長にして當協會幹事たる三樹樹三氏其の左は高野東筑摩郡長最左端は日本力行會長にして當協會幹事たる永田稠氏左より三人目下伊那郡役所羽生與一氏第二列右端は幹事藤森克氏左端は西筑摩郡役所長澤榮太郎氏左より三人目上水内郡役所傳田金一郎氏後列右より東筑摩郡役所加藤條治氏、南安曇郡役所諏訪安喜治氏、南佐久郡役所平林平氏、埴科郡役所野中貞三郎氏松本市役所上原鑑氏、下水内郡西澤清記氏、上伊那郡役所大久保重幸氏

移住の效果

農學博士横井時敬氏は地方行政二月號の誌上に、移民の本國に及ぼす影響に就ての意見を發表された、吾々は多大の敬意を拂ひつゝ、繰返し讀んで見た、丁度此の點に就て代議士永井柳太郎氏が其の著植民原論中に詳述されたのをも見たから借りて之を掲載する事にした

移住は如何なる意味に於て本國に利益なるや、此の質問に答へんと欲せば先づ移住の本國に與ふる經濟的及び社會的影響を審かにせざるべからず、移住の本國に與ふる經濟的及、社會的影響に關して三種の學說あり、第一は移住を以て、勞力及資本の喪失を意味すとなし、其の禁止若くは制限を必要とするものなり、曰く「人間の一生は、經濟上より之を二期に分つを得べし、第一期は不生產時代にして、第二期は生產時代なり、不生產時代とは人生れてより一人前に達する迄の期間を意味し、生產時代とは其の後老年に至る迄を意味す、人は其の第二期なる生產時代に於て、第一期なる不生產時代に於て、社會より受けたる養育費を償還するの義務あり然るに今移住者の年齡を取調ぶるに、其の大多數は生產力の旺盛なる壯者なるを常とし、未成年者及老人に至りては甚だ少數なり、故に移住を放任する國家は、其の國民の不生產時代に於ける、養育費のみを負擔し、生產時代に達するに及んでは之を外國に與へ、外國の產業に從事せしむる事となるべく、其の結果は自己の强壯なる血液を犧牲として、他人の貧血を補ふに等しかるべし」と

獨逸の統計學者エンガル氏は、平均一人十五歲に至るまでの養育費を計算し、獨逸にありては五百六十二弗五十仙、米國にありては一千弗乃至一千二百弗ありと云へり、教授マーシャルも亦嘗て英人に就きて之を調査し平均約二百磅と計算したりき、英國登記管理局長ウイリヤム、フアー博士は更に特殊なる他の方法に依りて移民の經濟的價値を計算し、一人百七十五磅に相當すとして左の如く附言したり、曰く「若し此の計算にして大

(1)

過なしとせば、一八三七年より一八七六年に至る四十年間に於て、英蘭、蘇格蘭、愛蘭より國外に移住したる者凡り八百万なるか故、之を貨幣に換算するときは、約十四億磅を失ひたる事となるへく、實に一年平均三千五百万磅を流出したるに等し」と、斯くの如く移住は、莫大なる勞力の流出を意味するのみならず、又少からざる資本の流出を伴ふへく、スタンレー、ジョンソン氏は其の著移民史に於て左の如き説明を與へたり、「移民にして北米合衆國に入國の許可を得んと欲する者は、四弗の人頭税を拂はざるべからず、然るに一九〇六年より同七年に至る一ケ年間に於て、英國より北米合衆國に渡航したるものを見るときは、其の數殆んど十一万に達す、然らば英國が僅か一ケ年間に於て、入國税として北米合衆國に失ひたるものゝみにても、約八万五千磅を算する割合なり、カナダも亦移民の入國に際して一定の資金を持參すべき事を要求す、其の要求額は入國の季節と、入國者の年齡とに從て同一ならざれども、平均三磅十志と見るを正當とすべし、然るに一九〇六年より、同七年に至る一ケ年間に於て、英國よりカナダに渡航したる者は、總數十一万四千八百五十九人なるが故英國のカナダに失ひたる所は四十万磅を超ゆ斯の如く移民は渡航するに際し、其の入國すべき國々の法規に從て、一定の金額を準備する必要あるのみならず、また移住地に於ける、自己の經濟的資金として、一定の金額を携帶するを常とす、此の經濟的資金として、携帶する金額に就ては、統計の據るべき無く、明確なる知識を得る事能はずと雖も、然も彼等か移住後直ちに買入る、土地又は、財産の莫大あるに依て、其の少額にあらざるを知るべし、一八五六年一たび紐育港の全上陸者に對し、其の理由を説明して、所持金の金額を示さん事を要求したる事あり、當時之に對して、或者は正直に報告したれども、或者は眞意を疑ひて金額を發表せず、爲に完全なる統計を得る事能はざりしと雖も、然も其の不完全なる數字に就きて之を計算するも、尚ほ一人の所持金は、平均六十八弗八仙を下らざりき」

茲に於てか移住の國民經濟上に及ほす影響を悲觀する者多く、佛蘭西の經濟學者ジアン、バプテスト、セーの如きは「幾万の移民が巨額の資本を携帶して、國外に赴くは、恰も幾万の甲兵が武器と輜重とを携帶して、國外に消滅するが如し」と言へり、從て西歐諸國に於ては、早くより移民を制限するの政策を採り、西班牙人も國

王の許可を得ざる時は、米國に渡航し能はざるのみならず、渡航の許可を得たる者と雖も、其の滯在は二ケ年を超ゆる能はざる事を規定したり、英國も亦先に西班牙がムーア人を放逐し、佛蘭西が新教徒を追ひ出して、産業の衰微したる事あるに鑑み一七〇〇年代に於て、數回職工の海外移住を禁止するの法律を制定しその違反を嚴罰に處したり、此の種の法律は、一八二四年に至る迄繼續したるが、殊に機械の發明起り、諸種の秘密を外國に奪はれん事を懼るゝに及んで。其の規定更に嚴重となれり。大陸諸國の中には今尚此種の規定を存する者多く。瑞西は一八八八年の法律に依りて、他人に移住を勸誘し、又は太西洋横斷に關する諸種の廣告をなすをすら犯罪と認め。苟も船舶に關する切符の販賣は一切之を特定の汽船會社代理店に專屬せしめたり、獨逸は一八九七年の法律に依り。移民會社の取締を嚴重にして。恣に移民を勸誘するの弊風を一掃したるのみならず、亦未だ兵役の義務を終へざる者の渡航するを禁じたり、伊太利に於ても亦、特に政府の許可を得たる者にあらざれば、米國に移住する能はざるのみならず、凡る廣告又は勸誘に依て、移住を募集するを嚴禁せらる、其の他露國、白耳義、何牙利等の諸國も亦之れに似たる規定を存したり。

然りと雖も他方に於て、移住が人口の過剩より生ずべき、社會的弊害を豫防するに有效なるを主張し、却て之を奬勵すべしとしたる論者も、亦早くより存在したるなり、現にベーコン卿は十七世紀の初、書をゼームス一世に上りて、人口過剩の恐るべきを論じ、危險を豫防するの良策は、愛蘭に對する植民を、容易ならしむるに存する事を切言したり、サー、ジョシア、チャイルドも亦彼が一六六八年に公にしたる。貿易新論に於て、人口減退の原因を移民に歸するの過てるを論じ、人口減退の眞因は、其の地方に於ける生活難に存するが故、眞に住民を其の地方に固着せしむるには、移住を防止するよりも、寧ろ勞働の機會を豊富ならしめ、生活費を低廉ならしめ、貧民を救濟するに努力すべき事を勸告したり、然りと雖も斯の如き思想は、十八世紀末に至る迄、未だ多數の信用を博する能はず、各國政府は依然として、移住を以て自國に損害を與ふるのみならず、其の移民を迎ふる他國の進歩を促すものとして、之を禁止するの政策を固執したるが、佛蘭西革命の時初めて移住の權利は天賦の權利なりとの思想起り、移住を强制的に抑留するを以て、罪惡なりとするに至れり、エドモンド

バーク曰く「人口稠密なる國民が、人口稀薄にして富有なる國土に誘引せらるゝは猶、濃密なる空氣が、稀薄なる空間を充たさんとするが如し自然の勢なり」と、グリヴェルも亦彼の百科全書經濟篇に於て、次の如き意見を發表したり、「吾人は其の祖國に對し特種の義務を負ふと雖も、然も彼か祖國の國土内に於て、生計を維持する能はざるか、社會が彼に對し履行すべき義務を履行せざるか、又は彼か主權者若くは、多數の制定したる法律に服從するを欲せざる場合に於ては、外國に移住するの自由を許可せらるべき事當然なり」と

若しそれ哲學者ベンザムに至ては、移住を禁止するは、其の國を監獄に擬すべしとさへ極言したり、爰に於てか移住に對する研究漸く一變し、從來の政策を非難するのみならず、却て移住を奬勵すべき事を論ずる者、續出するに至れり、ギボン、ウエークフィールドは其の著植民術私見に於て曰く「移住を以て本國の損失を意味すとなすは過てり、移民の移住するは、多く新開の土地にして、彼等は主として食料品及工業原料の生産に從事するを常とす、故に彼等は勢製造品を本國に求め代ふるに彼等が製産したる、食料品及原料を以てせさるべからず、此の結果は二重の意味に於て、本國を利益す、即ち一方に於ては、本國の製造品に對して、需要を增加する事に依り、他方に於ては、移住地の開墾業を、擴大する事に依り、必然的に本國の資本及、勞力に對する需要を增加すればなり」と、ミルは世界經濟の見地より、移住の效果を論じて、左の如く述べたり『舊世界の勞力及資本を、新世界に移す事は、生産力乏しき地方の勞力及資本を、生産力豊なる地方に移す事を意味す、其の結果は全世界に於ける、勞力及資本の生産力を增加し、富の蓄積を迅速ならしむべし、固より勞力及資本を一地方に移送するには、多少の經費を要すべきも、斯の如き經費を支辨するに、數倍すべき利益を擧くるは容易ならんのみ、余は現今の世界に於て、植民事業は富有ある舊國の資本を投するに、最も適當せる事業なる事を斷言するに躊躇せざるべし」と

斯の如き議論の續出したる結果、各國の政策も亦漸く、移住を放任するに傾き、英國の如きは一八三四年以來特に貧困なる人民に相當の資本を給與し、以て新世界に移住せしむる方針を立てたり、一八四六年及四七年に於ける愛蘭の馬鈴薯不作當時の如き、愛蘭人にして新世界に移住したる者、優に一百万を超へたりき、其の後

歐洲に於ける生存競爭の、益々激甚となれるが爲と、交通機關の發達に伴ひ、海外渡航が著しく、安全且廉價となれるが爲に新世界に、移住する者愈ゝ增加し、獨逸の如きも、一八八一年には、移民の數殆んど全人口の百分七に及び、二十二万三千人を算したり、伊太利人は約四十年前まで、外國に移住する事殆んど無く、亞米利加の小説家ウエルスをして、「愛鄉心强き伊太利人を、異鄉に誘ふは人力の及ぶ處に非ず」と歎せしめたる程なるが、一八七五年頃より漸々國外に移住する者を生じ。一九〇六年に至りては、其の外住者殆んど五十一万二千に及び、其の中六割七分强は北米合衆國、ブラジル、アルゼンチナ、等に土着したり、スタンレー、ジョンソン氏は此等の移住が、貧民階級より選拔せられたる場合に於て、其の本國を利益する事、最も大あるべしとて、一八二六年の移民報告書に基き、次の如き説明を與へたり、「一八二六年四月、英國ケント州の一敎會區は、一群の窮民を紐育に移送したり、倫敦より紐育に至る船賃一人宛七磅ありき、之れに上陸手數料四志六片航海中の食料三磅十志、準備金二磅を加ふれば、毎一人の移送費、十二磅十四志六片となる、此の外尚ケント州より倫敦に至る汽車賃として數志を要したり、然りと雖も此等の經費を支辨するも、其の窮民を北米合衆國に移送するは、英國の爲に有益なりき、何となれば此等の窮民を扶養するには、毎年少くも一人に就き二十磅を要すべく、彼等を國外に移送する時は、最初の一年のみに於ても、一人に就き約七磅を節約するを得べければなり、固より北米合衆國民は、斯の如き人民を彼等の間に迎ふるを喜ばさるべし、英國も亦外交上之を强ふる事能はずと雖も、單に英國の立場より考ふる時は、斯の如き窮民を選拔し、數十年引續きて國外に移送すれば、英國の生活程度を向上せしめ得べき事疑ひ無からん」

斯の如く移住を以て、本國に有害なりとする思想と、有利なりとする思想とは、相並んで存在したりと雖も、然も兩者共に移住が本國の經濟的及社會生活に對し、善にもあれ亦惡にもあれ、何等かの影響を與ふべき事を認むる點に於ては同一あり、然るに爰に兩説とは全然別に、移住を以て本國の經濟的及社會的生活に對し、何等の影響をも、與ふるものに非ずとする第三説あり、ロッセル氏の如き之に屬す曰く、「如何なる國民も其の生活の資料が許す限り、繁殖せんとする天性を有す、其の必然的ある事恰も自然界に於ける引力の法則に以たり

故に苟くも生活の資料か、或は生產上に於ける、改良の爲、或は人口の減少に基き需要額に減縮を生じたるが爲人口に對して從來よりも、豐富なる比例を有するに至らんか、直ちに人口の繁殖を促すべき事疑ひを容れず今多くの移民が國外に趨き、それが爲本國に殘れる勞働者の境遇が改善せられ、又は改善せらるへき希望を生せんか、それだけ彼等の結婚は增加し、出產も亦加はるに至るべく、其の結果は何等の移住無かりしに等しかるべし」と、而して彼れは此の理論を立證すべく、一八四〇年代に於ける、英國の結婚數が最益なる時、尙十三万八千、出產數亦五十六万を出でざりしに拘らず、一八五二年即ち移住盛大の後に於ける結婚數が、十五万八千出產數が六十二万となりし事を引用したり、ヘルマン、メリヴール氏も亦英國に於て、一八四一年より一八五一年に至る十年間の移民數は、一八五一年より一八六一年に至る十年間の移民數に比して、著しく少數なりしに拘らず、後期の十年間に於ける人口增加の速度は、前期のそれに比して遙に迅速にして、百分の三十二に對し百分の五十五を算したる事實を指摘して、移住が繁殖力の旺盛なる地方に於ける、人口の增加を防過するを論し、「移住の多少が其國の人口の增減に影響する程度は、倫敦ドックに出入する海水が、大洋の水平線に及ぼす影響の如し」と云へり。

然りと雖も斯の如き議論は、毫も移住の效果を否認するに足らず、それ移住とは何ぞや、國內に於ける勞力の部分的輸出を意味す、勞力の部分的輸出ありて、而も其の國に於ける勞力の供給減少せざる事あらんや、勞力の供給減少して勞銀騰貴せさる事稀なり、論者は勞銀騰貴するか、又は勞銀騰貴すべき希望を生じたる場合、彼等は直ちに結婚して、出產を增加すべきが故、實は何等の移住無かりしに等しと云ふと雖も、然かも斯の如きは結婚及ひ出產の增加か、移住の行はれたる結果にして、移住なかりせば此等の結婚及出產は、存在し得べからざるものありし事を忘れたるなり、卽ち移住にして行はれざりしとせば、結婚する能はず又子女を有する能はざりし勞働者が、俄かに結婚して家庭を有し、又出產を增加するを得るは、これ移住の效果に非ずして何ぞや、固より移住と共に其國の生產組織、分配組織等を改良し、以て國民的生活の資料の增加を、迅速ならしむる事に努めずんば、一定の時日を經過し、新しき出產者が移住に依て生したる人口上の空虛を充たすに至ると共に、又從前の如き生活難を惹起すへき、危險ありと雖も而も斯の如き場合に於ても、移住を繰返す事に依て或程度迄、其の危險を豫防するを得べし

惟ふに我か國が人口過剩の爲、諸種の弊害を釀成せんとするに際し、之れに處するに移住を以てするは、猶外科醫が患部の化膿せるを治療するに際し、之を切開して膿液を排泄するが如し、膿液を排泄する時は患者の疼痛自ら減退し、健全なる血肉內より發生し來るが如く、移住に依て人口の過剩せるものを、排泄する時は、人口と生活資料との割合自から順調に復し、人口過剩に基つく諸種の弊害は自から、消滅せさるを得す、マルサスは其の人口論に於て、「人類の食物は算術級數を以て、增加せんとするに反し、人口は幾何級數を以て、增加せんとするの傾向を有す、故に豫め經濟的制限を加ふるに非ずんば、人口過剩は免かるべからず」と言へり此の論に對しては疑問を挾む者甚だ多しと雖も、然も人類が今日の如く一定の領土に割據して、自他の區別を生する以上、或國の住民が其の國土內に於ける、勞作のみに依て生活するを、困難とする程に增加する事あるべきは當然なり、故エルンスト、フォン、ハルレ敎授が其の著「植民史上の一大時期」に於て、陳述したる所に依れば、一八五〇年より一八九〇年に至る、約半世紀間に於て歐州人の、歐洲以外に移住したる者、合せて二千五百万、其の中殆んど一千六百万は、北米合衆國に入國したる由、假りに世界の面積が、新大陸發見前の如く狹少にして、此等の人民が悉く歐洲の何處かに於て生活せざるべからざりしとせば、其の結果は如何なるべきや、土地の不足なる結果、彼等の勞作は充分の報酬を收むる能はず、其の生存競爭は激甚となりて、遂に歐洲の大亂を釀したらんも知るべからず、歐洲史が斯の如く慘憺たる幾頁を加ふるを、免かれ得たるは、偏へに南北亞米利加、濠洲、阿弗利加等の如き、新大陸が其の人口の過剩せるものを吸收したるが爲のみ、ラインシュ氏が、移住と人口過剩との關係に重きを置かす、「移住の原因は、本國に於ける人口過剩よりも、寧ろ他の動機に存したり」と云へるは十六七世紀時代に於ける移住の動機を重大視したるものにして、十九世紀以後に於ける、移民の大部分が如何なる階級に屬したるかを忘却せるものと云ふべし。

斯の如く移住は一方に於て、本國の人口過剩に陷らんとするを豫防し、亦既に人口過剩に陷れるものを、救濟

するの效力を有するのみならず、更に他方に於て其の移住者の勞力を、報酬の比較的豐なる地方に移し、以て彼等の生活程度を向上せしむ、移住地に於ける移民の生活が、本國に在りし時代のそれに比して一般に良好なるは、彼等の本國に對する、送金額の莫大なるに徵するも明白なり、固より此等の送金は一般に、私立機關を經てなさるゝが故特に正確なる公報の據るべきもの無しと雖も、今スタンレー、ジョンソン氏が、諸種の報告を綜合して、北米在留英人の送金額を調査したるものを見るに左の如し

一八四八年	一八五三年	一八五八年
四六〇〇〇〇磅	四三九〇〇〇〇磅	四七二六一〇〇磅
一八六三年	一八六八年	一八七三年
四一二〇五三磅	五三〇五六四磅	七二四〇四〇磅
一八七八年		
七八四〇六七磅		

チンメルマン氏も亦、同じく北米在留英人の送金額の多大なるを說き、一八四八年より、一八八六年に至る間に於て、三千二百二十九万四千磅、一八八六年のみにても、百二十七万六千磅を算すと云へり、ホールの移民入國論中にも亦次の如き一項あり、「紐育駐在伊太利副領事の報告に依れば、一八八三年在米伊太利人の、本國に送附したる金額のみにても、約五百万弗に達す、一八九六年に於ては、四百万弗乃至三千万弗と計算せられたり」移民調查委員長スタンプ氏も亦、各國を視察し報告して曰く「伊太利の或地方には、北米合衆國に於て獲得したる金錢の爲著しく富の增殖を見たる所あり」と、英國に於ける信憑すべき報告も亦、北米合衆國より每年愛蘭に送付せらるゝ金額は、愛蘭に於ける貧民救助費の金額に超過すとなすに一致す、移民の利得は唯に彼等が此の國より、本國に送附する金額に依てのみならず、又其の貯蓄額に依て之を判斷するを得べし、此の國に於ける猶太人が、到る處の大都會に廣大なる、不動產を所有し、各所の銀行に、少からざる貯金を有するは顯著なる事實なり、無烟炭業に從事せる、スラヴ人の坑夫が四個の或都會に於て、買入れたる不動產の如き

も、二百五十万弗を算す、之を一人に割當つれば、平均百弗に相當すと云ふ、尙ほ彼等は或都會に於て、平均價格九百五十三弗を下らざる住宅の約五分二を所有す、若しそれ紐育市に於ける伊太利人の如きは、其の全財產殆んど六千万弗に達し、中約千五百万弗を銀行に貯藏すと稱せらる、セントルイス、サンフランシスコ、ボストン、シカゴ等に於ける伊太利人に至りては、其の富更に之を凌ぐべし」と

我が國に於ても、明治四十五年一月現在の郵便貯金額に就き、政府の調査したる所に依れば、內地の日本人は一人平均十五圓、臺灣に在る者は二十圓、朝鮮に在る者は二十三圓、滿洲に在る者は四十圓、布哇に在る者は百九十二圓なり、又一九一四年の統計に依れば、北米在留の日本人の故鄕送金額（商業取引關係の者は除外す）は、郵便局經由、橫濱正金銀行經由、在米日本人銀行經由、歸朝携帶の分のみにて（他に米國銀行經由のものあるべし）千七百五十五万圓なり、以て移住地に於ける日本人の富力が、內地に於けるそれに比して、如何に優等なるかを想像するを得べし、斯の如く移住は移民たる者の富力を增進し、其の生活程度を向上せしむるのみならず、又彼等の肉体を異鄕の風土に鍛鍊せしめ、彼等の精神を未知の文明に接觸せしむる事に依り直接若くは間接に民族の世界的訓練を促かすなり、而して其の移住地に於ける民族も亦新らしき他民族の入國に依りて其の固有の文化に新しき刺激を受くべく、其の結果各民族の文化を混成し、全人類の協力的生活を誘導するの利益あり、

然りと雖も同じく移住と云ふも、植民地に對する移住と、外國に對する移住とは、其の本國に對する經濟的影響に多大の相違ある事を忘るべからず、今や北米合衆國、加奈陀、濠洲等の如き新世界に於ては、舊世界に於ける生存競爭の落伍者が相踵ぎて入國するを嫌忌し、諸種の規定を設けて之を制限しつゝあり、玆に於てか舊世界の諸國は、從來の如く窮民、無賴漢犯罪人の如きを驅つて、之を移住せしむる事能はず、移民たる者は唯國民中の、精銳なる勞働者に限らるゝに至れり、此の結果外國に對する移住の場合に於ては、其の本國たる者自から生產力を、喪失するの危嶮を免かれざるべく、第一種の論者が憂とした如き損害なきに非ざるなり、然るに植民地に對する移住の場合に於ては、彼の加奈太、濠洲、南亞弗利加等の如き自治植民地を除き、凡て

本國自から移民を選定し得べきのみならず、假令移民を選定する能はずして、精鋭なる勞働者のみを輸出する場合と雖も、その勢力は依然として、本國と同一なる經濟的目的の爲使役せらるゝが故、之が爲本國は何等の損害をも被る事なく、却て第二種の論者が主張する如き、一切の利益を受くるを得べし

次に貿易の發展上より見るも、植民地に對する移住は、外國に對するそれに比して遙かに有益なり、蓋し人間は如何なる土地に移住するも、其の習慣上成るべく本國の風習に從て、生活せんとする傾向を有す、從て移住の行はれたる地方には、本國の生産物に對する需要の發生するを常とすと雖も然も、本國より文明の程度高き外國へ、散漫に移住したる場合と、本國の植民地若くは勢力範圍へ集團的に移住したる場合とは、其の本國の生産物に對して起るべき需要の程度に大差なきを得ず、文明國へ散漫に移住したる場合に於ては、其の國の社會的風習に抵抗する事難く、自ら生活方法に於ても、又娛樂等に於ても、移住地風に同化するが故、假令多數の移民を出したりとするも、以て貿易的發展の媒介者と爲すに足らざるなり、之に反し自國より文化の幼稚なる植民地若くは、勢力範圍へ移住する場合に於ては、其の社會的風習に抵抗する事容易なるが故、自ら其の本國の生活狀態を維持せんとす、其の結果本國の生産物に對する需要は、勢前述の場合よりも、廣大ならざるを得ざるなり、現に北米合衆國の如き、其の在住英人は加奈太に在住せる者に數倍すと雖も、然も英國の生産物を消費する程度は、加奈太に及ばざるや遠し、之を人頭割とするに、加奈太人一人英貨消費高は、平均一年に八弗以上を算するに反し、米人一人の英貨消費高は、一年僅かに一弗半に過ぎず、若しそれ濠洲に至りては、一人一年の英貨消費高、優に平均三十三弗を超ゆ、以て同じく移住と云ふも、外國に對するものと、植民地に對するものとは、其の貿易の發展上に及ぼす影響、大に相異なるものあると知るべし

第三に之を本國の、生産業に及ぼす影響に見るも、亦然り我が國の如く資本乏しく、金利高き後進國の生産品が、能く彼の資本豊にして、金利低き歐米先進國のそれと、世界の貿易市場に於て競爭し得るは、或程度迄天然的及地理的恩惠に依る事勿論なりと雖も、又其の勢力が廉價にして、資本乏しく金利高きに拘らず、生産費を比較的低廉ならしめ得るが爲と、職人等の手先が器用にして、特殊なる工藝的能力を有するが爲とに因る所

大なるは言を俟たず、然るに今外國に對する移住を奬勵し、此の廉價なる勞力と、獨特の工藝的能力とを、資本の潤澤なる外國の企業家に利用せしむる事となさば、其の結果は果して如何なるべきや、彼等は我が生産品以上のものを生産するに至るべく、其の結果彼等の生産品は、我が生産品に代はり、遂に我が輸出を杜絕するに止まらず、更に貿易市場に於て、我が輸出品を驅逐するが如き危險なきにあらざらん、然るに我が勞働者にして、植民地若くは勢力範圍に移住せんか、其の經濟的活動は凡て本國に於けるそれと同一なる、經濟的目的に依て統一せらるべく、從て外國に對する移住の場合に於けるが如き危險なし、現に獨逸が植民地を要求するに至りしも、其の一大原因は、米國在留の獨逸人が、米國の豊富なる資本と、廉價なる原料とを利用して、盛に諸種の生産業を營み、爲に獨逸本國の輸出品と競爭するに至りしが爲也

第四に本國の國防に及ぼす影響に於ても亦同じ、夫れ一國の勞働者にして他國に移住し、其の國民と經濟的活動を共にし、社會的生活を同ふせんと欲せば、勢其の國の法律を遵守し、其の國の風習に同化し、遂には其の國民に歸化するの覺悟無かるべきからず、支那及び我が國の勞働者が、米國に於て諸種の非難を被るは幾多の原因に基くと雖も、又彼等が本國に執着するの心篤く、眞に米國人となるの覺悟を有せざるに由るや大なり然りと雖も今夫れ國籍を變更して、移住民とならんか其の人の本國に對する服從的關係は、爰に消滅したりと云ふべく、本國は當然之れが爲國防に伍すべき多數の壯丁を失はざるを得ず、若しそれ不幸にして、本國と移住國との國交斷絕するが如き事あらんが、彼等は義務として、移住國の爲本國と戰はざるを得ざるべく、縱し直接干戈を執らすとするも、戰費の負擔を免かれざるべし、先年英領加奈太に於て、戰鬪艦を建造し、本國海軍に寄贈するの議起るや、加奈太在留の獨逸人にして之れに反對する者少からず、新聞紙上に於て該戰鬪艦は、獨逸海軍を壓迫するの目的を以て、英國海軍に寄贈せらるゝものなれば獨逸人たる者は其の製艦費を負擔すべからずと論じ、爲に加奈太及び英國の物議を惹起したり、然るに一國の移民にして最初より、其の植民地に集中し、本國統治權の及ぶ範圍内に、生活するに於ては毫も斯の如き困難に、遭遇するの懼なきのみならず、却て邦家有事の日、或は兵士として、或は納稅義務者として、本國の國防に與參せしむるを得べし

固より外國に對する移住に於ても、植民地に對するものに比して、有利なる點無きに非ず、外國に移住する場合に於ては、その移住多く、文明開化して、資本潤澤に、其の勞働者に支拂ふ賃銀の如きも、高價なるべければ、本國政府たるものはそれ等移民に對して、奬勵費若くは保護費等の如き、特別支出をなすの必要無し、唯移民自らの自由行動に放任し置けば、彼等自から其の最安全にして、其の最有利なりと認むる所に歸着せん、之に反し植民地に移住する場合に於ては、其の移住地多く半開若くは、未開にして産業狀態も、尙未だ幼稚なるべければ、本國政府は、其等移民の爲、豫め平和の保障、港灣の修築、道路の開通、水害の豫防、醫療の設備等に任ぜざるべからざるのみならず、時としては資本を貸與し、其の旅費を支辨するが如き必要に遭遇せん、從て今之を創業の際に於ける、本國の負擔上より見る時は、外國に對する移住の方遙に植民地に對するものより經濟的なりと雖も而も斯の如き一時的利益に過ぎず、之を國民經濟の大局上より見る時は、植民地に對する移住却て、外國に對するものより、有利なるべく、實に移住の利益は、植民地に對する場合に於てのみ、之を完全に收むるを得べし、チンメルマン氏は其の著植民政策に於て、移住の價値を論じ、若し移住が植民地に對して行はるとせば、其の利益は外國に對して行はるゝ場合に比して二倍すべき事疑を容れず」と稱したれども余は寧ろ「若し移住が植民地に對して行はれず、外國に對して行はるゝに於ては、其の本來の效果自から半減すべし」と云ふを以て、事實に庶幾しと信ず

南米視察實業團決議

團長山科禮藏氏歸朝談

南米視察實業團は、大正十一年九月五日より同十一月一日に至る約二ヶ月間。伯剌西爾國、ウルグワイ國亞爾然丁國及智利國の一部を視察した、南米諸國は孰れも、土地廣漠にして耕牧に適する地積尠からざるも、人口稀薄にして資本及勞力の缺乏甚しく、農耕に適する土地の大部分は、未だ使用せられざるの狀態にあるが故に

勞資の輸入を希望しつゝあるは、各國共通の現象である、就中伯國か最甚だしい、殊に同國は我が國との關係甚だ淺からざるが故に、我が實業團は主として、同國に關する事項を視察調査したるを以て、其概要を陳述する

㈠南米伯國は其面積、約三百三十万方哩にして、我が邦土の約二十二倍に相當す、而して中部以南の地方は、岡巒起伏すと雖も、孰れも耕地若くは牧場に適せざるは無く、其の耕牧に可能なる面積のみにて、我が邦土の數十倍に達すべく、然も總人口三千有餘萬、一平方哩僅かに九人餘に過ぎず、今後尙幾億の人口を、收容するの餘裕あり

㈡實業團の親しく、調査しにる處に據れば、伯國は土地餘り有るも、資本と勞力の缺乏甚だしきが爲め其の經濟的發展を、阻害せらるゝ事尠からざるが故に、其の聯邦政府たると、各州の政府たるとを問はず、外國の資本並に、移民を收容して未墾領土を開發するを以て、其の國策となす

㈢伯國民は白色褐色黑色並に、其の混血種族より成れりと雖も、各人種間に於ては、政事上經濟上並に社會上、何等の差別なく、各自の能力に應じて、其の地位並に財産を、獲得し得るの自由を與へらるゝの實狀にあるを以て、毫も人種的偏見を有せず、從而來りて耕牧に從事するものあらば、喜んで之を迎へ如何なる外國人と雖も、私權の享有上本國人と何等の區別を設けず、憲法並に法律に於ても、明に之を保證せるのみならず事實上外國人が、差別的待遇を受け居らざる事は、實業團の目擊せる所で有る

㈣伯國に於ては、政爭盛なる結果、時に不穩の擧なきに非ざるも、社會組織を其の根本より變更するを目的とするが如き、思想の現存するものを認めず、蓋し國土廣漠にして、各人の平均利用面積、甚だ大なるのみならず、勞力著しく不足せるが故に、苟も眞摯に勞働するに於ては、衣食に窮するが如き事情なく、隨て社會主義思想の勃興を促す如き誘引なき結果と思惟せらるゝ故に、資本並に勞力を移植せんとする者は、安んじ得る處で有る

㈤伯國の文化的施設は、必ずしも齊一ならず、或は大に發達せるものあり、或は猶進歩の餘地少からざるも

のありと雖も、交通機關並に、警察制度に至りては相當信を措く事を得べし、然らば投資並に、移植上、毫も危險の念を抱くを要せず

(六)伯國は熱帶亞熱帶の三帶に跨れりと雖も、地勢概して高燥なるが故に熱帶圏内を除くの外、氣候温和にして、日本人の生活に最も適應するものと認めらる

(七)過去十年間に移住せし、我が同胞約三万五千人に就きて之を見るに、苟も眞面目に勞働するに於ては、衣食に窮するが如き事實なく、寧各年餘財蓄積の多少を競爭しつゝある狀況にして現に餘財を以て、土地を購入し、數十町歩の地主となりて、耕牧に從事し、各年相當の利潤を擧げ居るもの尠くない、然れ共其の實情を探ぐるに、其の自作農と小作農とを問はず、何れも潤澤なる資金を擁してゞ之れが經營を爲すものにあらざれば、其の生產物の處分に就て、有利なる時期迄之を持ち堪ゆる事能はず、又生產物に加工して、賣却する餘裕なきが故に、其の利得を外人に恣にせらるゝ現狀である、仍ち此等日本人の發達助長を謀る爲、相當金融の途を講ずるの必要あるものと認めらる

(八)伯國の土地所有者にして、未開地の賣却を希望する者尠からず、而も未開地の地價は、鐵道の延設並に附近の開發に伴ふて、年々に昂騰しつゝあり、其の買收に關しては、各國人の注意を惹いて居る故に、有望なる未墾地は、久しからずして、拂底を告ぐるに至るならん、若し日本人の移住を必要とせば、差當り相當面積の有望なる未墾地を買收し置くを緊要とする

(九)日本對南米貿易は、大に促進の餘地無きに非ず、殊に原料品の輸入、精製品の輸出方法を、講ずるの必要有るべしと雖も、歐州諸國と比較すれば、我が國は其の距離數倍し、隨って運賃並に着荷の時期に關して、一大不利益を有す、之を全然當業者の自由に放任する時は、彼我貿易發達の期は、得て望む可からざる如くである

(一〇)伯國は到る處棉花の栽培に適するが故に、我が國の資本を以て、之れが增產を謀り、其の生產品を我が國に輸入するの途を講ずるに於ては、一面に於て日伯貿易の發展を促進するのみならず、他の一面に於て、棉花

自給の利益を享有するを得る、棉花の栽培及其の輸入に關しては朝野の考慮を要する事項なりと認める

(一一)南米諸國の工業は甚だ幼稚なるが故に、各種の製造工業に關し企劃すべき餘地尠からず、而して之れが動力に就ては、石炭に乏しきも、各地に河川あり、土地に高低あるが、故に水力を利用するの途あるべく、適當の時期に於て、之れが利權を獲得するも亦緊要の事項であると認めらる

而して右十一ヶ條は、南米視察團一行が、去る十一月ブエノス、アイレスに於而解團式を擧行せる當時、團の決議として、決定せる事項であると

海外事情

一、南洋麻移民狀況書

鳥取縣西伯郡敎育會

(一)勞働地　ミンダナオ島ダバオ

(二)勞働の種類　麻挽並に耕作受負自營

(三)雇入期間　一ヶ年とす、但し相互協定にて延長自由

(四)勞働時間　一日九時間、休業日は日曜日及公定日、但し麻挽に從事するものは各自の自由なり

(五)太田興業株式會社　資本金六十万圓、故太田恭三郎氏が創立し、現在ダバオの西南、約六哩の沿岸タロモと云ふ處に本社が有る、其の耕地面積、約一千三百町歩、經營會社耕地を合すれば約一万一千五百町歩、ダバオ灣に於ける麻耕地の盟主なり、其の北附近に古川、鷲澤等多數の麻會社あり、十八才以上の農業青年の從來を待ちつゝあり、同地渡航は郵船商船又は東洋汽船の定期船にて、マニラ迄行き此處より、沿岸船に乘り換へてもよい、一番便利なるは郵船の濠洲船路にて、ザンボアンガ迄直行し、此處よりダバオ迄沿岸船にて行く道筋なり、神戸より約十四五日にてダバオに達す

(六)賃金　麻作に從事する者は、日給一日壹圓廿五錢、麻挽受負に從事するものは、三人一組にて一ヶ月の製造高の其の現場相場の、總價格を折半し、雇主及勞働者に分配す、現在相場大正十一年十二月十六日現在一擔(我が十六貫目强)二十三圓半、三人一組の製造高は、三十擔乃至三十五擔なれば、移民一人一ヶ月の收入は、百圓乃至百十四圓となる、麻價之れ以上騰貴すれば、尙多くの收入あり、新來移民が日給勞働を爲す場合、一日一圓二十五錢に達せざる場合は雇主之を補給し、練習の便宜を與ふ、一時增給は二十五錢なり、麻作の自營をなさんとするものには、雇主は耕地を貸與す、借地料は收穫高の一割とす、麻自營は麻挽請負よりは、遙に高額の收入を得つゝあり、

(七)農夫の宿舍、薪炭、水、醫藥は雇主より、無料給與し、農具は總て、無料貸與せらる

(八)食費　農夫の自辨とす、食料日用品の物資等不便を感ぜざる設備あり、一ヶ月十三四圓あれば充分なり、副食物は自作するを以てしかく低廉なり

(九)渡航費　日本神戸より、ザンボアンガ間、船賃

四十三圓、ザンボアンガ、ダバオ麻耕地迄の旅費、人頭稅、船待滯在費、船賃、手荷物運搬費、約三十五圓外に、入國稅十六圓、旅劵印紙代五圓、公認取扱手數料三十五圓、米國領事查證料十九圓、神戸滯在費見積十三圓、合計金百七十圓を要す、外に上陸の際の見せ金として、金六十圓(之れは上陸の際、六十圓以上の金を携帶せざれば、上陸を許可せざるが故に、單に見せるだけにて沒收せらるゝに非ず)鄕里より神戸迄の汽車賃(鐵道省線半額の特典あり)、小使支度料等を加へ、概畧一人二百三四十圓を要す、凡て移民の自辨とす

(一)氣　候　熱帶なれども酷ならず、室內最高華氏九十五度、最低六十五度。平均温度は八十度なり、熱帶特有の驟雨每日必ず驟來、麻耕地は日蔭勞働なるを以て、冷凉凌ぎ易し、既渡航者の通信に依れば其の氣候の安外よろしきに驚き居れり、在留邦人現在五千人

(二)日本勞働者　麻耕作及麻挽を主として、職業は種々雜多なり、近來は日本流の菓子屋、豆腐屋、饂飩屋、汁粉屋、食品店、雜貨店、旅館、斬髮店、錻力細工、鍛冶、書籍雜誌取次販賣業者、氷店等ありて何一つ不自由なきことゝなれり

(三)マニラ麻　アバカと云ふ芭蕉によく似たる植物の纖維にて、海水に强き爲、船舶用綱又は網に造られ、日本紙の主要なる原料となり、特に製帽用眞田の材料となり、袋物其の他工藝原料上麻は、夏洋服地、各種織物等其の用途多し、各地の試植は皆失敗に歸し、世界に於ける產地としては、比島中部以南の特產物となれり、其の地方に於けるマニラ麻は、殆んど全部日本人の手により生產せられつゝあり

(三)健康狀態　個人衛生の進步に從ひ、一般に健康にて勞働に從事す、風土病はマラリヤなれども惡性ならず、新移民も土地の事情に應じ、養生を守り食物飮料を謹み、胃腸を害する事なく蚊に喰はれぬ事、雨に濡れたる後の注意をすれば、決して恐るゝに足らず

二、鴨綠江節全盛を極めつゝある此頃安東縣に於ける木材狀況如何

木材狀況　一般建築界不況と、木材搬出期に於ける降雨過多並に、虎疫猖獗等の爲、大正十一年度流筏は著しく減退したるものゝ加く豫想せられ當地採木

公司を始め、木商及製材業者間に於ても、是に基き其の方針を立てたるも、事實は全く之に反し、何等の阻礙を見ずして、十二月中旬終筏迄の着筏高、七千百二十六臺の多數に達し、頗る好成績を收め得たり

採木公司直營材	一〇二三臺
料　棧　材	六一〇三同
計	七一二六同

新義州側著材高約三十五万尺締

原木狀況　北滿材等の移入並に、亞米利加材侵入は鴨綠江材に取り、尠からざる打擊を蒙りたるも、一方沿海州材の荷動き杜絶、採木公司の原木値下斷行及び木商側の薄利多賣主義勵行に因り、豫想外の賣行を見相當の成績を擧げたるが、昨年度十一月中旬迄の、約一ケ年間に於ける、原木販賣狀況を示せば左の如し

（單位尺締）

前年度よりの持越材	一三八万八六二一
本年度著材一般料棧材及貸金材	二七二三四二一
本年度採木公司直營材	三九五〇〇〇
計	四五〇七〇四二
採木公司新材賣戻高	二〇〇九〇七七
前年度舊材料棧賣戻高	六九四〇〇〇
採木公司直營新舊材販賣高	三三七八八三
計	三〇四〇九六〇
差引現在荷高	一四六六〇八二

右原木販賣高中主なる仕向地並に、其の數量を擧ぐれば左の如し（單位尺締）

日本內地	二〇〇〇
滿洲各地	二〇四〇〇〇〇
朝鮮方面	五〇〇〇〇

原木在荷高は、前年同期に比し、七万七千餘締の增加なるが、昨年末迄には幾分減少せり

製材狀況　前述の如く、一般建築界並に財界不況は延て製材業者に一大打擊を與へ、材量豐富の割合に、市況頗る閑散にして、一時不振の姿なりしも、朝鮮方面に於て、官公衙及學校の建築並に、水害工事の爲、製材の需用喚起せられ、同方面への賣行旺盛となり、當地製材業者中には、夜間作業に從事して、其註文に應ずる者もあり、殊に結氷期を眼前に控へ居る事とて作業を急ぐ關係上、一般製材界俄に活氣を呈せるも、一方割安材の、多數移入に妨げられ、其の製材高に對し、利益割合に僅少なりしが、今製材仕向地及、其の

數量を示せば左の如し（單位尺締）

日本內地へ	一五〇〇〇
朝鮮方面へ	四七〇〇〇〇
滿洲各地へ	六五〇〇〇
計	七一五〇〇〇

三、ハルピン地方毛皮狀況

毛皮出廻狀況　當地方に集散する毛皮は、二種に大別し得べく、即ち俗にエニセイ毛皮と稱する西伯利產と、滿洲里海拉爾方面に於て買付、當地へ輸入せらるゝ蒙古產毛皮あり、而して後者は羊皮、山羊仔羊皮に限られ、用途も低く、所謂毛皮貿易として大觀する時はさしたる價値を有せず、之に反し西比利產毛皮は露國輸出品中、重要の部を占め居り、殊に米國方面の需要增加に伴ひ、ハルビンは之れが中繼貿易地點として、今後益々取引增加すべし

勞農政府地域にありては、毛皮は政府の專賣たる關係上、當地方への輸出毛皮は、西比利海外貿易者が、直接賣出すものと、ツエントロサユーズが政府の販賣に依るものとに分れ、當地ツエントロサユーズは、主として在外支店と連絡を保ち、直接海外販賣の衝に當り當地市場への出廻はり物は、西比利亞海外貿易省商務員の賣出物と、齋多に行はるゝ毛皮競賣の買付品を其の重なる數量とし、其の他黑龍洲方面より、密輸入品も亦尠からず

極東共和國時代にありては、毛皮の專賣を施行し居らざりしも、國營部は農民より毛皮を買上競賣を施行し居たるが、勞農政府と合併以來、歐露西比利に於ける如く、極東露領にも毛皮を國營とすべしとの說有力となり來り、齋多商業會議所は專賣を非とし、反對意見を表示したる爲、未だ確定に至らざるも、一般の形勢は將來毛皮取引に、歐露同樣專賣制を布かるべしと觀測せらる、西比利海外貿易省は、今後ツエントロサユーズの手を經ず、直接其の衝に當る覺悟にて、最近當地派遣員と、在上海英米商人間に栗鼠五十万枚の賣買契約爲り、齋多とハルビンに於て、半々の受渡をなす筈なりと云ふ、當地該省派遣員は、從來主として輸入物資の購入を主業とせるも、今後は西比利原產の輸出にも活動すべく、將來當地に於ける主たる取引相手たるに至らん

西比利毛皮の最大顧客は、米國にして當地に集散せらるゝ毛皮は、原料の儘米國へ送付せらるゝ米國向のも

のは輸入稅率の關係上、總て生擴皮とす

本年西比利產毛皮中、出廻品の多きは栗鼠皮にして、本春齋多に行はれたる、毛皮競賣物三万留の取引ありたるが、其の八割は栗鼠皮にして、來る十二月十五日齋多に開かるべき競賣は、五百万留の取引なるが、其中栗鼠皮大部分を占むと

毛皮輸出先が主として、米國向たる關係上、取引商人として米商の活動最盛にして、奧地に於て買付に從事するもの、次第に增加し米商ウイリヤム、フルブスコンパニーの如きは、滿洲里に支店を開き買付は主として、同地に於て行ふに至り、大口物は仲買商に依らず、漸次直接買付に從事せんとする傾向あり、取引方法並に取扱高、當地に於ける取引方法は、賣買成立と同時に、半金は元金渡とし、半金は四ケ月限度の約束手形によるを普通とし、ツエントロサユーズ及西比利委員の手によるものは、物々交換の法によるものあり而して米國向のものは、多く小包郵便により、英商クレマンタスキーベイテス商會の運送保險を附す、荷主は小包の受領證と、保險證券を添付し當地米國、インターナショナル銀行に提示し荷付爲替を組み現金決濟をなし居れり

取引高に就ては依るべき資料なきも、本年一月以降十月に至る間、後貝爾洲より當地方へ移輸入せられたる毛皮約、五百四十一万五千布度あり、當地ツエントロサユーズ上半期に於ける、毛皮取扱高は、約二百万留弱あり當地露國取引所委員會の推定に依れば、下半期に於ても毛皮の輸入は、增加の趨勢を示し居り、殊に來るべき齋多の競賣は大量なるより、本年度の當地出廻量は、約七百万留に達すべしと

各種毛皮相場　各一枚に付き左の如し

獵虎	一〇〇〇円＝五〇〇〇	黑狐	四〇〇＝二〇〇〇
青狐	一〇〇＝四〇〇	白熊	一〇〇＝四〇〇
虎	一〇〇＝三〇〇	オツトセイ	九〇＝一五〇
カワウソ	四〇＝一〇〇	白狐	四〇＝一〇〇
豹	五〇＝一五〇	ラクダ	五〇＝一〇〇
赤狐	二〇＝五〇	山猫	二〇＝五〇
羊兎兒	一五＝三五	浣熊	一二＝二〇
黑テン	三〇＝二〇〇	滿洲赤狐	八＝二〇
馴鹿	三＝一五	白イタチ	四＝六
シベリヤ鼠	三＝五	栗鼠	二＝三

四、印度に於ける未開發富源

印度は、「未開發の富源地」と稱せられて居るが、先づ其の地下に存在する二大重要鑛石、即ち鐵及石炭を調查するも、其の偉大なる富源を知るべし

先づ鐵に就て云はゞ印度各地に於て現在測量を了し而も未だ開掘し居らざる、高六千五百万噸と傳へられ、其の測量すら遂げられざる高、二千五百万噸之に加ふるに、豫知し得べからざる高は、幾何あるを知らず、即ち印度鐵鑛の高は、濠洲、太平洋洲、日本、墺太利及他の數ケ國を包含せるものより猶多し其の他金銀鉛、クロミアム、アルミニユーム及其の他の諸礦石にも現存し、採掘方法宜しきを得ば生產高の增加は、疑もなく、又最近發見されたるホルマンダイト稱する礦石は硬度強く、光澤あるも、其の用途未だ發見せられず

石炭に關しては、戰前カナダに開かれたる、萬國地質會議に於て、印度石炭の現在高七千九百億噸即ち露、日、彼斯、西班牙、滿洲及朝鮮の總高よりも、猶大なり、此の大なる石炭の存在に係らず、其の發掘年額は他國より少きのみならず、最近の發掘高は每年減少せり、例へば一九二〇年の發掘高は、其の前年度より二割六六の減少即ち一七九六二〇〇〇噸なり、之を炭坑夫一人宛にすれば其の採掘年額九四四噸にして、日本は一二二噸、英國は一八四噸、合衆國は八〇三噸なり斯の如く石炭採掘の能率增進せざる理由は1採掘方法の幼稚、2使用機械の不完全、3印度炭坑夫の能率不充分なるに存す、此の最後の點は已むを得ずとし、1 2の點に於ては目下銳意改良を考究中なり、尙石炭採掘業に使用せられたる資本は、一九一一年度に於て、七千二百二十万留比なりしが、客年度に於ては九千三百七十万留比に達し、會社の數も一二八より二五六に增加し、一昨年度だけにても二〇の新會社設立せられ、資本額六百九十万留比を增加せり、勿論印度は未だ工業國の域に達せざるが故に、其の一人宛石炭消費高は他國より少く、一九一九年度の消費高、合計二二一六八〇〇〇噸なりしが一九二〇年度に至り、一六七七七〇六九噸に下れり、此の消費高は他國に較べ餘りに喜ぶべき現象に非ず、即ち獨逸は一人年額消費高二一二噸英國は三八噸、合衆國は四四噸なるに、印度は一噸の二十分一に過ぎず、石炭消費者の主たるものは、勿論鐵道なるが、一九二〇年度に於て、全製產高の三割七分五厘即ち六二八八〇〇〇噸を消費し、鐵及眞鍮工場は八分四、紡績工場六分四、ジユート工場六分五を消

費せり、一九二〇年度に於ける、印度鐵道哩數三七五〇三哩にして、一哩の石炭消費額一六八噸、日本は四〇七噸、英國は五六九噸なり、此の數は印度に於ける鐵道運轉の經費が、他國よりも安く若くは能率の增進を證するものに非ずして、寧鐵道業が國家商工業の、需要を充し居らざるを證す、全世界石炭供給高の僅に四分が、印度より目下生產せられつゝあるが、將來印度の石炭業は鐵道の發達に伴ひ、益々發展の見込あり更に地上の富源を見るに、政府の統計に依れば、印度は猶農業地として開拓せられざる、四二七〇〇〇〇町步の土地を有す、將又現在の農耕地も、日本及和蘭に於けるが如く、集約耕作法を用ひ、肥料及種子を改良し、灌漑の方法發達せば、獨り收穫に於て五割增の見込あるのみならず、其の收穫品の品質をも、改良し得らるべきは、最近の研究の結果なり、而して農產物は單に食料品のみならず、ジュート及棉花の如きは、世界既に定評あり、果實も十二分の生產額あるも、鑵詰業未だ發達せざるが故に、印度果實は外國に輸出されざるも右鑵詰業は、以後有望の事業たるべし

又八万八千平方哩の森林は、未だ開發せられず、未知數の大樹木は開拓を待ちつゝあり

更に家畜を見るに、印度が全世界の皮革類供給の、主たる生產國たる事實に顧み、今後の發達は無限なり

一方印度の特徵とすべき、モンスーンの好結果は直に非常なる、商品の購買力を惹起するは公知の事實なるが假に好きモンスーンの結果、一人平均一留比の增收ありとせば、其の購買力四億万留比即ち邦貨二億五千万圓の、購買力を增加す、斯の如く國民に大なる購買的潛勢力を有するは、殆んど他に類例なく、近時合衆國及加奈陀は、印度に着眼し後者は貿易事務官を送り商品の販路を研究し、前者も亦各種事業に放資しつゝあるに反し、本邦當業者が印度市場の研究を爲さず僅に棉花の買入及、棉絲、棉織物の輸出を除きては、數量に於ても少く、徒に粗製亂造品を送りて、一時の僥倖を希望するが如きは、將來終に印度市場を全然失ふに至るべきを惧る

海外近信

一、ダスフローレス耕地より

小縣郡川邊村出身黒坂武雄君

海外協會の皆様、何時もながらお達者に、御勤めの事と存じます、當地の長野縣人も無事珈琲園に働いて居りますから、御安心下さいませ、各號の海の外御送り下さいまして、異國に淋しく暮して居る僕等に取りては、一つの光明の如く机の上をにぎやかせます、それにつけても事にふれ御手紙差上げやうと存じますが、御承知の珈琲園の生活は思ふ様に參らず、生來の筆不精と共に御許し下さいませ、甚だ見古して、きたないもので失禮ですが、別便を以てブラジル時報を差上げました、少しは、ブラジル國と云ふものに對し御參考になる記事が有らふ存じます、それから小縣郡川邊小學校へも是と一緒に送りました、見終り次第協會へ送る樣取計つて下さる事と思ひます、着手したら御返事を願ひます、次に當地在留の長野縣人の氏名を揭げます、更級郡中津村伊藤力三郎君　下高井郡平岡村武田禎造君　上高井郡綿內村立岩七左衛門君　小縣郡川邊村黒坂武雄（以上大正七年同船渡航者）南安曇郡出身宮下よしさん　東筑摩郡出身小林實太郎氏　諏訪郡出身河西萬衛氏　下高井郡出身瀧澤宗一氏　更級郡桑原村出身綠川忠七郎氏　下高井郡高山盛政氏　以上十家族です、去る一月九日、當耕地に壯丁會と云ふ一つの團体が、時勢の進運に伴ひて生れました、總會の席上不省が選ばれて會長を勸めて居ります、會則は次の如きものであります

ダスフローレス耕地壯丁會創立趣旨

當地に於て相互に同情と信義とを以て協力一致、事業に當り各自の向上發展を計り、敬愛扶助、以て社會奉仕の功を全ふせんとす

會　則

第一條　本會は壯丁會と稱し、滿十七歳以上の男子及徵集猶豫中の者を以て組織す、但し本會の爲盡力せられたる者を名譽會員に推薦する事あり

第二條　本會の事務を處理する爲、左の役員を設く

會長一名　副會長一名　會計二名　幹事四名

但し任期は概ね一ケ年とす

第三條　本會は左の事業を行ふ

イ、社會公共事業の援助

ロ、官廳に對する諸願、届の取扱

ハ、會員に對する救濟

ニ、會員相互の修養並に娯樂

第五條　會員は每月、伯貨一ミルレース宛を醵出するものとす之を以て會務執行の費用とす、臨時支出を要する際には、臨時總會を開き、其都度決議するものとす

第六條　入耕者にして、會員の紹介あるものは、入會する事を得、會員は當耕地に在留中は、滿三ケ年以上、繼續の義務あるものとす

滿四十歳に達したる者は脫會隨意とす

第七條　本會々則は、總會の決議を經ざれば變更する事を得ず

以　上

此の後は度々珈琲園の、生活の實情を御報告する心組です、甚だ多忙の爲、書き亂したる段御許し下さいませ、會員の皆樣に宜しく願ひます、左に御慰み數首を題して南米の珈琲園より故鄉の友へとでも申しませう

過ぎし世を指折り見れば五年を、異鄉の空に喰べんこのわれ

珈琲の實のれる山に早乙女の、土かふさまの、あわれなるかも

心あらば、泣いてもくれよ、珈琲の、花より我は、君したふなり

しのゝめの空をあふぎて大君の、よはひ永かれといのる同胞

猶序を以て友人志賀伊之助君の、土地賣却廣告を、お取次致します、御希望の方は、早速御申越下さいませ

位置　ソロカバナ線、インヂアナ驛と、プレシデンテ、プルデンテ驛の中間驛、レジエンテ、フエジョー停車場より、六キロメートル南方より始まり、ランジヤ、ドーセ川の上流を堺として居るのであります

地主　現任サンパウロ州副統領、ピルジリオ、ロドリゲス、アルベス氏とアントニオ、ロドリゲス、アルベス氏の所有地で有りまして、地劵は絕對確實なものであります

地質　土地の高低は有りますが、エスピゴンになつて居りまして、地味肥沃高い所は珈琲栽培に適し、他は米、綿、馬鈴薯、ジユタ、アルフアツフアの栽培及牧畜等總てに適する、申分なき土地で有ります

地價　全面積七千六百七十五町步（五方里餘）有りまして、一町步拾八圓と二十四圓の二つに區分して有ります

拂込方法　契約の際半金を支拂ひ、假登記を濟して殘半金は翌年又は翌々年に支拂ひ、地劵を受ける事となります、殘金に利子は附けません、登記はアシス町で出來ます

視察日程　サンパウロ市かは夜行が一番便利です午後七時二十九分、レジエンテ、フエジョー驛着、案內所で一泊、翌日視察を終はりて一泊、翌朝五時十七分發の列車で御歸りなさる事となります

出立の塲合　一週間前にカイシヤ、ポスタル一八五〇サンパウロへ御通知下されば、サンパウロからの無賃乘車劵を申受けて置きます、若し小生不在の塲合は、宮崎信造氏を御尋ね下さる樣願ひます（ソロカバナ線、レジエント、フエジョー停車場にて志賀伊之助）

二、南洋より一筆申上候

近藤良和君

御惠送下されし海の外八月號、一月上旬の便船にて難有落手拜見仕候、何を申しても海山萬里異鄉の地に在る身の、故國の事情を聞くだに懷舊の情に堪へざるに而も我が生ひ立ちし母縣の有樣殊に親愛なる、海外渡航者諸兄の御動靜等、詳に御報知の御記事誠になつかしく樂しく拜見仕り候、希くは本紙の愈々御隆盛ならん事を切に希望仕り候、左に當地の事共並に小生の愚考等大畧申上候間今後當地渡航者の何かの參考と相成候はゞ、身に餘る光榮と存候、

此の地は大樹鬱蒼として茂り、猿や豚を友として丸切人に離れ世に離れさながら深山の仙人生活の感に御座候、此處ミンダナオ孤島は西洋に比して、無智文盲なる土人相手、而も土地は至極肥沃にして、能く太古の原始狀態其の儘にして、多くの未開地を捨て置くは、如何にも勿体なき事にして、今後益々邦人殊に我が長野縣人にして、有爲なる靑年の、續々と發展せられ雄飛せられん事を懇望するものに候、大正八年以來不況のどん底に沈める麻價も、昨今回復の兆候相見え、日一日と好況に向ひつゝあり、前途も益々有望の樣にして、將來を思へば實に血湧き肉躍るの感自ら活動の念起り申候、現今麻價は一ピコル（我が十六貫目餘）普通物二十圓內外にして、大正六年頃の六七十圓に比すれば雲泥の大差有之候共、一昨年頃の六七圓に比すれ

ば相當の利益有之候、此の價格が永續するや否や、是より以上の活況を示すかは凡人の、知る能はざる處にして斷言を憚るも、併しながら一般人の豫想は是より好況を呈するとも、下落は無きものとの見込に有之候
今や北米の地排日の嫌あり、移民を歡迎する南米は、餘りに遠きに過ぎて、比較的多額の收入も無き模樣獨比島に於ては、我が帝國の隣島にして、氣候風土等よりしても、我が大和民族の好個の發展地と信じ申候、併しながら南洋の地固より黄金國に非ず、金錢の散在せる島に非ず、獨奮闘努力者に依りて初めて、其の人の掌中に此の無盡藏の寶庫の鍵は開かれるものにして如何に天に太陽の恩惠あり、地には未發の寶庫有りとも、怠惰者には無論失敗地に候、多くの移民中には樂觀して、前途の有望を喜ぶものあれば、悲觀して不幸煩悶する者も少からず候、樂觀する者は富源充實手に隨つて獲べきを思ひ、悲觀する者は、忽ち熱病に犯され瘴煙蠻霧人を斃すを虞るゝ感有之候、兎に角此處に勞働は神聖なりの西諺を履行するの外成功に近づく道は無く、斯る理想の青年こそ、日夜奮闘努力して日一日と、光榮ある生涯に進み居候、要するに南洋渡航者の考ふべき諸點は第一身体强壯なる事、第二意志强固にして不撓不屈の精神なる事、第三豫め一定の方針目的或は就職口決定して、然る後渡航する事、第四永年常住して献身的奮闘の覺悟ある事等にして、以上是等の諸條件を具備せずして、一攫千金を夢見て漫然渡航せんか、不幸煩悶し狼狽蹉跌する固より其の處にありと存候、宜しく此の邊御考察の上。我が長野縣よりは、此の後は續々と心身共に健全なる青年の、此の新天地に、此の樂世界に、雄飛せられん事を切望するものに御座候、終に臨み重ねて御會の益々發展せん事を願上候

二、ヴィラコスチナ耕地より

十一月二日 高橋久雄君

拝啓故國を去て玆に約二ケ年、資源豊な伯國の曠野に放縱な生活、眞に樂天的生存を續けて、毎日の幸を神に感謝しつゝ來るべき惠みの尙大ならん事を祈りながら、自然の誇を謳歌する私は、現實に醒めなければならない、生める國の人達や、そういふ人達を鞭撻叱咤して我等が住む、理想郷へ旅立たせる爲に、新に生まれた、御協會へ聊か御通信しやうとするのであります此の頃雜誌を御送り下さいました事を、心から感謝致します、やがてはこうした機關が生まれるだらふと、豫期しては居たもの、偶然にも名實共に備はつた、御協會の生まれた事を知つた私は、雀躍する程嬉しくありました、去る五月廿七日神奈川丸で來た兄達一行を迎へに出聖した時、圖らずも同船で來られた輪湖樣に會ひ、信濃海外協會創立當時のお話を承はり、氏も幹事として、東奔西走大に盡されし事を聞くに及んで、私は幾度か氏に其の勞を謝したのであります、協會の仕事や必ず見るべきもの、有る事を御期待申上げます

顧みれば嗚呼遲々たる、日本國民の海外發展よ、耕やすに土地なく、住むに軒無い數多の日本人は、果して何時の日までか、安穩な生活を續けて行かれるでせうか、津々浦々、深山幽谷に至る迄、ウヨ〳〵と尙後から〳〵と六七十万人宛の增加を見つゝ有る故國の人達よ、在伯三万の同胞は双手を擧げて、平和な國ブラジルへ招きつゝ有ります、年中春の樣な氣候で、土地豊沃廣大、住民稀薄にして安價に土地を求めらるゝ、若し求めんとする資なくば、耕地にあつて、働くも、決して遲くは有りません、耕主は只家を貸し、自分手間にては耕し切れぬ程の土地を貸し與へ、耕作の自由を許して有る、肥料も租税もいらぬ、只蒔きさへすれば千穀が實ると云ふ、こんな衣食住の安易な國が、他に有るでせうか

激しい生存塲裏にあつて、ブラジルの眞相を解せない人達は、或は嘘かと疑ふ事でせう、然し裸一貫で、千万金を得んと云ふ意氣込で渡來した人々はその當初生活の相異や、言語不通、樣々な事柄に失望して、どんな報告をもたらしてあるか知れません、如何に伯國が寶庫で有ても、手を空しくして居つたり、入伯早々から何の得る所がありませう、二年三年と經る毎に仕事の實蹟も上り、眞に愉快な樂園を自分の心裡に刻み付けられるのであらふと思ひます、今は日本の初夏とでも云ひ度い樣な木々には若々しい淺みどりの芽をつけて百鳥の囀りにも、生き〳〵した感じを與へさせられます、九月頃から咲いた珈琲の花も、初回二回と咲いては散り、三回目の花が雨後の日光に映える美しさ、珈琲の國の自然も亦格別の詩趣があります、大きな中を十二頭繋いだ牛車が、すぐ向ふの道を高い軋りの音を立てゝ、靜々と行くのが見えます、其の牛車を追ふ黒奴の、節面白く唄つて行くあの唄、せめてあの俗謠の意味でも解せたらとつまらない事を考へても見ます、

先は總裁閣下を始め、諸賢の御健康を祈ると同時に、益々海外協會の發展を、祝福して擱筆します

四、南洋近信

ダバオ松岡興業株式會社内原山芳雄君

謹賀新年、其の後は意外の御不沙汰失禮致しました海の外第五號より毎次御送附下され、大なる趣味を持ちて隈なく拜讀致しました、早速御禮の御言葉申上ぐべきところ、業務に忙殺せられ今迄延引の段御許し下さい

山の多き我が信州にも、海外發展鼓吹の爲に、此種の機關雜誌の設けられたるは欣幸賛同の意を表します、希くは近き將來に於て、有終の美を收められん事を祈ります、我か國人口の年々激增に省み、物資需給の關係に鑑み、且又世界の大勢に應じて必然起るべくして此の海外發展の一日も忽にすべからざるものと思ひます、是海外發展は、信人の生活を豊富にするのみならず、大にしては國運發展に貢獻する所以のものであります、此の秋に方り我が信州に海外協會を見、生れたる海の外はその內容に於て、其の体裁に於て、植民思想發展上一段の便宜且適切を加へたる良著であります、此の熱誠は必ずや、近き將來に於て大成する事疑無しと信じます、

今や日本の南進的地位は、益々確實となりました。徒に小天地に跼蹐して寸尺の地を爭はんよりは、須らく南溟無限の樂土に雄飛して、以て我が國利民福を伸暢すべきは、二三男の運命ではありませんか、小生も遇然身を海外にと志し、大正八年三月六日渡比早々ラサン松岡耕地の一角に四町歩餘を開き約五千株のアバカを植付不撓不屈を念頭に繼續しつゝ居ります、一昨年から昨年にかけ、時ならぬ不景を實現致し、海外生活には珍らしき不安を抱きました、是れが爲か歸國者はダバオ發毎船百名以上を算し、殘りし吾々は實に心細さを感じました、幸にして近來恢復しつ、特產たるアバカも日に增し騰貴の傾向であります、當耕地內に於て極上一ピコ（六十三キロ一キロは二百六十六匁）二十二三圓の相塲にて賣買致し居ります、目今生產期に相當し居り、多少なりとも金の殘る域に向ひました、是實に比島寶庫開發の賜と感謝致します、お蔭樣に無病にて寸暇もなく麻挽に精出して居りますから、何卒御安心下さい、何れ機を見て、當地の狀況等申上度取敢えず新年を迎え併せて賛同の意を表する次第であります、大正十二年一月

信州だより

一、農村兒童の体格都市の兒童よりも劣る

本縣學務課では、今回都市の小學兒童と、農村兒童との身体發育狀況を調査中であるが、玆に甚だ憂慮すべき現象が發見された、それは原則として都市の兒童よりも農村の兒童の發育が必ず良好であるといふ從前の考へを裏切つて、反對に農村の兒童の方が、著しく發育不良であるといふ、悲しむべき事實の發見されたのであるが、其の事實の發見された學校は小縣郡の西塩田村と上水內郡の芋井村とであつて、兒童發育狀態の不良な原因は、農村の疲弊に伴ふ結果で、兒童の營養不良なるに拘らず、家業の爲め過度なる心身の勞役を强ひられるのであつて農村疲弊の實情が、未來の國家の中堅となるべき、小國民の發育に支障を來すに立到つた如きは國家の由々しき、一大問題と云はなければならぬ、玆に於て農村救濟の、一日も忽諸に附すべからざる事を知るのである、今調査したる農村兒童發育の結果を揭げれば、男子の身長は各年齡共に著しく不良で、本縣小學兒童平均より皆少く、体重も亦同樣であるが。胸圍だけは勝つて居る、女子に在ては身長男子と同樣本縣小學兒童平均より不良、体重は幼年の方に不良多く胸圍は男子と同樣である、要するに農村兒童は身長に於て著しく劣り、胸圍に於て稍勝るといふも、橫にも太からず、丈も甚だ短く憂ふべき現象である、

又話は少し違ふが、同じく純農村である南佐久郡某區百三十四戶、八百三十八人の保健衞生調査の結果を見ると、寄生蟲保有者が、八十三、三パーセントと云ふ驚くべき多數で、無卵者は僅に十六、七パーセントで有た、原因は種々あらふが、野外の脫糞の多いなどが注意を要する、此の部落の家屋の構造は、板葺多く、窓の設備充分ならず。採光、換氣共に極めて不良である、而して寢室は全部萬年床と稱すべく、便所及厩の位置等悉く非衞生的であるといふ

二、雨氷の災害

氷雪に埋もれた信州にも、自然の惠みは平等で、何時しか春めいて來た、越後堺や飯山方面には、未だ四五尺から有る樣だが。大体雪の時期は過ぎたといふもの

だ、さて此冬中雪の爲に、如何に災害を蒙つたであらふか、汽車の不通遲延等より來る損害は、計量する事は出來ぬが、雪崩や吹雪で人命を奪はれたのも、十數人に上るだろふし、除雪人賃なども飯山町だけで、一万圓に達したそうだ元來飯山は、信州の北海道と云はれる程、雪の降るので、或は寧北海道以上かも知れない、爲に此町の人は冬になれば雪の排除が大仕事で、殆んどそれにかゝつて居るううだが、自分の手だけではやり切れず人夫を雇ふてやる分が平均一戸當拾圓戸數一千の町であるから總計一万圓は優にかゝつたらふとの事だ、

今年は又雨氷といふ未曾有の現象が起つて、學術研究の材料にもならふと云ふて居るが、其の被害は又大したもので有た諏訪郡岡谷を中心として、東筑上伊那の郡境に亘りて最甚だしく、電線の切斷されたもの電柱の倒されたものなどは無數で、數日間は通信杜絶、市内暗黑といふ慘狀を呈した、降り注がれた雨が直ちに氷結するので、立木などは其重さに堪へずベタ〱と倒れて一本も餘さゞる山林がある、此の方の損害は更に莫大で、平野、長地、川岸、湊四ヶ村に於けるものゝみで約百万圓に達したそうだ

三、商家の不景氣

二八月と云つて一年中二月と八月とが、商賣不振で有るのは、古來の慣らはしであるが、今年の二月は格別にも閑散で有た、其原因が那邊に在るか、强ち坪方に金が無くて購買力が減じたといふでも無い様だ、長野貯蓄銀行に就て見ても、相變らず拂出よりは預入の方が多く、昨今は毎日平均預入が、全縣下で五千圓あれば、拂出は三千圓といふ實況である、同銀行へは零細の金が入つて來るのであるから、之を見ても坪方には金が無いものとも見えない、然らば何故に斯く商家が不景氣であるかうれには二つの理由が有るらしい、一つは經濟界の變動に醒めて一般に警戒する様になつたのと一つは消費節約の宣傳の效果とである様だ

四、長野市の副業講習會

年配から見ても、職業から見ても、種々樣々である長野市中流の婦人が百五十人、大本願の明照殿に集つて、商業會議所主催の副業講習を受けた、講師は東京家庭製作品奬勵會から派遣された同會の專務田村松枝といふ婦人で、講習の劈頭に其覺悟を述べられた「皆樣と御

一緒に働いたならばお國の爲にも、どんなにかよろしからふと思ひまして」といつた樣な調子で、家庭製作品奬勵會の成立から、說き始め今度の講習に就きて一通の說明をしたが「世間では女の方は遊んで居ると言はれますが、女の方も遊んでは居られません皆それ相當の仕事をして居られます。併し時間を無駄に使ふといふ事は有りませう、女は家に居て子供の世話をして家を治めて行くのが役ですが。時間を上手に使つて家を治める上に今一息進んで働く事にしたいと思ひます時間を巧者に使つて、一寸見ては內職だか何だか、分らない樣で。お家の爲にもお國の爲にもなるのが文化刺繡で有ります、刺繡といふと台を用ひたものでありますが、文化刺繡は台はいりません、汽車の中でも何處でも出來ます、雜巾を刺すのを應用して簡易に。而も奇麗に出來るのが、私の文化刺繡でありますと」二三の實物を示して說いた、うれが終ると毛絲編物、タワチングレース、簡易刺繡の三科の教授が一時に始まり、幾多の織い手は目まぐるしい程の活動を始めた六日から十日迄五日間の間講師も生徒も熱心なる練習の結果、隨分立派な編物や刺繡が出來る樣になつた、生產力の比較的少い長野市の施設としては、誠に結構な事である、之れを基本に一つの產物を拵らへやうといふのが、商業會議所の計劃である、受講者全部が一時的でなく永久の事を考へてやつたならば、やがてはよい善光寺土產が出來るであらう

五、長野師範入學志願者激增

長野師範學校では去る十五日から、今年の入學志願者一部二部を合し、約六百名の体格檢査に引續き。學術試驗が開始されるといふので多忙を極めて居るが何しろ今年の樣に志願者の多い事は大正三年即ち十年以來始めての事で、師範學校の當局すら驚いて居る、今之れを大正三年以來の志願者數に見れば、

年別	一部	二部	合計
三年	三三六	一四四	四八〇
四年	二四七	一二七	三七四
五年	二〇六	一四〇	三四六
六年	一九七	一三六	三三三
七年	一八五	一一四	二九九
八年	一四一	九三	二三四
十年	二一八	一一六	三三四
十一年	二八三	一六四	四四七
十二年	四〇〇	一八四	五八四

即ち戰爭の影響を受けて、一般が好況の時代で有つた大正八年九年の如きは、僅に百四五十名で、二部の如きは定員の八十名に不足するといふ、不振の狀態で有たのが、其の後好況時代の反響が來て、財界が不振になつた上に、敎育者の優遇論が出て、俸給の增額が具体的に現はれて來たので、今度は八年九年の好況當時顧みられなかつたのが、急に世間の視聽を惹く樣になつて、今年は一部が四百名の云ふ、急激の增加を示し、二部も亦百八十四名といふ多數に上る事となつた

六、池田町合併問題

先年上田市が城下村を併合したを始めとして、長野市が近く附近の町村を併合せんとし、松本市にも亦同樣の計劃有る樣だ、此は當市街地に止まらず郡部の町村にもボツ〱話が起つて來た、上水內郡の朝陽、柳原の兩村を合併しやうといふのも、其の一つであり、北安曇郡池田町にも亦其の議が始まつて居る、去る紀元節に池田町役場に、委員中島池田町長、薄井貞一郎、平林仲次郎、市川今朝一郎、松澤仙松、社村橫澤村長一志治二郎、伊藤沓吉、會染村高山村長、內山正治。柴田幸吉、矢口彌長治、中越滿、松川村平林村長、尾曾伊代作の十五氏會合し、町村分合に付き敎育土木衞生財產の處分合併の條件等を協議したるが、町村區域は池田町を中心として、會染社南部松川の一部を合して一大町を造る事を目標として、硏究の步を進め、十二日も引續き會合協議を遂げた、本月十日迄に各方面に亘りて具体案を作製し、夫に依りて一層硏究を進むる筈で、合併の機運は餘程熟し來れるものゝ樣である

七、氷の中で六十日間に純益五十万圓

空前の好況裡に製造を終えた、茅野附近の寒心天業者は何れも非常な滿足を以て釜揚の祝をなし、尙今後引つゞき市價の維持法や、賣捌の方法について協和會を開き、協議をして居るが舊臘五日の釜開き以來、六十五日間同地方に於て使用された釜數は二百二十四釜であつたから、一釜平均百五十梱宛を、製造したものとすれば、角寒心天約二萬五千梱、細寒心天約三十五萬斤に達すべし、角寒心天一梱平均七十圓とすれば、うれのみにて百七十萬圓を、越ゆべくうれに細寒心天の賣上げ、亦五十萬圓近くに達すべきを以て、彼是實に

二百二三十萬圓の巨額に上るべく、原料草一梱分三十五圓に、工費二十五圓と見積るも、尙全体に於ては四十萬圓乃至五十萬圓の、純利益を獲たるわけにて一梱二十五圓の工費中には、無論製造業者の、勞銀生活費等も含まれ、うれのみにても充分に生活の出來るわけで有るから、殘餘の五十萬圓は全くの儲として、殘さるべきものである、而して猶殘荷は相當に多きも目下の處賣行旺にして、市場は何等不安の認むべきものが無い、冬季農家の副業として、世の一般が炬燵に蹋まつて居る間に、かうした巨萬の利益を贏ち得たのであるから、茅野界隈の好況思ひ及ばぬものがあるのも無理はない

八、本縣初等敎育効績者表彰

去る紀元節の佳辰に當つて、本縣知事より表彰されたる、初等敎育効勞者の表彰文は左の如くである

南佐久郡野澤尋常高等小學校訓導兼校長
勳八等　田中文治
上高井郡井上尋常高等小學校訓導兼校長
山岸峰松
更級郡中津尋常高等小學校訓導兼校長
佐藤唐太
諏訪郡永明尋常高等小學校訓導兼校長
矢崎作右衛門

多年初等敎育に從ひ忠實熱誠其の職に盡瘁し敎育上の效績顯著なりとす仍て大正六年一月縣令第四號普通敎育奬勵規程第四條に依り金時計壹個を受與して之を表彰す

大正十二年二月十一日
長野縣知事正五位勳四等　本間利雄

小縣郡東內村學務委員　長坂宗之助
北安曇郡七貴村學務委員　堀內庄枝
上水內郡淺川村學務委員　石坂朔治

多年敎育に關する公務に從事し忠實熱誠其の職務に鞅掌し初等敎育の普及進展に關し其の効勞勘からず仍て大正六年一月縣令第四號普通敎育奬勵規程第四條に依り置時計壹個を授與して之を表彰す、

大正十二年二月十一日
長野縣知事正五位勳四等　本間利雄

下伊那郡松尾尋常高等小學校醫
正七位勳五等　藤田聯治

多年校醫の職に從事し精勵其の務に盡瘁し普通敎育

の進展に關し功勞尠からず仍て大正六年一月縣令第四號普通教育奬勵規程第四條に依り置時計壹個を授與して之を表彰す

大正十二年二月十一日

長野縣知事正五位勳四等　本　間　利　雄

下高井郡平岡尋常小學校訓導　海　谷　高　市

下伊那郡飯田尋常高等小學校尋常科訓導　矢　澤　千　尋

埴科郡倉科尋常小學校訓導　勳七等　寺　内　郡　一　郎

多年初等教育に從事し忠實其の職に盡瘁し教育上の效勞尠からず仍て大正六年一月縣令第四號普通教育奬勵規程第四條に依り銀時計壹個を授與して之を表彰す

大正十二年二月十一日

長野縣知事正五位勳四等　本　間　利　雄

小縣郡室賀尋常高等小學校專科訓導　岡　野　ふ　く　の

上水内郡大豆島尋常高等小學校尋常科訓導　轟　柳　太　郎

上伊那郡東春近尋常高等小學校尋常科訓導　阪　井　熊　治　郎

多年初等教育に從ひ永く同一學校に勤續し忠實其の職に盡瘁し教育上效績尠からず仍て大正六年一月縣令第四號普通教育奬勵規程第四條に依り銀時計壹個を授與して之を表彰す

大正十二年二月十一日

長野縣知事正五位勳四等　本　間　利　雄

九、縣下農業界の四大問題

西天龍及延山原の開墾問題は、縣下農業界の二大問題で有るが、更に又南安一帶の灌漑問題及、延德沖開墾問題が起つて來た。南安の灌漑問題といふのは、豐科、高家、烏川等數ヶ町村、一千五百町歩の廣大面積に於ける、生産の死活を左右する、同郡奈良井川用水、灌漑方法について、同郡の縣會議員飯田慶司氏、高家村長黑岩重義氏等が、先月初旬出縣して知事に陳情した事で、陳情書に依ると、從來南安曇郡の南部方面は旱天に至れば水源涸渇し、收穫極めて尠く、此の儘に放任せんか、自然同地方の民心惡化し、意外の不祥事を惹起せんとも計り難ければ、將來地方民の幸福增進

の爲め、縣に於て同郡に於ける、農業水利統一改善に向つて、適當の施設を斷行し、地方民の年々灌漑に依つて增加する負擔を、輕減して有形無形に、地方民の幸福增進を計つて貰ひ度いと云ふのであるが、何にしても一千五百町歩の大面積で、工費として少くとも三四十万圓を要するので有るから、難事業と言はれて居る

延德沖の方は之を、開墾耕地に改造する計劃で、既に三ヶ月以前より農商務省河北技師は實地踏査をして居るが、今回大体の設計が出來たので、其の施設方針の原案を縣の農商課に廻送して來た、其の内容を聞くに改良面積八百九十六町歩、工費實に四十万五千九百圓を要するそうである

一〇、南佐久通信

海外事情幻燈會　本郡に於ては、去る一月十七日より、同二十六日迄十日間下記の町村に於て幻燈會を開催した、嚴寒の候なるにも拘らず、各所共頗る盛況を呈した、各開催地町村名を列記すれば、平賀、野澤、岸野、大澤、臼田、榮、北牧、北相木、南牧の九ヶ町村である

小學校長會　一月十八日郡役所樓上に於て、郡内各小學校長の會合を催した、其の際海外協會々員募集の件を依頼する處が有つた、

特別會員加入　大澤村木内定一氏　本會特別會員として入會し、協會並に支部の爲に盡力し呉るゝ事となつた

支部長異動　本郡支部長武盛仲太氏は、常に本支部の爲に、盡瘁せられつゝありしが、這般本郡長を辭すると同時に、支部長をも辭された、後任郡長として、長野警察署長たりし小林嘉三郎氏赴任せられたるを以て、乞ふて支部長に就職盡力を得る事となつたのは喜ぶべきである

養蠶講習　本郡に於ては先月上旬より、郡下一齊に養蠶講習會を開き、斯業の改良奬勵を計り、養蠶業者をして、善良なる繭を多量に收穫せしむる事に努力しつゝある

徴兵檢査　本郡十二年度、徴兵檢査は來る、六月九日より、開始される筈である

南佐農談會　先月二十三日、臼田町臼田館に於て、郡内篤農家の懇談會を開き、優良技術員の表彰、農業改善の講演等をなし頗る盛會を告げた

編輯室より

一、外國在留の諸君に對しては、前號所載の三項を繰返し御願致します

二、南安曇郡穗高村出身で、北米シヤトルに農場を經營して居られる平林利治氏が御尋ね下さいました、色々あちらの御樣子をお聞きして、得る所が有りました、同氏のお話に依れば彼の地には二百名からの長野縣人が在留し、比較的知識の勝れた者が多い故、物質的には兎に角社會的には相當活動して居るそうです、又最近華州信濃海外協會の組織成り當協會と聯絡して、本縣民海外發展の爲に盡力されるとのお話も有りました

三、撫順の長野縣人會長中島右仲氏(埴科郡南條村出身)並にウラヂオストツクに在留された小縣郡の矢滿田進氏も先頃御立寄下さいましたが何れのお話も誠に快心に存じました

海の外

定價

	内地	外國
一部	廿錢	廿仙
半ヶ年	一圓十錢	一弗廿仙
一ヶ年	二圓廿錢	二弗廿仙

海外郵税四錢

注意
▼御注文は凡て前金に申受く
▼廣告料は御照會次第詳細通知致します
▼御拂込は振替に依らるゝを最も便利とす

大正拾貳年三月壹日

編輯人　永田稠
發行兼印刷人　藤森克
印刷所　長野市旭町　信濃每日新聞社
發行所　長野市長野縣廳内　海の外社
振替口座長野二二四〇番　信濃海外協會

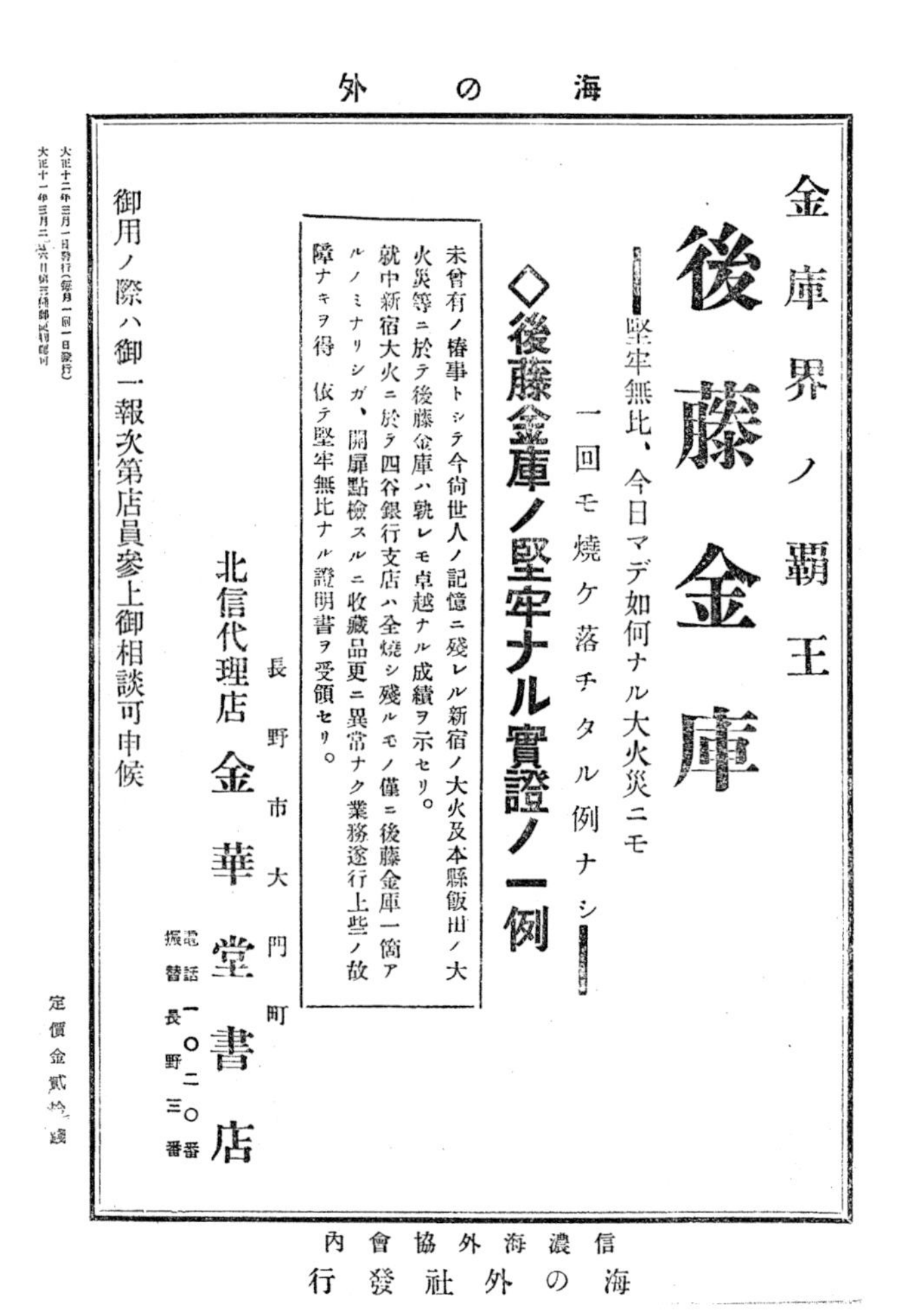
海の外
金庫界ノ覇王
後藤金庫
堅牢無比、今日マデ如何ナル大火災ニモ
一回モ焼ケ落チタル例ナシ
◇後藤金庫ノ堅牢ナル實證ノ一例
未曾有ノ椿事トシテ今尚世人ノ記憶ニ殘レル新宿ノ大火及本縣飯田ノ大火災等ニ於テ後藤金庫ハ孰レモ卓越ナル成績ヲ示セリ。
就中新宿大火ニ於テ四谷銀行支店ハ全燒シ殘ルモノ僅ニ後藤金庫一箇アルノミナリシガ、開扉點檢スルニ收藏品更ニ異常ナク業務遂行上些ノ故障ナキヲ得 依テ堅牢無比ナル證明書ヲ受領セリ。
長野市大門町
北信代理店 金華堂書店
電話 一〇二番
振替 長野 三〇番
御用ノ際ハ御一報次第店員參上御相談可申候
大正十二年三月一日發行（毎月一回一日發行）
大正十一年三月二十六日第三種郵便物認可
定價金貳拾錢
信濃海外協會内
海の外社發行

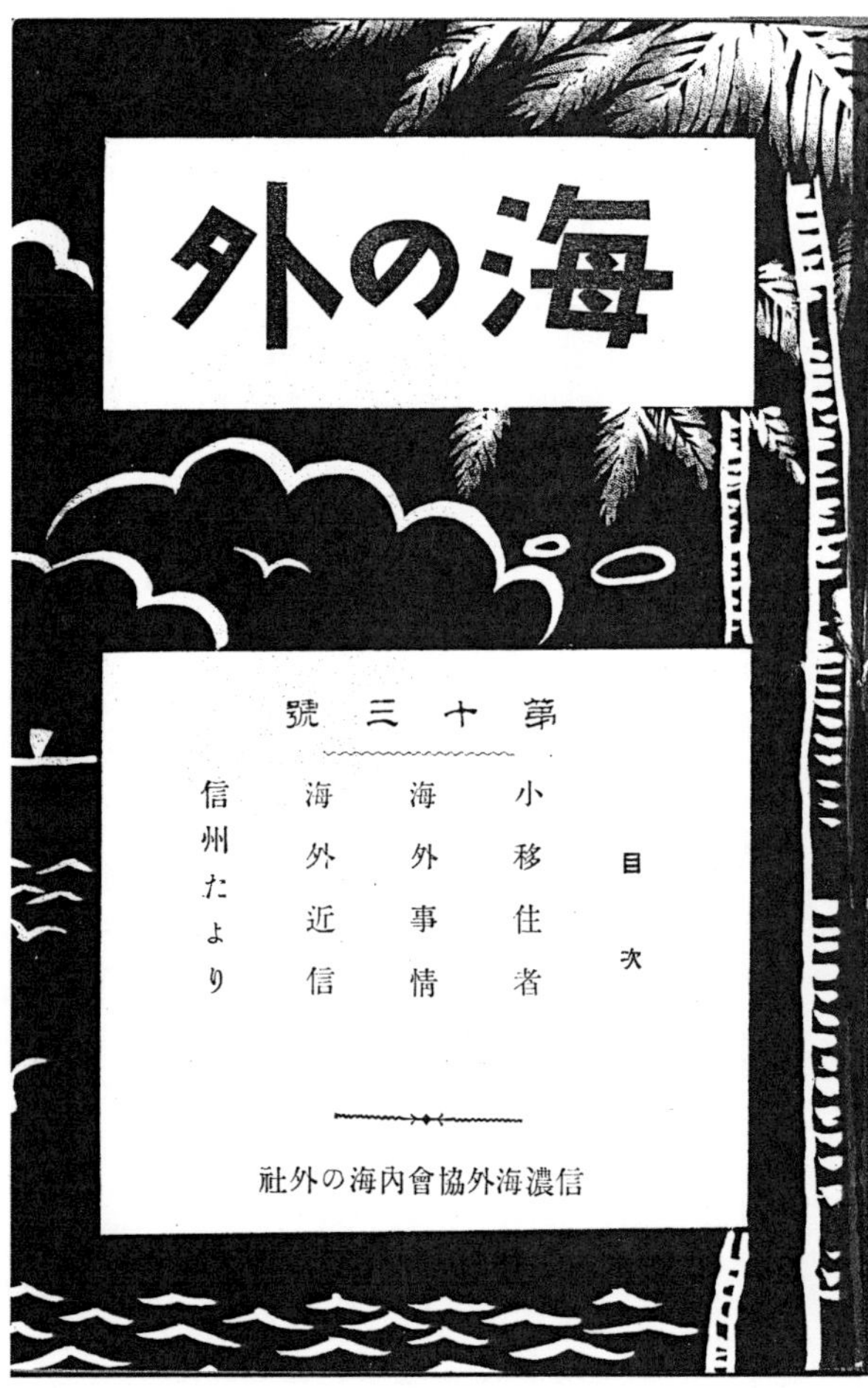

目次

海外協會中央會創立相談會出席者

海の外

（1）

一、小移住者

文部省著作假作物語所載
久保田俊彦氏作

（一）

幸吉の父が南亞米利加のブラジルへ渡つたのは、幸吉の八歳のときであつた。愈々出立といふ前の晩父は幸吉を抱きながら、「亞米利加といへば遠い樣だが近いものだ、海といつでも、汽船で行けば疊の上も同じことだ、あつちへ行つて三年も稼いだら、おかさんとお前の旅費を送るから、其時はアメリカへ來るがよいと云ひながら幸吉の頭を撫でた。幸吉はやうやう東西を知り得る程の幼兒である。父が近いと云ふから、亞米利加は近い所であらう。父が金を送てくれたら。直ぐ出掛けようと心に思た母はランプの下で、頻に針仕事の手を急がせて居る。夫の爲に旅の衣を縫ふのであらう。『おつかさんも私と亞米加へ行きますか』と云つて幸吉は心許ないので、ランプ越に母の顏を覗き込んだ。『おとうさんのおいでなさる所なら、山を越し海を越しても、連れて行つてあげる』。と云つて、母は針の手を止めて、ぢつと幸吉の顏を眺めた。幸吉は『連れて行つてあげる』と云はれたのが嬉しいので、其まゝ母の膝の上につ眠てしまつた。

父が出立してから三月程たつて、『無事にブラジルの港に着いた』。と云ふ手紙が届いたので、母と幸吉とは大層安心した。併しその後は便が久しくない。『おとうさんはどうしたのだらう。早くあちらへ呼んで下さればよいに』。とは幼い幸吉の心に毎日繰返す願である。折々は母に尋ねてみる。尋ねる度に父の行つた土地は思たより遠い所であると云ふ事が分て來る。三年といへば、永い月日であるという事も分つて來る。幸吉は少し失望の様子であつた。

二箇月程たつて二度目の手紙が届いた。『今迄はリオ・デ・ジャネイロ市に滯在したが、是から南部のサン、パウロ州へ行つて、獨力で珈琲樹の栽培をはじめる積りだ。うまく行けば來年にも二人を呼ぶ』。と書いてある。幸吉は急に元氣を恢復して、『今に亞米利加へ渡るのだ』。その事ばかりを心に描いて、日を送てゐた。三度目の手紙は、其年の内に着かなんだ。『正月になつたら。』と待て居たのが、二月になつても三月になつても、何の便りもない。母は時々首を垂れて、何か考へて居るので、其様子が子供の眼にも何所となく沈んで見える。『どうしたのだらう。』と云ふ心配が前よりもはげしく幸吉の胸に湧いて來た。櫻の花の咲く

四月も面白くは過さなかつた。去年父の出立した時、咲いて居た燕子花が今年も美しく咲揃つたが、それも何時しか散りがたになつた。父からはまだ便りがない。

六月の末になつて一封の手紙がブラジルから届いた。差出人は日本人であるが、名前は幸吉の父ではない母は慌しく手紙の封を切つて、息もつかずに一通り讀み通したが顔の色は見る見る蒼ざめて、唇はぶるぶる震へて居る。そして急いで今一度繰返して讀み終た時は、見張た眼から涙が漲つて、いきなり聲をあげて、其所へ泣き伏した。幸吉は驚いたまゝ其側へ突つ立つた。

幸吉の父は數千里の海を隔てた遠い土地でとうとう命を落したのである。手紙には父の最期の様子が詳しく認めてある。父は去年他の日本人と別れて、一人でサン、パウロ州の或原野に住みこんだ。そして多くの人夫を使役して、土地を開墾して珈琲樹の植付に從事したが、『地味が肥えて樹がよく育つ。成功したら君たちもこつちへ來るが良い』。とは折々他の移住者へ送つた手紙であつたさうだ。所がふとした事から重い熱病にとりつかれて、四箇月ばかりでもう立つ事が出來なくなつた』。墓は開墾地の岡の上にある剛毅果斷で忍耐強い友を失つたのは移住者一同の深く悲しむ所だと書き添へてある幸吉は母の膝へ顔を

あてながら、半ば夢心地で、様子を聞き終た。そして、『あゝ私が成長したら、きつと亞米利加へ行こう。亞米利加にはお父さんのお墓がある。おとうさんの開いた畠もある』。と斯う深く心に思つて母の顔を見上げた親子の眼には新しい涙が瀧の如くまた溢れて來た。

二

月日は夢の間に過ぎて、幸吉はもう高等小學を卒業した。父がなくなつてから丁度七年になる。『父がサン、パウロ州の野中に開いたと云ふ畠は今はどんなに荒れたであらう。その岡の上にある父の墓には、雜草がどんなに生ひ蔓つてゐるであらう。早く彼地に渡りたい。』と幸吉は寢ても覺めても其事ばかり思ひ暮した。父が死んだ後一家の生計は餘程困難であつた。少しばかりの田畠も父が出立の時悉く人手に渡した、今は少しばかりの小作に漸く親子の口をすごす程の有様である。『亞米利加へ行くには金がいる。是から一稼ぎせねばならん』。と幸吉は小學校を卒業すると共に、早くも斯う決心した。そこで前よりも多くの田畠を借入て、母と共に一心に耕作したが、地主に入れる年貢をさし引くと、一家の收入は甚だ哀れなものであつた。幸吉は失望せずに、翌年も多くの田畠を耕したが、生憎の年は此地方に夥しい害虫

が發生して幸吉の家の稲も大半其害を被つてしまつた。幸吉は、箒の様に枯立つた稲の前に佇んで、『今年は金が足りなくなる。何時亞米利加へ行かれるのだ』。と獨言をいつて居た。母は之を聞いて、『稲のわるいのは一年の事だ。それよりもお前の腕の太たのが頼もしい。私も一所に亞米利加へ行く積りで居るから、氣を落さずに精出してくれ』。と云つた。

幸吉は母に勵まされて、再び勇氣を取なほした。又の年は農業の傍雞を飼た。手數のかからない割合に收入があつたので、『この方は見込が立ちそうだ。來年は數を増してみよう』。と云つて喜んだが、二年目の梅雨に、これも家禽コレラに罹つて殘らず死んでしまつた。幸吉は死んだ雞を手にしながら、悄然と雞小屋の前に立つた。『あゝ天は私を助けてくないのか』。と云つて、溜息をついている。母は『お前の勤勉は金にかへられない尊ひ寶だ。それに比べれば、雞位は惜しくない。併しお前は未だ忍耐が足りない。お前のおとうさんは、此位な事で力を落す様な人ではなかつた』。と云つて幸吉の様子をながめていた。幸吉は『忍耐が足りない』。と云はれたのが胸に徹へて、『あゝこんな事ではならんと』。再び心を勵まして、益々家業に力を注いだ。

次の年の秋、幸吉は少しばかりの雞を町に賣つて一人でとぼとぼ田舍道を歸て來た。十年前の父の事から自分の今の身の上から、便少ない母の事と思ひから思をたどつて、足の運びもはかどらない。家に歸てみると珍らしく村長が訪ねて來て居た。村長は幸吉の歸つたのを見ると、にこ〳〵しながら一封の手紙を取出して、不審さうにしている親子の前に置いた。『幸さんの家族が分らぬから、『私に取次いでくれ』といつて來たのだ早く披いて見るがよい』。と一人で呑込んで、ほく〳〵喜で居る。

幸吉は急いで手紙を取り上げた。見ればサン、パウロ州の日本人會から來たのである幸吉は懷かしさに、思はず全身を震はせた。手紙には、先づ幸吉の父の名を書いて、我等は此の開拓者の遺業をついで、盛に殖民地を經營していると書いてある。我等數百の日本人が今日幸福な生活を營み得るのは、かつて獨力此野を拓いた先人の賜物である。併し其の人は既に此世に亡ひ移住者一同は、日夕之れを遺憾に思つてゐる』。と書いてある幸吉の眼にはいつか淚がい一ぱいになつた。『我等の遺憾に比べて遺族の悲しみはどんなであらう。併し人は死んでも、志は活きる我等移住者は先人の心を心として、永くこの地の繁榮を圖る覺悟だ。

日本人會は今度此開拓者の爲に、一つの大いなる石碑を建てた。碑は故人の墓の傍にあつて、遂に故鄕の空に對してゐる。此事を村役場から遺族に知らせて戴きたい』。といふのである。幸吉は讀み終ると共に、默然と頭を垂れた。而して暫く考へて居たが、『あゝ私はどうしても亞米利加へ行かねばならんと思はづ斯う云つて顏を上げたが、『併し私には金がない。とても行く事は出來んのだ』。と急にまた失望の眉をひそめた。『いえお前はもう亞米利加へ行く事が出來る』。と云び乍ら、母は此時一室から一つの包物を取り出して來て、幸吉の前に置いた『驚くのは道理だ。是はおとうさんの出立なさる時、萬一の時幸吉の資本にするのだ。といつて、私へお預けになつた金だ。今迄知らせずに置いたのは、只一圖にお前の心を勵まさう、勵まさうと思たからだ。長い年月お前の苦勞を見る度に、明かさうか、明かさうかと思ひながら、今日迄こらへて居た胸の中も、少しは察してくれよ』。といひも終らす、其所へ又泣伏してしまつた。幸吉は夢かとばかり眼を見張つて、無言で村長と顏を見合た。

二、海外事情

○ハルビンに於ける工業

ハルビンは輓近急激の發達を示し、今や内外併せて約三十萬の人口を抱擁する大都市となれり、從て單に全市の需要を充すのみにても、幾多の工業を發達せしむるの餘地あり、況やハルビン市の位置たる、北滿州に於ける中心市場として、鐵路は東西南三線の分岐點として、茲に取合せられ水路又東北より西南に走り、大船を上下航行せしむべく、尙遙にニコラエウスク港を中繼として海洋に通ずべし、而して更に將來賓黑鐵道竣成の曉には、獨り滿州のみならず、支那及び極東露領間の中心市場となるを以て、各種の工業を此の地に營むは極めて有利なるべし、只憾むらくは燃料の割高、水質不良、優秀なる勞働者の得易からざる等、ハルビン市が大工業地として發展するには、不適當なることあり

工業發達の經路　ハルビン市に於ける工業發達の經路を知らんと欲せば、自然ハルビン市の發達を敍述せざるべからず、ハルビン市は今より三十年以前にありては、何等經濟的價値なき、一小部落に過ぎざりしが、一八九六年日清戰後に於ける所謂三國干渉の結果、露國支那兩政府間に締結せられたる、カシニー條約に依り露國が東清鐵道の敷設權を獲得するに至り、翌一八九七年東淸鐵道副總裁ケルベッツ氏、此の地に來りて起工式を擧げ、同年八月敷設工事に着手するや、一切の材料を獨逸に註文し、松花江によりハバロフスクを經て、此の地に輸入したるを以て、勞働者及び商工業者、陸續として入哈し、玆に急激の發展を示すに至れり、當時工業としては、僅に二三製粉工場の設立を見たるに過ぎざりしが、夫れさへ其の後日露戰爭の結果、露國の南下策に一頓挫を來し、露人の引揚多數に上りたる爲、事業を休止するの止むを得ざるに立到れり

明治四十年北滿產大豆の、歐洲輸出試みらるゝに至りてより、北滿大豆は世界的價値を認められ、之れが註文殺到するに至り、其の中心地たるハルビンは、經濟的に堅實なる發展を示し、同時に支那政府は、北滿開發移民奬勵策を行ひ、東淸鐵道を支配せる露國政府は又、軍事的施設を經濟的施設に變更して、產業の開發を志すに至り、北滿大豆の作付面積激增と共に、其の輸出又累進的の增加を示し、明治四十二年には四十五万

噸となり、大正十年には七十五万噸を算するに至れり、之に伴ひハルビンに於ける工業も逐次發展を示し、明治四十年には支那人の經營に係る、舊式油房傳家僅に四戸存在したるに過ぎざりしが、大正五年には工場數十八に增加し、一日の大豆消費量三万六千布度、之れにより生產せらるゝ豆粕二万四千四百枚豆油二千四百布度を算するに至れり、而して大正十年末には更に增加して工場數四十、一日の製粕能力六萬枚に達するに至れり

一方製粉事業も亦異常の發達を示し、彼の日露戰爭の反動を受けて、休止せる工場は次第に復活し、明治四十年末には僅に二ヶ所なりしもの、大正元年末には十一ヶ所、其の消費原料、小麥十三万六千布度に上り、大正十年末には更に增加して、工場二十七ヶ所、其の一日の製粉能力七万千七百布度を算するに至れり、而して斯種工業の勃興は、自然之に關連する附隨工業、即ち蠟燭、石鹼製造業、鐵工業等の發達を促進するに至れり

ハルビンに於ける現在の諸工業　製油業は現時財界の一般不況に伴ひ悲境にありと雖も、歐洲戰爭以來製油事業は製粉事業と共に、當地方に於ける工業の主位を占むるに至れり、現時四十四ヶ所の製油工場即ち製粕工場より、製出する大豆油は大部分歐州に輸出せられ、豆粕は日本內地に仕向けらる、右四十四工場に於ける豆粕一日の製造高は合計十五万枚なり而して、日本人經營のものは其の中僅に一工場に過ぎず

製粉業は北滿洲に於ける投資事業中、最重要の役割を演ずるものにして、ハルビンを中心とする管內北滿各地に於て、製粉工場總計二十七あり、其の中日本人の經營に屬するもの二ヶ所あり而して其の一晝夜の製造能力は合計七万一千七百布度なりとす、之れを一ヶ年小麥消費高に見れば、實に二百五十万布度に上ると云ふ

蠟燭製造業も亦ハルビンに於て看過すべからざる工業の一あり、目下奥地筋との取引僅少なる爲、不況を呈せるも漸次回復するに至らば、相當の巨額に達すべし、現在製造工場二十一、一日の製造能力六千四百箱（一箱二布度入）あり、而して日本人經營の工場は一ヶ所なるが製造額は右の半分以上を占め居れり

石鹼製造業は蠟燭の副業として、自然に發達し製造工場數十九一日の生產高約三万個重量一千八百貫に達す製革業北滿に於ける畜牛の總數は八百万頭と稱せられ

、緬羊又百万頭以上に達し、生皮として市場へ出廻はるもの相當巨額に上るを以て、皮革業も又有望なり、但し北滿產牛皮は本邦及び米國品に比して品質劣等なり、其の最著しき欠點は纖維粗剛にして牽引力弱少なるにあり、又所謂ダニ傷も多し工場數は六ケ所内日本人經營のもの一なり

以上の外釀造業工場二十、製菓工場十一、腸詰製造所八、煙草工場三、鐵工場八、電氣事業工場二、製材工場大小五十あり

各工場を通じて經營者の最多きは勿論支那人にして、露國人之れに次ぎ十數名の日本人と二三の英國人とを交ゆ

將來發展の見込ある工業　將來西伯利及歐露の政情安定を見るに至らば、此の地に於て露國向雜貨工藝品、假へば帽子、コルセット、バック、木製玩具等の仕上をなし、又農具鑛山用諸機械、森林伐採用器具等の製作並に、半製品組立は運賃並に、關稅の關係上便利多かるべし

又大豆油利用の工業卽ち、石鹼、蠟燭其の他の製造業、東支沿線より莫大なる數量の、產出可能なる錯酸石灰の利用工業、皮革卵粉加工業、バタ、ミルク製造、硝子工業—マッチ製造、製絲業等相當見込ありと信ず

○ダバオに於ける子供展覽會

（ダバオ日本人會報所載）

舊年十二月三十日「リサールデー」を期して、ダバオで子供展覽會を催したが、流石に親心何れも自慢の我が兒を懷いて開會期日に縣立病院に出かけて、子供の体格檢査をうけて見た處では隨分貧弱なる子供も居た樣だが、親々はそうは思はぬ、明瞭に自分の兒より見勝りのする兒はあつても、それでも自分の子供にはどこか自慢の點があると思ふのであらう、無理もない人情と察せらる、開會の當日に至り集る者數十名、神の姿を表した樣な可愛らしい無邪氣の前には顰め顏をした者は一人もない、何れも皆親々が附添ふて居るが、立派に發育した子をもつた親の顏はどんなものだいと云ふ樣な勝誇た嬉し想な風が伺はるゝ夫れと同時に貧弱な兒をもつた親の心も顏も淋い粗製乱造でもあるまいが子供の養育には注意すべきだ、此の集合の中には無論日本人の子供も想當に見受けたが、我田引水な

らぬ目にも日本人の子供は矢張立派に見へた、日本領事館ダバオ分館成瀬廉氏の愛孃イク子チャンは終に一等賞を得た（二歳以上二歳以下の部）にてダバオ商業會社支配人大森四郎氏の愛息邦夫チャンは凡ての點に於て初めから優勝者として目せられていたのであるが條件の一つの種痘が未だ濟まなかつた爲めに二等に下げられたのは惜い事をしたが、然しこんな會の催しは何人も賞與が目的で無きは云ふを待たぬ事で親々が集てお互に話し會ふ中に育兒法の研究が出來醫師が詳細に診斷し呉れて若し身躰其他に欠點があれば、指摘してその養生法を敎ふるなど、此んないゝ機會はないのである兎角善い催しであつて、比律賓人の樣にバイラ計りに浮身を扮て愛兒を家に打捨ておくなどの不心得も少しは目が醒めてよからう、

○米國山中部地方日人の活動狀況

（ユタ通信）

米國山中部地方一般在留日本人の狀勢を見ると、農業方面に於て、昨年度のユタ及びアイダボ二洲の農業成績は、近年に無い豐作であつたけれども、日本人農家の耕作せる、主なる作物である所の砂糖大根は、會社との取引値段が安く、ポテトの如きも生產過剩のために、市場不振に次いで持越しとなり之等の事情は遂に、農家を窮境に導いた、併し窮して初めて自覺の機運に達した、一般邦人農業家は、今後の經營方針に對して、自覺して來たやうであるから、本年度の經營方針は、大に改善されるに相違無い、大に劃策怠らざるべしとは農家の聲悅ぶべきである

勞働狀態　山中部各地の勞働狀態は、昨年九月以來極めて順境に復した、ユタ州地方は現在ビンガム銅山を中心とせる、其の配下に三百餘の日本人が就働し、鐵道工場方面より、進んで南部ユタ方面は、非常な好況である、南部ユタの炭坑に六百の日本人が、活動して居ることを聞かば何人も驚くであらう

ワイオミング州地方　此の地方の勞働區域は、エバンストン・グリンリバー、及びローリンス等のユー・ピー鐵道の工場に百數十名の日本人が働いて居る、ハンナ、ロックスプリング及びキャマ地方の炭坑には、二百五十餘の日本人が就働し、至る處不景氣知らずの狀態で有る、猶ギャマ市には近頃快心の事實がある、西鐵司氏の新事業。キャマに於て球場と旅館を經營して居る、福岡縣人西鐵司氏所有の土地七十七町歩の地

下に、炭層の有る事が發見され、同地の白人四名と西氏、と五人の共同資金により、採炭着手の計劃が愈々實現さるゝに至つた

炭坑を採掘するには尠なからざる資金を要するので、白人資本家より該炭坑の有望なるを認め、進んで出資する事となり、土地所有者ある西氏に交涉あり、同氏は採炭一噸につき十五仙（我が三十錢）の契約をなし資本金を十万弗とした

採炭するには、スロップとエーヤロと通行ロの三個同一の坑口をあけねばならぬ、此の着手には大仕掛の機械を要する　同炭坑はキャマ市より五哩隔つて居るが、積雪の時季より多數の日白勞働者が入り込み、既にコンクリートは完成して、四十噸餘の機械も到着して居た炭坑事業は他のコーツマインと異なり、コンマーシャルフロダクトであるから有望である、夫れに該炭坑より出づる石炭を東部に送りて分析したる成績を見ると其の質極めて良好であるから、採炭工事の進行と共に、將來非常に有望の炭山となるであらうとは同地方日白人の評判で、白人有力者より共同經營を申込み來るものが多いとの事だ

ネバダ州の　勞働狀態であるがマギルの製錬所、ルース銅山も昨年夏まで、事業を一時中止して居た、夫れが復舊して今は之等の地方に、百數十名が働いて居る、一体山中部地方と云へば名の如く、山の中であると心得沿岸各地の者が、恐れて居る傾向の有る事は、屢々聞く所であるが、勞働者によつて金儲をする點に於ては、他地方の到底及ばざる所で有る、山中部各地を通じて、勞働に從事する日本人の數は、實に二千餘を算するであらう、此の好景氣と大發展こり實に同胞の誇りとする所である

○北ボルネオの租借問題

（ダバオ日本人會報所載）

北ボルネオは現在のホロの「スルタン」の私有地であつて、英國北ボルネオ會社に九十九年の賃借地であるがそれが來る一千九百二十四年には、賃借期限滿期となるので、ヒリッピン上院議員の某氏は「ヒリッピン政府宜しく該領土を合併して、ヒリッピン政府の治下に置くべし」と上院に向つて其の議決を申出た、而して其の說明に曰はく

ヒリッピン政府は、該土地を領有すべき理由がある、即ち該土地は事實上比島人に屬するものであるは、

「スルタン」の信用のみで現狀にあるのである、夫れに該土地は、銅鑛、石炭鑛等が富有で、現に會社は「スルタン」に毎年僅か、一萬ペソの借賃を支拂ふのみで、會社としては一千六百萬ペソの年收があるのである、其外該土地にはビサヤ人、ホロ人等三十五萬の比律賓人が現に居住して只此點のみでも地方廳をして管轄せしむる理由はある云々と言ふのである、然るに他の一上員議員は之に對して抗辨して曰く、成程左樣であるが外國にある土地を吾が政府が賃借すると言ふ事は餘り面白い政策であるまい、事實又面倒で仕方があるまい、のみならず現在地理的領界の變更の無い限りはボルネオは全く比律賓人の手でどうすると云ふのか恐らく何等の成績も擧げ得まい、「サルタン」は元來其の土地に居往した絕對的所有者たる先代から讓りうけて來て居るのであるが、彼等は皆ボルネオ人であつて未だ曾て比島の規則の下に居た事は無いのではないか、云々と面白い問題だ

○排日映畫差止必要

（羅府新報所載）

目下グローマン座に於て映寫中の排日寫眞差止の必要に就ては數日前本社說に於て論じてあつたが私は土曜日晩之れを目擊して何うも默することが出來ない樣に思ふ

映寫中白人を鐵砲で打つた日本人を荒繩で縛つた儘馬上の騎士が引きずり廻る場面及び日本主人公岡田が法律で加州の土地を手に入れる事が出來ないならば、自分は軍隊の手で奪取して見せると云ひつゝ、國祖ワシントンの石膏像に墨をつける所に至つては實に見るに忍びないものがある

一体今度の排日映畫差し止め運動の可否に就て、巷間の意見が三つに分れてゐる樣に思はれる、即ち日本人は實寫以上の排日に現にあつてゐるのだから、排日映畫が出たからとて騷ぐ必要がないぢやないかと云ふ人、彼等も金儲けでやつている以上致し方がないと云ふ人及び差止め運動をやらねばならぬと主張する人の三種類である

今其一々につき批判してみるに最初の二つは何れも根據がない樣に思ふ、何となれば此の寫眞が加州又は西岸のみ行はれるものならばいざ知らず、これは必ずや東部人に宣傳するのが其主意であるやうに思はれる、日本紙の報ずる所によると東部から西部へ映寫して

來たらしい、然し乍ら何れにせよ未だ排日の眞相を知らず無頓着で居る人に對して宣傳するのが本來の目的である、してみれば此寫眞の影響する所決して小ありとは云へまい、又活動寫眞が如何に金の爲とは云へ、オハヨ及びマサチユーセツの二州では可成嚴しい檢閲を行つて社會道德を亂す樣な場面は遠慮なく切つて捨てゝいるのである、いくら金かゝつたからとて、少數者の利益の爲に社會を犧牲にする事が出來ないのは當然の話である

記者の最も憂ふる點は未だ日本人なるものを知らない人に對して如何なる印象を殘すだらうかと云ふ事である、あの映畫を見た人は必ずや日本人は陰險な人種で武力を唯一の守り本尊と考へ、米國の國家を輕蔑する人種に違ないとの印象を得るであらう、若し然りとせば折角華府會議の結果得たる日米間の良き了解は水泡に歸して了ふであらう

寫眞が昨年聖林コスモポリタン會社で撮影中だと聞いて早速ヘース監督に抗議したのはボストン日本協會幹事シャーウッド孃で、兩者の間に交換された書翰は當時新聞紙上に發表して置いたあの時ヘース氏は活動寫眞は米國を國外に紹介し國交を增進する機關だと聲明してゐるヘース監督の此言下から排日寫眞が現はれたのは奇怪とする所であるが、兎も角もヘース監督の返事を得たいと希望する、私は必ず公共團体が何等かの手段に出づべきを信じて擱筆する

附記　桑港新世界新聞にも亦排日に關する記事を掲げたり即ちザンオーキン郡の在鄉軍人團排日の聲明と題して曰はく「サンオーキン郡アメリカン在鄉軍人團支部は新移民法に對して聲明書を發した、右に依れば、移民は今後五ヶ年間絕對に入國を禁止し、歸化し得ざる移民(日本人は)永久に禁止する、而して日本人排斥法は嚴格に施行する」と云ふにある

又フレスノ附近に於ては某日本人の屋敷に「ジャップ出て行け」と云ふ建札が建てられた等の話も有る

○ヒリツピンに於ける葡萄と密柑

比島農務局顧問ウエスター氏の話によれば、バタン州ラマオ農事試驗場は、非常の發展を遂げて、今やジャバ、シンガポール及びセイロン等の試驗場よりも遙か優秀なる成績を上げている其の間に於て數年前より試驗中なる葡萄の如きは、米國フロリダ產の最上品なものと比較する事が出來る、尙又密柑の如きは多汁、甘味、薄皮で非常の好成績を呈している、只フロリダ產又はカリフオルニヤ產のものに比し、舌に酸味を感ずる事の少いと云ふ點があるが、之は今少し高地を撰んで植附くれば完全なものにする事が出來る云々

氏は又「ウマラ」の果實を見本として初めてもち歸た、「ウマラ」は一千九百十五年の頃シンガポールからもつて來て試植したものであるが、之は實に比律賓に於ける一つの未定的適產物であると稱賛して居る

『ウマラ』の樹は外見に於て一寸「ナンカ」の樹の樣であるが凡ての點については「ジャック」と同樣である、その生果は「ジャック」より一層芳香に富み味覺は「ブングラレバナ、」ト「布哇パインアップル」とを混せ合せた樣であると、而して氏は又同地方へ珈琲栽培を稱揚している云々

近來日本內地何處の菓子店にも、米國產の干し葡萄が澤山見える、あれは彼の地の日本人などが、盛に栽培して居るそうだ、園藝上の研究の結果、蔓の無い木に生り實が一粒も無い且つ乾燥が巧妙に出來て居るから、味もよし取扱に便利である、其の上代價はと云へば正味百二十匁が參拾六錢(長野市高嶺購賣組合小賣値)といふ、馬鹿安いものだから多量に需要されるも無理はない、兎に角園藝と云ひ加工と云ひ進步したものだ、ヒリツピンあたりでさへ前記の樣に、果物の栽培に研究を怠らない、日本の農業家もチト研究的態度を以てかゝる方面に發展の道を講じたらどうだらう　(編輯者附記)

○ロスアンゼルスに於ける 長野縣人會總會

(羅府通信)

同地長野縣人會にては、一月廿一日夜定期總會を兼ねて、親睦會を開催し、庶務會計の報告ありて後、役員の改選を行ひ左の諸氏が當選した

會長藤本安三郎氏　副會長入隆夫氏　會計伊藤作右衛門氏　幹事山岸義繁氏　評議員塚平九平氏　伊藤政十氏　井口敬三氏　丸山晋三郎氏　埋橋耕作氏　荒井國吉氏　相談役浦田毛佐次郎氏　唐木保藏氏　茅野恒司氏

尙親睦會には諸藝百出頗る盛會なりしと

○米國の南米就航船增配

最近北米合衆國船舶局は、太平洋岸諸港より、パナマ

運河を通過してブラジル及びウルガイの諸港に寄港し、アルゼンチナのブエノス、アイレスに達する、桑港ブエノス、アイレス線を增設し、其の就航船には一萬噸級半荷物船ブレヂデント、ヘイズ號、ブレヂデント、ハリソン號及びサスフエハンナ號(元獨逸漢米船ライン號)の三隻を配し、其の第一船は大正十二年一月二十五日、ブレヂデント、ヘイズ號桑港を發し、同三月初旬ブエノス、アイレスに到着する見込なり、又ブエノス、アイレスよりは同船三月十四日、桑港向復船の豫定にして、孰れも一等船客百名內外、三等船客二百五十名(二等船客の設備無し)を、收容し得らるゝものありとのことなり、尙前記船舶局の新船增配は、從來の太平洋＝ブラジル＝アルゼンチナ線の能率を擴大せるものにして、兩米太平大西洋岸諸港間、運輸連絡の一層發展を畫するものと認めらる、運送荷物はアルゼンチナを主として其の他の南米諸國より製凍肉又北米太平洋岸よりは果物(果物の運送は凍氷肉の運送設備と同一にて足るの便あり)の運送を主とするものなり、而して右新船航路船賃は一等六百圓三等二百圓なりと云ふ

○在米邦人兒童の綴方

△クリスマス　二年生　青木節子さん

私はクリスマスの來るのをまつてゐます、私はサンタクロスの來るのをまつてゐます、サンタクロスはチムニーから、まつくろになつてでて來ます、サンタクロスはレンデヤーにスレッドをひつぱらして私どものうちに來ます、サンタクロスはやしからまはつて來ます、クリスマスはエス樣が、おうまれになつた日です、みんながサンタクロスをかはいがつてゐます、私どものスタッキンのなかへ、いつもたくさんプレゼントをくれます、エス樣はけものがゐたうちで、おうまれになつたのです

△雪あそび　四年生　正岡シン子さん

私は雪がふると、そとに出てだるまをつくります、私のにいさんはスレッドにのつたり、雪なげをしたりします、大きいにいさんはスキーであそびます、雪が降るとぢきクリスマスが來ます

△私は松の木　五年生　奥田満さん

私は松の木です、私が居た所はたくさん松の木がありましたから、さむしい事はありませんでした、毎日鳥が

來て歌をうたつてくれました、ある日二人の人がアキスをもつて來ました、そうしてたくさん松の木を切つて、車にのせて行きました、次の日私の所に來て「これはよい松の木ではありませんか」といひながら、切りはじめました、そうして車にのせて家に持つてかへりました、ばんにはたくさん子供が來て「これはきれいな松の木だ」とほめました、二三日したらきれいな物をたくさん持つて來て、私をかざりました、そうしてわたくしのあたまに、ひかつたほしをつけました、そのあくる日はクリスマスで子供が來ておみやげをとりました、あくる日は私をダンセラーにいれました

△クリスマス　五年生　橋本一郎さん

クリスマスは十二月二十五日に來ます、今ごろは店のショーウインドーに、たくさんきれいな物がかざつてあります、大せいの人がストリートを通つてゐます、店の內にはいるとたくさんほしいものがあります、クリスマスの朝は子供が、早くおきてクリスマスのおみやげをもらひます

△クリスマス　五年生　正岡勉さん

クリスマスになると、みなが松の木をかひます、又林から切つてくる人もあります、松の木をうる所にはたいていひいらぎをうつてゐます、みなはクリスマスのしたくをしてゐます、クリスマスは十二月二十五日に來ます、その時にはサンタクロスがチムニーから來るといふことです、學校ではクリスマスの物をつくります

△雪の朝　五年生　上田千鶴子さん

朝早くにはとりの鳴きごゑでおこされました、私はねむたくてねむたくてたまりませんでした、私は學校が大へんすきでしたけれども、朝早く起きる事はきらひでした、私は目をこすりながら起きて窓のそとを見ますとそとはまつ白でした、私は心の中であゝ夕の雨がやんだと安心したのに、またあのさむい〳〵雪がふつたのだなとおこりながら起きて、口をすゝぎ顔をあらつてから、學校に行く用意をしましたそとへ出て見ると人の足あとや色々の形がのこつて居ります、私は足で花の形をつくつたり、色々なあそびごとをして行きますと、犬が面白そうにころころところがつて居りました、そのうちに犬は起き上つて、雪をふりおとし、どこかににげて行きました、私は學校へ行く道に氷のはつた野原があることを、知つてゐましたから、はしつて行つて見ますと、大せいの子供がスケートをして居

りました、面白く遊んでゐるとベルがなつたので、はしつて行きました

△私の猫　五年生　宇都宮靜子さん

私の猫はかはいらしい猫でございます、私の猫はとら猫といひます、私が學校からかへつてくるとむかひに來ます、もうクリスマスが來ます、私はきよねんのクリスマスに、リボンとスズを猫にあげました、私は猫を人のやうにして、歌をうたつてあげたり、おはなしをしてあげたりします、猫はほんとにわかるやうに聞いてゐます、私は猫がだいすきです

三、海外近信

○華州信濃海外協會を代表して（二月七日）

諏訪郡富士見村出身　名取三重君

永田學兄

久しく御無沙汰いたしました、御活動の趣を紙上で拜見して心から喜んで居ます

貴兄等が信濃海外協會を組織して、大和民族の海外發展に盡力して、下さるのを我々在外者は默つて見て居る譯には行かないといふので、長野縣出身の華州在留者が、一大團結をつくり茲に華州信濃海外協會と名命して漸く孤々の聲を擧げました、

一月廿八日發會式を擧げましたが出席者は男女三百餘名、正會員が百五十名に達しました、

理論好きの信濃の人たちがかくも團結して會を組織したと云ふ事は未曾有の出來事で喜ばしい事と存じます、之も貴兄等の活動に刺戟された結果だと思ひます、

植原君は御承知の如くシャトルが第二の故郷故來遊毎に大同團結をすゝめましたが時期が來なかつた爲か其の希望も水泡に期してものにならなかつたのです、然るに今度完全な會が出來上つたのは全く珍らしい事で

心から喜んで居ます、

自分の考へでは、桑港、羅府、晩香坡、にもかゝる會を組織させ、太平洋沿岸の長野縣人の一大團結を作り、母國の本部の人々と聯絡して仕事をしようと云ふ考でありますが、何れにしても貴兄の指導を仰がねばなりません、宜しくお願します、

近いうちに熊本、山口、廣島、岡山、和歌山、の各海外協會と打合せて、日米問題に關する解決運動に着手しようと考へて居ます、

外務省では米國に對しては通商に重きを置き、移民問題は棄てる考へらしい、米國に對する國策としては些々たる移民問題に手を觸れず、日米親善の太旆の下に進だ方が得策かも知れぬ、併しながら米國に對する移民問題を解決しないならば、移民の理想郷たる南米にも必ずや早晩同じ問題の爲に手を燒かねばならぬ事と思ふ、

南米は墨國と同樣に米國の勢力下にあると見ねばならぬ、日本の南米發展は米國の喜ばざる所である、支那にさへ手を出して日本の勢力を驅逐しやうと云ふ米國だから、モンロー主義の下に統一しやうとしてゐる南米に日本人の跋扈を安閑として見逃す樣な米國でない、

此夏、國務卿のヒューズ氏が知利あたりへ出馬する噂であるが、胸中には日本人問題の捨石を打つ考らしい、歷史は繰返へすと云ふが全く噓でない、日米問題と同樣な者が南米にも起る事だらう、

貴兄の事だから万々南米に對しては遺算はあからうが、契約や法律等は決してあてになる者でない、自身の國家保護の下には何とでも改變出來るのだから駄目な話である、米國の法律等は御存じの如く實に得手勝手なものでありますからね、日米問題の解決に對しては、どうしても故國の强い輿論が後援しなくては駄目だと思ふ、井上織夫君等が目下東京で運動してゐる樣子であるが外務省には大鐵腕家が居ないからとても我々が希望する樣な結果は十分の一も得られまい、

兎に角こうした問題は、先づ後便として、當面の用件のみ申し上げませう、小生が貴兄に手紙をさし上げるのは只の私信でなく華州海外協會を代表しての事柄でありますから下の件に就いて御指導を願ふ、

一、華州海外協會を支部とするか獨立のものとするか

小生の考へでは支部として連絡を取り他縣の海外協會の如く內外呼應して仕事をしたらばと思

ふが兄の意見は如何

二、雜誌「海の外」の一部分を割いて華州海外協會の消息を載せて戴く事

在外者の活動が鄉里の人々に知れると云ふ事は海外發展に必要の事と思ふもし「海の外」の一部分を解放して下さらば、通信は小生が引受けます

三、會費及び雜誌に關する費用の件

會費其の他の事は如何なる方法に致したら宜しきか

四、支部會員の、渡米免狀下附に關しては、縣當局又は、外務省に懇願して、面倒なる手續を削きて安易に下附して、戴く樣諒解を求め度い、之れは本部の盡力に俟つ

取り敢へず此の四個條に對して如向ある方法にすべきや貴意を得度くお願ひ致します、本部を代表しての御回答を希ふ　以上

右長野縣人會の會則を一部、南安曇郡高家村出身の林利治氏が持參されて、貽されたから左に添記する、但し之は案であるから會議の結果多少の變更は有たであらう（編輯者）

華州信濃海外協會々則

第一章　總則

第一條　本會を華州信濃海外協會と稱す

第二條　本會は北米合衆國華州に在留する長野縣人を以て組織す

第三條　本會は會員の親睦福利を計り信濃海外協會と聯絡して長野縣民が海外發展の爲共助を計るを以て目的とす

第四條　本會事務所をシャトル市に置き必要に應じては地方部を設置する事を得

第二章　會員

第五條　本會々員を名擧會員及普通會員の二種とす

第六條　名擧會員は役員會の決議を以て推薦す

第七條　本會々員たらんと欲する者は會員の紹介により理事に申出で其承諾を受くるものとす

第三章　代議員會

第八條　本會定期總會に於て代議員三十名を選擧推薦し代議員會を組織す

但し代議員九名は之を一般投票によつて公撰し殘り廿一名は公撰代議員九名に依り次の七區より三名宛推薦さるものとす

第一區　長野地方
第二區　上田地方
第三區　南佐久地方
第四區　松本地方
第五區　南北安曇地方
第六區　上下伊那地方
第七區　諏訪地方

第九條　代議員は本會の目的を遂行せんがため諸般の事項を議定す

第十條　代議員は其議定事項を執行する爲役員を互撰す

第十一條　代議員の任期は滿一個年とし欠員を生じたる場合には別に推薦す

第四章　役員

第十二條　本會に左の役員を置く

實行員五名、理事二名、會計二名

第十三條　實行員は協力して會務を總監す

第十四條　理事は本會の庶務を掌り會議に於て會務の報告をなす

第十五條　會計は金錢出納の事を掌る

第十六條　役員の任期は代議員の任期による

第五章　會議

第十七條　本會は左の會議を開く

定期總會、臨時總會、役員會、代議員會

第十八條　定期總會は每年一月に開會し事務及び會計の報告代議員の改撰其他必要なる事項を決議す

第十九條　臨時總會は役員三分の二以上が必要と認めたる時或は全會員四分の一以上の請求ありたる時之を開會す

第二十條　役員會及び代議員會は必要に應じ開會す

第廿一條　本會の決議は出席會員過半數の協賛を得て有効とす

第廿二條　會議の議長は實行員交代にて之に當る

第六章　財務

第廿三條　本會の經費は會費及び有志の寄附を以て之に充つ

第廿四條　普通會員は會費として金二弗を每年會計

に前納するものとす

第七章　雜　則

第廿五條　本會々則の修正は總會出席會員三分の二以上の協賛を要す

第廿六條　本會に左の帳簿を置く
　一記錄簿　二會計簿　三會員名簿

第廿七條　會員及び其家族にして不幸災難等に罹る者ある時は役員に於て適當の處置を講ずる事

第廿八條　本會員にして會の名譽を毀損する者ある時は役員會の決議に依り除名さるべし

○墨國カラコール近信

上伊那郡伊那富村出身　矢島璋三君

謹啓　貴協會益々御發展の趣、奉賀候

陳者御發行の雜誌「海の外」引續き御惠與下され、難有存候、早速御禮申上ぐべきの處、種々雜用に取紛れ失禮仕候

偖這般信濃海外協會、御設立相成候由、就ては渡航希望者は安んじて雄飛すべく、吾々在外者は意を強うして、活動するを得るは誠に喜ばしき事に候

小生等渡航の目的は、一攫千金を夢みて、僅々數年にして万金を得て、錦を故國に飾らんと、恰も路傍に於て物を拾ふが如き考へにて有之候處、言語、風土、習慣を異にする此の海外に於ての苦心努力は、到底內地に於ての想像だも及ばず、再三再四失敗に失敗を重ねて、未だに確固たる根底を築き得ざるは申上ぐるも誠に御愧しき次第に御座候、然しながら其の間の苦心は吾々に良き教訓を與へ申候

依て愈々永久的覺悟を以て、多少の經驗により、四ヶ年以前より、當地に移住し、ランチ（約三十噸）を新造し、タンピコ間（航程下流五里）の乘客並に、運送業の傍ら雜貨商及び、農業を經營致し居り候處、本年度は尚事業を擴張し、約八百二十町歩の土地の契約を了し、從前の事業に加ふるに、牧畜を致し度、目下其の準備中に有之候、

尚當タンピコ市は、墨國否世界的石油の中心地帶と迄目さるゝ處に有之候、從て物價、勞働賃金、金融は墨國第一位と稱され、在留同胞も約百餘名の多きを算し、相當の成功者も有之候、

併し昨年以來は御多聞に漏れず、世界的不景氣の襲來は、當市に迄及び一時は非常の悲境に陷り候ひしも、

追々恢復の緒光を認むるに至り申候

終に臨み貴協會の益々隆盛ならん事を祈り上げ候、尚貴協會の趣旨に賛し、甚だ些少に候へ共、金五十圓也本日横濱正金銀行桑港支店經由にて、發送仕候間貴着の上は御受納下され度候　敬　具

○レヂストロ長野縣人會より

上伊那郡長藤村出身　北原地價造君

拜啓貴會益々御隆盛、斯界の爲御活動の由、慶賀に堪へず候、其の後機關雜誌海の外、毎々御送附下され、有難く拜讀致し居り奉深謝候

當地には長野縣人百三十餘家族、植民地總戸數の約四分の一を占め當地の中堅になり活動致し居り、且縣人會は會員相互の親睦を結び死亡疾病、災害等の吊問見舞より、新入植者の便宜を計り尚母國との連絡を計るを以て目的と致居候、

次に今日迄吾移植民事業の比較的發展せざりし原因に付き一二愚見申上候

㈠　移住地の眞想の知られざりし事、是が爲め出發の當時の決心に於て、又準備に於て當を得ず、又渡航後豫想と事實との相違に失望し、且海外事情不明の爲め海外移住に對し危惧と不安とを持つ故是非共充分に移住地の赤裸々の事情を知らしむるを要す、

㈡　定住性なき事、我國の移住者は歐州の移住民と異り唯一攫千金を夢見、一日も早く成功して故鄉に錦をかざらんとしてあせり只金の爲に盲進し己れの生活の如き念頭になき爲當に轉々東移西住し利己的となり、何等社會組織の發展に努力なく、從て移住者間、移住者と移住國の國民及び移住者と母國との間連絡統一なく、稍もすれば旅の恥はかきすてをきめこみ引いては排日の因を造るに至る、依て今後永住土着の決心を以て其地に新社會を造るの考を以て渡航するを要す、

㈢　移住後の指導の良しきを得せしむる事、指導と稱せしとて依頼心を起さしむるにあらず、即移住民の經濟組織、社會組織に對する指導にして移民會社の如き在外公館の如きは到底眞の指導は出來難し是非共統一せる集團的—約百家族位を單位とせるを便とす—植民せしめ、其處に新社會組織を造らしめ、例へば教育、衛生、産業、娯樂等の如き—秩序ある所謂理想の村を建設し和氣靄々として生

活を樂しみつゝ事業に從事せしむる樣施設指導する事、

㈣　資本家の後援、在外者殊にブラジルの如く獨立農業を營むものにありては常に事業資金の不足を感づ故に是に對し援助の法方を設くるを要す、

要するに今後貴會の如きは先第一着手として數よりも質と方法とに御注意せられ御計劃あらん事切望するものに候、吾々在伯長野縣人は本年二個の愉快の事實に遭遇致し候、一は貴會の創立せられし事、他は片倉翁一行の來伯と松本商業學校の二學生の來伯に候、貴會の創立によりて今日までの移植民事業の各種の欠點を補ふと共に進ではより良き指導をなし得べく、片倉翁一行の來伯は資本家としてブラジルの實際を視察研究せられ此の方面に向て事情を紹介せられ得ると同時に今後の投資を促進せしむるに大なる力を有し、二學生の旅行は海外に對する一般の不安念を去り一面信山の青年に其の意氣を示すと共に青年諸君に海外事情を紹介し得べく何れも斯界の爲欣幸の次第に候今日迄の海外移住に對しては營利本位の移民會社と有名無實の特種團体ありしに過ぎず、何等方針計劃なく出づるものは一時の出稼にて是をとり扱ふもの又一つの桂庵と異ならざりしが、今後貴會の活動により是等の弊害を除去し得ると共に名實兼備せしめうる事と信じ申候、

片倉翁一行の歸朝を待て充分御研究の上對伯移植民方針を決せられん事を切に望むと共に龍頭蛇尾に終らざらん事を祈上候、

次に當地在住者中左記の諸氏普通會員として入會希望に候間可然御取計相成度、會費は追て一纏となし御送金可致候間、左樣御了承相成度候草々　敬具

海外協會入會者氏名

丸山爲治君　松澤百君　青木半次君　久保田安雄君
松村榮治君　永井覺市君　吉原喜太郎君　横谷久君
倉島駒治君　太田政彌君　島田晉君　石川忠愛君
下平與市君　松本覺次君　土屋武雄君　村田政勝君
植木吉右衛門君　林今朝士君　秋山尊一郎君　藤澤房吉君　田中政勝君　吉川喜之作君　島岡幸一君
青木忠太郎君　柳澤喜四郎君　中島川佐君　宮下延太郎君　六川佐市君　宮坂三治君　小林武次郎君
山寺融君　小松敬一郎君　長谷川小一郎君　淺野利實君　湯澤道平君　松橋久彌君　北原地價造君　青柳新治君　計三十八名

○墨都より

木曾田立村出身　長淵鐘六君

謹啓度々の雜誌、御寄贈相成り—有難く御禮申上候

野生等渡墨後、僅々四ヶ年に候へば、未だ海外發展の第一學年の課程を終へしのみにて之と申あげる事も無之、甚だ赤面の至りに御座候、何と申すも海外雄飛者に取つて最も必要なる要素は健康と其の土地の事情に精通するの二つに候、勿論後者の中には語學に通ずると云ふ事も含まれ居り候へば渡航後二三年間の中に一通り其の國の言語に對して自信をつけ、然る後靜に各自が將來の爲に考慮せられんか、得る所必らずや大ならんと存じ候

昔時海外渡航を奬勵せる人々の多くは足一度海外に出んか、其處には金銀塵の如くありて、成功目前に横はるが如く口にされ候へ共、吾々在外者の目よりする時は、之等の渡航奬勵法は全く無學文盲の人々をして聞かしむべき、小供だましの方法と存じ候、

吾等素より往時を追ふの要無く、只今後長野縣人の海外發展者に對して聊か老婆心を披瀝致し度きは、海外發展と云ふ言葉に囚はれるなと云ふ一事に候、普通教育に於て全國に誇れる信州人に向て此等の言葉は餘りに沈腐なれども、かりにも海外に發展せんとするの人々は時に於てやむを得ざる事情の爲に出づる者は別として今少し高遠の理想を抱かざるべからず候、

徒に海外に出でて日本の米を食わざるを誇るを止めよ、

須く現代の青年は遠く海の外へ乘り出して己が力を試すべきである、吾々は日本人であると云ふ事を誇ると同時に世界の一員としての日本人であると云ふ自信を强固にしつつ世界の到る處に雄飛し得るだけの熱と力を有すべきであると存じ候、

人口の增加と經濟問題とは素より余輩の良く解する處には無之候へ共、攻と守と相待つて初めて城の安泰を得るが如く國家の繁榮を一城の繁榮の延長とせば、其處に攻兵の必要も守備兵の必要も有り、實に海外發展者は平和の戰士に御座候、

衣食住れ等のすべては勤勉なる人々の前には決して苦しんで求むる必要なく、世界の到る處に散乱致し居り候、

山又山に取圍れ居る吾が母鄉の人々よ！
佐久間象山先生を出せる吾が信州の人々よ！
一日出でて太平洋岸に立たれよ！

其處には日本アルプスの靈峯もなければ、木曾山中の風光明媚もないであらう。然しながら兄等が足下に打ち寄する波のしぶきを聞く事が出來るであらうし、其の波の連る處北米に、南米に、或は南洋に兄が伸びんとする舞台は展開されつゝあり。海外生活は只努力の生活である。裸一貫の生活である。身体の健全を要する。それだけ各自の精神の堅固を要する。獨立獨歩の生活は苦しいであらう。然し眞に生きて行くの生活であるが故に貴く且男らしい。

吾々はお互に生活りのものにぶつかつて行くだけ煩悶する。人々の知り得ない壯決を味ひ得る。

内地で悶へる人々よ、須く海の外に出て來よ。

其處には人生と云ふ勝負を早くつける處がある。

來れ吾が同胞よ、平和の戰士よ、アマゾン河や、アンデス山の雄大を見んが爲にも。

亂筆もて失禮をもかへりみず見す候段御許容下され度候。別に變つた寫眞も無之候へば、墨國首府の寫眞三四枚及び、風俗の寫眞二三枚別送致し候條御覽下され度候。先は御禮迄　不備

　進み行く心の道を照す哉　　劍影長淵生

　オリサバ山の初春の月

四、信州だより

○海外協會中央會組織せらる

時勢の進運に伴ふ施設としては、多くの運動が全國的になり、世界的にならねばならぬ特に大和民族の將來を憂ふる處に出發した、海外發展の如きは、到底一府縣一地方の問題としては取扱ふべきものでは無い。此の情勢に鑑みて最近形成されたのが、海外協會中央會である

本年一月中岡山縣海外協會々長長延連氏當信濃海外協會本間總裁同今井小川兩顧問、熊本縣海外協會長鑄方德藏氏同副總裁岡田忠彥氏の發起に依り、二月九日東京府商工獎勵館に於て、中央會組織の相談會を開く當日參會せる人々は當協會の今井顧問、佐藤副總裁三樹永田兩幹事、宮下東京支部幹事の外、廣島縣海外協會理事妹尾萬郎君、香川縣拓殖協會主事黑川芳雄君、防長海外協會主事草刈直一君、熊本縣海外協會理事長長江虎臣君、同理事阿部野利恭君の諸氏で、席上議決せられたるは、別記規約の外左の諸項である

一、海外協會中央組織之件　可決

一、總裁推戴ノ件　發起人ニ一任スル事

一、會長選擧　今井五介氏當選

一、副會長選擧　會長ニ一任スル事

一、監事選擧　同前

一、中央會豫算ノ件　同前

一、創立費用ノ件　次ノ理事會ニテ決定スルコト

以上之外研究及び打合をなせる事項は

一、二重國籍撤廢ニ關スル件(熊本提出)宿題トシテ互ニ研究スル事

二、在外者ノ子弟教育ニ關スル件(熊本防長提出)出來得ベクンバ歸國スル兒童ノ爲ニ補助教育ヲナスコト

三、東亞方面ニ於テ、植民地視察研究ニ關スル件(熊本提出)經費ヲ得次第直ニ實行スルコト

四、中等學校卒業生ノ外國留學ニ關スル件(熊本防長提出)外務省ニ了解ヲ求ムルコト

五、日露通商ノ復活促進ニ關スル件(熊本提出)

六、西比利亞在留民ノ救濟ニ關スル件(熊本提出)以上二項出來得ル丈ケ盡力スル事

七、海外在留者ノ徵兵猶豫願ノ効力延長ニ關スル件(熊本)陸海軍省ニ交渉スルコト、

八、海外協會ヲ公認シ海外在留會員ノ保證權ヲ日本人會同樣ニ附與セラル、事(廣島提出)外務省ニ交渉スル、事漸次努力シテ實力ヲ得ル樣ニスルコト

九、在外各府縣海外協會支部聯絡ノ件(廣島提出)適當ノ方法ニテ漸次實行スルコト

十、中央會ヨリ毎年(又ハ隔年)代表者ヲ海外ニ派遣シ慰問其ノ他ノ要件ヲ擔當セシムル件(廣島提出)經費ヲ得次第實行スルコト

十一、海外發展ニ功勞アルモノ特ニ海外ニ於テ拔群ノ成功ヲナシ海外發展ノ上ニ貢献シタルモノヲ旌表センコトヲ政府ニ建議スル件(廣島提出)當局ニ交渉スルコト

十二、寫眞結婚婦人ノ入籍後直ニ旅劵ヲ下附セラル、樣當局ニ交渉スルコト(廣嶋提出)外務省ニ交渉スルコト

十三、海外協會所在地ノ地方廳ニハ外事課ヲ設置セラル、必要ナキヤ(廣島提出)移民課ト地方ノ旅劵掛ト海外協會ノ聯絡ヲ密接ナラシムル樣努力スルコト

十四、海外協會ハ外務省ノ訓令指導等ヲ地方廳ヨリ通知ヲ受クル樣致シタシ(廣島提出)努力スルコト

十五、無旅劵者再渡航緩和ノ件(廣島提出)外務省ニ交

涉スルコト

十六、海外渡航者指導員養成ノ件(信濃提出)各府縣ニテ適當ニ之ヲ實行スルコト

十七、雜誌合同ノ件(信濃提出)イ、各府縣ノモノヲ尊重スルコト　ロ、各府縣ニテ百部位引受クルコト　ハ、經濟ノ成リ立ツコト

以上ノ場合千部位ヨリ始メテ發行スルコト

十八、海外事情調査機關ノ設置ニ關スル件(防長提出)經濟ノ許ス範圍ニテ實行スルコト

十九、家族構成ノ條件ヲ除去スル件(防長提出)伯國ノ移民法ニ關スル故ニ困難ナラン

二十、海外旅劵出願ノ保證權ヲ各海外協會ニテ獲得スル件(信濃提出)各自地方長官ト交渉スルコト

海外協會中央會規約

第一條　本會ヲ海外協會中央會ト稱ス

第二條　本會ノ事務所ヲ東京ニ置ク

第三條　本會ハ海外發展ヲ目的トスル府縣各團体ノ聯絡統一ヲ計リ且其ノ普及發達ヲ期スルヲ以テ目的トス

第四條　本會ハ前條ノ目的ヲ達成スルタメ左ノ事業ヲナス

一、海外事情ノ調査及宣傳

一、國民海外思想ノ涵養ニ關スル諸事業

一、海外發展者ノ指導及教育

一、府縣海外協會ノ助成

一、在外同胞ノ後援ニ關スル事業

一、機關雜誌ノ發行

一、其ノ他必要ト認ムル事業

第五條　本會ハ各府縣ヲ通ジテ組織サレタル海外發展ヲ目的トスル公益團体ヲ以テ組織ス

本會ニ加入セントスル團体ハ既ニ加入セル團体ノ紹介又ハ本會役員會ノ承認ヲ經ルヲ要ス

第六條　本會ニ左ノ役員ヲ置ク

總裁　一名　會長　一名

副會長　一名　相談役　若干名

理事　若干名　監事　二名

幹會　若干名

會長副會長及ビ監事ノ任期ハ二ケ年トス

第七條　本會ノ役員ヲ定ムル手續ハ左ノ如シ

一、總裁ハ役員會ニ於テ之ヲ推戴ス

一、會長副會長ハ役員會ニ於テ之ヲ選擧ス

一、相談役ハ聯合各團体ヨリ三名以内ヲ推薦ス

一、理事ハ聯合團体ヨリ二名以内ヲ推薦ス

一、監事ハ役員會ニ於テ之ヲ選擧ス

一、幹事ハ會長之ヲ任命ス

第八條　役員ノ任務ハ左ノ如シ

一、總裁ハ本會ヲ總理ス

一、會長ハ本會ヲ代表シ會務ヲ統理シ役員會ノ議長タリ

一、副會長ハ會長ヲ補佐シ會長事故アル時ハ之ヲ代理ス

一、相談役ハ重要ナル會務ニ參與ス

一、理事ハ重要ナル會務ヲ決定ス

一、監事ハ財務ヲ監督ス

一、幹事ハ會務ヲ處理ス

第九條　本會ハ役員會ノ推薦ニ依リ顧問ヲ置ク事ヲ得

第十條　本會ノ經費ハ聯合各團体ノ醵金寄附金其ノ他ノ收入ニヨル

第十一條　毎年一回役員會ヲ開キ會務ヲ決定ス

但シ會長ニ於テ必要ト認メタルトキハ臨時會ヲ開クコトアルベシ

第十二條　役員會ノ決議ハ出席者過半數ノ賛否ヲ以テ決定スルモノトス

第十三條　本會ノ規約ハ會長又ハ半數以上ノ理事ノ發議ニ依リ役員會ニ附シ出席役員三分二以上ノ賛成ヲ得ルニアラザレバ變更スルコトヲ得ス

第十四條　本規約ヲ施行スルニ必要ナル細則ハ役員會ノ同意ヲ經テ之ヲ定ム

○開田と潰れ地

本縣に於ては耕地整理又は開墾助成を奬勵し、耕地の擴張を圖りつゝあるが、昨大正十一年中に於ける本縣下の耕地は、開墾に依つて二百四十一町歩、荒廢復舊に依り百五十一町歩、開拓の爲二十五町歩、宅地の變換で十七町歩、埋立に依りて五町歩、道路敷の變換で十町歩、實測の爲增したもの六町歩あつて、結局田地で、二百二町三反歩、畑地で二百五十五町歩を擴張したが、一方に於て潰廢したるもの、即ち道路敷となつたもの六十六町歩、河川敷五十三町歩、鐵道敷八十七町歩、宅地下塲敷百六町歩、山林原野の變換が四十町歩、荒廢地となつたもの五十六町歩、免租地となりたるもの十一町歩、御料林となりたるもの其他三町歩で、合計畑地百四十八町六反歩、田地二百七十六町一反歩が潰廢となつたので、之を差引三十二町六反歩は增加した譯であるが、其の增加は多く畑地で有て、田地の方は寧ろ七十餘町歩を減じたので、主要食料としての米作はそれだけ減收を見る結果となるので有る

○本會第二回總會

先月二十八日縣會議事院に於て、第二回總會を開催した、總會とは云ふものゝ種々の都合で會員側の出席は、各支部より代表者二名宛と限られたから、同出席は三十名足らずで有た、先づ本間總裁の挨拶に始まり、竹井相談役座長席に就き、藤森幹事より會計會務の報告あり、次で規約の改正並に大正十二年度の豫算を議決し、講演會に移り竹井相談役の歐米視察談を聞きて午後四時散解した、それより一同は富貴樓に於ける晩餐會に招待され、夜更くる迄歡談して引取つた

規約改正の主眼點は從前の評議員制を改めて代議員制度としたので、其の理由は評議員の數一千三百餘名の多數に上り、議政機關として不便多き故、各支部より選出せる三名宛の代議員を以て之れに代へたのである、從而本部に於ての評議員は自然消滅となつた譯だが、支部評議員として引續き御盡力を乞ふ筈である、改正された規約の全文は左之通り

信濃海外協會規約

第一條 本會ハ信濃海外協會ト稱シ本部ヲ長野市ニ支部ヲ必要ニ應シ內外各地ニ置ク

第二條 本會ハ縣民ノ縣外發展ニ關スル諸般ノ事項ヲ調査研究シ其ノ發展ニ資スルヲ以テ目的トス

第三條 本會ハ前條ノ目的ヲ達スル爲メ必要ニ應シ左ノ事業ヲ行フ

一、縣民縣外發展ノ方法ニ關シ立案ヲナス事
二、發展地ニ就キ調査ヲナシ其ノ結果ヲ紹介スル事
三、在外縣民ト聯絡ヲ計リ指導後援ヲナス事
四、海外投資ノ研究ヲナシ之ヲ發表スル事
五、海外發展ニ必要ナル人材ヲ養成スル事
六、雜誌其ノ他ノ出版物ヲ利用シ若クハ自ラ發刊シ又隨時講演會ヲ開ク事
七、海外發展ニ關スル各種參考品及統計ヲ蒐集スル事
八、本會ト共通ノ目的ヲ有スル他ノ機關ト聯絡ヲナヌ事
九、前各項ノ目的ヲ遂行スル爲臨機本會ノ代表者調査委員等ヲ內外樞要ノ地ニ派出スル事
十、移住組合ノ經營
十一、其ノ他本會ノ目的ヲ達スルニ必要ト認ムル事項

第四條 本會ノ會員ハ名譽會員特別會員維持會員普

通會員ノ四種トス

一、名譽會員ハ代議員會ノ決議ヲ經テ總裁之ヲ推薦ス
一、特別會員ハ一時金百圓以上ヲ醵出スルモノトス
一、維推會員ハ年額金十圓ヲ十ケ年間醵出スルモノトス
一、普通會員ハ年額金二圓ヲ十ケ年間又ハ一時金十六圓以上ヲ醵出スルモノトス

會費ヲ滿一ケ年以上滯納スル者ハ會員ノ資格ヲ失フモノトス

第五條 本會ニ左ノ役員ヲ置ク

總裁	一名	副總裁	二名
相談役	若干名	會計監督	一名
代議員	若干名	幹事	若干名
囑託	若干名		

第六條 本會ニ顧問若干名ヲ置ク顧問ハ總裁之ヲ推薦ス

第七條 役員ヲ定ムル手續左ノ如シ

一、總裁ハ代議員會ニ於テ推薦シ代議員ハ各支部ヨリ三名宛ヲ選出シ相談役會計監督ハ總裁之ヲ推薦シ幹事及囑託ハ總裁之ヲ指名囑託ス
一、役員ノ任期ハ二ケ年トス但再選スル事ヲ得

第八條 役員ノ任務ハ左ノ如シ

一、總裁ハ會務ヲ總理シ相談役會及代議員會ノ議長タリ
一、副總裁ハ總裁ヲ補佐シ總裁事故アル時之ヲ代理ス
一、相談役ハ重要ナル會務ニ就キ總裁ノ諮問ニ應ス
一、代議員會ニ於テハ豫算ノ議決決算ノ認定其ノ他重要ナル事項ヲ議決ス
一、幹事及囑託ハ會務ヲ處理ス

第九條 本會ノ會合ハ左ノ如シ

一、總會ハ毎年一回之ヲ開ク
一、相談役會ハ隨時之ヲ開ク
一、代議員會ハ毎年一回之ヲ招集ス但シ必要ノ場合ニハ臨時招集スル事アルベシ

第十條 本規約ハ裁總ノ發議又ハ代議員十名以上ノ發議ニヨリ代議員會ニ附シ出席會員三分二以上ノ賛成ヲ得ルニアラザレバ改正スルコ

トヲ得ス

第十一條 本會ノ經費ハ會員ノ醵金寄附金及ビ雜收入ヲ以テ充當スルモノトス

第十二條 支部規約ハ各支部ニ於テ適當ニ定ムルモノトス

附則 本規約ハ大正十二年度ヨリ之ヲ施行ス

○郡長警察署長の更迭

埴科郡長横田克巳氏が朝鮮へ轉じた後へ、地方課の志賀市藏氏が任命されたのは餘程前の事で有たが、其後南佐久を始めとし郡長の更迭したのは次の如くである、下水内郡長藤井勝太郎氏退職後任に更級郡長見戸浩魏氏赴任、更級郡長には知事官房主事須藤信敬氏新に就任、諏訪郡長佐藤三男氏と、下高井郡長阿蘇温藏氏とは入り代はりとなつた、従て右各郡に於ける當協會支部長が更迭した譯である

警察署長には長野署長に上田署長の羽生秀三郎氏、上田署長には巡査教習所長山謙吾氏就任、飯田の窪田義章氏が警務課長に、伊那の西澤繁右衛門氏が飯田署長に、豊科の雨角平左衛門氏が伊那署長に、岩村田の島津長榮氏が上諏訪署長に、屋代の細野隆一氏が岩村田署長に夫々轉任された、又屋代署長事務取扱は松代分署長近藤卯一郎氏兼務、篠井署長代理には警部補河合佳朗氏、豊科署長代理には同栗林望氏が任命された又上高井郡長大久保幸次郎氏辭職し後任として本省より杉原定壽氏赴任した

○南佐久通信

○蓄牛檢査　南佐久郡大正十一年度同檢査ハ三月六日川上村ヲ筆頭トシテ開始セリ從頭數二百六十同月十五日中込町ヲ以テ終了セリ

○佐久橋開通　北佐久郡ト南佐久郡トヲ連絡交通スル爲本年一月ヨリ工事ニ着手シツヽアリタル高瀬岸野兩村間ノ佐久橋ハ、豫定通進行シ愈々先月四日盛大ナル開通式ヲ擧ケタリ、

○副業獎勵　本郡ハ時勢ノ進展ニ伴ヒ農家副業獎勵ノ急務ト認メ藁細工、氷豆腐、寒心太、人參、養鯉、割箸等各種ノ製品ヲ改良生産ニ努メ、漸次好成績ヲ収メツヽアリ

○教育活動寫眞　先月十日本郡聯合青年團主催ニテ教育活動寫眞ノ映寫ヲナシタリ

○現代思想講演會　本郡軍人分會主催ニテ先月十日臼田町佐久良座ニ於テ長島隆二氏ヲ聘シテ講演會ヲ開ク聽講者多數

○林業講習會　先月十九日ヨリ三日間郡役所內ニ於テ林業思想開發ノ爲講習會ヲ催セリ

編輯室より

海外在留諸君よりの通信に接する毎に、責任の重大なるを思せられます、殊に最近支部設立の交渉や、寄附金會費の送達や、新聞紙會報等の寄贈が激增した事に、非常なる力を得つゝあります、今年の中に五六ケ所の海外支部を作り度き希望です。何卒一層の御盡力を御願申ます、猶前々號より御依賴致した標本寫眞等の御惠與に預り度いもので御座います

山の信州にも花の時節が廻ぐり來て稻に麥に桑に蠶にいそしまねばなりません、生産事業に直接せぬ多くの運動は當分閑却されるでせう、我田引水かは知りませんが、海外發展の事だけは不斷の問題で有て休止すべからざるものと思ひます、目先の仕事の都合位で渡航を延ばす等の事ありとすれば、其處に大事を逸します

◎急　告　其の一

上水内郡長沼村出身、前島幾男君といふのが、十數年前にカナダへ渡航し、大正四年三月中レイモンドから手紙が來たのみで、音信不通となり御親父初め皆さんが、非常に心配されて居ります、同君の消息につきて御知りの方は、何時の事でもよいのですから大至急御知らせ下さい

◎急　告　其の二

北佐久郡小沼村内堀源太郎氏養嗣子内堀良吉君と云ふのも加洲サクラメントに在留された筈だが、五六年も便りがないので家人は痛く心配されて居ります同君の消息に付お聞き込の方は至急御知らせを願ます

海の外

定價

	一部	半ヶ年	一ヶ年
內地	廿錢	一圓十錢	二圓廿錢
外國	廿仙	一弗十仙	二弗廿仙

海外郵税四錢

注意

▼御注文は凡て前金に申受く
▼廣告料は御照會次第詳細通知致します
▼御拂込は振替に依らるゝを最も便利とす

大正拾貳年四月八日

編輯人　永田稠
發行兼印刷人　藤森克
長野市旭町
印刷所　信濃每日新聞社
長野市長野縣廳內
發行所　海の外社
振替口座長野二一四〇番　信濃海外協會

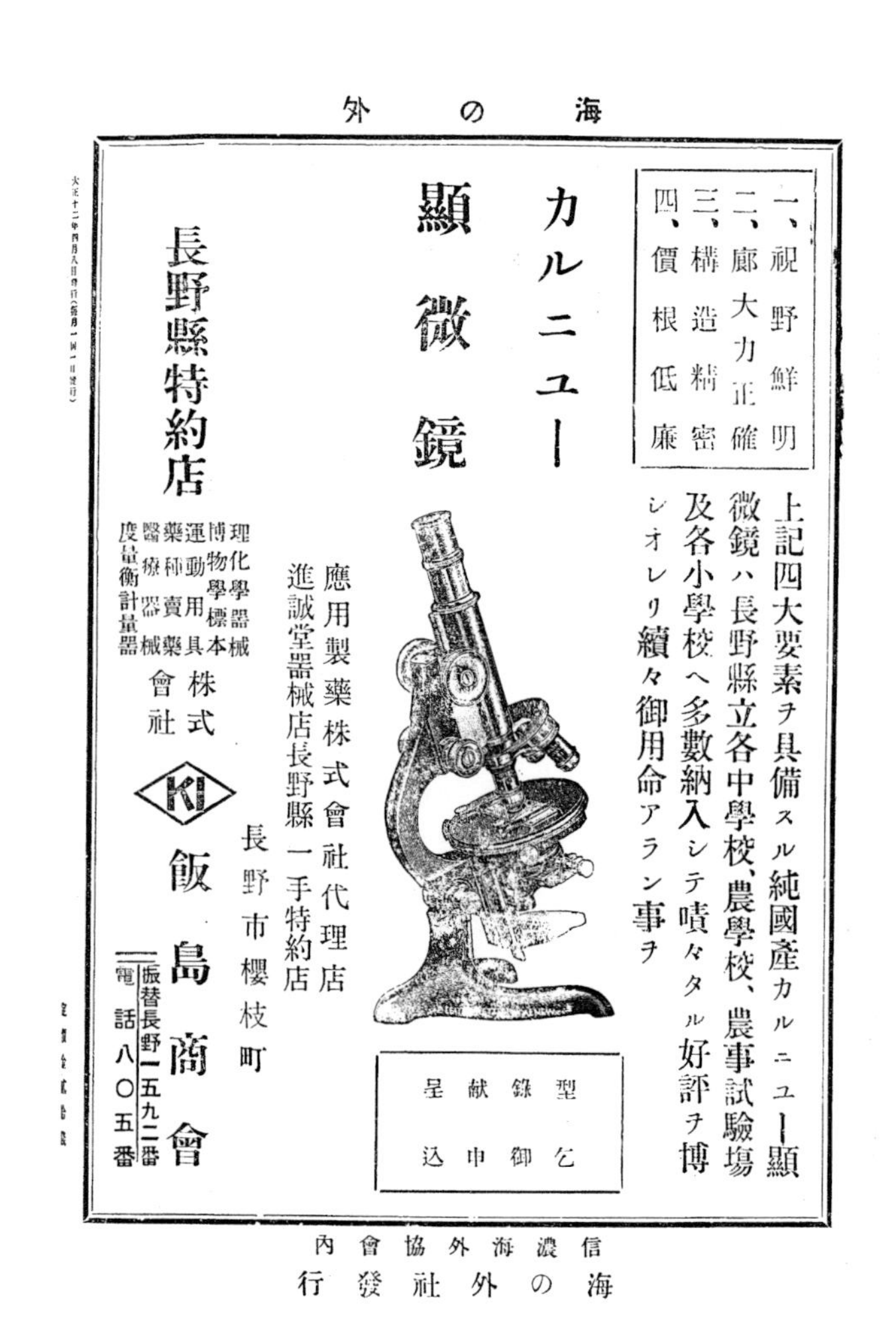
海の外
大正十二年四月八日發行（毎月一回一日發行）
カルニユー
顯微鏡
一、視野鮮明
二、廓大力正確
三、構造精密
四、價根低廉
上記四大要素ヲ具備スル純國產カルニユー顯微鏡ハ長野縣立各中學校、農學校、農事試驗場及各小學校ヘ多數納入シテ嘖々タル好評ヲ博シオレリ續々御用命アラン事ヲ
型録献呈
乞御申込
應用製藥株式會社代理店
進誠堂器械店長野縣一手特約店
長野市櫻枝町
長野縣特約店
理化學器械
博物學標本
運動用具
藥種賣藥
醫療器械
度量衡計量器
株式會社
KI
飯島商會
振替長野一五九二番
電話八〇五番
信濃海外協會內
海の外社發行

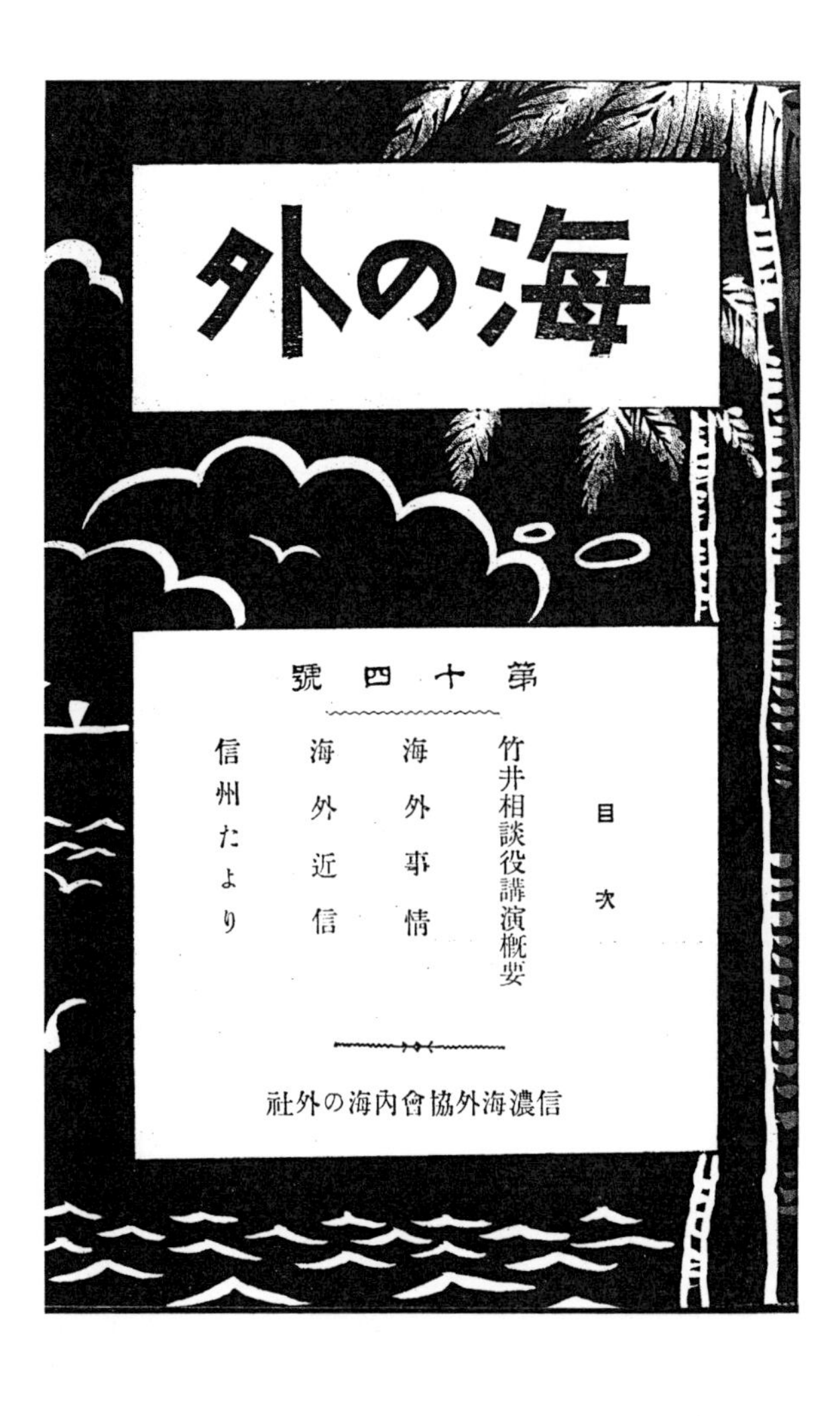

目次

南洋椰子の發芽（長田孝之助氏寄贈）

一、竹井相談役講演概要

（三月廿八日總會席上に於て）

私は昨年中歐米を巡遊しました、往きには歐洲航路に依り、米國を經て歸朝しました、今其の間の見聞に基へ所感の一端をお話しやうと思ひます

私の見る處に依ると、世界各國共國民生活の狀況は、一致して居ると思ひます、各國各地の博物館に就て見ても、成る程陳列されたるものは千差萬別である、數千年を經たる珍らしきミーラから、近代の物まで有ゆる品物が陳列して有るが何處の博物館に於ても、其の多數を占めて居るのは各種の武器である、武器といふものは、何れの時代に於ても又何れの國に於ても常に最進步したものである、之れは人類の間に常に絕ゆる事の無かりし生存競爭の結果に外ならぬと思はれる、刀劍の類、鎧兜の類には我が日本の物も隨分多く見受けた、歐洲古來の武器の多數なりし事は言ふ迄も無いが、玆に期せずして一致せる點を發見するので有るが、うれは防衛と云ふ考へに基きて案出されたものゝ多い事である

又繪畫彫刻等藝術品の陳列を見ても、東西古今趣を一にせる點を見出し得るのである、伊太利の舊都ポンペイより掘り出したるものは今より約二千年前のもので有るが、醫療機械とか度量衡器と云ふ様なものが、現今のものと餘り變化の無い事が分る之れに依りて見れば人智發達の方嚮は餘り異ならざる程度に進みつゝ有る事が

認められる

地質學の敎ゆる處に鑑みるも、其の變遷が循還的で有ると云ふ事が出來る如く、人類社會の狀況も亦循還的經路を辿つて居る、支那の歷史は七千年といふが、埃及の歷史も亦ピラミツト時代から猶遠く溯ると矢張七千年を數ふる樣で有る、又紀元前一千年に於てフエニシア人がイングランドを發見したのは、我が國の神代の頃と同じく、我が神武天皇と相前後して、釋迦と孔子との出たのなどを見ても、歷史的事實には甚だ面白い點がある、但し文化の進步は種々なる狀況に於て發達し、各國各人種の活動狀況も、樣々なる方面に發展し來り、今日の狀態を現出したのである

近世即ち十四五世紀以來、世界を通じて人類の目覺ましき活動と目すべきは、各國競ふて植民地を擴張した事である、コロンブスの新大陸發見及び、ホルトガル人の東洋經營に始まり、人類の活動舞台が著しく擴張され、遂に絕東に位せる我が日本の如きも、ホルトガル人、イスパニア人、次で和蘭人の刺擊を受くる樣になつた、其の後英佛二國が有力となり、互に海上權を爭ひ、植民地の獲得に熱中した、其の結果最後の勝利は英國民に歸し、今日本國に百倍する所の植民地を領有する樣になつたが、西、葡、蘭、佛各國も又皆相當に廣き植民地を保有して來た、後れ馳せながら、獨逸も亦頻りに植民地の擴張に努め、其の結果彼の大戰爭を惹き起したとも云ひ得るのであるが、一敗地に塗れて當分は、此の方面に手を伸ばす餘裕は無いで有らふ、獨逸の戰敗後は、專ら英米の二國即ち、アングロサクソン人の手を以て世界を支配せんず形勢になつて來た

英國には五月から九月迄、即ち最も好い季節に居たので有る、五月初旬に愈々上陸して見ると、其の當座雨は少しも降らず、晴天續きで非常に心持が好かつた、田圃は一面綠濃き青草に覆はれ、土地は平担にして山が無い、日本では東京附近が最平野の開けた場所で有るが、ロンドン附近は其の比では無い、實に廣々として居て少しも島國とは思へない、規摸の極めて大なる、ハイドパーク、歷史の上にも藝術の方面にも重きをなせる、バツキンガム宮殿、其のあたり毛氈の如き青芝に、百花の娟を競ふ中に、日暮近き頃各種階級の男女が、三々五々嘻々として散步するのを見る、是れ彼等が晝間一日の勞苦を、忘れ去らんとして此の樂園に來れるものである、多數の者がつどひ集まるにも拘らず、亂暴狼藉を働く者も無ければ、紙屑一つ散らす者も無い、公園に多數の綿羊が放牧され、番人を置かずに其の自由に任せて有るが、之を追ひ廻はすとか、石を投げつけるとか擲つとか云ふ事は少しも無い、牧羊の觀念も、動物愛護の思想も此の邊から涵養されると思はれた

英國には農村無しと號して居る、スコツトランドに行けばそうでも無いが、イングランド殊にロンドンの近郊には、耕作地と云ふものが殆んど無い、農業が無くて如何にして立ち行くだらふか、英國は誰人も知る如く商工業が最も繁盛で、即ち商工立國と云ふべきで有るが、單に商工業のみを以て、果して國を維持して行き得るであらふか、それは到底不可能事である、何となれ農業は、商工業の原料を生み出す、唯一の道だからである、農村無き英國は如何にして商工業の原料を手に入るゝだらふ、言ふ迄も無く全世界に擴がれる處の廣大なる植民地からであるカナダ、印度、濠洲、南阿至る處に本國に十數倍せる、地域を領有し、其の外にジブラルタル

とか、スエズ運河とか、香港とかいふ、世界交通の要衝に當れる、場所を占有して居る、濠洲などには八千万頭の羊を飼養して居ると稱して居る、其の上本國は非常に石炭に富める處より、此等植民地の農產物に加工する事を引受け、無數の商船は其の製品を、世界の隅々迄送り出して、巨萬の富を集めて居る、されば英國の富源は彼の廣き植民地にある事は言を待たない

我が日本の國情に鑑みれば、本國は英國に比して稍廣けれども、植民地は殆んど比較にならぬ、我が國の耕作地即田畑は、六百万町步と稱せらるゝが、之れは國土に比べて甚だ少く、伊太利の如きは全面積は、我が國よりも遙に狹きに拘らず、耕作地は我が國の二倍の廣さを持つて居る、之れは地勢上如何ともすべからざる譯であるが、我が長野縣の如きは、殊に山岳國なる故に、耕作地は甚だ少い、隨分急傾斜の地面迄、開墾されて有る樣だが、田地十万町步畑七万町步、合計僅に十七万町步に過ぎない、されば我が國に於ては、たとへ商工業立國を畫策するとしても、其の原料を何れに得るかに苦しむといふ立場にあるものである

合衆國に行つて見ると、版圖が極めて廣く、而も地味は肥沃に、氣候適順で、現在に於ても農產物が、非常に豐富で有るのに、猶將來幾らでも開拓の餘地がある、生活必需品の關係上、我が國の如く、水田は造つて無いが、廣漠たる原野に、各種の機械力を應用したる農業の經營振を見れば、實に羨望に堪へない、斯くして國內に溢る、處の大資本を以て、世界の各所に、活躍しやうとして居る、我が國の如きも、彼れの壓迫を受けぬ樣に警戒せねばならぬ、それには凡ての產業が、對外的たるを必要とする、狹い內地にのみ跼蹐して共喰をして

居る樣な事ではいけない、須らく生產の地域を擴張すべきである

然りと雖ども、最早世界の狀況は、植民地の擴張を許さない、戰爭も外交も、之を如何ともする事は出來ない之れを想ふと往昔ヒリツピンを始め、南洋一圓から布哇あたり迄も、安々と我勢力下に置き得る時代が有たのに、空しく其の機を逸したるは、誠に遺憾とする處である、現在に於ては、シベリア滿洲あたりに於てすら、他國を憚つて、思ふ存分の仕事が出來ない狀態にある

幸にブラジル、ペリユー、メキシコ等に於ては、我が邦人を歡迎し、喜んで其の活動の地域を提供しつゝあるを以て、此の方面を研究し、適當の施設をなすのが目下の急務である、併し外遊中も屢々耳にした所で有るが、どうも在外邦人の態度には遺憾の點が有る樣である、之れは强ち在外者其人の罪ではあるまい、獨逸あたりでは移民をば、單に勝手氣儘にさせて捨てゝ置くといふ事が無く、有力なる資本家が之れを後援してやつて居る、故に其の成績が常に良好である、之れに反して我が國人は殆んど無資本で出かける上に、後援者が無いのだから、何れの地に行つても、存分なる活動の出來ぬのは無理が無い

現在の獨逸は慘憺たるものゝ樣に想像されるが、實際を見ると國民全体が、各種の方面に向て拔目なく眞面目に、緊張の態度を以てやり居るから、遠からず回復するだらふと思ふ、戰爭前の話で有るが、サンフランシスコの水道用鐵管の競爭入札に、他國の同業者の半額を以て落札した、どうするかと見て居ると、鐵を運搬するに軍艦を以てやつて居る、運賃が一文もかゝらぬから安くやれる筈で有る、法規の運用が巧妙で鐵の販路を擴張

するのが國の利益で有るとなれば、軍艦でも何でもそれに使ふと云ふ風にやる、又或る地点に銀行を設立する必要を感ずるとなると、カイゼルは眞先に皇室の財産中より、預金をせらるるといふ様なやり方をしたもので有る、又世界至る處に設けたる獨逸の與信機關といふものが、よく發達して居て信用程度の調査が容易に出來るから、従て資本の後援が極めて敏活に出來る、メキシコへ行つても、南米に行つても同様で有るから米國人には甚だしく嫉視されて居る

米國人は州によりて相違もあるが、彼の地の我が在留邦人に對して、其の惡感情が漸次其度を加へ來る様に見える所謂排日を猛烈にやつて居る、シャトルには有名なる排日新聞が有つた、其の資金の出所が不明で有る、ナカダにても同様に日本人を排斥し様として居る、將來はメキシコ、南米等にも彼等が手を伸ばして、排日運動をせぬとも限らぬ

メキシコより南米にかけては、今の中で有る、種々の便宜を與へて我が邦人を、歡迎しつゝ有る此の機會に、可成多くの人を送つて置く事が緊要である、多數の邦人が在留する様になれば、政事的には兎に角、實質的には植民地の擴張とも見る事が出來るのである

我が國は人口が頗稠密であり、絕對數に於ても可成多數で猶且大なる、增加率を持つて居る、人間の多いといふ事殖えるといふ事は、强大國たるの最大要素であるから、此の點は意を强うするに足るが、同時に海外に向て膨脹する事は、又極めて必要なる事である、元來我が日本人の素質は、海外發展に適して居る山田長政を始

めとして、多くの海外活動者を歴史の上に發見するのであるが惜い哉、德川氏の初めに於て鎖國政策を取りたるが故、遂に伸びる能はずして、今日に至つたが、今や世界の交通機關は完備し來り、所謂千里比隣の如しとも言ふべく、地球を一週するなども、易々たるものとなつた、ブラジルは我が日本よりは、最遠き國であるが、航海日數は僅に五六十日、新約克を經て行けば三十日、それも日に〳〵短縮されつゝある、地域の廣大なる事は世界で一二を爭ふ位で五十五万方里も有るのに、人口は非常に少く、數百里に續く沃野が、空しく遺棄されて居るといふ狀態である、此のブラジルの土地を、國家とか公共團体とかで所有する事は出來まいけれども、個人に資金を補給して、買收させるのは差支有るまい今迄我が國としては此の點に注意する者なく、従て議論の起らぬのは甚だ遺憾である、幸に今回は海外協會中央會の組織も成り、廣く天下の輿論を作る事も出來、又本協會の活動にも便宜を得るであらふ、兎に角事は實行せねば駄目である、海外發展の事の如き殊に然りで有る、而して實行には英斷が先に立つ、大英斷を以て大に國論を喚起し大和民族永遠の策を樹立せねばならぬ、但し一面外國をして疑惧を抱き猜忌の念を起さしむる様な行動は可成之を避けねばならぬ

以上巡遊中の感想の一端を述べて諸君の御參考に供した次第である、猶多くの材料を持つては居るが本日は之にて失禮する

二、海外事情

○加州在留邦人々口動態の一面

大正九年十月一日我が國第一回國勢調査に當り、桑港帝國總領事館とロスアンゼルス帝國領事館とで、調べたものを合せて見ると、加州全体に日本人の、男子約五万二千人女子約二万八千人在留した事になつて居る、其の後出產死亡もあり、出入も有た譯だが大体は此の數字に近いものと、見る事が出來る、更に之を年齡に依りて、類別して見ると左表の如きものとなる

	男	女	計	總數千ニ對スル割合
幼年	七八三七	七五八一	一五四一八	一六五
少年	二八七九	二七三六	五六一五	六九
青年	二一七五	九六二	三一三七	三八
壯年	一六五八五	一三一七五	二九七六〇	三八〇
熟年	一八九〇五	三六二二	二二五二七	三〇〇
老年	三八九〇	四三二	四三二二	四八
計	五二二七一	二八五〇八	八〇七七九	一〇〇〇

右の統計に依りて見ると、加州在留同胞中には壯年熟年者が著しく多く、之れに反して少年青年は非常に少い、此の狀態は日本內地人の年齡別に比較して、驚くべく相違して居る點である、表を以て比較を現はせば

	在加同胞千人ニ付	日本內地ノ千人ニ付	在加同胞多キ割合	在加同胞ノ少キ割合
幼年	一六五	一三〇	三五	―
少年	六九	二二〇	―	一五三
青年	三八	九七	―	五九
壯年	三八〇	二二〇	一六〇	―
熟年	三〇〇	一六七	一三三	―
老年	四八	一六四	―	一一六
計	一〇〇〇	一〇〇〇		

即ち在加州同胞中には現在働き盛りの人數が、日本內地に比して、著しく多きに反し、その後を取るべき青少年が、非常に少い今後十數年乃至二十年の後、現在の働き手が、老衰の域に入りたる時代は、在米同胞に取りて、甚だ警戒を要する時期で有る、幸に幼年者の割合は內地、以上は多いから遠き將來を考へれば、强ら悲觀のみするにも及ぶまい

○支那髮網製作狀況

歐米婦人の頭髮覆として、廣く愛用せらるゝヘヤーネットは、從來墺地利北部地方の原產品として周知せられ、同地より世界各方面に、輸出せられ來りしものなるが、曾て一米國商店に於て、該品輸入に際し、其の包裝內に一片の支那新聞紙、混入しあるを發見したるより不審を懷き、種々探索の結果、ヘヤーネットが支那內地に於て、獨逸商の經營の下に製作せられ、小包便により獨墺の北都市に送附せられ、然る後獨逸製品として、各方面に輸出せらるる、經路を偶然暴露するに至れり

而して支那に於ける、ヘヤーネット製產業は、戰後頓に盛大を來し盛に米、英、佛諸國に輸出せらるゝに及び、近來特に囑目に値する支那の、一新產業とはなれり、該品は手工により製作せらるゝものにして、往時需要多からざりし時代にありては、一籃の値僅に四十仙に過ぎざりしも、輓近其の需要激增に伴ひ、三弗五十仙臺に昂騰するに至れり

斯の如く支那品に對する需要、旺盛となれるに伴ひ、山東省に於て最顯著なる斯業の發達を來し、之れが取扱は主として、米國商人に依り營まると云ふ

今其の精製に至る順序を畧述せんに、支那內地に於て蒐集せられたる毛髮は、其の儘にてはヘヤーネット製作用として、餘りに粗笨に過ぐるを以て、一旦之を歐米に積送し、化學的作用を施して、柔軟性に化し、且漂白染色を施したる後、再び支那に逆送し、手編により仕上げらる、即ち該品製作は、純然たる手工業にして手先の器用を要するに加へ、頗る忍苦を伴ふものにして、現今支那に於ては、主として婦人子供之に從事す、

斯くして仕上げたる製作品は、一且取扱業者の手に集中したる後、出來榮を檢せらるゝものなるが、其の方法としては、白紙の上に製作品を擴げて點檢すれば、最容易に其の良否を識別し得る由なり、右の檢査は時として米國に於て行はれ、又在支西洋婦人に於て行ふ事あり、支那稅關の報によれば、一九二〇年中芝罘より該品の輸出せられたる高、二百八十万四千八兩なりしが、一九二一年に入りては、其の輸出高一躍七百七万二千三百三十二兩に激增せりと稱せられ、又昨年末迄外國郵便局の利便を有したる、上海よりの該品輸出高は、一九二一年中四百十三万三千三百四十三兩に上れりと云ふ、而して該品の主たる生產地は、山東省にして、天津よりも若干輸出せらるゝ由なるが、

其主たる需要國は、米國を第一とし、英國佛國之に次ぐと報せらる

一九一二年に入りては、愈々該品に對する需要增加するに至り、昨年夏季には需要旺盛の氣配に付込、取扱商の投機的思惑手控を喚起し、供給不足の狀態を惹起せりと傳へらる

次に昨年九月に於ける、頭髮の相場を見るに、品質に依り百斤に付二百弗より、八百弗見當を唱へ、尙原料たる毛髮の長さは約十八吋のもの普通なりと云ふ、又漂白染色費用は、一封度に付六十弗の出費を伴ふ由、工賃は網目の加減に依りて一樣ならざるも、一グロス(十二打)に付普通一弗六十仙乃至八弗位なり

○ 加州の葡萄栽培業

加州に於ける葡萄栽培　加州は米國に於ける、主要農產地なるは周知の事實なるが、葡萄の產出又頗る多く、一九一二年の米國總產出額、六千八百五十万弗の內、加州は約七割を占む特に乾葡萄に至りては、全米國產額の殆んど全部、即ち九割六分强は加州より產出す左に一九一九年に於て、加州葡萄栽培の面積及び產出噸數を他州と比較する時は左の如し(一英町は我が四段二十四步一噸は我が二百七十二貫とす)

	英町	噸	一英町の產額
加州	二五六三六三	九八九九八五〇	三、九噸
紐育州	四七〇八六	七六二二五〇	一、六
ミシガン州	一七二〇三	五七九五〇	三、四
ペンシルバニア州	一一五五四	二一三五〇	一、九
オハイヨ州	一〇三八五	一〇八七五	一、〇
ミズリー州	四一九六	五四七五	一、三
其他諸州	二八〇三八		
合計	三七四八二五		

右の表に現はれたるが如く、一英町の產出噸數の割合より見て、加州が遙に他の諸州に優れるは、葡萄栽培地として、最適當なるを示すものなり、蓋し葡萄栽培に三要件あり、即ち第一は土地なるが、土地として加州は未だ新開の地多く、一般に肥沃なり、第二は天候にして、葡萄は花時より、收穫時期迄雨量の少きを良しとす、特に八月より十一月迄に、降雨少きを可とす、加州は一年中十二月より、三月迄は雨期にして　其の以外には降雨を見る事至て稀なり、第三は氣溫の高き事にして、特に乾葡萄にありては、收穫後熱度强き日光に曝して、乾燥せしむるものなれば、加州特に中加

は此の點に於て又好適地なり

尙一九一二年には加州の葡萄栽培英町は、二年間に約二十五万英町を增し、五十万七千七百七十五英町となれり其の內譯は次の如し

食卓葡萄	一〇四七六〇英町
酒葡萄	一三八七九一同
乾葡萄	二六四二二四同

加州に於ける葡萄の主產地は、フレスノを中心とする中加にして、次で北加には、ローダイ、フロリン及びルーミス等南加にはインペリアルバレー地方在り、中加には乾葡萄大部を占め、食卓葡萄として、エンペロー種を出し、北加は酒葡萄及食卓葡萄にして、南加はタムソン種を、食卓葡萄として出す

葡萄の種類　葡萄の種類は頗る多く、八十種以上なりと稱せらる、而して加州栽培の葡萄中、重要なる種類は左の如し

酒葡萄　ジユー、ファンデル　皮黑色、液無色、酒葡萄として產出高最多量なり

アラカンテ、ブシー　皮黑色、液黑赤色、目下高値を呼びつゝあり

食卓葡萄　トーケ、　皮赤色厚し、圓形產出量最多し霜及び雨に對して强からず

コーニション　皮黑紫色、長圓形、雨に能く堪ゆ比較的保存力强きを以て、高價にて賣行く

エンペロー　皮赤色圓形美味、霜に能く堪ゆ、保存力又强きを以て、最高價を維持し居れり

マラガ　皮淡綠色　圓形乾葡萄、食卓葡萄兩用を兼ぬるものなり

タムソン　皮淡綠色、種子無し形小、普通乾葡萄に製造するも、食卓葡萄として、使用するもの少數あり

葡乾萄　タムソン　乾葡萄の大部分は此の種類にして、普通乾葡萄と云へば、タムソン種を指す

マスケツト　皮淡綠色、圓形種子あり

マラガ　食卓葡萄マラガと同一のものなり

カランツ　皮黑赤色、形小種子無し、此の種は近年スペイン及びスミルナ(中央亞細亞)より輸入して植付けたるものなり

葡萄の栽培法　葡萄は苗木を畑に植付、二年目にて實を結ぶも、三年乃至四年目より收穫するを普通とす、每年四五月頃花を開き八月中旬より十一月上旬迄に收穫を爲すものにして、土地に依り種類に依り、多

少時期に相違あり、而して十年目より三十年目迄のものは收穫最多く、收穫の全生命は平均五十年とす

一ケ年の收穫高一英町に付、酒葡萄は六噸乃至八噸、食卓葡萄三噸乃至四噸、乾葡萄一噸乃至一噸半(乾葡萄は青物の約三分一に減少す)とす

勿論栽培及び手入の良否は、收穫高に影響を來すべきも元來葡萄は比較的、肥料を要せざるものにて、地方に依りて肥料を與ふる處あるも、一般には未だ其の事なく、尙且相當收穫を得つゝあり、水は年に二回乃至三回施す所あり、月に三度位施す所ありて必ずしも一定せず、肥料として、馬糞雞糞緬羊の糞等多く使用せらる土地はアルカリ性の地を厭ふも、其の他は一般に適す

氣候は、乾葡萄には溫度高きを必要とすれども他の種類は必ずしも然らず、降雨は五月より十一月迄、能ふ限り少きを可とす、手入としては、枝及び蔓の諸方に擴がるを切り取る事、葉に付着の害蟲を驅除する事、及び幹にヒユーノベラと稱する病氣の爲生ずる瘤を切取り、石灰を其の後に詰込む等なり

乾葡萄の製法　葡萄を畑より摘取り、一週間乃至十日間、長方形の淺き箱にて、强き日光に曝して乾し、後同日數間、葡萄の下部を反して更に乾す、終りに蔭乾をなすこと、二週間乃至三週間夫を乾葡萄會社に運ぶ、工塲にては小枝及塵を取去り種子無きタムソの類は、水蒸氣にて消毒の上、箱詰となす、種子の有るマラガ、マスケツトの類は湯に漬け未だ乾かざる間に箱詰となす

右の外ブリーチ、タムソンと稱する白色乾葡萄の製造法を記すれば、葡萄を摘採り、十五ポンド位宛を小なる網又は、籠に入れ、約三十秒間ソーダ水に漬けたる後洗滌し、縱三尺橫二尺の淺箱(トレーと稱す)に入れ、其のトレーを二十五枚宛の高さにして三つ重ね、七十五枚となし、一の密閉したる箱(サルフアー、ボツクスと稱す)に入れ、四時間以上硫黄にて燻べるものとす、然る時は葡萄はクリーム色をなして出づるを以て、更に日光に曝す、熱度の大小に依り、時間に相違あるも、二時間乃至四時間にして白色となる、之を更に蔭乾となし、白色の乾葡萄を得此の白色乾葡萄は從來、アルメニア人に依り、製造せらるる處なりしが、昨年ツラレ郡坂本節吾氏が、アルメニア人を技師として傭入れ、試驗的に始めたるに、頗る好成績にして、今後尙邦人の內此の白色乾葡萄製造に從事するものを生ず

べし

白色乾葡萄の特色は、普通天日製のものに比し、腐敗蟲喰の憂無く、長く保存に堪ゆるにあり、價格亦高く昨年は天日製一ポンド、六仙五厘なるに引替へ、白色乾葡萄は十一仙五厘を稱へつゝあり、而して白色乾葡萄は、生產費一ポンドに付天日製より二仙多くを要し、最初多少設備に費用を、支出する譯なるも目下の所天日製に比して遙に有利なり

乾葡萄會社と栽培者との關係を見ればフレスノ市にサンメード、レーズン、グローアスと稱する會社在り、資本金五百万弗、株式組織にして其の中八割五分乃至九割の株は、栽培業者所有に係る、又栽培業者の九割以上は、此の會社との契約に依り、精製の目的を以て、葡萄を工塲に送る故に此の一レーズン會社が、加州の乾葡萄を支配する譯なるが。現在會社と栽培業者との間は、頗る圓滿にして何等の苦情も無し

會社と契約をなす栽培業者、全英町數の內日本人は四パーセント、即ち一万一千英町許りあり、コハ邦人の土地所有者を指す

加州乾葡萄の產出高　加州は全米國葡萄產出高の、九割六分强を占め、米國の產出高は、世界總產出高の六割九分に當る左にフレスノ乾葡萄會社の發表せる乾葡萄の英町數及び產出高を表記すれば

年次	英町	產出高
一九一六	一六二三八一	一三二〇〇〇噸
一九一七	一六四五四七	一六三〇〇〇同
一九一八	二〇一九九一	一六七〇〇〇同
一九一九	二五六四二二	一八二五九三同
一九二〇	二九二九三八	二〇三五二八同
一九二一	三六〇〇七六	二五〇九九三同
一九二二	四〇〇三七五	二八四八一〇

又米國に於ける、乾葡萄消費高は、右の產出高と次に揭ぐる、輸出入表に依りて、畧推定するを得べし

(單位噸)

年次	輸入	輸出	輸出超過
一九一九	七八三	五五二二五	四七四二
一九二〇	二三〇二〇	二六八一九	三七九六
一九二一	八四四〇	一六八二六	八三八六

土地所有者の英町に對する產出額生產費及純利益

葡萄は、種類に依り、品質に依り、夫々賣價異り、又年に依り時期に依りて差異あり

酒葡萄は數年間迄は、價格至て低廉なりしが、一九一

九年頃より、漸次騰貴し、本年は三種類中、最利益多き、ジューフアンデルは噸六十弗、アラカンデ●ブッシーは百四十弗を示せり、而して生產費一英町に付、約百弗と見、之を賣上高より、差引けば大凡三百弗乃至六百弗の純益あり

食卓葡萄は昨年及び一昨年よりも、價格低下したれども、昨年は例年の三割方增收なりしを以て、相當利益ありたり、一クレーツ（約三貫七百目）に付トーケー一弗八十仙、コーニション二弗二十仙、エムペロー二弗五十仙にして、一クレーツに付約一弗二十仙の生產費を要するを以て、一英町の純利益は、百五十弗乃至四百弗なり

乾葡萄は過去數年間、最利益多きものとして、知られたるものなりしが、生產過剩の結果、タムソン種一昨年一ポンド十一仙五厘に對し、昨年は六仙五厘（尤昨年は三割方增收）に下降したるを以て、乾葡萄の昨年の利得は餘り多からず、生產費一ポンドに付四仙とすれば昨年の英町に對する純利益百弗乃至百五十弗のものなるべし（此の生產費中には經營者の其の家族の生活費を含む）

加州葡萄栽培の將來　加州が葡萄栽培地として、最好適なるは茲に殊更論ずる迄もなく、何人も認むる處なれども、需給其の宜しきを得ずして、生產過剩に陷らんか市價降下して、栽培業者爲に、損害を蒙る事となるべし、今三種の葡萄に就て見るに

酒葡萄　は米國が禁酒令を發して以來、從前に比して需要著しく增加し、年々栽培業者は、多大の利益を獲得しつゝあり、今後とも此の狀態は永續するものと認めらる

食卓葡萄は其の利益、年々比較的平調にして、變動少し、尙需要は年と共に增加し、又近來は運送方法にも注意を拂ひ、遠隔地に輸送する事となりたるが、一方栽培英町數增加し、四五年の後には現在の二倍となるべき見込なるが故に、栽培業者間に在りては、乾葡萄の販賣廣告費に、多大の經費（乾葡萄會社は一九二一年廣告料に二百十三万九千五百弗を支出せり）を拂ひつゝあるに鑑み、食卓葡萄にも販賣擴張策を講じ初めたり

乾葡萄　は既に十年前、生產過剩の聲を聞きたるも、戰爭に依り、歐州の葡萄栽培業捗々しからず、米國獨占の狀態にして、栽培業者の利益多大なりしが、戰後歐州の秩序回復と共に、西班牙及び中央亞細亞スミル

ナ地方其の他に、產額增加したるとは、世界の乾葡萄に生產の過剩を來し、一昨年一ポンド十一仙五厘なりしものが、昨年は俄然六仙五厘に下落せり、然れども今後新に、植付をなすもの少く、一方東洋南米等に、販路擴張を計りつゝ、あれば從來の如き莫大なる利益を收むる事は困難なるも尙相當利益を得べく、必ずしも悲觀するに及ばざるものと思惟せらる

邦人の葡萄栽培業　本邦人は一般白人に比して、手先を使用する農業に適し、葡萄の如きも、摘採及箱詰等には、彼等に數等優れり、されば邦人の葡萄栽培に從事する者、頗る多數を占む、栽培地として知らる、地方にして邦人の在らざる處なく、北加に於ては、ローダイ、フロリン、及びルーミスにて食卓葡萄を栽培し、中加に於てはリビングストン、フレスノ、バイセリア、ツラレ、ダイニユーバ等にて、乾葡萄及び食卓葡萄を栽培す、特に中加一帶は、邦人の約六割は、葡萄栽培に依りて生活するものにして、中加邦人農業者の大部分は、葡萄栽培に關係するものなり

又加州に於ける邦人の、葡萄栽培土地所有面積は、約二万英町にして、邦人農業者中土地所有者は、主として中加の葡萄栽培業者なりと云ふも過言に非ず

次に加州に於ける邦人の、葡萄栽培業者中成功者として知名のものを擧ぐれば

地方	氏名	所有地積
ルーミス	直壁信藏君	八〇英町
リビングストン	佐藤信忠君	一六〇同
フレスノ	中田重太郎君	二八五同
ダイニユーバ	前田寛次郎君	一七五同
ツラレ	坂本節吾君	七〇〇同
サンタローザ	長澤鼎君	二〇〇〇同

此の他加州に於ける、百英町以上葡萄土地所有者は

フレスノ地方	九名	ダイニユーバ地方	一名
ツラレ地方	三名	リビングストン地方	四名

あり何れも邦人農業者中、有數のものなるが、此の外土地所有により、又は借地に依り、葡萄栽培に從事するもの頗る多く、二三十年前に一介の移民として渡米したる者が、今や相當資産を作り、事業を經營し居れる有樣なり

過去十年間邦人農業家にして、最多く着目したるものに北加の米作及び中加の乾葡萄あり、而して、中加の乾葡萄栽培は、着實に而も何れも經驗あるものに依りて經營されたるを以て、最近乾葡萄栽培の失敗者は殆

んど無く、本年或は昨年には、無理なる借金を以て經營したる者の中、一二失敗者あるべく豫期されざるに非ざるも、今後は大体に於て、何れも順調に趣く模樣なり

由來地方には、夫々指導者なるものありて、地方民を誘導するものなるが、指導の良否は、軈て一般民の事業生活狀態に頗る甚大なる影響を及ぼす事、加州各地に散在する邦人狀態を見るに及び、特に其の感を深くす、而してリビングストン、フレスノ、バイゼリア、ツラレ、ダイニユーバ等の葡萄業者が、堅實に發展したる原因の一は、地方指導者が公私共に誘導其の宜しきを得たるに依るものにして、一般地方民の感謝して措かざる處なりとす、加州に於て邦人經營の農作物中馬鈴薯、玉葱、甜菜等は數年間、引續き不況にして失敗者を出し、從來借地又は步合耕作等によりて、農業を營み居たるものにして、今日勞働者に立戻りたるもの尠からず、而して乾葡萄の如きも、價格引續き低下する時は、多少困難を感ずるものなきに非ざるべきも、目下の所決して悲觀すべきものに非ず、要するに葡萄栽培は、堅實なる農業として、將來永續すべく、食卓葡萄、乾葡萄共に今後五年間、價格に於て異常の變化なき限り邦人葡萄栽培業者の前途は有望なりと謂ふべし

○海外在留地別本邦内地人々口表

（大正十一年六月末日現在調）

在留人口別／留在地別	男	女	計	大正十年六月末現在調
英領加奈陀	一二、〇一三	六、七〇〇	一八、七一三	一八、六二七
北米合衆國	八四、五八〇	四六、〇五五	一三〇、六三五	一三三、三七二
布哇	六五、七三三	五〇、四四六	一一六、一六九	一一三、三九九
墨西哥國	二、〇七〇	二九七	二、三六七	二、一七六
巴奈馬及玖馬	五二四	九八	六二二	五九二
伯剌西爾國	二三、二五五	一六、四七六	三九、七三一	三五、六〇四
南亞米利加	九、九二五	二、五八七	一二、五一二	一四、二〇五
比律賓及グアム島	六、三〇九	一、二七八	七、五八七	八、六二三
南亞細亞	一〇、七七二	六、五四三	一七、三一五	一八、一一五
南洋群島ヲ含ム太洋洲	四、二一〇	二四四	四、四五四	四、六〇五
支那	三〇、九二四	二八、三九六	五九、三二一	五七、八三三
滿洲	九〇、一一三	七八、六九九	一六八、八一二	一六二、二八〇
西比利亞	六、六七八	四、四二四	一一、一〇二	六、二四四
歐羅巴	二、四四五	三七四	二、八一九	二、三八〇
阿弗利加洲	一九	二一	四〇	五七
合計	三四九、五六九	二四三、六二八	五九二、一九七	五六八、一〇一

備考　本表ニ示ス如ク大正十一年六月末現在海外各地在留本邦内地人ハ大正十年同期に比し二万四千九十六人ヲ增加セリ

○自大正二年至大正十一年各年六月末現在海外在留本邦内地人々口比較表

入口／年別	在留人口	對前年增加人口
大正二年	三三一、二六二	三八、六〇三
同三年	三五八、七一一	二七、四四九
同四年	三六二、〇三三	三、三二二
同五年	四一三、一九九	五一、一六六
同六年	四五〇、七七四	三七、五七五
同七年	四九三、七五五	四二、九八一
同八年	五八二、四三五	八八、六八〇
同九年	五四一、七八四	減　四〇、六五一
同十年	五六八、一〇一	二六、三一七
同十一年	五九二、一九七	前年トノ比較　二四、〇九六 大正二年トノ比較　二六〇、九三五

備考　本表中大正三年以前ノ數ハ朝鮮人及臺灣籍民ヲ合算シタルモノニシテ大正四年分ニハ青島及南洋群島在留者數ヲ含マス

三　海外近信

○珈琲の木蔭より

上伊那郡宮田村出身　小田切　傳君

拜啓海の外毎々御送り、下され有難く深く謝し奉り候海外萬里の異境に活動する我々は、貴會の設立により如何にも大なる慰安と力とを加へ申し候、益々貴會將來の御發展を及ばずながら、御助力申し上ぐる考に候小生は渡伯以來最早四ヶ年の星霜を珈琲園に活動致し申し候、此の間の苦樂は充分なる修養と相成り深く天父に謝すものに候

石の上にも三年とは、古人の諺なれど、何の事業も忍耐が第一にて候、小生等の耕地も四五年以前は、二三十家族の日本人が、住居致し居り候へども、皆それぐ各地に散じ、其の行先も思はしからず、一年位にて轉々と住居を變じ、汗水流して溜めたる資金は費し家庭は不和をかもし、一家離散の悲しき境遇に遭ひたる人も有之候、誰しも來た當時はこれではやりきれぬとあせる爲、食糧を節約し、馴れぬ勞働に無理をなし、又氣候や飲食物の異る爲、遂に種々なる病氣に罹

り、醫者を賴むにも言語通せず、驚く程の金を取られ其の上仕事は遲れるばかりにて、取返しのつかぬ事に相成り申し候

今後渡伯される方は、申す迄も無き事なれど、呉々も第一に身體第二に仕事と言ふ樣に、氣長く忍耐して御活動なさるべく御すゝめ申し候

次に會社の金を借りるのは考へものに候、目下非常に伯貨下落して、利子高き金は甚だ損に候、今後必ず伯貨の回復も有る事と思ひ居り候間、其の時は故國に送り父母や兄弟を喜ばしむるを得べくと存じ候

移民でも植民でも、資金を多く持ち來る人は別として二十代の青年諸君に御勸め申し候、浮れやすき青年時代に父母に、離れ兄弟と分れ、最愛なる妻と海山遠き伯國の寶庫に立つ時、獨立自營我が腕の續かん限り自分の爲故國七千萬の同胞の爲めに、活動せずんばあるべからずと、堅き決心になるものに候、若き青年時代の修養に、これ以上の處は無きかと存じ候、何人も何か一つの信敎が必要と考へ申し候、先づ此のコロノ(勞農者)は修養時代とも申すべき時にて、長くて五六年短くて三四年にて、相當に言語に通じ仕事も覺え、資金も出來充分なる視察をして適當なる地を選び植民地に這入るも、半獨立農となるも又職業の有る人は町に行きて働らくもよろしく候

左に御參考迄に小生の唯今の狀況を記さんに、珈琲樹の受負七千五百本にて、月々百五十ミルレースの賃金を得申し候、家畜としては豚が主にて入耕當時一頭二十五ミルレースにて、買ひ求めたるもの、只今迄に非常に繁殖し、現在の二十餘頭の外屠殺して自家用となしたるもの、及び賣却したるものも十五六頭價格一コント三四百ミルに相成申し候、他に馬一頭二百五十ミル位にて買ひ置き候處、先頃一頭の子馬を得申し候、馬も是非必要にて出步く時はこれに乘るが便利に候米は日本人五家族にて他の外國人が手を付け得ざる、沖積土の沼地を日曜休日を利用して開き、四五ヶ月間の食糧を得、野菜物は何でも收穫出來申し候、猶間作地も肥沃なる山を開きミリヨ二牛車半位を取り上げ居り候

私共のコロニヤ一圏は三十家族にて、副監督は更級郡村上村の出身にて、邊見國雄君と申し、最早渡伯後六年目に相成候由、何事にも熱心にて、犧牲的精神に富み、多くの人々より信用有之候、何卒海の外を一部、同氏に宛て御送附下され度御願申し候、邊見氏は長き

經驗に依り、子供を利用して日曜休日に、一二時間宛働かせ、今年はミリヨ七八牛車を得べく、豚等に於てもコロニヤ第一に有之候

今年はカフエーの當り年にて、古き私の耕地も十八ヶ年目とかにて、三人家族一千二百アルケール、約一コント位の採集は出來得べく、豫想仕り候、その外日雇賃年內私共にて六十日位一日四ミルニ有之候、牛なども非常に面白く想ひ候へども、如何せん家族はたった三人、それに時間勤めの身なれば、只今の處やり兼ね居り候

私共も早く只今の境遇を一變して、人に使はれず人を使ふ樣に成り度く一意專心努力致し居り候、御承知の通り私共の階級としては、他の外國人は十中八九迄、一字も知らず中には數字さへ知らぬ者も有之候、殊にブラジル人にてシヤレンサ(シイヤラ州より來りし者)と稱するは一番呑氣にて、明日食ふ物が無くとも少しも屈せず、金錢を得れば無闇に使ふと云ふ風に候、何人も信用と金とを程よく得るは難く、金に目が暗みて信用の無き人や、信用は有れども何事も金の無き人も有之候、又監督にも耕主の爲めのみを考へ、コロノを犧牲にする人も有之候へども、何も犧牲にしてまで資本家を肥すが如きは、沙汰の限りと存じ候、三等國のブラジルにも、昔の奴隷時代の氣分多少殘れるものゝ如く、資本家中には勞働者に對して無理をやる者も往々有之候、されども世界の大勢と勞働者の不足とは追々に彼等を警醒しつゝ有之候

書き度き事は山々有之候へども、紙數に限りも有れば後便に讓り申すべく候、乱筆に候へども御判讀下され海の外へ御掲載海外發展の勇士諸兄の御參考になし下さらば光榮の至りと存じ候、終りに臨み貴會諸賢の御健康を祈り申し候

送金は手續面倒に候故、當國中に支部有之候はば御知らせ下され度、一同纒めて御送り申すべく候

(大正十二年二月二十五日)

○第三植民地にて一言申上候

南安曇郡明盛村出身　大山幸平君

拜啓、貴社益々御健全なる、御發展の由、心強く遠き此方より深謝致し居り候、斯く申す小生は、大正八年鎌倉丸の渡航者に候、只今はセッテバーラス、海外興業株式會社方の植民地測量部內に奮闘致し居り候、當地には輪湖先生を始めとして、長野縣人左記之通に候

皆々豫想以上の成績にて殊に滿足と理解の許に發展致し居り候間、宜しく貴職を通して御報知下され度候、以下少しく我が植民地と題して、書き連ね申候「流れはゆるきリベイラの」と幼ない子供に迄歌はれる、其のリベイラ川の上流、イグアペより百キロメートル、レヂストロより二十キロメートルの地點に候、兩側はコロンボ川及びユタ川の二大河に抱容せられ、地味一般に豊饒に候、此のセッテバラスの名稱は謂はれ有る所に候、字解致せば七本の金の棒と云ふ意味にて、聞く所によれば、昔は此の地方より、金が澤山出たとかにて、その土地の砂を篩で七度振ると金ばかりになつたとか、それを黑人の酋長が、七本の金の棒にして、リベイラ河畔に隱したと申し傳へ候、現に時々カ、ヌなどで、夜中通る人々が、其の埋めたと云ふ附近を通ると、金の光の爲めに目がくらんだとか、近よるに從て見えなくなるとか樣々の傳說有之候、之等の傳說がセッテバーラスなる名を下したる理由だと傳へ居り候、小生の考では此のリオ、エタ、及びリオ、コロンボの上流地方に金鑛でも有りはせぬかと疑はれ申候兎に角充分研究すべきものに候

植民地建設以來日淺く、未だ三年を出でず候、併し道路の延長四十キロメートル、地區數三百四十ロ一テ、道路は目下開鑿中にて請負者二名百二十人の赤毛及び、日本人勞働者の手にて進行致し居り候、區劃の方は道路測定の暇々に致すのに候へ共、假りに百二十人の人間が、一人一日五メートル宛、進捗したとすれば、六百メートルに相成候へば以下は推して知れ申すべく候之れも世の爲人の爲と思ひ居り候

土地は奧即ちエタ、コロンボ河の上流に進むに從ひて愈々有望に候、殊に米作は好適かと存じ候、一望千里の沃野とは、眞に此の土を指して申すべく、全くの處女林に候蒼々と繁りたる枝葉を見ても、充分地味の肥沃なるを認められ候

崇高なる大自然　ホユル處女林に
大和男の兒の　凛たる腕を振ふ時
雲湧き風起り　天籟たへに吹き通し
己れ廣漠の　眞只中に
黑く赫たる一塊の　肉を殘して蒼空高く
靜に淸く淡く　凱歌の境を越へて
平和の域に向ふ　踏める顏ぞ神々し

此の邊までセッテバーラスより、百五十キロメートル近く、ソロカバーナより、ソンミゲールを通じて、セ

ッテバーラスへ、六メートルの自動車道通ずべく候、一方最早ソロカバーナよりソンミゲールの山麓迄開通したとの事に候、されば此の天然の沃野の開發も遠き將來にては無之候、此のセッテバーラスは、シシリカ郡中でも有數の都會にして、奴隷解放時代まではシシリカを凌ぎ居り候へ共、奴隷解放後サンボーロ及びソロカバナ方面に、カフエー成績良好なるを聞き、勞働者及び金持連は日々、彼の方へ退散せしものに候故イグアペと共に衰微致し申候、此のイグアペは、我が長野縣の長野市と同じく、御寺で漸く町を支へ居り候、此の寺院の創立は非常に古きものに候故、年に一度のお開帳には、各方面よりの參拜人多く、リベイラ河は每日、人の山が流れ行くと申しても、過言にては無之候、此の自動車道開通と共に、日本人の腕に依り、一度衰微せしセッテバーラスも、十年を出でずして、花やかな町と化する事と信じ居り候

此のリオエタ、リオコロンボの兩者共に、セラシーコのカトカの山より流れ出し、略同じ位の大きさのものに候、幅三十メートル程有之候故、充分交通の便を與ふべく候、河畔は一般に開け居り候、暢氣なる毛赤が廣き土地を利用して、牧畜を營み居り候、果てしなき靑い野原に點々として牛馬の戯れ居るなど、日本殊に我が鄕里などに、於ては、想像も出來ない風光に候こんな土地を牧場などにして置くは、返す／＼も惜しきものに候せめては其一部分なりとも手に入らばと、時々嘆息致す事も有之候

要するに植民事業は、金や土地にはこれなく、第一が人に候、人が有て始めて第二第三が利用さるべきものに候、長野縣人の一向振はぬのは、何故に候や日本內地に躊躇して居る諸君よ、何故に此の樂土に來らざるか、日本はも早開拓の餘地は少く、ブラジルは是れからに候へば、諸君はよく／＼前途を熟考せられん事を希望致し候、現今のブラジルは、日本の明治の初年頃と相同じく候、都會と田舍との相違は日本の比では無く誠に甚だしく候へば、一概には言へず候も田舍には充分發展の餘地有之候、植民事業は一時的の仕事には無之候、自分の子供が可愛いと思はるゝ父母に於かれては、御奮發下さる事が肝要に候、其の日／＼命だけつなげば、それで我が事足れりと思はるゝ人々は日本に居る方が幸福かも知れず候、しかし此の世に男兒と生まれ、大の睾丸を有する者豈薄志弱行なるべけんや世界は廣し、理想の境地無きにしも有らず

當植民地には二個の團體有之候、一は植民者より成り一は青年より成り居り候、共に當植民地の向上發展を計るを目的と致し居り候、一を同志會と稱し一を天狗俱樂部と申し候、毎月プリメーラドミンゴに集會を催し、お互に氣焔を吐き居り候、南聖でも雄辨家で名高い北島ドクトル(レヂストロ醫局)來臨ありて有益なる衛生講和有之候、當セッテバーラスも、是等の青年が土地を經營する曉に於て、初めて堅實なる理想の植民地が出來る事と存候、我等はそれを自任致し、今より勇氣を鼓舞致し居り候、左に天狗の本領を叙したる近作を掲げ、日本內地の青年諸君に呈上致し候

一、仰げば高しイベリラ富士　千歳の綠濃き所
　それ大鵬の氣を負ふて　雄飛せんずる者は誰
二、廣茫果てなき大空の　廣き心と黑金の
　腕を振ひ南聖に　圖南を期せし者は誰
三、よしアンデスとアマゾンの　我等が前途を塞ぐとも
　何かはあらん天狗共　不屈不撓の利器の前
四、太平洋の荒波も　寄せなば寄せよ山のごと
　至誠の舟に竿させば　理想の岸は遠からじ

時は人を待たず候、好機會は知らず〱の中に過ぐるものに候、世界大戰以後、各國は競ふて經濟界に注目致す様相成候、殊に伊太利、西班牙、葡萄牙など毎月大きな移民船にて、來り候、我が國に於ても此の際、奮勵一番惠み深き此のブラジルに向て子孫百年の計を立つべく、希望仕り候若し夫れ躊躇逡巡するあらば、北米の二の舞を演ずる事明なりと存候

當セッテバラスの長野縣人は左の十家族に候

輪湖滋野夫君　馬場正次君　吉川吾市君　竹內正三君
竹內實二君　平出延平君　輪湖俊午郎君　林實衛君
人形源彌君　小生

四、信州だより

○本間長官の信州紹介

本間長官は着任以來、深く信州の自然を愛し、四時を通じて之を天下に紹介し、信州の世界的發展に資せんとし、其の一策として曩に諏訪郡の視察に當り、湖上のスケート並に温泉を利用して、內外人を招致し土地の繁榮を策すべく、同地人に警告を與へたが、一方避暑地として世界に知られたる輕井澤の開發につきても、大に意見を持つて居られる、第一道路の開築と共に

停車場附近が荊棘の跋扈に委せられて居るのを遺憾とし、近き中に知人たる富豪等を說きて自覺を促し、蹶起せしめて別莊地の增設を計劃させ、外國人を初め內地人が、毎夏苦しめらるゝ、高き家賃の低減を圖るとの事で有るが、此の意見は極めて輕井澤の發展には適切のものである、毎年來輕する外國の宣教師等は輕井澤の家賃が他の、避暑地に比して、非常に高いのに驚いて他に轉じ、昨今年々來輕者が減少する傾向が有るから、此の邊大に注意を要する、元來日本人の考は、外人と見れば何人も、物質上餘裕あるものとして、暴利を貪る惡癖が、有るが之れは甚だ遺憾な事で、避暑地に遊ぶ歐米人にありては　必ずしも富豪のみではないといふ事も考へなければならず、たとへ富豪に對しても些々たる目前の利益を計りて、彼等の感情を害するは永遠に不利益を招く所以である

○養蠶の勞銀二百万圓

全國に於ける、大正十一年春蠶期養蠶戸數は百五十五万三千九百九十戸にして、此の內雇人を使用せるもの、三十六万八千四百十四戸、雇人を使用せざるもの、百十八万五千五百七十六戸にして、之れを養蠶家總戸數に比すれば、前者は二割三分七厘、後者は七割六分三厘にして、更に雇人を使用する戸數の割合府縣別に見れば、其の最多きは大阪府の四割六分一厘、宮城縣の三割八分六厘、山形縣の三割七分八厘、神奈川縣の三割四分九厘等なり、又雇人數の最多きは長野縣の六万一千二百一人、群馬縣の五万二千七百九十八人、福島縣の三万九千五百八十六人、埼玉縣の三万九千五十五人、山形縣の三万二千九百十三人、等にて、又之れを延人員に見れば、長野縣の九十五万九千八百三十四人が最多く、之れに次ぐは埼玉縣の七十四万七千二百四十八人、福島縣の六十四万五千二百七十九人、山形縣の五十三万八百九十二人等なるが、長野縣の延人員九十五万餘、即ち約百万人に達し居るより見れば、之れが勞銀一日一圓と見做すも、百万圓の巨額に達すべし、若し夫れ夏秋蠶共三期を通ずるに於ては、二百万圓に達すべく、斯く巨額の勞銀を支拂ふに於ては養蠶業の利潤は想像の如くならず、寧年々經營上の困難を增加しつゝあるを知るべし

○蠶業取締支所廢合發表

長野縣蠶業取締支所の廢合は、縣會を初め一般人の問

題とする處で有たが、愈々別記之如く改正實施される事になつた、存置さるゝ支所名は從來の郡名を廢して、設置所在地名を冠する事とし、廢止支所は當五月より半ヶ年間出張所とする事に決し現在蠶種檢査時期に開かるゝ二十五ヶ所の出張所と合して、三十二ヶ所の出張所の實現を見る譯である

廢止支所　南佐久、西筑摩、北安曇、下高井、下水內更級、埴科

存置支所　岩村田支所、上田支所、伊那支所、松本支所、豊科支所、須坂支所、長野支所、上諏訪支所飯田支所

右廢台の方針に就いて、竹井內務部長は曰く、廢台に就いては單に交通狀態の如何、蠶種製造數の多少等の問題よりも、其の地方に於ける蠶業の中心地とか、蠶業の歷史、縣廳との連絡關係、周圍の狀態等を顧慮して、決定した、譯で交通關係とか、蠶種製造數などにはあまり重きを置かなかつた、一例を擧げれば須坂の如き、蠶種の製造數は兎に角製絲業の一中心地であり、其の他の事情が支所としての使命を全ふするに適當なるものと認て存ました譯である云々

○中央線旅客列車脫線

信州地籍に於ける汽車の故障で、今回の如きは未曾有で有つた、而も故障の大なりしに拘らず、負傷者の殆んど無かつたのも、寧不思議といふべきで有た、先月十日午前七時五分松本を發した、上り旅客列車は、八時二十五分辰野驛を發して、岡谷へ向ふ途中、約一里の箇所にて突然機關車を始め、小荷物車、ボギー車四輛全部脫線し、危ふく轉覆しやうとしたが、天佑にも一方に傾いた儘で止まつた、旅客は烈しい震動と共に、叫聲を擧げて騷いだが、前部車掌一名輕傷したのみで旅客一同は不思議にも無事で有た、原因は不明で有るが、機關車から三輛を隔てた三等ボギー車が一番先に脫線したものゝ如く、次のボギー車と共に車臺から車輪のトラック等全く粉碎され、唯車の箱が線路の上に乘り、二臺のボギー車の胴で支へて僅に轉覆を免がれた程で、車の破片は一町も先まで飛び散り、レール十數本と枕木土砂等を全部ボギー車の腹の下に抱へ込んで持ち來り、約二十間の線路は僅かに片側を殘すのみとなつた、乘客は無限の恐怖に襲はれつゝ窓から這ひ出しお互に天祐を祝し合つた

○信州と肺病

信州には肺病が比較的多い、同病羅病者及び、同病の爲の死亡は年毎に增加する一方で、ナカ〱減少しそうも無い。大正十年に於て、同病の爲の死亡者、一千三百八十六人に對し、大正十一年度に於ては、七十二人の增加にして、一千四百五十八人となつて居る、尙之を男女別にすれば、男子の六百七十一人に對し女子は七百八十七人にして、實に百餘人の多數である、尤女子の中には、製絲工女等も、含んで居やうが、うれにしても男子よりも女子の方が、同病に對する抵抗力の少い事は事實である、又同病の死亡者の、總死亡千に對する比例を取ると、大正十年も大正十一年も、共に四三、九九である、尙右死亡數を各郡市別とすれば

郡市名	男	女	計
南佐久	二六	四〇	六六
北佐久	三八	四四	八二
小縣	四五	四二	八八
諏訪	四三	五七	一〇〇
上伊那	四六	六六	一一二
下伊那	六七	八三	一五〇
西筑摩	一八	一七	三五
東筑摩	六一	六六	一二七
南安曇	三三	三三	六六
北安曇	一三	一四	二七
更級	三八	六〇	九八
埴科	三五	三九	七四
上高井	一九	三四	五三
下高井	一四	二六	四〇
上水內	五七	七一	一二八
下水內	一六	一八	三四
長野	五五	三三	八八
松本	二九	二五	五四
上田	一八	一八	三六

右の如く肺病患者の多いといふ事は、何處に原因があるだらうか、此の問題は未だ徹底的に、解決されて居ない樣であるが、忽諸に附すべからざる事は論ずる迄も無く、現在縣の事業として、結核豫防協會が有り、相當に活動して居るのである

元來結核菌は、普通の健康体にも、ツベルクリンに依る、檢診を行つて見ると、百人中九十餘人は、其の血液中に保有して居るのは、普通の事とされて居る、之れだけの菌を保有して居ても、それが保健上の防げを來す事の無いのは、之を征服し、抑壓して行く抵抗

力が、自然に備はつて居る爲であるが、一朝にして健康狀態に、何等かの故障が起ると、此の抵抗力の減退に伴ひ、結核菌が時を得顏に、跋扈跳梁を擅にするのである、感冒に罹つた、膝の關接部の具合が變だ、身体が何となくだるい、といふやうな徴候に始まつて、それが漸次悪化して來る、醫師に見て貰ふ、此の時は既に立派な結核に犯されて居る、斯うした者が多いので有る。信州の高原に結核患者の多いといふ事は、多期寒氣の激しいのにも拘らず、一般の住宅が其の建築上から見て、防寒の方面に周到なる注意が拂はれて居ない、之れが爲めに感冒に罹り易ひ事は、寧必然的で勢感冒を結核患者にまで、昂進させると云ふ傾向の有る事も、等閑に附す事は出來ない、又信州の炬燵といふものが、結核患者を多くする一つの原因だといふ説もある、成る程冬期五ヶ月の間、あの炬燵に蹈まつて居て、無數の塵を吸ひ込むのは宜しく有るまい、地勢の關係上空氣が乾燥に過ぐるのも、又確に一つの原因であらふ

○松本市の糞尿問題

長野市隣接の四ヶ村農家が聯合して、長野市の糞尿値下を提議し、造作も無く其の主張を貫徹して、從前の三分一位の値段にしたのは、遂此間の事だつたが、松本市でも同じく此の問題に苦しめらるゝ樣になつて來た、長野市の樣に汲み取り人が、團結するなどの事は無い、數年前迄は一荷何拾錢と云ふ、値が有たが今日では、只で汲んで行くのは良い方で、中には幾らか出して汲んで貰ふ向も隨分多い、習慣に依つて契約して居るものは、一荷何錢とか、一年幾らとか定めてあるが、汲みに來て呉れないので、借家人は迷惑して居るものが多い、市内の共同便所は二十三ヶ所有て、之れは年々四月上旬に競賣に附せられたが、其の價格は左の如く、年々下落して行くのである

年次	價格	年次	價格
大正三年	九一六圓	大正四年	六七四圓
同　五年	六六八圓	同　六年	七八八圓
同　七年	八三〇圓	同　八年	八七九圓
同　九年	八九三圓	同　十年	五五一圓
同十一年	三九九圓	同十二年	四〇〇圓

大正三年高價であつたのは、化學肥料が餘りに高かつた爲である、大正七年から九年迄の高價は世間の景氣に連れたのである、其の後は急轉直下で、今年などは

入札する者も、録々無い位だから、今に東京市の樣に市の問題とならぬとも限らぬ農家では假令只で有ても、高い人夫賃に當るから、町まで汲みに出るのは損である、冬期は肥料は不用であるし、夏季は田圃の方が急がしいから、遂手間の掛らぬ、金肥を使ふといふ事になる、松本市は近來人口が著しく增加しつゝあるのに農家が、既記の如き狀態では、遠からず始末に困る時期が來るだらう

○洋服の流行

和服から洋服への移り方は近來特に著しいもので、中等學校の制服は云ふ迄もなく、女學校あたりでも洋風の制服に改めたものが多い、聽ては職業婦人の各方面各階級にも及ぶ、事であらう、女子にして斯の如くで有るから、男子の方は猶更の事で、少し多くの人を使ふ、官公衙會社などでは制服を定めたものが、多く定めて無い迄も、充分の活動を要する處は何れも洋服に變はつて行きつゝある、只日本人の習慣として、又居室の關係よりして、洋服計りでは通せぬので、和洋二種の服裝を整へる事が不經濟であるのと、世間の全部が洋服化されぬので、羅紗に於ても裁縫料に於ても、まだ／＼比較的高價なる事が、洋服化の進展を防害して居るのである、長野市などにも、次第に洋服屋と洋物屋とが增加して來て、洋服屋が三十戸、洋物屋が二十戸を下らない、そうして其の一ヶ年の賣上高は、六十萬圓以上に達するとの事である

○米國絹業視察團の入信

絹業視察の交換は帝國の貿易上極めて重大の意義を有するが、特に信州に取りては、寧由々敷事件とも云ふべきである、恰も信州の蠶絲業家十幾人かが渡米の最中、時を同ふして米國の視察團二十名を迎へたのは何等か因緣の淺からざるを感せずには居られない、春遲き信州の山國は丁度櫻の眞盛で有たが、一番寒いと言はれて居る諏訪の氣候が、變調子に進んで、長野邊よりは普通一週間乃至十日位、遲れて咲く花が、一緒に滿開になつたのも奇しき現象で有た

去月二十日の諏訪は、朝から日米の國旗が風に飜つて居り、遠く松本あたりから狩り集めた自働車が、十數

台も並んで、泥の道をこね廻はしたりして、珍客來の氣分が漾ふて居た、洋行中の片倉兼太郎翁の代理、同族の三平氏は名古屋迄、小口善重氏と宗像技師とは、木曾の福島迄、今井五介、小口重太郎、尾澤福太郎、橋爪忠三郎、林菊次郎、小山淸右衛門氏等は塩尻まで出迎へ二十一名の一行に加はつて、借切の一二等車に、身動きもならない程詰込んで、午後五時半上諏訪驛に着いた其處へ出迎へた蠶絲會々頭牧野子爵を始め、多數の同業者に取り圍まれながら自働車に分乘、雪のアルプスから湖水の上を、下よせて吹きつけて來る寒い風に、外套の襟を立てながら、ゴールドスミス氏夫人を始め。十名の甲班は、布半別莊に他の十一名は鷺の湯に向つた、同夜は豊やかな温泉にゆつくりひたつて馴れない純日本の寢具に、異鄕の夢を結んだ

二十一日は午前九時から、自働車で岡谷に向ひ、諏訪倉屋會社を見た上二班に分れ、甲班は尾澤組と山共組とを見乙班は小口組と林組とを視察した上、十一時成田山の公園に落合つて、建並んだ所謂大岡谷の製絲業地帶を瞬瞰し、十一時半同盟事務所に引揚げて、意見の交換をやつた後、再び自働車で上諏訪へ引返して、晝食、午後は湖上に網打の盛興をほしいまゝにし、六時半から鶴鳴館に於ける大會に臨んだ、接待委員三十餘名は夫々係りを定めて奔走したが、何分にも多勢であり、入浴から便所から食事も寢具も調子が變はつて居る上に、面倒な令夫人携帶と來て居るので、殆んど手の附け樣も無い、お互に當惑し切つたのも寔愛嬌で有た、

同夜鶴鳴館に於ける、諏訪製絲組合の歡迎會は。非常の盛會で主客共に全く豫期しなかつた程の、交驩を收め得た、副團長チニー、チエン兩氏は、此の諏訪の一夜は一生忘られぬ、思ひ出であると繰返して居た。殊に一行の滿足した事は、久しく諏訪の名を聞いて居たが現に來て、工塲に入て實際の絲を見て、信州生絲の名に依て、アメリカへ送られるものよりは遙に、眞面目な良い物を造つて居る事で、幾度も腹藏なく意見の交換を行つた結果、兩者共に横濱の輸出商と云ふ隔てあしに直接諒解し或る程度迄、握手の出來た事も喜んで居た爲に、自然一行の氣を引立てた譯で、チニー

氏夫妻、チエン夫妻を始め、孰れも美々しい正裝に着飾つて、田舍者の眼を驚かせ、盛裝を凝らした二業組合の藝者共を、後に瞠若たらしめた、更に宴に移り催しの舞台が始まつて木曾踊にはワードチニー、ダウテーなどの若手達も加はつて、太皷三味線に合せて踊り始めたのでドット滿場から歡聲が揚ると、今度は今井五介氏と、通譯の宮崎氏宗像技師等が先立で、トムソンチニー、ダウテーの三氏も加はり、赤いゆもじに揃ひの日本服を着て黄紺の手拭で頰被をして、泥鰌すくひの一幕を演じて、滿堂を驚喜せしめたが、いよ／＼最後には美しく花やかな夜會姿で、トムソン夫人を眞先に六人の夫人が手に手を取つて、舞台に現はれた時は宛然本場の夜會を見るやうな美しさで有た

斯くて諏訪湖。畔に心持よく、二泊を重ねた視察團一行は二十二日午前八時上諏訪を出發して長野に向つた驛には、郡署長を始め多數の見送人あり、今井五介小口善重兩氏を始め十數名の製絲家は、長野の協議會出席を兼ね見送旁同車して出發した、チニー氏は汽車の窓から帽子を打振り、諏訪の萬歳を三唱した長野驛頭には丸山市長、小林商業會議所會頭、其の他の重立者、縣下の製絲家五十餘名が、ホームに出迎へた、副團長チニー氏一行を代表し、之等多數の人々と、握手を交換して後、八台の自働車に夫々分乘し、人垣を作つて居る見物人の中を、眞直に縣廳に着いた、縣廳にては直に正廳に設けられた、談話室に入る、七つの丸卓子の上には、滿開の花を花瓶に盛つて置かれて有る、チニー氏はサンキユーと一語本間長官と最初の握手をして後、竹井村井の當部長其の他の縣官と握手を交はしチニー氏から一行を長野に紹介した、小憩の後隣室の午餐會塲に入る、食堂は天井に日米國旗を交叉し、下に純洋式の食卓を置き、一行と合せて三十二名が、定めの席につきてホークを取る、食堂の設備洋食一切は、新に縣廳から、輕井澤の万平ホテル洋食部に命じたので、万平のボーイが夫々取り運ぶ、聽てデザートコースに入るや、中央の主人席に着いた今日の主人役、本間長官は、百六十万の縣民を代表して、別記の如き歡迎の辞を流暢なる英語にて述べ終るや、向ひ合つて席に就いたチニー氏一行を代表して「閣下私共の日常使

用する生絲の本場、中心地に來て視察を爲し得た事を欣ぶと共に、此處に縣民を代表さるゝ閣下より午餐を饗せられたる事を感銘す、私共一行は閣下を通じて御地の人々に、厚く感謝の意を表し、併せて御健康を祈る」と英語にて謝辞を述べた

夫れより一行中の婦人團は自働車にて犀北館へ、男子は徒歩にて、愛國婦人會の事務所に於ける、縣下製絲家との協議會に臨み、午後二時半より、同四時十分迄、膝を交へて意見の交換をした米國側よりは可成生産費を少くして、賣込先の價格を安く、固定的にする事、品質の改良、大量生産等につき警告をなしたるに對し、製絲家側よりも遠慮なく色々の注文を發した、消費者と生産者との此の協議は眞に有意義なるものでお互に得る處は甚大なるものと認められた

協議を終りて後犀北館なる夫人連を伴ひ、再び自働車にて善光寺に參拜し城山館に繰込んだ、途中仁王門を驚嘆の眼を瞬はり、山門にては春光を浴びて集ひ遊ぶ平和の鳩に感興を唆り、武德殿には柔道擊劍等の武技に限り無き好奇心を惹かれた

城山館の二階では川中島平原を眺め、今井氏より血を流した古戰場だとの説明を聞いて「カハナカジマ〱」と口々につぶやく、大廣間の活花には本間長官から「大宮人の昔なしたる業である」と聞いて感心する、琴と三味線と、尺八との三曲合奏の、松風の曲に聽き惚れて、今更に東洋音樂の纖細さに驚いた、次で大廣間に舞台をしつらへて、長野藝者の「信濃四季の花」の妙なる舞姿を見る、一行の人々わけても夫人達は、只もう夢の世界に遊ぶやうな心持に浸つて、萬里の波濤を越へて遠く來た旅の疲れを慰められた

午後七時から晩餐會となる庭前から附近一帶に咲き盛る、櫻の樹間には幾十の赤い提灯がともされて、一層の美觀を添へて來た、會するもの二百五十名、純日本式の食卓を取圍んで、席に着くと主催者側を代表して今井五介氏一場の歡迎の辞を述べ此日午後五時東京より馳せ附けた、團長ゴールドスミス氏（一行中のタイヤー氏病氣に罹りたる爲、名古屋より東京に引返へされたがタ氏の病氣快癒に近づきたるより、長野へ急行されたのである）一行に代はり英語を以て謝辭を述

べ終て、開宴となりデザートコースに入るや、七十餘人の長野藝妓が、酒間を斡旋した、宴酣なる頃信州名物木曾踊や、伊那踊に一行を喜ばせた斯て竹井内部長の乾盃に双互の健康を祈り合ひ、交驩の限りを盡して午後九時散會一行は自働車で犀北館へ運ばれた

廿四日一同午前九時十五分出發、夫人達は輕井澤へ直行し男子は上田に下車し、蠶絲專門學校、依田社等を視察して、夕刻輕井澤に着いた

本間長官の歡迎の辞　櫻花爛漫、春裝麗かなる好季節に、米國絹業協會長、ゴールド、スミス君御一行の、貴女紳士諸君を迎へたるは、余の欣幸に堪へざる所であります、顧みれば、我が國と貴國との、通信の途開けましてから、年を閲する事五十餘、日米兩國の交誼は益々厚きを加へ、貿易關係は愈々密按なるに至りました、殊に我が國輸出の太宗たる生絲の、九〇パーセント迄は、貴國に輸出せられ、貴國絹織物原料の、大部分となす狀態であります、故に互に其の生産消費の狀況を了解すると云ふことは、斯業の改善を圖る上に、肝要の事と存じます、御一行の今回の御視察の目的も玆にある事と信じます、殊に我が長野縣は本邦蠶絲業の中心でありまして、我が縣人の手によつて生産せらる生絲は、實に全國の五割强を占めて居ります狀態から見れば、本縣と貴國との關係も、亦淺からざる事が思ひやらるゝのであります、而して十數年來需用者の要求に應じて、縣に於ても、當業者に於ても、生絲品位の改善に、各方面から最大の努力を拂つて居るので有りますから、現在では面目を一新致した事と信じます、御一行に於かれても、此の際充分に視察せられ、尚御氣附の點は、忌憚なき御注言を賜はり。各方面相提携して。益々斯業の福利を増進せしめたい希望であります、此の意味から余は玆に、衷心赤誠を捧げ一行の本縣蠶絲業視察の爲め、御來訪せられたることを祝福する次第であります、田舍の事で諸事不自由なる點も、多々あらんと存じますが、本縣の空氣の清澄と、日本アルプス淺間火山等の、山景は又諸君の旅情を慰するに足る事と存じます、幸に余の微衷を諒せられん事を、希望する次第であります

○南佐久通信

南佐久郡會　同郡十一年度郡會は、三月廿三四日兩日開會、郡制廢止に伴ふ整理に關する事項を決議した

各種會合　四月十日郡役所に於て、郡直營採種田擔當者の打合會を開催す、同十二日は午前十時より、臼田小學校に於て、郡青年團十二年度總會を開催す、此の日又郡役所に於ては、町村技術員及び、勸業主任會を開催し、諸般の事務打合をなした兵事主任會も亦、十五日郡役所に開會した

招魂祭　南佐久郡軍人分會に於ては、日淸戰爭日露戰爭其の他國の爲戰病死せる軍人の慰靈招魂祭を擧行し、盛大なる式典の許に一面遺家族を慰籍し、一面大に軍人の士氣を緊張せしむる處が有た、

敎育會總集會　四月十一日郡役所内に開會し、十二年度經費豫算を議決し事業計畫を爲し、尙役員の選擧を行つた、越へて十三日には學校醫會を開き、學校衞生上の打合をやつた

政談演說會　四月十七日より、佐久立憲青年團主催にて、臼田町佐久良座及び、其の他數ケ所に政讀演說會を開催した、若槻禮次郎氏其の他名士の來演ありたる爲各所共盛況を呈した

平賀城趾遊園地　本郡平賀城趾は、大坂市藤本ビルブローカー銀行會長、平賀敏氏の指定寄附金を基本に、約五千圓を投じ、一大遊園地とすべく、工事中で有たが、愈々先月中に竣功した、平賀城は七百六十年前、平治の亂に源義朝を助けて戰功の有た、平賀義信の築城で、其の後裔平賀源心が、此處に據り埴科の村上と結んで、武田と對抗した名城である、天文五年十一月源心入道は、海の口城に進出し、武田勢と戰つたが初陣に、武田信玄の爲に謀り討たれて戰死を遂げた、關西實業界の頭目たる平賀敏氏は源心の後裔で、寬政年間長崎奉行を勸めた事の有る、平賀式部少輔貞愛の子平賀信濃守の末子で有る、隨つて敏氏の父信濃守が、嘉永元年此の平賀城趾に來つて、親しく祖先を祀つた事も有る、是れ等の關係から敏氏は、遊覽地の計劃を思ひ立つたのであらう、猶同氏は年々平賀小學校へ、金一千圓内外の新刊圖書を寄贈して來るので、平賀圖書館建設の計畫も有る

編輯室より

社會課の室が變はりました、二階の廣い室へ移つたのです、室の廣くなつた事は内容の擴張を意味して居ります、庶務細則改正の結果、社會課の仕事が擴張されたのです、社會事業係と社會敎化係とに分たれ、從來の仕事の外に靑年會婦人會圖書館等に關する事務も加はりました、又最近活動寫眞機が購入されたので、仕事は愈々急がしくなつて課員全部が大奮鬪をされて居ります、隣室商工課の課長は三樹社會課長が兼任といふ事になりましたから、課長の事務は一層繁激になりました

猶新庶務細則には社會課の事務に移住に關する事項といふのが加へられました、本協會と密接なる關係が具体的に生じた譯です

在外者諸君へ

重ねてのお願は會員になつて戴き且會費を送つて戴き度い事、及び頻繁に御通信を願い度い事です、海外の事情を知るには諸君の御通信が最良き材料となります

上水内郡長沼村出身前島義男君はカナダに、北佐久郡小沼村出身内堀源太郎君はカリフォルニアに何れも數年前迄居られた筈だが久しく通信が無いので鄕里の人々は心配されて居ります、兩君の消息をお知りの方は至急お知らせ下さい

海の外

定價	内地	外國
一部	廿錢	廿仙
半ヶ年	一圓十錢	一弗十仙
一ヶ年	二圓廿錢	二弗廿仙

海外郵税四錢

注意
▼御注文は凡て前金に申受く
▼廣告料は御照會次第詳細通知致します
▼御拂込は振替に依らるゝを最も便利とす

大正拾貳年五月一日

編輯人　永田稠
發行兼印刷人　藤森克
印刷所　長野市旭町　信濃毎日新聞社
發行所　長野市長野縣廳内　海の外社
振替口座長野二一四〇番　信濃海外協會

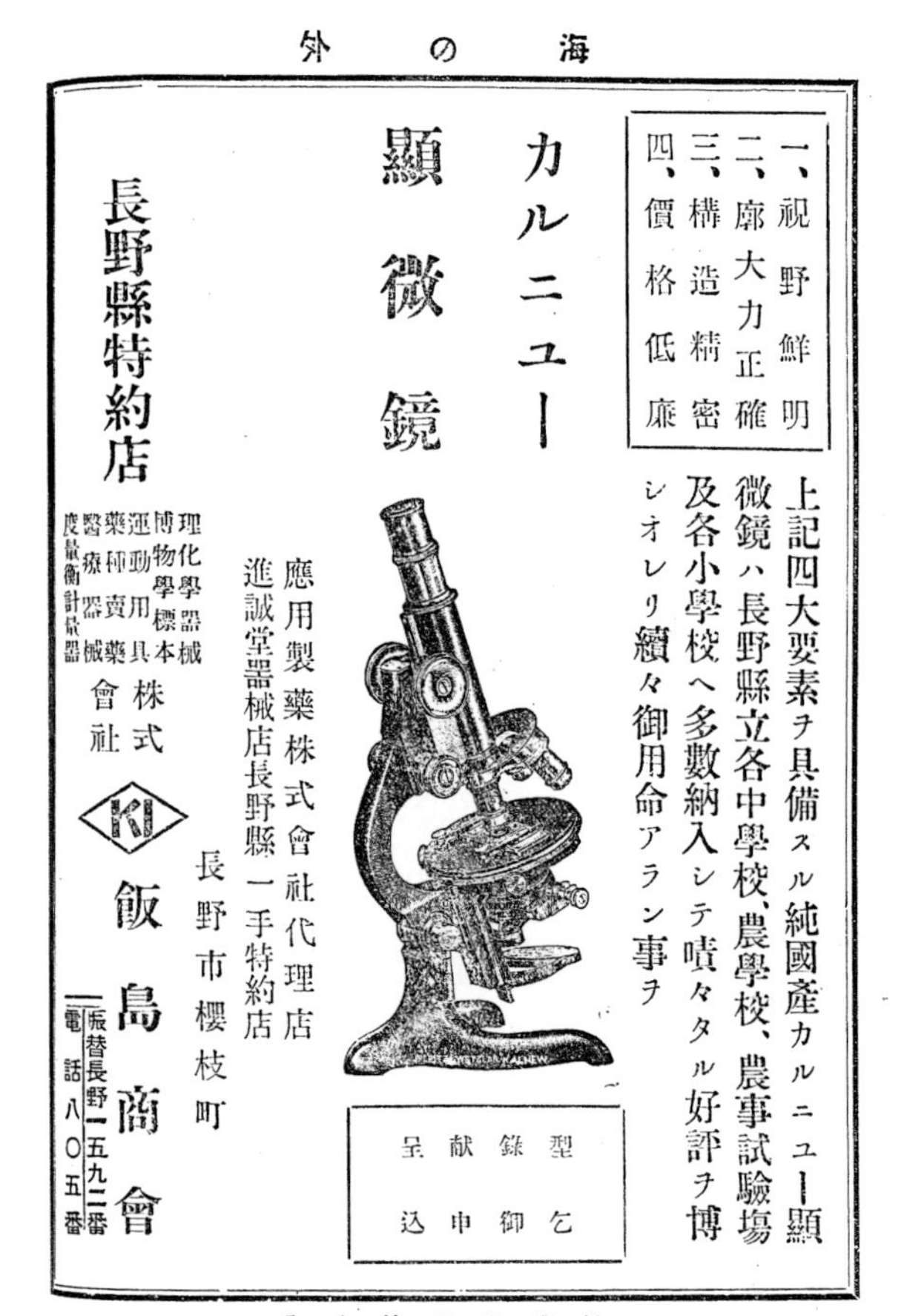
一、視野鮮明
二、廓大力正確
三、構造精密
四、價格低廉
カルニユー
顯微鏡
上記四大要素ヲ具備スル純國產カルニユー顯微鏡ハ長野縣立各中學校、農學校、農事試驗場及各小學校ヘ多數納入シテ嘖々タル好評ヲ博シオレリ續々御用命アラン事ヲ
型錄獻呈
乞御申込
應用製藥株式會社代理店
進誠堂器械店長野縣一手特約店
長野市櫻枝町
長野縣特約店
理化學器械
博物學標本
運動用具
藥种賣藥
醫療器械
度量衡計量器
株式會社
KI
飯島商會
振替長野一五九二番
電話八〇五番

信濃海外協會內
海の外社發行

目次

伯剌西爾移住地建設事業

「サントス」港ハ南米東海岸ノ主要港デ輸出ニ於テハ伯國第一位ニシ日本移殖民ハ此港ニ上陸スルノデ在リマス.尚ホ當國ニ前國ノ殖民隊ガ始メテ上陸シタ「サンビセンテ」ハ當市ノ郊外デ在リマス

○伯剌西爾移住地建設協議會

我が信濃海外協會の一新事業として、伯剌西爾に模範的の移住地を建設せんとの議が成立した、此の議たるや當協會の事業を一層有意義ならしめ、一面は從來帝國の政策より惹いて一般國民が、此の問題を閑却したるを遺憾とし且、既往の移住の方法及其の結果に鑑みて、斷然此擧に出で、運動を起したのである

五月十三日は、實に我が信濃海外協會に取りて、記念すべき日である、即ち伯國移住地建設に就きて、代議員並に支部長の會合を催し、協議を遂げたので有る、代議員は未だ選定を終らざる支部が多數なので、來會されたのは、上伊那の林讓君と小縣の柴崎新一君とで有たが、支部長は全部出席された、之れに笠原副總裁、竹井福澤の兩相談役も出會、縣の正廳に於て協議した、總裁よりは別項の如き挨拶が有り、東京より來會の永田宮下兩君より、案の説明あり、詳細なる質疑應答をなし、十分了解の上滿場異議なく、之を遂行する事に決定した

○本間總裁の挨拶

本日特に、信濃海外協會の代議員並に、支部長諸君の會同を煩はしたる、動機と經過とに就きて一言述べやうと思ふ

我が信濃海外協會は、創立以來茲に一年有半、此の間は專ら海外思想の普及宣傳に努力し、其の間若干渡航者に對して、便宜を計り來りたる程度の事業に過ぎなかつたので有る

併しながら熟々世界の大勢を觀望し、移民の實情に鑑みれば、大に考慮を要すべき

(1)

ものが有る、自分は新任早々宮下永田両君の話に依つて、信濃海外協會なるものの存在を知り、本年の初頭に於て、總裁としての引繼を受けたので有るが、爾來當協會の趣旨目的長所短所に就きて、考慮を廻ぐらしたるに、今迄の如きやり方をして居たのでは、甚だ覺束無いもの〻樣に認められる、第一海外發展に必須なる、諸條件に觸れて居らぬので有る

歐州戰爭後諸外國は、内政の整理に忙殺せられ、從前の如く、國人を海外に送る事は困難で有る、財政の方面よりも、又屈强の壯年即ち勞働者の數を減じたる事よりしても、移民植民の事業は、當分停止の狀態に在るので有る

然るに我が日本は、大戰亂中幸に人命を失ふ事も無く、金錢上には莫大なる利益を占め得たので、之等の利用を考ふれば、海外に膨脹發展せしむるのが、最機宜に適したるもので有る、此の好機會になるべく多くの人を海外に送り、國運發展の基礎を、確立して置くのが急務で有ると信ずる

扨それならば、何處へ人を送るべきか、亞弗利加大陸は土地廣く、人口稀薄に文化の程度も低く、開發の餘地は相當に有るが、早く既に歐州諸國の、繩張の中に置かれて有る、獨逸も此處に廣き土地を、持つて居たが、英國や佛國に分取られて、彼の大陸は全く我々に向つて、閉鎖されて終つた、

支那は行きて、日本人の競爭出來る土地で無い、支那人の生活程度は、甚だ低く粗

衣粗食に甘んじて、勞働を惜まざる國民であるから、彼等の中に立交つて行く事は不可能で有る、又西比利亞、滿州等は彼が如き事情で有るから、是又安全に移り住む事は出來ない、北米合衆國に於ては、在留の我が邦人に對して迫害を加へ、リンチと同樣なる取扱も、仕兼ねまじき狀勢である、斯くて今や邦人の行き得るは、南米の一つあるのみとなつた

南米は土地廣く、地味肥え、氣候適順によく邦人の健康に適する上に、邦人の移り住む事を歡迎して居る、殊にブラジルは、世界の寶庫とも稱せられ、アマゾンの流域を始め、無邊の沃野が、空しく放置せられ、人の來り拓くを待つといふ狀態である、此の時此の際、邦人の行くべき處は、ブラジルを措て他には無いのである、宜しく我々は此の地に向つて、邦人發展の基礎を作り、國家百年の長計を、樹立せねばならぬので有る

其處で人を此の南米へ送るとして、今迄の樣な行き方では、甚だ面白くない、無闇に行く事を勸めるといふのは、頗る考へもので有る、又彼の地の事情の宣傳や、海外思想普及などゝいふ事は、寧ろ既に無用で有る

自分の考ふる所に依れば、移住の必要條件としては、彼の地に渡りて後も、郷里に在ると同樣なる恩惠に浴すべき、施設をする事である、郷里に居れば、如何に窮すればとて、生命の維持は出來る故に郷里を離れ難いといふのは人情の常である、され

ば此の根本に觸れて、彼等をして、萬里の波濤を越え行くとも、其處に安全なる境地の有る事を、確認せしめねばならぬ、英國人が世界の各地に瀰漫し、到る處に於て成功する所以のものは、背後に大なる資本と、國家の勢力との後援が有て、何等の脅威を感ぜずに、恰も雛が親雞の翼の下に、抱擁せられて居るが如く、安全に且所有便宜を與へられ、母國に於けると同樣の恩澤に、浴し得るからで有て、決して冒險談に唆かさるとか、好奇心に基いて出て行くといふ樣な事は無い、英國の諺に國旗の飜る處に商權が伸びると言ふが、彼等は何處に於ても樂天地を造り、其の生産品を以て、母國を富ましつゝあるのである

自分は歐羅巴より米國に渡り、其の途次往々耳にした事で有るが、從來外國に行つた處の、大多數の日本人は、何時とはなしに退化して終ふ、餘り色が黑いので、土人だと思ひ、話をして見たら日本語を使つたので、日本人なる事が分つたといふ滑稽談も有る位で、今迄のものは概ね、慘めな境涯に置かれてある樣だが是れは理の當然で有る、移民を送るには、夜の船で港に着け、夜の汽車で田舍へ送りなるべく都會を見せない樣な事をする、所謂奴隷扱である、其の結果彼等は、當初の豫想を裏切られ、意氣阻喪し、病氣になるとか、自暴自棄に陷るといふ事になる、自己の生命の安全さへも、保證せられぬのだから、勿論子弟の敎育など、考へて居る暇が無い、されば當人一代は兎に角、二代目になれば、全くの野蠻人と化し終るのは、必然

で有る、斯の如くんば、移民は國力の發展に非ずして、國辱の暴露かも知れない、是れ實に資本と、政府の援助との、利便を失ひたる結果に外ならない

南米に向つて、完全なる移住地を建設する事に於て、世界各國に先んじねばならぬ、移住者をして安全に確實に定着し、何等の脅威を感ぜしめず、且彼の地に於て本國に在りては、望むべからざる程の地主たらしめ、本國に在ると同樣の幸福を得せしめねばならぬ、それには移住の方法を根底より變へてかゝる必要が有る

移民は決して徒手空拳にて、行かしめてはならない、資本の後援が有り確實なる計畫の下に、送るでければ、成功する者は稀である、稀なるが故に、タマ／＼現はるゝ處の成功者は大きく喧傳される、恰も東京に於ける苦學生の如きものである、志や誠に壯なりと雖ども、成功者は數百千人中一二に止まると同樣である

以上は自分の意見で有り、十數年來の持論で有たのである、信濃海外協會も、從前の如く、微温的なる仕事に甘んずれば止む、苟も何等か、爲す有らんとするならば、宜しく奮勵一番、帝國の政策に迄、影響を及ぼす程度に、やらねばならぬ

此の見地に基きて、我輩の立案せるものが、別紙計畫書の通で有る、諸君は熟覧之上、共鳴し盡力せられん事を希望する、此の事業たるや、實行には稍困難を感ずべきも既に十分に曙光を認めて居る、事業の性質上、之に向て醵金する事は、實に有意義で有るのだから、我々は確乎たる信念を以て、之に當らふと思ふのである

○信濃海外協會所屬ブラジル移住地開設計畫

吾が信濃海外協會は、創立後茲に一年有餘、主として海外思想の普及宣傳に力め來りしも、時勢の急流は更に、根本的方策を樹立し積極的施設を、斷行するの必要を痛感せしむるものあり、以茲縣民多數が既に移住し、又將來其の發達に、最適當なる、南米ブラジルに、本會所屬移住地を開設せんとす、

計畫の大要

一、資金 貳拾萬圓
一口千圓宛とし、本縣に關係を有する有志の出資とす

二、土地 約壹万町歩（ブラジル、サンパウロ州、珈琲栽培可能地）

三、土地利用
(イ)五千町歩 出資者に提供す
(ロ)一千町歩 信濃海外協會直營地
(ハ)一千町歩 長野縣よりの新渡航者に賣却
此の土地を四十分し一戸分二十五町歩三百圓四年目より三ヶ年賦支拂
(ニ)一千町歩 在伯長野縣移民に賣却
此の土地を四十分し、一戸分二十五町歩三百圓、初年より三ヶ年賦支拂
(ホ)二千町歩 金貳万圓にて、ブラジル土地組合に賣却、但し五ヶ年賦支拂

四、移住地施設
(イ)交通設備 金一万圓を二ヶ年計畫にて支出
(ロ)産業組合 金貳万圓を二ヶ年に貸附け組合を設けしめ、家屋の建築、農具、車馬、種子等の代、日用必需品等の供給を計る
(ハ)教育並保健學校及病院の設備をなす、此の費用一万圓
(ニ)移住地管理事務所を設く、此の費用年五千圓

五、移住者 一人に就き旅費貳百圓を給し、渡航の上は前記施設に依り、土地購入其の他、必需品の給供を便にし、一時資金を要せず、直に業務に從事し得らるゝ樣にす（植民並に小作移民の收支計算書別紙添付）

六、事業の順序第一年度に於て、土地購入をなし、長野縣よりは自作農業者二十戸と、小作農業

者十戸と、在ブラジルの長野縣人より、小作者三十戸を入植せしめ、開墾の上珈琲の蒔附をなし、土地の賣却及在ブラジル縣人二十家族に入植の便を與ふ

第二年度に於て、長野縣より、更に自作農業者二十戸と、小作農業者十戸及び、在ブラジル縣人小作者三十戸を入植せしむ

土地の賣却並在ブラジル縣人二十家族の入植に就き引續き盡力す

以上二ヶ年に亘り、一千町歩、六十万株の珈琲蒔附を了し、珈琲は四ヶ年にして、收穫を得らるべく、其の生産額は、最近十ヶ年の平均、千株に付十四俵なるが、假に十俵とすれば六千俵、一俵十圓（價格十ヶ年平均二十二圓生産費一俵十二圓とし差引一俵十圓）として、六万圓の收入あり

始めの投資二十万圓を以て、五ヶ年の經費を支へ得、これにて第一期の計畫を終る、第六年目よりは純益五万三千圓を得らるべきを以て、再び第二期の計畫に移り、益々内容の充實を圖り、更に出資者の爲に土地の購入其の他、開拓の計畫を樹立し得らるべし

本計畫は日本に於て、最初のものなるが故に、其の立案は、在伯國植民及小作人、新渡航の植民、及移民本會直營地並小額出資者、土地組合及資本家の、伯國土地購入に關する、各種の試練を得らるべく、構成せられたるものにして、五ヶ年の後には、事業上左の成績を得べし

一、協會は小作者八十家族を有する、一千町歩の珈琲園を所有す、此の價格四十万圓、毎年の純益約五万三千圓

二、出資者五千町歩の地所を所有す

三、其の他二千町歩、八十家族の移住地の建設、二千町歩土地組合の所有地を得、九ヶ年にして、資金二十二万六千圓を有す

本計畫の實現を見始めて、海外發展の眞義は達成せらるべきなり

信濃海外協會移住地に於ける收支計算

第一年度收支計算

收入		支出	
二、〇〇〇円	在伯者土地代	六〇、〇〇〇	土地一万町歩代
四、〇〇〇	土地組合土地代	一八、〇〇〇	九〇人渡航費補助
六、〇〇〇	計	五、〇〇〇	交通設備費
		一〇、〇〇〇	産業組合基金
		一〇、〇〇〇	學校及病院費
		五、〇〇〇	事務所費
		一〇、〇〇〇	創業費
		一一八、〇〇〇	計

第二年度收支計算

收入		支出	
四、〇〇〇	在伯者土地代	一八、〇〇〇	九十人分渡航費補助
四、〇〇〇	土地組合地代	五、〇〇〇	交通設備費
八、〇〇〇	計	一〇、〇〇〇	産業組合基金
		五、〇〇〇	學校及病院費
		二、〇〇〇	事務所費
		四〇、〇〇〇	計

第三年度收支計算

收入		支出	
四、〇〇〇	在伯者土地代	五、〇〇〇	學校及病院費
四、〇〇〇	土地組合地代	二、〇〇〇	事務所費
八、〇〇〇	計	七、〇〇〇	計

第四年度收支計算

收入		支出	
二、〇〇〇	在伯者土地代	五、〇〇〇	學校及病院費
二、〇〇〇	新渡航者地代	二、〇〇〇	事務所費
四、〇〇〇	土地組合地代	七、〇〇〇	計
八、〇〇〇	計		

第五年度收支計算

收入		支出	
四、〇〇〇	土地組合地代	五、〇〇〇	學校及病院費
四、〇〇〇	新渡航者地代	二、〇〇〇	事務所費
六〇、〇〇〇	珈琲收入	九〇、〇〇〇	珈琲植付賃
六八、〇〇〇	計	二〇、〇〇〇	珈琲精製設備
		一一七、〇〇〇	計

備考

一、珈琲の生産額は最近十ヶ年の平均數、千株に付十四俵（六十キログラム即我が約十六貫目）なるが、本表には十俵と見積りて計算せり

珈琲の價格は、十ヶ年平均二十二圓、生産費一俵十二圓、差引一俵十圓として計算す

珈琲植付費、一株に付十五錢、一町歩に六百株千町歩六十万株として計上す、

珈琲は四年目より收穫し得べし

收支計算一覽表（資金二〇〇、〇〇〇圓）

年度	收入	支出	差引	資金殘額
第一年度	六、〇〇〇円	一一八、〇〇〇円	一一二、〇〇〇円不足	八八、〇〇〇円
第二年度	八、〇〇〇	四〇、〇〇〇	三二、〇〇〇不足	五六、〇〇〇
第三年度	八、〇〇〇	七、〇〇〇	過一、〇〇〇	五七、〇〇〇

年度	收入	支出	差引	資金殘額
第四年度	八、〇〇〇	七、〇〇〇	一、〇〇〇過	五八、〇〇〇
第五年度	六八、〇〇〇	一一七、〇〇〇	四九、〇〇〇不足	九、〇〇〇
第六年度	六四、〇〇〇	七、〇〇〇	五七、〇〇〇過	六六、〇〇〇
第七年度	六二、〇〇〇	七、〇〇〇	五五、〇〇〇過	一二一、〇〇〇
第八年度	六〇、〇〇〇	七、〇〇〇	五三、〇〇〇過	一七四、〇〇〇
第九年度	六〇、〇〇〇	七、〇〇〇	五三、〇〇〇過	二二七、〇〇〇

本九年度に於て産業組合基金を回收するものとすれば收入二万圓を増加すべく、爾後毎年五万三千圓の純益を得る見込なり

○長野縣より渡航する小作移民の收支計算

信濃海外協會所屬ブラジル移住地に渡航せんとする、小作移民に就ての經費、事業の方針、及其の結果の豫想を示せば左の如し（一ミル邦貨二十五錢換）

第一年度（五町歩）

支出		收入	
一、渡航準備		一、米一町歩	一二〇円
(イ)旅行に關するもの	二〇円	二、豆一町歩	一二〇
(ロ)服裝に關するもの	一三〇	三、玉蜀黍一町歩	一二〇
(ハ)携行家具類	二五	四、棉花一町歩	一二〇
(ニ)携行消耗品類	一八	五、甘蔗一町歩	一二〇
(ホ)藥品類	一三	合計	六〇〇
二、出發港、船中、上陸地、目的地迄			
(イ)出發港	五〇		
(ロ)船中	二〇		
(ハ)上陸地	一〇		
(ニ)目的地	二〇		
三、假小屋材料其他	三〇		
四、農具代	三〇		
五、種子代家畜代	四〇		
五、生活費	二〇〇		
合計	六〇五		

第二年度（十町歩）

支出		收入	
一、生活費	二〇〇円	一、米	二五〇円
二、種子代	四〇	二、豆	二五〇
三、農具代	四〇	三、玉蜀黍	二五〇
四、馬	一〇〇	四、棉花	二五〇
五、車	一〇〇	五、甘蔗	二五〇
六、勞働者	一二〇	合計	一、二五〇
合計	六〇〇		

第三年度

支出　收入

第二年度に同じ　六〇〇円　一二五〇円

第四年度

	支出	收入
第三年度に同じ	六〇〇円	珈琲植付代五〇〇圓を加ふ　一七五〇円

即ち四ヶ年間の成績は

	支出	收入	
第一年度	六〇五円	六〇〇円	五円(不足)
第二年度	六〇〇	一二五〇	六五〇(剩餘)
第三年度	六〇〇	一二五〇	六五〇(剩餘)
第四年度	六〇〇	一七五〇	一一五〇(剩餘)
合計	二四〇五	四八五〇	二四四五(剩餘)

而して

第一、四ヶ年間に十分に伯國に於て經驗を得るのみならず

第二、四ヶ年間に二千四百四十五圓を得べきに依り、之れを以て五十町歩乃至百町歩の土地を購入して獨立農たる事を得べし

第三、故に先づ伯國に於て、經驗の上獨立の資本を貯へ將來自由に活動せんとするものゝ爲には最も好都合なり

○長野縣より渡航する植民收支計算

本協會所屬の移住地に永住する決心を以て、植民として渡航する者に就て、經費、事業、方針及其の結果の豫想を示せば左の如し(一ミル邦貨二十五錢換)

第一年度(五町歩)

支出		收入	
一、渡航準備	二〇五円	一、米一町歩	一二〇円
二、出發より目的地迄	一〇〇	二、豆一町歩	一二〇
三、其の他	三〇〇	三、玉蜀黍一町歩	一二〇
合計	六〇五	四、棉花一町歩	一二〇
		五、甘蔗一町歩	一二〇
		合計	六〇〇

備考　本調は小作移民の調と同じ

第二年度(十町歩)

支出		收入	
一、生活費	二〇〇円	一、米	二五〇円
二、種子代	五〇	二、豆	二五〇
三、農具代	五〇	三、玉蜀黍	二五〇
四、馬	一〇〇	四、棉花	二五〇
五、車	一〇〇	五、甘蔗	二五〇
六、勞働者	一〇〇	合計	一二五〇
合計	六〇〇		

第三年度

	支出	收入
第二年度に同じ	六〇〇円	一二五〇円

第四年度

	支出	收入
土地代一〇〇円を加ふ	七〇〇円	一二五〇円

第五年度

	支出	收入
同前	七〇〇円	一二五〇円

第六年度

	支出	收入
同前	七〇〇円	一二五〇円

六ヶ年合計

支出	收入
三九〇五円	六八五〇円

第一、六ヶ年後に於て左の資産を得るものなり

一、現金　二九四五円
二、馬　八頭
三、車　二台
四、耕地　一〇町歩
五、森林　一五町歩

第二、故に本協會の所屬地に永住せんとするものは植民として加入するを可とす

備考、産業組合資金は、毎年度の剩餘金中より支出するものとす

○二百五十町歩の企業計畫(參考其一)

一、土地撰定は、伯國サンパウロ州內とす
一、買入土地二百五十町歩
一、珈琲を主作物とす

土地利用內譯

二百五十町歩の內、半分は珈琲栽培に充て、之れに七万五千本を植付けしむ、就働家族約十家族、五ヶ年契約の請負とし第五年の末に於て、一本に付五百レースを支拂ふものとす

但し第一年度の、原始林伐採費は、當方持たる事他の半分へは適宜、單獨渡航者及、家族構成者を入地せしめ養豚、棉花、米其他の歩合作をなす

事業及豫算書

一金貳万圓　資金總額

內譯

一金一万圓　土地二百五十町歩代、但し不動產移轉税、登記料及道路費共

一金三千五百圓百二十五町歩の森林伐採費

一金一千圓　初年度農場管理費

一金五百圓　就働者家族募集費其他

一金五千圓　運轉資金

備考　土地價格にも非常の差あり、一町歩四十圓は二百五十町歩位の、小地區を離して購入する場合の標準價格なり

損益豫算

支出之部

第一年度	一五、〇〇〇円	前項投資總額
第二年度	一、〇〇〇	農場管理費
第三年度	一、〇〇〇	同
第四年度	一、〇〇〇	同
第五年度	三、五〇〇	同　外に珈琲植付費を加ふ
第六年度	九、六二五	同　外に珈琲生產費を加ふ

備考　六年目に於ける精製珈琲收穫九百三十八俵(六十キロ入)の豫想、一俵の生產費十一圓四十錢、最近十ヶ年間の平均產額、珈琲樹一千本に付十四俵なれど、假に十二俵半と見積たり

收入之部

第一年度	無し	
第二年度	三、〇〇〇円	米、豆、棉花等の步合作利益
第三年度	四、〇〇〇	同
第四年度	五、〇〇〇	同
第五年度	五、〇〇〇	同
第六年度	三、六八〇	同　外に珈琲賣上代を加ふ

備考　珈琲價格は現在、一俵三十圓台なれど假に二十圓と見積りたり、尙伯國貨幣相場は、戰前は一ミルレースが邦貨六十錢に相當せしが戰爭中五十錢、現在は更に暴落して二十錢台となれるが將來少くも五十錢前後となるべく豫想せらる、依りて第六年迄の農產物收益は、故國に送金するとせば、事實前記以上となるべし

一、第六年度に於ける資產狀態

1、七万五千本の珈琲園、見積價額七五、〇〇〇圓
2、百二十五町歩の土地、見積價額七、五〇〇圓
3、現金四、六三五圓

備考　七年目より純益年額一万五千圓乃至、二万圓の見込

○伯國に於て百町歩の珈琲園經營案(參考其二)

一、百町歩に六万株の珈琲を植付く(一町歩六百株)

二、一家族に十町歩宛十家族に小作せしむ(珈琲栽培の餘暇に間作をなさしむるものなり)

三、五ヶ年目に一株に付、十五錢宛の植付賃を支拂ふものとす

四、一ミルレース邦貨貳十五錢換

第一年度

支出		收入
一、森林伐採費	二、八〇〇円	
二、初年度農場監理費	一、〇〇〇	
三、小作者募集費	五〇〇	
四、豫備金	五、〇〇〇	
合計	九、三〇〇	

第二年度

一、監理費　一、〇〇〇円

第三年度

一、同前　一、〇〇〇円

第四年度

一、同前　一、〇〇〇円

第五年度

一、同前　一、〇〇〇円

二、珈琲植付代　九、〇〇〇

合計　一〇、〇〇〇

第六年度

支出		收入	
一、監理費	一、〇〇〇円	一、珈琲賣上代	一五、〇〇〇円
二、珈琲生產費	九、〇〇〇	備考　珈琲の相場一俵二十圓と見積る	
合計	一〇、〇〇〇		

備考(イ)六年目には、六十キロ入の精製珈琲七百五十俵を得

(ロ)一俵の生產費十二圓

第七年度

支出		收入
一、前年度と同じ	一、〇〇〇円	一五、〇〇〇円
總計	四三、三〇〇	總計　三〇、〇〇〇円

第一、第八年後は毎年八千圓乃至、一万二千圓の純益を見るべく

第二、百町歩の珈琲園の價格は五万圓乃至六万圓に達すべし

海外協會中央會の組織完成す

前々號所報、海外協會中央會の總裁以下役員全部決定し、漸く活動の域に入った、今其の顏觸並に聯合各府縣、海外協會の組織事業等を擧ぐれば左の如くである

一、事務所の位置
東京神田綏河臺袋町拾壹番地

二、役員
總裁 大木遠吉 (現鐵道大臣伯爵)
會長 今井五介
副會長 津崎尙武 (代議士)
顧問 小川平吉
相談役
阿部龜彥 望月圭 早速整爾 (以上廣島縣)
木本主一郎 島本豊太郎 (以上和歌山縣)
安達謙藏 小橋一太 鑄方德藏 (以上熊本縣)
坪井勸吉 (以上岡山縣)
佐々木秀司 鎌田勝太郎 (以上香川縣)
藤山竹一 渡邊祐策 近藤慶一 (以上防長)
本間利雄 竹井貞太郎 山岡萬之助 (以上信濃)
理事
長江虎臣 阿部野利恭 (以上熊本縣)
磯松定士 草刈直一 (以上防長)
池田秀雄 妹尾萬郎 (以上廣島縣)
杉原靖三 (以上岡山縣)
黒川芳雄 (以上香川縣)
夏見康太郎 (以上和歌山縣)
永田稠 三樹樹三 (以上信濃)
幹事
永田稠 宮下琢磨

三、事業 本年度の計畫
1、會報の發刊
2、講演會の開催
3、渡航指導員養成講習會の開催
4、未成府縣海外協會の設立助成
5、移住地の視察調査
6、調査出版物の配布
7、既設府縣海外協外の補導
8、移民に關する諸團体との連絡

四、聯合各府縣海外協會の組織及其の施設

1、熊本縣海外協會

イ、事務所の位置 熊本市南千反畑町三三
ロ、設立年月
ハ、役員
總裁 細川護立
副總裁 岡田忠彥
會長 鑄方德藏

評議員 縣內務部長 縣警察部長 縣商品陳列所長外三十二名
理事長 長江虎臣
理事 縣地方課長外十名

ニ、經費
收入 金二万三千百六十四圓
支出 金二万三千百六十四圓(大正十一年度)

ホ、事業
派遣生 蒙古三名 南洋四名
會報 月刊六千八百部
學生保護 中學校二名 師範學校二名 高等女學校一名
海外渡航周旋紹介
在外者留守宅の保護周旋
講演會の開催
海外視察及在外者慰問並に實情調査
輸出入紹介

2 防長海外協會

イ、事務所の位置 山口縣廳內
ロ、設立年月 大正七年十一月
ハ、役員
總理 橋本正治
會長 黒瀬弘志
副會長 林壽夫
理事 五名
監事 三名

ニ、經費
收入 金九千七百圓
支出 金九千七百圓

ホ、事業
渡航者に關する斡旋
講演會の開催
出稼縣人の調査 南洋事情の調査 歸朝者の調査
他縣協會との連絡協議
會報の配付

3 廣島縣海外協會

イ、事務所の位置 廣島縣廳內
ロ、設立年月 大正四年九月一日
ハ、役員 總裁 阿部龜彥
會長 池田秀雄

ニ、經費

收入 金七千三百四十一圓
支出 金一万七千八百六十八圓

ホ、事業
海外發展同志懇親會の開催
南米ブラジル渡航宣傳
雜誌「大廣島」の刊行
朝鮮在任者との連絡
朝鮮事情講演會
渡航願書作成
旅券下附書作成
渡航問合に對する回答
戸籍調査、婚姻調査、保險調査及海外所在不明者の捜索新歸朝者に對する諸航の斡旋

岡山縣海外協會

イ、事務所の位置 岡山縣廳內
ロ、設立年月 大正九年一月
ハ、役員
會長 長延連
副會長 坪井勸吉
事理 三名

ニ、經費
收入 金五千三百八十圓
支出 金五千三百八十圓

ホ、事業
南米事情の周知移植民奬勵の爲め活動寫眞應用講演會の開催
在米同胞活動狀況視察調査囑託
歐米教育狀況視察員の選擧
歸朝者大會の開催
會報の刊行
渡航手續の教示在外死亡者の遺產整理上の援助、所在不明者捜索在外者留守宅慰問
海外發展思想の鼓吹努力

5 香川縣拓殖協會

イ、事務所の位置 香川縣廳內
ロ、設立年月 大正八年十一月
ハ、役員
會長 佐々木秀司
副會長 鎌田勝太郎
評議員 二十五名
理事 二名
主事 黒川芳雄
幹事 三好欣期

ニ、經費
收入 金五千五十圓
支出 金五千五十圓(大正十一年度)

ホ、事業
海外事情の宣傳書配布
海外發展に關する思想鼓吹、講演會開催
本縣出身優良移植民の表彰
在外者との連絡
海外渡航手續の取扱
其の他移植民奬勵及海外事情調査

6、和歌山縣海外協會

イ、事務所の位置 和歌山縣廳內
ロ、創立年月日 大正七年十一月
ハ、役員
總理 小原新三
會長 木本主一郎
理事 八名
評議員 三十一名
顧問 岡崎邦輔外九名

ニ、經費

ホ、施設事項概要
渡航地並に植民地の調査
通商貿易に關する調査
會報の發行
渡航者に對する諸般の便宜

○絹業視察歸朝歡迎會

去年から今年にかけて、信州人の外國行が目立つて多かつた、學者や敎育者が、留學や視察の爲に派遣された數も、隨分多數で有たが、殊に實業家の頭領樣が揃ひも揃つて十數人迄、洋行して來たのは、さすがに歐米人を相手とする、蠶絲國の本分に叶ふものと言ふべく、之を轉機として、蠶絲貿易業に一大進展を見るべく、帝國の爲め祝福すべきで有る、

其所で先月二十日に、竹井內務部長、丸山長野市長、小口善重氏其の他十數名の發起で、全縣下の歡迎會を城山館に開いた、此の日會する者、各郡市に亘りて百五十餘名、工藤善助。山田織太郎片倉兼太郎三氏が、歸朝者一行を代表して、報告演說をやられた、工藤氏は歐米視察の概要を述べ、山田氏は地中海以東沿道の見聞を語り、片倉氏は南米視察の結果を報告した、何れも對外的立場に於ての感想で有たから、一言一句滿堂の傾聽する處となつた、就中片倉氏の報告は、吾人が日常主張しつゝある、移民に關するもので有たから當日、縣蠶絲課員松原氏が、手記された原稿を拜借して、別項の如く掲載する事とした、

製絲家が移植民を唱道するといふ事は、稍不似合の樣にも見ゆるが、元來片倉氏は單なる、一製絲家に非ずして、常に各方面利用厚生の道に注意を怠らない、殊

に土地利用といふ事には最深く興味を持たれ全國數十ケ所に及ぶ、工場出張所等、何れも地の利を得ざるはなく、而も皆廣大なる地積を、當初に於て一手に買收するが常で有る、それ故五年十年の後、擴張の場合に當りても、地所に不便を感ずる事は尠いとの事である、更に北海道臺灣朝鮮等に至れば諸所に、廣大なる土地を買入れて、將來利用の時期を、待つて居るといふ風に、常に遠大の計畫を立てゝ事業を進めて居られる、されば今回の洋行にも一行中最永く外國に在り、其の期間の比較的多くを南米の視察に費した譯である、ブラジルやアルゼンチナを視察して、彼の無限の沃野が空しく放棄され、殆んど想像も及ばぬ程の安い値段で賣買されるのを見ては、食指大に動いたらしいが旅先の事では有りするから、後日を期して歸朝されたとの事である

左は片倉氏の報告演説手記）

私に南米の話をせよとの事で御座いますが、凡そ視察とか、感想とか云ふものは、十人十色と迄は行かなくとも正鵠を得る事は、困難の事かと存じます私の感じました一端を申述ぶる事と致します

私共が昨年七月南米視察團の一人として、渡米し八月二十四日米國を立つて、九月五日に南米ブラジル國に着し、九月七日此處の獨立百年祭に臨み、爾來一ヶ月間滯在して、珈琲園、工業等を調査しました、ブラジル國は熱帶と亞熱帶が、半分其の他は温帶に屬して居りまして、氣候が甚だ宜しいので有ります、面積は我が國の二十二倍、人口三千四百万で內日本人が三万五千人居るとの事です、ブラジルは緯度から申せば、臺灣位の所でも、海拔が高い爲め、暮すには苦しくないのです日本の高知、志摩邊の氣候と大差無いと思ひます、何分土地が廣くございますので、日本では一方哩に四百人と云ふに、あちらでは僅に八人、五十分の一である、でございますから、誠に人口は稀薄でございまして、從て土地の價格なども非常に安く、相當鐵道線路にも近く收獲物の輸出にも差支の無い所で、一町步百圓乃至百五十圓と云ふわけで、百五十圓としても坪五錢です鐵道沿線に遠ざかり、それでも將來交通の便の開ける見込の有る土地でも、不便の所では一町步三圓乃至五圓 百万町步で五百万圓、之に五百万圓の費用をかけても、一町步僅に十圓一坪三厘三毛の安いものである日本人が移住するには、大資本を持つて行つて、澤山の土地を買入れて、之を貸付けるが賢い方法で有ると、私は思ひます、三万五千の日本人の生活は割合に良くない、從て成功して百町步二百町步の地主となつて、やつて居る者が一割とは有るまいと存じます、日本人の多くはブラジルを墳墓の地とする考は少くて、少し

金を蓄へれば、歸國を思ひ立つと云ふ向が多い、それでも昨今は、大分土着する方の傾向になつて、三分二位は踏み止まる決心になつて居る樣であります、でありますから、政府で心配して、渡航費位の補助をしたらと思ひます、三等で五百圓もあれば、行かれるのだから、農家の二、三男をどしどし移住させたら、大によからふと思ひます、二男三男に身代を分けてやるとしても、今ではどんな田舍でも、三、四千圓位はかゝるから、仲々容易でない、向へ行けば直ぐ仕事が出來るので有ある、今千圓の金を持つて行けば差向百町步の地主と云ふ次第ですから、行く人も誠によし國もよし、之れ程良い事は無い樣に存じます、

失禮では有るが、現在の渡航者の內には性質の良いと思はれぬ者が澤山有る、これでは成功する譯が無いのです、土地の安い氣候のよい、長野縣あたりよりも、日本海方面の諸國よりもずつと良い、衣服等も冬着はいらないそうです、物價も高くはない、土地が廣いので、牧畜を澤山やり、農業でも仲々の收入が有る、日本では農家として、三、四十町步の地主には、先以てなれぬが、あちらで十年もうんと働けば、百町步乃至二百町步位の地主になれる事と存じます、樂をすると云ふ事は、世界到る所いけない事で、いくらブラジルへ行けば良いと申しても、相當に苦勞をしなければならぬ、相當に苦勞して十年も居れば老後の餘澤を、充分に殘す事が出來ます

パラナ州は日本位の氣候で、よい所で有るが、まだ交通の便が開けて居ません、百万町步許りあるとの事で、一町步三圓位の相場である、

それからアルゼンチナへ參りまして、此所に一ヶ月程居りました、ブラジルよりも氣候が良く、東海道位の樣に見受けられました、國が若くて十中の八九は、土地が、平坦で、千哩、二千哩の廣い間に山を見ない、此所には天然林は無いが、ポプラの如きは、植えて十年位になれば一抱えも有る樣になるそうです、人口一千万、首府は百六、七十万の人口を抱有し、多くは土地持の別莊が有て、平常は田舍に居つて、時々首府へ遊びに來るとの事、南米のパリーと申すが、パリー以上華美にあつて居る、從て住民の服が高く物價も高い、土地はブラジルの數十倍で、ブラジルで一町步五十圓位の所が、二三千圓する坪一圓だから、比較的高いが、之を日本の地價に比すれば、高いと申しても、安いのものである、農業は何れも大農組織でやつて居る、昨年は移民が十二万人入つたそうですが、日本人は些々たるもので有たと聞きました

一個人でも會社でも、相當に有利にやれやうが、一番よろしいのは大資本を持つて行く事だと思ひます、ブ

ラジルとアルゼンチナと、どちらが良いかと云へば、無論ブラジルの方が凡てによい、アルゼンチナは、小麥、亞麻、玉蜀黍、羊毛、雜穀等六百万噸から、七百万噸輸出する、日本の農家が耕作はすべて、人力であるから、養蠶もやるが、全國を平均して一戶宛三四十俵の籾と、副食物位とを收獲して居るが、向では一人が其の十倍位の收入は何でも無いのです、尙其の外に牧畜業も出來、實に甘いわけです、穀物倉庫なども、各驛に有てゝいつも五、六車位宛積出して居る、私も若ければ、移住し度いと思ふ位です

ブラジルは、珈琲が主なる產物で、實に全世界の五分四を產出して居ます、それで政府が之れを保護する政策を執り、價格が下落すれば、政府が買收して、高くあるのを待つて居る、ブラジルは、强國で無いから、世界列强も餘り干涉しないで 此の政策が續けられて居る、人種は所謂雜種で、人種問題などは無く言葉はホルトガル語、宗敎問題もなく、此の方面は至極安穩です

アルゼンチナは白人が多く、日本人には割合に好感を持たぬ樣ですが 海軍大臣は曾て、觀戰武官として、我が軍艦に乘つて居た事が有るとかで、日本が移民を送るならば、耕作地を無料で貸すとの事で有たがブラジルにせよ、アルゼンチナにせよ、今の中に大資本を持つて行つて、安い土地を買ふがよいと思ひます

私が考へまするに、日本では一方哩に四百人の人口で、世界第二と稱せられて居る、第一のベルギーは、一方哩六百五十を算して居るが、耕地面積は、同地積の四割五分ある、然るに日本は僅に一割五分で有る、歐羅巴の平均は矢張四割五分位になつて居る、それにベルギーの如きは、工業が盛で有るとか、農家にしても歐羅巴諸國では、牧蓄が盛で有て、從て經濟は樂で日本の農家の比でない、日本では平年作で、自給自足と云ふ、一朝凶作に逢つて、一、二割減收したならば如何、又人口の增加率が多く、昨年は六十万人から增した、佛國は增さぬと云ふが、是れは特別である、西暦千八百年には、世界の人口は六億七千万人弱で有た、尤此の頃は統計が不完全であつたが、それが千九百十八年には十七億になつて居る、百二十年間に十億の增加である、我が國でも明治の初年には三千万人と稱した、それが今では、五千六七百万人に增して居る、一寸倍になつて居る、此の增加率を以てして、世界の人々は百年後にはどうなるか、產兒制限など云ふけれども、之れは仲々行はれそうにも無い、世界の事は兎も角、日本としては、耕地面積も狹少で有る故、此の際官民一般、移民を計畫せねばならぬ、せめて今の人口の、十分一位も移住せしめる事が出來たらと存じま

す、併し之れには金がかゝる、人さへ行けばと云ふ譯では無く、人と金とを送らねばならぬ、割合に向には土地所有者が少いがそれでは駄目だ、どうか一致して、徹底した移民事業を、計り度い樣に思ふ、兎角人口が多い爲め、生存競爭が激げしく、從つて人氣が惡くなる樣に思ふ、農家も軒が並んで、市街との區別がつかぬ、町だか農村だか、農だか商だか分らぬ、勞働者も割合に仕事をしない、思想界も其の爲に、惡くなるかと思ひます

實に人間は思ひ樣で、一人一日一錢宛多く仕事するか輸入物を使はぬ樣にすれば、一年に二億圓の金が出來る、其の金で移民を送つたらどうでせうか、私共が閑な時に計算して見ましたに、七八億の金が有れば、日本全土に新領土を加へた面積の土地が、ブラジルで買へます、西比利亞出兵に使つただけの金が有れば、餘程買へます、今日のまゝで二三十年も經過したら、どうしたらよいか、實に深憂に堪へないのです、殊に戰前正貨一億位、其の上外債の利子支拂に、苦んで居たものが、戰後一躍十八億となつた、實にカイゼル大明神で有るが、私共一月歐羅巴へ參りましたら、日本の爲替が惡いと云ふ事で有た、それでも日本が十八億の正貨を持つて居る爲め、四十八弗乃至四十九弗と云ふわけで有た、併し一年に一億の輸入超過と假定すれば、十年に十億圓、從て爲替相場も、四十五弗位に下落するであらふ、一割高い物を買つて一割安く賣るといふ事は、大した損失になるのです、財政如何が國の損益に如何に影響が有るか考へれば恐ろしいもので有ります

歐羅巴では佛のフランが、四十錢が十四錢となり、イタリーの四十錢が十錢となつた、國の財政狀態でこうなるのです、ベルギーでは十二錢フランスでは十三錢スイツ、ルでは三十六錢位と云樣な事になり、貨幣の安いところは、國の損失になる、實に戰爭は「兵は凶事なり」で戰敗國のオーストリヤは、一万三千分の一、ドイツは五千分の一程に、マークが下落したのです

日本は今日では、米、英、日と云ふ位置を保つて居るが、食物は漸く間に合ひ、工業品では生糸位では、此の位置を永く保つ事は、面倒で有る、向では器械力の應用が盛で、勞働賃金など、日本の五倍も高いが、製品は却て安いのです、殊に日本人は國民性とでも云ふか、仲々粗製濫造をやる、戰事中南米あたりへ、送つた玩具が、此の頃盛に送り返されるとの事です、こんな譯で、生絲だけは粗製だと云はれながら、兎に角輸出品の重要なるものとなつて居るが、他は殆んど數ふ

るに足らぬ、それに我が國の輸入品が原料品でなくて、贅澤品であるせめて輸出超過にならぬ迄も輸入超過にならぬ樣にしなくてはなりません

兎角日本人には、遊んで居て錢を取り度いと云ふ考を持つて居る者が多いが、今後はこうした事は許されぬのです

甚だ前後したお話を申上げましたが、我が國の將來の發展を、移民問題に依りて、解決する事の必要なる事を、強く主張致します、長々詰らぬお話を申上げましたが、どうぞ宜しく御判斷を願ひます

サントス港の外國貿易

(一九二二年即ち大正十一年)

大正十二年三月三日附在サンパウロ
帝國總領事代理副領事春日廓明氏報告

一九二二年度サントス港、外國貿易は輸出總額、十一億五千五十七万四千二百八十一ミルレイス、輸入總額四億七千百十四万千九百九十一ミルレイスにして、出超實に六億七千九百四十三万二千二百九十ミルレイスに達し、伯貨總額にては出超の新記錄なり

今一九二二年度、輸出總額の内容を檢するに、其の增加は一に、珈琲價格の暴騰に職由するものにして、輸出珈琲數量より見る時は、前年度(一九二一年)に比し、却て四十四万三百十三袋の減少にして、戰爭前一九一三年度輸出數量に比しては實に、百八十九万九千五百二十五袋の減退なり、然るに其の價額に於ては、前年度に比し、三億千四十一万四千三百六十ミルレイス、一九一三年度に比し、五億八千三百七十四万千ミルレイスの增加を見るに至りしは、前述の如く昨年度珈琲の價格は、近年稀なる高價を呼びしが爲に外ならず

次に玆數年間サントス港、輸出珈琲數量並に、其の價額を表示比較し、昨年度同品價格の暴騰を明にせんとす

年次	輸出量(六〇基瓦入)	價格(單位ミルレイス)	單價(ミルレイス)
一九二二	八、三三九、七二九袋	一、〇七一、七四一、四六六	一二八
一九二一	八、七七〇、〇四二	七六一、三三七、三〇一	八七
一九二〇	八、四八〇、八八七	六七一、三六三、四五七	七九
一九一九	九、四二六、三三五	九四六、五七六、六七一	一〇〇
一九一三	一〇、二三九、二四五	四八七、九九九、六六二	四八

右の如く、サントス港輸出品の大宗たる、珈琲輸出總額は、新記錄を示し、大戰の前後嘗て見ざる好況なり、而して昨年度珈琲相場空前の高値は、伯國爲替相場の

逆調に基くものにして、昨年初期より、前大統領エピタシオ氏政府末期に至る、不換紙幣の濫發を主因とし、當國貨幣は月を逐ふて漸落し殊に七月中、リオ市に内乱勃發し次で、十一月新大統領アルツール、ベルナルデス氏は、就任後間もなく、伯國政府の内外債を公表し、財政の紊乱甚だしく、之が整理は容易の業に非ざるを宣言するや、爲替相場は益々不況に陷り、遂に伯貨一ミルレイスは、英貨五片(一片は我が四錢)台に下り、從て一般輸出品價格の暴騰を見たる次第なり

猶輸出重要品中、一九二一年度に比し、價額の上にて特に增加せし物は、棉花及バナナにして、其の他は一般に、前年度に比して、甚だしく不振なりき

要するに輸出總額上より見たる、昨年度空前の出超は、其の因て來る處、一面近年漸減の狀態に在る、輸入貿易不振に存すれども、主として伯貨の暴落より生せし、輸出商品價格の暴騰に在り、伯貨數字上の變則的好況に止まり、之を英貨に換算する時は、一九二一年度に比しては、一割七分强の增加なれども、一九二〇年に比し、三割六分弱、一九一九年に比し、四割七分弱の減少なり

故に玆數年間、サントス港輸出總額を、英貨に換算比較して、參考に供す

年次	伯貨總額(ミルレイス)	英貨總額(磅)
一九二二	一、一五〇、五七四、二八一	三三、八六二、八五七
一九二一	八四一、〇二六、八八一	二八、七七一、五五三
一九二〇	八六〇、四七六、一五〇	五三、二五〇、三〇一
一九一九	一、〇八七、四八七、一〇一	六四、四五七、八六七

次に一九二二年度、同港輸出重要品、六種の數量に並價額を掲げ、一九二一年度のものと比較す

品種	數量 一九二一年	數量 一九二二年	價額(ミルレイス) 一九二一年	價額(ミルレイス) 一九二二年
棉花	四、七三六、〇八一キロ	八、五五三、一四七	一三、二五一、六六六	二九、三七九、五三二
米	一五、四六五、四一三	一、一八五、二一六	七、八二一、九七七	七四三、八九〇
豚脂	一、一〇六、五九〇	一、〇六四、六八三	二、一八七、九二四	二、一二二、二五四
珈琲	八、七七〇、〇四二袋	八、三三九、七二九	七六一、三三七、三〇一	一、〇七一、七四一、四六六
凍肉	二四、六七三、三三〇キ	一七、八一六、〇四一	二九、九四三、四六三	一九、〇四六、二六八
バナナ	二、二九五、五九一房	二、九〇二、一七一	二、七一一、六四一	五、五九九、四三七

備考 前記價額はサントス港船渡價額なり

次に聖州生產品の重なる仕向國は左の如し(單位ミルレイス)

	一九二一年	一九二二年	一九二二年度增減
獨逸	八一、四〇七、九〇三	三二、四六五、四八一	(一) 四八、九四二、四二三
アルゼンチナ	一八、三四三、九六九	三〇、三九二、八三〇	(十) 一二、〇四八、八六一
白耳義	二三、一〇九、七九一	三二、八三八、〇一一	(十) 九、七二八、二二〇
丁抹	一〇、五二三、二九七	一五、〇二九、九九一	(十) 四、五〇六、六九四
北米	四〇九、一〇八、三六四	六三九、二四七、二八一	(十) 二三〇、一八三、九一七
佛國	一〇五、〇四〇、三三九	一三八、九二〇、二四六	(十) 三三、八七九、九一七
英國	一七、六二七、九四八	七四、四七一、〇一五	(十) 五六、八四三、〇六七
西班牙	五、五五二、〇二七	六一、四二三	(一) 五、四九一、二四四
和蘭	八五、一〇七、一四三	八六、五一八、九五五	(十) 一、四一一、八一二
伊太利	五九、一五二、〇二七	五六、一六八、一九二	(一) 二、九八三、八三五
諾威	一、三三六、二一六	二、五六六、〇五七	(十) 一、二二九、八四一
端典	一四、五二一、八三三	二四、八三七、九二七	(十) 一〇、三一六、〇九四
其の他	一〇、一九五、三九四	一七、〇五六、八七五	(十) 六、八六一、四八一
計	八四一、〇二六、八八一	一、一五〇、五七四、二八一	(十) 三〇九、五五七、四〇〇

右表の示す如く、北米合衆國は當州產珈琲の大市場なるを以て、戰前戰後常に第一位に在り、佛國之に次ぎ、大戰前は聖州第二の華客たりし獨逸は、戰後珈琲の需用激減せしと、昨年來珈琲を贅澤品として取扱ひ、之に苛重の輸入税を課するに至り輸入は益々困難に陷り、聖州は爲に珈琲の一大市場を失ひたり」近年聖州農產物及び、諸種原料の大華客となり、世人の注意を引きつゝあるものは和蘭にして、戰後英國及伊太利を凌駕して、第三位を占むるに至れり

翻て同港輸入貿易狀況を見るに、一九二一年度輸入總額五億八百五十六万七千九百五十一ミルレイスに對し、一九二二年度は四億七千百十四万千九百九十一ミルレイス、差引三千七百四十二万五千九百六十ミルレイス即ち、七分三厘强の減少なり、是近年同港輸入は、漸減の趨勢に在るを立證するものあり

重要輸出品中一九二一年度に比し、數量に於て增加したるものは、石炭、セメント、鱈、小麥、小麥粉、及葡萄酒にして、内石炭、セメント及小麥は逐年增加しつゝあり

今石炭に就て見るに昨年度(一九二二年)、輸入量は戰前一九一三年度の、半にも達せずと雖も、一九二〇年に比し、七割弱一九二一年に比し、二割一分の增加なり、當國二三州より產出する石炭は、其の量の寡少なると、其質不良なるが爲め、消費者を滿足せしむるに足らざるが故、内地工業の發達に伴ひ、年々其の輸入額を增加すべし

猶石炭と共に著しき增加を示しつゝあるは、亞國產小麥にして、該品の漸增は、人口の增殖と共に避け難き所なり

一九二一年に比して、稍々減少を見たるものは、石油及びジュートなり、右二品の需要も、各年增加しつゝあるに拘らず、昨年度に於て、多少の減少を見たるは

在庫品の比較的、豊富なりしに依りて然るのみ

一九二二年度輸入數量の、激增せしもの及其の價額は左の如し

(數量單位は噸、價格單位はミルレイス)

	數量 一九二〇年	數量 一九二一年	數量 一九二二年	價額 一九二〇年	價額 一九二一年	價額 一九二二年
石炭	八〇、一五六	一一三、四四五	一三六、三六五	八、七四五、九三〇	一三、六四四、〇三九	一〇、一三八、五三六
小麥粉	二〇、四一三	二一、一四一	二四、四三四	一九、二六五、八七六	八、一八九、二八八	一五、五六七、二七六
小麥	八一、四六六	一二九、五七六	一五五、〇九三	三八、八八九、五七四	五八、八四八、二八一	六〇、六九九、八七三
セメント	五四、一六六	五〇、四六七	八〇、三五八	七、八六六、八四三	八、二二八、五九三	未詳

斯の如く、輸入重要品中の主なるものが、年々增加しつゝあるに反し、一九二二年度輸入總額が、前年度に比し些少の減少を見たる所以は

1、伯國經濟界が、世界的恐慌の影響を蒙りし事、最遲かりしだけ今尙回復するに至らず、一般購買力の減退を結果せると

2、一昨年來、輸入品の物價、幾分の低落を來たせしこと

3、他方聖州近年、諸製造工業の進步發達著しく、爲に綿製品諸器具、各種加工品等の供給を、外國に仰ぐの必要程度、漸減しつゝあるに職由す

次に主要輸入品の、一九二一年及び、一九二二年度輸入價額を表示比較せば左の如し(單位ミルレイス)

品目	一九二一年	一九二二年	一九二二年度增減
棉花及綿製品	三〇、七〇五、六六〇	三〇、四七一、一六八	(一) 二三四、四九二
鋼鐵、鐵及其製品	六六、八六三、二九六	四一、五七二、四二三	(一) 二五、二九〇、八七三
工業用機械	一九、五五五、九二三	一九、〇一二、一三〇	(一) 五四三、七九三
農具	一、九〇八、九八二	六九四、九二二	(一) 一、二一四、〇六〇
其他機械器具	六七、三九四、七〇九	三一、五〇〇、〇一九	(一) 三五、八九四、六九〇
化學生產品及藥品	九、九〇八、四一〇	一六、四四五、〇五一	(十) 六、五三六、六四一
皮革及其製品	五、二一三、六七六	七、六〇六、五九九	(十) 二、三九二、九二四
機械用苧麻及黃麻	一、九三五、五六四	二、三六四、九五八	(十) 四二九、三九三
原料用苧麻及黃麻	二三、〇七八、六〇五	一六、〇〇五、五七一	(一) 七、〇七三、〇三七
石炭	一三、六四四、〇三九	一〇、一三八、五三六	(一) 三、五〇五、五〇三
石油	一〇、七九二、四二一	七、八六三、五一九	(一) 二、九二八、九〇二
干鱈	四、四九三、五〇二	六、二四五、一一五	(十) 一、七五一、六一三
麥粉	八、一八九、二八八	一五、五六七、二七六	(十) 七、三七七、九八八
小麥	五八、八四八、二八一	六〇、六九九、八七三	(十) 一、八五一、五九二
葡萄酒	一五、一〇八、一八三	一六、五七五、四九九	(十) 一、四六七、三一六
食料品	一三、〇一三、八八一	二三、六六八、六六一	(十) 一〇、六五四、七八〇
貨幣及有價證券		五、九二〇	(十) 五、九二〇

更に主なる輸入國の輸入總額を掲げ、一九二一年度と、一九二二年度を比較せば左の如し(單位同前)

	一九二二年	一九二三年	一九二三年度增減
獨逸	四〇、七六一、三三三	四〇、九九七、〇五九	（十）二三五、七二六
アルゼンチナ	六七、七八八、六〇六	七八、六三九、三三九	（十）一〇、八五〇、七三三
白耳義	一二、五二五、〇二四	一四、〇一二、九七五	（十）一、四八七、九五一
北米	一五五、七八二、五六三	九九、四一七、五三六	（一）五六、三六五、〇二七
佛國	二五、二〇〇、五六八	二三、五三六、九四八	（一）一、六六三、六二〇
英國	九六、三八四、七〇八	九七、〇〇八、八〇五	（十）六二四、〇九七
伊太利	三三、三三八、九三三	四六、四六一、八〇二	（十）一三、一二三、八六九
葡萄牙	一〇、〇二七、九五六	一一、二二〇、〇〇〇	（十）一、一九二、〇四四
其他諸國	六六、六六八、二六一	五九、八四七、五三七	（一）六、八二〇、七二四
合計	五〇八、五六七、九五一	四七一、一四一、九九一	（一）三七、四二五、九六〇

聖州生產物の華客として、第一を占むる北米は、サントス港輸入に於ても亦、牛耳を握りて第一位を維持し、其他は英國、亞國、伊太利、獨逸、佛國、白耳義、葡國の順位なり

サントス港船舶出入狀況（一九二一年及一九二二年）

入港の部

	隻數 一九二二年	隻數 一九二三年	噸數 一九二二年	噸數 一九二三年
伯剌西爾	八二九	九八一	七五六、六六五	一、〇九五、七五八
アルゼンチナ	三	四	二、九七一	五三三
丁抹	二七	三二	五九、〇四六	七五、三八九
佛國	九一	一一三	三九〇、一九一	五〇六、四三九
西班牙	四三	三八	一一五、七三九	一一三、六六四
和蘭	八三	七九	四四五、一九〇	三五二、一六一
英國	二三五	二七五	一、〇八三、四二五	一、二三三、五五〇
伊太利	一三八	一六四	四六〇、七二六	六四二、一七三
日本	二五	二二	八六、八五六	八二、六六四
北米	一三三	一一三	五一三、六六九	五〇七、三八九
諸威	七五	六八	一八二、八四一	一六一、〇三五
瑞典	二一	三六	四八、六四六	七九、四八九
其他諸國	六四	一二六	二九〇、八〇四	五四八、四三一
合計	一、七五七	二、〇五〇	四、三五四、七八一	五、四〇二、九〇三

出港の部

	隻數 一九二二年	隻數 一九二三年	噸數 一九二二年	噸數 一九二三年
伯剌西爾	八二六	九八四	七四八、三七三	一、一〇五、〇七三
アルゼンチナ	三	四	二、九七一	五、三九一
丁抹	二八	三一	六一、五一三	七二、九二八
佛國	九〇	一一三	三八七、二九五	五〇九、〇〇六
西班牙	四二	三九	一〇九、七六六	一一四、六四一
和蘭	八二	八一	四四一、一二八	三五九、二一七
英國	二四二	二七三	一、一〇四、九八二	一、二三九、七五九
伊太利	一三八	一六五	四六〇、九三四	六四四、六〇九
日本	二六	二二	九〇、五一三	八二、六四四
北米	一三六	一一四	五一六、五二五	五〇六、〇九九
諸威	七八	六九	一八六、三五三	一六三、二四六
瑞典	二一	三六	四八、六四六	七九、四八九
其他諸國	六六	一三三	二三〇、七九〇	五三三、一四三
合計	一、七六八	二、〇五四	四、三七九、八四三	五、四〇一、一四四

伯國公使館昇格

帝國と伯國との關係は、漸く密接となり來りたるを以て、我が公使館は先月一日から、大使館に昇格し同九日附にて、和蘭國駐劄全權公使田付七太氏、新に特命全權大使に任ぜられた、同氏は何れ本月中に赴任せらる〻筈だが、是より先五月一日附を以て伯國在任野田良治氏は、大使館二等書記官に同大谷彌七氏は大使館一等通譯官に夫々任命された

伯國渡航希望者の爲に

在伯國　矢部市郎君

海外協會でお骨折下さる皆様へ、御禮を申上げます雜紙も毎々有難く拜見して居ります、初號を見ませんから、會則等を詳にする事が出來なくて、遺憾ですが。其の旨意使命等は勿論、私には十分推知する事が出來ます、海外に頼り無く暮す私等を益々慰撫鞭撻して下さる事を願ひ上ます

私は始めて海の外を手にした時、殆んど疑義に等しい驚愕を感ぜずには居られなかつたのです、私が故國を立つた當時を顧みて、それは餘りに大きな力の、現はれで有たからであります、此の權威ある機關の創立を、祝福する爲に私も、雜誌を御送り下さるお禮を兼ねて、私の周圍の細かしい事どもを、何かと申上げやうと、早くから思ひ立つては居りましたが、奴隷の様なファゼンダーの、二ケ年の生活から、自由の天地に入らうとする前後半年、色々の事情や、錯雜した事件やの爲遂に其の意を得ず、今日迄失禮してしまつて何とも申譯無い次第で有ります、と申して大した意見を持ち出せる譯でもなく、ブラジルへ來てから滿二ケ年、年少なる私が低い頭で、狹い見解を御相談的に申上げるに、過ぎないので有ります

私は契約移民として來たのですから、日本を立つ時に既に珈琲園に就働すべく運命つけられて居たので、其の送らるべき珈琲園の良不良が、即ち私等の運命に、兎角の影響を及ぼして、來る譯なので有ります、處で風土、食物作業等に不馴れな、外國の勞働者を迎へ入れねばならぬ様な、耕地は如何なるものか、豫め想像するに難くはない、何處へ行つても故參者、が甘い汁を吸つて居るのは、當然の事で有て、新來者が早々總

に於て好都合で有り、幸福で有る様な耕地を、彼等の見逃すべき筈がないから、結局氣候とか待遇上とか、何等かに欠點が有るのだと云ふ事は、容易に思ひ至る事が出來ます、新移民の同盟罷業とか、逃亡とかの多い事は實に驚くばかりで有ります、氣候衣食風俗習慣法律其の他、人事關係一切に於て、異なる外國、殊に新來の勞働者は、嫌忌して寄りつきもせぬ様な處に送り込まれるので有るから、移民を階梯として來なければならぬ様な、事情の許にある人達は、十分自己の体力經濟などを考慮しなければならぬと思ひます、旅費なども、無理をして、恐ろしい義務の有る金などは、決して〳〵借りてはならない、二三年で返へせると思つたら、大きな間違で殊に此の頃の様に伯貨の暴落して居る時は、尚更で有ります、で寧ろ二三年は渡航するのが遲れても、後顧の憂の無い様にして來るのがどの位後の爲になるか知れないのです

耕地生活は、啻に体力や經濟の問題ばかりでなく、精神にも、餘程の確さを要する事と思ひます、大体耕地なるものは、特別の法律や制裁等が設けられて有て、宛然一種の王國の如き、感が有ります、私は勞働問題の大分喧しかつた當時、日本を立つて來たので、耕主の横暴や、支配人の勞働者に對する無理解などが、どんなに憤慨されたか知れなかつたのです、殆んど盲目的に服從を、强ひられる様な時が有るので、之は何と言つても、一種の奴隷に過ぎないのです

私等が入耕した翌年でした、私等の居た耕地が、知らぬ間に他へ賣られました、私共も其所に有る、珈琲樹や牛馬などゝ同じく、此の耕地を値付ける條件の一つで有た事は勿論であります、翌日からは違ふ耕主、支配人監督の、指揮命令に從はねばならぬのです、そして又移民も依然として、可成多く主人の目を盜んで要領よく、其の日〳〵を無事に送る事に努むるのであります、之は奴隷使用時代の因習で有て、こんな生活の中に何等の研究考案が有らうか、向上進歩が有らうか經營者も勞働者もお互の不利であり、不幸で有るに違ひないのです、併し之は伯國產業發展上の問題で有て、自己一身上より考ふるならば、何時迄も其所に働かねばならぬと云ふ譯のものではなし、只一時の隱忍を要すると云ふ迄の事で要は只か〻る卑屈な生活に馴れぬ様用心しなければならぬ迄の事であります

經濟上や作業熟練上の、一時の方便都合からして、是非とも通らねばならぬ、コロノ（移民）生活を、一時も

早く切り上げて、本道に歸へりそして自己の能力手腕の有らん限りを盡して、自由な廣大な天地に加へなければならぬと思ひます

私は二ケ年の契約期間を了へて、元の耕地の直ぐ附近にある

一小日本村に住む事になりました、この地はパラナ州の一角に有て、オウリーニョス驛を距る事六里餘カンバラ町を距るを一里半、テーラ、ロセツと稱する赤土帶にて、地味は最も肥沃、近時世人の注目する所、視察者土地購入者が、殺到すると云ふ勢で、三年前此の植民地の開ける頃までは、一アルケール（二町五段歩）四ケ年の年賦拂にて、二百五十ミル（六十二圓五十錢位にて買入れられたものが、今日では一時拂五百乃至六百ミルを要すると云ふ有様であります

二百アルケールスの一小區域を劃して、十九家族の日本人（福岡縣人が多數）の經營に依るもの勿論耕地に於ける暴虐に對する、憤激の飛火で有て將來廣大なる天地に雄飛せんとする

一段階に過ぎぬのであります、入植當時の苦辛難澁も今は見渡す限り生ひ繁れる作物の、生氣に打消されて希望の光が滿ち溢れて居ます、私は此所へ來てからほんとうに、其の日〳〵を生きて送る様な氣がします、一日〳〵の生活が明瞭になつたのが何より嬉しいのです、私は自己の修養と研究に要する時間の餘裕を得度くて、此の地に移つた譯で、別に金儲を思ひ立つた譯では無いのです、私共の様な資力も無く勞力にも乏しい者が急に何事かを爲さうと思つても、さう安々と出來る譯のものでは無く、之は日本に居つても同じ事であります、只伯國は、日本よりも總ての點に就いて、機會に於て、より多く成功の道程に就くの可能性を、有すると云ふまでの事であります、日本を出る時には十年か十五年を一期に、何事か爲せる様な氣がして居たけれども、此頃ではそんな考へは根底から覆へされて終つて、少くも三代位の後に思を至らしめねばならぬと思ふ様になりました、自分一代は修養と研究の爲めに、犧牲になつてもかまはない、先づ此の國の政事經濟といふ風に、根本的にやつて行き度いものです、今の様に新聞も雜誌も讀めぬ様では甚だ足元が覺束ない、植民學者松岡正男氏は植民運動終局の目的は文明の伸張にあり、と云つて居ります、私は先づ當國の事情に精通し、以つて乘ずべしと思ふ處に、我が獨特の文明、優秀の文化を押し嵌める事に依て其所に文明

も伸張され、民族の偉大さも發揮さるゝ事と信じます日本人は兎角歸國を急ぐ爲めに思はぬ失敗を招き、或は病魔に患され、植民の根本精神を忘れて、悲觀に傾き自棄に陷るが如き最憂ふべき事で有ります、しかと腰を据えて、希望を永遠に馳せ足元より着實に進まなければならぬと思ひます、それには前にも申す通り、故國を去るの日心殘の種を殘さぬ事です、老たる父母も幼い子供も、皆携へて、一家一族を擧げての移住で有り度い私なども常に執拗く、念頭にこびり付いて離れない一事が有るのです、大体が早く一家を、貧苦の中から救ひ度いのが、私の願で有たのに私の渡航に依つて生じた無理な借金の爲に却つてどんなに、貧苦を增したかと思ふと實に斷腸の思ひが有ります、先づ何を差置いても一家を早く呼び寄せるのが私の責務で、又其の事に依てどの位私の手足を伸すの助けにもなるか知れないのです、早い話が私は今年少しばかりでも、棉花の栽培を試みやうと、思つて居ます、併し目下の私の立場では、人の話や新聞雜誌に依る理論を、唯一の力として、始めなければならないので、其の主產地の視察や、僅か三四ヶ月の講習にすら、出掛けられない程、時間と金の餘裕が無いのです、若し父母が居られたら、多くの弟妹が居つたら、私はそれが爲めに、幾歲を費すもかまはぬであらふ、家を外にして、どんなに自由に働ける事であらふ、こんな立場に有る人は、決して少くはないと思ひます、そして自分の子供の成育を待つ間に、己は老衰に傾いて行くでせう

要するに渡來せんとする人は、自己の立場から、よく前後を思慮し、渡來後の自由の活動を、期さなければならぬのであります、之は自分の環境を通じて、伯國の生活のほんの一端を申し述べたに過ぎません、つまらぬ事を長々述べました、では今度はこれで失禮します

（大正十二年三月十四日附）

信州だより

○農事相談の繁昌

上水内郡では、農村振興の一方策として、郡役所内に農事相談所を設けた此の施設は甚だ機宜に適したものと見えて、先月一日開始以來、頗好成績で相談を持込む者が一日二十名を下らぬそうで有る、而も其の相談事項は何れも適切なるもので、之に依りて現時農村疲弊の病根を診察し得らるゝと共に、是等質問に對して郡係員より、一々懇切なる回答を與へて居るので、同時に治療も出來る事となる、郡當局としては今後講演などを試みる場合に於ても、從來は單に郡當局が、適切なりと思惟せる題目を選んで、講師を嘱託せるが、今後は此の農事相談所を通じて來れる質問を基調として、即ち民意に叶へる、講演題目を選ぶ筈で有る尙將來は之れを擴張して、一層廣範圍の相談に應ずるとの事で有る

○隧道崩落し二十四名生埋となる

先月十八日午後八時頃、西筑摩郡讀書村字三留野川向の工事中で有る、大同電力株式會社の水路隧道入口から百間程の個所にて、土砂崩落し、其の際工事に從事して居た工夫二十四名は此の物音に一同奥の方に逃込んだ、會社では直に三百餘名の工夫を督勵して、晝夜兼行必死の努力で掘り出しに掛つたが、何分百間も奥の事で有り土砂は從て掘れば從て崩れるといふ狀態に加ふるに土砂中に一大石塊の埋もれ有りし爲、迂廻して堀るなど苦心名狀すべからざるもので有た、更に生埋工夫の家族は安否を氣遣ひ坑口に群がりて離れ得ざるも慘憺たるもので有た、幸に空氣を送る鐵管一本が破損を免かれたから、之を利用して內外通話をなし食料を送る等の事が出來た、生埋工夫中には先年伊豆の丹那隧道にて同樣の目に逢つた者が交つて居て、以前の經驗に基き一同を慰撫し、激勵して靜かに救助を俟つたのは此の際非常に有益で有た全二晝夜餘を費し、十六日の夜半內外の連絡成り、二十四名の全部が微傷だも負はずに救ひ出されたのは實に天佑と云ふべきで有た

○南佐久通信

千曲川發電所問題　千曲川電化工業株式會社が組織せられ千曲川の水を揚げて、發電所を造るといふ計畫に處水利關係を有する、青沼、田口、平賀三村民の反の對逢ひ發起人たる、高見澤、横森、土屋、佐久木、黑澤の諸氏は、遂に先月廿二日其の計畫を放棄した、三村では管に灌漑用水のみならず飲用の井戶水にも影響あらんを患へての事で有たが、運動方法が稍激烈に過ぎたといふので、若干刑事問題を惹起した樣だ、信州は至る處電氣事業が旺盛なので、之れに關する紛議が各所に發生しつゝある

聯合青年會講演會　先月廿九日午後一時より、北牧小學校に於て、春季總會を開き、信濃毎日新聞主筆風見章氏の、世界の趨向と題する演題の許に二時間半に亘る講演あり、猶會員の演說、餘興等ありて頗る盛會で有た

米の現在高調　本郡に於ける五月一日現在、在米高は前年に比して、一割五分の增加を示し、約三万三百石といふので有る、增加の理由は前年の增收に加ふるに、米價の低廉なりしに依り一般に、賣惜みたるに基因すと認められる、尙郡內總人口七万三千、一人一日平均三合づゝ消費するとせば、新米出廻期迄約六ヶ月間、三万九千餘石を要するので幾分不足の計算となる

編輯室より

小縣郡依田村出身で加州サクラメントの近効に廣き農場を經營せらるゝ村松染之助氏が先頃歸朝された序を以て御尋ね下さいました、色々彼方の御話を承はり大に益する處が有りました

在外諸君に御願

一、下高井郡豊郷村出身河野保三さんは明治三十七年加洲に渡り久しくロスアンゼルスに居られたそうですが數年前から音信不通で家人が心配して居られます同氏の消息御知りの方は至急御知らせを願ひます

一、速く支部を拵らへて戴くか又は縣人會の名に依りてするか兎に角密接なる連絡を取り得る樣に願ひ度き事

一、可成速に入會し會費を送つて戴く事

一、寫眞標本印刷物其の他參考品の御寄贈

一、居所不明者前記の外前島義男内堀源太郎兩氏の消息御存じあらば知らせて戴く事

海の外

定價	內地	外國
一部	廿錢	廿仙
半ヶ年	一圓十錢	一弗十仙
一ヶ年	二圓廿錢	二弗廿仙

海外郵税四錢

注意
▼御注文は凡て前金に申受く
▼廣告料は御照會次第詳細通知致します
▼御拂込は振替に依らるゝが最も便利とす

大正拾貳年六月一日
編輯人　永田稠
發行兼印刷人　藤森克
長野市旭町
印刷所　信濃毎日新聞社
長野市長野縣廳內
發行所　海の外社
振替口座長野二一四〇番　信濃海外協會

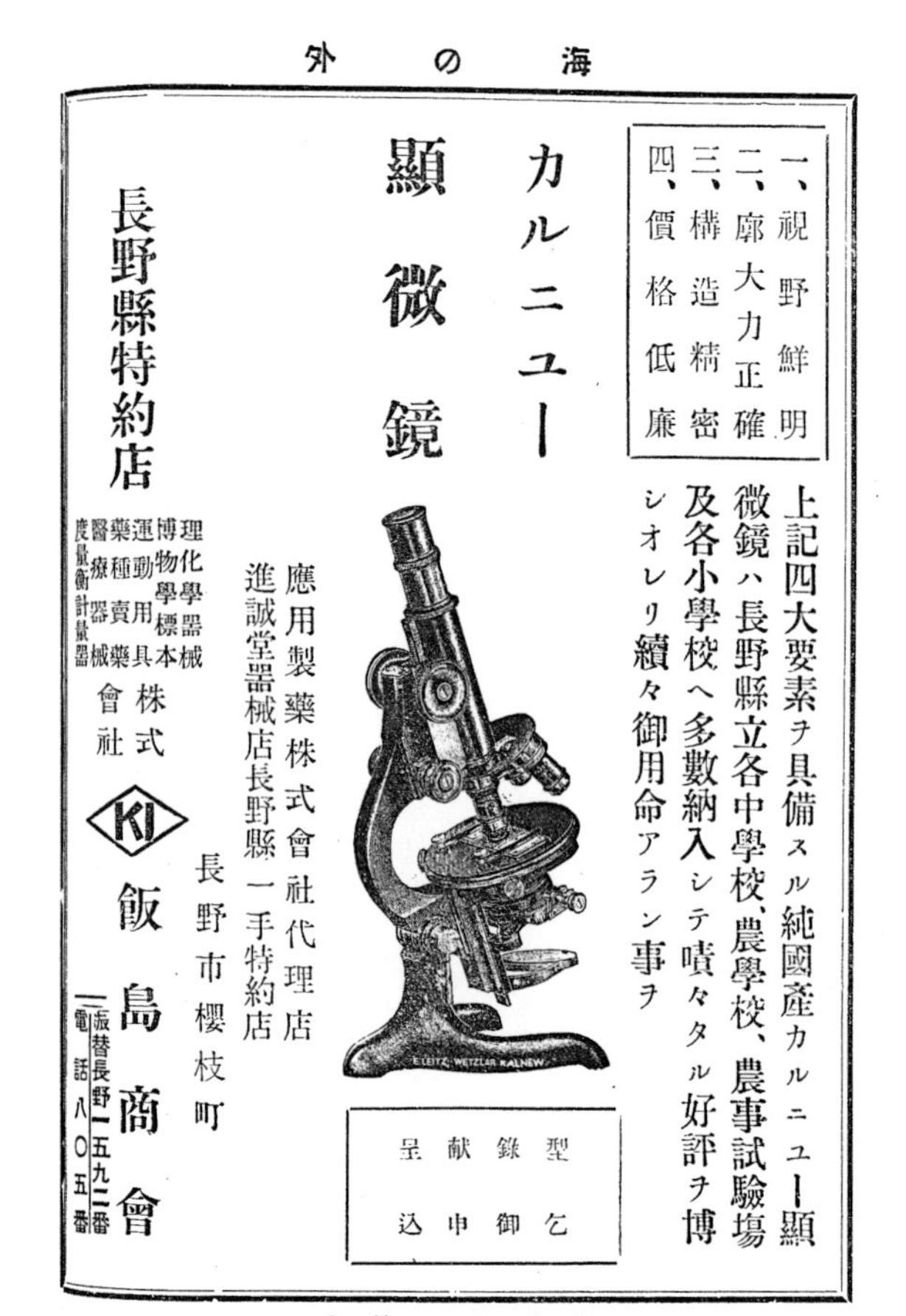
一、視野鮮明
二、廓大力正確
三、構造精密
四、價格低廉
カルニユー
顯微鏡
上記四大要素ヲ具備スル純國産カルニユー顯微鏡ハ長野縣立各中學校、農學校、農事試驗場及各小學校ヘ多數納入シテ嘖々タル好評ヲ博シオレリ續々御用命アラン事ヲ
型錄献呈
御申込乞
應用製藥株式會社代理店
進誠堂器械店長野縣一手特約店
長野市櫻枝町
長野縣特約店
理化學器械
博物學標本
運動用具
藥種賣藥
醫療器械
度量衡計量器
株式會社
KI
飯島商會
振替長野一五九二番
電話八〇五番

信濃海外協會
海の外社發行

第一五号

海の外
第十五號
目次
海外事情
排日に關する在米邦人の決議
海外通信
信州事情
信濃海外協會内海の外社

目次

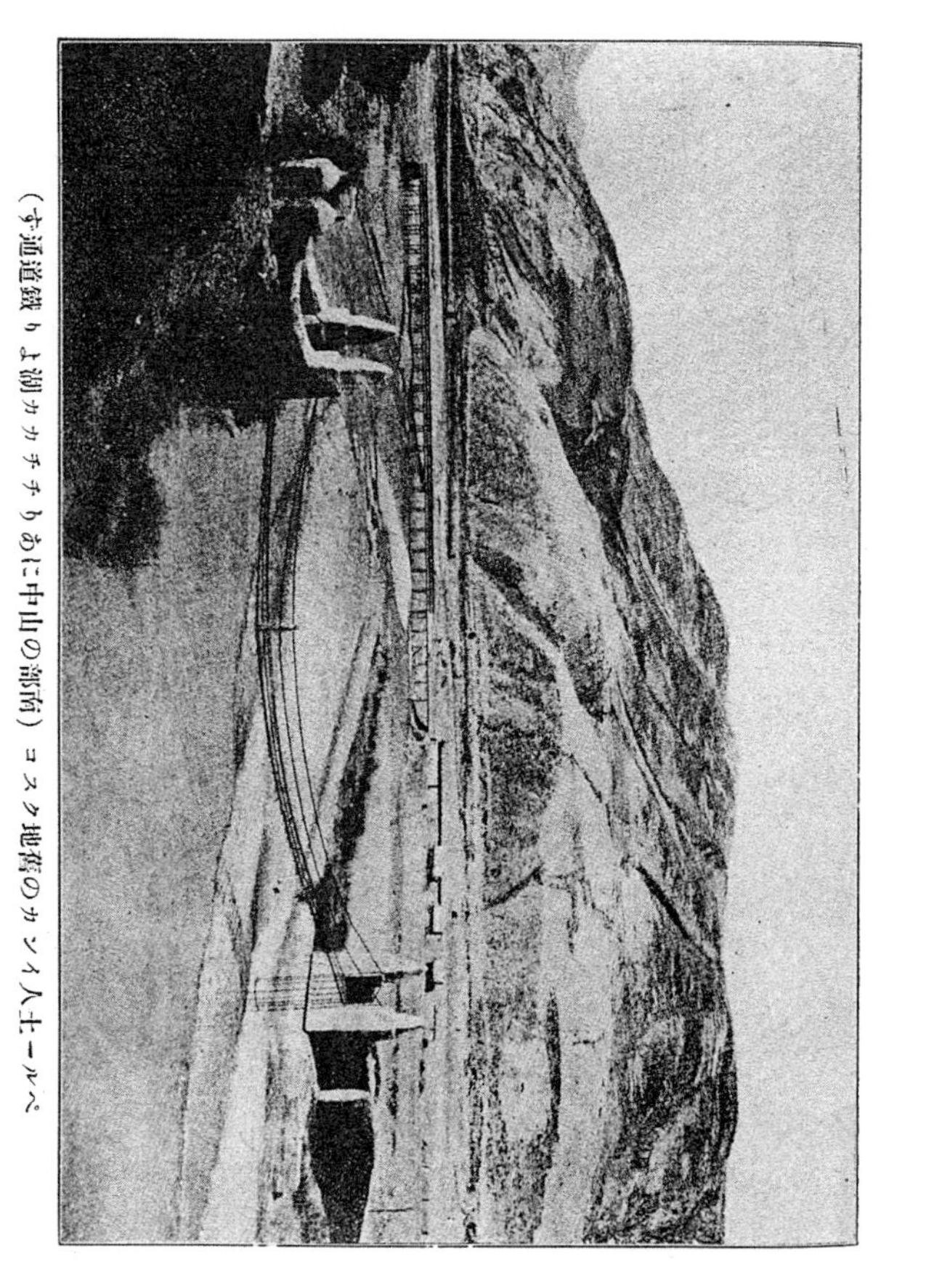
ペルー土人インカの舊地クスコ（南部の山中にありチチカカ湖より鐵道通ず）

海外事情

南米ペルー國事情

一、ペルー國の位置、面積、人口

ペルーは南亞米利加大陸の西海岸に横はり、ブラジルの西に接して居る

總面積は一一六〇〇〇方里で、我が全國の約三倍あるが、人には僅に四百五十万で、一方里に三十九人、我が國の千八百人に比べると、四十六分一といふ、稀薄なるもので有る

全人口の内、約五十万人は白人で主に、スペイン人の後裔であり、他の大部分は白人と土人との混血兒である、又アメカリ印度人、ネグロ人、支那人等も可成多數居る

二、政体、國語、宗敎

代議共和政体で、全國を二十二縣に分ち、各縣に知事が有る、國語はスペイン語であるが、アンデスの山中に入ると、大抵ケチユア、アイマラ語が通用して居る

國敎としては羅馬舊敎で有るが、其の他の宗敎に對しても信仰は自由である

三、地勢及交通

地勢はアンデス山脈に依りて、全國を三分し、海岸地帶、山嶽地帶、森林地帶とする

海岸地帶は、アンデス山脈の西麓より、海岸に亘る地帶で、概ね砂地で有るが、其の間に五十餘の河川があり、多數の沃野に灌漑して居る、特に甘蔗棉の耕作に好適である、日本の移民は殆んど全部此の地帶に就働して居る

山嶽地帶とは、海拔四百メートル以上の、アンデス山脈並に、其の山系の高地を稱するので、此の地帶には、無數の鑛山があり、馬鈴薯、葡萄、玉蜀黍、牧草等の栽培に適する

森林地帶とは、高さ千四百メートル迄の地域で、アンデス山脈東斜面の部分である、アマゾン河の上流をなすもの、或はアマゾン河に注ぐ、數百の河川は、皆其の源を此の地帶に發し且之を貫流して居る、將來は農業地帶として、最有望で有るが、交通不便の爲、現在耕作せらる、地區は極めて僅少で、藥用、染料、纖維植物、ゴム、香料等を栽培若くは採集して居る

交通に就て見ると、ペルーはアンデスの高峰を以て中斷せられ、又之れに伴へる山嶽が多いから、山地の交通は不便で有る、海外岸帶も砂漠の多き爲、交通は比較的不便で有る、鐵道の總延長は二千哩だが、最近英國人の手に依りて設計されたる、國內を縱横に貫通すべき、大鐵道の計畫が有る樣子で、若し此の鐵道が開通すれば、交通上面目を一新するで有らふ、海岸は汽船に依りて往來して居るが、英國、米國、智利等の汽船會社が、競爭的にやつて居る、日本からは、東洋汽船會社の定期線が、隔月に往來して居る、郵便電信等通信機關は、萬國郵便同盟の一員たるだけありて、內外共に整頓して居る

四、重要産物

農産物　砂糖、棉花、ゴム、コカ、米
鑛産物　銅、石油、金、銀、蒼鉛、タングステン、モリブデン、ベンジン
畜産物　羊毛、アルパカ、牛、皮類

五、産業

當國に於ける産業の主なるものは、悉く外人の事業で有ると言つてもよい、換言すれば、ペルーの經濟的勢力は、外人の占有する處で之を概說すれば

英國人　鐵道、農業、鑛山業に從事する者多く、鐵道の如きは、殆んど其の占有する所である、鐵類、機械類、綿布類、等の卸賣、砂糖、棉花、羊毛等の大口仕入に從事する者も、多數である

北米人　北米人の勢力は、歐州戰後頓に急足の發展を遂げ、今や英國人の壘を摩さんとして居る、鑛山銀行方面に、盛に活動して居る、米國人が彼の世界的に有名なる、當國のセロ、デパスコ鑛山の所有者なる事は、既に世人周知の所である、

獨逸人　鑛山業、砂糖耕地經營に從事する者多く、又商業に於ては、大口の卸取引を爲すのみならず、雜貨等の小賣に至る迄、熱心に從事し、歐州戰爭前に於ける、英國人の小賣勢力範圍を盛に侵畧して居る

佛蘭西人　贅澤品、衣服等の販賣に從事する者が多い

伊太利人　首府リマ市及、其の他の都會に於ける日用品、小賣業等に、成功して居る

支那人　リマ市に於ては、食料品の卸、小賣に從事する者甚だ多く、又田舍に入りて、小商業に從事し

成功しつゝある者が多い、支那人の當國に在留せる者は實に數万に達して居る、

日本人　本邦人の發展は、比較的近年の事で有る、目下首府リマ市に於て、第一流の商店に屬する、邦人商店が六、七戸ある、又成功せる大工請負業者も有る、古物商を營めるものも甚だ多い、同市に於ける理髮業は、殆んど日本人の、占有する處で有る、田舍に於ても、商店、棉栽培、牧畜、菜園、ゴム採取等で成功せるものも少くない、外務省通商局、の最近發表せる調査に依れば、昨年六月三十日現在、ペルー國在留本邦人總數並に職業別戸數は左の通である

總數	九六七五人
農作業	八七〇戸
農場勞働者	八〇一
理髮々結	七六八
料理店、飯食店、貸席業、藝妓業	五七七
會社員、銀行員、商店員、事務員	五四八
履物、雨具、雜貨販賣	四〇四
家事被傭人、料理人	三六八
菓子、麵麭類、砂糖類販賣	二七六
工場勞働者	二二一
其の他の飲食料品販賣	一四五
大工、左官、石工、ペンキ職	一三三
穀類、粉類販賣	九七
古物商	八八
飲食料及、嗜好品製造	七六
化粧品、小間物販賣	七〇
其の他の勞働者	六九
貿易商	七七
行商	七五
和洋服裁縫	六四
園藝	五五
時計、貴金屬、寶石類販賣	五四
右の外無職業者及五戸未滿の職業者	六七六

銀行の主なるものが七つあつて、日常取引に差支が無い、目下の處日本人經營のものが無いから、日本に對する外國爲替取引はペルー倫敦銀行、米國商業銀行、伊太利銀行、グレース商會其の他大商店を通じて行はれて居る

六、氣候

ペルーは南緯一度二十九分乃至十九度十三分、西經六

十九度乃至八十二度二十分の間に介在し、南洋ヒリッピン附近と、對稱すべき位置にありて、大部分熱帶の氣候を帶ぶべきで有るが、其の海岸を流るゝ、フンボルト大寒流の影響を更けて、中和され、海岸地帶は年中溫暖で、平均華氏の五十四度である此處は降雨が殆んど無く、雪は全然見る事が出來ない、アンデス山間から流出する多數の河川に、水門を設けて灌漑の用に供するから、農作物には困らない、一年を二季に分ち、十一月から四月（夏から秋）迄は多く晴天で、五月から十月（冬から春）迄は大部分曇天で、霧の爲に朝晚少しく寒濕を感ずる程度である、山嶽地帶は高所なるが故、寒冷且乾燥であり、森林地帶は亞熱帶及び、熱帶の氣候で有る

疾病につきて見ると當國には惡疫又は風土病と稱すべきものもなく、偶間歇熱及脚氣に罹るものがあるが、少し攝生豫防に注意すればめつたに、病氣に罹る事は無い

七、風俗及び生活

ペルー人の社會的階級は、大別して上下の二流に分たれる、上流は主として西班牙人の末裔で衣食住共に、歐米人に同じく、下流は舊インカ人種の後裔で、チョロと呼ばれて居る、此の種族は人類學上、未だ其の系統が明瞭でないが、骨格、容貌、習慣、共に東洋人に酷似せる點が有る、彼等は他の南米諸國の下層階級と異なり、性質素朴、闘爭を好まず、其の婦女子は頗る從順で有る、衣服は綿布を用ひ、玉蜀黍の團子、米、麥等を食し、飲料は甘蔗より製する燒酎及、玉蜀黍より製するチイチャと稱するものを用ふ、農家はアトベと稱する、日乾の土塊を積みて側壁となし、黍又は萱の類にて屋根を覆ひ、室の一隅を炊事場とし。又一隅に床台を設け、中央に土間を作るといふ風である、生活費は農家にありては一人一ヶ月十二三圓乃至十五六圓である

八、貨幣度量衡

貨幣　ペルーは金貨本位の國で、其の單位をリブラと稱し、英國の制に則り、ポンドと同一になつて居るから、兩國貨幣は全く併用されて居る、又紙幣及補助貨として、銀貨、ニッケル、銅貨がある
一リブラの十分一を、一ソールと云ひ、邦貨一圓に該當す一ソールの百分一を一センタボと稱す

度量衡　佛國式を採用して居るが、其の他一般に行はれつゝあるものは左の如くで有る

重量	オンサ	約七匁七分
	リブラ	百二十一匁七分
	キンタル	十一貫百七十三匁
	アロバ	三貫六百四十三匁
	トネラダ	二〇二八、六六英斤
尺度	バラ	二尺七寸八分
面積	ファネガタ	二町九反
容量	ファネガ	五斗

九、沿革

西紀十二世紀に於て、當國にインカ王國が勃興した、インカ王國は、目下のペルー、チリー、エクアドル、ボリビア共和國を併せたる一大強國で有た、然るに西班牙人ピサロが千五百三十五年インカ王アタワルパを滅して王國を、西班牙の植民地となし、三百年間其の統治する處となつた、千八百二十一年西班牙に叛きて獨立し、共和國となり今日に及んだ

千八百七十九年、隣國チリーと開戰して大敗し、其の結果國勢に大頓挫を來し、南米に於ける二等國に落ちた

十、都市

首府はリマと稱し、カヤオ港の東方約八哩の地點に在る、人口約十七万、之れに次ぐをカヤオ、アレキッパ、ツルヒヨ、クスコ等となす

リマはピサロが千五百三十五年に、建設したもので、西班牙風の都市である、市の中央に在るカセドラル（大寺院）は、南米第一の大寺院で、甚だ有名である、又サンマルコス大學は、南米最古の大學として著はれ、カヤオ港は南米西海岸第一の良港である

十一、日本との係關

南米諸國中、我が國と最早く密接の關係を生じたのは、ペルーである、通商條約の締結されたるは、明治六年で日本から移民の渡航したのは、既に二十餘年前の事で、今では一万近く行つて居る、日本人を歡迎し、日本の商品を愛好するの點に於ては、ブラジルと共に、南米の双璧と云ふべきで、邦人の移住には好適の地で有る

邦人の最多く居住する海岸地帶は、氣候中庸を得、惡

疫等の憂少く、人口稀薄なるが故、農業、工業、鑛業界一般に、勞働者の不足を告げ、勞働能力の大なる邦人勞働者を要望する事切なるものが有る、現在人口四百五十万中、白人の後裔は僅に五十万に過ぎず、他はチョロ及びチョロと白人の混血兒なるが、一般に無智にして向上心無く、勞働能力も甚だ劣等なるが故、多くの事業は外國人の資本と、外國人の手とを借らねばならぬ、すれば日本人を排斥する等の事は毛頭無く、絶對多數を占むる土人は却て相似たる日本人を好むの狀態で有る、

支那人の當國に來住せしは、遠く七十五年前に始まり、目下數万に達し經濟的勢力も頗强固である

日本との貿易額も逐年增加し、一ヶ年總額二百万圓に達した、ペルーでは、外國人が土地を所有するにつきて、何等の制限無く、市民權を獲得するにも甚だ容易で有る、近年我が資本家で、當國に着目するもの、次第に增加し、大會社にして支店を設けたるもの四つ五つ有る、星製藥會社の如きは、ワヌコ縣に於て、三十餘万町步（長野縣耕作地の約二倍）の大耕地を買收した、リマ市には、帝國公使館及領事館が有る

十二、日本移民狀況

日本移民が、ペルーに始めて送られたるは、明治三十二年の事で、森岡商會の手で、七百九十餘名を送り、海岸地帶の甘蔗耕地に就働せしめたが、明治四十二年頃からは、森林地帶に入りゴム採取、農業、牧畜等に從事する樣になつた、其の結果ボリビアの國境に近い、マルドナド町の如きは、純然たる日本町となり、町政の大部分は邦人が之を執行して居る程になつて居る

勞働程度は普通の日本人に取りては、決して困難ではない、農具も極めて簡單で、直ぐに慣れる、但し時間を嚴守して、規則的の勞働をするのだから、最初の中は少し苦痛を感ずる樣だ、賃金は此の國の習慣に基き日給若くはタレア（仕事を見積る標準で、一タレアとは土人が一日に爲し得る仕事の數量）に對して支拂を受ける、大体一タレアにつき、一ソール半乃至二ソールで、時間の勞働に對しては、割增金の制度がある

宿舍は雇主から、無料で供給される、家の構造はペルー人のものと大同小異で、大概アトベで造り室は一つ又は二つ、簡單な寢台と附屬の台所とが有る

病氣とか負傷とかの場合は、無料で醫藥を給せられ、又流行病等の發生したる時などにも、十分なる手當を受ける事が出來る、日本移民が、最初に罹り易い病氣

は下痢と間歇熱とで有るが、下痢は寢冷及び、甘蔗の過食等に原因し、間歇熱は霧に逢ひて冷え込むより起るらしい、

移民の服裝は、頗る簡單で、海岸地帶では、年中一着の着物で間に合ひ、勞働する場合にはメリヤス又は、フランネルのシャツに卷脚袢、跣足袋或は靴、草鞋等を用ひ、婦人は簡單なる洋式である

食物は主として、米であるが此の國には米を產するが、甚だ都合が好い、何れの耕地にも、食料品及日用品を販賣する商店が有る、海岸に近き所では、容易に鮮魚を得べく、肉類、鑵詰、野菜、酒類其の他一般、日用品を賣て居る、物價は一樣ではないが、現在の處左の如くである

米	一斤	一五錢＝二〇錢
牛肉	同	一八錢＝三〇錢
豆	同	六錢＝二〇錢
パン	同	一〇錢＝一五錢
バタ	同	六〇錢＝八〇錢
砂糖	同	一〇錢＝一五錢
石油	一壜	二〇錢＝二五錢
牛乳	一リツトル	六錢＝二〇錢
塩	一斤	六錢＝八錢

米國自作農の家計狀態

米國農商務省の報告に依れば、同省が國內六千九十四戶の、自作農家に付、昨大正十一年中の、家計狀調査の結果、一戶當平均投資額、一万六千四百弗（一弗は我が貳圓）にして、純利益は九百十七弗を算すと云ふ、但し右の純收益中、二百二弗は家畜（牛、馬、豚、等）農具等の形体に於て存し、殘額七百十五弗が、衣食住並に負債償却の費用に當てらるゝものなり

現金收入は、年額平均千九百七十二弗にして、內收穫賣上高は八百十六弗にて、總額の四割一分を占め、家畜及其の產出物の賣上は、總額の五割七分にして、千百十四弗を算し、殘餘の二分即ち四十二弗は雜收入なり

支出は年額平均、千二百五十七弗に達し、其の內雇人手間代最多額にして、三百三十一弗を算し、其の他家畜購入、二百四弗、飼料百七十五弗、租稅百七十四弗、器具購入手入百二十三弗肥料五十七弗、種苗四十三弗等にして、外に雜支出として、百五十弗を算せり

右の調査せる農家中、最好成績なるは、五万八千弗の純收益を擧げたるもの有りたるも、成績不良なるものに至りては、三万四千弗の收入不足を示せり、而して一割四分は、收入が支出に及ばず、三分二は純收益千弗を出でざる有樣なり、即ち收入の高に依て區別すれば、純收益一弗以上五百弗未滿のもの二割八分、五百弗以上千弗未滿、二割三分、千弗以上千五百弗未滿一割四分、千五百弗以上二千弗未滿七分にして、二千五百弗以上のものに至りては八分、即ち每十二戶に一戶の割合に過ぎざるなり

尙耕地面積の平均は、一戶二百五十二エーカー（我が百三町步）にして、不動產評價額平均、一万三千六百弗、初年に於ける貯藏穀類家畜及器具類、二千八百弗一戶平均の資產は、一万六千四百弗なり

右各項を表示すれば次の如し

調査農家數	六〇九四戶
平均耕地面積	二五二エーカー
不動產額	一三五八六弗
動產額	二八四四
收入	
穀類等收穫	八一六
家畜賣上	六六〇
家畜產出物賣上	四五四
雜收入	四二
計	一九七二
支出	
勞働手間	三三一
家畜買入	二〇四
飼料買入	一七五
肥料	五七
種苗	四三
租稅	一七四
器具	一二三
雜支出	一五〇
計	一二五七
收支殘高	七一五
資產增額	二〇二
收益	九一七

次に收益額に付各百分率は左の如し

收入超過	
五〇〇〇弗以上	一、七七厘
三〇〇〇弗乃至四九九九弗	六、七九

二五〇〇弗乃至二九九九弗	三、八九
二〇〇〇弗乃至二四九九弗	二、五一
一五〇〇弗乃至一九九九弗	四、三三
一〇〇〇弗乃至一四九九弗	一四、三九
五〇〇弗乃至九九九弗	二二、八二
四九九弗未滿	二七、九八

尙收入不足せるものゝ百分率次の如し

收入不足額	
四九九弗未滿	九、八八
五〇〇弗乃至九九九弗	二、三六
一〇〇〇弗以上	二、二八

米國の排日に關する在留邦人の決議

米國の排日運動は、今や辛辣を極め、在留同胞より、所有權利を剝奪し去らんとして居る。在留同胞に取りて、由々敷事件たるは勿論、帝國の外伸には、重大關係を有する問題で、國民全般が注意すべきは固より、政府當局に於て、對策を構ずるが急務である、在米邦人が次の如き決議をなせるも、無理ならぬ事である

決議文

現行日米通商條約の主旨に

「日本國皇帝陛下及亞米利加合衆國大統領は幸に兩國民間に存在する友好親善の關係を鞏固ならしむる事を欲し而して今後兩國間の通商關係を律すべき條規を明確に訂立するは此の善美なる目的を達するに資すべきを信じ之が爲に通商條約を締結するに決定し」

と有る如く世界恒久の平和は人類共存の精神に基く正義人道主義によれる國民間の隣善親交の關係に須つや明かなり而して「此の善美なる目的」の爲に締結せられたる本條約は本年七月十七日を以て滿ち十二年に達すべく尙ほ豫告六ヶ月を以て之を改訂し得べき期節に際會せんとす而して最近我が政府當局の聲明するところに據れば敢て改訂の意志無く所謂現狀維持を以て滿足するものゝ如し。

然れども此の間太平洋沿岸各州に於て年々制定せらるゝ排日法即ち市民たる資格無き外國人に適用する差別的法律は間斷無く他の隣州に宣傳せられ漸次峻嚴を極むるに至れり而して在米廿万の同胞の當然享有すべき

權利は勿論、存在の自由をも脅迫せられ遂には放逐の運命に遭遇せんとす而して過去幾星霜を重ねて建設し來れる經濟的基礎は其根底より覆されんとし日夜不安の念に襲はれつゝあり。斯の如きは國際法より見るも吾等最惠國民として斷じて甘受すべからざる差別待遇にして之れが撤回に對し內國法の保護に由るを得べしと雖も條約より離れて抗爭するときは頗る不利の立場に陷るの止むを得ざるや明かなり。

而して此の日米條約なるものを點檢するに其の主旨の善美なるに反し內規極めて疎漏缺陷多く所謂通商航海に關する規定の外、農、工、生產・職業其他最惠國民の享有すべき私權に關する保證無きは遺憾とす、之の一大缺陷は常に排日立法者の乘ずるところにして一日も速に其等を補足改訂せられんことを希望して止まざるもの也。尙之と殆んど同日に締結せられたる日英通商航海條約と比較對照するときは何人と雖も我が當局は何故に後者の第一條第三項及第四項に於ける「產業生業、職業、其他之等に附帶する「一切の事項に付總て最惠國民又は人民と同一の基礎に置かる」べき條項を設定し得ざりし理由を問はんと欲するなるべし、凡そ外交の事たる一國民の希望主張なるものは其の國力の背景如何に負ふ所甚大なるべきは言を俟たずと雖も對英と對米との間に同日我が國力に於て相違ありと云ふを得ず

且又其の主張主義にして苟も世界平和に資すべき正義人道に基くものとせば極力之が貫徹に努むべきは我が當局の重大なる義務責任なりと謂ふべし、爾來我が外交は退嬰謙讓のみを保持し當然享受すべき我が國民の利權をも放棄することは最惠各國に對する利權の消長に影響するのみならず國際間に於ける一大不祥事たる惡例を留むるものなり、之れ豈に在米廿万の同胞の默思看過すべき所ならんや。此の秋に當り我が支部は各協會本部の聯合を期し邦家の爲且又在留同胞の爲一致の步調を以て政府當局をして斯かる不完全なる現行日米條約を改訂し差別的待遇を停止撤回するの方策を樹て以て其の目的を貫徹せしむべく左の如く決議す。

現今太平洋沿岸諸州に制定せらるゝ差別的待遇を目的とする排日法律は吾等在留同胞が多年奮鬪努力して建設せる農工商及び其他の事業を根本的に破滅せんとす故に速かに現行日米通商航海條約を改訂し其の缺陷を補足して農、工、製造、生產、職業其他之れ等に附帶する一切の財產權及び邦人に對する待遇

を最惠國民と均等不偏ならしむ事を期す

右決議す

大正十二年二月廿五日

北米合衆國華盛頓州キング郡シヤトル市

防長海外協會支部

廣島海外協會シアトル支部

熊本海外協會シアトル支部

華州信濃海外協會

岡山縣海外協會シアトル支部

海外近信

華州近信

南安曇郡穗高村出身　平林利治君

先頃臨時歸朝の際、協會事務所を訪問された、南安曇出身の平林利治氏より、歸米後の通信を得た、同氏は米國に於ての、邦人土地所有に關し眞先に訴訟を起され、米國に於て生れた、子供衆の名に依て、數十町步に亘る耕作地の所有を、確實にせんとされるので、事件は內外人の注意を惹いて居る、最早大審院の判決が有た筈で有るが其の報告に接せず、懸念至極である

拜啓、新綠の候。益々御精榮慶賀の至りに存じ候。

偖て、御地訪問の際は種々御配慮に預り千万有りがたく御禮申上候。往復三ヶ月の豫定に從ひ、去月十五日大坂商船『布哇丸』にて橫濱出帆以來、航海至て平穩にて恰も船は鏡面を走るが如く十有余日極めて愉快なる閑日月を得、廿八日夕刻無事シアトル上陸諸兄姉の熱誠なる御出迎を得て玆に當初の目的達せられ候事を欣び感謝罷在り候。歸米匆々『海外協會』兩三の幹部諸君に御目に掛りたるのみに候へども出縣當時の御高見に就て聊か申上置き候。創立日淺く活動の領域として未だ擴大せられず候へども徐々として內外結束、堅實に本領を發揮せらるべき意嚮に承り候。

三ヶ月前も後も變りなき『排日』の聲、聞くも忌まはしき沙汰の限りに候。小生は船中小閑を得て內村氏名著『How I became a christian』を讀みて今より三十年前『支那人排斥』を辨護するの言、今や處を同じうして、我愛する同胞の身の上に降りかゝりつゝあるを想へば、人種的偏見殊に異人種排斥の聲は到底時代より芟鋤し去り難き病根と長大息致し候。

文明國―基督教國を以て自任し、世界各地え傳道師を送りて四海同胞、兄弟主義を標榜する自家撞着、矛盾さに噴飯禁じ能はず候。それにしても在米同胞廿万の運命こそ同情に値し候。

今や敵は陣容堂々正規の法律を以て繩縛し我等をして屛息せしめずんば止まざらん氣勢を示し候。我等の子女より市民權を奪取せんとの運動さえ猛烈に候。我等極力對抗策に勉むるとは云へ固より我等の力には限りあり、玆に我政府當局者に向て援助を訴ふる所以に候。

殊に目今『土地借地權』に關する係爭は專ら大審院の手にあり。近々に其判決を見るべく、万一敗訴の場合我が同胞農民の受くる打擊や如何？合法的に上陸し乍ら劣等國民として、不同化の人民として區別的待遇苛酷なる虐待に甘せざる可からざる理由を知るに苦み候。此凌辱に對し世界一等國を以て任ずる我日本大帝國は如何なる處置に出でんとはする。退嬰自遜は我が日本外交の特長なりとか　殘念至極に存じ候。若しも海外發展の先驅者として臥薪嘗膽具さに健鬪以て漸く建業の緒に就ける我貳拾萬の同胞を見棄て、葬り去る如き擧に出でんか、第二の移民殖民に至ては推して知るべし。海外發展を口に徒らに大にするも其結果や水泡に歸し去らんのみと存じ候。

有識の士よ起て！健實なる輿論を喚起し、我等在外同胞を救拯せられん事を禱るものに候。旅裝を解いて未だ日僅かに候。如上の事實御賢察御助力奉希望候。敬具。

華州信濃海外協會々員名簿

大正十二年一月廿日迄に入會の分

住所等に誤謬あらば幹事に迄御一報あれ

長野地方（上下水内、上下高井、更級、埴科）

長野	山口良之助	南十街一一〇
同	木村憲司	日米旅館
同	田中春治	メーン街一二一一
同	森山貞雄	同
上水	田中正作	メナード街一一三
下水	河瀨	南九街二〇八
更級	西野入德	大學生クラブ
同	中曾根武平	東バイキ街一〇一五
埴科	大井千之	イーストレーキ二一〇一
同	大井玫子	同
同	近藤八十松	ワシントン街七二二

同	竹鼻清	ブレマートン
同	中島靜雄	ジョンス、アパート
下高	下田技師	第十一街一一一
下水	小林慶太郎	ワシントン街一〇一九

上田地方（小縣郡）

小縣	山極平右衛門	第十三街一二〇
同	長谷川英人	南廿四街九四九
同	山浦興十郎	ブランマー街九一一
同	柳町森太郎	キング街五一一
同	小池代次郎	ホラル、ミルオーキ
同	瀧崎保	ベルヴユー
同	山極啓吾	同
同	黑阪吉次郎	第二街一三〇四
上田	宮澤常太郎	南九街一一四
小縣	清水均	レニーア、アパート
同	木村武	ウエスタン、プロデユース
同	春原侯	ジヤクソン街一一二一
同	河西啓次	日米共信社
同	原春樹	レニーヤ、アパート
同	太田正成	レツキス、ホテル
同	中村逸慶	東バイキ街一三二二
小縣	山極信策	ボンテアク
同	小林三吉	オリ、ア
上田	香山直温	南十街二〇八
小縣	竹內節	ジヤクソン街
同	村上積善	テレスコート一二一〇
同	川船和夫	南十四行三〇八
同	神津知	ウエラー街一六三二半
同	關利兵衛	ミルオキー　ホテル
上田	增田傳一郎	南第二街二一六
小縣	尾澤永吉	ウエラー街一〇三〇
同	瀧澤篤	エスラー街
同	中島靜雄	エスラー街　三〇七
同	田中豊造	沙市
同	小岩井榮七郎	南三街一一五
同	宮坂峰	沙市
同	宮坂基	デアボン街一二

南北佐久郡

南佐	井出欣二	ジヤクソン街六七〇
同	尾羽澤義胤	富士商會
同	井出猪仲	メーン街一二一二半
北佐	依田武左衛門	東テレス一〇一五

南佐 山下信太郎 平出商店
同 井出憲三 第十一街一六六
同 並木周藏 ワシントン街九二一
同 阿部武八 南九街一一四
北佐 依田謹一 南十一街一一一
同 中村國會 パナマ ホテル
同 渡部熙藏 ウエラー街一二三二
南佐 市川彥八郎 テレスコート一三一五
同 武川保平 東オルダー街九一八
同 池田倉助 ブランバー街九一三
同 臼田五一郎 レニーア、アパート
同 中島昇 南九街二〇一
同 並木博太郎 ワシントン街九二一

松本地方(東西筑摩郡)

松本 渡部宗七郎 開運堂
東筑 宮田主計 ウエラ 街六五五半
同 保刈陽夫 ジャクソン街二四〇七
同 小木曾壽三 デアボン街
同 百瀨藤夫 沙市
同 高野定專 高野寫眞舘
同 原 渡 原商會

同 百瀨七雄 ウエスタン、ホテル
同 宮田はまえ ウエラー街六五五半
同 木戸岡昇郎 第一街二三二三
同 青木傳吾 ブロードウエー一〇七
同 海野幸軍 ジエフアソン街五一〇
同 降旗鐵次郎 ニユーアボンホテル
同 波多腰勝一 南八街四一〇
同 寺田誠 ジャクソン街六一三半
同 大澤加代吉 ウエラー街一二三六

南北安曇郡

南安 伊藤豊作 ボンテアク
同 平林破摩雄 第一街二三二三
同 望月積善 グリーンレーキ
同 片瀨與市 ジャフアソン街五一〇
同 太田留吉 モーダン家具店
同 横山重義 ジエフアソン街五一〇
同 伊藤源次郎 ボンテアク
同 伊藤恒司 同
同 山口巖水 ジャフアソン街二一〇
同 同 美和子 同
同 望月五六 デアボン街一三二六

同 青柳菊彌 オーバン
同 平林利治 ケント
同 平林義明 ケント
同 高橋實 東ジエフアソン街
同 伊藤博 ボンテアク
同 米倉貞吾 タコマ
同 平林基宜 南第四街三〇六
同 黒岩滿次 南六街四〇六
同 勝野庄一郎 ケント
同 須坂美壽惠 南第六街四〇六
同 荒川山壽 同
同 平林俊吾 ケント
同 平林朋信 南四街三〇六
同 小平緣次 オーバン
同 山田高成 南六街四〇六
同 竹岡喜嗣 ホテル ミルオーキ
同 横山信之 ケント
同 望月秀一 パイキ街八四
同 望月淸見 ウエラー街一二三六
同 太田丑太郎 北ブロードウエー二〇四
同 藤原正富 南第十街四

同 等々力喜多 メーン街
同 小林顯 ウエラー街一二三六
北安 山田慶次郎 日米共信社
同 激澤百二 フエデラル街一六六四
同 原田八郎 日米共信社
同 小林乾 南十一街一一四
南安 島田義一 シアトル市
同 根津宗次 シアトル市

上下伊那郡

下伊 淺野爲市 南十二街一七二九
同 關島賢 東鄕ホテル
同 倉田圓吉 南五街二〇七
同 東時次 常盤ホテル
上伊 有賀 ワシントン街九一〇
同 今枚連藏 メーン街六〇四半
同 伊藤本次郎 南九街
同 中田貢 ワシントン街一一〇五
同 伊藤博隆 エスラー アパート
同 池上榮七 東マヂソン街一一二三
同 田中映一 東マヂソン街二〇一四
同 佐藤孫三 東ジエフアソン一三一二

同 黒河内欣一 エスラー街一〇〇二
同 中村覺一 シアトル市

諏訪郡

諏訪 名取稜々 メーン街一二一一
同 溝口浪三郎 ローズ、テーラー
同 三上筑摩 北米時事社
同 三井實 スカイコミッシュ
同 細川德禰 同
同 小町谷 同
同 五味淸朝 ジャクソン街
同 牛山明成 ベルビュー
同 牛山政成 同
同 田中稻實 オリ、ア
同 峯光重 ワシントン街一一一四

計一四五

南加の成功者藤本安三郎君

忘れもされぬ、去年五六月の候、佐藤副總裁を煩はして、縣下各郡市に亘り、一齊に支部設立の運動をして歩いた、何處でも彼でも、至極安易に、設立の形式を踏んで下さつたが、偖て此の後がどうなるだらふと、内心頗る憫慨を抱いたものだつた、特別會員などになつて與れる人が有るだらふか、一郡市に一人宛は是非欲しいものであるなど、案じ暮した最中に、突如天の一方より快報を齎した、南加洲ロスアンゼルス在留の、藤本安三郎氏からである、同氏は五月十八日の日附を以て左の如き書翰を時の總裁宛に送られた

拜啓 先般歸朝の際は、御世話樣に相成、御厚情奉深謝候

却說今回は、雜誌「海の外」御送惠に與り、御禮申上候、貴下の御盡力に依り、信濃海外協會の創立を見たるは、小生の衷心より祝福する所に御座候、就ては小生儀、特別會員として入會致度、金百圓也御送申上候間、可然御取計願上候、廣島、熊本、山口和歌山等の各縣に於ける海外協會は、何れも支部を當ローサンゼルスに設け、非常なる發展振に御座候が、本縣に於ても亦、當地に支部を設置し、充分なる活動あらん事切望の至に御座候

先は不取敢、海外協會創立の御祝ひ旁、右當用迄申上度、如斯御座候、尚幹部諸賢へ、宜敷御鶴聲の程願上候、早々頓首

日本興業株式會社社長 藤本安三郎

今でこそ、特別會員何十名と數へるが、去年の今日に

於ける前記藤本氏の申込には、千斤の力を感ぜずには居られなかつた、同氏の申込は實に、特別會員として、最初のもので、有たので有る

先頃羅府長野縣人會幹事、山岸義茂氏から、藤本氏に關する通信を得て、今更に記憶の新なるものが有る、依りて之を掲載して、藤本氏に對し、改めて敬意と謝意とを表する事とする

人に奉ずるに厚うし、自ら奉するに薄うするもの固より自己犧牲の任俠的義氣に富むに非ざるよりは、之を能くする能はず、茲に紹介せんとする、我が藤本安三郎君の如き、詢に自己犧牲の好典型として、所謂任俠的志士の面目、自ら逼禪に躍如たるを見る、氏は明治十年を以て松本市伊勢町に生る、夙に渡米の雄志を懷き、明治四十年決然起ちて、其の宿志を遂ぐ、同年五月華州シヤトルに上陸、直に同地の石山に就働し、尋で加州に入ると共に、アラメダ市に、東京洋服店を開き、超えて四十五年、當ロスアンゼルスに入り、日本料理店大正軒開業の傍、近郊グレンデールに、百エーカー(四十一町歩)の農園を、共同にて營經し、畫策至らざる處なし、君は當時、此の地に一の娯樂機關無く移民地に於ける、無味乾燥なる生活は、往々人心を荒廢に歸せしむるものあるを慨し、萬難を排して遂に能く、今日の日米興行株式會社の創立を見るに至る、是れ大正四年の事にして、爾來各種の興行物を故國より齎し、茲に普く慰安の道を得せしめたり、君は又副業として、支那料理三光樓を經營せしが、大正十年歸國の際之を讓渡し翌年歸來後は、專與行會社の經營に任じ、高尙なる娛樂趣味の鼓吹に力を注ぎつゝあり

君資性磊落恬淡にして、毫も私心無く、情に厚く義に富み、而も淸濁併せ呑むの雅量は、各階級を通じ

て、交友晉きに徴すべく、所謂自己犠牲の志士的快男子として、南加の幡隨院長兵衛を以て目せらる、君が三度渡米の途次、偶々布哇より同船にて、米國遊學の目的を以て、大陸轉航の途に上れる、布哇生の熊本縣人工藤某と稱する一青年あり、素より一面の識あるに非ざりしが、君は同青年の話を聞きて其の意氣を壯とし、桑港上陸後、伴ひ歸りて南加醫科大學を修了せしめ、引續きシカゴ大學に送りて學資を給しつゝあるが如き、又先年黒井提督の率ゆる、我が海軍練習艦隊が、羅府寄港の際、各縣人會は相競ふて、母縣出身水兵の爲に、盛大なる歡迎會を催したる事あり、其の際當市に縣人會の設なき一部の水兵は同樣の歡待を受け得ざりしを以て、氏は甚だ之を遺憾とし、私費を投じて特別なる歡迎會を催せるが如き、皆君の義俠心に基くものにして、是の如きは容易に他人の爲し能はざる所なり

斯くて氏は現在、羅府日本人會參事員、長野縣人會々長、明治神宮奉賛會特別會員、日本赤十字社特別社員、南加慈惠會特別會員たる外、東本願寺羅府別院會計、北米神道支局會計、南加日本病院重役、勸業金融株式會社重役等、各種事業に斡旋盡力し、更に今回信濃海外協會南加支部の、當羅府に設けらるゝに當り、君特に選ばれて之が特別會員たり、該支部は近々發會式を兼ね、縣人總出の一大ピクニックを近郊に開催せらるゝ筈なり

あゝ南加の快男兒として衆望を集め、得意の高潮に棹しつゝある、素より君の天賦の然らしむる處なりとは云へ、亦一面貞淑の譽高き桃代夫人が内助の功、與つて大なるもの有るは、忘る可からざる事實となす、氏に二兒あり長男忠男、次男清藏、共に郷里に在りて修學に餘念無し、君の前途や寔に多望なりと云ふ可きなり

北滿より

哈爾賓　島田生

アメリカ、オーストラリヤに於ける日本移民が、阻まれてから、勢南米に向けられたが、最近の電報はブラジルに於ても、亦復アジア人種の渡航禁止の運動があつたとか傳へて居る。東洋人種と云へば、支那人を以て最大多數とするが、有り餘る日本人の排け口を、世界中に求めて居乍ら、案外足下の事情に暗いのは、日本人にとつて笑止と言はねばならぬ、產業上から見た日本及日本人の立場、りれは大陸殊に滿洲内蒙古を、切り離して考へられない事は明白な事實だが、内地人も亦在滿洲日本人も、誤つた根底に立脚して、枝葉に拘泥して、本道を歩み得ないで、行き詰つてゐるのは、學者も爲政者も、誰も彼もが着目せねばならない事である。事實として、カリフォルニヤの日本移住民中の一二識者は、既にカリフォルニヤに於ては、彼地の法律の、到底日本人の永住を不可能なるものとして、根底ある植民思想に立脚して、日本の人口及食料問題の解決並に、產業上の地歩を得る爲に、カリフォルニヤの日本人を、滿洲に逆移住せしめんとしたのである。而して既に之が研究は一ケ年間に亘りて研究され、既に大連市外に、カリフォルニヤより渡來せる一青年は、アメリカ式耕地法を用ひて、一大農場を建設し始めたのである、かくして前記識者は、今後日本人の永住地植民地たらしめんとして、滿洲及内蒙古を只管に研究中なのである。

然らば誤まれる植民思想とは何を指すか、即ち日本人が土着的永住的ならずと云ふ事である、之は殊に海外在留民、殊に移住の目的で内地を離れた者の、考へねばならぬ事と思ふ。單に海外に出て働くのみならず自己及自己の子孫をも、其の土地に永住生活の計畫が必要と思ふ。農業は勿論永住的であるが、其他商業に從事する者、一般出稼人に至るまで、單に金を攫んで歸國する底の思想は飽くまで根絶したいものである。

今哈爾賓には、日本人三千五百人居留してゐるが、滿鐵其他官公署及、會社勤務の者を除けば、實際に商業を營む者とては極稀である。殊に永住的に土地を借入れて、耕作に從事する者とては、僅に一家族あるのみである。吾人が渡滿前及、渡滿後と雖も、内地及在滿日本人の口から「南滿洲は行き詰つた」と聞かされるが、一体何を標準として論じてゐるのか解らない。一攫千金、濡手に粟を攫む底の思想が、かゝる論の根據をなしてゐはしまいか、不健全なる思想所有者の行動が、惡結果を齎すことは、何時何處も同じである。健全なる思想を持し、眞に邦家の人口問題、食料問題を憂へて國外に出づる者は眞に先覺の士として、吾人は尊敬せずにはゐられない。

滿洲及内蒙古の地は、日本本土及朝鮮を合したる者の、二倍の面積がある。而も現在は僅に遼東半島を除く外は、滿鐵沿線に微々たる發展をみせて居るに過ぎぬ。南滿と云ひ、北滿と云ひ、これからである。未だ

漸く其の緒に着いたに過ぎぬ、而して殊に日本人の生活に適してゐる土地である。寒氣暴風其等は唯日露戰爭當時より、防寒設備不完全な日本軍に依つて、傳へられた誤傳に過ぎない、殊に吾信州人には、殆ど信州と大差なき感がする此點は在滿信州人の等しく口にする所である。吾人は健全なる思想、健全なる氣風を有する信州人の、此の地に着目雄飛されん事を望んで止まないのである。（五月十日）

景氣盛返し候

西澤泰次君

貴會御發行の「海の外」、遠隔僻地に在る吾々に迄御送附下され、實に感謝致します

當地に於ては、日本雜誌の少き爲め、同縣人は固より他府縣人迄も、其の恩澤に浴して居る次第です

當國に於ては御承知の如く、珈琲を主作物と致し、同胞中數年前に植民せし人々の中には、之を栽培せられて居る人が、多く有ります、一時相場下落の影響は、吾々勞働者に迄及びしも、近來景氣盛返し來りし爲め耕主等は非常なる好意を持て、勞働者を迎へて居ります、此の時に當りて、本國に海外協會の設立を見、邦人の渡伯を奬勵せらるゝ事は、獨り長野縣の爲めのみならず、日本帝國の慶事と思ひます。

前號に於て、海外の寫眞を御希望せられしに依り、是に珈琲摘取實況の撮影を一葉差上げます、二人立てる右は私で左は鹿兒島縣人某君で有ります。

尙當地には長野縣人が、多數居住せられます、先日一同集會せし節次の如き事が問題になりましたから、御伺致します

1、會費と雜誌代とは、別に支拂ふべきか、

2、會費取扱には、當國に代理人有りや

右につき急ぎ御返事を願ひます（編輯人申す會費の外に雜誌代は不用です）

渡伯希望の方へ一言申上度候

宮崎富美男君

拜啓、貴協會益々海外發展に御努力の有樣を、海の外誌上にて拜誦致し、誠に喜ばしく、打下すエンシャーダの勢も、益々強く相成候、貴協會の宣傳の方法宜敷を得て、當ブラジルを内地の青年諸君にお知らせ致し内外共鳴なさば、渡航者も益々多くなると同時に、内地人の居心地もよく相成、引いては政府にも、移民省

とか、植民省とかの、設置をも見る事に相成べく候、現在遺憾に存じ候は、渡航者の中に、意志の薄弱なる人の、往々見受けらるゝ事に候、これは小額の金を持參する故にも有之べきが、在留者の爲、實に遺憾に御座候、相當資本とするに足る資本ならば兎に角、少額の資本ならば、寧ろ持參せぬが安全と存候、少額の金ならば、わざ〳〵外國迄持參して消費するよりも、養育院なり、孤兒院なりへ寄附して、無一物にて來るが宜しく候、其の代り强固なる意志と、健康なる身體とが、必要に御座候、りれに就きても、其の人を造るが緊要に候が、之れは急の仕事には無く候故、貴協會の御手を煩はし、一日も早く、營利會社の手を離れ、他の一等國に見るが如く、暖き政府の手に依りて、渡伯致す事の出來る樣、又一方第二の日本を、建設するに足る青年を造られん事を、期待致し候、長年くすぶつて居る小生の部落の寫眞一葉、同封差上申候（大正十二年四月一日）

少々紙面を拜借して

上伊那郡會員　小松永太郎君

拜啓　御社益々御隆昌奉大賀候、陳者現下渾圓球上、我が日本に對する排日の思想は、一面我が日本を畏敬するの裏書とも見るを得べく、吾人は寧之を痛快事として、益々海外に向て勇進飛躍、以て排日をして遂に拜日たらしむるに至らしめんの、大抱負大理想の實現を至要とするものにて候、此の意味よりして、茲に七絕一首を得申候、敢貴紙面を借りて、渾圓球上、渾圓界裡到る處、拜日の眞境地實現の先驅者先鞭者たる海外各地に於て、活動しつゝある諸君の一粲に供し、以て益々其の剛健博大の、意氣發揚に努められん事を、望んで止まざるものに候

東海有國號日本　旭光輝々即理想
渾圓球上渾圓界　拜日欽慕隆々狀

海の外の新刊を手にして、雄心勃々禁ずる能はず、茲に筆を染む、（大正十二年初夏）

亞國の首都ボノサイレスの女

（亞國日本人紙上より轉載）

はしがき

唯一口に亞國の女と云つても當國の樣な雜人種寄合ひで出來上つた新開國では『日本の女』とか英國の女』とか言ふ風に『亞國の女』と云ふ一定の型を描

き出す事は可なりの難事である。で一般に亞國の女と云ふてもボノサイレス市に住む所謂『ボルテーニャ』と地方にある彼の『プロビンシアーナ』との間には月鼈の差があつて一寸別人種の感さへ與ふる位であるからプロビンシアーナの事は他日に讓り茲ではボルテーニアに就いて書く事にするが併し當市生れの英國の女や獨逸の女等は何處までも英國風の女であり、獨乙流の女であるからボルテーニアと云ふ詞を當嵌める事は出來ないのと『ガビーガ』や所謂『フランセーサ』等は茲では問題外であると承知して頂きたい。

○ラ、ニーニア　ビエン

『ラ、ニーニアビエン』と言ふのは當市上流社會のお孃さん達の事であつて、其の上流社會と稱するのは當國富豪連の事であるが歐州諸國で見る樣な金が無くても名門である故に『アリストクラシー』と稱するのとは異つて此所移民の成金で出來上つた新開國では富豪でなくては如何に名門の出でもアリストクラシーのお仲間入りは出來ないのである其の證據に亞國の開拓者である『マガジーアネス』『ソリス』『ガライ』等云ふ姓や當國獨立戰爭に關係のある『ベルチイ』とか『サンマルチン』とか云ふ苗字が當國の紳士錄たる『ギアーバルマ』の中に一つでもあるであらうか。そうして當國の上流社會と稱するのは茲四五十年前に官領地を私有したか或は捨てる樣な値で何万町歩と云ふ廣袤な土地を買ひ込んだ大地主の事である。所でお孃さんと云ふのは二十才前後の若々しい娘さん達のみであく既う一生獨身で暮しておる白髮のお婆さんでも矢張『ラ、ニーニアビエン』であつて這麼お婆さんに向つて家庭で下婢が『ニーニア』等と呼んでおるのは我々には一寸お可笑しい氣がする、所で『ニーニアビエン』の外觀的三大要素とも云ふべきは『容貌』と『風采』と『衣裳』であつて彼等が其の容貌の美しからん爲めに『ムション』等で費やす金と毎朝化粧の爲めに消す時間は決して少いものではない。

また風采を良くせん爲めに雜誌『ボゲー』等に據つて歩き方とか、坐り方とか會話の仕方とかを苦心研究する事は一通りでなく而して彼等の所謂『ローセンシアル』と云ふものを造つて行くのである。『良い衣裳を着ける』と云ふ爲めに彼等の着物の多くは『ジョルヂ』の製調したものであり、其帽子は『モヂスタバコー』の造つたものでまた『良い靴を穿く』爲めには彼

等の靴は屹度サバテリア『バリード』製の品であらう。『ラ、ニーニアビエン』は決して學校へは行かず必ず英國婦人か佛蘭西婦人の『家庭女教師』に依つて形式的の教育を受けて居るが彼等は決して究學的で無い故に餘りに高等な教育は受けてゐないが常識に富んでおる事と英語か佛蘭西語を自由に話す事は感心な程である。

また彼等はピアノも彈けば『歌』も歌ひ音樂に對して相當な耳を持つておるし其他文學彫刻に對しても可なりの理解を持つてゐる、而して舞踏に對して科學的の研究を積んでおる事は云ふ迄も無い事である。

次ぎに『體育運動』に關しては、テニス、乘馬、ゴルフ、自動車、魚釣等凡ゆる運動に通じておるが『カンピオーナ』を出す迄には決して深入りしない。運動に次いで『ラニーニア、ビエン』の好む事は旅行であつて彼等の最初の旅行は巴里と倫敦へ行き必ず『アストリア、ホテル』と『リッツ、ホテル』の宿帳に彼等の名を記入する事である。そうして歐州から歸つた後で此度は北は『ルタサ』や『フフイ』から南は『パタゴニア』邊まで旅行して所謂『ナショナリズム』の氣分を養つて『ラ、ニーニアビエン』たる資格を一歩一歩と造つて行く、所で『ラ、ニーニアビエン』の生活の中で一番大切なものは言ふまでもなく社交である。戀は彼等に執つては『第二義』の問題で從つて結婚は『ラ、ニーニアビエン』の『最後』である。彼等の生活に對する哲學は『如何にして面白く日を暮すか』と云ふ事で上述した所の衣裳とか音樂とか勉學とか果た運動とか旅行とか戀とか云ふものは此の如何にして面白く日を暮すか』と言ふ事の爲めの手段に過ぎないのである。彼等は人間の物質的及び精神的幸福を造る原動力の大部分である『富』の所有者であるから『富』の力でなし得る凡てのものを爲し盡し得る。彼等は『富の所有者であると同時に『自由』の持主である。彼等の慾望は唯『如何にして面白く日を暮すか』といふ事なのだから社交と云ふものが彼等の生活の凡てのゝ樣になるのは當然の事である。金曜日の『ハローズ』の『茶』にコンヒテリア『パリス』の『デイア、デ、モーダ』に或は『プラサホテル』や『チイグレ、ホテル』の舞踏會に夜は『コロン』や『コリセオ』の『バルコ』に日曜日の朝は會堂の禮拜に或は何某の『レセップション』に何々の慈善會に而して彼等の社交と云ふものは冬期はボノサイレスに夏期はマルデルプラタにソレハ

くは忙しいものである。

斯くの如く『富』と『自由』の持主なる彼等が此の生活に倦いた時に來る最後が結婚である。從つて結婚は好寄心からでもなく、幸福の爲めに開かれた扉でもなく唯彼等の行くべき平凡なる自然の經路に過ぎないから彼等の結婚は實に冷つたいものである。亞國の有名な小說『アドリアーナ、スマラン』の作者が描き出した女主人公の如く『ラ、ボルテーニア』と云ふ者の心理狀態は極めて複雜なものであつて、あの神秘的な西班牙の女と華かな佛蘭西の女の兩者の血を受け繼いだ一種異樣の『型』の面白い女性が出來上つておつてそれが『ラニーニア、ビエン』に於て最も哲學的な心理狀態を現はしておる。而して此等の心理狀態に關しては亞國の小說家『マヌエル、カルベス』『レツマン』『ユーゴ、ワスト』や『エンリツケロンカン』等の作物を諸彥にお進めして此の少ない紙面をその爲めに使ふ事を避けやう。最後に一言附言せんとする事は是等の『ラニーニアビエン』の間には階級思想の强い事甚だしいものであつて彼等の結婚も結局は『家名』と『家名』の結婚であるから其所に『自由結婚』とか『ローマンス』等を夢見たならば大きな間違いである。だからよく邦人仲間で聞く當國上流の家庭の娘が彼の家に使つておる邦人の『ハルジネロ』と結婚するとか或は邦人貿易商の一店員が其等の家柄の娘さんから結婚を申込まれた等云ふ事は若しそれが事實とすれば寧ろ奇蹟と云ひ度い、尙一言したい事は單に富豪だからと云ふても『社交界の人』と呼ぶことは出來ない。現に此度の歐州大戰爭のお蔭で俄成金になつた連中も今日では未だ『ソシエダ』の仲間入りは出來ないのである。

『ラ、ニーニア、ビエン』と云ふと上手に化粧をした（實際美人は皆無と云ふてもよい）瘦せて細長い新聞『ラ、ナション』の畫家『マラガ、グレネ』の挿畫を想ひ出す。

信州事情

○郡市長會議

本縣郡市長會議は、先月十四日十五日の兩日開かれた最先長官の訓示は下記の要項を含めるもので有た

攝政宮殿下の御近狀　地方長官會議　民力涵養　郡制廢止後の注意　財政緊縮　義務敎育費國庫負擔金利用　縣會議員選擧　縣立學校建築　道路改良計畫變更　事務簡捷能率增進

指示事項としては、縣會議員選擧、町村監督、勞働統計、移植民保護奬勵、救恤及救療、義務敎育年限延長義務敎育費國庫負擔金增額、國縣道修繕、農會、產業組合普及充實及指導監督、信用組合貯金、耕地整理指導監督、開墾奬勵、農業水利改善、養蠶飼育法、保健衛生調査、工業勞働者、家畜衛生等で、各項目に就き頗熱心に意見の交換をした、長官の潑剌たる而も打解けたる態度に連れて、各郡市長何れも、忌憚なく開陳し、問題毎に其の根本に觸れ、機宜に適したる答申が有り、生新の氣の充溢した會議だつた

我が信濃海外協會の、移住地計畫に關しても、十分なる了解と共鳴とを抱かれたるには、謝意を表せずには居られない

○長野市の併合實施

久しい間の懸案で有り、時々問題になつては、其の都度不成功に終りたる、長野市合併の件も、本間長官の熱心なる斡旋に依り、其の筋の了解を得本月一日から實施する事となつた、長野市民は固より、一町三ヶ村民も今更の樣に緊張の態度を以て、合併の後始末やら、合併後の施設計畫やらに、取かゝつて居る、

合併には種々の變動が作ふ譯だが、差當り數字に現はるゝ方面を見ると

面積　現長野市の七二〇町五反歩は、約四倍の二六〇三町三反となり、平方里の割合に直すと

長野〇、四九〇　古牧〇、三六〇　芹田〇、四六八　三輪〇、四九〇　吉田〇、一二〇

合計一、九二八即二方里大となる

人口　國勢調査に依たものでは、現長野市のものより五割五分を增して、五七一四七人となる

地價　現在長野市は、市街宅地として高率であり、總額が多いから、面積や人口の割合には增加しない、

現在の一〇三七〇九七圓が、一九一二一一七圓とあり八分四厘の增加である

當初併合の條件として、吉田長野間に電車を敷設する事になつて居たが、其の後長野市側の運びが遲いと云

ふので、吉田町は稍不滿らしかつたが、長野市民も大に覺むる處あり、須坂迄一氣に完成させ樣と、全市民の奮起となり、株の募集も、忽ち充實せんず意氣込で有るから、遠からず實現を見るであらふ

又此の併合に伴ふて起る、興味ある問題は、今秋選擧の行はるべき、縣會議員の各郡市配當數で有る、之れは大正九年の、國勢調査の結果に基きて、割り出さるゝ筈で有るが、長野市の併合が成ると成らざるとに依りて、一名か二名かに分れ、從而南北信に、分けたる總數に差異を生ずる事になる、

議員總數の四十四名には、變動が無いが、現在南信二十一名、北信二十三名で有るが、新配當に依れば、各郡市別左の如くで、南信二十三名、北信二十一名となる

郡市	現在定員	改正定員
南佐久	二	二
北佐久	三	二
小縣	三	三
諏訪	三	四
上伊那	四	四
下伊那	五	五
西筑摩	一	二
東筑摩	四	四
南安曇	一	一
北安曇	二	二
更級	二	二
埴科	二	一
上高井	二	二
下高井	二	二
上水内	四	三
下水内	一	一
長野	一	二
松本	一	一
上田	一	一
計	四四	四四

松本市の方にも、併合問題の起りつゝある事は、前號に報じた通で有るが、最近更に松本村の外、本郷村をもといふ議が出て來た、之れには縣當局も、發動的に斡旋盡力する意向が有るとかで、餘程迄可能性が有るらしい、併し松本市の爲に計れば、此の際急遽一二ヶ村の併合をなすよりも、遠き將來を慮つて、遠大の計をなすべきで有ると言つて居る人もある

○縣農會總會

改正農會法に據る、新議員出席の、本縣農會臨時總會は、先月二十日二十一日兩日、農會の事務所に開會された、各郡市の代議員は左の諸氏である

南佐久	並木齡輔	北佐久	高山永三郎
小縣	山本莊一郎	諏訪	大和仁平
上伊那	福澤泰江	下伊那	平野桑四郎
西筑摩	松原彥右衛門	東筑摩	鳥羽久吾
南安曇	飯田慶司	北安曇	清水眞虎
埴科	塚田順	更級	原三郎平
上高井	石田治作	下高井	山田莊左衛門
上水内	市川英三	下水内	月岡儀十郎
長野	荒井郡司	松本	赤穗富治
上田	瀧澤一郎		

右議員全部出席、本間會長、鈴木農務課長、富永農事試驗場長、伊藤、渡邊兩技師參會、本間會長一場の挨拶をなし、鳥羽氏座長となりて、役員の選擧に移り、七名の委員にて詮衡の結果、會長に本間知事副會長に鳥羽久吾氏、評議員に平野桑四郎、大和仁平、高山永三郎、塚田順、山本莊一郎、市川英三、山田莊左衛門の七氏當選し、又帝國農會議員に平野桑四郎氏、同豫備員に、高山永三郎氏當選、更に之を總會に謀りたるに、滿場異議なく可決確定した

○健康兒童共進會

愛國婦人會長野支部では、本縣社會課の後援の下に第一回健康兒童共進會を開催した、兒童愛護の問題は、近來一般に注意を喚起されたる結果、出席申込は三百を超ゆるの盛況で有た、滿一ヶ年以下の乳兒が大部分は母親に、稀には兩親に抱かれて、狹い事務所に詰込んだ所は隨分殷やかで有た、

赤十字病院の小兒科醫師、佐伯氏を始め、市内の小林鎌原、田中の三氏に、延川衛生主事を加へて、五人の醫師が十數名の看護婦を助手とし、各分擔を以て、身長、体重、頭圍、胸圍体格其の他に就きて、綿密なる審査を遂げ、優良なる發達をなせる、二十名を選拔し一等より五等に分けて、推賞する事にした、一等に當選せるは、長野市字三輪の、大口方三次郎氏の女兒靜江といふので、十一ヶ月と十三日になるが、体重二貫五百匁、身長二尺五寸一分、胸圍一尺六寸、頭圍一尺五寸四分有て、滿二ヶ年の体格に相當して居るとの

事で有た、此の子供の家と云ふのは、遠く市街を離れた、桑畑の中に有て、兩親は全くの農業者だ、育兒と云ふ事に格別注意したのでは無かつたが、お母さんの體格が、並勝れて好いので、非常に乳が豊富だつたのは、第一の原因らしい、夫れに生れ落ちるから、畑や田圃へ連れ出されて、充分日光に浴し、土に親んだ事も、健全なる發育を遂げさせた、重要なる事情で有た樣だ、畢竟農村は、健康体の出生地であり、育成の場所で有るのだが、惜い哉姙産婦の取扱や、乳兒哺育の方法等に、無頓着の者が多い爲に、折角の天恵を無みする結果となる

此の外に當日は、長野市の内外に、自働車を走らせて宣傳ポスターを配り、辻々で車上演説を行つた、猶引續いてお伽話の大家、久留島武彥氏を聘し、長野の外松本上田の兩所で、兒童を對照に、講演會を開催した

兎に角今度の催しは、本縣に於ては始めての試みであり、機宜に適した催しで有たから、大に一般人の注意を喚起し、資益す處が多かつた

○攝政宮殿下輕井澤御成

攝政宮殿下には、今夏八月十七日から十日間、輕井澤に行啓、故大隈侯別邸に、御滯留の事が確定したので、本縣民一同は、滿腔の熱誠を以て、御歡迎申上ぐる譯で有る、

此の事の確定するや、本間長官は去月十日頃より、再三現場に出張し、實地調査の上御滯在中の萬事に、遺漏の無い樣手配をする筈で有る、奉迎費十一万四千圓は、去月二十二日、縣參事會の議決を經、直に準備に着手し、左之通各係長を任命した

庶務、新聞記者係、川島學務課長
奉迎送係　畑山工場課長
經理係　萬地方課長
御宿泊所係　鈴木農務課長
調査係　三樹社會課長
獻上品係　西谷林務課員
警衛車馬係、遠山保安課長
旅館係　中山會計課長
衛生係　藤澤衛生課長

右係長の下に夫々屬員を配して、其の活動を便にする譯で有る

前號にも報導せる通、現長官は輕井澤の、開發紹介に

意を用ゐられつゝある矢先に、殿下御來遊の事あるは眞に天意の有る所も窺はれ、本縣に取りて光榮の極みで有る、若し夫れ輕井澤の、自然と風物とが殿下の御思召に叶ひ、來年も引續き御來遊の事あるか、或は更に御用邸でも、御設になる等の事にもあれば、夫れこそ同地は勿論、縣全体の榮譽無限と云ふべきである、北佐久郡に於ては、地元なるだけ、郡長を始め郡内有力者、町村長、學校長等何れも、熱誠を込めて御歡迎申上ぐべく、各方面に奔走盡力して居る

○信濃教育會總集會

信濃教育會年中行事の一なる、信濃教育會總集會は、先月十六日十七日兩日、長野師範の講堂に開催された、現總裁（本間知事）の始めての會で有たから、其の挨拶は全會員の、興味を以て聞く所となり、今一つは多年教育界の希望して居る、圖書館縣立の促進運動を起しつゝある最中とて、一段緊張せる會合で有た

春蠶狀況

今年の春蠶は、掃立當時、繭價の高かるべく、豫想されたるを以て、例年に無き多數に上つた、中頃異蠶といふ聲が、一寸傳へられたが、大した事は無かつた樣だ、一方桑の發育も近來稀に良好で有たが、掃立過多とでもいふで有たらふ、上簇間際に至りては、桑の不足を告げ、値段は非常に騰貴し、善光寺平あたりは、例年の三四倍、即ち百貫目七八十圓を稱ふる程だつた、收繭も從て多額に上つたが、價格は當初の豫想十五六圓は空想に終はり、平均十一二圓で取引された樣だ、數年前に比すれば、十圓以上は著しき騰貴であるが、肥料や人夫賃の、夫れ以上に騰貴した處から、左程割に合はなくなつた、養蠶經濟もナカ〳〵油斷はならない

○洪水騷

去月廿日頃の豪雨は、信州に大損害を與へた、千曲川筋は左程ではなく、例の延德冲浸水が主なるもので、河東鐵道に二三ヶ所の故障を起した位だつたが、南信殊に諏訪伊那には、被害が多かつた諏訪湖の増水は六尺と號せられ、夫れに上川、宮川の堤防決潰が、數ヶ所

に及んだから、四賀中洲地籍迄、汎濫し植えたばかりの稲は數日間水に浸されて、收穫に大影響が有るだらうと豫想される、

上伊那には、天瀧川に注ぐ、小川の押し出しで、諸所に被害が有た、小川と云ふものゝ、石や砂を押し出して來るのだから、其の損害は寧一層慘酷である、最甚だしかつたのは、片桐村の前澤部落で、前澤川の押出の爲に、安政年間に有たものよりも數増倍の被害だと、古老が言つて居る程で、慘狀目も當てられず、水田の流失、百町歩家屋の流失、半潰若くは屋根下以下、土砂に埋沒せるもの等合計三十六戸、幸に日中の事だつたから、死人は老婆一人だつたが、着のみ着の儘にて逃げ出したるもの百五十名、炊出をするやら、施米を配るやら、親類に寄食する者、集會所や寺院に收容さるゝもの、混亂の狀態は火事場所の話で無い

片桐村は戸數僅に四百五十三の小村で、納税成績の良好なる事、郡下第一に位する模範村で有たが、今度の災害で殆んど、恢復すべからざる迄になつた、前澤部落は、大地主前澤二郎氏、同久男氏、同勳氏等の所謂前澤一簇が、多數小作人を擁して、農業に從事して居る、前澤二郎氏は、地價金貳万上伊那隨一の豪農で有つたが、其の半分の田畑を流失した、弟の勳氏は七八千の地價を所有して居たが、餘す所僅に八百圓といふので、其の轉變には喫驚せざるを得ない、

此の洪水の原因は、世間普通のもので、上流七久保村村有林が禿山となつて、四十何ヶ所かの山崩が出來、夫れが一度に押出した爲で有る

松本平には比較的少かつたが、大町には若干の家屋浸水が有た

南佐久通信

千曲川發電所問題　千曲川電化工業株式會社が組織せられ、千曲川の水を揚げて臼田町勝間高地に、發電所を造るといふ計畫の處、水利關係を有する、青沼、田口、平賀三村民の反對に逢ひ、發起人たる、高見澤横森土屋佐々木黑澤の諸氏は、遂に先月廿二日其の計畫を放棄した、三村では啻に灌漑用水のみならず飲用の井戸水にも影響あらんを患へての事で有たが、運動方法が稍激烈に過ぎたといふので、若干刑事問題を惹起した樣だ、信州は至る處電氣事業が旺盛なので之れに關する紛議が各所に發生しつゝある

米の現在高調　本郡に於ける五月一日現在、在米高は前年に比して、一割五分の増加を示し、約三万三百石といふので有る、増加の理由は、前年の増收に加ふるに米價の低廉なりしに依り一般に賣惜みたるに基因すと認められる、尚郡内總人口七万三千一人一日平均三合づゝ消費するとせば、新米出廻期迄約六ヶ月間三万九千餘石を要するので幾分不足の計算となる

各種會合　五月下旬から、六月中旬にかけ、催されたる各種會合は下記の通であつた、聯合青年會講演會、神社協會南佐久支會、林野保護取締功勞表彰傳達式、戸籍事務研究會、養蠶組合長會、町村長及税務主任會、聯合衛生組合長會

海軍志願兵入團　本郡より横須賀海兵團に、入るべき志願兵十四名は去月一日を以て首尾よく入團した

住吉橋開通　臼田町より、田口村大奈良停留所へ、一直線に通ずる住吉町の橋梁落成し、最近開通式を擧げた、同橋は臼田町の交通に甚大なる便利を與ふるものである

養雞養豚の流行　近時一般農家は、固より商工業者に至る迄、雞豚の飼育大に流行し、相當の成績を收めつゝあり、從來副業に乏しかりし本郡に於ては甚だ喜ぶべき現象である

編輯室より

ブラジル移住地の計畫は一般に好感を以て迎へられ緊要なる事業として續々共鳴者を得つゝ有る事を喜びます。

大正六年二月南洋ダバオに渡り六ヶ年の奮闘生活を續けたる長野市出身の倉石鶴次郎君が先月歸朝されました同君の報告は彼の地の事情並に在留邦人の生活狀態悉して餘す處が有りません次號に御紹介致す積りです

在外諸君に御依頼の數々は前號所載之通り殊に居所不明者河野保三君前島義男君、内堀源太郎君の消息御存じあらば新舊に拘らず至急御報知を願ひます

海の外

定價	内地	外國
一部	廿錢	廿仙
半ヶ年	一圓十錢	一弗十仙
一ヶ年	二圓廿錢	二弗廿仙

海外郵税四錢

注意
▼御注文は凡て前金に申受く
▼廣告料は御照會次第詳細通知致します
▼御拂込は振替に依らるゝを最も便利とす

大正拾貳年七月一日

編輯人　永田稠
發行兼印刷人　長野市旭町　藤森克
印刷所　長野市長野縣廳内　信濃毎日新聞社
發行所　海の外社
振替口座長野二一四〇番　信濃海外協會

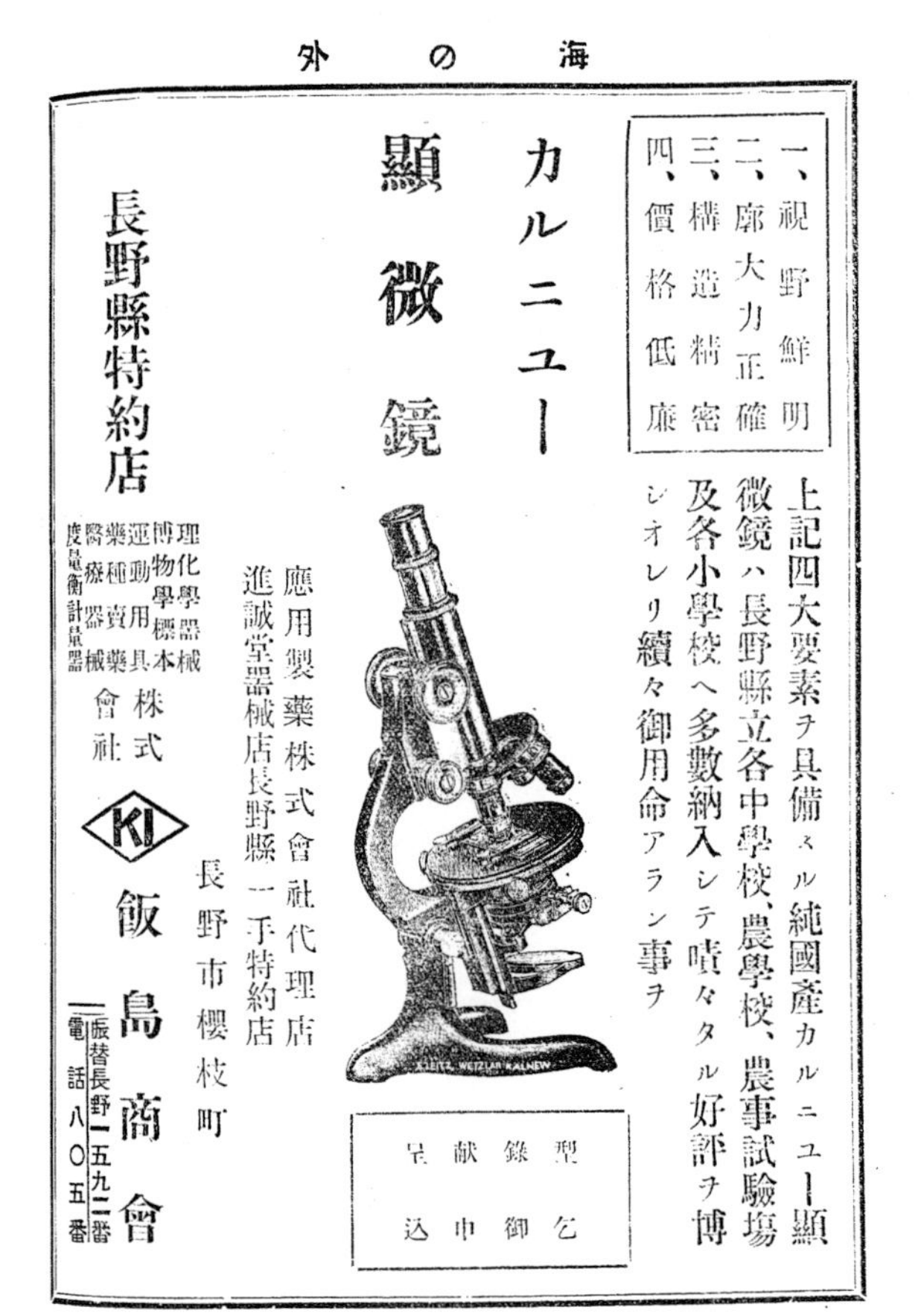

一、視野鮮明
二、廓大力正確
三、構造精密
四、價格低廉
カルニユー
顯微鏡
上記四大要素ヲ具備スル純國產カルニユー顯微鏡ハ長野縣立各中學校、農學校、農事試驗場及各小學校ヘ多數納入シテ嘖々タル好評ヲ博シオレリ續々御用命アラン事ヲ
型錄獻呈
乞御申込
應用製藥株式會社代理店
進誠堂器械店長野縣一手特約店
長野市櫻枝町
長野縣特約店
理化學器械
博物學標本
運動用具
藥種賣藥
醫療器械
度量衡計量器
株式會社
KI
飯島商會
振替長野一五九二番
電話八〇五番

信濃海外協會
海の外社發行

目次

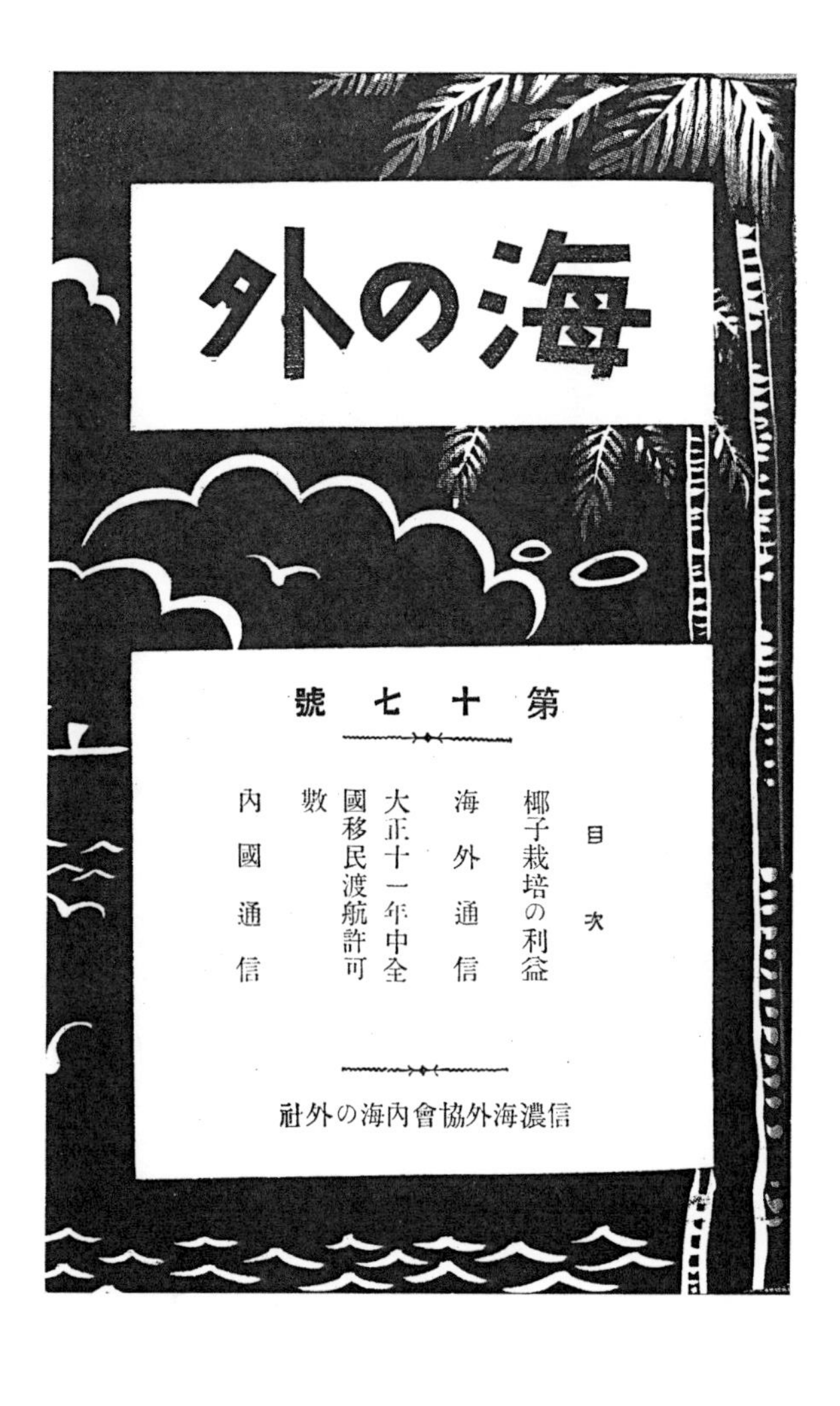

海の外
第十七號
目次
椰子栽培の利益
海外通信
大正十一年中全國移民渡航許可數
內國通信
信濃海外協會內海の外社

椰子栽培事業の利益

最近届いたダバオ日本人會々報に載せられた大森忠四郎氏の混牧椰子園經營に關する計畫は大に參考になるべきものと思はれるから借りて此處に掲載する

混牧椰子園豫算

一、投資豫算

ダバオ日本人會五周年紀念號を出版するから椰子栽培並に牧畜を兼ね一家族で經營する豫算書を作れとの命令を受けた僕も椰子栽培と牧畜業に從事する事約六年相當意見もある積りであるが會社でやる事と一家族でやる事とは自から趣きを異にせなければならぬ殊にダバオで日本人が土地を得ると言ふ事は非常に困難な事で殆ど不可能の事と言ふてもよい中には土人の妻を持て其名義で土地を取らう等と途方もない事を考へて居る者もある樣だが此浮草の樣に貞操の乱れた土人を信用して千辛萬苦愈々椰子がものになつた曉に寢返り打たれたらさあ事だ寢込に飛込で重ねて四つに切ても未だ足らないだらう

そこで最も安全な方法は地券のある土人の私有地を買ふ事であるがそれは前にもいふ通りダバオには極て稀で殆ど望む事は出來ない幸に當地には政府の土地を二十五年間租借して居る會社が相當あつて中にはこれを開發するに充分の資力を持たぬ者があるから斯樣な會社と契約して所謂自營者式にやつてはどうかと思ふアバカも漸次老衰して更新の時期の來て居るのも次第に多くなる此際斯樣の事が何とか甘く行つたら邦人も充分根强く土着せしむる事が出來國家の植民政策上非常によい事だと思ふ

兎に角茲では何とかして土地拾六町歩を手に入れたと假定して豫算を立てる事とする土地は森林地コゴン原麻山等色々あるが茲では森林地と假定するコゴン原を物にするにはトラクターでもないと中々困難の問題だ

から可及的コゴン原は避けなければならぬ尤も庸出ならば頗る安く付くであらう

開墾面積は初年度に全部開墾する事とする勿論其爲めには勞働者を雇はなければならぬが夫婦共稼でやれると思ふけれど人各能力が異ふから茲では全部賃金を以て計算する畜牛は椰子の滿三年生になつてから十頭買入るゝ事とする

第一年度

測量費　十米突の正方形植とする即毎町百本の割　十六町歩一六〇〇本　毎本二仙　三二〇、〇〇

開墾費　十六町歩　毎町八〇ペソ　一二八〇、〇〇

苗木費　種子二、〇〇〇ヶ一切の費を含めて　苗木毎本一〇仙　二〇〇、〇〇

植付費　一六〇〇本　毎本五仙　八〇、〇〇

柵圍費　柵圍は最も完全を要する横線十三本以上の鐵線を出來る丈強く張り最下部の一線は土中に埋めて野豚の潜込を防ぐ張るに出來得限り強く張る事が肝要柱は外側に傾斜させる刺鉄條は不可周圍一六〇〇米突毎米突七〇仙　一一二〇、〇〇

除草費　株の周圍丈の除草を毎年四回芽拂を二回とする但し初年度は半年に植付た者と見て半年分一六〇〇本株取毎回五仙即一〇仙芽拂一回一五仙　四〇〇、〇〇

排水費　深さ三四尺の排水溝千米突開鑿　一、〇〇〇米突毎米突六〇仙　六〇〇、〇〇

農具費　斧　ボロ　シャブル等　一〇〇、〇〇

害敵驅除費　野豚、猿、野鼠等の爲め猟犬の飼育竹筒を椰子の根に嵌むる等の費用　五〇、〇〇

建築費　四間五間のニッパ屋飲料水取設備付き　三〇〇、〇〇

雜費　二〇〇、〇〇

計　四三六二、〇〇

第二年度

補植費　壹割の補植とし一六〇本毎本一五仙　二四、〇〇

除草費　株取四回毎回五仙即ち二〇仙芽拂年二回毎回一五仙即ち三〇仙並て五〇仙　八〇〇、〇〇

雜費　一〇〇、〇〇

計　九二四、〇〇

第三年度

除草費　株取並芽拂　五〇仙　八〇〇、〇〇

雜費　一〇〇、〇〇

計　九〇〇、〇〇

第四年度

除草費　芽拂二回三〇仙　四八〇、〇〇

畜牛買入費　一〇頭但牡一頭　牝九頭　毎頭七〇ペソ　七〇〇、〇〇

雜費　一〇〇、〇〇

計　一二八〇、〇〇

第五年度

除草費　芽拂二回　三〇仙　四八〇、〇〇

雜費　一〇〇、〇〇

計　五八〇、〇〇

第六年度

除草費　芽拂一回　一五仙　二四〇、〇〇

雜費　一〇〇、〇〇

計　三四〇、〇〇

摘要七年度には椰子樹滿六年生以上に達し生産期に入るにより一切の費用を生産收入より差引くものとし投資勘定は是にて打切りとする

二、收入豫算

椰子樹間に間作としてマイス、カモテ、バナ、等を作る事は頗る有利だが之れは煩雜となるから茲に除外する事とする

第七年度

コプラ收入　滿六年生樹一、六〇〇本毎本一〇果一六、〇〇〇果二六〇果を以て一担とす即六一担（一担は十六貫目）ダバオ市價毎担一〇ペソとし一切の生産費を三ペソとす即毎担七ペソの純益六一担毎担七ペソ　四二七、〇〇

牧畜收入第四年度に購入した牛は第五年度に九頭の牝が八頭の犢を生み雄四頭雌四頭とす第六年度に同じく雄四頭雌四頭を生むさせば第七年目の初には

	成牛	二年生	一年生	計
牝	九	四	四	一七頭
牡	一	四	四	九頭

右の中二才の牡四頭を賣る毎頭　五〇ペソ　二〇〇、〇〇

計　六二七、〇〇

第八年度

コプラ收入　滿七年生樹一、六〇〇本　毎本二〇果　三二、〇〇〇果　即ち一二三担　毎担　七ペソ　八六一、〇〇

牧畜收入

	成牛	三年生	二年生	一年生	計
牝	九	四	四	四	二一
牡	一	〇	四	四	九

右の中二年生の牡四頭及び成牛牝四頭を賣る毎頭五〇ペソ　四〇〇、〇〇

計　一二六一、〇〇

第九年度

コプラ收入　滿八年生樹一、六〇〇本毎本三五果　二一五担　毎担七ペソ　一五〇五、〇〇

牧畜收入　牛は滿四年生を成牛と見る因て畜牛の蕃殖は前年度と同じ賣却も同じ八頭　毎頭　五〇ペソ　四〇〇、〇〇

計　一九〇五、〇〇

第十年度

コプラ收入　滿九年生椰子樹　一、六〇〇本毎本五〇果即　八〇、〇〇〇果三〇八担　毎担七ペソ　二一五六、〇〇

牧畜收入　八頭賣却　五〇ペソ　四〇〇、〇〇

計　二五五六、〇〇

第十一年度

コプラ收入　滿十年生樹一、六〇〇本毎本七〇果　一一二、〇〇〇果　四三一担　毎担　七　三〇一七、〇〇

牧畜收入　八頭賣却　毎頭　五〇比　四〇〇、〇〇

計　三四一七、〇〇

摘要以下同斷

收支表

年度	支出	收入	支出累計	差引殘額累計
第一年	四三六二、〇〇	—	四三六二、〇〇	—
第二年	九二四、〇〇	—	五二八六、〇〇	—
第三年	九〇〇、〇〇	—	六一八六、〇〇	—
第四年	一二八〇、〇〇	—	七四六六、〇〇	—
第五年	五八〇、〇〇	—	八〇四六、〇〇	—
第六年	三四〇、〇〇	—	八三八六、〇〇	—
第七年	—	六二七、〇〇	七七五九、〇〇	—
第八年	—	一二六一、〇〇	六四九八、〇〇	—
第九年	—	一九〇五、〇〇	四五九三、〇〇	—
第十年	—	二五五六、〇〇	二〇三七、〇〇	—
第十一年	—	三四一七、〇〇	—	一三八〇、〇〇
第十二年	—	三四一七、〇〇	—	四七九七、〇〇
第十三年	—	三四一七、〇〇	—	八二一四、〇〇

海外通信

○五百五十町歩を手に入れて

群馬縣多野郡小野村字栗須　加賀野俊三君

拝啓

其の後は久々御無沙汰に行過ぎ誠に申譯も御座なく候御皆々様には打揃ひ御壯榮にて御消光の事と推察欣

賀候小生等も一同變りなく農務に奮勵罷在り候間乍他事御放心被下度候

却説今回は小生等兄弟三人合同の上現に小生等の居住するアグアビラードに於て貳百貳拾アルケース（日本歩に換算すれば二十アルケース五拾町歩故五百五拾町歩）をカマルゴと稱する伯人より四拾壹コントス（二ミルレースを日本金の壹圓と換算すれば貳萬五百圓）にて買受け既に假登記を濟し來る七月卅一日に拂込の手筈にまで進捗仕り候五百町歩と申せば如何に廣大の伯國と申せ見渡しもならぬほどの地面にて耕作地の長さ約一里も有之候小生等に確と境界等明かならず候得共何れ一週致す心算にて御座候五百町歩は日本の一字より廣くはなきかなどとも思はれ四年振りにてかゝる廣大の土地を吾々の手に入れたるを思へば今更夢の如き心地も致候　愉快禁じ難く御座候

一年弱の珈琲園生活ははぢめての百性仕事殊に伯國事情にも通ぜざりし事故何かにつけて困難多く隨分と苦心も致し候得共其の後綿栽培に從事致し候てより年一年と收入も多くなり伯國の事情言語等にも通じ至極呑氣に生活を續け漸く如上の結果に到着仕り候然し呑氣と申し候ても平和と安穩とを意味し決して怠惰遊蕩の意味には御座なく如何に天産の豊かなる伯國とても徒手空拳にて渡航したる小生等が手を束ね額に汗せずして決してかゝる結果に立いたるものには御座なく隨分と肉体的に拮据黽勉したるは御想像被下度候。骨の伸びたる小學校敎員の上りと女連れ、小供、鍬持つ勞働の不得手の家族たるは論なく比較的簡易生活にも不馴れの身が一大變革の異國の生活の奮闘は一面亦血と涙に價するものとも御認め被下度候乳呑兒を負へる女房が終日炎天に立ちて野良仕事も同情と言はんより悲慘と申すほどにて候ひしが亭主の蒔きし棉の種子は毎年々々すたすたと伸びて白がねの實を吐き殆んど他邦人に類なき成効を短日月におさめ申候事夫婦相たすけ老幼相つとめ兄弟相結束したるの結果と存じ申候

苦は樂の種にて御座候過去四年に亘れる吾々兄弟三家族全部の儉約奮勵は仲々のものにて御座候ひしがやがて只今は五百町歩の地主と相成り肥馬に鞭つて日曜の晴れし日に散策の時も有り六十を過ぎし老婆を先達に

三人の女房連れ立ちて六人の子供と語らひ合ふ團欒の時も有する有様と相成申し候事御喜び被下度候然したゞに勉勵と節約とが齎たらしたるもの〻みにては御座なく一は天祐つまり運の神の廻り合せもよかりし事と存じ候

棉栽培を初め候てより恐ろしき害蟲の襲擊を蒙りし事も一回もなく棉花も一年一年とよろしく病氣もせずあちらこちらと轉地もせず全く同じアグアピラードにて思ふ様に金儲けの出來候事一は計圖と實行とが其よろしきを得たるにせよ運の神の大に與つて力ある事と信じ申候貳萬圓と申せば何でもなき様なれど全く腕一とつ然も纖弱なる骨の所有者なる小生等の生み出したる金額としても貴重なる汗の結晶にて御座候然も購入費の貳萬金にはそれに倍する事業費を要すべく兎に角四五萬圓の財政を處理運轉せんとする小生等の小さき得意亦御想像御よろこび被下度候五百町歩のうち約五十町歩は邦人に借地致させ是よりの貸地料約日本金壹千圓ほどあり七家族の小作人の他主にて有之候

當地は綿產地の中の特にも綿に適當なる地所にして本年の一二月頃小生等も近所近邊三里四里周圍の土地を視察研究致し候へ共到底かゝる土地を見出さず結局今回の如き擧に出でたる次第にて御座候

水の流れも清らかに山の姿もなだらかに氣候よろしき今のアグアピラードは異國に住みながら異國にあらざるが如き好感を以て吾等を迎へ申候尚本年伯國首都リオデジャネーロに於て萬國綿花會議の開催せられてより綿花の好景氣なる事未曾有にて尚綿花の世界好需用品となると特殊なる天候の恩惠に浴する國にのみ產出し得る物たる事より有望にして將來あるは炬を見るよりも明かに認めらるゝ事故二三年益々奮闘素志を貫く決心にて御座候昨日も一昨日も新購入地に建設すべき三家の住家の設計請渡し等にて兄弟三人打揃ひて發足仕候幸に葡人（ポルトガル人）三名小生の新購入地に居住し木挽兼大工といふ調法な奴とてそれに交渉して三軒貳千參百圓に請負はせ申候尤も仕事だけの賃金にて材料瓦及壁室の間取等はぬき木材は新購入地に澤山有之候故それを挽かせ瓦其の他釘の如きものを買入るれば事足り申すべく瓦は四千枚三百六十圓にて引請

くる約束にて既に契約仕り候木造に候得共大工の建つる西洋家に四年目にて居住し得る事とも相成り或る感慨深きものも有之候一切仕上げて各一軒千二三百圓にて成就致すかとも豫算致し居候何れ竣工の上は町より寫眞家なり呼よせ吾々の土地の一部と家と三家族十三人（但し三名の女房五六月頃各出產の豫定故出產後ならば十六人）とも映寫御郵送申すべく心得居候土地は買ふ半永久的の家は建てるとお報じ候へば故國の人達は歸國斷念と御想像もなさるゝやも計られず候得共決して然る事は御座なく成効の夢に夢見る遊子の頭にも故國の憶出涙ぐましきほどのものも有之事御想像の上歸國拜顏の折御待ち被下度候桃の花さく初春の三月中旬道ばたに咲き出づる蒲公英の黄なるも想像致され櫻の花も浮かれ男浮かれ女の逍遙する長閑日和を通じて思ひ出され候ものゝ尚ほそれより心惹かるゝ骨肉と血と血との語らい望ましく願はしく候ものゝ男子立志鄉關を出づの野心亦勃々として抑へ難く一時を忍びて百時を樂む韓信の故事も忘れ難く御座候遮莫嗚呼波上一萬哩を隔つる異國に住ふ吾等三家族稿首して故國の音づれ待ち暮し候へば時折御報賜り度末筆乍ら御貴家御一同の健在を祈り尚親戚御一同様によろしく御傳被下度候　（親戚福島清藏氏宛）

○墨國南境の騷亂に就きて

メキシコ國チャパス、エスクイントラ

竹内駒雄君

拜復四月十八日附貴書正に拜見致しました、當地暴徒の事故國の新聞に見えし由なれど、眞想に就いて報道無き爲御案じ下されし事と存じ、當時の實狀を認めて御同情に報いんと思ひます、事政事に關すれども、眞想を傳へんが爲めに、少しく詳細に亘りて書いて見ます

御承知之通、當國は一九二〇年、現大統領オブレゴン將軍が其の職に就き、專心治世に努めし以來、產業の復興發展見るべきもの多く、さしもの騷亂を以て聞ゆるメキシコも、頗平穩に歸して、國民は安じて、業に服し無事泰平を謳歌するに至りました、此の間勿論部分的には、各地に反旗を飜す者無きに非ず、往々今回支那に於ける、山東省臨城附近にて、大部隊の山賊土匪團の、列車を襲擊せし如く、所謂反軍と稱する、武裝せる山賊土匪の、鐵道沿線に出沒して、列車を襲ひ

貨物乘客の金品衣類を掠奪し、又は農場工場地を襲ひ掠奪強請し、以て之を彼等が唯一の糧食被服の供給の道として居る様な譯でこんな小事件は頻々、發生したものですが、さしたる事も無く、表面無事にて、例令小事件有るも、政府は努めて報道を禁じて大事に至らざる様、未然に防ぐべく努力し來りしもの〻如く、爲めにメキシコ國内に在りて、國内に起りし事變を、當國の新聞を通じて、知る事が出來ない有様です、今回當チャパス州に起りし革命的暴徒も、其の始め政府當局者は、事件の報道を秘して、新聞記者の質問に對し大統領始め内務大臣等當州の平穩無事を聲明し居り、一方極力鎭壓に努めし形勢有りしが、容易に解決せず遂には大部隊の軍隊出動となり、陸軍大臣來州して、事件解決の衝に當り、始めて鎭定し得たるも、未だ人心平靜を得ず、明一九二四年の大統領選擧を前に控へて、巷間不安に充ちたる噂傳へられ、揣摩臆測を逞ふし、大統領の候補には、文治派の現内務大臣カエス氏大藏大臣のデ、ラ、ウエルタ氏有り、軍人系には陸軍大臣セラノ氏、其の外にも野心有るものありと云へば、多少に拘らず事無くては、濟むまじと一般の觀察する所ですされば故國の新聞に報せられしは、當州の今回の事件を指すならんも、或は中部、北部地方にも、革命的陰謀の企有りしやも知れません

當州騷亂の起りは、政事的陰謀にして、村長の選擧問題に始まり、又一部には民族間の勢力爭も、大なる原因を爲し、無智にして窮乏に頻せる勞働者の雷同せるに至り、隨分複雜したる、場面を現出したのです、當チャパス州の產業の第一位は、珈琲栽培にして、實にチャパスの南部國境近き至要都市の商業は勿論、チャパス州其のものが、珈琲に依りて立つて行くと稱せられ、當地珈琲業者の活動すると否と、珈琲價格の高低とは、能く當地の、經濟界のバロメーターたり得る如く、珈琲はチャパス否メキシコに於て、其の產額の大なると、品質の優良なるとで、農產物中の主要位置を占め、英、獨、佛の各國人は、大資本を投じて之を經營しつゝあり、日本人中にも最近、斯業に着目し、經營に當る者多く、其の中小橋、岸本合名會社の珈琲農場部植付面積、我が約百二十町歩を筆頭とす

附言　當地及び隣國、グアテマラ產の珈琲の品質は常に優秀にして、紐育市場にては、ブラジル其の他南米產の物に比して、相場常に二三弗方高價を維持し、芳香などは、遠くブラジル產の及ばざる處です之は南米地方殊に、世界產額の大部分を占むるブラジル國の珈琲調製法は、收穫せる果實を其の儘、乾燥して後、外果皮内果皮を同時に取り去るに、當地方にては、一旦收穫せる果實を、機械に掛けて、外果皮を取り去り、外皮下に存する果蜜を一晝夜半堆積して、少しく醱酵せしめて後、水洗して乾燥し、更に乾燥後内皮を取り去る方法を行ひ居るからだろうです

元來珈琲は、氣候の影響を蒙る事、甚しき關係上（當地方に方ける適地は、海拔三百米突より、一千八百米突の高地に達し、最適地を五百乃至、一千三百米突内外とす）一地域に多くの大珈琲園密集する處より、勢勞働者殊に、收穫期に於ける勞働者の不足を告げ、從て其の爭奪行はれ、種々の手段を弄して、集めつゝあり殊に甚だしきは、前金又は商品を、前以て與へて、自分の手に引入れる、一種の習慣をつけし爲め、一方勞働者は、之を受けるのを一種の權利の如く、思惟する者すら有るに至れり、此の機微を洞察して、中央政界に立つ或る者が、自己の地位、勢力を贏ち得んとする手段に、部下を使嗾して、珈琲地帶に入らしめ、無智の勞働者を煽動して、勞働時間短縮、賃銀增加、衛生狀態敎育設備の改良、今迄の前借債務消滅等を、表面の條件として、元來何等の異圖なき勞働者をして、資本家に對抗せしめ、其の間に乘じて私腹を肥やすに汲々とし、斯くて自分の望みが達せらるれば、後は野となれ山となれと云ふ風に更に顧みず、其の結果はチャパスの產業發展に、一大障碍を與へ、一方勞働者間に過激思想を醸成せしむるに至りましたた

ま〳〵一九二三年の村長の選擧に際して（當國は普通選擧）州知事の之に干涉する有り、或る村落にては、直接指名に依りて、青派の勝利に歸しました、此の青派とは資本家階級又は、中流階級を網羅し、之に對抗して赤派なる、無產階級、勞働者階級あり、政府の要路に立つ者（陸軍大臣其の他）に、赤派に屬する者有

り、州知事は勿論青派にして、自分の勢力を扶植する爲め、自黨の村長を据えたので、赤派は之を默する能はず、數ヶ月に亘りて紛爭し來りたり、之より先國境近き村落にては、村長選擧に關連して、グワテマラ國系統の村民と、在來の村民との間に永い間爭ひ、相反目し來りしが遂に今回爆發して、互に武裝して敵對行爲をすに至り、一二の村落の如きは、村長以下在來の村民（青派）を殺害し、殘黨をば放逐し、彼等の家財は掠奪又は破壞する等の暴行を恣にした、そこで一般人は、政府軍の干渉鎭壓するものと思ひしに、事件が赤青の黨派の爭ひで有る以上、軍隊の干渉すべきに非ずとの理由にて、一時其の儘に捨て　、傍觀しつ有りたり、斯くと見るや一方赤派の不平組を糾合して、諸方に大なるは百餘、小なるは二三十名の匪賊團降起し至る處に掠奪行はれ、甚しきに至りては婦女子を强姦する等、傍若無人の擧に出で、斯くて掠奪した金品は砦等の山寨に運び、之を以て徒食は愚、飽食痛飲する有樣にて、日頃窮乏せる者をして、勞働して尙足らざるを忍ぶよりも、勞せずして安樂に暮し得る道を選ばんと、續々土匪團に投せしめたり、是に於て、政府も始めて捨て置き難しと數個軍團を南下せしめて、鎭定に努めた、次第です、斯くて行詰れる時局を、打解する爲め、州知事の辭職更迭となり、各村長の改選をも行ひしが、問題頗複雜し居るもの〻如く、責任者の處罰となると、煙の消ゆる如く、呆氣無き處置に出で、爲めに世人の期待は裏切られて失望と不安とが殘るのみです、そして或る村落の如きは、暫くの間無人の里となり居り、今日此の頃漸く歸る人々有るも、全然無政府の狀態の處も有ります

今回の騷亂に際して、同胞中にも少からず、損害を蒙りたる者有り、多きは三四千ペソ（凡そ我が一圓）より小にして二三百乃至五六ペソのものは枚擧に暇あらず

で、寡損害を蒙らざるは、勿怪の幸位に考へて居ります、それにしても今回の遭難を、在墨公使館へ報告した由ですが、公使館よりは何等の反響も無しと云ふ、吾々在墨同胞は、何處迄も故國の政府及び國民より見棄てられしものかと、憤慨して居る向も有るのです、

終りに一言申添え度きは當地在留同胞が、一九一五年以來、再三再四騷亂に逢ひ、其の度每に掠奪暴行を受け來り、或る同胞は首を絞められて氣絕する程の、强迫に逢ひ或る者は遠く隣家と隔離せる、孤立無援の農塲にて、拾數人の武裝せる、强盜團に包圍され、必死を期して勇敢に應戰し、辛ふじて血路を開いて避難するもあり、或る時は形勢不穩にて、身を以て逃げ家族を擧げて森林中に難を避け、幾晝夜も隱れ居たるもあり、私共も前に居りしサン、イシドロ町にては、前後四回に亘る掠奪に逢ひ、最後の時などは身は裸体にされ、首に繩を掛けて吊されるやら、武器にて打擲される等。言語に絕したる蠻行を加えられつ〻も、猶且奮鬪を續け着々と地歩を占め、一難來る每に勇氣百倍して、益々邦人發展の道程を辿り居るので有ります

數年前迄十年間當地に在留して歸朝し、故有りて更に南洋方面に轉航したる友人の彼の方面を視察したる報道に依ると、隨分諸方面を歩いたが、當地在留邦人の氣風が、着實にして一般日本人の陷り易き、賭博、酒女の惡風に染む事無く、總ての方面に眞劍味を帶びた處は、外に見出し得ざりしと、吾々の幸福を祝福して呉れました、吾々は勿論何處迄も、獨力で立て行くべく覺悟して居ります、聞く處に據ると、マサトランかマンサニーヨ邊に、日本領事館の設置を見んと、又東洋汽船會社の南米航路は、當地の咽喉たるサリナクルス港より、マンサニーヨ港寄港に變更せり、斯くてチヤパスの同胞は愈々故國に顧みられかい樣になつたが、それが果して幸か不幸か、吾人は唯々隱忍自重以

て、故國政府者の注目を俟つべきのみ

長々と前後も無く、書き連ねました、御判讀を願ひます、終りに貴殿の御健鬪と、神恩御上に豊かならん事を祈ります

○珈琲植付四ヶ年契約の方法

ノロエステ線リンス驛
コルコドフイン共同植民地
笹澤新君

內地の人には、面白くも無いでせうが、今後移民とならて、渡航せんとする人には、幾分參考にならふと思つて書きました

此の契約の長所は、四ヶ年間一つ所で働いて居る事、四ヶ年間は此の珈琲園で取れる間作物で、十分暮して出る事が出來四ヶ年間の珈琲の手入賃を、四ヶ年の終りに一度に纒めて受取るので、事業を起す資本が出來る所に有るのです

契約の方法は、種々ありますが、大凡三つに分ける事が出來ます

一、山伐りから植付、井戸家迄全部。請負者が爲す方法

二、山伐りは地主がやり、其の外の井戸家植付を請負者が爲す方法

三、山伐、植付、井戸、家等全部地主がやり、請負者は、直ぐに珈琲の手入に掛る方法

夫婦家族で珈琲五千五百本から、六千本が普通ですから六千本として、右三種の契約に就き各の經費を書いて見ますと

一、の方法では總入費二一〇〇ミルで其の內譯は

イ、山伐り賃、七〇〇ミル（約八町步）之れは土人に請負はせたる場合で、自分がやれば八十人手間で出來る

ロ、枝片付け、一〇〇ミル　山が好い工合に燒けると、此の半分も要らないが、普通此の位はか〻る

ハ、珈琲植付賃、六〇〇ミル　請負者に渡した塲合で之も、自分でリンニヤソン（植える所へ印をつける仕事）だけして渡すならば、四二〇ミルで出來る

ニ、井戸、二〇〇ミル　塲所によりて多少違ふ

ホ、家、三五〇ミル、瓦代、釘代、針金代等で材木はいくらでも山にある

ヘ、山燒雜費、五〇ミル　他人の山への延燒を妨ぎ、又は火を付ける等の費用

右は家だけ自分で拵らへ、外の仕事は人に請負はせる見積りです、珈琲の種は普通地主から、出します

二、の方法では、一、の塲合より、山伐りと、枝片付だけ少ないのです

一、の塲合は四ヶ年の終りに、珈琲一株に付〇、七ミルから一ミルの手入賃が取れ、四ヶ年目に收穫出來る實は、請負者が取るのです、二の塲合ならば同じく〇、五ミルから〇、六ミル位で矢張四ヶ年目の實は請負者の收入になるのです、三の塲合になると、〇、三五ミルから〇、五ミル位で「四ヶ年目の珈琲の實は、地主と半分わけになります、手入賃の安い高いは、交通の便不便、土地の善惡等に關係するのです

次に四ヶ年間の間作物は、一年目は米は四ウネ、モロコシ二ウネ、豆三ウネ、二年目は、米三ウネ、モロコシ一ウネ、豆三ウネ、三年目は、米三ウネ又は二ウネ、モロコシは一ウネ置きに一ウネ、豆二ウネ、四年目には米二ウネモロコシは珈琲四株の眞中に一株、豆二ウネといふ樣に作るのです、此の賣上げ（米が主なるものですからそれだけを書きます）、は一年目は五百ミル、二年目は三百五十ミル、三年目四年目には三百ミル位です、四年目に入た年の八九月頃、珈琲の實が二百五十袋位取れます

どの契約でも、四年目の終りには八千ミル位の金が殘りますから、これを資本に他の事業に取か〻る事が出來ます

大正十一年中全國移民渡航許可數

（外務省通商局調）

其一　移民渡航地別

移民種別 渡航地名	移民取扱人ニ依ルモノ 契約移民 男	女	非契約移民 男	女	移民取扱人ニ依ラサルモノ 男	女	合計 男	女	計
合衆國本土	—	—	—	—	二〇六六	一四七二	二〇六六	一四七二	三五三八
露國及其領土	—	—	—	—	三一八三	六六	三一八三	六六	三二四九
布哇	—	—	—	—	一四五〇	一五一〇	一四五〇	一五一〇	二九六〇
カナダ	—	—	—	—	六八二	三四〇	六八二	三四〇	一〇二二
ブラジル	四八〇	三八五	四〇	四	一九	八	五三九	三九七	九三六
濠州	—	—	一九二	—	三〇	六	二二二	六	二二八
ペルー	—	—	—	—	一〇七	九五	一〇七	九五	二〇二
ヒリツピン	—	—	一二四	四二	二三	—	一四七	四二	一八九
馬來半島	—	—	—	—	一一七	五四	一一七	五四	一七一
蘭領東印度	—	—	—	—	四五	四五	四五	四五	九〇
メキシコ	—	—	—	—	二六	一二	二六	一二	三八
アルゼンチナ	—	—	—	—	三八	一四	三八	一四	五二
香港	—	—	—	—	三一	四	三一	四	三五
パナマ	—	—	—	—	一八	三	一八	三	二一
ボルネオ	—	—	—	—	四	七	四	七	一一
印度	—	—	—	—	四	五	四	五	九
チリ	—	—	—	—	四	四	四	四	八
佛領印度支那	—	—	—	—	—	六	—	六	六
コロンビア	—	—	—	—	二	—	二	—	二
ビルマ	—	—	—	—	—	一	—	一	一
フイヂー島	—	—	—	一	一	—	一	一	二
ボリビア	—	—	—	—	一	—	一	—	一
計	四八〇	三八五	三五六	四七	七九二一	三七〇〇	八七四七	四一三二	一二八七九
總計	八六五		四〇三		一一六二一		一二八七九		

其二　移民府縣別

移民種別 渡航許可官廳名	移民取扱人ニ依ルモノ 契約移民 男	女	非契約移民 男	女	移民取扱人ニ依ラサルモノ 男	女	合計 男	女	計
北海道廳	一七	二	—	—	二七四五	四二	二七六二	四四	二八〇六
廣島縣	二六	一七	三五	四	一〇六九	九二二	一一三〇	九四三	二〇七三
和歌山縣	七	六七	一〇三	—	五二四	二四五	六三四	三一二	九四六
熊本縣	一三	三	九	—	四四九	四五〇	四七一	四五三	九二四
山口縣	四	五	一〇	一	四八五	四三〇	四九九	四三六	九三五
沖繩縣	—	—	五九	二三	三六二	二七八	四二一	三〇一	七二二
福岡縣	二	一四	七	六	三四六	二六八	三五五	二八八	六四三
岡山縣	一六	九	三	一	二三一	一四九	二五〇	一五九	四〇九
滋賀縣	四	二	—	—	二六八	一一九	二七二	一二一	三九三
福島縣	二四	一九	三	一	一三四	一〇六	一六一	一二六	二八七
青森縣	—	—	—	—	二七三	二	二七三	二	二七五
新潟縣	六	六	一	一	七四	七三	八一	八〇	一六一
靜岡縣	五	四	二	—	八九	五〇	九六	五四	一五〇
愛媛縣	五	三	二八	—	六七	四〇	一〇〇	四三	一四三
大阪府	四六	二四	—	—	二三三	三五	二七九	五九	三三八
長崎縣	一	一	一	一	四五	八五	四七	八七	一三四
鹿兒島縣	二	—	—	—	八三	四四	八五	四四	一二九
長野縣	一九	一六	一	—	七四	一六	九四	三二	一二六
神奈川縣	一	三	—	—	六二	四九	六三	五二	一一五
警視廳	二三	二一	三	—	四四	一七	七〇	三八	一〇八
福井縣	三	八	二	—	六五	二九	七〇	三七	一〇七
山梨縣	—	—	—	—	六〇	三四	六〇	三四	九四
秋田縣	一	一	—	—	九二	—	九三	一	九四
三重縣	二四	八	二	—	二九	二七	五五	三五	九〇
高知縣	二	二	五	三	四六	二〇	五三	二五	七八
香川縣	一〇	七	一	—	三六	二三	四七	三〇	七七
鳥取縣	六	五	三	三	二七	二五	三六	三三	六九
愛知縣	九	七	四	一	二七	二一	四〇	二九	六九
宮城縣	—	—	一	—	四〇	二四	四一	二四	六五
茨木縣	二四	三二	一	—	四	三	二九	三五	六四
佐賀縣	八	七	一	一	二七	一四	三六	二二	五八
岐阜縣	七	七	二	—	二〇	一八	二九	二五	五四
嶋根縣	一〇	七	二	一	一二	九	二三	一七	四〇
千葉縣	二	一	—	—	二二	一四	二四	一五	三九
山形縣	一三	七	二	—	一五	五	三〇	一二	四二
兵庫縣	一三	二	二	—	一八	七	三三	九	四二
富山縣	二	二	二	—	一四	九	一八	一一	二九
石川縣	七	五	—	—	九	四	一六	九	二五
京都府	七	四	—	—	八	二	一五	六	二一
大分縣	二	一	一	—	八	八	一一	九	二〇
群馬縣	五	二	—	—	一〇	三	一五	五	二〇
巖手縣	一〇	四	—	—	四	二	一四	六	二〇
德島縣	四	四	—	—	九	一	一三	五	一八
奈良縣	九	六	—	—	—	—	九	六	一五
栃木縣	—	—	—	—	七	四	七	四	一一
埼玉縣	三	一	—	—	二	一	五	二	七
宮崎縣	—	—	—	—	二	三	二	三	五
計	四八〇	三八五	三五六	四七	七九二一	三七〇〇	八七四七	四一三二	一二八七九
總計	八六五		四〇三		一一六二一		一二八七九		

内國通信

〇攝政宮殿下輕井澤行啓

攝政宮殿下御來輕の事は、前號にも報じたが、愈々御豫定通、八月十七日午後四時御安着、本縣知事以下官民多數の奉迎裏に、兼て御滯泊所と定まりたる大隈候別邸に入らせられた、殿下には輕井澤は、始めてであらせられるが、痛く同地自然の風物を愛でさせられ、御乘馬、ゴルフ、テニス等專ら御運動を遊ばされ、心身の御鍛練にいそしまれた、十九日午後の如きは、馬術御練習中、大雷雨襲來、物凄まじき光景に、御附の人々は恐懼措く能はざりしも、殿下には泰然自若、愉快で有ると仰せられつゝ、御肌迄雨水を浴びて御歸館あらせられたる事なども有た

斯くて二十七日迄御滯在の御豫定の處、たま／＼二十四日加藤首相の薨去のありたる爲、急遽御豫定を變更し、二十五日早朝御歸京遊ばされた

縣當局を始め、縣民全部が熱誠を籠めて奉迎し、警護萬端些の手抜が無かつた爲、御滯泊中極めて平穩で有たのは、最喜ばしき事で有た、御來輕を機會に御嘉納の榮を賜はりたる、本縣よりの献品は左の如くである

小濱チリメン一疋、眞綿紅白二点尾林燒花瓶一對、名勝栃材製卓子一脚、輕井澤誌一冊、淺間山一冊、名勝寫眞帖三冊一箱、惟信州（本縣出身畫家作日本畫十点西洋畫十点）輕井澤附近蝶類標本（百四十九種）同植物標本（二百種）

猶本縣民は毎年の御來遊を仰望して居る

〇各宮殿下の御入信

皇太子殿下御來輕の外、各宮殿下の御入信は本年は別段に多かつた、是より先秩父の宮殿下には、日本アルプス御登攀の、御目的を以て、中央線に依つて御入信、七月二十四日南安曇郡有明驛御下車、矢澤女子師範學校長の御先導にて、直に中房温泉に向はせられ、同温泉を始め山上の小舍に御泊燕岳、鎗岳を御踏破、上高地を經て無事御下山に相成た

良子女王殿下を伴ふ、久邇宮御一家は、八月十日より九月上旬迄、越後の赤倉温泉に御滯在相成り、其の間善光寺御參拜を兼ねて、川中島古戰場御視察、野尻湖御舟遊、上諏訪に御一泊の上諏訪神社御參拜、御歸途姨捨御散策等の爲、沿道多數の縣民は、奉迎送の光榮に浴し、恐多き事ながら、御懷しみ深き次第となつた

久邇宮御一家に少し遲れて、伏見宮博信王殿下も亦輕井澤より赤倉に御成り遊ばされ、善光寺御參拜並に、川中島御視察の事あり、沿道市民は熱誠を捧げて、御送迎申上げた

華頂宮博忠王（博信王殿下の御兄宮）殿下には輕井澤御滯在中南佐久の松原湖に御遊遊、折柄居合はせたる多數の水泳者に立交りて、御堪能なる水泳振を御示しに相成り、又折々鯉の產地へ、御成り釣を垂れて御慰み遊ばされた

輕井澤に御避暑中の、北白川若宮方御一行は、十五才の永久王殿下を御年長に、美年子、佐和子、多惠子の御四方にて、八月二十九日、同じく沓掛驛御滯在の、朝香宮孚彦王、正彦王、紀久子、湛子兩女王の四方を御誘ひになり、善光寺へ御參詣相成た、北白川宮御四

方は過般佛國ベルネーにて、自働車事故の爲、薨去遊ばされたる、父宮成久王殿下の御菩提を、御弔になる爲で、喪章を着けられたるには、奉迎者一同、暗涙を咽んだ

〇海外協會中央會の活動

海外協會中央會にては、今回別項の如く、意見書並に請願書を其筋に提出した、何れも海外發展上緊要事で有るから、地方の各海外協會も共力して、目的の遂行に努力する筈である

一、各府縣旅券係相談會開催意見書

現下我國情として海外發展の必要に迫られ國民亦奮て海外移住を志すもの日に多きを加ふる際移住事務上直接其の衝に當る各府縣廳各警察署の旅券係又は町村の旅券下附に關する根本方針充分徹底せず、又此等局に當る人士も或は海外の事情を了解せさる点あるが爲め旅券下附認定上各見解を異にし取扱者自身も其の手加減に苦しむの情況に有之爲めに渡航者は手續煩瑣に窘み不公平の感を懐かしむる如き海外發展上甚た面白からざる現象あるは甚だ遺憾とする所に候以茲之れか弊を去り緩和整理の途を講するは急務とする所にして之れが爲めに左の方法により關係者相談會を開催するを以て最も有効と信ずるものなり

一、參集者　府縣旅券係其の他團体より各一名宛

二、外務省旅券下附の方針を公表し且海外事情の大体を了解せしむ

三、相談會は外務省主催のこと

四、期間は三日間とす

第一日　意見開陳を主とす　第二日　外務當局の方針説明　第三日　一般海外事情の講演

場合により二日にても可なり

五、各府縣の參會者は適當の機會に各警察署旅券係に又各警察署は町村受持巡査に對し其の大要を徹底せしむるの方法を講すること

六、費用は旅費日當は各府縣の團体の負担

曩に外務省に於ては關係官吏を移住者多き府縣に派遣懇話せられたりし由なるも相談會開設の一層普遍的研究的にして且徹底の点より觀て切要と存候に付右至急開催方御詮議相成度

意見書及提出候也

大正十二年八月一日

海外協會中央會々長今井五介
事務所東京丸ノ内
ビルデング四五四

外務大臣伯爵内田康哉殿

在外日本人徵兵令違反者を恩赦の特命に浴せしむる

請願書

忝しく惟みるに今秋御擧行せらるゝ攝政宮殿下の御婚儀は當代の盛事にして日本國に在住するものは勿論特に在外同胞は滿腔の誠意を披攊して奉祝する所なり仄かに承る所によれば此の御盛儀に際し重輕罪者に對し恩赦減刑の特典を與へらるべしと果して然らば願はくば此の際日本民族の海外發展の爲めに第一線者として異邦に活動しつゝある日本人同胞に及ぼし恰く聖恩に浴せしめられんことを

今在外者中の犯罪を觀るに本國の法律により律せらるべきもの唯少數の徵兵令に關係あるものゝみなり其の種類より言へば

一、動員に應召せざりし者

一、怠慢により徵兵猶豫の出願手續をなさざりしもの

一、幾分の止むを得ざる事情に依り徵兵猶豫の手續の出來ざりし者

多年萬里の異邦に苦鬪するもの誰か祖國を懷はざるものあらん然かも前項に該當したる者一度故鄕に歸らんか輕きものも徵兵署に出頭せざりし罪過に依り罰金に處せらるゝのみならず檢査に合格すれば年齡三十七歲迄の者は現役兵として徵集せられざるを得ず而して其の重きものは徵兵忌避罪乃至動員不應召の重犯に依りて處罰せらるゝが故に彼等の多くは其の愛する祖國の土踏む能はず婚期に達するも故國の女を娶るを得ず天涯孤獨の身は勢ひ人情として祖國に怨みなき能ざるなり然りと雖も素是れ嚴たる國法を犯せる者己むを得ざる所なりと雖も退て考ふるに多くは是れ適當の指導者なく其の日の糧に追はるゝもの誤て此の罪過に陷るの心情に思ひ到れば一掬同情の涙なきにあらず干戈をとりて國威の發揚に力むるも單身遠征鋤犁によりて國力發展に奮進するも等しく是れ陛下赤子邦家に盡す心事豈にあらんや

顧みるに明治初年時の政府が北海道開拓に力を注ぐや同地に移住する者は徵兵に召集せざるの特典を與へたることあり是れ盡忠奉公の途必ずしも一途にあらざるに明示せられたるものなるべし今や我が國情は民族發展の緊切を告ぐる明治の初年北海道開拓の急に譲らざるものあり此の秋に方りて國内に止まりて軍役に服することゝ海外に移住して國威を中外に輝し國家百年の長計の基礎を築くの功と豈何れぞや

現下の急務として吾人は在外者兵役免除の根本に遡るにあらずば只萬里の異域にありて誤りて國法に觸したるものゝ爲めに此れ等の關係者の調査をせられ今回の御盛典に際し恩赦の特命に浴するの光榮を得しめたく懇願に堪へざるなり

幸に聽許せらるゝを得ば啻に在外幾多の未決定犯人のみならずそれに幾倍する故鄕の親族知人皆此の聖恩に感泣し忠君愛國の至情に溢るゝを觀ん

吾が海外協會は外此れ等同胞の愁訴を聞き内此れ等關係者の哀願を受け一度其の衷情を憫み更に海外發展の大義を思ひ敢て卑見を開陳し御詮議を請はんとす幸に明鑒を賜はらんことを

大正十二年八月三日

海外協會中央會々長 今井五介

陸軍大臣 山梨半造殿
海軍大臣 財部彪殿

○信州の水害

片照り片降りとよく言ふが、今迄の信州地方は全く文句通りで、六月の初めから、七月の初めへ掛けては、每日ゝゝ降り通し、七月初めから八月一杯は炎天續きで少しも雨が無かつた、六七月の雨期には、各河川が汎濫して、隨分災害を現じた、蓋被害の程度は、本縣としては數十年來、未曾有のもので有たらふ、縣社會課の調査に係る數字は左の如くで有る、尤今迄の水害は西筑摩と、上伊那とで大部分を占め、他の郡市には左程の事は無く、千曲川筋などは、至極平穩で有た、更に町村別にすると、西筑摩では大桑村が慘狀を極め、讀書村と上松町とにも有た、上伊那郡では片桐村が最甚だしく、赤穗、南向、上片桐、七久保等の各村がやられた、西筑摩のは水の汎濫といふよりも土砂の崩潰、所謂押出といふのだつたから、災害は實に慘憺たるものとなつた

被害種別	被害數	延數又は合計	見積價格
道路	四二六ヶ所	六里二一町	四〇万円
橋梁	九四同	二一町	八〇万円
堤防	一八〇同	三里	一〇〇万円
田地	七一五町歩	一四三四町歩	九八万円
畑地	七一八同		
家屋	全潰二二	三四二二	
	半潰五五		
	流失五九		
	床上浸水四〇五		
	床下浸水二八八一		
人命	死亡三六	一六六	
	行衛不明五九		
	負傷七一		

右の内田畑、家屋、人命たけを郡市別にして見ると、

田畑の損害

郡市名	田	畑	計	損害見積額
諏訪	三九七、一町	一六九、六町	五六六、七町	七五三九〇圓
上伊那	九八、〇	九四、七	一九二、七	一七五三三三
下伊那	三、八	四一、六	四五、四	三二四四〇
西筑摩	六〇、〇	三〇、〇	九〇、〇	四八〇〇〇
東筑摩	一三、五	三三、六	四六、一	一三五七
南安曇	—	一七、〇	一七、〇	八五〇
上水内	二一、〇	四〇、一	六一、一	九〇七〇
下水内	一一二、〇	二九六、〇	四〇八、〇	四四九六八
合計	七一五、四	七一八、六	一四三四、〇	九八六一六八

家屋の損害

郡市名	全潰	半潰	流失	床上浸水	床下浸水	計
小縣	—	—	—	—	四	四
諏訪	—	—	—	一四	一〇三〇	一〇四四
上伊那	二	二六	三	一七	九九	一四七
下伊那	—	三	六	二五	二八	六三
西筑摩	四	七	三	一五〇	二九七	四六一
東筑摩	二	一	—	一六	三二七	三四六
南安曇	—	—	—	—	六	六
北安曇	二	六	—	—	五	一三
更級	二	—	—	一	一九	二二
埴科	—	—	—	—	二六	二六
上高井	—	—	—	一五	四五	六〇
上水内	—	—	—	一三	一八五	一九八
合計	二二	五五	五九	四〇五	二八八一	三四二二

人命の損害

郡市名	死亡	行衛不明	負傷	計
上伊那	二	二	一一	一五
下伊那	—	五	一	六
西筑摩	三三	四九	五六	一三八
東筑摩	一	—	三	四
上高井	—	一	—	一
上水内	—	二	—	二
合計	三六	五九	七一	一六六

死亡者の最多き西筑摩郡に於ける町村別氏名は次の如くである

大桑村　川合藤吉、同妻しな、太田つま、古根彌左衛門、長谷川長三郎、坂本音松、同妻みや、同長男芳造、東　熊吉、米田よし、暮沼伊助、同孫延子、後藤さかえ、同二女まこと、同三女しづ江、小野きわ、同咲江、小野喜三郎、田口はる、渡邊喜之助

讀書村　大西克己、三好チヱ、同チヨ、同正利、福永義男、同妻モヽヨ、福永はる、同ハルヨ、伊賀平ウメノ、小林熊吉

上松町　高橋はつの、同とし

又行衛不明者も、西筑摩が大部分で四十九人を數へるが其の中約半數は電氣工事に入り込んだ、朝鮮人で西筑摩郡の人及び、他方の人は左記の二十四名で有る外

大桑村　三石ちゑ、北原ふじ、片山まさの、小垣すゑ、小垣外すゑ、同かづゑ、同龜雄、武島てる、百瀬百市、古根ひで、同賴一、暮沼はる、熊崎岩次郎

讀書村　太田中要

中央製紙會社土工　湯本喜一、田中五郎、藪崎末、同一郎、齋藤新吉、田島勝喜、石山きよ、尾崎重吉、住田たま

○縣下養蠶狀況

秋蠶が未だ大部分上簇せぬので、結果の確報は勿論出來ないが、通じて養蠶としては、相當の結果を收め得たと言つてよいだらふ、繭價も冬期の豫想に比すれば著しく低下した譯だが、豫想が大き過ぎたのは事實でうれとは格段の相違が有ると云ふ分の事、算盤の取れぬ樣な事は無かつたらしい、唯秋蠶の分は震災の爲めに恰繭の出初めに際して、一時取引中止など傳へられたから、勢價格の下押は免れない樣だ、製糸組合の發達して居る向は斯る場合多少緩和されるだらふ

○京濱地方大震災

九月一日正午に起りたる、京濱地方の震災は、未曾有の强烈なるもので有た爲、多數の建築物を倒壞し、無數の死傷者を出したが、更に續いて起れる火災の爲に一層甚だしき慘狀を呈した、今迄の處では被害の程度が一向分らない、東京市だけの消滅家屋が三十五万と號し、死者は五万と云ひ十万と云ふ、橫濱、橫須賀鎌倉地方は更に一層酷烈なるもである樣だが、其狀況は全然不明である、東京市で今迄傳へられたる、燒失區域と、倒壞又は燒失したる重なる建物とは左之通で以て如何に慘狀を呈したかゞ想像すれる

深川區　深川公園、越中島、工業試驗所前の大部分、塩濱町、南町の第二埋立を除き他は全燒

本所區　向島堤、德川公爵邸を除き他は全燒

神田區　全燒

日本橋區　全燒

京橋區　全燒

芝　區　濱離宮、佃嶋、石川島、月島濱、前橋、新島橋以西を除き他は全燒

淺草區　淺草觀音、淺草專賣局を除き全燒

下谷區　二長町、竹町、御徒步町一二丁目、西町、南稻荷町、佐稻荷町、練塀町、長戶町一二丁目及三丁目、西黑門町、東黑門町南大門町、仲徒步町、長者町一二丁目、山伏町、万年町、黑住町、新坂本町、南入谷、仲入谷、元入谷、金杉町、龍泉寺町、金杉下町上町、日本堤、觀音士軒町

本郷區　天神町一二三丁目、三組町、菊坂町、新花町、金助町春木町一二三丁目、湯島二三四五六丁目、東竹町、西竹町、町一元

二丁目、帝國大學一部燒失

小石川區　砲兵工廠、砲兵工料學校、小石川町、諏訪町、江戶川町、大和町、仲町、小日向町、水道町の一部燒失

四谷區　內藤新宿二丁目の一部、三丁目全部、片町の大部分燒失

赤坂區　葵町、靈南町、榎坂町、溜池町、田町二三五七丁目新町二丁目、福吉町、新町三丁目一部分、靈南坂の半分燒失

麴町區　祝田町、鐵瓶町、道三町、大手町一二丁目、元衞町、竹平町、飯田町四五六丁目の大部分、一二三番町の半分、富士見町五丁目の三分の一、有樂町一二三丁目、永田町二丁目一部、一番地の大部分、上六番町、上二番町、元園町一丁目、五番町の大部分、三番町、中六番の三分の一、麴町一二三四丁目、山元町、平河町二丁目、元平河町、平河町三六丁目大部分、帝室林野管理局

芝　區　金杉町二三四丁目、金杉川口町、金杉濱町、南佐久間町中門前町一二三丁目、片門前町一二丁目、濱松町一二三四丁目、神明町、新錢座町、汐留一二丁目、芝口一二三丁目、露月町、柴井町、宇田川町、三島町、七軒町、島森、愛宕下町一二三四丁目、愛宕町三丁目、田村、南佐久間町一二丁目、兼房町、伏見町、和泉町櫻田太衞左門町、鍛冶町、備前、琴平町、櫻川町、曙町西久保廣町神谷町、八幡町、城山町、巴町大部分、愛宕町一丁目乃四國町一部、高輪御所燒失

市　外　南千住大部分燒失被害、寺島村新田一部燒失、吾嬬町請地の一部、龜戶町、市に接近の部の一部、大島町の市に接近部、部戶塚、早稻田大學の一部燒失、澁谷町、同山一部燒失、大崎町、衞生材料所

又燒失したる各區重なる建築物は左の如くで有る

淺草區　花屋敷、十二階、淺草區役所、中央劇場、天主教會、東京高等工業學校、宗吾神社、第一女學校、樂山堂病院、志原、千束町六區、白山神社、玉姬神社、待乳山神社

下谷區　下谷神社、天主教會、市村座、上野驛、東京鐵道局運轉事務所下谷電話交換局

本所區　三廻神社、麥酒會社、神谷酒造所、硝子工場、富士瓦斯紡績會社、精巧舍、東武鐵道工場、本所病院、回向院國技館、ライオン齒磨工場、職工學校、本所區役所、本所電話交換局、第三中學校糧秣本廠、本所倉庫、向島花壇、江の島神社

小石川區、砲兵工廠、砲兵工科學校、三井邸

京橋區　海軍經理學校、海軍々醫學校、海軍參考館、遞信省十五銀行、西本願寺築地別院、東京市施療院、スイツル公使館、歌舞伎座、新富座、東京灣汽船會社、新橋交換局、第一相互生命、中央商業學校、農商務省、精養軒、工業學校、京橋交換局、資生堂、御木本眞珠店、服部時計店等銀座街全部

芝區　政友會本部、汐留驛、慈善病院、東洋印刷會社、芝區役所

和蘭公使館、米國大使館、東伏見宮邸、溜池三會堂、高輪御所

深川區　深川糧秣本廠、商船學校、水産講習所、深川發電所、東京木材倉庫蓄材所、東京製鋼所、心行寺、鹿島邸、船材置場、東洋木材防腐會社、與劍場、淺野セメント製造所、尼ヶ崎紡績工場、深川區役所、日本製粉會社、深川畜産所、スレート會社、岩崎別邸大倉組製材所、工業試驗場（半燒）

日本橋區　兩國公園、濱花交換局、日本橋倶樂部、清正公、明治座、米穀取引所、日本橋區役所、內國通運中央電信局東神倉庫、日本人造肥料會社、三越呉服店

麴町區　高田商會、中央電話局、會計檢査院、日清生命、日本興行銀行、鐵道省、印刷局、大藏省、內務省、中央氣象臺、外國語校、文部省、朝倉病院、伊井邸、東郷元帥邸、山縣公邸、麴町區役所、スペイン公使館、支那公使館、有栖川宮邸、鍋島侯邸、外務省、維新史料編纂局、伊太利大使館、露國大使館、日比谷大神宮、有樂座、帝國劇場、警視廳、電氣局、國學院大學

神田區　三井慈善病院、衞生試驗所、ニコライ教會堂、明治大學、岩崎邸、順天中學、東京中學、商科醫專、日本大學、商科大學、神田區役所、瓦斯會社、中央大學、神田青年會館

編輯室より

八月號發行が甚だ遲れました種々の事情で東京で編輯しやうかとの話も持上り彼是交渉の末又長野でやる事になつた爲でした、皆さんに對して誠に相濟みません猶移往地建設號の爲に十六號を飛びました併せて御了承を願ひます

數日前、當協會へ對して、內務省から、助成金五百圓を交付されました中央政府に於ても、漸く此方面に注目し來り、具体的の施設をする樣になつたのは眞に喜ぶべき事で有ります

歐洲戰爭の慘禍を他所に見たる我が帝國はうれにも等しき災害に見舞はれました、天が殊更に我が民族に與へたる試練の手段かとも考へられます擧國一致宜しく社會共存の實を擧げて善後の計をなさねばならぬと思ひます

前號に掲げた、各郡市農會代議員の氏名中に東筑摩郡の二木渹氏を落しましたから茲に訂正を致します

海の外

定價	內地	外國
一部	廿錢	廿仙
半ヶ年	一圓十錢	一弗十仙
一ヶ年	二圓廿錢	二弗廿仙

海外郵稅四錢

注意
▲御注文は凡て前金に申受く
▲廣告料は御照會次第詳細通知致します
▲御拂込は振替に依らるゝを最も便利とす

大正十二年八月三十日

編輯人　永田稠
發行兼印刷人　藤森克
印刷所　長野市旭町　信濃毎日新聞社
發行所　長野市長野縣廳內　海の外社
振替口座長野二一四〇番　信濃海外協會

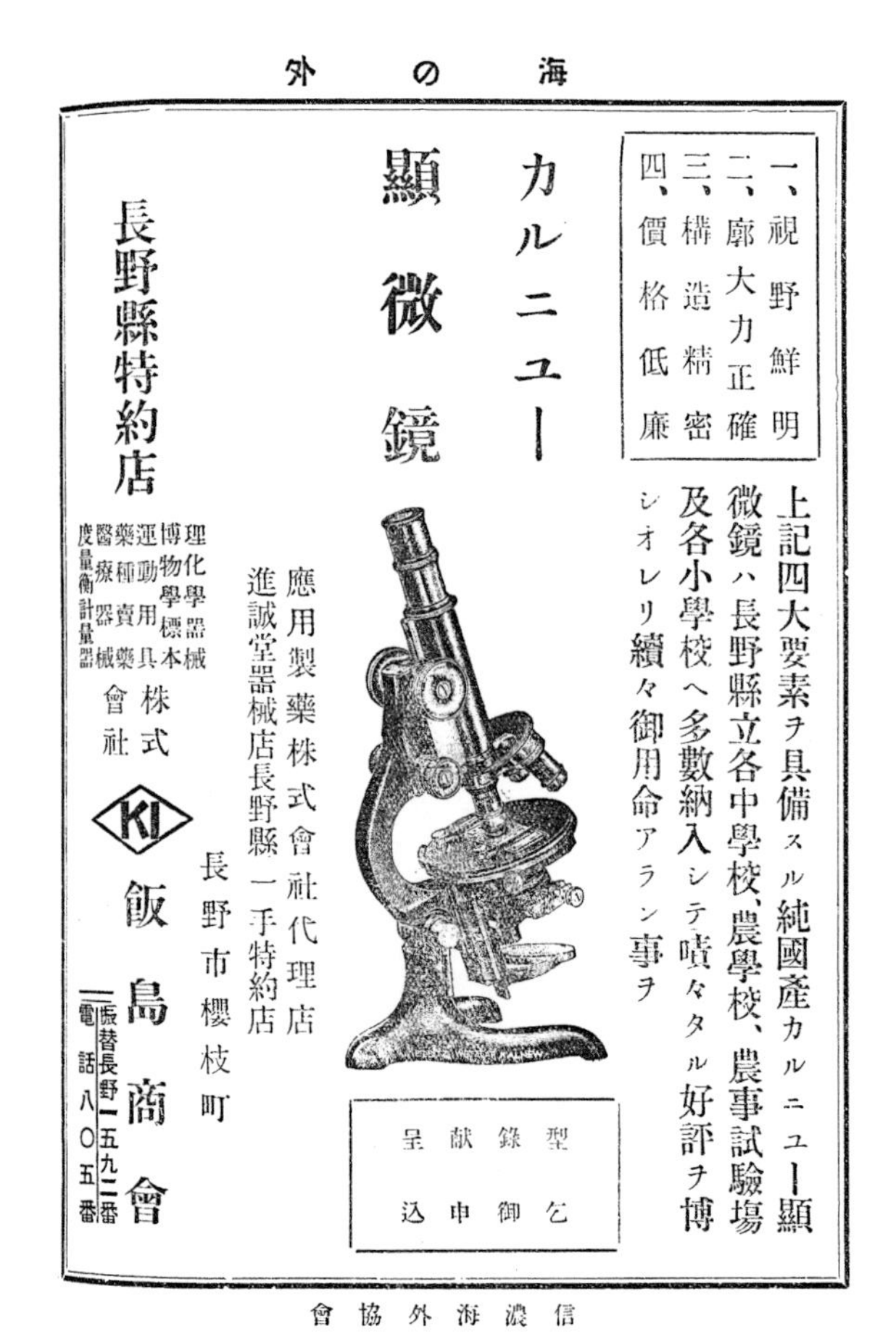

一、視野鮮明
二、廓大力正確
三、構造精密
四、價格低廉
カルニユー
顯微鏡
上記四大要素ヲ具備スル純國產カルニユー顯微鏡ハ長野縣立各中學校、農學校、農事試驗場及各小學校ヘ多數納入シテ嘖々タル好評ヲ博シオレリ續々御用命アラン事ヲ
型錄獻呈
乞御申込
應用製藥株式會社代理店
進誠堂器械店長野縣一手特約店
長野市櫻枝町
長野縣特約店
理化學器械
博物學標本
運動用具
藥種賣藥
醫療器械
度量衡計量器
株式會社
KI
飯島商會
振替長野一五九二番
電話八〇五番

目次

信濃土地組合の創立

趣意書

此の土地が未開であつた時に、我等の祖先は之が開拓に從事して、大なる恩惠を其子孫たる私共に遺してくれました。私共も亦各自の子孫のために、此の拓殖の事業を繼がねばならぬと思ひます。現在我が國には猶開發すべきかなり多くの未開地がありますが、膨脹して行く民族の將來は、其の發展を海外に求めるより外に途のないのは申すまでもございません。幸に氣候もよく地味も豊かで、人口は僅かに一平方哩八、三人と云ふやうな結構な條件を具備して、南米の寶庫ブラジルが私共日本人の移住を歡迎して居ります。かう云ふ處に未墾地を購入して之を開拓することは、小さな意味では所謂子孫のために美田を買ふのであり、大きな意味では民族百千年の大計を樹てるものでございます。殊に地球の反對側に幾干かの土地を所有して居る、と云ふ精神的の悅は正に物質以上のものだらうと思ひます。勿論一個人が數萬の資を投じて、廣大な土地を得ることもよい事ではありますが、お互に節約し得る程度の資金を集め、衆人共同して獲た土地に、共同して世界的開拓を行つてゆくことは、民族發展の上からも意義もあり生命もあつて、如何にも面白い事柄と信ずるのでございます。

今試みに一口五十圓、一千口加入、三ヶ年四ヶ月の月賦出資を基礎とする組合が、ブラジルに於て土地を購入するものと假定すれ、

年度	收入	支出
第一年 八月ヨリ	一〇、〇〇〇円 一口十圓千口分	一〇、〇〇〇円 土地二千町歩(一町歩十五圓ニ代)三萬圓ノ三分ノ一拂込
	四、〇〇〇 一口一圓(毎月)(四ヶ月分)	二、〇〇〇 創業費及土地購入費、事務所費
	小計一四、〇〇〇	二、〇〇〇 測量費、道路費等
第二年	一二、〇〇〇 一口一圓(毎月)千口十二ヶ月	一〇、〇〇〇 土地代三分ノ一
		一、四〇〇 二萬圓ノ利子七朱
		一、〇〇〇 事務所費
第三年	一二、〇〇〇 同	一〇、〇〇〇 土地代三分ノ一
		七〇〇 一萬圓ノ利子七朱
		一、〇〇〇 事務所費
第四年	一二、〇〇〇 同	一、〇〇〇 事務所費
合計	五〇、〇〇〇	三九、一〇〇
差引	一〇、九〇〇	

即ち二千町歩の土地と、剰餘金約一萬圓とを所有することになるのでございます。之等の土地は其の原價三萬圓に過ぎないのでありますが、分譲する場合には少なくとも六萬圓に達するのは、今日南米ブラジルの實際でございます。故に此の組合に加入して五口二百五十圓を拂込み、其の持分だけの分譲を受けるものとすれば、土地十町歩（此の價格三百圓）と、現金五十圓とを得られる筈であり、更に若干の資金を投じて、其の十町歩の土地を開拓したなら、其の所得は莫大なものになり、且地價は原價の數倍になつて參ります。かやうな次第でありますから、子孫のために月賦仕拂に土地を買ふものとして、世界最良の方法だと云つても、恐らく差支なからうと思ひます。

此の種の組合は、今日に於ては日本唯一のものでありますが、之が段々と數を增し日本全國に統一した聯合組合を組織するやうになつたならば、其の前途は實に洋々たるもので、自然政府からも何等かの形式で、低利資金の融通も受けられませうし、資本家も競つて投資するやうになつて來ませうから、我が民族によつて南米の新天地に一大文化の建設されるのは、決して空中に樓閣を畫く類のものではございません。全く此の企こそ各方面に行き詰つた、今日の我が國の運命を、展開して行く鍵とも云ふべき大使命を、有するものと斷言しても憚らないのでございます。何と愉快なことではありませんか。此の意味に於て私共は、單に地價の騰貴を望むのでなく、どこまでも祖先の遺した貴い開拓の精神を忘れずに、之を此の組合の神髓として行きたいと存じます。どうぞ此の趣意を諒とせられ喜んで御加入下さらんことを、民族將來のためにも切に望む次第でございます。

有限責任信濃土地購買利用信用組合定款

第一章　總　則

第一條　本組合ハ左ノ事業ヲ行フヲ以テ目的トス

一　組合員又ハ組合員ト同一ノ家ニ在ル者ノ貯金ヲ取扱フコト

二　組合員ニ對シ移住其ノ他經濟ニ必要ナル資金ヲ貸付スルコト

三　組合員ノ移住ニ必要ナル物件ヲ買入レ之ヲ組合員ニ賣却スルコト

四　組合員ノ移住ニ必要ナル土地ヲ買入レ之ヲ組合員ニ賣却シ又ハ利用セシムルコト

五　加入豫約者、公共團體又ハ營利ヲ目的トセサル法人若ハ團體ノ貯金ヲ取扱フコト

第二條　本組合ハ有限責任信濃土地購買利用信用組合ト稱ス

第三條　本組合ノ組織ハ有限責任トス

第四條　本組合ノ區域ハ長野縣ノ區域トス

第五條　本組合ノ主タル事務所ハ之ヲ長野縣廳内ニ置ク

本組合ハ從タル事務所ヲ東京市麹町區永樂町一丁目一番地及ヒ出張所ヲ必要ナル場所ニ置ク

出張所ヲ置クヘキ場所ハ理事之ヲ定ム

第六條　組合員ハ長野縣ニ本籍ヲ有シ又ハ寄留セル者ニ限ル

第七條　組合員ハ本組合ト同一ノ目的ヲ有スル他ノ産業組合ニ加入スルコトヲ得ス　但シ理事ノ承諾ヲ得タル時ハ此ノ限ニアラス

第八條　組合原簿ニ記載シタル事項ノ變更ノ届出ハ毎年十二月三十一日ニ取纒メテ其ノ後二週間ニ之ヲ爲ス

第九條　産業組合法第四十條第二項ニ依ル公告ハ本組合ノ掲示場ニ掲示シ且雜誌「海の外」ニ掲載スルモノトス

第十條　本組合ノ財産ニ對スル組合員ノ持分ハ左ノ標準ニ依リテ之ヲ定ム

一　出資金ニ對シテハ出資額ニ應シ算定ス

二　準備金ニ對シテハ拂込濟出資累計額ニ應シ年度毎ニ之ヲ算定加算ス

三　特別積立金ニ對シテハ貯金利子、借入金利子、利用料及購入シタル移住地及物件ノ價額ニ應シ年度毎ニ之ヲ算定加算ス

四　其ノ他ノ財産ニ對シテハ拂込濟出資累計額ニ應シテ之ヲ算定ス

五　本組合ニ損失アリ其ノ未タ塡補ヲ爲サヽル前持分ヲ拂戻ストキハ特別積立金ニ對スル持分ニ按分シテ控除シ其ノ特別積立金ヲ以テ足ラサルトキハ準備金ニ對スル持分ニ按分シテ控除シ持分ヲ算定ス

本組合ニ損失アリタル時ハ之ヲ塡補シタル財産ノ科目ニ對スル持分ニ按分シテ控除シ持分ヲ算定ス特別積立金ヲ臨時ノ支出ニ處分シタルトキ亦同シ

本組合財産カ出資額ヨリ減少シタルトキハ出資額ニ應シ持分ヲ算定ス

第二章　出資及ヒ積立金

第十一條　出資一口ノ金額ハ金五拾圓トス

第十二條　出資第一回ノ拂込金額ハ一口ニ付キ金拾圓トス

第十三條　第一回後ノ出資拂込ハ配當スヘキ剰餘金ヨリ拂込ニ充ツルモノヽ外出資一口毎ニ毎月末迄ニ金壹圓以上宛ヲ拂込ムモノトス

第十四條　出資ノ拂込ヲ怠リタルトキハ期日後一日ニツキ其ノ拂込ムヘキ金額ノ二百分ノ一ニ當ル過怠金ヲ徴收ス

第十五條　本組合ハ出資總額ニ達スル迄毎事業年度ノ剰餘金ノ四分ノ一以上ヲ準備金トシテ積立ツルモノトス

第十六條　加入金、增口金、過怠金及ヒ第六十五條ノ規定ニヨリ拂戻ヲ爲サヽル持分額ハ之ヲ準備金ニ組入ルルモノトス

第十七條　本組合ハ剰餘金ヨリ特別積立金ヲ積立ツルコトヲ得

第十八條　準備金及ヒ特別積立金ハ損失ノ塡補ニ充當スルモノトス　但シ特別積立金ハ總會ノ決議ニ依リ之ヲ臨時ノ支出ニ處分スルコトヲ得

第十九條　準備金及ヒ特別積立金ハ長野縣内ノ信用組合聯合會、産業組合中央金庫若シクハ總會ノ承認ヲ經タル銀行ニ預ケ入レ又ハ之ヲ以テ國債證券、地方債證券、勸業債券若クハ産業債券ヲ買入ルルノ外他ニ之ヲ利用スルコトヲ得ス　但シ總會ノ承認ヲ經テ事業資金ニ融通スルコトヲ得

第三章　機　關

第二十條　本組合ニ理事九名監事三名ヲ置ク

理事ハ組合長一名專務理事二名ヲ互選ス

第二十一條　組合長ハ組合ノ事務ヲ總理シ組合ヲ代表ス

組合長事故アルトキハ專務理事之ニ代リ組合長及ヒ專務理事共ニ事故アルトキハ理事ノ互選ニ依リ其ノ代理者一名ヲ定ム

第二十二條　理事ノ任期ハ三ケ年トシ監事ノ任期ハ一ケ年トス　但シ再選ヲ妨ケス

組合長及ヒ專務理事ノ任期ハ理事ノ任期ニ從フ

補缺選擧ニ依リ就任シタル理事又ハ監事ハ前任者ノ任期ヲ繼承ス

理事及ヒ監事ハ任期滿了後ト雖モ後任者ノ就職スル迄其ノ職務ヲ行フモノトス

第二十三條　辭任後其ノ他ノ事由ニ因リ理事又ハ監事ニ缺員ヲ生シタルトキハ通常總會ノ時期迄猶豫スルコト

然ラサル場合ニ限リ臨時總會ヲ招集シ補缺選擧ヲ爲スモノトス

總會カ理事又ハ監事ノ解任ヲ議決シタルトキハ同時ニ其ノ補缺選擧ヲ爲スコトヲ要ス

第二十四條　理事及ヒ監事ハ名譽職トス

理事及ヒ監事ニハ總會ノ決議ニ因リ報酬手當又ハ賞與ヲ支給スルコトヲ得

理事及ヒ監事ハ正當ノ事由ナクシテ辭任スルコトヲ得ス

第二十五條　通常總會ハ毎年一回一月之ヲ開ク

臨時總會ハ左ノ場合ニ之ヲ開ク

一　理事カ必要ト認メタルトキ

二　監事カ産業組合法第三十四條ニ依リ必要ト認メタルトキ

三　理事ノ闕ケタルトキ

四　産業組合法第二十三條ニ依リ組合員ヨリ總會招集ノ請求アリタルトキ

第二十六條　總會ノ招集ハ少クトモ五日前ニ書面ヲ以テ組合員ニ之ヲ通知スルコトヲ要ス

前項ノ通知書ニハ招集者之ニ記名スルコトヲ要ス

第二十七條　總會ハ總組合員ノ半數以上出席スルニ非サレハ開會スルコトヲ得ス若シ半數ニ充タサルトキハ十日内ニ更ニ招集シ出席シタル組合員ヲ以テ開會ス

前項ノ場合ニ於ケル決議ハ出席シタル組合員ノ過半數ヲ以テ之ヲ爲ス

理事若クハ監事ノ選任又ハ解任、定款ノ變更、組合員ノ除名、解散及ヒ合併ノ決議ハ總組合員ノ半數以上出席シ其ノ四分ノ三以上ノ同意アルコトヲ要ス

但シ合併ニ因リテ組織變更ト同一ノ結果ヲ生スヘキ場合ハ總組合員ノ同意アルコトヲ要ス

第二十八條　總會ノ議長ハ組合長之ニ當ル組合長事故アルトキハ理事ノ互選ニ依ル

監事ノ招集シタル總會ノ議長ハ總會ヲ招集シタル監事之ニ當ル其ノ多數ナル場合ニ於テハ其ノ互選ニ依

ル總會ニ於テ必要ト認メタルトキハ出席者ノ互選ニ依リ議長ヲ定ムルコトヲ得

第二十九條　組合員ハ五人以上ヲ代理シテ議決權ヲ行フコトヲ得ス

第三十條　總會ニ於テハ決議錄ヲ作リ開會ノ時期、場所、會議ノ顚末及ヒ出席者ノ員數ヲ記載スルコトヲ要ス

決議錄ハ議長ノ指名シタル出席者二名以上之ニ記名捺印スルコトヲ要ス

第三十一條　總會ノ議事ニ關スル細則ハ總會ニ於テ之ヲ定ム

第三十二條　本組合ニ常務員ヲ置キ組合長之ヲ任免ス

事務員ハ理事及ヒ監事ノ指揮ヲ承ケ庶務ニ從事ス

本組合ハ總會ノ決議ヲ經テ理事ノ一人若ハ事務員ヲ移住地ニ派遣シ又ハ移住地ニ在住スル者ニ本組合ノ事務ノ一部ヲ委託スルコトヲ得

第四章　事業ノ執行

第三十三條　本組合ノ事業年度ハ暦年ニ依ル

第三十四條　本組合ニ餘裕金アルトキハ長野縣内ノ信用組合聯合會若クハ産業組合中央金庫又ハ總會ノ承認ヲ經タル銀行ニ之ヲ預入ルルモノトス

第三十五條　事務執行ニ關スル細則ハ理事之ヲ定ム

第一　信用事業

第三十六條　組合員カ貸付ヲ請求シタルトキハ信用程度表及貸付金ノ用途ヲ調査シ貸付スヘキ金額及其ノ方法ヲ定ムルモノトス

第三十七條　移住ニ必要ナル資金ヲ貸付セムトスルトキハ理事ハ組合員ヲシテ保證人ヲ立テシメ又ハ擔保ヲ供セシムルコトヲ要ス

第三十八條　貸付金ノ辨濟期限ハ六箇月以内ニ於テ理事之ヲ定ム但シ移住ニ必要ナル資金ハ十ケ年以内ニ於テ理事之ヲ定ム

第三十九條　貸付金ノ遲延利率ハ貸付金ノ利率ニ依ルモノトス

第四十條　理事ハ貸付金使用ノ實況ヲ監査シ貸付ノ目的ニ反スルモノト認ムルトキハ期限前ト雖モ辨濟ヲ爲サシムルコトヲ得

第四十一條　貯金ノ取扱ハ一回壹圓以上トス

貯金ノ利息ハ毎年五月末及十一月末ノ兩度ニ於テ之ヲ元本ニ組入ルルモノトス

第四十二條　貸付金ノ利率及貯金ノ利率ハ左ノ制限内ニ於テ理事之ヲ定ム

一　貸付金ニ付テハ年一割以下

二　貯金ニ付テハ年七分以下

第二　講買事業

第四十三條　本組合ニ於テ賣却スル農業用地及ヒ物件ノ種類ハ左ノ如シ

一　移住ニ必要ナル内地又ハ外國若シクハ殖民地ニ於ケル農業用地

二　移住ニ必要ナル種子、農具、精米機、藥品類及旅行用具

三　其ノ他總會ノ決議ヲ經タル移住ニ必要ナル物品

第四十四條　理事ハ組合員ノ需要ヲ調査シ又ハ其ノ註文ニ應シ農業用地ヲ便宜買入ルルモノトス

理事ハ組合員ノ需用ヲ調査シ又ハ其ノ註文ニ應シ移住ニ必要ナル物件ヲ便宜買入レ又ハ之ヲ生產スルモノトス

組合員ハ理事ノ承諾ヲ經ルニ非サレハ組合ニ於テ取扱フ物件ヲ本組合外ヨリ講買スルコトヲ得ス

第四十五條　講買ノ申込多數ノ場合ニ於ケル賣却ノ順位又ハ數量ハ申込人ノ講買必要ノ程度等ヲ參酌シテ理事之ヲ定ム

第四十六條　組合員ニ賣却スル農業用地又ハ物件ノ代價ハ市價ヲ標準トシテ理事之ヲ定ム

第四十七條　理事ハ必要アリト認ムルトキハ時期ヲ指定シテ組合員ニ註文ノ農業用地又ハ物件ノ見積代金ノ一部ヲ提供セシムルコトヲ得

第四十八條　組合員ハ組合ヨリ講買物件引渡シ通知ヲ受ケタルトキハ遲滯ナク之ヲ引取ルコトヲ要ス

前項ノ通知ヲ受ケタル日ヨリ一週間内ニ引取リヲナサザルトキハ物件購買代價ノ十分ノ一ニ當ル過怠金ヲ徵收ス此ノ場合ニ於テハ本組合ニ於テ其ノ賣買契約ノ解除ヲナスコトヲ妨ケス

第四十九條　組合員ハ購買物件引取リト同時ニ其ノ代金ヲ支拂フコトヲ要ス　但シ理事ニ於テ止ムコトヲ得サル事由アリト認ムルトキハ一ケ月以内ノ延納ヲ承諾スルコトヲ得

此ノ場合ニ於テハ日步三錢以内ニ於テ理事ノ定メタル遲延利息ヲ徵收ス

第五十條　國内ノ農業用地ヲ購買シタル場合ニ於テハ十ケ年以内ニ於テ理事ノ定ムル年賦支拂ノ方法ニ依リ購買代價ヲ支拂フモノトス

第五十一條　第三十七條及前條ノ規定ハ殖民地又ハ外國ニ於ケル農業用地ヲ購買シタル場合ニ之ヲ準用

ス

第五十二條　前二條ノ年賦支拂ニ就キ組合員ヨリ延期ノ請求アルトキハ理事ハ組合員ヲシテ保證人ヲ立テシメ又ハ擔保ヲ提供セシメテ六ケ月以内ノ延期ヲ承諾スルコトヲ得　但シ此ノ場合ニ於テハ日步三錢以内ニ於テ理事ノ定メタル遲延利息ヲ徵收ス

第五十三條　本組合ヨリ講買シタル農業用地又ハ物件ハ本組合ノ承諾ヲ經ルニアラサレハ之ヲ他ニ讓渡シ又ハ農業用以外ノ目的ニ使用スルコトヲ得ス　但シ購買代價ヲ全部支拂ヒタルトキハ此ノ限ニアラス

第三　利用事業

第五十四條　組合員ニシテ移住地ヲ利用セムトスル者ハ其ノ面積及ヒ本組合ノ臺帳ニ依ル所在地、利用期間ヲ記載シタル申込書ヲ理事ニ差出スヘシ

理事前項ノ申込ヲ受ケタルトキハ申込人ニ利用必要ノ程度、利用ノ條件及ヒ方法ヲ定メ之ヲ申込人ニ通知スルモノトス

第四十五條ノ規定ハ利用申込多數ノ場合ニ之ヲ準用ス

第五十五條　理事ハ必要ト認ムルトキハ利用スル組合員ヲシテ保證人ヲ立テシメ又ハ擔保ヲ供セシムルコトヲ得

第五十六條　土地ノ利用料ノ額及ヒ徵收方法ハ理事之ヲ定ム

第五章　剩餘金處分並ニ損失ノ塡補

第五十七條　剩餘金ヨリ準備金ニ積立ツヘキ金額ヲ控除シ猶殘餘アルトキハ配當金、特別積立金、特別配當金、役員賞與金又ハ繰越金ト爲スモノトス

第五十八條　剩餘金ノ配當ハ其ノ剩餘金ヲ生シタル年度ノ終リニ於ケル同組合員ノ拂込濟出資額及ヒ準備金並ニ特別積立金ニ對スル持分額ヲ合算シタル金額ニ應シ其ノ率ハ年六分以下トス

剩餘金ノ特別配當ハ其ノ剩餘金ヲ生シタル事業年度内ニ於テ組合員ガ本組合ヨリ講買シタル物件又ハ農業用地ノ價額ニ應スルモノトス

第二項ノ配當ハ壹圓未滿ノ金額ニ對シテハ之ヲ爲サヽルモノトス

第五十九條　損失ノ塡補ハ先ツ特別積立金ヲ以テシ次ニ準備金ヲ以テス　但シ總會ノ決議ニ依リ特別積立金及ヒ準備金ヲ以テ之ヲ塡補スルコトヲ得

第六章　加入、增口及ヒ脫退

第六十條　新タニ組合員タラムトスル者又ハ出資口數ヲ增加セムトスル者ハ申込書ニ加入金壹圓又ハ增口金一口ニツキ金五拾錢ヲ添ヘ理事ニ差出スコトヲ要ス　但シ第一年度ニ於テハ加入金又ハ增口金ヲ徵セス

理事前項ノ申込ヲ承諾シタルトキハ其ノ旨申込人ニ通知シ出資第一回ノ拂込ヲ爲サシメタル後組合員名簿ニ記載スルコトヲ要ス

加入又ハ增口ノ効力ハ第六十一條及第六十二條ノ場合ヲ除クノ外出資第一回ノ拂込ト同時ニ發生スルモノトス

第六十一條　持分ヲ讓渡サムトスル場合ニ於テハ理事ノ承諾ヲ經ルコトヲ要ス

持分ヲ讓受ケムトスル者カ組合員ニ非サルトキハ加入金及ヒ出資ノ拂込ヲ爲サシメサルノ外前條第一項及ヒ第二項ノ規定ヲ準用ス

第六十二條　組合員脫退セムトスルトキハ其ノ事業年度末六ケ月前ニ其ノ旨ヲ理事ニ豫告スルコトヲ要ス

第六十三條　死亡ニ依リ脫退シタル組合員ノ相續人カ直チニ加入セルトキハ組合ハ被相續人ニ對スル持分ノ拂戾計算ヲ爲サズ被相續人ニ同一ノ權利ヲ有シ義務ヲ負フモノト見做ス　但シ此ノ場合ニ於テハ加入金ヲ徵セス

第六十四條　組合員ハ左ノ事由ノ一ニ當ルトキハ總會ノ決議ニ依リ之ヲ除名ス

一　組合ノ事業ヲ妨クル所爲アリタルトキ

二　犯罪其ノ他信用ヲ失フヘキ所爲アリタルトキ

三　理事ノ承諾ヲ經スシテ組合ヨリ講買シタル農業用地及ヒ物件ヲ他ニ賣却シタルトキ

四　出資ノ拂込過怠金ノ納附、借入金講買代價又ハ利子ノ仕拂ヲ怠リ辨濟スヘキ期限後一ケ月以内ニ其ノ義務ヲ履行セサルトキ

第六十五條　組合員脫退ノ場合ニ於ケル持分ノ拂戾シハ拂込濟出資額ニ止ムルモノトス　但シ除名ニ因ル場合ニ於テハ其ノ拂込濟出資額ノ半額ヲ、死亡其ノ他總會ニ於テ止ムコトヲ得サル事由アリト認メタルトキハ其ノ持分ノ全額ヲ拂戾スコトヲ得

第七章　解散

第六十六條　本組合解散シタルトキハ理事其ノ清算人トナル　但シ總會ノ決議ニ依リ組合員中ヨリ之ヲ選

任スルコトヲ得

第八章　附　則

第六十七條　本組合設立當時ノ理事及ヒ監事左ノ如シ但シ第一回總會ニ於テ之ヲ改選ス

組合長理事　本間利雄
專務理事　竹井貞太郎
專務理事　永田稠
理事　三樹樹三
理事　鬮澤泰江
理事　名取夏司
理事　志賀三行
理事　上條信
理事　木村贇夫
監事　今井五介
監事　小川平吉
監事　笠原忠造

因に右組合員の募集は當協會各支部の應援を得て本縣出身の藤森佐金次氏が專之に當る事となつて居る從て各支部に於て何時でも申込を受くる筈である

伯國ミナス州大河沿岸米作地事情

サンパウロ州の北に接するは、ミナス州（三角ミナスとも云ふ）と云ふので、此の二州の間を西に向て流るゝを、グランデ川（大河）と稱し、南米屈指の大河、パラナ川の上流である

サンパウロ州から、北に向て平行して伸びて來た鐵道モヂアナ線が二本、東西二十里程の間隔を以て、此の大河を横ぎり間もなく、ミナス州南境の重要都市、ウエラバで合一して北に走つて居る

此の部分の川の沿岸に、邦人の手に依りて、近來頓に開發された米作地がある、遂先頃サンパウロの總領事、藤田敏郎氏が、此の地方を視察された報告が左に揭ぐるものである

　第一　借地農業

三角ミナス州大河沿岸地の米作は大正四年に始まり歐洲大戰中各種穀物高價なりし爲め急に發展せしものにして邦人流行的に各地より集り來りて爭ふて借地し伯國人及外國人亦た之に倣へり米（籾）價の最高に達せしは大正八年にして一時籾價六十基（十六貫目入）一俵二十五「ミル」に上りしか平和克復後數月穀價漸次低落

年八月頃には十九「ミルレイス」を保ち向ほ相當收益あり人々は之を以て一時の現象となし大正十年には尙同價以上たるべきを豫想し耕地の面積を增加し漸次に賃金上騰しつつある日雇人を增雇し昨年十月播種せしか其の頃は雨量過多なりしも折角苗の長ずる大切なる時期即十二月に至り降雨杜絕發育大に阻害せられ大正九年度に比し收穫三割五分乃至四割の減收を見、加之籾價頓に下り「コンキスタ」市にて四五月の交一俵八九「ミルレイス」、「コンキスタ」市へ出荷の運賃等を差引せば耕作者の手取り六七「ミルレイス」となり失望落膽の淵に沈む者擧げて數ふるに遑あらず本官「コンキスタ」地方巡回の當時（四月下旬）最も極度に達したる觀ありし、聞く當地方本年度籾の生產費は日雇賃並に借地料のみにて九「ミル」十「ミルレイス」之に車馬運賃を加ふれば十一、二「ミルレイス」となり耕作者は自分の賃錢は皆無となる上に二三「ミルレイス」の損失となる計算なり本年九月上旬に至り「コンキスタ」市にて　籾價上昂十三、四「ミルレイス」となり耕作者の手取十一「ミルレイス」に及べりと云ふされば玆に於て或一部の人々は漸く收支相償ふこととなるなり、此地方近年米作好況の爲め珈琲耕地を出て來る者踵を接したるも尙人手不足し人を各地に派し勞働者若くは移住者の移轉を勸誘したる有樣にて賃錢益々騰貴し本官巡回の頃は一日食事付き四「ミル」乃至五「ミルレイス」に及び收穫最盛の時は其れ以上なりと云ふ加之地代も漸次上り一「アルケール」（二町半）に付百乃至百二十五「ミルレイス」となり一「アルケール」平均六十俵此價六百「ミルレイス」（一俵十ミルレイスとして）の收穫を得るとせば到底收支相償はざるは明白なりとす、借地農業者は資本薄き輩なれば食料品、需要品、日雇者、賃錢等を地主より物品又は金錢にて借用し之が交換條件として收穫物全部を「コンキスタ」附近の小都會市相場より若干の割引にて地主に提供し貸借を差引して殘額の交付を受くる契約なり然るに籾價低落物價及賃錢騰貴の爲め借地者の多くは昨年既に負債とあり居る上に本年又々多大の不足を來たし負債の上塗をなせり、

元來「リオ、グランデ」沿岸の土地は重に牧牛場に使用せらるるか又は未拓の深林なりしか日本人多數借地し米作をなすに至りしものにして地主に於ては此土地は重要のものにあらざれ共競ふて借地するが故に現今にては借地料として收穫物の二割五分乃至三割又は耕主

より鋤耕し且器械播種の後借地者に貸與する場合には收穫物の四割五分乃至五割を地主に納付せしむ又所によりては一「アルケール」（二町半）に付一ヶ年百乃至百二十五「ミルレイス」の借地料金を徴す地主は一年、三ヶ年乃至五ヶ年の短期にて日本人に貸與し邦人退去せば既に開拓せし地なれば直ちに牧草の種子を播き生牛を放牧し得べきが故に邦人の去就に重きを置かず寧ろ速かに退轉せんことを期待する者あり、日本借地者は地主に於て小分して土地を賣却せざるに付き短期間借地耕作をなし勢ひ永住の計（例令ば學校の設立、家屋の建築等）をなす能はざれば萬事腰掛的設備をなすの止むを得ざるなり

　第二　農業は堅實なる經營を要す

農業は投機的事業にあらざるは勿論なるに邦人中多くの人々は本年度の高價を空想し所有金は勿論高き利子を拂ひ借金し日雇人を增雇し廣き土地を增借し米作をなせしに前述の如く天候不良と米價下落のため二重の大打擊を蒙むり「リヲ、グランデ」下流に於ては地主の貸出停止若しくは制限に逢ひ再び立つ能はざる者を生じ日雇人及小作者にして逃亡せしもの尠からず、然るに同河上流「コンキスタ」附近地方は地主中寛大にして貸金の取立不能なるを察し假すに時日を以てせしと、日伯產業組合の援助誘掖に因り繼續借地し來年は米のみならず玉蜀黍、豆、棉花等をも併せ耕やし萬事節約を旨とし日雇人を廢止又は減員し經濟的に經營せんとする者も尠からず是當然の事なれ共彼等には實地より得たる好個の經驗なりとす、

「コンキスタ」其の他の地方に於ては邦人悉く投機的且大々的に米作をなせし者のみならず中には珈琲耕地より携へ來れる貯金を資本とし一家族勞力の及ぶ限りの土地を借用耕作し收穫期の外人を雇はざる者もあり、斯る輩は本年の如く米價低廉且收穫少なき時に當りても賃金を支拂はざる爲め全收入は一家族の所得となり只其の金高少なきのみにて損失及負債となるに至らざるなり農業は如斯堅實なる經營法を以て進まざるべからず、天候の不良と生產品價格の高低は何れの國何れの地にも免がるべからざるものなり本年の米價大下落は世界的なると前數年の米價は不自然的高價なりしを考へ目下の相場を以て標準とせば大なる誤算なからん、

　第三　土地購入の希望

當國の如く土地廣く購買容易なる國に於て借地農業を

なすの不利益なるは明白なるが邦人等米價の高きに眩惑され水利良く地味肥へ土地廣く且開拓容易なる「リオグランデ」沿岸に着眼し賣渡を好まざる牧場主より借地し米作を開始したるものにして地主よりは高き地代を要求され高價の物品を供給され所產の物品は地主の手に賣却せざるべからざる等種々の不利益を實驗したれば今や一般の邦人は借地の不得策を知り相當の貯金を爲さば土地を講入し小地主たらんことを希望するに至れり是れ當然の事とす、

大河沿岸米作邦人の數は三百二十六家族（大正十年八月末現在）借地面積千七十五「アルケール」我二千六百八十七町歩となり是等の人々は此地方に土地を購買し得ずとせば早晩北西部「アラクアラ」又は「パウリスタ」方面に赴き地區を買入れざるべからず又之を奬勵せざるべからず斯る多數の人々が個々別々に土地を買はんとすれば自然地價を競り上ぐることとなる虞あり又「アラクアラ」「パウリスタ」の如く統一なき殖民地を形成するは好ましからず之を一つに纒めて殖民地的たらしむるには資本家ありて數千町歩の土地を購入し小地區に分割し是等の人々を收容するより良きはなし是れ一擧兩得なりとす三角「ミナス」州に於ても數千町歩の牧場豫定地の賣物なきにあらず只當國の地主は小地區に分賣することは非常の手數を要するに付好まざる者多し若し邦人にして之を購入して分割せば是等の借地者は餘り遠きに移動せずして土着するを得べし

　第四　大河沿岸地方借地農業の現況

左に大正十年度及九年度「リオグランデ」沿岸邦人家族の借地面積及取穫を高を揭く

耕地名	十年度 家族數	十年度 借地面積「アルケール」	十年度 實收穫高（俵）	九年度 家族數	九年度 借地面積「アルケール」	九年度 實收穫高（俵）
サンタ、イザベル	一〇	三四	一、五六五	一〇	二〇	二、一二〇
ジエッカ、ペレイラ	八	二七	八五〇	一〇	一〇〇	二、七三五
ジヤックアラ	一三	四三・五	一、九七三	一三	三七	四、七四〇
エルネスト、サルガド	二	八・五	四四一	三	二〇	五六〇
マンデオカ	一五	九八・五	三、八六〇	一八	一三三	二、六〇三
タクアラル	四〇	二三三	一〇、三二〇	二六	二六五	一〇、三一六
イリア、グランデ	四七	一〇八	五、三四七	三二	一四五	二、八三五
ビリキト	五	一〇	七九〇	八	二六	二、二六〇
カリフオルニア	八	一〇	一、一五五	八	二五	二、〇一〇
カジユカ、ボンテ	四	八	三六八	六	二八	二、三一〇
リバルタ	五	一〇	一、一三〇	五	二六	二、一〇八
カンヂド、ドツカ	五	三三	三、三二〇	三	八	四九
イリア、サン、ゼラルド	六	二〇	一、五四八	七	二七	二、一一五

ヴアルゼア、アレグレ	五	一八・三五	一、一四〇	三	一〇	七五〇
フンドン	五	二〇	一、三九〇	六	七	五〇〇
ラゼアード	三	五〇	一、八四五	一八	七〇	五、四八四
マノエル、コスタ	三	六	五四〇	三	三	六六〇
サン、ヴイルジリオ	一	五	三八〇	二	五	四〇〇
マツタ、ダ、ヴイダ	七	八・五	一、一一一	二	五	四〇〇
アドージ、ユンケーラ	七	一六	一、六二五			
イノセンソ	三	八	七三〇			
マノエル、ジユニヨ	五	一〇	五二五			
ジヨアン、ジユンケーラ	一六	六七・四	三、八〇八			
イリア、ジユンケーラ	三九	九・七五	六、六八〇			
ジヨゼ、ジユンケーラ	三七	七三	四、五〇三			
ボリンジニヨ	二	七	五〇〇	七	三六	二、八三〇
サン、ジヨアン	三	三四・六四	二、一九五	一三	七〇	五、九四〇
タンクレド、フランサ	三	四	二〇〇	一	三	二五〇
總計	三三六	一、〇七五・八九	五八、七七六	二〇三	一、二〇九	廿三、三三六

外ニ調査未濟ノモノ四十七家族

備考 大正十年度買收高ハ借地料ヲ仕拂タル後ノ手取高トス

一、大正九年度收穫高中ニハ借地料ヲ含ムモノアリ又同年度收穫高ハ兩鐵道ノ中間大河ノ沿岸ダケノ分トス

一、大正九年度收穫高ノ十年度ニ比シ多キ理由ハ

第一 借地料ヲ含ム

第二 大正九年度ノ不況ニ鑑ミ十年度ハ米作ノ傍玉蜀黍、棉花、甘蔗等ヲモ耕作シ且雇人ヲ減シタルニ由リ耕地面積モ收穫モ減少シタリ尤モ借地面總積ハ殆ント依然タリ

第三 資金融通不如意ノ爲メ臨時雇人ヲ思フ儘ニ爲シ得サリシコト

第四 十年度ハ天候不良ノ爲メ約三割五分ノ減收トス

一「ジヨアン、ジユンケーラ」「ジヨゼ、ユンケーラ」及「イリア、ジユンケーラ」三米作地ハ本邦人九十二家族カ地主ト借地者トノ間ノ葛藤ニ由リ本年八月大半退耕セリ

一、此地方ニ「アルケール」平均收穫高籾約六十俵トス一俵ハ重量六十基ナリ

第五　借地者に對し金融の途を開くこと困難

日伯產業組合は大正八年「コンキスタ」地方米作者等の設立したるものにして食料品其の他農業上需要なる諸般の物品を供給し生產品を賣捌くを目的とする賣買組合組織なりとす。然るに邦人は斯る組合を利用する事に慣れざる故株主たる二百餘家族の家長等は拂込株金以上の物品を購入し仕拂をなさず然るに組合は物品を伯國人及外國人より仕入れ之が仕拂期日に至れば猶豫なく仕拂はざるべからざるに付忽ち融通に窮し而も生產品の多くは地主に賣渡す契約に付組合は米其の他の生產品を取扱ふこと極めて僅少なれば經濟上少なからざる困難を感じ昨年八月株主總會を開き新株四百七十一株を募り大正十年度新籾收穫の際一株に對し五俵宛を拂込むことに決定し組合は斯くして集めたる籾を賣拂ひ以て運轉資金を得同時に各組合員は組合より購入

せし物品の代價は收穫物卽籾を賣拂ひ次第拂込み外國人よりの負債償還に充つることに確定し各自固く契約をなせり。

本年四月本官同地方巡回の際組合員を集め賣買組合は組合員各自協力して之を盛り立て互に利益を享受する機關なれば一旦成立したる以上は飽まで之を維持し外部より借入れたるものは的確に期限通り仕拂ふ必要あれば組合員各自の購入したる物品代價は速かに拂込み之が資金となさゞるべからざる理由を細說し懇々勸告を試みたり然るに前章所載の如く本年米價下落し且收穫少かりし爲め地主よりの債務嵩める實況より株金の拂込は素より購入品の代價を拂込む者極めて少なく組合當局者の窮境察するに餘あり、借地者に對し金融を計ることは極めて困難なり細說すれば抵當に取るべき土地なく器械なく又建物も假設的小屋式家屋なれば信用に對し貸與するより外に方法なし然るに組合に對しても斯る始末なれば信用の點に於ても大に闕如し氣の毒なから如何とも施すべき方法を見出し難し如何に小なりとも組合整然成立し信用するに足るものならば之に對し金融を計ることを得べきなり

第六　巡回中見たる實況の二三

一、「マンデオカ」耕地、「マンデオカ」耕地に三組の借地者あり其の一は池岡鶴松外五名の三十五「アルケール」半にして土地起伏し地味頗る良好同時に土地を各家族に分配し各自の利益にて耕作し且雇人を使用せざるが爲め手入行屆き成績優良なり大正十一年度より面積を百「アルケール」に擴張し借地料を金に改め一萬「ミルレイス」を拂ふことに契約を改定すと云ふ大正九年度には池岡一家族は九「アルケール」卽ち二十二町半を借地し千三百俵の總收穫を得、十年度には天候不良の爲め六百八十二俵の手取收穫を得(五割を地主に拂ふ付に總收穫は是が二倍なり)たりと云ふ他の組合員五名は本年十八「アルケール」半卽四十六町二五より千三百四十六俵の籾を手取收穫せりと云ふ。

池岡外五家族の住宅は大河に接して建てられたるも水面より二十尺以上の高地に在り風景絶佳、飲料水透明健康狀態頗る良しと云ふ、彼等は節約を旨とし勤勉事に從ひ組合員互に協力し萬事平和に進行しつゝありと云ふ。

第二は鹿兒島縣人田中庄左衛門外六家族共同契約にて六十「アルケール」を耕作す各家族の所耕地は區別あり)耕主より鋤耕及播種をなしたるものを受取り本年

度手取收穫は千六百十俵にして地主と折半するものなれば地主も同額の收益を得たるなり、第三は熊本縣人內田長作外一名の共同借地八「アルケール」とし契約條項は第二と同じ本年度手取收穫は二百二十二俵なり、

二、「タクアラル」耕地、「タクアテル」耕地は アフヲンソ、ラト、氏の所有にして日本人四十家族二百八十五「アルケール」の土地を借入米作をなしつゝあり借地料は一ケ年五千二百五十「ミルレイス」と定む、開く籾一俵を十五「ミルレイス」と假定し決定したるものなりと云ふ當耕地に於ては嘗て珈琲耕地ありしが稻田外二十一家族合同之を伐採し其他の林野も開拓し其の樹根を去り平坦なる土地となし器械耕耘をなすに適せしめ合計百四十「アルケール」卽三百五十町歩の地を得て大規模に米作をなしつゝあり、

「ウベラバ」市に於て本官、耕地主「ラト」氏と面會の節氏曰く日本人は勤勉努力の點は敬服の至りなれ共其の擧作極めて大膽にして多額の給料を拂ひて日雇人を雇ひ且居常贅澤にして一週一、二回大酒宴を催し耕主以上の生活をなすが如し本年の如き不景氣の時には大打擊を蒙むるに付機を見て注意せられたしと又借地者中二三年貸借の決算をなさゞる者あり困却す云々と云へり是皆實際の情況を語るものなり同氏は極めて同情深き人にして目下日本人の困難の情況を見て追窮せず負債の決算を翌年に延期し經濟的耕作を勸告し食料其の他の貸與を繼續せりと云ふ同氏は富豪なるに拘はらず身を奉ずる質素儉約同時に耕主中稀に見る寛大の長者あり、

右の如く本耕主は嚴格なれども同情ある人なるが支配人は其人を得す供給する所の食料品等の價格は頗る高價にして而も之を他の店舖に仰くを許さず蓋し逃亡者其の他の損害を商品代價に加へ賣捌くるものならん強ち不當の利益を貪るものとのみ斷し難し總て此地方の牧塲又は耕地に於ては商品は地主の專賣に係り且掛賣なるが爲め代價の高きを常とす、負債なく殊に契約に依て生產品の自由販賣、食料品等の勝手購買をなす條件を定むる時は斯る弊害より免かるゝことを得べし

三、「イリア、グランデ」 大河中の一小島に在り地主は「レオポルト、メンドンサ」と云ひ甘蔗及珈琲耕地及牧塲を有し日本人四十七家族に百〇八「アルケール」卽二百七十町歩の土地を貸與し米作をなさしむ借地契約は區々一定せす多くは地主に於て鋤耕播種をなしたる

上借地者に交付し收穫の四割若しくは五割を納付せしむ本年卽ち十年度日本人の手取收穫高は籾五千三百五十七俵なり右借地の內四十四「アルケール」は間弓義諦の請負にして十四人の共同に係り其の他の六十四「アルケール」は三十三家族の小地區の分借なり、

本島に日本人小學校あり兵庫縣人前田清次郎夫婦之が敎員たり同人等は所屬縣の中學校及女子師範學校出身者にして農業の經驗なく勞働にて適せざるにより在留者協議の上同人の借地半「アルケール」卽ち一町二分五厘の耕作は學齡兒童の兩親等一週一回半日つゝの助勢をなし前田は重に兒童敎育に當ることゝし本年籾五十俵の手取收穫を得たり是れ一擧兩得なり、他の地方に於ても同樣の方法にて日本語補習學校の敎員又は敎會の牧師を聘することゝせば好都合ならん、敎員又は牧師を聘し家屋俸給等を支出するは困難ある地方少からざるべし、

附　「ウベラバ」市

「ウベラバ」市は三角「ミナス」に於ける重要都市にして「モジアナ」鐵道東西線の再び集合する地點に在り三角「ミナス」地方の產業は牧畜にして聖州ならば地味良好ある土地には珈琲を栽培するに當地にては牧草を植へ牧牛塲となす而して「ウベラバ」市は其牧畜市場たり、歐洲戰爭中は歐洲に於て肉類の需要極めて大なりしかは當國の牧畜大に發達し當市の取引所繁榮著しく日々賣買の頭數多數に上り中には之を利用して投機を試むる者ありて巨富を得たる者を生したりと云ふ當地方の牛は當地產の外に「ゴヤス」「マトグロッソ」諸州よりも瘦牛を買ひ牧塲にて肥大ならしめ然る後當市に輸送し更らに轉じて聖州「バレトス」又は聖市附近の屠殺會社に賣却するものなり牧牛は手數を要すること極めて僅少、牧塲は鐵條網を廻らし飲用水の塲所を設け諸所に食鹽を備ふれば足る、此邊一帶の林野には良質の牧草あるに付是を放牧塲とし別に山林を開き一回玉蜀黍を耕作したる後「カピン、ゴルヅーラ」と稱する牧草の種子を播き良好の牧塲となし牛を肥やす爲め或る期間放牧す普通林野の牧塲には平均一「アルケール」(二町半)に二三頭を、特別牧塲には五六頭を放牧す珈琲其の他の耕地には多數の勞働者を要するも牧塲に於ては少數にて事足り殊に三歲以上の牛なれば毎年牝牛の七割は孖牛を生み三年にして二倍以上に繁殖す「ミナス」州の如き人口少き地方にては牧牛に增す有利の事業あるなし、

當國固有の牛は「カラクー」と稱し飴色をなし肉極めて美味皮亦た良好なり然るに勞働に堪ゆると繁殖力盛なることは印度「ゼブー」種に及ばずとの評あり爲めに近年カルカッタより同種の輸入多く或る「ゼブー」種の如きは一頭十萬、十數萬「ミルレイス」の價格にて賣買せられたりと云ふ、「ウベラバ」市は牛の賣買市場たる爲め牧場主は多く此地に往するにより富豪の邸宅多く五萬の市人は殆んど牧場に關係ある職業にて生活し店舖は牧畜者に物品を供給すと云ふも不可なしとす、一昨年戰爭終熄と共に牛肉の輸出減少し少なからざる不利益を感じつゝありしに本年三月以來聖市附近に牛疫流行の爲め牛の輸送禁止せられしかは牧場主の蒙むりし打擊は甚大にして、本官等四月巡回の際の如き「ウベラバ」市の不景氣は一方ならざりしなり、

三角「ミナス」は牧畜の外產業なかりしに此數年日本人入り來り牧場の一部に米作を始めたれば米食各地に行はれ他の國人も之に倣ひ河邊濕氣多き所に米作をなし「ウベラバ」市亦米の一市場たらんとす、

「ウベラバ」市に居住する本邦人は僅かに五家族建築請負兼家具を製造する者一、野菜を耕作する者一、米作者三人とす、

內地移住地紹介

栃木縣下那須野原（其の一）

我が信濃海外協會は、一面內地移住にも、資益すべき使命を持て居る事は、規約の劈頭に標榜する處で有る、內地の移住も、海外への移住も、精神に於ては固より同一で有る、或は內地移住は、海外移住の前提で有るとも言へやう、乃は每年海外へ移住する者の數は北海道が全國第一で有る處から見ても、首肯される、

長野縣人が行て、開拓するに最恰適なる、又最手近なる場所と言ふたら、栃木縣下の那須野ヶ原であらう、現に本縣の南北信から、彼の地に移住した、數十家族の人達は、養蠶と云ふ獨特の技能を以て、立派なる成績を收め、同地方人に驚異を與へて居る、山崎治太郎氏も亦其の一人で、大正四年以來、彼の地に於て數町歩の土地利用をされて居る、依りて同君に乞ふて、彼の地一般の事情を報道する事とした（以下同君の稿）

一、那須野ケ原は何處の邊か

東京から靑森へ通じる、東北線の鐵道に依つて、關

東平野をひた走りに走つて、北すること四時間乃至五時間で、大宮・小山・宇都宮を經た汽車は、擴原から流れ出る箒川を渡つて、野崎驛に着く。驛の四邊は全く、關東平野を出離れたかの、感を抱かせる程に、景物が變つて來る。何方を見ても、余り大きくない檜櫟等の林が、廣漠の野原を滿たし。其の間に點在する、杉林に圍まれた、素朴な茅葺の農家が眼に映る。野崎を出た汽車は、北東に向つて直進し、西那須野・東那須野・黑礒等の驛を過ぎて、那珂川を渡り、低丘小岡の間へ隱れるが此の平野こそ、古史傳說に名を得た、那須野ヶ原である。

林を拔け、畑を横ぎり、萱野を過ぎて、走ること十一哩、其間、車中の人をして、平野を捨て置くことの余りの大膽さと、畑を粗放に耕す余りの延氣さと、草木及作物の繁茂の元氣の善いのとに、驚かせたり、不思議がらせたり、するであらう。

そこで、もつと面白いのは、傳說や古史によつて、「武夫の、やなみつくらふ籠手の上に、あられたばしる那須の篠原。實朝」と、直ぐさま萬人から、那須野ヶ原と謂へば、茅野や篠原で、木の無い荒涼たる草原であると、想像されて居るために、那須野ヶ原の中央を横ぎりつゝありながら、「那須野ヶ原は何處の邊ですか」と、那須野ヶ原の傳說の白狐見たさに、呼び騷ぐ人達の多いことだ。

尤も、昔は水の無かつた所だから、確かに、林も無く草も茂らずに、那須山颪が吹き荒れて、火も焚けぬ位に砂塵を吹き捲つて居た、荒蓼たる野原で、徒らに狐狸や猨の、巢窟であつたに相違あるまいが、然し今日の那須野ヶ原は、決して其樣な荒野ではない。今日では、前に述べた通り美しい、造林があり、畑あり、水田あり、諸方開拓されて、我が本州に於ける大農式農業の、模範場であるとまで言はれる樣になつて居るのである。

此原は栃木縣の北部に位する那須郡であるが、郡面積の、始んど半を占めて居るのである。

今假に、長野から午後十時三十分の上野行列車で、出掛ければ、高崎驛で兩毛線に乘りかへ、小山驛でまた東北線に乘り替へて、栃木縣廳の所在地で、日光線の分岐點の、宇都宮を過ぎて行くとこと一時間と二三十分で、翌朝の九時半頃西那須野驛につく。長野からの里程は一百七十三哩である。北海道などから比すると、四分の一の里程にも、及ばぬ位の近い處だ。

而かも、東京から僅か四五時間の里程である此の地が、目下の如き延氣な土地柄で、將來永く押し通せるものではない。何處かの人口稠密した土地の人達が、此所へ押し寄せて來て、此土地を利用しやうとするに相違ない。

處が、我が信州人に取つて善いことは、此地が非常に養蠶に適して居ることだ。已に我が信州人の此の地に發展して居る者も尠くない。彼等は殆んど養蠶本位に大農家と成り得てゐる。兎に角に、我が信州人の縣外發展地としては、蓋し見逃がすべからざる、好適の候補地の一である。

右の樣な私感のもとに、此那須野ケ原の、大体の樣樣を御知らせして置くのは、何時かの、御參考の一端にも、成り得るかと考へて、次にその二三を記させて戴きたいと思ふ。

夫れについて、御許しを得て置き度いことがある。實は、昨日藤森先生が見えて、那須野ヶ原の事情を「海の外」へ載せたいから、是非書く樣にと懇望されたので、まんざら、御希望を否む譯にも行かず。御引受けはしたものゝ、發行の豫定にも迫つて居る樣子なので、實地の事情を充分に調査吟味する暇なく取り敢へず、念頭に浮んだまゝを、書く事とするのほかないのである。從つて、不整律な樣な發表になるかも知れぬ。宜しく御判斷の上文意を汲まれたいのである。

二、那須野ヶ原の自然

廣袤・地勢

此の地は廣義に見た那須の地と所謂那須野ヶ原の地と兩方から見なければならぬ。

那須の地は、往昔下野の國を毛野ノ國と言つた時代には、獨立して、那須の國と言つて、特別に別區割をなして居た土地である、那須國造の碑は此の時代の遺物である。此の面積は、頗る廣大なもので、南北十三里、東西九里と言はれてゐる。西北方は、那須火山脈に屬する高原山・擴原山・百村山・那須山の、雄大な連峯で劃され。八溝山脈の、なだらかな連山によつて、東北方遙かに閉されてゐるが。南は關東平野となつて、全く際涯の無い開け方である。地內は所々に低丘小阜はあるが、一面の平野の連續である。

此の平野の西北部に一帶の、丘陵とても無い、東西六里餘、南北七、八里余の、蒼茫たる、幾分南傾斜の平野を作つて居る。是が所謂、那須野ヶ原である。此

の原は、那須山や高原山の裾野の、廣がりであると、見てもよいのであらう。北と東は那須川によつて限られ、南方は箒川に依つて限られて居る。

而して此の那須野ヶ原は更に、那須野大輪地原那須野西原・那須野東原と、三區域に分け稱せられて居るが。地勢上から右の樣に分けられて居るわけではない。凡て一帶の原になつて居るのだ。大輪地原は北部の比較的高燥な地區を占めてゐて、最も廣く、黑礒町を中心として、人文が明けてゐる。東原は、大輪地原の東南方になつて、最も狹い地域であつて、現在では人文上最も發達して居らぬが、東那項野驛前附近を中心として幾分、活氣づき初めてゐる。此の原は住民の沿革から見て、最古く開拓されはじめた所で、千有余年前からの部落の現存して居るのがある。西原は最も新しく、明治後になつて開拓された地方である。夫れだけ、また、發展力にも富んで居り、人氣も興奮して居つて、農工的諸業も、日增に旺盛に向つてゐる。此の地方は、那須野ヶ原に於ける、最盛な、活氣を有する西那須驛前を中心として、文化を蒐めつゝある、最も世人に知られた所である。

地味

那須野全般的には、關東平野の一部分を占めて居るのだから。第三紀沖積層の土壤で成つてゐるが。那須野ヶ原の土質は、全く此れと異つてゐる。太古の、河川の汎濫した時代の洪積層たる、石塊・砂礫の地層が厚く下敷の地盤を構成して居つて、其表面は、那須・高原・擴原・百村等の火山の、噴出物の堆積に依つて、蔽はれて居るのである。而して、下敷の地層と、此の火山灰土との中間には、厚層の沖積層らしき土質を挾んで居る所が多い。此の樣に、表土が火山灰土であるから、地味は瘦せて、肥料成分には甚だ乏しい譯だが、幾万年來、腐植物が堆積し、混合して來た結果、現今では、豐富なる肥料成分の多い腐植土と化して居るのであらう。自然生植物や耕作物等の繁殖する狀態から見て、夫れと首肯されるのである。

然し斯く、輕土であるから、土地には保水性は乏しい。從つて、濕け過ぎる憂は無いが、乾燥し易い弊がある、輕土なるが故に、風に飛散し易い點も免れない。然し、土地が硬化結塊することなどがないから、至つて、耕耘は容易で、粗放的な大規模農業も營まれる譯である。

此の地が、永く、古人に捨てられて居つた、一大原

因は前述の如き地質で、石塊や砂礫の地層が餘り厚い爲に、地下水は地中深く沈んで居るから、井を掘つて飲用水を得るに困難なことゝ、地域內に河流少く、平常の流水殆んど無く、灌漑水に不便であつたことゝである。今日でも、百村山と擄原山との峽間から流出する、蛇尾川の如きは、上流より滔々と流れ來つた水が、東那須野村地籍の、潜水(クグリ)と言ふ所に至ると、何處へか潛つて了つて。約一里半も下流の、大田原町地籍の、今泉と云ふ所までは、殆んど水の無い裸河原になつてゐる。其の水の無い廣い河原の上に、東北本線の、鐵橋が架されてあるが、見る人には、寧ろ、奇異滑稽の感を起させるのであらう。處が、面白いことには、その今泉の邊からは、流水何處からともなく、湧き出して、また、何時しか、彼の蛇尾川に相應しい河流と成り澄ましてゐるのである。此の蛇尾川などは、全く、善く那須野原の開拓されなかつた理由を、今に物語つて居ると言ふものだ。けれども、今では一般水利は、決してそれ程に不便ではない。後に精しく述べるが、大規模な那須疏水の爲に、到る所、用水路が通じて、飲用水にも、水田の灌漑水にも、充分使用することが出來て居る。此の疏水が、抑々、那須野開拓の最大動力となつたのである。

氣　候

一、氣温と風

四季を通じて一般に溫和であつて、信州と比較すれば、冬は暖く、夏は涼しいから、信州よりは頗る凌ぎよい。唯だ、信州人の馴れるまでの間、苦にするのは、冬から春の初にかけて吹く嵐である。是は所謂、那須山颪であるが。嵐は此處ばかりでなく、關東平野到る處、强烈に吹き荒れるので、「かゝあ天下にからつ風」と、昔から關東の名物の一に數へられて居る。

此の嵐の盛に吹く時、帽子でも吹き飛ばされやうものなら、奈邊まで追つて行つて、拾へる事やらわからぬ位だ。油斷して居れば、体まで吹き飛ばされる樣な目に遭ふ事もある。然し、是も、馴れると左程にも感ぜず。反つて、体がすつきり引き締つて、快味を覺える樣になる。此の風に肌身までも吹き通されるので、冬の外氣は、甚だ寒むさうに思はれるが、寒氣は、決して其の樣に酷しい事はない。大寒の候でも、流れ川に氷が張つて流水が見えなくなつたと、云ふ樣なことはない。夕に汲んで貯へた水が、翌朝使用に堪えぬ程、氷の張つたと言ふ樣なことも無い。また袷着物で

冬を過ごす人の多いことも、炬燵と言ふ物を知らぬ者の大多數なのも、此の地の寒氣が酷しくない例證にもなるであらう。

そこで、今一つ珍しいのは、毎朝の霜柱が大きく長いことだ。割箸を半分に折つた程の、大いさの物が珍しくない。此の銀柱の如き、美しい霜柱を踏み碎きながら、野道を行く時の、快味は忘れられない。此の樣に大きな霜柱の生ずることは、一つは輕土である關係もあるが。氣溫の冷却が緩漫であるのに起因するものであらうと思ふ。

處が、夏は如何かと言ふに、夜に於ける信州の樣な、涼味は味はい得ぬが、晝は、信濃の如き暑さは絕對に經驗することが出來ぬ。唯だ面白くないのは、野外に蚋の多く居ることである。

二、雨と雪

夏季の雨量は、頗る豐富であるが、春は、至つて雨量が尠くて乾燥する。冬は、降雪量甚だ少く、大概は霙であるが、精々大雪で三四寸の積り方だが、消え方も頗る早く四、五日も地上に續けて雪を見ることは、珍しいことである。だから、寒中の農家の仕事は、林の手入、薪木とり、枯葉さらひ等である。

動　植　物

一、林木の主要なるもの

薪炭用材として、楢櫟等の植林が林野の大部分を占めてゐるが、八九年を一期として、伐採するを常とし、多くは木炭に製造してゐる。此の地の製炭法は、信越地方のとは全く異り、土竈燒で、一回の製品は、四貫俵を四五十俵出すを普通としてゐる。炭は、定尺のまゝ切口正しく、皮まで生木のまゝの形を存して、光澤のある眞黑色に、炭化してゐる。所謂、佐倉炭と同じ品質のものである。故に、雜木を混じて具魔化すが如きことは、絕對になく、使用も容易く心持よく、尚ほ多少經濟的である。使用前に鋸を以て、一定の寸法に切り、炭櫃に納めて置くときは、木炭ながら、實に美しいもので、火鉢へ入れても誠に調子のよいものである。木炭の等級は、櫟丸・櫟割・楢丸・楢割・雜丸・雜割・松丸・松割等の種類によつて、各格付を明瞭にしてある。

建築用材類では、杉を主として、松・桧・欅・栗等の林が多いが。近來盛に椹の殖林も行はれて居る。桐は畑作物として盛に栽植されてゐる。是亦、成績の見るべきものが多い。林木の成育は一般に早いが。就中、杉

の如きは成育の迅速なること、驚く程である。また、櫻は甚だ地味に適すると見えて、其の成績は他地に倍すると言つてもよからう。到る所、櫻の並木の多いのに、他郷人をして驚かしむるが、此の勢で二三十年を經ば、全く、吉野を凌駕する位の櫻の名所となるであらう。其他、眞竹「大竹」孟宗竹等の大竹林に富み、各農家の屋敷には、多少の竹藪を有せぬはない位であらう。古昔より有名な、篠の藪は、山地に近き地方に自然に繁殖して、矢も彈丸も通らぬ樣な、密簇の、果てしも見分かぬ、廣い藪も尠くない。尚ほ那須山・百村山等の奥深き處、福島縣會津地方に面した方面にある、六万八千町歩の國有林から材木を伐り出して居るが、先づ驚くべき大良材揃ひである。

二、果樹類の主なるもの

果樹栽培は、甚だ盛なりとは、未だ謂ふに憚ると思ふが、成績の良好なるものは、梨子を主として、葡萄櫻桃・水蜜桃・梅・柿・栗等である。また自然生の山栗は頗る多く、秋の林野は、栗拾ふ婦女子の群と茸狩する人々とで、隨分賑かになるが、從つて、此の山栗は地方物産の一に數へられてゐる。

三、農作物の主なるもの

農作物中で、信州に栽倍されて那須野に栽倍不能と認めるものはないが、耕作法及栽培法を異にする爲に、彼此の比較は出來ない。先づ、作付品の大畧を擧げて見やう。

穀類　陸稻・大麥・小麥・稗・粟・玉蜀黍等

水田も年々增加する傾向で、作柄も良しいが、田植の時期の關係で一毛作である。陸稻には、糯と粳の二類あれど多くは粳を作る。陸粳は即ち、野州ヲカ粳と稱して、諸方に歡迎を受けつゝあるものである。栃木縣では、米麥生産檢査を行ふ規則になつてゐる爲に、生産物の品質が年々向上されてゐる。

荳類　大豆・小豆・豌豆・蠶豆・隱元豆・落花生等

就中、落花生は立莢性のもので、近年盛に栽培されて、有利な作物の一となつて居る。

蔬菜類　大根・菜類・葱・瓜類・茄子・牛蒡等

澤庵大根には練馬大根を、漬菜には白菜類を、最も賞美して居る爲、是等の大栽培が行はれ。漬菜は東京方面へ盛に移出される。西瓜、夕顔等の大栽培にも適してゐるが、夕顔は丸果の種類のみを作り、夏季土用の頃より、干瓢の製造が農家の副業として盛に行はれ、廣い干場に掛け干しにされる樣は、宛然

大機業地の晒木綿の乾場を觀るの感がある。一戶にて製品三四十貫を擧げる家も珍しくない。是れは養蠶の比較的盛でない大輪地原の方面に盛である。

芋類　甘藷・里芋・馬鈴薯・トロ、芋類・蒟蒻等

芋類は。當地の間食材料にあてられてゐる故でもあらうが。收穫も相當に多いので、盛に副作的に耕作されてゐる。就中最出來ばへの良好なは里芋であつて、肉の緊つて美味なることは。他處の遠く及ばぬ所である。蒟蒻は、近年盛に栽植しつゝある有利な作物の一種であるが、多少東南傾斜の乾燥地に適するので、大輪地原北部に栽培されて居る。

其他　煙草・茶・桑等

煙草は、廣く盛大に栽培されてゐる。品質の點に於ては餘り優れてゐないが、官民ともに、品質の改良に努力してゐるから、將來有望な產地である。黑磯町及大田原町に宇都宮專賣局の支局を設け、其の他二三ヶ所に出張所を置いてあるが、取扱額の多きことは、宇都宮管內屈指である

茶も亦當地方の地味に適し、生育佳良であるため・畑の畦畔及宅地の垣根用として栽培され。自家用に製し、餘は生葉にて賣出すことにして居る。

桑園も、養蠶の盛大に趣くと供に、漸時增すばかりである。何れの品種もその生育は美事なもので、長野縣の桑園は之と比して、全く問題にならぬと思はれる位で、品種及耕作法等に研究改良を加へられて居る。大概は大葉物で。春蠶用と、夏秋蠶用とを別に栽培して居る者が多い。精しいことは後に項を改めて述べることにしやう。

四、家畜の主要なるもの

家畜類は、一般に飼養に適し且つ容易であるために、留意すべきものが多い。就中、馬・緬羊・豚・雞等の飼養が最も著しいものであらう。

馬は、此の地方の農家にとりては、重要にして欠くべからざる資本である。英國の諺に、「家畜なくして堆肥なし。堆肥なくして肥料なし。肥料なくして農業なし。」と言ふのがあるが。此の地方の農家は、全く此の諺の如くであるから、堆肥の原料をこの厩肥に依つて得て居るのである。斯る地情で、毎戶、馬を飼養せざる家なく、二三頭乃至拾數頭を飼養する家も尠くない而かも、氣候風土が馬に適し。廣濶なる林野及牧場に富んで居るために、皆、牝馬を飼養して繁殖目的を立て、年々の生產頭數は頗る多く、從つて優良なる產馬

地になつて、白河馬市場の盛況を助けてゐる。夏秋の候になると、此の原は林野の中に遊び嘶く仔馬の生氣に滿ちて、「天高く馬肥ゆるの秋」と言ふ、秋の景物に一段と濃厚な色彩を與へて呉れる。那須郡產馬組合では九月中頃より、郡內數ヶ所に秋期糶市場を開いて、當歲駒（一才）を格付し。四月中頃より、また矢張り郡內數ヶ所の糶市場に於て、春期の競賣を行ひ、二歲以上の馬を賣買する機會に當てゝゐる。尙ほ縣では、黑磯町に種馬所を設け、優良の種馬を用ひて、產馬の改良發達に盡力せしめてゐる。

緬羊は、土地の廣潤で牧草よく繁る上に、水質が頗る緬羊類の發育に適してゐるために、成績は隨分よいとのことで、近來は盛に奬勵され普及されて、飼羊家も益ゝ增加して來るから、將來は有望な羊毛產地になるであらう。馬一頭の飼料が羊八頭の飼料に足り、飼養法も至つて容易であるし、肥料は馬以上に有効あるものを得られるので、盛に歡迎されてゐる唯だ惜いことは、國家としても民間としても、未だ、種羊及仔羊の供給力が甚だ貧弱である爲に、種羊及仔羊の餘りに高價に過ぎることである。現在はメリノ種が最も多いらしい。因みに我國に於て、緬羊牧畜の最も大規模なものとして知られてゐる、松方侯爵經營の、千本松農場の牧場は、西那須野驛から塩原へ通ずる縣道の途中、右側にあつて、六百頭以上の緬羊が、一牧童の指揮と二三頭の羊犬の活動とによつて、規律よく、美しい廣い牧場に群集生活をして、肥え太つてゐる。當地で之に亞ぐ牧場は、谷村博士の經營して居る那須草羊圃で御身分柄だけあつて、數百種の牧草を蒐め植ゑて、品質及繁殖狀態の比較研究をも併せ行つてゐる。同氏の緬羊は米國產の優良種である。同牧場の位置は、黑磯驛から那須温泉へ行く縣道の左側に、大きな標木を立てゝある、高久御料地內の拜借地で、足許に那珂川の清流を望む、風光美しい高燥の地だ。

豚は、廣く農家に飼育されて居るが、未だ特別研究した大飼育者も無いらしい。品種は主にヨークシャである。豚の飼糧等には、不自由することの無い場所だから、眞劍に大飼育を行つたら、確かに面白からうとは、地方人の一般に認めて居るところである。

養雞も、諸方面に於て、隨分大袈裟に飼養して居るまた一般農家にも、副業として飼育を奬勵されて、每年縣や郡の農會主催で、品評會を催し。また家禽調査等を行ひ、其の有利を說き、養雞趣味の涵養に力めて

ゐる。此處は、近くは那須塩原の温泉があり。遠くは大東京をひかへてゐること故、全く有利な副業の一である。

四、名勝地としての那須野

那須野の名は、乃木將軍の閑居の地として、廣く世人に慕はれ。尾崎紅葉の「金色夜叉」によりて、塩原と共に原を紹介され。從つて塩原・那須の二温泉の所在地として、世人に親まれて來たが、近くは、千本松農場の松方侯邸に臨時內閣を置かれた等によつて、益ゝ世に喧されるに至つたが。一度遊歩を此の地に入れて見れば、種々の感興と印象とを深くする、名勝の地も尠くない。其の中の二三を紹介して見やう。

烏ヶ森と三島神社

西那須野驛から、塩原街道を西に進むこと約十五町にして、左側に、長い櫻のトンネルの如き、十町余の公園道がある。此奥の一小丘陵が即ち、櫻の名所の烏ヶ森公園で、全山殆ど、櫻を以て蔽はれてゐる。公園道は一本のみでなく。數本四方より放射狀に造られてあるが、何れも、一大櫻樹のトンネルである。花期、丘上に立つて、近く眺めれば、櫻花が大旭光と化して自分の身邊より放射を四方に投げたるが如く、誠に誇らかな氣持で賞美される。遠く視線を南方に移せば、關東平野が、一眸の中に入り。遙か霞と雲との間に沒しやうとする涯に、左方に筑波のすつきりした姿を現はし、右方に男体の豪壯な雄姿を群山の上に据えて、左右相對峙して居るのも面白い。翻つて、北を見れば燃ゆる煙を頂上に棚引かせて、壯大に屹立してゐる那須山も、大輪地原を越えて、手に取る如くに見える。烏丘上の北部に、赤き鳥居を前にした、烏ヶ森神社があつて、祀神の稻荷大明神が此所の鎭護を司つてゐる。

公園道を戾つて、街道を更に西すれば、二三町にして、左に三島神社を拜される。附近一帶は、三島開墾地である。神社は鄕社で、那須開拓の大恩人三島通庸知事を祀つて置くが、近頃通庸氏の長男であつた、三島彌太郎氏をも合祀した。

塩原温泉

三島神社を出でて、坦々砥の如き一直線の塩原街道を、更に西すること三里余で、箒根村關谷につく。此處から道は、山間を辿ることになるが、入勝橋を渡れば、塩原の地に入つて居るわけで、箒川沿岸の風景美は、最早りの足下に展けてゐる。是より箒川を遡ること、凡そ四里の間は、天然の技巧、自然の美唯々驚く

の外はない。此の奇勝を坐して机上に眺めたいならば紅葉山人の「金色夜叉」の續々篇を讀めばよい。此の著書の庇陰で、流石に山間の不便極まる、農民樵夫の浴場であつた、温泉が、俄かに時めいて、名を天下になし、箒根村字塩原たりし寒村が、一朝にして町制を施き、出入に電車あり、馬車あり、自動車あり、腕車あり、皇太子殿下の御用邸の所在地とまで、あつたのである。町民が擧つて紅葉紀念碑を建立したのも、道理である。尙ほ塩原街道の開鑿老三島通庸氏の謝恩碑も今昔をよく物語つてゐる。次に谷口梨花氏の紀行文を紹介して說明に代へることゝする。

「新塩原に（電車）下りると前面紅葉谷の上に白羽坂があつて、塩原山水美の先驅をなして居る、白羽坂の邊は春は野州花、秋は紅葉の美觀がある、回顧橋の下には回顧瀧あり、十間ばかり離れた崖の角から見ると三十尺の飛瀑が明かに見られる。

塩原温泉の門戶は大網温泉である、温泉は二町の急坂を下つた箒川の岩石の間から湧く、其河原の湯の傍には魚止の瀧がある、兩岸の巨巖に狹まれて、瀑となつて急湍の落つるのを云ふのだ、前面の山は根本山である。

大網から四町ばかり行くと稚兒ヶ淵、其處から白雲洞に向つて溪流を遠望した眺が好い、或人は塩溪第一の好景と云つた、次に渡る橋は寒凄橋、其處から山手に通ずる險路は、いはゆる左靭（ヒダリウツボ）で、昔塩原家忠が那須資隆の兵を破つた古戰場、左は斷崖數十尺、右は肩と崖との相摩する險路で、其處を通つた那須の士卒は、右に負ふた靭を皆左に廻して通つたものださうな。橋を渡ると白雲洞、三島氏の新道開鑿の時に穿つた洞門である、門を出ると右に材木岩があり、其上に五彩の色美しき五色岩がある、材木岩は稜角井々たる粗面岩で、五色岩は斑綠白色凝灰岩である。其處から船岩を見、御用邸を過ぎると福渡戶、大網から二十七町である。

福渡戶は塩原の咽喉で、好い旅館が多い、此處は海拔千百五十尺の高地で、箒川の清流を隔てゝ前山、烏井戶山を望み、後には裏山、白倉山の翠巒を負ふて居る、旅館の內湯は皆塩釜から筧で引いたものだが、箒川の河岸にも四五ヶ所湧いて居る。福渡戶から塩釜までは十町、其間に第三紀凝灰岩からなつた天狗岩が、箒川を壓して高く聳えて居る、其下の川中にある大磐石は蒲生氏鄕の野立岩である。其處を通ると清水谷の

溪底に、流水の火山岩を浸蝕した七ッ岩があり、激瀨と相俟つて好畵景を形成して居る、

塩釜は昔山塩を燒いた跡ださうな、温泉は箒川の兩岸に湧くが、岩石や懸崖に沿ふて浴槽を設けることが出來ぬ、筧で福渡戶に送つてゐる、此處には所謂塩原高尾の塚があり、又高尾の襠（シカケ）の片袖を門前の妙雲寺に藏して置く、塩原高尾は二代目の萬治高尾で、萬治三年十九才の花盛りに散つて仕舞つた、墓は東京淺草の山谷春慶院に殘つて居る

塩釜の對岸は離れ室で、箒川に入る溪流を甘露澤と云ふ。其處に兄弟瀑が懸つて居る。瀑の處から水力電氣の水路に沿ふて、貯水池の上に出ると玉簾の瀨があり、其上流は小太郎淵である。

塩の湯温泉は塩釜から塩湧橋を渡つて十二三町、海拔千六百尺、幽邃な山峽に地を占め、翠嵐袖に迫るのである、近くの貝石澤からは、貝化石が出る、又鹿股川の上流一里乃至二里位の間には、咆哮霹靂の雌雄瀑やら、雷霆瀑やら、素練瀑やら、雄飛瀑やら、塩原瀑布中雄大なものは殆ど此邊に集められたことになつて居る。

引返して塩釜から又箒川に沿ふて、四五町行くと畑下戶、紅葉が「金色夜叉」の題材とした所で、貫一は此處の清琴樓に泊つて、心中せんとする狹山とお靜を助けて、心機一轉したことゝなつて居る、私は其の一齣を借りて此處の說明に代へる。

「畑下戶は一村十二戶、温泉は五個處に湧きて五軒の宿あり。此に清琴樓と呼べるは、南に方りて箒川の緩く廻れる磧に臨み、俯しては水石の璘々たるを弄び、仰けば西は富士、喜十六の翠巒と對して情風座に滿ち、袖の澤に落ち來る流は、二十尺の絕壁に懸りて、素練を垂れたる如き吉井瀑あり。東北は山又山を重ねて、琅玕の玉簾深く夏日の畏るべきを遮りたれば、四面遊目に足りて、一望の下丘壑の富を擅にし、林泉の奢りを窮めらるゝなど、又あるまじき別境なり。」

畑下戶を左に行て二三町行くと門前、箒川に蓬萊橋を境として古町と相對して居る、吐月峯を負ひ、鞍下山、喜十六山に面した小盆地で、塩原全村の物資の集散地となつて居る、温泉宿も多い。此處には小松內府重盛の姨妙雲尼の開基になる妙雲寺があり、堂の裏に妙雲尼の墳がある、本尊は毘首羯摩が栴檀香木を以て刻んだ三國傳來の靈像で、本朝三釋迦の一つださうな昔は壯嚴なる伽藍であつたが、夫は火事で燒け、今の

は元文年中の再興だと言ふ、門前とは即ち妙雲寺の門前と云ふことである。

須巻は箒川の筋から離れて喜十六の半腹に在り、門前から八町離れて居る。

古町から道は二つに別れ、左をとると右は鞍下山藤山、左は喜十六前黒山の間を通つて新湯まで二里、途中大沼・小沼・赤沼・菱沼などがあり、景色は好いが誠に物淋しい路である、新湯からは塩原最奥の古湯まで三十町である。

古町から猶箒川に沿ふた右の道を行くと、鞍下山の麓に源三窟がある、石灰岩が水の浸蝕に依つて空洞を生じたもので、鐘乳石が垂れ下つて居る、頼政の孫の有綱が遁れて家忠に依り、戦敗れて此穴に隠れたと云ふ傳説から源三窟と云ふのだ。其處から近くに有綱が建てたと云ふ八幡神社があり、社内に逆杉と云ふ千年の老木が並び立つて居る。

塩原は名高い化石産地である。第三紀層の中から出る化石が、質の緻密な火山灰から出來た岩の中に在る爲に、完全に保存されてゐるのだと聞いた、木葉化石も種類が多く、芋石や貝石もある、木の葉の形が完全に保存されて居るのを見ると、太古の此邊は湖で、湖畔に繁茂して居た樹木の木葉が落ちて沈澱したものであらうと云ふことだ。八幡神社から八幡橋を渡つて、右に精進川に沿ふて行くと、其化石の多く出る層灰岩から成つた小丘がある。

八幡橋を尙進むと上塩原を經て古湯本に行く、古町から二里である、熊倉山の麓で箒川の上流に臨んだ僻境だ、昔は盛んな温泉塲だつたそうだが、今は大變に淋れて居る、併しそれだけ世離れて居て面白い。」

塩原は、斯の如く勝景地として温泉地として飽き足らぬ境域であるが。山深く探るときは森林の富にまた驚くであらう。上塩原には、其附近の石灰と森林より伐出す木材とを原料として、大規模な醋酸石灰製造工塲がある。

千本松農塲（松方農塲）

塩原街道に通ずる電車の、西那須野驛より畧二里余を走るとき、千本松停留塲に下車して、北側の並木道を入ると、松方侯の別莊及農塲事務所がある。事務員に案内されて、先づ米國式大農具を見て今更ながら、目下我國農村に使用する農具の、玩具的な、非文明的なのに眼を醒され。此農具が三十余頭の外國種の農用馬と、三四十名の農夫の手により、數百町歩の耕作を

すると聞いて、また驚かされる。農塲に立つては全く米國に居るの感を抱かせられ。折から作業中の農用自動車に牽引される二個のプラウが耕耘する様に見取れては。啞然、言葉も出ない。收穫塲の動力脫穀機の大規模なるに物珍しく見始めては、其作業の容易さ、敏速さ、大威力さに、全く舌を卷かざるを得ない。牧塲へ出づれば、羊群の麗はしさ、愛らしさに、全く平和な世界へ心は飛ぶ。

乃木神社と大山元帥の墓

西那須野驛を出でゝ、大田原町へ通ずる人車馬の往來織るが如き、賑かな大道を東に五町余歩めば、左に麗はしい靜かな塋域がある。人臣の最榮達者大山元帥の墓である。花崗岩で大規模に金にまかせて造られてあるのだ。また道の向側の一町ばかり奥まつた林の中に同家の別墅がある。

此から更に十町余東方の、道の左側遙かに縣社乃木神社を拜される。宮は至つて素朴で全く將軍生前の淸廉な生活が偲ばれる。地方人士の尊敬は實に熱狂的である。祭典は四月及九月の十三日であるが乃木式、獨特の祭典法である。神社の裏、森を隔てて別墅があるが、將軍の如何に質素であつたかが偲ばれる。

大山・乃木兩大將は共に、那須野の開拓に力を盡された人達であつて、大山大將は國家最高廟府の柱石であつて而かも、當地では、五百町歩からの大地主でありながら、歿後の今日殆んど地方から忘れられ。乃木大將は一大將たるに過ぎなかつたと共に、僅か六七町歩の土地も過半を、所屬、狩野村石林の百姓に分け與へられて、幾何の所有地も無かつたとの事だが、村民は一般に、大將を嚴父の如く仰ぎ、大將夫妻は共に村民を愛兒の如く愛まれた。朝は常に曉と共に起き出でゝ村内の耕地を一巡され、成績佳良なる者は篤く表彰され、「國家の爲に有難い、天皇陛下の御爲に喜しい。」との賞言を與へられるのが例であつたと云ふ。また百姓に物語らるゝ話は何時も「國家に奉公する爲に」と結論されたとの事だ。日露戰後の凱旋の際は土產として石林の百姓へ國旗を袋へ納め、袋の表へ一年中の旗日を自筆されたものを頒け與へられたとの事、百姓は今も尙之を家寶として置くそうだ。

また、住宅も地方風の農家作りで別に來賓接待用の洋舘風の建物は一棟あるが。日常生活は婦人と共に全く百姓的に爐邊に起居されて、人民敎化の尊い講座も此所でされたらしい。私がまだ子供の時分に、百姓乃木と題した新聞寫眞を見た事があるが、あれ等の記憶から此等の實話を想合しては、全く、一種の痛烈な尊い感激に動かされるのである。

斯う言ふ調子だから、乃木神社は大將の歿後間も無

く、地方民が相計り協力して、大將の大精神を体して極さゝやかに建てたものが、緣起となつて居る。今でも春秋の大祭には、地方人のみならず、三里界隈の小中學生、女學生等は正式に引卒參拜を行つて居る。

斯く相近く住ひて死せる、兩大將。一は人爵並びなく高くして、天爵の惠みなく。一は天爵表はれるに至らずして、天爵の年と供に益高き。何と人生の勝敗、皮肉の甚しいことでは無いか。

郡衙の所在地大田原町

西那須野驛の東方約一里、那須郡役所の所在地で本郡中部の中心都會である。人口一万二三千、大して活氣のある町でもないが。封建時代大田原氏の城地だつた處だけあつて、何とあく落付のある、重みのある町である。昔の奥州街道の要地として可なり殷賑を極めたものだが、奥州街道の原の西方へ移され、鐵道區外の地とされたので、餘程の打擊を受けたが、近年東野鐵道が西那須野を起點として敷設され、其要驛となつたので、再び活氣を增して來た。町内の大田原城跡・大田原神社・大田原公園等は遊歩の地に好適である。町の北一里の處に陸軍演習地の金丸原がある。町民の良い散策地になつて居る。

名刹雲巖寺

東野鐵道によりて、大關氏の舊城地ある黑羽町に至り。東方へ三里の山路を辿れば、武茂川の上流溪谷の幽邃な所にある雲巖寺へ着く。寺は臨濟宗の名刹であつて、開祖は後嵯峨天皇の第三皇子佛國禪師である境内に其御墓がある。古來、雲水を友とする人々の足跡を斷たない處である。

那須温泉と殺生石

黑磯驛から、那珂川を渡り、那須山麓の高原を、左に大輪地原の廣袤を眺め、向に那須山の主峯茶臼岳の淡い噴煙を仰ぎながら、爪先上りに行くこと四里九町で那須湯本の温泉につく。所謂、那須温泉は八湯あるが、湯本と板室とへは、黑磯町から自動車・馬車・腕車の便がある。湯本は那須温泉を代表するもので塩原温泉と共に東京人士の出入すること夥しい。谷口梨花氏の紀行文を揭げて此處を紹介しやう。

「温泉は湯本を初め、高尾股・辨天・大丸・北湯・旭湯三斗小屋板室の八湯、皆茶臼岳の麓に散在して居る、高原の上にあるのもあれば、溪流の底にあるのもありまた山の奥にあるのもある、塩原に比すると設備が劣るが、質朴な所があつて好い。


夫に此處は景色が雄大である。茶臼岳を後に背負つて那須野ヶ原を見渡した眺が展い、温泉は始ど茶臼岳を取巻いて、半里乃至一里位づゝ離れて散在して居るので、箒川の流にのみ浴ふて居る塩原の様に單調で無いのも嬉しい。

湯本は既に海拔三千尺、夙に一味の冷ありて、夏も朝夕は肌寒さを覺える位だ、温泉は湯川の東岸から湧き出て居る、酸性泉で硫黄の臭を帶び、强酸性鐵味を有して居る。

湯本には名高い殺生石と温泉神社がある。芭蕉は奥の細道に「ひとひ郊外に逍遙して、犬追物の迹を一見し、那須の篠原をわけて玉藻前の古墳を問ふ、それより八幡宮に詣で、與市扇を射し時、別しては我國氏神正八幡とちかひしも、此の神社にて侍ると聞けば、感應しきりに覺える……殺生石は温泉の出づる山陰にあり、石の毒氣いまだほろびず、蝶蜂のたぐひ、眞砂の色見えぬほど重なりて死す」と書いて居る。石は七尺四方高さ五尺ばかり、石柵を設けて人の近づかない様にしてある、芭蕉の「飛ぶものは雲ばかりなり石の上」の句碑がある、附近は硫化水素が漲つて呼吸の塞がる様な必地がある。

殺生石の近くに温泉神社がある、那須與一が扇の的に向つて「那須の温泉大明神と」念じたのはこの神社で、今社寶として藏する鏑矢は、與一が奉納したものださうな。

那須浴泉者の樂は、温泉めぐりと茶臼岳の登山である、湯本から高雄股までは十六町南面して那須野ヶ原から、八溝山系、加波・筑波を見渡した眺望が雄大である、高雄股から辨天までは十八町、此處は三面は峨々たる岩層で、辨天を祀つた祠がある、辨天から旭湯を經て北湯まで十五町、丁度擂鉢の底にある様な温泉で四面山に取巻かれて居る。北湯から路を西に轉じて嶮しい道を登ると、十八町にして大丸温泉がある。此所から路は益急峻となつて居るが、遠く關東平野を眺めた景色がよい。大丸から三斗小屋までは二里、其途中一里位の所で、途は二に分れて、左は茶臼岳への登山路である、此間の路は茶臼岳の北面の中腹を横斷する譯あので、空には噴煙が漲つて硫臭鼻を襲ひ、脚底遙

かに溪流の靜に流るゝ音が聞えて、世離れた仙境に行つた樣な感じがする。三斗小屋から茶臼岳の西南を迂廻すると三里ばかりで板室温泉に著く。此處は那須の諸温泉から遠離れて別に一境をなして居るので、三面は那須嶽の餘脈が連り連つて聳え、南面のみ稍開けて那須野の平野が眺められる。此處から横澤を經て湯本まで三里半あまり、即ち温泉めぐりと共に茶臼岳麓を一週した譯にあるのだ。

茶臼岳は那須火山の主峯で海拔六千三百十尺、湯本から山頂まで三里である、大丸と三斗小屋の中間から登るのが本道で、大した困難な道では無い、山輿で頂上まで行つたと云ふ人さへある位だから、登山として は容易な方である。然し湯本から高尾股に行つて、其處から登る裏山路は、道程は短い代りに倍も三倍も峻嶮である。頂上には八間石のオムロとか、男穴●女穴など噴火孔が幾つもあつた、硫烟をあげ熱湯を噴いて居る。」

青木開墾の鹿の群

黒磯から二里、板室温泉へ通ずる百村街道の途中、森林の眞唯中に、青木子爵の別墅がある。此の附近一面一千町歩以上に亙つて、青木農場だが、殆んど林野である。是れ即ち青木子爵が甞て、獨乙留學中に「俺の庭園で鹿を擊つて御馳走するから、日本へ遊びに來たら、訪れ給へ。」と豪語して、彼の國人を驚かしたと云ふ話のある、鹿の牧場である。此鹿は、皆外國種で、三千頭近くも居ると云ふ。彼等は皆完全に野生的に育つて居るから、春日神社の鹿と異つて、實に元氣よく行動が輕捷敏活で、雄鹿の大なる角を背に負ひながら繁る密林の中を自由自在に、馳け廻る樣は勇壯にして痛快だ。路邊に出でて路行人を珍しげに、凝乎として眺める、端正なりの姿勢、愛ぐるしい中に、何となく嚴然たる神聖味を想はせる。夫れが後方より走せ來る自動車の爆鳴と砂烟とに驚かされて、道路傳ひに、自動車の先に立つて、疾風の如くに驅る樣は、寧ろ天使の行くが如く、道行く人の興味をそゝり樂を增すのである。

蘆野町の遊行柳

黒磯驛から汽車は小丘陵の間を拔けて黒田原驛に着

いて驛前山なす薪炭の荷の堆積するに、驚かされる。

此處から東南へ一里許り隔つて、那須最北部の中心地たる、蘆野町がある。舊奥羽街道の要地で、關東最後の宿場であつて、古奥州第一の木戸として、嚴じく關守の眼を光らせた、白河の關へは三里余である。

謠曲で名高い、柳の精が老翁に化けて、時宗の開祖樣である遊行上人に、陸奥の古道を敎へたと言ふ、遊行柳がある芭蕉翁は「田一枚植ゑて立去る柳かな」と詠じて過ぎ。西行法師はまた「道のべの清水流るゝ柳かな」の句を殘して行つたと、言ひ傳へて居る。

また、「しようでん樣」とか言ふがあり、遠近の子を持つ母だちの信仰の的となつてゐる。緣日などには、殊に、地方に稀な殷賑を極めるそうだ。此の方面の人達は一般に斯る信仰が、なかなか篤いもので、我々信州人などの迚も及びの付かぬ有樣である。（續く）

信濃通信

○震災と長野縣

大震災に就て、我が長野縣は、逸速く救護に着手し、拔群の成績を擧げた、恰震災の當日、本縣の竹井内務長部が在京した事とて、災害の實況を目擊し、急遽歸廳直に手配をしたから、各般の救護事務が、敏活に運ばれた、碓氷といふ難關を扣へながら、價格に積つて三十万圓近く、而も極めて雜多なる義捐品の輸送も急速に行はれ、四十万に近き醵金も、立所に集め得た、先月末から本月にかけては、一万枚の袷を頒布し、一方在京本縣人の爲の相談所を設けて、徹底的の救護を續けて居る、之が爲に直接其の衝に當りたる社會課の活動は、眞に目覺ましいもので有た

各郡市の義捐金品並に、救護狀況は、目下社會課に於て調査整理中であるから、近く詳細なる報告が發表されるだらふ

○縣會議員

先月廿七日に行はれた、縣會議員選擧の結果、左記の諸氏が當選された

南佐久郡	淺沼信太郎君	川上硯一郎君	
北佐久郡	原　治助君	小山邦太郎君	
小縣郡	山本莊一郎君	小林直治郎君	
	清水茂十郎君		
諏訪郡	林　七六君	山岡久兵衛君	
	細川玖琅君	宮坂作衛君	
上伊那郡	山田織太郎君	下島平治君	
	瀬戸嘉一君	三澤喜芳君	
下伊那郡	北原源三郎君	平野桑四郎君	
	高田　茂君	城下清一君	
	黒河内莊三君		
西筑摩郡	小野秀一君	松原彦右衛門君	
東筑摩郡	百瀬　渡君	二木　洵君	
	上條　信君	宮川良治君	
南安曇郡	篠崎四郎君		
北安曇郡	平林秀吾君	内山竹一郎君	
埴科郡	瀧澤志郎君		
更級郡	栗田嶺助君	山崎暢夫君	
上高井郡	田中邦治君	宮澤貞助君	
下高井郡	竹内宇内君	鈴木松之助君	
上水内郡	西　秀之助君	相澤信藏君	
	塚田佐市君		
下水内郡	足立幸太郎君		
長野市	松橋久左衛門君	田中彌助君	
松本市	瀧澤音六君		
上田市	沓掛正一君		

編輯机上より

ボルネオで椰子園を經營しつゝ在る坂本市之助君が用務で歸朝された機會に携へ歸れる南洋特産品標本五十點を當協會へ寄贈されたのは誠に嬉しい事で有る同君の好意に酬ゆる爲且は海外發展に資益せん爲遺憾なく利用し度いものである

今回の災害に外國在留同胞が甚深の同情を寄せられたるは眞に感銘に價するものである國民全部が在外同胞の割合を以て義捐をしたならば其の額は巨數增倍になつたであらふ

地震の結果失職者が五十万と言ひ八十万と號す都會の生活は大多分人を相手の生活で有る共喰の生活で有るだから人が散亂すれば失職は免かれない自然を相手の生活土地を取扱ふ生活には失職は有らふ筈が無い農業者の眞に氣强い所で有る

海の外

定價

	内地	外國
一部	廿錢	廿仙
半ヶ年	一圓十錢	一弗十仙
一ヶ年	二圓廿錢	二弗廿仙

海外郵税四錢

注意

▲御注文は凡て前金に申受く
▲廣告料は御照會次第詳細通知致します
▲御拂込は振替に依らるゝが最も便利さす

大正十二年十月一日

編輯人　永田稠

發行兼印刷人　藤森克

長野市旭町
印刷所　信濃每日新聞社

長野市長野縣廳内
發行所　海の外社

振替口座長野二一四〇番　信濃海外協會

一、視野鮮明
二、廓大力正確
三、構造精密
四、價格低廉

カルニユー顯微鏡

上記四大要素ヲ具備スル純國産カルニユー顯微鏡ハ長野縣立各中學校、農學校、農事試驗場及各小學校ヘ多數納入シテ嘖々タル好評ヲ博シオレリ續々御用命アラン事ヲ

型錄獻呈
乞御申込

應用製藥株式會社代理店
進誠堂器械店長野縣一手特約店

長野縣特約店

理化學器械
博物學標本
運動用具
藥種賣藥
醫療器械
度量衡計量器

株式會社 KI 飯島商會

長野市櫻枝町
振替長野一五九二番
電話八〇五番

信濃海外協會
海の外社發行

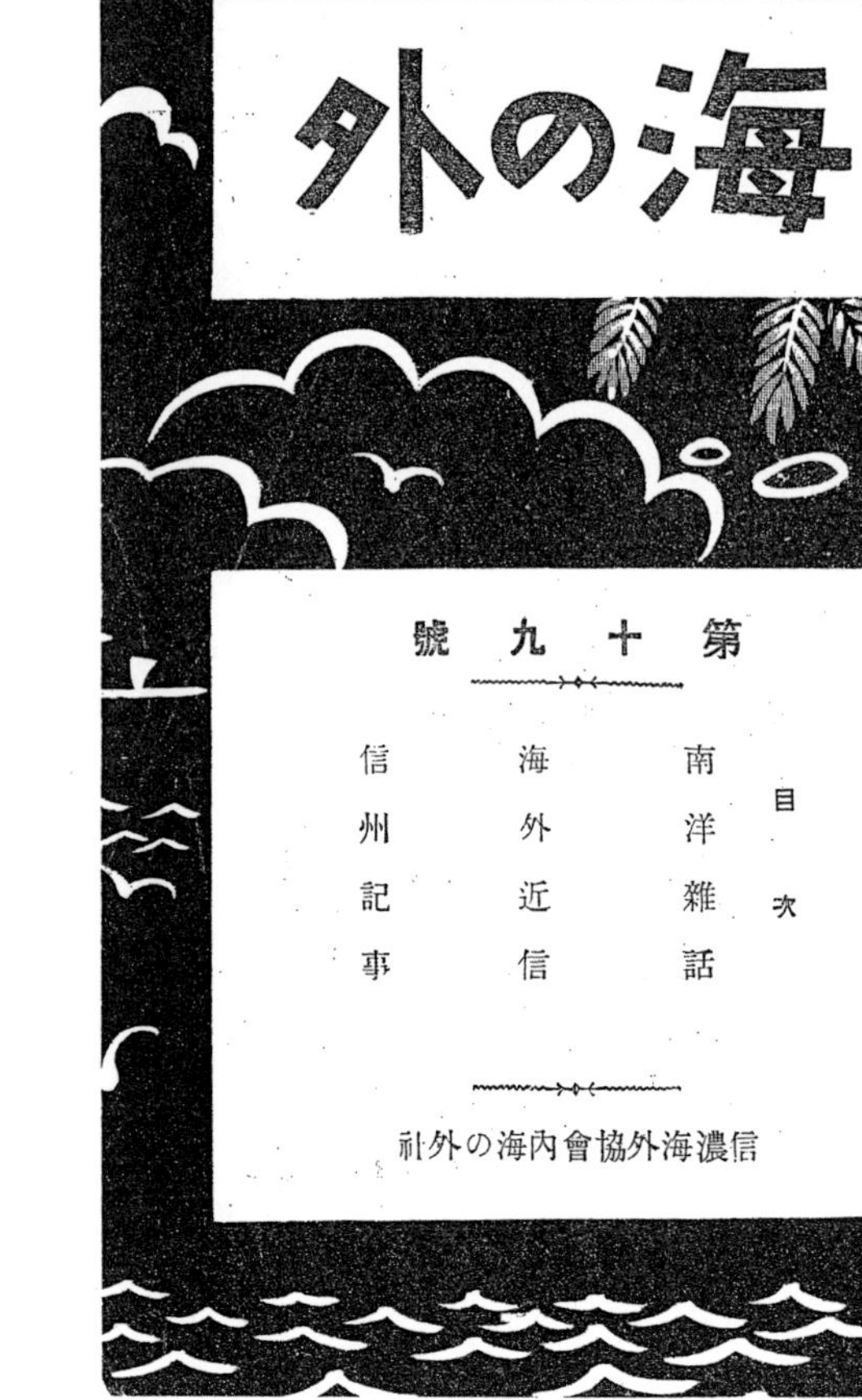

海の外
第十九號
目次
南洋雜話
海外近信
信州記事
信濃海外協會内海の外社

目次

南洋に於ける伐木作業

南洋土人の住宅

海外事情

南洋雜話

長野市 倉石鶴治郎君

編者申す、大正六年から本年迄、南洋とヒリッピン群島で活動された、倉石君に乞ふて、其の見聞を書き綴つて貰つた。議論や、意見や、數字を拔きにした實寫は、又頗趣味の深いものが有る。

月日の經つのは早いもので最早十月になりました朝などの寢心地が大分よくなつてきたので中々床離れがしにくい私が比律賓から歸つたのは此の五月の末で黒服が白に變る時でしたがりれがまた黒に變はる樣になつたので丁度こちらで一夏を過ごした樣なわけです、どうです皆さん近頃の御飯の美味しい事は南洋歸りの黒ん坊も大分日本の風が滲みて艶がよくなつた樣なわけです、活動すべき半歳の月日はたゞ瞬く間に過ぎてしまひました刻々に消えて行く歳月は決して我々を待つては呉れませんから共々りれに先んじて理想に到達すべく一奮發しようでは有りませんか。ところで私が七年間比律賓で小便をして廻つたお話を此の夜永を利用して致し度いと思ひますが何と云ふても七年間の事ですからみんなお話するにはやはり七年で其上、利息をつければ八年位はかゝるべき所ですが大体を極々短く切りつめて今夜一晩でやつてしまひ度いのですから順序も何もかまはず思ひついた事を片つ端から闘栗(ドンクリ)の値段でお話する事に致しますどうで闘栗の旅行ですからろくな事は見も聞もした筈は有りませんし只今申上げた樣なわけですからりこは皆さんの御判斷をお願しますいくらかでも御參考になれば此上もない私の幸福で御座います。

一足飛にマニラへ行つてしまつてもあまり早過ぎるから此處私が渡航許可を得て横濱で乘船するまでの事を一寸お話致します。私が日本を出たのは冬の最中で寒くて寒くてどうしても炬燵から離れられない時でした。りれでも南洋へ行つて何とか一奮發しやうと云ふのですから中々元氣がよい渡航の手續や同志糾合やら何んと云ふても賛成して呉れない父母に是非同意を得やうと暗中の活動は實に忙はしかつたものです。いくら賴んでも父は唯、馬鹿野郎……だけで何にも云はない。てんで取り上げて呉れないからさつぱり問題にあらん。それから私は考へた。こいつはいつそ母を先きに味方にして置いてそして父の方を攻撃しなければ到底勝利は見えないと思つたから先づ第一に母と姉を賛成させた。夕食後色々と話したあとで他處へ遊に行つて來るからと云ふて出かける樣な風をして庭に立つて敵の樣子をうかがつたのでした父と姉と母とがおなじになつて色々云ふので仕方なく賛成しさうな樣子が見えたので時期を見て云ひました。『是非賛成して下さい私も家がいやで遊びに行くのでは有りません、遊びたいのなら馴れた故鄕で友人とおなじにお祭りさはぎでもしたり、草刈に出かけては堤で吹き上げたりして居た方がよほど面白いどうせ我等の樣な貧乏人は並大低の事では駄目です他人とおなじに騷ぎ廻つて居たでは結果はやはり何時まで經つてもおなじ事です。」ですから冬三月の寢食と云ふものの無い「他人といらぬ交際の少い」「着物が單衣一枚に褌一本の」「簡單の住居の」おまけに收入が日本よりも多い處即ち私が今度行く南洋あたりへ行つて働いたらどうでせう。假に十圓の收入の有る所で五割の貯蓄をするよりも「二十圓の收入有るところで三割の貯蓄をした方が一圓多くなる理由です」如何ですか？私は確かにさう考へます。ですから人通りの多い道を氣をつけて左側を通るよりは少しは坂でも山道の自然の景色を眺め乍ら勝手氣儘に右側も左側もなく「身心共に衛生的で有る處を進んだ方がどの位面白いか知れません」◎實際皆さんさうですよ。猛獸の王と云はれる獅子でも檻の中にばかり入れてをいたではぢきに死んでしまひます。我等も早く野廣い所へでゝ運動せんければ弱者は强者の爲に、壓迫されて終ひには生存競爭の落伍者となつて死んでしまはんければなりません。私の父は仕方なく云ひました『でもお前一人ではない親と云ふものが有るからな？』で私は『早速今自分が遊び度い時分にかうして出て行くのは決して私の爲では有りません。家の前途を思ふからです私一人なら日本で遊び度いだけ遊んでから出かけても決して遲くは有りません。考へてみて下さい。家に殘る父母樣もお寂しいでせうが出て行く私はどうでせうか。それでもこれでもうちにをれば親類も有り。兄弟も居り。知己も近く。と云ふ風で何にも困る事は有りません、相談相手にもなれば慰めても呉れます。それを一度足一歩外へ踏み出したらそうは行かんでせう。無論お互に困るのですからそれは今此處で考へたよりは人情の花も咲きませう然し何も云

ふても俗に云ふ旅ですからね。家に居らるゝ父母樣よりは一人で出て行く私の方が餘程寂しい筈です。ですから共々我慢をして奮發する事にしませう小さな島で小さな事を考へて居るよりは、「とやかく云ふ他人の口に迷はずに野廣い南洋へ行つて思ふ樣に腕を伸ばして活動してみたいですから是非賛成して下さい』『そんなに云ふのなら行つて來るがよい、どうせお前の歸るまでは生きて居られるかどうか分らぬが若し死んでも墓の下でも成功を祈る』。と聞いた私は餘り嬉しくて泣きました。

願書を出したのが一月の九日で糞便の豫備檢査が十九日おまけに不合格。二月七日に漸く第二回目の檢査に合格して縣廳の方から海外渡航許可が下りました。早速翌日橫濱へ出かける事になり父母兄弟を始め知己、朋友にも別れを告げて晩の十二時と云ふに此の信州の山猿は彌々勇みに勇んで向ふ所敵なしと云ふ大元氣で南洋遠征とか何とか云ふて橫濱へ出かけたのでした。これから田舍出の青二才が（まだ青年とは云はれなかつた坊つちやんでした）彌々旅の空へ一人で飛び出してどんな目に合つたか、どんなところで、どんなものを食つて、どんな風にして寢てどんな樣にいぢめられて來たかを白狀いたします。橫濱の松坂屋へ着いたのが翌々晝少々前でした。大勢の同志が福島、愛知、長野と此の三縣から三十名ほど集つて居りました。私は伊那ですが宜敷……僕は小縣だ……俺は松本で……拙者は北安だ……『まあこれから同じ處へ行くのだ。どうしても一人の小さな力では錄な仕事は出來んからお互に協力一致して働かんければならんのだどうです諸君？……どうぞ。何分。贊成……なんて大氣焰です。和服に靴と云ふ粉裝で七八人位連立つて練り歩くのですからすぐに山猿が分ります、伊勢崎町あたりの古着屋の前でも通り樣ものなら、彼處でも此處でも『ええお出なさい。南洋向のが澤山に有ります。こちらが上下二圓五十錢。あの折襟がチョッキ付で六圓三十錢、毛布のお安いのも御座います』。まるで冷かして廻るのか冷かされに歩くのかが分らん。そんな事には頓着はしない。宿へ歸れば角力が始まる、演說が有る。討論會から、中には詩吟をやる、又は黃色い聲を出して『そこは端近先づ〳〵これへ』とか『そこら邊りは山家故紅葉の根つこに何とかで嘸々臭かつたでせう』なんてやらかして居る連中も有ります。また隅の方には二三人で自分の生ひ立から今までの履歷を伸べて今

度向ふへ行く樣になつた動機や、……將來の覺悟を語り合つて居る者も有りました。部屋は極々粗末な處で四疊半に六七人づゝ追ひ込まれて晚には枕も何もなく雜魚寢です尤枕を貸さぬのはあれです。前に泊つた連中が行李の中へ入れてみんな南洋へ擔いで行つたからだそうです。食事の時は大低女中さんが杓子をかつぐ事になつて居りました後の不足分は何時も十五分位待たせられて然もお冷御飯です次のお代りの來るまではお箸で茶腕などたゝいて音樂が始ります。まだ永い時には中途で箸を置いて体操をやります。そして『どうです諸君どうしても大なる目的の爲には相當の苦痛は忍ばねば駄目です。それが却つて我々の將來の爲になるのです。エヘン〳〵、氣焰萬丈、意氣揚々天を衝かんばかりです。

一週間ばかりしてをる中に檢査も濟んで一万二千噸の天洋丸が來ました不合格一名だけ。これは變なものを食ふたり變な眞似をしたからです。彌々二月十四日には出帆ときまりました。我々はどんなに嬉しかつたでせう。早速故鄕へ手紙を出しました。これで一先づ渡航が出來るわけですが世の中の事は何事もさうでせうが實際案ずるより生むは安しで、心配して居る時よりは實行する時の方が餘ほど樂なものです。海外行なども『是非!!』と云ふ自分の決心一つです。父母の賛否も渡航手續も、檢査も、案外易いものです。世間体とか外聞とかを考へてをる中は、まだ〳〵熱心が足らんのでせう。「旅は道連世は情」で何處の空へ行つても正直にさへしてをればお互に同情と云ふものは有りますから決して心配はいりません私共前の船で行つた者はそうでしたが「若しも不合格をとつた人々には其次の船迄の宿賃と醫藥料とはみんなで出してやる事にしやう」「御同樣一時も早く行き度いのだけれ共不幸にして不合格の時には何としても仕方が無い誰が不合格をとるか知れんから若し結果が分つたらみんなでお互に助け合ふ事にしやう。十日早く向ふへ行つて働けばそれ位の金はなんでもない」と云ふので二名の不合格者にその費用を出してやりました。私共も橫濱では幸に不合格者が無かつたです。マニラへ上陸の時にはみんなで病院費の五十圓は出してやる事にきめました。ところが福島縣人全部と長野縣人一名とは反對しました結果が分つてからみたら不合格者判明……これは福島縣人、同じく不合格者寺澤……これは長野縣人……たる事が分りました福島縣は全部反對說を出したのだし

長野縣の寺澤も反對したのです。此反對した二人はどうしたものか不合格の氣の毒な目に合つて然も自分の少々の旅費を全部その爲になくなさなければならん樣な憂き目をみました。天の神樣はやはり正しいものだと云ふ事がみんなに分つて此の時より一層協力一致と云ふ心が私共同航者の頭に起りました。

船は神戶。長崎。マニラ。ザンボアンガ。と云順に私共を連れて廻つて何でもかんでも新らしく珍らしいものを見せて呉れました。また聞かせても呉れました。その度每に希望に滿ちた私共の血湧き肉跳り目は異樣に光つたので有ります。何んだか自分一人が此の樂しみを。幸福を。占領して惜しい樣な、すまん樣な、氣が致しました。

南へ南へと進んだ船は彌々ダバオのタロモ港へ着いて我々は無事目的地へ行く事が出來ました。

此の時分はまだまだ日本人は少ないもので比島に居住するもの全部で僅かに七千人足らずでした。內マニラに五千五百人ダバオに千五百人位のもので漸次ダバオ方面の麻相場の良くなるに連れてマニラの人もダバオへ行き日本から來る新移民も殆んど全部ダバオへ集まりました大正八年の暮から九年の春頃までがダバオの全盛時代で邦人約一万人位までになつたでせう何しろ日本人が始めて比島へ渡つたのは豊臣秀吉の時で秀吉は海外發展を策し朝鮮から今の比律賓。支那。印度と順にやらうと云ふので使者を立てたのが初まりです。それから德川時代になつて難船して吹き付けられた人も有り主に送られたのは罪人や癩病患者で日本でも酷い事をしたもんですね、こんな不要の人々だけを送るとはそれ等の人々は皆比律賓人と結婚して今でもその子孫らしいのがマニラの田舍へ行くと居ります、言葉は違ひますが風俗が面白い。縄をかけて居る事、頭に鉢卷をする事、氣性の荒い事、それから名前にお竹さんとかお梅さんとか云ふのが有るんですからどう考へてもそれ等の子孫としか思はれないのです、明治になつてから盛に移民として行き始めたのが三十五六年時分で此の時は主にマニラの北の方に有るバギオと云ふ處へ土木工事が有つてその人夫や職工として募集された人々です、それが仕事が終ると共にマニラへ下りその一部がダバオの有望を知つて南へ行つたのです尤もこれより前に太田と云ふ神戶の人で相當敎育有る人が既にダバオの將來有望で有る事を視察して有つたのです、それで八分はマニラ附近で二分位がダバオだつた

のです。それが大正五年の終りから順にダバオが好況になつたものですから九年の始頃にはダバオに八分マニラに二分位になり十年の終りから十一年へかけてまた元々通りマニラが殖えてダバオが減つたのです。尤も前の樣に甚だしい變化はないですけれ共大低マニラやザンボアンガへ行きました。今では大低言葉も分り風俗習慣にも染つたのですからちよい／＼あちら、こちらへ出かける者が出來て全比島何處へ行つても殆んど日本人の居らぬ處とては有りません、マニラに六分ダバオに二分、其他二分、こんな位でせう。マニラに居る人は主に商業で、ダバオは農業。其他の處は農業と商業と半々でせう。前には唯だ金儲主義で目の前の事ばかり考へてやつたから折角骨を折つて始めた仕事でも、みんな徒勞に歸してしまつたんです。第一言葉がよく通せぬ事や餘りに仕事を急ぎ過ぎたもので終に結果が面白くなかつた。それで近頃は學校へ入つて語學を研究する人が餘程多くなりました。誠に喜ぶべき事です。初めの身体の弱い人は斃れてしまひ、心の弱者は歸つてしまつて、今は永久に冬の寒さを知らぬ常夏の國に呑氣な一生を過ごさう。そうして仕事と子孫とは何時までも此の地にとゞめて自分も新らしい祖先となつて椰子の木の根に星と、月と、雨と、風と、蚤と虫と共に何時までも吾が同胞の前途の幸福を助けやうと云ふ人のみ殘つて熱心に働きつゝ勉强し、勉强しつゝ働いて居ります。日本人の事業としてはどうしても農業でせう。砂糖キビも出來るしゴムも出來るし、コーヒーもよく出來ます、然し何と云ふても私の考へではマニラ麻と椰子とでせう。兩者共に實用品で有つて然も生産に一番手數がいらずおまけに値段が一番高く賣れるのです。出來れば大資本を集めて工場を立てゝ生産品に加工して賣り出したら猶更面白からうと思ます。其他の仕事としては眞珠採り、漁業、大工、鍛冶などでせう。一般に工業方面などは極々幼稚なものですから器械などに特別の技能の有る人はまたうまい金儲が出來ます現に人口一万足らずのダバオの町に自動車が百三十台餘り有りますが運轉手の六割乃至七割は日本人です修繕工場も一ツ有つて技師はやはり日本人です大工と鍛冶とは殆んど日本人の獨占です。漁夫も七割以上は日本人です。俗に比律賓大工と向ふの日本人は云ふて居りますが釘さえ曲げずに打てればよいと云ふのです。どんな大きな建物でも大低は堀立ですから始めに穴を堀つてそこへコンクリーを入れて柱を立

て次に床を張り、それから屋根を葺くと云ふ段取りです何故なれば順に床から始めて足場をこしらへるのです。どんな材料でも、あてゝ見ては切るのです、或る時比律賓人が日本の大工さんを頼んで自分の住宅を作つたさうです、ところが普通比律賓人なら仕事を始めた次の日から柱を立て順々にあてゝみては切り、あてゝみては打ち付けするので全部出來上る時分は柱の一本位は腐つてしまふのに。日本人のは一週間經つても二週間經つても柱一本すら立てないのでどうしたのだらう困つた大工さんを頼んだものだと大層心配したさうです。所が其中に明日は建前ですと云ふて人足を五六人連れて來て一日で奇麗な家を一軒立ててしまつたので比律賓人はびつくりして成程日本人はえらいと云ふて感心し其の後は何を作るにも日本人大工ばかりたのむさうです。鍛冶は土人にも相當ののが有つて切れ物などは日本人以上のをの造りますそうして向ふの刃物は大低全部刃金で日本の樣に延刃金と云ふ樣な細工は少しも有りません、日本でも建築とか機業とかの全然開けない時分でも刀などは立派なものが有つた樣に向ふでも此の刃物を打つ事だけは相當に進んで居る樣です。尤も時間と云ふ事は考へずに氣の向いた時しか働かないのですから時によると一寸した物でも一ケ月も二ケ月もかゝる樣な事が有ります、其他器械類は全部日本人が造つたり修繕したりします。比島人は全然その智識が無いのと道具がないのとで駄目です、漁夫は大抵引き網と梁とです年中氣候が同じですから時期／＼で變つた種類の美味しい魚と云ふはなくて何時網を引いて鯛も入れば鰯も鰹もと云ふ樣に色々捕れます。そのかはり値段もどの魚でも同じ事で、またあの魚だけ五十本揃えたいとか百本欲しいとか云ふても駄目です鰯と鰹だけは潮の工合で滿月とか新月だとか云ふ干滿の差の多い時に群をなして來るから揃つたものも食べられます。眞珠貝とりは大抵帆前船です一週間位沖の五十浬も六十浬も有る處へ行つて漁をしては港に歸り一週間位してはまた出かけるのです。船で出かけて先づ有りさうな所へ來るとダイバと云ふて海の中へ入る人は五六貫目位の鐵の下駄をはいて腹から胸には鎧の樣な鐵製の物を着て目の所だけ硝子の甲の樣なものをかむつて入るのです。足に重い鐵の下駄を履かないと頭の方が重いのでひつくりかへつてしまひますまた胸や腹へは是非鎧の樣なものを着けなかつたら水中五六十尋も潜ぐるのですから水の壓力で胸でも腹でも潰れ

てしまひます。頭には無論甲もかむらんければ目も見えず息も出來ません。頭から息をする爲に空氣を送るゴム管と信號をする糸、二本とが上の船まで續いて居りますそして西へとか東へとか自分の思ふ方へ船を動かして自分は海の底を歩んで進むのです陸と少しも變らず山も谷も有り木も草も茂り花盛りになればそれはそれは奇麗と云はふか美しいと申さうか。その中を丁度陸で小鳥が舞ふ樣に異樣な名も知らぬ魚。殊に自分の身から光りを放つ魚の群が多い所などはイルミネーションの樣で何時まで眺めても厭きないさうです殊に五六十尋以上の水中に住む魚は人間の恐しいと云ふ事を知らんので害もせんければ逃げもせんさうです、おさえたければ何れでも捕れるので眞珠貝の採れぬ時には船へのお土產に甘さうなのを一匹おさえて歸るんですが外で味をみられぬ美味しいものださうです。眞珠の多い時には持つて行つた袋の中へ入れて一杯になれば信號をして上へ引き上げてもらふのです、そのおダイバさんは船え歸れば神樣の樣になつて何にもせず威張て、酒を飲んだり御馳走を食べたりして寢てをります、採つた貝は全部立合の上で開けてみて後の殼は見切り安く賣ります肉もあるけれども毎日の事ですから食べずに捨てしまひます、貝殼だけでも一組三圓から十五六圓位までしますから、此の仕事は一番危險なかはり、人知れぬ面白さと、儲けとが有りますす普通日本あたりに有る眞珠入りの指輪だとか女の髮道具だとかの安物はみんな此の眞珠の貝を圓くこさえて入れたもので決して寶物の眞珠の玉では有りません。

さて日本人の話は此の位にして今度は比律賓土人のお話を少しく致しませう。土人とは讀んで字の如くその土地の人と云ふ意味で實を云へば私共も日本の土人ですが此處で云ふ土人はそれでなくほんとうに餘り文明の風にあたらぬ野蠻な人種の事にします。種族が全部で八十餘種類有つてその中五六の種族が開けたので後はみんな何にも分らぬものですその中でも五六はまた特別に獰猛な方で間違えば人肉をも食ふ人種で人の頭骨を飾つて寶にするのです、言葉は一ツの種族毎に全然異なるのでどの種族にも完全に話の出來る人は比律賓島人にすら有りません。普通婦女子や老人子供などに通ずるのは殆んどその種族の言語だけで少し都の風に當つた人とか男でも幅の利くと云ふ人は丁度日本の東京語とでも云ふでせう。マニラと其近所の田舍のタガロと云ふ人種の言葉と、南の方のシボとイロイロと

云ふ島に住むビサヤと云ふ種族の言葉とが大体の意味だけ通じます、今はみんな飛び散つてをりますが昔は六百幾つと云ふ島に住んで居た其の島によつてみんな異つたものださうです。今でも竝んでをる部落でも人種が違へばみんな言葉が違ひますから不便な事は此の上も有りません、一寸でも分つた人は丁度此處等の田舍人が近頃「あえさうで御座んす」なんと云はずに「えゝ左樣で御座います」と云ふ樣に大低はタガロかビサヤとかエルカーとかの種族の言葉を用ひます。食物は極簡單なもので普通はカモテと云ふて日本の甘藷とシャグンと云ふてバナナの一種で甘くない食事の代りに煮て食べるのとマイスと云ふて日本の玉蜀黍とでパライと云ふて米の取れた時には一時正月で有るだけは寢て居て食べてそれが終ると再びカモテや、シャグンや、マイスに變るのです。甘藷は大低皮をむいて蒸して食べます。その蒸し方が仲々上手なので土釜の中へ水を少し入れて其の中へ甘藷を山の樣に入れ上へは大きな木の葉を被せて蓋にするのです。それで下から徐々に火を焚くからそのおいしい事と云ふたら話の外です。普通日本に有るバナナはあれは甘い方なので向ふでは果物のかはりにやはり日本と同じ事生で食べますが食事の代りにするのはあゝ云ふ樣に圓くて長いのではなく、四角で長いので甘くも何にもない前者がサツマイモなら後者はナツイモです。それを煮たり亦は搗いて餅の樣にして食べますこれも甘藷同樣で甘くないのが特質で仲々美味しいです。マイス即ち玉蜀黍はあの粒だけを取つて石臼で摺ります。それを篩でふるつて粉をとり次に米粒位のをとり次に其の上の疎いのは二度石臼にかけて前の樣にするのです。それを御飯に焚くと油濃くてキシン／＼と嚙み力が有つて米と同樣に食べられます。お米の御飯は日本と同樣です。然しこれも焚き方の上手な事あれだけは我々日本人が感心する所です。お釜の上へ一寸位盛り上る位に焚いて然も少しも心がなく上手に出來て居ります。お釜の底へはバナナの葉即ち日本の芭蕉の葉を拒げぬ樣に敷いて焚きます。塩氣は殆んど食べぬ位です。時に一寸食べるだけです。汁は塩汁で主に魚や肉で野菜は極少々です。獸肉よりも魚の方が餘程歡迎されますがこれは餘り天然の肉、すなはち野豚や鹿が多いのと肉の方が料理法が難かしいからでせう、ほんとうに此の料理に塩氣のないのには一番閉口します。尤も日本人が世界中で一番塩氣や甘氣を食ふとかで、支那料理や西洋料

理なども日本料理ほど塩氣は有りません。序に日本料理と支那や西洋の料理の味の付け方ですが日本料理は何でもかんでも料理人の勝手に味をつけたので甘からうが辛からうがお客さん其の人の好みは一寸も考へないのですから私共も時に依るとお客に呼ばれた時に甘すぎたり辛過ぎたりして、ほんとうに閉口する事が有りますが、支那でも西洋でも、さては南洋土人まで、それは日本と反對で大低の料理は極々少量の塩氣が有るばかりで、あとはそこに醤油と酢と塩と砂糖とが置いて有るから勝手に味をつけて食べるのです。料理によつては味をつけないで出すのが有ります。あれだけは日本でも何とか改正したいものです着物は男はサオルと云ふて臂迄の短いシャツの樣な上着とサロワルと云ふて膝までの猿股の樣なものを履いて居るだけで頭には日本の風呂敷の樣なものを三角に折つて鉢巻をして居ります。角の方を上にして後の長い所を後ろから前に廻してまた後ろへやつて、下から上へ狹(ナタ)んで置くのです。腰にはボロと云ふて日本の刀と山刀との間の子の樣なものを吊つて脊中には袋へショイコの手を着けた樣なものを負ひ丁度近頃の學生さんが鞄のお化の樣なものを脊中へ負ふて暑中休暇あたり何處かへ出かけるのを見ますがあんな樣にして歩くのです。例のボロと云ふ山刀と刀の間の子の樣な腰物は仲々使ひ道が多いのです、私が或る時ボロと云ふ言葉を日本語に譯して呉れと云はれて大變困つた事が有りましたが長さ尺五寸位で幅が二寸乃至三寸柄の方へ近づくにしたがつて厚く幅廣くなるのです厚さは大低二分位のもので刄の方は刀と少しも變りません。道中は護身用とし、仕事をする時は山刀の代用鍬の代用鎌の代用となります。お料理の時には鉋丁の代りになり火を焚く時には薪割りにもなります此の位使ひ道の多いのですから刀とも譯されず、山刀ともつかず、鉋丁にも出來ず仕方なく山刀としての用途が一番多かつたので終ひに山刀の名稱を與へました。婦人(オンナ)もやはりサオルを上へ着て下へは紐の無い袴の樣なものを履いて上から細い帶をしめ腕と足とへは金の輪をはめて居るのです。道を歩く時にはチャラン。コロンと良い音がします。戸隠の馬が炭をつけて里へ下る時に鈴を鳴らして來る樣に遠くから其の音を聞く事が出來ます。それはそれは賑かなものです。これらの着物はマニラ麻で土人の女が自から織つたもので、マニラ麻を始めは臼の中へ入れて搗いて次に木の根から取つた染料の中へ入れて

干したり又水の中へ入れたり木の葉や草と共に搗いたりして種々の色に染めそれを織り交せて奇麗な花模樣が出來ます、その中へ貝や硝子の小さな玉を縫ひ込んでこしらへます。さう云ふ美術工藝方面から研究したら隨分我々文明人の遙かに及ばぬ點も有る樣です、住家は簡單なもので四本柱に細い丸棒を竝べて壁を作り床もやはり同樣なものを並べて作ります、床下は熱帶地だから風の通ふ樣に少なくも五六尺は有ります、屋根はニッパと云ふ葦の葉の少し長くて廣いのを綴り合はせたものを少しづゝ重ねて造ります寒いと云ふ事の絶對にない常夏の國ですから住居は唯だ雨露をさへ凌げばよいのです天井はなく成可風通しのよい樣に出來て居ります。ですから晝寢でも始めやうものなら日の入るまで知らずに涼風に吹かれながら良い心地にぐつすりと夢を見る事が出來ます。中には木の上に家を立てゝ住んでをるのも有ります。便所と云ふものは天然應用の草莚の上で少しの臭氣もなく風呂はこれも天然の流れ川ばかりです子供が生れても一回か二回お湯の眞似の樣な中で洗ひますが後は大低は水ばかりです。婚禮には結納が大したもので一寸したのでも馬が一匹アゴン（鐘の樣なもので踊の時に打つもの）五ッ。カマーギ（これは烟草盆の代用みた樣なもので此の中へは石灰と檳榔樹(ビンロージ)の實とボーヨと云ふて長芋の葉の樣なものとを入れるもので常に彼等は此の三ッを同じに口の中へ入れて嚙むのです。そして唾を吐いては亦嚙みまた吐いては嚙みして一時間でも二時間でも嚙んで居ります石灰と檳榔子の酸とかおなじになるので赤い水が出ます。私も嚙んで見ましたが千辛ひ樣な酢い樣なまことにうまくないものです普通は眞鍮ですが良いのになると金製で五十圓位から千圓位までします。）一ッを嫁の方へ贈るのです。支度は日本の樣に嫁の方から一生着ても着切れないほど持つて行く樣な事はなくこれも前以つて婿の方で揃へてやつて置くのです。だから日本の樣に姑に嫁の支度が有るの無いのと云はれる心配が有りません、第一に仲人と一緒に聟さんは花嫁さんの家へ行つて今度は向ふの親も一緒に聟の家へ歸り一番の御馳走は魚の燒いたのに野豚の肉。酒は甘蔗をたゝいて汗をとりそれを竹筒に入れて三四日置いて醗酵させたもので日本の味淋と同じ樣な味のするのを出します。第一番に一番大きな皿に高さ一尺位に御飯を盛つてそれを聟と嫁とで半分づゝ食べるのです、一粒も殘さずに食ふのですから私共には到底駄目で。

すそれが終ると順を追ふて御馳走が出て次の朝まで土人共は踊り狂ふのです。最先に飯を盛つたのをエニーダンと云ひますが、それを二人で半分づゝ食ふのが三三九度の杯の代りでせう。人が死ぬとすぐに庭へ飛び出して一番近親の者が泣きます。それから親類中寄つて一日中泣いて次の日に川の向ふへ穴を掘つて埋けて來ます。何故川向ふへやるかと云ふと死んだ人は川を越えてまで歸つて來ないから恐ろしいものは何でも川向ふへ行つては捨てゝ來るのです、家族制度と云ふでせう子は配偶者を求めても親の家に同居します。商買は大低物々交換で然も金の單位と價値が分らぬものですから先程お話したアゴンがあれが物の價の標準となるのです、アゴン一個が二十五圓位に決まつて居る處に十五圓位のところに廾圓のところに場處で違ひます。それで此の馬がアゴンが五ッだとか又はアゴン一ッに米二俵だとかそれぞれ定つてをります。日の勘定も分らぬものですから細い繩をなつて一週間なら七ッ三日なら三ッと玉を拵へて置いて一日に一ッづゝ解いてゆくのです。次に田植のお話も一寸しますが日本の樣に苗代は無いのです、彌々明日田植だと云ふ日までに漸く開墾をした田の方を燒き拂つて用意をして置いて其の日は皆晴着を着て朝から御神酒を飲んで、前祝をしてそれから一同が田の方へ出かけて行きます女の聲の良いのが端の方で歌をうたひながらアゴンを打つ男はそれに和して木の先の尖つたので五寸に一ッ位づゝ穴を開けて行く、それに引續いて籾を撒いて行く、後から一人が箒を持つて前の穴の中へ掃き込んで歩くのです。それが終ると家へ引き上げて賑やかな酒宴が始まります。次に二回位草を採つて約三ヶ月過ぐれば收穫を見る事が出來るで、その時は籠を脊負ふて一穗づゝ手で拔き取り家の前へ一坪か二坪位の小屋を建てゝ其の中に積み上げます。それが終るとこれから土人のお正月です開墾が一月頃から始まり撒き付けが四五月頃で收穫は七月頃から九月頃まで有ります。莖を刈り取れば後から芽を出して穗が出ますが極少なもので實のりが惡いから大低一作です。年中氣候の同じ南洋でもやはり植付の時期が有つて外の時に撒けば蟲がついたり生え口が惡かつたり結果がよく有りません。甘藷や甘蔗は一度植えれば三四年位は大丈夫です。尤も甘藷だけは狹い場處で澤山の收穫を得たかつたら一度堀つたら直ぐ後を打ち返しておいて二度植え替えた方が餘程澤山に穫れますが何しろ土地が廣いの

ですからそんな事はせずに何時でも食べ度い時に木の先の尖つたのを持つて行つて土の上からつついてみます。若し藷に當ればすぐ音がするからそれを掘ると云ふ風で一日中かかつても食べるだけ堀れればよいのだから呑氣なものです。バナナも其通りでこれはまた一度植えれば十年でも十五年でも有りますから一週間もかかつて五十本位植えて置けば五人位では毎日食べても食べ切れません。これは一本の莖に一房づゝ實が成るので大きくなれば根本から切り倒して上の實だけをとりあとはそこに捨て置きますあとから次々と芽が出て居りますから順に切る事が出來一本植えると大低五十本位の大きな株になります。一株から日に五ッ平均は切れますから五十株有れば一ヶ月に二百五十房切れる理由で一房有れば五人位で一食にはどうしても食べ切れません。その五十株を植えるに五人で一週間もかかつて開墾すれば後十ヶ月で一生食べ切れんのですからこれが實際(ホントウ)の天與の樂園と云ふのでせう。茄子も一度植えれば一年位は食べられます。木があまり大きくなり過ぎると良いものがなりませんからその時は根から切れば次に芽を出してまた元通りのが成ります。南瓜や菜類もよく出來ます。駄目なのは玉葱に馬鈴藷、それから大豆、大小麥などでせう。こんな工合ですから此の國に生れた人々は生活に不自由と云ふ事を知らんので。誰にでも物を與える事を惜しみません。あればあるだけ飮んだり食べたり使つたりして終れば又探して來ます。何の野心もなく、慾望もなく、世の中の生存競爭を知らずに晝は暑さを忘れて椰子の木陰に夢を見日の入る頃から起き出でゝ夕食の用意をなす。前に採り入れて置いた稻穗を小屋から取出して來て女は二本の箸で核き落しそれを臼に入れて搗いて御飯にし夜の明くるまでアゴンを打つて踊り狂ふ。夜中に何時目を醒しても霧深かき山の中に、或ひは月淸き海邊に彼等獨特の音樂を聞く事が出來ます。その時始めて何の心配もない、純な、天心爛漫たる彼等とその幸福を知る事が出來ました。特に七八才の少年少女は其の親以上に世の中を知らず無邪氣に何を云ふて聞かせても信ずる。殆んど神に等しい愛らしいもので有ります。ですから彼等土人は何人にも憚かる事なく何時何所で話をするにも大きな聲で誰にも聞える樣にします。小さい聲でコソコソと話す事を彼等は非常に嫌つてをります。如何ですか、皆さんお互に此の眞の龍宮の如き南洋へ行つて。「山に鹿を狩り野豚を撃ち。海に船を浮べて魚を釣り。庭の藷を堀りバナナを味ひ。裏の麻山

でマニラ麻を挽きて、木の根を掘りて染料となし。竹と茅で家を立てゝ彼等以上に理想の生活しやうでは有りませんか、私は何年かの後に是非今度は永住的に彼の地へ渡つて一奮發安樂に彼の地の土になり度いと思ひますが同志は有りませんか。

大きな蛇だとか鰐だとか云ひますが大した害はしません。七年間居りましたが蛇や鰐の爲に命をとられた話は餘りきゝません熱帶だけれ共小さな島國ですから獅子や虎は一匹も棲んでは居りません。一番陸上に多いのは野豚に鹿でこれはどの位居るか知れません。尤もマニラだとかシボだとかイロイロだとか開けた方面には居りませんが南のミンダナオ島特に日本人の一番多く居るダバオ方面には一番澤山に居ります。野生の馬や牛や水牛が居るさうですがまだ見た人は餘りないので確かな事は分りませんが廣く牧場に放して有るのは大したものです。コゴン草と云ふて日本の萱に似た草が何里と云ふ廣い原に茂つて居るから牧畜には好適です馬も牛も日本のから見ると小さな優しいものです。水牛も台灣のに比べると餘程小さいとかで馬肉と水牛の肉は食べませんが牛肉でも日本のからみると大味です一般に熱帶のものは温帶や寒帶に較べると油氣が少ないかの樣に思はれます。犬猫鼠は少しも變りませんが山猫と云ふて普通の猫より口が尖つた大きなのが居ますこれは人間には絶体に害はしませんが雞などにちよい、ちよい、害をします。人の目には餘りつかぬ樣です。

少々未開墾の方面へ行くと猿が居て作物殊にバナナやモロコシや小豆などを害します。野豚は植えたばかりの椰子の根やマニラ麻の根や、カモテ(藷)を掘つて食ふので困ります。ですから少々の財産が出來れば野獸防禦と云ふ名義で銃を持つ事が出來ます。蝙蝠も夕方になれば澤山飛びます鳥位の大きさで何千何萬と云ふほど群をなして來るので竿の先へ小さなトゲの澤山有る草を着けて差し出すとすぐにかゝります肉も仲々美味しいので隨分捕つて食べたものです鰐は主に淡水と鹽水との境の陸上に居つて食を漁る時だけ水中に入ります。トカゲは大小二種有つて大きなのが何處でも水邊に凄み小さいのが主に家の中や畑の中にをります此處等で云ふカネチヨロと云ふのでせう五六寸位のものです。大きい方のは向ふでビーバンと云ふて二三尺から四五尺位迄有つて此の肉も相當に食べられます、恐ろしいのは百足でこいつにやられたら一寸一週間から一ヶ月は駄目です家の床下とか時に依ると布團の下あ

たりに居て耳でも何處でも食ひつきます。蜂は餘り變らぬが蟻のパチパチと云ふ大きなのは七八分から一寸位までのと、また小さい目に見えぬ長さ五厘位ののとが居ますが大きなのにやられると丁度蜂の大きなのに刺された樣に腫れます大低は木の根本の枯れ葉の中に居ります小さなのは草の陰に居て一寸そこらに立つて居れば直ぐに粉を撒り掛けた樣に足から這ひ上るのでシクシクして後が汗かぶれか何かの樣に赤くブツブツして痒ゆくて不快です、また米粒位の赤蟻が木の上に居るがこいつも知らずに木でも伐れば花の散る樣に落ちて來て食ひつくので油斷がならない。それよりも驚くべきのはラングスタと云ふて日本のイナゴですな。米國邊りや南米邊にも居るさうですが群をなして飛んで來ますが丁度冬季大雪が降る時の樣に空が暗くなつて向ふが見えません。それが地え降り始めると今迄青くて居た草でも作物でも形が殘りません。澤山降りた時は厚さ一寸位も積ります歩くとビシビシ音がして潰れるし顏へ雪がかゝる樣に當るので痛くて居られません叺の口を開けて掬ひ込んだら五俵や十俵はすぐにとれます、それがまた大抵一日一晩か長い時は二日二晩位御滯在になつて澤山に卵を生んで行くのが三日か四日するとみんな子になつて飛び出すから比律賓政府は法律を定めて、その時は男は半數以上、出る事と道通りでも何でも使つてそれを追はせるのです大きな穴を掘り手に手に箒か木の枝を持つて穴の中へ逐ひ込んで石油をかけて燒き捨てるのです。どんな用事でもかまはず巡査と兵隊とは道通りを引張つて行きます、甚だしいのは病人を連れて入院させ樣と自働車で年たものを半日もその餘も運轉手共にイナゴ追をさせられるんです。朝食の買物に出かけて夕方まで歸らんからどうしたかと心配すれば豈計らんやこれもイナゴ逐です。蚊と蚤と蠅とは年中居ますが蚤の一匹も居ないのは不思議です。南京蟲は不潔にさえしなければ心配は入りません。魚は前にお話した通り春夏秋冬の四季の變化がないので其の時期〳〵のものは無く一網引けば鯛でも鰯でも何でも漁れますそのかはり値段もどの魚でも同じ事で唯だ違ふのは大きさに依つて定めるのです。鯰と鮒とは見ませんが鰻の大きなやつは大したものです川に海老が澤山でお客さんでも急に來て困る時は烟草を吸ふて居る間に裏の川で一寸すくへば仲々おいしい者が出來ます。川端に居る食用蛙も大變なものです晩に松明をつけて川の水ぎわに居るのを捕へるのです

が、うまく行けば一晩に五十匹や六十匹は漁れます皮をむいて煮ると雞よりも遙かに美味いですいま一ツ海の大潮の時にやはり松明をつけて蟹をとりに出かけますがこれも仲々面白いです。出がけに釜をかけて置いて潮がピシヤ〳〵と滿ちて來た處で左手に松明を持ち右手に例のボロ即ち刀を持つて突くのです大きなのになると七八寸から一尺位のも有ります、籠に一杯になれば歸つて早速お釜の中へ入れて後は勝手に召上ると云ふ筆法ですがこれもまた面白いです。日本と違つて赤道直下ですから夜晝の差は殆んど無く年中朝の六時に日が出て晩の六時に入るので夕飯後は何時もこんな事をして樂むのです。朝早く海水浴をするとか南洋の生活は實に呑氣なものですね。

木は日本の奥山の樣に大きなものも有りますがどちらかと云へば返つて日本の方が大きいかも知れません何故なれば大きな木よりも藤の樣な種類ののが大きくなつて大きな木を覆ふてしまふから餘り大きくはなれないしまた大きくなれば直きに根本が腐つて倒れてしまひます、直經七八尺位のが大きいのでせうが餘り多くは有りません。ピホコと云ふて日本の藤ですがあれは大抵の山の中に有ります。丸さ三寸位で長さは二十間も三十間も延びて一番先きへ行つて少々ばかり椰子の葉の樣なのが出てをるだけです。普通の家を建てる材料としてなくてならぬものです。中は割合に軟かく外部が堅いので日本で使ふ藤と云ふのは其の外皮を薄く剝いだものです。近頃シンガポール邊からステツキにして澤山に輸入されますが仲々奇麗なものでどんなに打つても折れる事は絶對に有りません。椰子はこれも外部が堅くて刄物は利きませんが内部は割合に軟かく綿の樣な所も有ります。普通實をとるのが直經一尺位から一尺二三寸位までゞ、姫椰子と云ふのが同じ實を採る中でも細くて五六寸から七八位までゞ實も普通の三分の一位です。其他建築材料にするのがパルマと云ふて外皮の特に厚い種類で重に床とか橋などに使ひますが仲々腐る樣な事は有りませんこれは實も何もなく餘り爲にならぬものですから栽培するのでなくて皆天然に有るのだけです其外に一種類有るのは直經二尺から二尺五六寸も有るが心の軟らかな處を細かく切つて水の中で洗ふと澱粉だけが沈澱しますそれは食用にしますが此の種類も天然のものを伐採するだけで新に植える事は有りません。日本で云ふ檳榔樹と云ふのが小さな櫟の實の位の實が成りますそれを土人は前にお話

した樣に石灰と長芋の葉の樣なボヨと云ふものと共に咀むのです幹は直徑五六寸位のものです。これは土人は生活上是非必要なものとして何處へ家を建てゝも五六本づゝは植えます。製材用としては普通日本の檜に似たのが有り松や杉の樣な軟かい板も有ります。紫檀黑檀、朱檀は一等材として政府の許可を得ねば伐られません。カポツクと云ふて綿のなる木が有ります唐松の樣に枝が眞直に延び材質は青桐の樣な木でこれへなる綿は普通のよりも浮揚力が强いとかで近頃外國へどん〳〵輸出されますが惜しい哉極々僅かしか有りません主に軍艦や汽船の浮き袋の中へ入れるのです。前には浮き袋の中へはキルクを入れたものですが近頃はみんな此のカポツクにあつたらうですこれは將來相當に面白からうと思ひます。またバナテと云ふて世界中で比律賓にしかないと云ふ木で其質が至つて堅いのと目がよいのとで主にステツキにされますが一寸したのでもステツキの形にすれば五六圓から二、三十圓位までします、英國や米國方面へ少しづゝ出ますが船客が特別にお土産にする位しか有りません。實を喰ふのではランシヨ、ニツシユと云ふて廻りに皮の有る果物で杏の位の大さで質も味も葡萄に似たのが有りますが實が熟すれば三日位しか保ちません。密柑の種類は何もよく出來ます。コーヒーやチヨコレートも出來ます。バナナ、パイナツプルは云ふに及ばず野菜類は先程お話した樣に大抵のものは出來ます。西瓜などの成事たら小さいのがいやなほど出來ます。それからよく本などで見る。マンゴーは水密桃の大きなのよりも少し大きく獨特の芳香を有し味は水密桃と似て居りますが遙かに優つて居ります。御承知のマニラ麻は十八ケ月位で收入が有り椰子樹は五六ケ年で實を結びます。一本に年に七八十平均は實が成り百五六十から大きいのは百七八十でコプラ即ち中の脂味だけで一ピコ即ち約十六〆目有り、其の値段が九圓から十圓位で一人で一日に一ピコのコプラ製造は出來ます。マニラ麻の事は何方も悉しく御承知の事と思はれますから申上げますまい。（續く）

海外近信

○母國々難と海外發展の要

南加州羅府にて　戸田由美君

拜啓此頃は御多忙中に拘らず早速御手數被下れ御厚意奉感謝候然る所切角の御高配に係らず今回母國の大慘害は小生に對しても各方面より種々の影響を及ぼし十月發足を一時延期して故國よりの詳報を待たざるべからざる事情に至らしめしは殘念千萬に候へ共亦已むなき事態と一日も早く母國の確報を鶴首待ち居る次第に有之候。

母國の悲慘を思ふに付けても一層痛切なるは海外發展の事業にて爾今益々各位の御盡瘁を仰ぎたく切望致し居り候。

今回母國の災厄に處する我南加在留四万の同胞（女子供を除く活動男子の數）が如何に其救濟事務に心肝を碎き寢食を忘れ居るかは言語に盡しがたき程にて流石に大和魂の所有者なりと心強く被感申候飛電一度至るや當ロスアンヂエルス市を中心とせる在南加同胞が義金五十万圓の集蒐を決意し目下正さに其目的を達せんとし更らに又米人の義心に訴えて萬有の手段を講せんと努力しつゝあるは母國に對する誠に偉大なる奉公と被感申候斯る狀況を見るに付けても平時に於て國家並に先覺者が同胞の海外發展を有形無形の助力に依り奬勵庇護するは最も肝要にして尊き務めなりと痛感せられ候此意味に於て信濃海外協會の事業の如きは最も尊敬すべき國家的大事業なりと深く幹部並に部內各位に感謝仕候。

序でなれば申上げたく候へ共當南加地方が氣候風土に於ても天然の物質に於ても凡そ人間の生活及活動に此上なき諸條件を具備する事全世界に類なき現實の極樂地帶と被存れ斯る地に我大和民族を移殖し得ば如何斗り大幸ならんと思はれ候へ共御承知の排日法規は此寶庫を吾人に對して堅く閉鎖し遺憾此上もなく被感候處今回の大災に關聯し米國上下の民心に激甚なる大變化を來し我國民並に爲政者の手腕一つにて如何なる好塲面の展開を見んや計り知るべからざる曙光輝々と致し居り候間此際が誠に天の與ふる絕好機たる事を深く考へ日米親善の實現に對し日本全國民の覺醒發奮あらむ事を切望に堪えず候幸に信濃海外協會には內外に重望を擔はるゝ今井五介、小川平吉、降旗元太郎諸氏の如き有力者あり又中央協會の核心となりて活動せられ居る次第なれば貴會が此機に於て卒先國論を喚起し此空前の大不幸を轉じて豫期せざりし大幸を確把する樣千載一遇の天機に臨み御遺算なきを期せられたく切望に堪えず候此天機に於て日米親善の爲めに最も有効なるは恐れ多き事乍ら其天資に於て日本救世の主たる實を示し給ひつゝある我攝政宮殿下の御渡米を仰ぐ事と小生は深く感じ居り候米國上下の感情が今日の如き最高潮を示せるの秋に我國が此一大事を決行せば若き血におどり義に勇む米國人が忽ちにして從來の感情を一變する事は疑ひなき事實なりと日本國政治家の大活眼を爲邦家に切望致し居り候而して小生は之れが實現には今回の國難に對する在米同胞の努力如何が又極めて重要なる原動力たるを信じ其意味に於て言論に文章に在米同胞の奮勵努力を鼓舞しつゝ居り候。

更らに又此際望ましきは大學出身者（公私立を問はず）にして失職せる人々が粉骨碎身の大決心を以て渡米せられん事に候大學出身者は堅く閉せる排日の門扉に對しても學術研究の名に依りて出入の自由を與へられ居り候此際人に過剩食糧不足就職難等に惱さるゝ故國を去つて自活自營以て或は各種の研究に或は事業の經營に渡米せらるゝ事は軈がて再建せらるべき世界的大日本の後繼者として自他の爲めに最も有意義なる進退と確信仕候而して米國に於ける自活自營は奮鬪努力の大精神さえあれば最も易々たる事に屬し又米人並に在留日本人が敎養ある眞摯なる日本人を信頼歡迎する事の意想の外に在るは小生が渡米半歲の實驗觀察に依りて明確なりと斷言を憚らざる次第に有之候。

先は右御禮に併せて感想雜記仕候何卒爲邦家愈々先覺の勞を盡されん事を至囑仕候　敬具　（九月十一日）

○故國の震災に就で

小池代治郎君

編輯者申す
今回の當災に當り、在外同胞の奮起は實に目覺ましいもので有た事は其の義捐金品の、非常に多額なりしを以ても、知るべきで有るが、同時に外國人殊に北米合衆國人の同情は、寧熱狂的で有た樣だ、南部加州ロスアンゼルス滯留、戸田由美氏の報導は、前段の通であるが、更に又北カリフオルニア、シヤトル市から、上田市出身の小池代治郎君か、熊々彼の地の、新聞切拔數葉を同封して寄せられたる書翰に見ても、其の如何に、甚深なる同情の發露で有たかゞ窺はれる、左に書翰の文面だけを掲げて、一般の注意

を乞ふ事にする。

謹呈仕候、今回故國に於ける、大震災の報突如として當シヤトル市に達せし時、在留同胞一般は、其の餘りに災害の莫大なるに、一信二信は殆んど、疑ひたる程にて候ひしが、續々として到る情報や、公報に依り、漸次明瞭され、横濱市全滅、死者三万餘、東京市は全建築物の六割五分は倒壞し、死者五六万の見積、其の他沿岸にして、數ヶ所の町村は全滅して死者算なく、家屋を失ひたる者、約五十万に及ばん、而して物質の損害約百億圓など〻云ふ、實に振古未曾有の大災害に私共は驚愕の餘り、只呆然たるのみに有之候も、帝國領事初め同胞有志家諸氏は先づ何よりも罹災民救濟の事に、從はねばならずとなし、シヤトル日本人會及び北米時事、大北日報兩紙主催となり、大學義捐金の募集に、又シヤトル市婦人會は、教會の婦人會として協力して、慰問袋の募集に着手し、東奔西走約二週間にして、豫想以上の成績を見、シヤトル市を中心とせる、我が同胞より集まりたる、義捐金の內より、現金七万五千弗と、物品約二万五千弗は、第一回の救濟として既に送附致され候、而して幾分心の落附を見候、昨二十一日の夜、シヤトル市佛教會、主催となり、故國大震災罹災者の追悼會を催し申候が、領事を始め、多數在留同胞の有志は、交々立ちて、遠く故國の慘狀を忍び、震災より受けたる敎訓、或は震災後の日米兩國の感情、或は我が民族將來の覺悟等を述べ、悲しき內にも極めて嚴肅に式は閉ぢられ候。

今回の震災に就きて、小生等の意外に感じ候は、米國及び米國民の、我が國に與へたる、偉大なる同情に有之候、悲報一度達するや、大統領は直に、全國民に告げて、此の際我が國民は、日本の災害に對し、深き同情を寄せ罹災民には極力、救濟の事を爲すべしと、又赤十字本部は、全國支部に令して、一週間內に五百万弗の救濟金を募集して、日本に送らんと、又平素排日を資物となし居る政事家等は、忽ち其の態度を改め、劇塲や諸集會塲に立ちて、過去は過去なり、諸君は何事を措きても、今回日本の蒙れる、災害に同情せよと叫び、自から數千弗を寄附せし如き、又有名なる排日新聞、P・I（當市發行）紙は、昨日迄の排日記事を全く止め、カツトに論說に、數日に亘り、救濟事業の奬勵に努めし等、又個人にして、五万弗十万弗の寄附者續々として出づるなど、誠に驚嘆の外無之候、昨日に變はる今日の好感、果して幾年續くやは、別問題として、私は此の偉大なる擧動に對して、萬腔の感謝と、更に憧憬の念、禁ずる能はざるものに候、私は信ず、米國の偉大なるは、啻に國土の豐饒なるにあらずして、國民の內に彼が如き、偉大なる精神の、常に活動して居るが故なりと、而して此の純美なる精神の、滅せざる限り、米國の光輝ある歷史は、永續するならんと、

先般再渡米せられ候、上田市の横田地政二郎氏は、着米直に我信濃海外協會に、入會せられ候が、出帆に先立ち、貴會を訪問せし時、誠に御懇切なる、待遇を受けしとて、非常に喜ばれ、私に貴會諸氏の、活動振を語られ候、今や故國に於ては、新日本建設の聲、諸所に起り居る由、聞及び候此の時に、當りて我等は內に外に、氣脈を通じて、愈々故國の爲に、奮鬪せざるべからざる事と存候。

末筆ながら遙に、貴會諸氏の御健全を祈り申候。

（九月廿二日）

○伯國より

更級郡村上村出身　邊見國雄君

拜啓、海の外第十四號落掌、拜見仕候

時運に適するの美擧たる、貴協會の設立は、吾等在外者には勿論、後進者一般へ、多大の援助者たる事は申す迄もなく、茲に双手を擧げて、賛意を表すると共に益々健全なる御發達を祈り申候。

以前同住の縣人より、貴協會の設立成りしを聞き、大に意を强ふ致し、餘暇を以て、御祝詞申上度思居候得共、昨年四月舊監督人の出耕に際し、計らずも小生が、監督代理者として、當部落の取締を命ぜらるゝに至り、無智無能なる小生の、迚も勤めらるべきに非ざるを悟り候得共、やれる迄やつて見るが、抑男子の本懷ならずやと云ふ一念が、ふと頭に浮び、遂就職を約し、二三の同胞を便りに、二十餘家族の外人を相手としつゝ、どうやら今日に至りたる次第に有之候、それが爲多忙に紛れ居り、今日迄御疎遠に過したる段、誠に申譯無之候、久しく心懸居りし御通信を、此處に果すを得たるは實に嬉しく存候（中略）目下當耕地には、日本人三家族のみ、皆長野縣人にして、小田切傳氏、野澤勇氏と小生とに有之候。

扨小生着伯後、今日に至る迄には、種々記し度き事有之候へ共、紙面に限あれば、只其の大体のみを、申上ぐべく候、五ヶ年前サントス港に上陸せし際、五人家族

の小生が、所持したる金額は、僅に當國の十六圓有りしのみ、加之第一年度の初歩に於て、吾々が收入の第一二に數ふる、園内間作物は害蟲の爲、僅二三週間に、其跡も認め得ざる程度に喰ひ盡され、折も折珈琲樹は、彼の稀有の霜害にて、殆ど枯死して、目も當てられぬ慘狀を呈し、非常なる不幸の年に、遭遇したる譯に有之候、なれども同時に入耕せし、同胞二十家族の中に、食ふに困つたとか、或は暮しが立たぬとか申したる者は無く、現に小生如きは其の當時、金の無い方から第一番なりしが、家族が食事を苦にしたなど云ふ事は更に無く、頗平氣に過ごし候、第二年目よりは、追々と餘金も出來、目下二三十町歩の小地主さして、獨立し得る資力は充分に有之候、之れを內地のそれと比して如何、假に一人の分家者が、四人の頭數を引連れて之と同樣の境遇に接しなば、誰か其の家族の生命を保證し得るものぞ、伯國の天惠豊富さは之れにて御推察下され度候。

着伯後滿五ヶ年に達せんとする今日迄、同一耕地を離れざる小生は、他の地方の狀況には誠に暗く、後進諸氏の參考資料などは一向御座なく候、只終りに一言申添度事は、當國が將來益々有望なるは、今改めて申上ぐる迄も無く候も、獨り我が日本國人のみ其の恩典に浴するには無之、世界各國人の視線は、擧つて當國に向ひつゝあり、最近米國のゴム栽培に關する一大殖民地開設、英國軍縮の結果、失職者の集團移住振、伊太利、和蘭其の他の移民大輸送等、實に目覺しきもの有之候、古來成功の秘訣は機を攫むに有りとか、此の際母國に於ても、大に奮起すべく希望に堪へず候。

目下非常に多忙を極め居り候へば、之にて失禮仕るべく候、追て又御通信申上べく候、同封の寫眞は、全部當耕地の狀況に有之候、御參考の爲差上置候（七月五日、サンタ、ユードシア耕地にて）

○ニューヨーク短信

諏訪郡玉川村出身　長田武夫君

葉書を以て申上げます、我が日本もヒドイ事になりましたね、東京橫濱を始めとし、東海道一面殊に富士山地方は、震災にて大損害の由、笹子トンネル、甲府、輕井澤あたり迄、損害有りし由なれば、我が諏訪地方にも、幾分損害有りし事とゝ推察致して居ります、此の回復には、五十億の金と、數十の年月とを要するならんと、當國人は豫想して居ります、ニューヨーク市

英字新聞の多くは、日本は今後二十五ヶ年位は、國内の回復に、力を集中して、外國と戰爭などは、出來ぬで有らふ」と言つて居ります、加州の排日黨は、喜び居る事でせう、我が日本も、震災の爲、歐米の一等國と、肩を並べ得ず、ナショナル、パワーが弱りし爲列國に對しては、どんな無理を言はれても、默つて居らねばならぬが、之れと對抗が出來ぬかと思へば、帝國民として、落涙禁ずる能はず、殘念至極の事です、希くは最少の損害ならん事を、一面には亦、今度米國民が數千万圓の大義捐を集めて、日本を助けんとする恩義は、永久に忘れてはならぬと思ひます、我々日本人は最低二十圓より、普通五十圓位迄義捐を致して居ります。

信州記事

○長野縣民諸税負擔一覽表

（大正十二年十月長野縣地方課調査）

税別	總税額	納税者平均一人當	總人口ニ對スル平均一人當	戸數割納税義務者ニ對スル平均一人當	總人口	戸數割納税義務者數
直接國税 十二年	六、三二一、〇〇〇円	一二、三九八円	三、九九八円	二三、三八六円		
直接國税 十一年	五、六一九、〇五八	一一、二一六	三、五五四	二〇、四〇六		
縣税 十二年	六、〇八八、七八七	一一、九四二	三、八五一	二一、五六四		
縣税 十一年	六、二九九、七三九	一二、五七五	三、九八五	二二、八七八		
市町村税 十二年	一一、三二九、七九三	二二、二二一	七、一六六	四〇、一二五		
市町村税 十一年	一二、五七六、九〇九	二五、一〇五	七、九五五	四五、六七四		
計 十二年	二三、七三九、五八〇	四六、五六〇	一五、〇一五	八四、〇七四	一、五八〇、九八九	二八二、三六五
計 十一年	二四、四九五、七〇六	四八、八九七	一五、四九四	八八、九三八	一、五八〇、九八九	二七五、三六三
大正十年	二一、八六七、九〇一	四四、〇三三	一三、八三二	八〇、六七二	一、五八〇、九八九	二七一、〇七一
九年	二二、三四八、七三六	—	一四、一〇九	八三、一五四	一、五八三、九九三	二六八、七六三
八年	一八、五四二、二五九	—	一一、八七七	六九、五三二	一、五六一、二一八	二六六、六七四
七年	一二、七四三、九七八	—	八、一六三	四七、〇三六	一、五六一、二一八	二七〇、九三一
六年	一〇、二六一、六四七	—	六、五七三	三七、八七五	一、五六二、六六七	二六五、九七九
五年	八、五八七、三八一	—	五、五六七	三二、六二九	一、五四二、五五九	二六三、一八五
四年	八、一〇六、〇〇三	—	五、三一六	三一、〇九六	一、五二四、七一九	二六〇、六六九
三年	七、四九八、三〇九	—	五、六三五	三一、九四六	一、五〇八、〇七五	二五七、九五一

備考

一、税額　大正十一年及大正十二年ハ豫算額（年度開始後ノ追加ハ含マス）ニシテ大正九年以前ハ決算額ナリ

一、「戸數割納税義務者ニ對スル一人當」及「戸數割納税義務者數」欄ハ大正十年以前ハ「總戸數ニ對スル一戸當」及「總戸數」ナリ

一、大正七年以前ノ總人口並總戸數ハ年末現在ニシテ自大正八年至大正十二年間ノ總戸數ハ當該年度四月一日現在總人員ハ前年末現在（大正十一、十二年ノ兩年ハ大正九年十二月末現在人口ニ依ル）ナリ

○大正十二年直接市町村税負擔額表

（大正十二年十月長野縣地方課調査）

郡市名	負擔順位	總税額	戸數割納税義務者數	同上一人當	總人口	同上一人當	前年度ニ於ケル直接國縣税及市町村税納入人員 人員	仝上ノ他市町村住人員
南佐久	八	五〇〇、三〇五円	一二、〇四〇人	四一、五五三円	七一、九〇五人	六、九五八円	二一、〇二三人	二、三五五人
北佐久	五	六九〇、一四六	一五、七九五	四三、六九四	九三、三一五	七、三九五	二九、三一八	四、七九七
小縣	一四	七八二、五〇八	二〇、九四二	三七、三六五	一二三、九四六	六、三一三	四〇、六七四	五、二九八
諏訪	一三	八九五、九一九	二三、七三六	三九、四〇五	一二九、三八九	六、九二四	四一、〇一四	八、〇九七
上伊那	九	一、〇二八、六九五	二四、八一二	四一、四六一	一四三、七一八	七、一五七	四三、五九一	三、二六二
下伊那	一六	一、〇七八、四二七	二九、七八九	三六、二〇二	一六八、〇六四	六、四一七	四九、九五九	四、〇〇七
西筑摩	一五	三六三、一八五	九、九四六	三六、五一六	五三、五九〇	六、七七七	一七、一九一	九七九
東筑摩	一〇	一、〇三二、一三三	二五、〇七一	四一、一六八	一四二、二一一	七、二五八	四七、九〇四	六、三六九
南安曇	一二	四一三、八三三	一〇、〇九六	四〇、九九〇	五六、二〇八	七、三六三	一八、九三七	二、六九〇
北安曇	六	四五一、七三〇	一〇、五八三	四二、六八四	五七、九七八	七、七九一	二五、五一五	三、五四一
更級	三	六四八、六八六	一四、〇四二	四六、一九六	八一、七六六	七、九三三	二六、七一七	四、六七三
埴科	三	四〇六、九五八	一〇、〇二五	四〇、五九四	五七、二九七	七、一〇三	一八、〇六九	三、九五〇
上高井	一	五〇八、一四五	一〇、六七六	四七、五九七	五七、七七五	八、七九五	二〇、〇六四	三、八五七
下高井	二	五一九、五三三	一一、三九八	四六、四五〇	六三、一四九	八、三八五	二一、二九五	三、〇〇七
上水内	一九	七七五、八三三	二二、七九五	三四、〇三五	一二八、一八四	六、〇五二	四四、三一八	六、五三三

郡市								
下水內	四	二七〇、二二四	六、一六三	四三、八四五	三四、四三九	七、八四六	一三、二八二	二、一九三
長野	七	三四五、四六九	八、一〇〇	四二、六五〇	四〇、三五〇	八、五六二	九、六八〇	三五三
松本	一七	三六八、六三三	一〇、五一五	三五、〇五七	四九、六〇七	七、四三一	一四、五三五	七〇二
上田	一八	二三九、四五六	六、八四三	三四、九九三	二八、〇九八	八、五二一	七、七八〇	四三〇
計		一、二三九、七九三	二八二、三六六	四〇、一二五	一、五八〇、九八九	七一、一六六	五〇九、八六六	六七、〇五一

〇長野縣會役員の決定

本縣々會議員、各郡市の當選者は、前號所報の通なるが、其の役員選擧の臨時縣會は、先月廿日より開會せられ、議長には、下伊那の平野桑四郎氏、副議長には小縣の小林直治郎氏當選した、而して七名の參事會員は、諏訪の宮坂作衛氏、上伊那の下島平治氏、西筑摩の小野秀一氏、北安曇の内山竹一郎氏、上水內の塚田佐市氏、同相澤信藏氏、下高井の竹內宇內氏とである。

〇關東震災長野縣救援事業

長野縣の救援振が敏活で有た事は、前號にも一寸報道した處で有るが、最近數字を以て、現はされたる處を見ると、大体次の如くで有る。

1、縣の救援

縣參事會に於て、十万圓の支出を決議し、其の中物品に替へて寄贈したるは左記の如くである。

白米　二〇〇俵
味噌　三五〇貫
拾　一〇一三九枚

警備應援として、警官二五〇名を、九月三日から一ヶ月間、滯京せしめ、更に四四名を十月一ヶ月間派遣した。

2、臨時救護事務局の依賴を受け縣內より買ひ上げて輸送したるものは

食糧　五二六三三圓

日用雜貨　三四六二九圓
藥品　六四六圓
建築材料　三六六八圓
合計　九一五七六圓

3、義捐金の總額並に各郡市別は

南佐久　一六〇三二圓
北佐久　一六五二一圓
小縣　一三六八五圓
諏訪　一〇八七六五圓
上伊那　二六八六六圓
下伊那　三〇五九四圓
西筑摩　七三五三圓
東筑摩　二九三九七圓
南安曇　一三三四一圓
北安曇　七五九八圓
更級　一六二三六圓
埴科　七六六三圓
上高井　七八八圓
下高井　七六八九圓
上水內　一二七四五圓
下水內　五五二八圓
長野市　二九四五六圓
松本市　二四四〇圓
上田市　九五八九圓
合計　三六九四二六圓

4、義捐品の總額並に其の郡市別は

郡市	白米	衣類	漬物	野菜	味噌	其他
南佐久	七八、二六〇石	一、八八三点	二、〇五二、〇〇〇貫	一四四、〇〇〇貫	八、〇〇〇貫	慰問袋二、一七〇玄米八石木綿反物三一反木炭一六六俵眞綿七二二枚枕三四四ヶ割箸五〇〇〇人分鍋釜五個外二、二二一點
北佐久	五七、五四〇	三、五四四	九五六、〇〇〇	二、八四〇、〇〇〇	一、〇三五、〇〇〇	學用品用紙類等一三六點
小縣	三一一、〇五〇	五、六七〇	一、二五四、八〇〇		一、七三〇、七〇〇	醬油二〇石七斗手拭二〇七〇本玄米二二石其他日用品學用品等

郡市	白米	衣類	漬物	野菜	味噌	其他
諏訪	一三三、六〇〇	一三、五〇九	九二九、〇〇〇	九八、〇〇〇	一、七六四、三〇〇	醬油八石慰問袋四〇一六手拭二、三一三本履物一四三七足木綿反物二六〇反燐寸二四〇打釜五鍋九個大豆一九石氷餅二三一八本梨二五〇ヶ茄子二箱罐詰一八八罐煎餅一箱乾飯七升改良麥四斗干瓢一貫菜品五二袋バケツ四九六ヶ木炭三一貫枕七〇外三七種六二點
上伊那	一〇七、〇〇〇	一〇、二三〇	六、三三六、〇〇〇	九一、〇〇〇	二六四、〇〇〇	玄米四斗五升鍋一〇〇個其ノ他バケツ慰問袋餅菓子素麵學用品等
下伊那	五二、〇〇〇	四、五〇〇	五、六六三、〇〇〇	二、五〇〇、〇〇〇	一、三〇〇、〇〇〇	教科書下駄、傘慰問袋、紙類茶器炊事用品等
西筑摩	一五、〇〇〇	六六四	九五九、〇〇〇	一九、〇〇〇	一八五、〇〇〇	風呂敷四〇反木綿反物一〇反慰問袋一八二手拭一一九本其ノ他學用品等
東筑摩	五五、〇〇〇	一、〇四二	二、九三二、〇〇〇	四、一〇三、〇〇〇	八六〇、〇〇〇	日常雜貨品五四〇點及學用品等
南安曇	三八、〇〇〇	五、七一〇		八〇、〇〇〇	三九〇、〇〇〇	學用品
北安曇	四七、一七〇	二、九二三	二、九二〇、〇〇〇	二六、〇〇〇	五八〇、〇〇〇	慰問袋一〇七六外蠟燭、下駄、草履、手拭、反物、茶器、箸、學用品、石鹼、靴、風呂敷、燐寸、罐詰、學用品、ゴム靴、帽子、藥品（仁丹風邪藥）等二六五五點
更級	六七、〇〇〇	六〇八	四、三五九、〇〇〇	一九〇、〇〇〇	二一八、〇〇〇	手拭一六七本外罐詰砂糖素麵鰯煮干學用品等
埴科	八〇、〇〇〇	二、一〇六	七五三、〇〇〇			鹽鰤四貫手拭五四一本木綿反物二二反外學用品
上高井	五八、五五〇	五四五	七三、八〇〇	二、九三二、〇〇〇	八四五、八〇〇	醬油四石履物三一一足綿布九六反食パン一三六五ヶ苹果一八二二ヶ什器三八五點蠟燭三一七五本手帳二〇冊鉛筆二打練乳一箱其他
下高井	四、五五〇	七八七	二、〇二二、〇〇〇		一三、〇〇〇	氷豆腐二箱飯杓子二五本外學用品等
上水內	一〇、六三〇	一、四五五	五、三一六、〇〇〇	五〇六、〇〇〇	一、四八五、〇〇〇	足袋九九足晒布二反木綿切レ八六點股引二三點帽子二二ヶ鐵瓶一ヶ葉書一、二〇〇等外日用品教科書等

郡市	白米	衣類	漬物	野菜	味噌	其他
下水內	五、八五〇	一三四	一、四三二、〇〇〇	一五、〇〇〇	四八八、〇〇〇	教科書六八三七册
長野市	三七、六八〇	二六、七九六		七六、〇〇〇	三、八七五、〇〇〇	教科書及日用品一五七九六點
松本市	四四、四五〇	一〇、〇〇〇	一〇、〇〇〇		三八〇、〇〇〇	
上田市	一八、七〇〇	二、一〇〇	四五、〇〇〇	一、九二〇、〇〇〇	九五、〇〇〇	下駄三六〇足罐詰一三六本慰問袋四梱莫蓙二〇枚外靴下鍋齒磨粉楊枝教科書等
計	一、二三二、〇三〇石	九四、一五六点	三八、〇一一、六〇〇貫	一五、五八〇、〇〇〇貫	一五、五〇六、八〇〇貫	

5、寄贈學用品總計並に其の各郡市別は

郡市／種類	教科書	雜記帳	鉛筆	毛筆	學用雜品
南佐久	八、八一七册	一、六九九册	八三打	三打	一四七点
北佐久	五、〇一五	七八五	一四〇	二	六九
小縣	三八、一二一	二五七	二二	｜	｜
諏訪	三五、三六二	五、一九七	六八三	三六	四〇二
上伊那	二二、〇三六	二、八六五	五六八	九〇	一、〇一一
下伊那	一九、二四四	七、一八二	六八二	二四	五三九
西筑摩	一、七七八	二七八	四七	一	六二
東筑摩	二三、〇四七	｜	｜	｜	七、一八七
南安曇	七、八九九	八六〇	九四	二	四九

北安曇	五、五九七	—	—	—	—
更級	七、一〇七	三四五	五〇	一	六五
埴科	二、二八二	二、一一一	三八	—	一〇〇
上高井	一、四〇九	一九	一	—	一
下高井	一〇、〇九一	五一四	一〇一	二	五九
上水内	一五、〇〇〇	一、二〇〇	—	—	—
下水内	五、八〇八	—	—	—	—
長野	二一、一七四	二、八〇四	二四四	—	一、三一七
松本	一〇、五二八	三八〇	六九	—	九三
上田	八、八四一	—	—	—	—
合計	二四九、一五六	二六、四九六	二、八二二	一六二	一一、一〇一

6、管内鐵道停車塲に於て救護を受けたる延人員

南佐久	一二二五人
北佐久	五五〇五人
小縣	一一四三人
諏訪	一〇四〇人
上伊那	三六八二人
下伊那	一一三九人
西筑摩	一五七四人
東筑摩	六〇五人
南安曇	一四三五人
北安曇	一八三人
更級	五七六五五人
上水內	五九五六人
下水內	一一〇七人
長野市	二八二七人
松本市	四〇五八人
上田市	二八五〇人
上高井	八六六人
合計	九二八五〇人

右の內更級郡の大部分は、篠井驛で、縣下全數の六割強を占めて居る。之は東海道線が不通となりし爲、信越線から、中央線に乘替へて、關西に避難した者が、多かつたからである。

何れの驛でも、郡市役所員の指揮の許に、最寄の消防組員、在鄕軍人會員、青年團員、婦人會員、國粹會員其の他が詰め切り、晝夜兼行で救護に努めた。

7、各種團体の活動

赤十字社長野支部を始め、佛教社會事業協會、郡市醫師會、青年會等は、義捐金品の募集、停車塲に於ける救護の外各救護班を組織し、上京して目覺まし活動振を示した、長野縣農會、愛國婦人會長野支部も亦、全力を擧げて其の向の應援をした、即縣農會では、漬物三千五百樽の外、野菜類數千貫を贈り、愛國婦人會は、衣類の二万五千點を主とし、慰問袋、味噌漬物等を集めて寄贈した。

8、其　の　他

警察官吏用被服の寄贈、罹災警察官並に一般罹災官吏に對する、特別義捐金も若干送附した。

○警視廳管內の信州出身警官

今回の震災で、最同情に價する、一部の人と言つたら、警視廳管內に勤務せる、警官で有たらふ、家は燒かれ、家族は行衛不明、などいふ境遇に在りながら、職務柄不眠不休で、秩序の維持、罹災者の救護に努めねばならなかつた。

警視廳には比較的、信州出身者が多い、總監の赤池濃氏（現貴族院議員）刑事部長の木下信氏、警視關口仙右衛門氏、同平野廣三郎氏、同宮澤文作氏等、以下約四百名で有る、其の內の罹災者、赤池總監木下刑事部長を始め、合計六十餘名で各郡市別數は長野市三、松本市二、上田市一、南佐久三、北佐久七、諏訪四、上伊那八、下伊那三、東筑摩四、南安曇三、北安曇三、更級二、埴科二、上水內三、下水內二、出身地未詳一三で有る。

○武井一郎氏夫妻慘殺

此の一二年來、佛都の長野市にも、血腥い事件が頻發したが、最近西長野に於ける凶行の如きは、實に人をして戰慄せしむるものが有る。

先月四日の、夜も未だ淺き十時半頃、加茂神社に程近き市營住宅に於て、武井一郎氏夫妻が、其の愛玩して床飾として置いた、日本刀を以て、見事に斬殺された、壁一重隔てた隣家では、未だ起きて居たのに、氣附かなんだ程の早業で有た、武井氏は非常に永い間本縣の官界に在り、最近の約十年間は、赤十字支部の主事として奔走された、日頃謹直にして交際上手なる性格と

して、怨恨を抱く者が有たとも考へられず、さりとて其の邊に有た金や衣類の、持ち去られざるを見ては、物取らしくも無い、といふので事件は久しく迷宮に入た形で有たが長野署員を始め多數警官の苦心の結果最近眞犯人を確め得た此の恐るべき凶行者は上水內郡柵村の田畑勝之助と云ふ前科數犯の者で有た

○本年の登山者約十二万人

夏期の登山は、年々著しく增加の傾向を示し、殊に最近は、白馬とか、槍ヶ嶽とか云ふ、ありふれた登山では面白からず、足跡未踏の、神秘的仙境を選び、一種の冒險登山を試むるもの多く、黑部溪谷とか、南アルプス方面とかを、探る者漸次增加し、又山岳研究家は獨り夏季のみでなく、冬季間スキー等を利用し、壯快なる縱走を決行する者が、著しく多くなつて來た、殊に本年は、秩父宮殿下の、アルプス御踏破などの有た關係上、一般の登山熱をそゝつたもの如く、六月から九月末迄の間に於て、各連峰に登攀した者の數を調査した處によると、昨年より、三万三千六百二十四人を增し、合計十一万八千七十九人といふ多數を算したが事故は極めて少く。死亡一人、重輕傷者五名を出したに過ぎない、猶登山道德の發達に伴ひ、高山植物濫採禁止鳥捕穫等の行爲も大に減少した、登山者の數より見たる高峰は左の如くで有る。

御嶽	六三三五三人
淺間山	二二四一二人
駒ヶ嶽	七二二七人
八ヶ嶽	五四四四人
蓼科山	四三八〇人
燕嶽	二四五九人
槍ヶ嶽	一八〇〇人
白馬嶽	一七二六人
戸隱山	一〇四七人

○更級農學校の參考室

更級農學校では、新校舍の大廣間を、農村參考室となさんとの計畫は、新築完成と共に着々進捗し、各方面の材料が夥しく蒐集された、此の方の主任の宮本敎諭は、兼而熱心に唱道せらるゝ、海外發展に關する資料をも、蒐集せんとの考へより、當協會へ度々訪問された、當協會は固より、斯る計畫には大賛成で有るからあらゆる便宜を計る積りの處、恰も坂本市之助氏寄贈の、南洋持產品標本が到着したから、それ等を始めブラジルの農產品等約七八十點を、保管旁出陳する事にした、實業學校の計畫としては、誠に機宜に適せる施設と云ふべきである。

編輯机上より

在外居所不明者前島義男君內堀源太郎君河野保三君の消息御存じの向は無いでせうか殊に河野君は家鄉に於て最近令兄が逝去され令弟は滿州方面に在りて歸らず家人は非常に御心痛ですどうかして是等諸君の消息を得度いものです

北安曇郡會染小學校では父兄懇話會を機として海外發展展覽會を開くとの事で當協會に向け資料出陳を申込まれた在外諸君が赤誠を罩めて送て呉れた標本寫眞等が利用され始めたのは誠に喜ばしい事で有る。

本月七日に神戸を出帆する安洋丸に乘てメシキコへ行かうといふので本月一日に旅券下附願書を持て出縣されたのは上伊那郡朝日村の岩垂貞吉君で保安課でも事情を諒として神速に取扱て呉れたので午後二時迄にスッカリ手續が濟み岩垂君は書類を携へて即日上京二日に外務省に出頭此處も其の日の中に終り首尾よく許可證を貰つて同日夜行で歸て來た、これが本縣に於ける旅券下附手續進行のレコードである、しかし誰でもこんな具合に行くと思ては當が外れる

南洋行を計畫する人が殖えて來た最近出發豫定の者が更級郡牧鄉村の內山寬次郎君夫妻、小縣郡中擣田村の神津吉子夫妻の外妻君の呼寄が二人計六人である內山君も神津君も再渡航である處を見ると不景氣と言はれる南洋でも內地に勝る處が有るらしい。

海の外

定價	一部	半ヶ年	一ヶ年
內地	廿錢	一圓十錢	二圓廿錢
外國	廿仙	一弗十仙	二弗廿仙

海外郵稅四錢

注意
▲御注文は凡て前金に申受く
▲廣告料は御照會次第詳細通知致します
▲御拂込は振替に依らるゝが最も便利です

大正十二年十一月二十五日
編輯人　永田稠
長野市南縣町
發行兼印刷人　藤森克
印刷所　信濃每日新聞社
長野市長野縣廳內
發行所　海の外社
振替口座長野二一四〇番　信濃海外協會

一、視野鮮明
二、廓大力正確
三、構造精密
四、價格低廉

カルニユー顯微鏡

上記四大要素ヲ具備スル純國産カルニユー顯微鏡ハ長野縣立各中學校、農學校、農事試驗場及各小學校ヘ多數納入シテ嘖々タル好評ヲ博シオレリ續々御用命アラン事ヲ

型錄献呈
乞御申込

應用製藥株式會社代理店
進誠堂器械店長野縣一手特約店

長野市櫻枝町

長野縣特約店

理化學器械
博物學標本
運動用具
藥種賣藥
醫療器械
度量衡計量器

株式會社 KI 飯島商會

振替長野一五九二番
電話八〇五番

大正十二年十一月二十九日發行（毎月一回一日發行）
大正十一年三月二十六日第三種郵便物認可

定價金貳拾錢

信濃海外協會
海の外社發行

目次

內地移住地紹介

栃木縣那須野原（其の二）

山崎治太郎

那須野ヶ原の記事は愈々興味をそゝるものがある開墾事業の苦心談に配するに金毛九尾白面妖狐の傳説さては弓聖與一宗高の史實を以てし、一讀再讀卷を措く能はざらしめる
前號記事中山崎氏が那須野原の事業に着手されたるを、大正四年としたるは同六年の誤で有るから玆に訂正を加へる

四、古史傳說より見たる那須野

古の那須野

遠く太古よりの、此地方の樣子を探るに、全然、人に顧られぬ無人郷であつたわけでも無いらしい。此地は、那須の國として、最古より國中に知られたらしく今より一七八八年前、景行天皇御即位五年、那須を一國として那須國造を置かれ。その後、國造の治世よく整ひ。文武天皇の御代に建てられたる、國造の碑の如きは、今尙存して、日本最古碑として名高く。また仁德天皇の朝、國造の祈願によつて、創祀されたと云ふ那須八幡の如きも、此地の開因の古きを知る、例證である。更に、三千年の太古を探るに、南傾斜の暖き地なりしより、諸河の近地に、アイヌの住居せる證跡多く、石斧石鏃等の發見されること少からず。板室神社の雷槌、伊王野の石棒（日本一と稱す）等に考ふるも、亦古き所以を知るに足るであらう。

其他、歷史傳說に現はれたるものを見るに、第三十四代舒明天皇の御代に、狩野三郎元廣の那須野鹿狩のことあり。藤原貞信が、那須野那珂村に築城し、八溝山中に棲住して近隣を荒せる、岩嶽丸と稱する鬼賊を退治せることあり。源賴朝が、那須野及富士の麓に於て、交番に卷狩をした史實もある。高原山中に棲みて附近を騷したと言ふ、高原丸と稱する鬼賊の傳說もあり。また、室町時代に創作された、三國妖狐傳の中に玉藻前に化けた、金毛九尾白面の狐が、此那須野ヶ原に隱れたるを、此處に於て退治した。と說いてゐる。是等も、皆此地の古く國中に知られたる地なることを例證するものであらう。そこで、所謂、狹義の那須野ヶ原を考ふるに、前篇の廣袤の所で說いた通り、那須野東原や大輪地原方面には、千年以前に開拓された地も、諸所にある位だから、此所とても、また、全然、住民のない、荒野原のみであつた譯でも無いらしいが頼朝の巻狩や、三國妖狐傳の場面にされた、あたりから見ると、大部分の地區は、草深い野原であつたに相違あるまい。

今より凡そ四百五十年前、明應文亀の頃、彼の連歌の達者として著れた、宗祇法師が、其白河紀行に「那須野ヶ原と云ふにかゝりては、高萱道にふさがりて弓のはづさへ見え侍らぬに、誠に武士のしるべきならずば、いかでかゝる道には命もたえ侍らん、と、かなしきに、武藏野なども果ある道には侍れど、ゆかりの草にも、たのむ方は侍るを、是はやる方なき心地する枯れたる中より篠の葉のうちなびきて露しげきなど、右府の詠歌思ひ出られて、すこし哀なる心地し侍る。しかはあれど、かなしき事のみ多く侍るをおもひかへして

歎かじよこの世は誰もうき旅と
思ひなすのゝ露にまかせて。」

と記して居る。また、夫より二百年を經た天和元祿の頃、俳聖芭蕉も、その紀行文「奥の細道」に、矢張それに似た、淋き草叢茫漠の景物を、心細く書いて居る。だから、徳川末世の頃までは、此原が如何に世人に顧られぬ、草原と、松原と、石原であつたかが分るであらう。

また、昔時よりの奥州街道の變移を見るに、此原を通じて居るものが三條あるか。最古くは、那須の東部の比較的起伏の多い所を通じて、磐城國に入つて居る次に移されて、新道とされたものは、那須の中部で、所謂那須野ヶ原の東方を、南北に通じて、磐城國白河へ入つて居る。是れが、明治維新前まで、通交されたものであつて。宗祇や、西行、遊行、日蓮等の、雲水たちが、情調を湧したのは此街道である。また、明治戊辰の戰亂に。會津征伐の官軍が。皷聲勇しく。白河方面に向つて、激戰數度、血に染み痛手を負つて、戰友に助けられて、あえぎあえぎ引き上げた道も是れで路傍各所に、途中で死歿した勇士の墓が、立つて居て當時の思出も多い。彼の行成卿と爭つて罪を得た、藤原實方朝臣が、奥州の配處に行く時、那須山の燃ゆる火と。胸中のそれとを比べられながら、踏まれた道は最古の街道なのであらう。明治初年、那須野開拓の緒についてから、更に改められて、現在の國道奥羽街道が、那須野ヶ原の中央を南北に、一直線に開通されたのである。

次に二三の事項について記して見やう。

那須國造の碑

那須國造の碑は、我國に現存する最古の有文碑である。群馬縣の多胡の碑、及宮城縣の多賀城の碑と、共に日本三古碑と稱せられて居るものである、

碑は、黒羽町の南方一里半余、那珂川に沿つた、湯津上村にあつて。高さ四尺、表面は磨き、他の三面は自然のまゝで、頂に笠の樣な、扁平の石を冠らしてあるので。地方人は、笠石樣と呼んで、一神祠として取扱つて居る。此碑は、文武天皇の四年に、那須直韋提が建設したものである。後、顚倒して、永く草叢の間に埋沒して、世人から全く忘れられてゐた。其後草刈人等が、石に腰掛けたり、其附近に放尿したりすれば、熱を發し、物狂はしく病態になるなど、、漸く地方人の間に、擾しくなつた。偶々奥州岩城の圓順と云ふ僧が、此地を巡歴して、その事を聞き、同郡（黒羽町の南方四里）武茂の庄小口の郷梅ヶ平の庄屋、大金久左衛門重貞に語りたるを。重貞、之を不思議に思ひ。會々天和三年六月、水戸藩主の徳川光圀が、武茂庄馬頭村を巡視に出張の際、之を告げた處、光圀は、貞享四年九月、再び此地に出張して、儒臣佐々宗淳に命じて、碑石の所在地に遣はし、碑石を印打して、宗淳をして讀解させ。古碑たることを知りて、愛すること篤く。元祿四年、碑の所在二段歩ばかりを水戸の封境とし、新に塚を築いて其上に置き、又、其上に堂を建て、泉藏院と名つけ、修業者を住はせて、堂を守らしめた。それが近世になつて、神明として、地方人の信仰的となつて居る。此附近には、車塚や瓢塚がある。或は、那須國造の墓ではあるまいかと云ふ。

那須與一と要焼

黒羽町の南方、那珂川に沿つて三里ばかり下ると、那珂村字小川に至る。此所には、彼の弓矢の名士、那須與一宗高の產れた那須城趾がある。此城は、與一の祖先代々の居城であつたのだ。はじめ、藤原貞信が八溝山中の鬼賊、岩嶽丸征伐のため、西京より來り。此所に築城して、岩嶽丸討滅の後も、なほ此地の豪主として居住し。後代、須藤氏と號し、那須氏と改めたらしい。斯くして、宗高に至つたが。源頼朝の旗擧げに際し、父小太郎資高と共に、其幕下に參じ。宗高は義經の麾下に配屬して、屋島に出陣の折柄。平家の軍船、沖合に群り集つた其の前に、一美姫の乘つた船が現はれて。船首に竿を立て、頂に日の丸扇を翳し、渚の方に向ひ。陸に居並んだ源軍を麾いて、之を射しめ

んとした。義經、左右を顧て、射手を呼んだ。群臣互に人選して、宗高を推した。與一。拒み辭したが、義經きかす。與一そこで、餘儀なく立つて、駒を波間にをどらせ。「南無八幡大菩薩、別してわが國の神明、日光の權現、宇都の宮、那須温泉大明神、願はくは、あの扇のまん中射させ給へ。これを射損するものならば、弓切折り、自害して、人に再び面を向ふべからず今一度本國へ歸さんと思召さば、この矢はづさせ給ふな。」と祈願を込めて放つた鏑矢の、首尾よく、扇の要を射切つた。その功名によつて、丹波、信濃其他三ヶ國に莊園を賜はつて、名聲一時に擧り、居城を黒羽町の那珂川沿岸の地に移し住んで、頼朝に忠勤を致し。那須巻狩の時など、大いに、活動したらしいが。後年剃髪して、京都に上り、伏見の即成院に入つて寂滅した。其の黒羽の城は、古館と稱して、今も城趾がある。其の城趾の附近から出る土で、近頃、磁器を燒いて、與一に因んで、要燒と稱し。雅致の多い、茶器類を製造して居る。質は、堅くて強い、品致に富んだ品物だが、小規模工業のかなしさに、價格が、餘り高過ぎるきらひがある樣だ。

那須明神と温泉神社

那須明神は、また、金丸八幡とも稱し、大田原町の東方、金田村大字南金丸にある神社。温泉神社は、湯泉神社とも稱し、那須湯本温泉附近にある神社と共に那須與一が。扇の的を射るとき、瞑目祈念した神明である。何れも、古い由緒を持つた神社で、郷社に列せられて居る。温泉神社は、信州の諏訪神社の樣な調子で那須一郡到る處に、其の分社末社とも見るべき温泉樣の宮がある。金丸八幡は、譽田別の命を祀つてゐるが、桓武天皇延歴年中に、坂上田村麻呂が創祀した所だと云ふ。後源義家が、社殿を改建し、後鳥羽天皇の文治三年に、那須宗高が、神護を奉謝する爲に、修築してその鎮守神とした。那須家衰へて、大關氏が之に代りたるが、後水尾天皇の寛永十七年に、更に、改めて社殿造營の功を終へて、また、鎮守神として崇敬した。傳へ謂ふ所に依れば、仁徳天皇の朝、那須國造の奈良別王が、祈願所として、黄金瓊を此地に埋め。その上に塚を築いた所である爲に、此の地を金丸と稱すと。而して那須温泉神社には、與一宗高の奉納したと云ふ。鏑矢が社寶としてある。此例祭日は、今確知して居らぬが。金丸八幡の例祭は、陰歴九月十五日である。

源頼朝那須野巻狩の事

源頼朝は、武士の養成、武術戰法の演習には、隨分意を用ひ彼の武勇なる鎌倉武士を作り出した事は、歷史によく著はれ、富士山麓に於て、屢々巻狩を行つて武術戰法の論功を行つて居たことは、世人に博く傳へられて居る。丁度此樣な催が那須野ヶ原にも行はれて居た事が、吾妻鏡に見えて居る。

頼朝は、建久四年四月九日、那須宗助に、那須野ヶ原に於て獸狩を行ふべき旨を通知した、そして、四月十四日には富士の裾野から、藍澤より、頼朝の陣營用であつた、假小屋の用材を、那須野に運搬せしめ。頼朝は、同二十一日早曉、手勢の猛者を率ゐて鎌倉を出發した。當時、弓矢の使用を命ぜられた者は、僅二十一名。他は騎馬にて、槍刀を携へて、逐走することを命ぜられたらしい。而して二十二日には、野州南部の國分寺附近の原に於て、追鳥狩を行ひ。翌二十三日那須野の狩を行つた。當日頼朝は、狩野に陣したと云ふ今尚、陣營假小屋の趾は、東那須野村字東小屋に存するそうだ。東小屋は、頼朝の東の假小屋と云ふ意である。東北線東那須野驛前の部落が即ちそれだ。狩野の中心地は那須野西原であつたらしく、其邊は今狩野村と稱して居る。また、大輪地原方面でも、巻狩を行つたらしい。此狩の方法が、後世、鎌倉武士の犬追物の元始になつたのだろうだ。また、曾我五郎十郎の兄弟は、父の敵、工藤祐經を、此狩の陣所に迄も、ねらひ來つたらしいと。云ふことだ。

三國妖狐傳について

三國妖狐傳は、支那・印度・日本の三國を舞台として、陰獸の長たる、一疋の金毛九尾白面の狐が、或は后と化し、妃と變じ。或は、娘と化し、宮女と變じて或は、王を魅して國を危くし。或は、王室を亂して自己の巣窟とし。或は、天子を呪ひて自己の本領を發揮し。世を害すること、二千二百有余年。遂に、鳥羽天皇の朝、魔狐の運命漸くつきて正体を現はし、姿を那須野ヶ原に匿したが。日本武士に狩立てられて、隠れ場を失し。終に、殺生石と化して、尚ほ毒惡を後世に殘し。源翁和尚の法の杖に鞭打たれて、怨靈の化石四散し。那須野ヶ原一面に飛び、今なほ、毒石となつて住む人を病ましめて居るために、那須野ヶ原が、今日世人に恐遠ざけられて居るのである。と云ふのが、此傳の骨子である。從つて、此原は、此傳の爲に、今日まで不毛荒寥の、住む人稀な所にされて居たのだ。一体

此傳は、室町時代の創作物で、全く架空の想像小說であつたに過ぎない。

序に、此三國妖狐傳の概畧を摘んで、記して見るならば、次の如くである。

今より三千年前、支那に殷と云ふ國があつた。此國の末世の王に、紂王と云ふ暴君が現はれたが。其皇后の妲巳は、もと、金毛九尾白面の狐であつて、毒羊を殺して后となり。王をそのかして、酒池肉林の樂に耽らせ。あまつさへ、忠臣良民を殺させ、非道の極に至らしめた。そこで、周の武王が、大公望の計を用ひて、殷を亡した。妲巳は、直ちに姿を隱して、印度に逃れ。中天竺の皇子班足太子の妃となり。華陽夫人と呼ばれて居た。處が、或小春日和の長閑な日に、御園の奥に、一疋の金毛の老狐が、晝寢して居るのを、太子が發見して、弓を射て額を傷けたが、狐は何處へか逃げ失せて遂に發見し得なかつた、太子、後刻自室に入れば、夫人は何故か額に繃帶して居るので之を質すに、言を巧にして皇太子を信じさせた。そこで、皇太子は、老醫耆婆に診察させた。耆婆、脉を診して獸なることを知り、之を論じたが、然し夫人の口舌は巧で、遂に耆婆は言論に依つて屈服させられなければならなかつた。其後耆婆醫夢みて、ヒマラヤ山中に在る、藥王樹の枝葉を焚いて、陰獸の正体を檢證することを知り。之を採り來つて、夫人の獸なるを立證し得た。すると古狐は忽ち本体を現はして、天雲の中に隱れ、再び支那に遁れた。時に、支那は周の宣王の世であつたそこで、厲王の妃盧氏の姙に入り、胎內に居ること十八年。漸く生れて、褒姒となつて、宣王の子、幽王の愛を受けて、國政を紊し、王の犬戎に害せられると共に、姿を匿して、春秋戰國の三百年を過ごし、唐の中世に現はれて、中宗皇帝の皇后、韋氏の胎內に入り。產れて、安樂公主（公主とは女の稱）となり、女の身を以て、天子たらんとし、母と謀つて中宗を弑したが李隆基に事を破られ、また、隱れた。處が李隆基は、立つて玄宗皇帝となつた。流石の古狐も、此に於て、再び支那を脱出せねばならなくなつた。其際、日本より、遣唐使として渡唐した、吉備眞備が、歸國することになつて、船が用意された。そこで狐は、鼠と化して、船底に匿れ、出帆後二三日を經て、美處女に變じて、眞備の前に表はれ、つぶさに日本見物の希望を以て同伴を許されたいと、請ふた、船が筑前博多の海に着くと共に竊に上陸して、姿を隱した。時に、我國で

は、第四十六代孝謙天皇の天平勝寶六年、紀元一千四百年代の初頃であつた。彼は姿を隱したまゝ、三百七十年を過ごし、第七十三代堀河天皇の御代に、綾錦に包まれた、美しい乳兒の姿となつて、京都清水觀音の附近に現はれ。元、北面の武士であつた、坂部庄司行綱に拾はれ。藻と命名されて、山科に育ち、七歲にして勅題の和歌を詠進し、名歌として叡感を辱ふし、其の功によつて、父行綱の復職叶つて、從五位下左衛門尉にまで榮達し、天皇崩御により、七十四代鳥羽天皇即位し給ひたるが、坂部夫妻も亦、相前後して死亡した。父母の喪を終へて、和歌漢詩の御相手に召されて、女官として、大內に奉仕したが、文永三年九月、菊水の御宴の最中、暴風起つて燈火消え、會場は直に暗黑となつた。天皇、藻を御召になつたが御召に依つて出て來る藻の身体から。玉の光を發したので、天皇賞嘆あらせられて、玉藻前の稱號を下賜された。其後天皇御大病に罹り給ふて、御惱益重くなるのであつた玉藻前は、寢食を忘れて御奉仕をして居た。處が、安部保親は、易學の大家であつたが、潔齋すること七日神佛を念じて卦を立て、「陰獸の長、高貴の方を苦め奉り、御壽も危し。」とトし。關白藤原忠實に請ひて玉藻前の獸なることを見現さんとした。そこで、保親と玉藻前とは大宮人の衆前に於て、問答をすることになつた。先づ保親は卦に依つて現はれた、勘文の趣を以て盛に論じ、玉藻前に向つて眞正の人間に非ざることを責め、獸の本性を現はさせやうとした。是を聞いた玉藻は少しも惡びれた風もなく、言葉に淀みもなく正然と、保親の勘文をして無禮なる邪見迷語であると鋭く反駁し、保親をして、夫れ以上に論ずるの餘地なからしめた。遂に論議は玉藻前に勝ち誇られて、保親はあはれ閉門を仰付けられた。保親死を決したが、妻の梅園に勵まされて心を翻し、更に神を祈り斷食して神助を願ふた。誠忠の赤心天に通じて、加茂明神の神託を得て、再び妻の梅園によつて關白に請願し、御惱平癒の祈禱七日間、朝廷にて執行することを御許しになつた。七日の滿願の日は來るも、御平癒はおろか益々御惱は增すばかりであるので、皆の心痛は一通でない。時に保親は玉藻前に對して、其祈禱の祭壇まで出座を求めた。玉藻前は盛裝して、顏に笑を浮べて入つて來たが、其祭壇を見ると、嚴なること甚だしく、乾坤を縮小したる形を意味し、天地四方の八百萬の神祇を招じ。幣榊大麻を以て八方を鎮め四方に邪神を祈る

色旗色幣を配して全く魔神退散の祈禱の形である。中央に坐して幣束を持て祈る樣は、實に嚴しく凄かつた玉藻は忽ち顏色を變じ目を怒らせ、保親を罵つて祈禱を妨げんとするばかりで、決して定めの座へは着き得なかつた。保親は、其様を見て論駁益鋭く溶せかけたが。玉藻は平然として、保親を邪神に依つて君の御惱を增し奉るものであると、極論するのであつた。保親たまりかねて、加茂明神より御教を受けて置いた處の、蟇目の弓を持ち、矢を番へて、玉藻に向け、弦を鳴らして、蟇目の法を行ふ。玉藻の姿は忽ち蒼白となり眼色血走り口は耳まで割れ込み、恐しい姿となつたから、保親は、すかさず責めかけ、青赤黑白の四本の幣を束ねて投げ付けた。其途端に電雷振動して大豪雨と化した。玉藻は其時全く金毛九尾白面の狐の姿を現はして、雪に隱れて遁れ失せたが。青赤黑白の四本を一束として投げた幣束の中、青一本が不明である。保親は更に易を立てゝ見ると、下野國那須野ヶ原に隱れた樣子。關白忠實以下は驚いた。そこで那須宗重に命令して、青幣の行衛を搜した。幣は那須野にあつた。宗重は自己の家臣及百姓を全部驅り集めて一週間も探したが、九尾の狐はわからない。普通の狐一疋でも狩出せなかつた。然し其後、地方人民の惑亂は益其度を加へた。そこで關白に奏請して助勢を得て再び搜したが夫れでも見當らぬ。或日假屋の中に居つた一部將が其附近の蜘蛛の巢に掛つた子蜂を助けたに、其の夜、夢に親蜂が現はれて、謝恩の爲に狐の匿家を御教する、明朝私が案內する。と云ふて消へた。翌朝井邊に大蜂一疋、人待ち顏に止つて居る。部將は喜んで、仕度整へて出發した、蜂の行手に從つて原を別け野を越して一大老松の下に到着した。此が白狐の巢窟であつた。そこで勿ち狩立てられた狐は、那須山麓へ遁れた。此に於て、彼の殷の時代より、二千二百有余年間、變化に變化を重ね、變幻出沒の妙を得た、流石の金毛九尾白面の妖狐も、全く、進退谷つて、那須山麓で殺生石と化し、末代までの毒惡となつて果てた。

と云ふのである。前述の通り、全く取るに足らぬ、空想的小說とは言ふもの〻世人の精神を迷はした事は莫大なものだ。然し今時の人には、決して斯る迷はあるまいとは思ふが。萬に一、斯樣な事を信じて居られる方があつたなら、速に迷を解いて欲しい。殺生石は決して狐の化石ではない。普通の大岩石である。唯だ其傍に、硫氣孔があつて、硫化水素を噴出して居るか

ら、其附近では、生物が窒息して死することは時々ある。斯樣なものは、火山地方には往々あるもので、決して不思議がるべきものではない。また、那須野ヶ原一面に、毒石散乱して居て、人を病ましめるらしく思つて居る人もあるらしいが。夫れこそ、無根のことで、小說によつてされた、空想の惡戯話に過ぎぬのだ。自分も、今迄度々、人から其事について眞劍に尋ねられて、困つた事もあるから。餘りに滑稽らしい、可笑な事ではあるが、繰返して、安心を求めて置く。

五、人文上より觀たる那須野ケ原

交通

現在の那須野ヶ原は、交通上より見ては、本邦各地と比して餘り遜色は、無からうと思ふ、大体は前篇に於て、折々交通狀況を記して置いたから、畧了解の事と思ふが。次に、改めて多少整理して記して見やう。

先づ、當地方と近縣又は隣接地方との、相互間の交通即ち對外部的の狀態と、當地方內部的の各地相互間の交通即ち內部的の狀態との二方面に分けて見ると

一、外部的交通狀態

先づ、外部に通ずる鐵道を見るに、（東北本線の一線。中央部を南北に貫通して居るばかりではあるが。西那須野驛を中心として、りの連絡狀態を擧ぐれば（地名の下の數字は哩數を示す）

1、上り本線によりて
宇都宮 二六•三　小山 四四•二　大宮 七五•五　東京 九二•一

2、同上宇都宮乘替日光線にて
日光 五一•四

3、同上小山乘替兩毛線にて
足利 六八•〇　桐生 七六•一　前橋 九五•一　高崎 一〇一•三

4、同上小山乘替水戸線常盤線にて
結城 四八•五　友部 七五•五　土浦 九七•三　水戸 八五•七

5、下り本線にて
白河 三三•六　郡山 四七•三　福島 七五•九　仙台 一三五•一
盛岡 二三七•九　靑森 三六四•八

6、同上郡山乘替盤越東線常盤線にて
平 一〇〇•五　相馬中村 一六一•一

7、同上郡山乘替盤越西線岩越線にて
猪苗代 六九•七　會津若松 八六•〇　新潟 一六六•一
長岡 一八五•三

8、同上福島乘替奥羽線にて
米澤 一〇二•〇　山形 一三一•二　秋田 二六二•七

青　森　三七八二

大体以上の如き有樣であるが。西那須野から黑羽に通ずる東野線は。將來那珂川に沿つて水戶へ通じさせる計畫で、延長されつゝある故、その完成の曉には、交通運輸上、多大の利益が增すことゝ思ふ。また、那須野の何れかの驛より、福島縣南會津地方を經て、會津若松へ、鐵道の敷設も計畫されつゝある樣子なれば是亦、將來頼もしい狀態である。

二、內部的交通狀態

當地方は、概して、新開の村落及都邑に依つて、組織されて居る地方なるを以て、道路其他の交通機關一切は、新進氣分を以て設計されて居るために、道幅廣く、迂曲少く、多くは直線的道路で、土地の起伏勘き故、皆殆んど坦道に近く、且つ土質の關係上、降雨の時も泥濘を生じないから、交通上の利便は、長野市附近の如き比ではない、全く長閑な心地で、道行くことが出來る。

小都邑間の連絡には、大抵、自動車●馬車●腕車等を利用して居る。東野線及塩原電氣軌道は、沿線地域に少からぬ恩惠を施して居る。また一面には、駄馬●乘馬の使用も頗る多く。呑氣に馬の脊に乘り、馬子に連れられて往來する者等を見るときは、宛然、昔時の東海道吾妻下りの、道中繪に見る驛馬のことも思ひ出でられる。是等は、多く舊村と稱する昔より此地に住み來つた、百姓だちである。

水利とその沿革

那須野ヶ原が明治に至るまで、世人より捨てゝ顧られぬ、不毛の荒野であつた原因は、種々あらう。前記の樣な傳說的のものゝ影響も一原因であつたであらうが最大の原因は、前篇に述べた通り、水利の便殆んど絕無であつた爲であらう。

是れ程の、水の不足であつた土地が、今日では大川小川何れも淸澄の水を湛えて、地內到る處に、飲用灌漑の水利を滿足させて居る。是れ一に那須疏水の賜である。

此疏水は、現在でも我國三大疏水の一に數へられ福島縣の猪苗代疏水（安積疏水）近江の琵琶湖の疏水と共に世人に知られて居る。

此疏水の水は、那珂川の流水で、那須山麓に近い高林村字西岩崎から引水し、原の西部を南走させて、下流を東方に流れさせて置くものを、本水即ち本流として置く。南北にのびた本流から、東走する五條の分水

を出し、本支流共に更に細水路に分れ、各戶各田に配水されて居るのである。本水路の長さだけでも八九里は流れてゐる。水量は、隨分豊富で、現在の農家では不足を來すことはない。また、水質がよく、淸らかで雨期になつても濁る樣な憂はない。疏水口の水門や、那珂川床堰止工事を、完全にしてある爲。旱魃の時等にて、那珂川の水は、餘程減水しても、疏水量には決して影響が無い。次に此疏水工事の沿革を大畧記して見やう。

抑、此疏水の起工と、那須野開拓とに盡瘁された、此地の二大恩人がある。一人は那須郡佐久山町の人、印南丈作氏で、多大の功績を遺して、明治二十一年故人となられた。一人は隣郡なる、塩谷郡矢板町の人、矢板武氏で、功成り產を興して、現今、上野銀行、矢板銀行等の頭取を主として、多數の銀行會社の重役を兼ね。栃木縣地主會の顧問をして居られる。

明治九年九月、縣令鍋島幹氏那須地方巡視の際、志を同くして居られた二氏、倶に縣令を訪ひ、那須開拓の素懷を述べて、鼎座談合した結果、那須の開拓は、水利の開鑿を第一義とすることを覺り。十年一月那珂川水源踏査引水法等の調査を行ひたるを初回として、爾來調査測量の苦を嘗むる幾多度、計畫設計總て整ひ愈政府の工費補助を仰がんと、交涉に交涉を重ねたが其企圖する流程拾一里半、しかも飲用灌漑の用に供するに止らず。兼ねて、舟揖の便をも開かんとして居るので、經費は頗る嵩み、十六万五千圓を算した爲、遂に、不成立に終つた。次で、明治十四年、開墾の業は漸時展開されたが。水利の通ずる無きため、牛馬の飼養等も容易ならず。其事業に逡巡するの傾向あるを見て、二氏頻りに、政府に請願して漸く飲用水路開鑿費として、國庫より金五万八千圓の支出を得たるより。縣に於て工事を担任し、那珂川上流の細竹區より、東西兩原を貫流する、僅一條の水路を開き、十五年十一月通水式を行ふに至つた。

然し、既成水路は、唯一部の飲用水に供するを得るのみで、未だ、之を以て數里の廣野を喃み濕すの用はなさず。之を水田に分疏し灌漑の用に供するには足らなかつた。年々開墾は進展し、人畜は增加し。希望は益盛に萠えて、現在を以て滿足するを得なかつた。玆に於て復々大水路の議が起つた。

明治十六年、印南矢板の二氏、事情上申のため上京して、農商務大輔品川彌二郎氏の同情を得、疏水課南

書記官の臨場檢分を受けたが、工費容易に國庫より支出されず。翌年、兩氏は意を決して私財を以て隧道開鑿費五千圓を調へ、一方工事に着手し。數回上京し嘆願して、許可漸く出るに至つた。そこで、疏水課より係官、現地に出張して工事に當り、間も無く隧道は竣工したが、大水路總工事に對しては、何等の許可もなき爲、再び事情を具申し。十八年四月上京して、滯在し運動すること三ヶ月間、漸く總工費十万圓支出の許可を得た。印南矢板二氏の心中如何、欣喜雀躍、全く措く處を知らなかつたらうだ。兩氏長年の苦艱、實に察するに餘ある次第である。

此に於て、工事は、內務省土木課の直轄となつて、一切の設計は、農商務省疏水課の南書記官に依つて成り同年秋竣工して、九月十五日是が通水式を行つた。當日は北白河宮能久親王殿下の台臨があり、內務鄕山縣有朋、土木局長三島通庸の諸氏も見え、其席上で印南矢板二氏の、多年の功績を表彰された。斯くして、出來上つた疏水が現在のものだが、此竣工と共に開拓事業も活氣付いて、人烟頓に繁く盛になつたのであつた。是が記念の石碑は烏ヶ森公園の丘上に建てられて居る

開墾事業と其沿革

一、主なる開墾地

那須野ヶ原は、俗に華族の巢であると云ふ位で。明治維新の功勞者として廟堂に立つて居た人達が、此未開の原に逸早く着目して、各廣面積の地を、開墾拂下と云ふ名目の下に安價に拂下して仕舞た。そして、農場を設計し、廣く開墾移民を募つて開拓に力めたのだ其主なるものを擧ぐれば左の如くである。

塲名	所在地	所有者
三島農塲	狩野村大字三島	三島子爵
加治屋開墾	西那須野村大字加治屋區	西鄕侯爵
永田開墾	西那須野村大字永田區	大山公爵
青木開墾	高林村	青木周藏子爵
品川開墾	湯津上村	品川彌二郎子爵
豊浦開墾	黑磯町字豊浦	毛利元敏伯爵
佐野開墾	東那須野村	佐野常民伯爵
長地開墾	大田原町	渡邊國武子爵
渡邊開墾	鍋掛村大字鍋掛	渡邊千秋伯爵
鍋島開墾	鍋掛村字野間	鍋島侯爵
戸田開墾	高林村	戸田子爵
佐々木農塲	西那須野村	佐々木忠侯爵

塲名	所在地	所有者
平田開墾	湯津上村（笠松農塲）	平田東助子爵
松方農塲	狩野村字千本松	松方侯爵
烏山農塲		烏山梯次郎
矢板農塲	西那須野村	矢板武
千坂農塲	西那須野村	千坂高雅
藤田開墾	黑磯町	藤田和三郎
那須艸羊圃	那須村大字高久	谷田一佐博士

以上は、數十町步乃至千町步以上の大開墾地である其他にも大開墾地として目すべきものも尠くないが。就中、大田原町の若林健治郎氏及黑羽町の植竹龍右衞門氏の所有地內の開墾地には。成績著しいものが數多ある。而して、以上の開墾地の多くは、開墾拂下である處より、法規上の義務反別だけ位に、移民即ち百姓を募入して貸地し開墾せしめて置く位なもので、餘は殆んど。林野として植林事業を直接に經營して居る、樣の狀態である。尤も以上のものは大地主の所有地について、述べたのであつて。是等の地區の間に夾まれて居る、地方小地主の土地や自作農者の所有地も尠くないのである。之を要するに、那須野ヶ原全体の面積から、既墾地の步合を見るならば、餘程多く見た所で三割までには及んで居るまい、と思はれる。

此原の中で、最も盛に開拓されたのは、那須野西原の一帶である。最も未開墾地の多いは、那須野大輪地原の方面である。

二、開墾沿革の大体

德川治世三百年間に於ける、那須開拓の成績は、可成著しきものがあつた。稻田も出來た。麥圃も出來た森林も繁茂して來た。民家に牛馬を飼養することも。隨分盛に行はれはじめた。然し、斯うした拓植は、多くは所謂那須野ヶ原の外の地であつた。東西の兩原及大輪地原は、尙ほ茫々とした、廣漠の古姿のまゝであつた。

之を甫めて、開拓せんと志した最初の人は、大田原町の若林善兵衞氏である。氏は天保初年に大田原藩主に謀り、今の西那須野驛の西北三島附近南鄕屋の地區に、數百町步を開墾した。是が、抑此原の開拓の創始であつた。氏は、即ち今の若林鍵治郎氏の父君である。

其後、米澤藩士加勢友助氏、率先して移住し、開墾を企圖したが、酒色博奕に耽つた爲に、事業も進まず遂に、此地を追はれ、折角の美擧も泥を塗られて、中途に絕えた。

其後、疏水事業の恩人として前に叙べた。印南矢板の二氏共に志を同じうして、明治九年九月、鍋島縣令と會してより、疏水開鑿と開墾との事に熱中し、兩氏の精神は、全く那須野開拓の一念を以て充され。會すれば開墾、談ずれば開拓、殆んど狂態のそれの如くであつたと云ふ。明治十年、參議井上馨氏と宇都宮に會見し、説くに那須開拓の事を以てし、要路諸公の贊成を得て國庫支出を仰がんとして果さず。明治十二年十一月、內務卿伊藤博文、大藏大輔松方正義の兩氏が、福島縣安積疏水即ち猪苗代疏水の工事檢分に出頭したのを機として、此地に招じて、疏水及開拓の工費を國庫支出あらんことをと、嘆願し。請願の準備をしたが其時、松方公の曰く「運河を開鑿することも結構だが早くあの原に手を付けて、開墾に取り掛らんと、今に彼所を皆人に取られて仕舞ふ云々」と。此一言に動かされて、翌十三年三月、縣下の有志を糾合して、那須開墾社を組織し。那須野西原の中、官有地三千餘町歩の拜借を請ひ、同年八月、貸渡の指令を受け、社則を編成して、印南氏社長となり、矢板氏は幹事となり、同年九月、今の西那須野村一本木の地に假小屋を作り印南開墾社長此に移り住み、十一月甫めて鍬を立て、專ら開墾に從事した。此月、農商務省小輔品川彌二郎氏巡廻して、懇に指導されたので。同省より洋式馬耕機及洋式農具類を借受け。六頭引の洋式大農具にて、或は茅の根を發き、或は木の根を切り起し。開墾に植林に成績大いに擧つた。そこで、愈家を建て人を移し、人煙益濃かに立ち上る様になつて、さしもの寂寥たる荒野も俄に活氣を產み出された。

また、是と前後して、當時山形縣令であつた三島通庸氏が、同志と相結んで肇耕社を組織し、此西北、今の狩野村三島の地に來つて、開拓を企てるに至つた。斯して那須野ケ原の開墾の談は四方に傳はり擴り、人心頓に勃興して、その事業に着目するものが鮮くない様になつた。

此様にして、開拓の氣分は、此廣漠の天地に漲つたが、最困難なるは水利の欠乏であつた。そこで印南矢板の二氏が前述の如く、疏水の計畫に、辛苦を重ねたのであつた。

今の大田原町より西那須野驛に通ずる間に、官地なほ一千町歩あつた。是は、勸農局で模範農場を經營する見込であつたのだが、不用に屬した故、翌十四年、那須開墾社にて、追願借地として、其內の五百町歩を

大山巖、西鄕從道の兩公の希望に應じて分割した。是が今の加治屋、永田の兩開墾場である。

爾來、數年にして、印南矢板兩氏の熱烈な、献身的努力の効果は空しからず。東西の兩野は、或は社によりて、或は個人によりて、地を相し家を建て、開墾に從事するもの頗る多きを加へて、雞犬の聲炊煙の影も繁く、更に更に世の生業の豊さを增した。此間、開拓の速進に、人心の作興に、大助力となつたものは、彼の大疏水の完成其事であつた。

此頃より、漸時その經營者を增加して、終に今日の如き、一面に數多の大開墾地大農場の建設出現を見るに至つたのであるが。叙上の那須開墾社が、抑々現在の西那須野村の前生であつたのである。

三、西那須野村の誕生

那須開墾社は。彌成績を擧げて、明治十八年、既成開墾地を拂上げて、那須野村を作り、大田原町役場の管轄を受け、二十一年、印南社長死亡して、矢板氏之に代つて社長となり、那須野村の發展を計つたが、翌二十二年、町村制實施の際、他に東那須野村の成立した爲、那須野村を改めて、西那須野村と稱することゝした。延いて明治二十六年十二月、豫定の開墾事業を完成したので、本社を解散し、土地を拂ひ下げ、各株主及移住人民に夫々分配し、翌二十七年五月成業式を擧げた。其際各移住民には、夫々土地を分與したが。其方法は左の如くであつた。水路開通せざる時の移住民

明治十三年十一月後、　三町五反歩宛

飲用水路計劃に着手後の移住者

明治十四年〇月後　二町五反歩宛

大水路計畫後の移住者

明治十七年五月後　一町五反歩宛

國道奥羽街道開通後國道側に移住したる者　三反歩宛

邸內移住民　二反歩宛

また、其當時の既成成績は左の通りであつた。

既墾反別	五百十五町歩
森林反別	二千二百五十町歩
植付林	五百町歩
養成林	一千七百五十町歩
移住戶數	三百十五戶
移住人口	一千五百餘人
桑苗植付	十五万本

因に、此當時に於て、我が信州人で既に此移住民に加つて居た者も、可なりあるらしい。そして多くは伊那方面の人達らしい。今の西那須野村民中には、數十戶の信州人が居るが、多くは其後の移住者であらうと思はれる。

四、防風林と防火線

氣候の篇で述べた通り、當地は、冬より春にかけての嵐は隨分激しい。古來、農業經營者の苦辛は此にあつた。折角播種すれば。嵐に吹きまくられて仕舞ふ。冬越をして居る麥類などの稚作物も、那須山颪に吹き運ばれて來る、砂塵にすつかり埋められて仕舞ふ。農夫一日の耕耘の勞が、其夜の嵐の惡戯に弄ばれて仕舞ふこともあると云ふ有樣であつた。そこで、此風害を防ぐ爲に、開墾地は其他を短冊形に仕切つて、其周を圍ふに、杉其他の植林を以てした。是れが防風林なので、其邊側を通路とされてある。三島附近に於ては、其一區劃內の面積を、大体十五六町歩位にしてあるらしい。また、人家の周圍などにも、必ず防風林がある。だから彼の地は「杉の立木ある所、必ず人家あり」と、言ふも差支なからう。大概、數町歩の耕地を開いては、其一隅に住宅を作って置く。是が當地の農村部落の構成形式である。

林野を見ると、處々に、規り善く「燒拔線」と稱して、防火線を設けて置く。是も一部の通路にあてられて居る。矢張、嵐の强い爲、林野の失火延燒を防ぐ策である。

將來開發の豫想

既往開墾の狀況は、前述の如くであるが、近時、開墾助勢法の發布と共に、開墾事業も餘程活氣付き。開墾小組合の數なども增して來たが、現今、商工業界の發展に引きかへ、農業界の不振を誘導されたので。餘程、斯界の事業も不況であるらしい、尤も、便利な土地とか、比較的肥沃な土地とかが、多く華族其他の大地主の占有地である爲に、多少開墾が遲滯する傾向もある。是は、土地所有權の獲得が、日本人の習慣的最大慾望であるからでもあらうし。また、所有權を得られざれば、小作人とならねばならぬ關係上、資力ある者が來らず。全くの無資本者、若しくは、資力貧弱なる者のみの寄合となるが爲、此事業が、大規模に組織的に進行せぬ弊もある。眞實の農業經營者で立つならば。土地所有權の有無等に拘泥せずに、事業本位に突進するが、最も低資的な、有利的な方法である譯だか

ら追々、農業經營者及從事者等の、覺醒するに連れて、將來の發達は豫想される。後章に改めて、小作料及土地賣買、小作權賣買等の價格を記すが。全く現今は、土地所有權を得る爲の資金の利子だけで、畧々小作料納稅農具等の資金に充分である狀態だから、何も土地所有權に付いてあせるの要はない筈である。而して、當地の大地主連の意向は如何と言ふに、敢て、農業經營者に貸地するを、忌避せんとする樣な譯でもない。現下の借地人小作人等は、一般ありふれた舊法に泥んだ、普通農のみで、只管、食ふ爲のみの百姓に過ぎず。資力目的共に頗る貧弱低級である爲に、面白い成績も擧げて居らず。加ふるに、小作料たけでも滿足に納めればよいと云ふ風で、地主が自己の所有地內の成績に對して、何れ程の期待と興味慾望を持つて居るのであらうか。との同情的理解を有する、借地人小作人等の尠いのも、地主等に、貸地氣分を勝れさせぬ樣に仕向けた、原因になつたのであらうと思ふ。されば一大目的を以て、整然たる事業でも計畫する者に對しては、喜んで貸付を肯ずるであらう。尙ほ、地主の一部には、所有地を割いて、農民の爲に解放し、讓渡してやらうとの、氣分を有するものもあるらしい。夫れは、現今の社會的狀勢に鑑みての考であるからは、斯る事の實行を見た曉には、他の地主達と雖も、其には大いに動かされざるを得ず。何れも相倣ふて、土地解放を實行するに至るであらうと思ふ。斯く將來を觀察すれば、隨分面白味の多い地で、從つて現今の狀態にある中に、借地して土地利用を開始し、開墾し置くがまた、將來の土地讓受には、有利な一方法となるべきであらう。夫れは、彼の大地主連が土地解放を實行する時には、必ずや、自己の小作民借地人本位に解放し其他は自作農者たらんとする者に、割讓すべく。決して、他の資本主に讓り渡し、徒に、資本主の移動のみに止る、資本主義的な患は演じまいと思ふ。斯る場合を豫想する時は、現在其借地人として、其土地に於て其土地を利用して、あげ得たる資力を以て、其土地を自己の有に移すの、希望は其中に存することになるのではなからうか、其上此土地を產業的に見るも、前篇に於て說いた如く、緬羊牛馬の牧畜地としては申分なく。養蠶地としては、將來甚だ有望な要素を備へて居るのである。然かも東都へは近距離で、且つ交通の便を以てして居るのである。將來。此地の開拓發展さるゝ狀態が、如何なる程度にまで達するかは、今より豫

測も餘り難いことでもあるまい（未完）

海外近信

成功の緒に就きて

在伯國
長野市出身　宮下良太郎君

長野市三輪出身の宮下良太郎君は、數年前に伯利西爾へ渡航し、久敷音信を絕て居たので、同君の母校で有る、三輪小學校では、校長を初め教員諸氏が、頗不安を感じつゝ有たが、最近長い手紙を寄せ、渡伯以來の事情を、悉しく報道されたので、やつと安心したと云ふ、長い手紙は言々句々、苦心奮闘の跡をしのばしめ、一面成功の緒に就きたる無限の喜びを敍する所、眞に懦夫をして起たしむるものが有る、依りて之れを借り、海國青年諸君の一讀を乞はんとするのである

謹啓、常綠の國、伯剌西爾の事情を御通信申上げます母校の先生各位には、益々御健全の事と、遠察致します、小生、郷關を出でゝより、早六年御無音にのみ打過ぎ、誠に申譯無之、何卒御海容を願ひます、小生は渡伯後常に、當國の事情を、故國へ通信申上げ様といふ事を、忘れた事はないのであります、當國に於ては見る物聞く物何れにつけても、天然の寶庫といふ所以を、益々深く感ぜしめられるのであります、そうして當國の事情宣傳を、故國に向てせねばならぬと云ふ事も愈々深く感じて居たのでありますが、筆不精の然らしむる所か、今迄一度の通信も申上げなかつたのは、誠に心苦しく有りました、過去六ケ年の間に得た經驗と見た實際とを、御知らせ申しませう、私は他を論じ、又批評するといふ様な資格を持ては居りません、けれども是から書く中に、或は脫線して同胞の、惡事や醜行に書き及ぶかも知れませんが、何卒それは御許しを願ひ度いものであります

在伯四万の同胞は大和魂を標榜して立たなければなりません、そうして子孫百年の長計を立て、民族繁榮の根底を作らねばならないのでありますが、他民族よりも、我利々々主義の多い日本人、今にして大に覺めずんばと思はれます

渡伯する者の中、八九分迄は、一時の所謂出稼である かの様に思はれます、ですから渡航當初に失望したり馬鹿らしく考へたり、愚痴を言つて見たりする者が、少くないのであります、今迄の渡伯者が、出稼的で有た事は、渡航者其者の罪とのみは言ふ事が出來ないと思ひます、移民募集の廣告も、唯人の好奇心をそゝる

様な事をせず、伯國人を初め、他のすべての外國人に同化し、互に利害を分ち、永住の決心を持つ者の移住を切望するのであります、募集廣告に兆發される様な他働的の移住でなく、自發的決心を持て移住する者が多くあつた時、始めて移民政策に成功したものだと考へます

伯國農業者は。大体三ッに分けて。獨立農者、半獨立農者、及び小作農者とする事が出來ますか。第一に小作農の事から書きます。小作農者はコーヒー耕地の勞働者であります。移民がサントス港へ着くと。汽車でサンパウロ市の移民收容所に送られ、收容所からコーヒー耕地へ送られるのですが。外國の華やかさを夢見たり。自働車で風を切つて飛ぶ事を夢想して居た者は耕地へ着いて見てびつくり、がつかりせなければなりません。私は大正六年の八月十二日にコーヒー耕地へ着きました。サンパウロ市を午前六時に出發しまして午后拾一時頃耕地に到着しました。約四百七十キロ米突。百二十里も滊車に乘つて居ても。まだサンパウロ州だと云ふ。實に土地の廣大なのに驚きました、八月十三日の朝起きて見て。耕地の更に廣大なのにも驚きました。其して又コーヒーの整然と。何處迄も筋を通して植ゑてあるのに驚きました。一目千里コーヒー海とでも形容しませうか。コーヒー耕地の勞働は。採取と除草であります。五六月頃よりコーヒーの實採取に入り。八月乃至十月頃迄に終るのであります。採取終ればコーヒー樹の除草をなし。コーヒー樹間に豆、玉蜀黍、等の間作物を植ゑますが。其れは小作人の收入となるのであります。ですから小作人であるとか。勞働者であると云ふても。日本の其れとは非常な差があります。一家族夫婦に十四五歳の働き得る者の三人で。四千本のコーヒー樹を請負ひますれば。一ケ年千本に付百五十ミルの請負賃、四千本にて六百ミル。此れを十二ケ月に割つて。月々に支拂ひするのであります。採取時期は。除草はしませんが。月割の除草賃は受けますですから十月から四五月迄の除草賃が千本百五十ミルと云ふ譯で。此れを十二ケ月に割つて支拂ふのです。コーヒー耕地は皆小作人に家屋を提供します。其して養豚場も與られ。コーヒー園外の作物地も與へられます。渡伯しまして一年や。一年半は實際に苦るしみます。下手にまごつくと食ふにも困ります。渡伯當初には仕事に慣れない爲か。過勞し尚ほ粗食に堪えなければならない苦しみは誰も經驗するところであります。

一二年間、苦しい時期を通り越せば、豆、玉蜀黍等の收穫物は多くなり、副業の豚や鷄も、繁殖し、年一年と利益を增す様になります、四年か五年働いて耕地で得た金を以て、半獨立或は獨立農者となるのであります、

コーヒー耕地をなるべく早く出てゝ自由殖民地に入りて、獨立農者たらんとするのが、同胞一般の希望であります、それで往々相等の資金を得ざる中に、植民地に入り一度の失敗で、又出なければならなくなつた人も有りました、大正五六年頃から、日本人殖民地の出來た事は、夥しいものでありました、小さなものでは二十家族といふ所から、大きなのでは、三百家族四百家族といふ様なのも出來ました、

私は今迄の自身の經驗として、五六ケ年はコーヒー園生活をなし、一度位の失敗では困らぬだけの資金を得てから、植民地へ入た方がよいと信じます、伊太利其の他外國の移民が。コーヒー園の生活を、十五年も二十年も續け、數十コント（一コントは一千ミルレース現在日本の二百圓位）の資金を持て、植民地を開拓するのと、日本人が僅四五コントの資金で植民地を經營するのとでは、事業の根底に大差が有ります

會社に借金が有るとか、故國へ送金せねばならない様な人は、是非それを返濟してから、入植した方かよいと思ひます、古里村駒澤の柄澤幸之助君は、耕地に九ケ年も居て、私の近所へ入植されましたが、コンナ人は日本人としては實に珍らしいのであります、獨立植民地の名に、憧がれて、早く入植した者程、悲慘の境遇に陷る事があります

植民地に入てからの事業は、其の人の目的に依り、場所や地味に依りて自ら異るのであります、近年コーヒー相場の騰貴と共に、コーヒー栽培をなす者が、多くなりました、一年一作の米、綿、玉蜀黍、豆、等の作物を少なくし。コーヒーに重きを置く傾向は。同胞の一時的から永住的に移つて行く傾向を。物語つて居るものだと思ひます。コーヒーの霜害の憂ひなき安全地帶とも云ふべき處は。海拔五百メートル以上とされて居ます。けれども四百米突位でも降霜の無き處もあり五百米突以上にても。霜害のある地もあります。是は地形。河。等の關係に依るものと私は思ひます。ですから土地に依り三百米突臺の地に。植へてあるのもあります。低地でコーヒーの出來ざる地は。米作或は牧畜。少し高い處へは甘蔗を植へて。砂糖、ピンが（當地

の酒）の製造をすると言ふ様に。色々利益のある事業が出來ます。煙草栽培も出來ます。高臺に整然とコーヒーが植へてあり。家の下の低地の豚小屋には數十頭の豚が居り。鷄は放し飼ひにされて居ます。南國の暖い平穩な。平和な樂天地を御想像下さい。ずく次第で稅金などいらない酒も。煙草も。砂糖も作つて。自家用の餘分は賣る事も出來ます。渡伯しまして四年乃至四五年の辛棒をすれば。誰もが斯した平穩な浮世はなれた。樂天的氣分を味はふ事が出來るのです。私の今迄の經路を少し書きます。其して其れが實際と話しとの差を御想像下さる事が出來ますれば。私は非常に滿足に存じます。

コーヒー耕地（ハゼンダ）には。一ケ年四ケ月しか居りませんでした。丁度入耕しました當時は。コーヒー採集の眞盛りでありました。百姓をした事もない者が二ケ月も船中で遊んだから無理もない。到着早々朝は二時三時から夜は七時八時迄働いても。一日の收益が採集賃三ミルか、五ミル。親子四人して五ミル位の收入で。どうして食ふて行く事が出來様か知らと思ふて。實際失望もしました。過度な勞働をしながら食ひ物は。玉蜀黍（ミリヨ）粉のパンやだんご。一俵（三斗八升程）三十五ミルもする白米を一ケ月半か二ケ月に食つて仕舞ふと財政に影響しますから。安い豆（此の豆は伯國の常食用です）の中へ米を入れて食ふと言ふ様な有様。實に渡伯當時の困難は話しの外です。今でその時を思ひ出します。早くこんな生活からのがれて。自由な獨立植民地へ入らふと思ひましたが。時幸にも他に植民地を買つて入植する人がありました。其の人に頼んで拾アルケール買つて、私も入植する事になりましたが。植民地の名に憧れて無經驗で無資本であつて。不便な山奥へは入つた私はハゼンダ生活の苦しみ以上の苦を。又味ゝなければならなかつたのです。病んでも醫師は居らず。藥を求めたくも藥品店はなし。無論食料品などは。金があつても賣る店がなかつたのです。私供家内は皆二ケ月づゝも病んで寢ました。けれども幸ひ一人も死ぬ様な事がなかつたのですが。私共八ケ族協同して入植しましたが。三人の家長は病の爲に伯國の土と化し他の二人は故なく黑人の毒刄にたほれたのです。私供團体のみが斯した不幸な目に合つたのかと言ふてそうではないのです。三々五々團体をなして不便な當時に。入植した他の日本人にも黑人の爲にたほれた者はありませんが。病の爲に伯國の

土と化し去つた同胞は少なくないのです。

當植民地は一千九百十七年に賣り出しになり私は一千九百拾九年十一月一日に入植しましたが其の時日本人は四拾家族足らず外居りませんでした。鐵道は工事中でありました。土工車は日々通行して居り。入植者の爲に無賃で最初は乘車させましたけれ共。私等の入植する時は。日本人のみは乘車をゆるさなかつたのです私共は仕方なく。最終驛から四十キロメートル荷物を負んで歩るいたのでした。何故日本人のみ乘車をさせなかつたのか私は知りません。

未開の山奥も開拓を始めて。まだ六年であります。今は同胞も二百家族も入植して居ります。當アルバレース。マシャード驛から積み出す。豆、米、綿、馬鈴薯ミリョ、其の他の生產品は九分九厘同胞の手に依るものであります。綠樹鬱蒼たる大森林は。一丁の斧に依り斫り開らかれ。僅か五六年の間に町が出來。電氣も引け。客車も朝夕通る樣になり。商店も軒を並べて、建てられる樣になりました、

兎に角、私の過去六ケ年間の生活は、苦しみと努力で有たと思ひます、苦しみもし、努力もしただけ同航の渡伯者よりも、得た所も多いかと思はれます、伯剌西爾の山の中の生活は、原始的でありますが、リオや聖市の如き都會へは、歐米の文明が、夙に輸入されて、繁華の有樣は、日本人の想像も及ばないのです、苦しい不自由な、無味な生活から免がれて、都會の生活にどの位憧れた事でしたか、自働車で風を切る、ショフエローも夢想しました、外人の家庭に働く事も思ひ出しあれもこれもと色々煩悶もしました、そして意志の弱い自分が、墮落した時の事を想像した時、言ひ知れぬ戰慄を覺えたのです、そして又墮落といふ言葉に聯想して、瀧澤五郎先生の事を、忘れられないのでした、先生にお別れする時に、墮落するなと繰返し〳〵聞かされました。私は渡伯して六ケ年、何時も先生と、墮落といふ言葉と、自分の生活とを思ひ出しては、感謝して居りました、日本人青年に、獨身者の多い事、轉々として居を移す者、都會に住む青年の墮落を思ふ時私は日本人の前途は、どうなつて行くのかと思つても見ました、兎角私は先生の御言葉を思ひ出しては、百姓生活を續けて來ました、二十五町歩の土地も、確實に自分の物となり、昨年からコーヒー植付を計畫し、五六千三千本を蒔付たのであります、今年も今から、五六千本蒔付ける筈であります、

過去六ケ年の間に、一文も金は殘りませんでした、然し是から十アルケールの土地に、一万餘のコーヒーを植付け其の收獲を持て、一度は日本へ觀光し度いと思ふて居ります、

大正六年の六月十二日に。神戸を出航しまして。八月の拾二日にサントス港に上陸しました。丁度今日が渡伯しまして滿六ケ年であります。六ケ年の年月は實に夢の樣に過ぎました。渡伯して六年位で。土地を持ちコーヒーを一萬本も蒔き附けた者は他に多くはないだらふと思ひます。資金を持つて來た人は別として。前記しました樣に。早くコーヒーを植ゑる樣になつただけ。苦るしみもしました。今も尚は苦るしんでは居ます。

コーヒーに付いて少し書いて見ます。前記しました樣に海拔五百メートル以上の地を得る事が出來れば此れ程の事はありません。

ステーションの遠近や。地味に依り地價も一定しません。私とても聖州内の事情を詳に知つて居る譯でないのですが。新聞の廣告などを見まして、コーヒーの植はる土地でまづ二百ミル以下のものはないかと思ひます。拾アルケール二コントスの金を拂て。コーヒーを蒔き附ける計算をして見ます。

土地代拾アルケール（二十五町歩）
　二〇〇〇、ミルレース（約四百圓）
伐木代拾アルケール
　二五〇〇、
七アルケールコーヒー植付代
　一四〇〇、
　一アルケル千五百本植ゑるとして

住宅は自分で建るとします。そして除草手入れは。自分の手でするとします。結實する迄間作物に依り利益を得られます。長男が拾七八。次男が拾六三男も働き得る。父もと言ふ樣に。親子三四人も働く事の出來る家族なら。拾アルゲールではせまい位なものです。

コーヒーは蒔き附後四年にして結實を見ます。一本から一ミルの收入があつても。一万本拾コントスになります。當時伯貨は非常に下落しまして。一ミルが二十錢强にしかなりません。日本へ送金する塲合には非常に不利ですが。日本で田畑を賣つて渡伯さるゝ人は非常に利益になります千圓の金がじき五コントスになります。上松山や瀧の利益の少ない果樹園を經營するよりも。一奮發して南米でコーヒーを栽培する方がどの位利益があるか知れないと思ひます。

北はアマゾン、南はラプラタの流域、天然の寶庫を、誰でもが奮發と努力の鍵を以て、開く事が出來ます聖州のコーヒー、パラナのマテ茶、材木伐採、海岸地帶の椰子樹、コ、アの栽培、アマゾンの護謨、色々有望なる事業があるのです、プロレタリアもブルジョアも思ふが儘に手を伸す事が出來ます、希ふ所は一日も早く、一人も多く、故國青年諸兄の奮て、渡伯せられん事です

昨年信濃海外協會が創立され「海の外」を手にしました、寫眞に依りて母校々長峰先生のお顔を拜する事が出來ました、私共家族は一同非常に喜びました、皆様が海外發展の爲に、御盡力下されつゝある事を私は深く御禮を申上げます、猶同村青年諸君の海外渡航を御指導下さらん事を御願致します

未だ書き度い事は澤山有りますが、今度は度々御通信申上げ樣と存じます、乱筆で不統一な所は何卒御海容下さい、此の通信が故國青年諸君の中、渡伯希望の方に幾分でも、役立つ所が有らば望外に存じます、くだらない事を長々と書きましたが、結局は一人でも多く海外へ出る事を希ふの餘りです

母校生生各位の御健在と、同窓諸兄の雄飛とを切に祈ります、先日伯剌西南時報を少し御送りしました、見古したもので誠にすみませんが、御覽下さい

大正十二年八月十二日　プレジョン植民地
宮下良太郎拜

三輪學校先生各位樣
同窓會青年諸兄各位

信洲記事

○第四回縣下町村長會總會

本縣の町村長會は、創立以來四ケ年、愈々其の權威を發揮する樣になつた、蓋郡制廢止後の町村當局は、從前よりも一層重大なる任務を負ふ事となり、一面中央政府の施設も、町村の自治体を基調とする傾向が漸く濃厚となつて來た、斯くてこゝ始めて、立憲政体の實績を擧ぐるに近きもので有らふ

最近の總會は、十一月四日より六日迄、上田市の公會堂に於て開會され出席者三百餘の多數により、「震災に善處する方途如何」といふ、研究題を始め、各種の緊切なる問題を討議し、幾多傾聽に値すべき意見の發

表が有た、決議事項の主なるものは左の如くである

甲、町村財源の充實方策、及財務整理に關する事項
　地租及營業税の委讓、國税徵集交付金の增額、不動產登記事務を町村長に委任する事等、其他にて十五項

乙、町村又町村長の權限擴張を目的とし、現行法令の改廢に關する事項
　町村吏員に、衆議院議員、府縣會議員の被選擧權を與ふる事、都市集中の弊を矯め、地方分權の實を擧ぐる、適當の處置を爲す事等五項

丙、教育に關する事項
　小學教育、補習教育、師範教育、中等教育に關する各項

丁、地方制度に關する事項
　町村吏員恩給に關する件、公民の資格決定、地方官吏の頻繁なる交迭を避くる事等六項

戊、產業に關する事項
　產業組合、狩獵期間に關する件等

巳、兵事に關する件

右之內、地方官吏の交迭を尠くする事、町村吏員被選擧權の獲得、都會集中の弊を避くる事の三項は、總理大臣に狩獵期間を改正せざる事の一項は、農商務大臣宛、稟請書を提出した、

○實現せんとしつゝある本縣下の交通機關

目下本縣下に於て、工事中又は計畫中の鐵道は、北佐久の布引鐵道、上田より松本に通ずる鐵道、長野より須坂迄の長野電軌諏訪の湖畔電車等で有るが、其の中布引鐵道は既に若干工事を進行し、小諸町の援助もあり、最先に完成を見るらしい、長野電軌も最近創立總會が開かれ、社長以下役員も決定し、新年早々工事に着手する筈になつた、湖畔電車も同樣近々に創立の運びに至るべく、上田より松本に通ずるものも、遠からず實現するであらふ、此の他に大門峠を通り、北佐久と諏訪を結ぶもの明科より大町に達するもの、等が有る、更に又他府縣と關係有るものでは、糸魚川鐵道、群馬縣に通ずる上信鐵道、南佐久より山梨縣に出づるもの、下伊那より南する信參鐵道等、何れも多大の希望を以て計畫を進めつゝある、之等も今後數年の間に出來る事であらう

○飯田元結職工の賃金値上運動

飯田町の特産物、元結の製造職工中、白元結の製造に從事する、三百餘名は、元結組合に向て、賃金値上を要求した、それは元結のコキ賃、百玉五圓二十錢を六圓に同仕上げ賃一圓四十錢のを、一圓六十錢にしてほしいと云ふので有る、組合では協議の結果、到底應じられぬといふので、玆に兩者の不折合が出來た譯だ、職工側には、天龍勞働團の後援あり、平素生活に餘裕の有る者でありして、容易に屈せず、車止と稱する同盟罷業を斷行した、組合の方でも、震火災の打擊で、大不景氣を喰ひ、旣製品は倉庫に充滿して居る狀態だから、是又早速職工側の要求を容る、譯に行かなかつた樣だ、しかし職工三百名の賃銀は一日七八百圓に上り、一面生産の減少は、將來東京や伊豫方面の產地に壓倒される患も有りと云ふ患から、問屋と職工とを兼ねた人々の居中調停に依つて圓滿に解決を告げた

○本縣來年度豫算總額

縣參事會の修正を經たる、本縣來年度の豫算は、總額九百八十八万一千五百八圓となり、前年度に比して五十五万七千五百三十一圓の減額である、各款豫算額並に前年度との比較は次の如くである（△印減額）

歲入	豫算高	増減
經常部		
地租附加税	二、三六二、〇九〇	△三四、六四九
營業税	三一四、九八八	△六六、三六八
雜種税	一、五五六、三一九	一〇九、八三四
營業税附加税	六六〇、〇〇〇	一七七、〇〇〇
鑛業税附加税	九一五	△三一〇
所得税附加税	一一八、〇〇〇	一六、〇〇〇
戶數割	一、九一七、〇〇〇	△三〇、五四七
財産收入	二八、六四四	二、九八四
國庫下渡金	二〇一、九八九	二五、三八一
雜收入	八五一、一一六	△一四、七八四
賣藥營業税附加税	…	△一三五
經常部計	八、〇一一、〇六一	四四、四〇六
臨時部		
繰越金	一八一、二九四	△二七五、〇七三
國庫補助金	二四六、九六六	△三六七、三四九
寄附金	一、一三七、一〇七	四八五、八二三

歲入	豫算高	増減
財産賣拂代	九四、二七六	二七、一七九
住宅改良費貸付金返納金	二一、八〇四	七、四八四
縣債	一九〇、〇〇〇	△四〇〇、〇〇〇
負擔金	…	△八〇、〇〇〇
臨時部計	一八七〇、四四七	△六〇一、九三七
歲入總計	九、八八一、五〇八	△五五七、五三一

歲出	豫算高	増減
經常部		
警察費	一一六、一〇一	八七、一五三
警察廳舍修繕費	三五、五〇九	一一、一一三
土木費	九九〇、〇六四	一九、六五三
縣會議諸費	三〇、九九一	一、八七〇
衞生及病院費	一三〇、二九七	一〇、七六三
敎育費	一九二九、四五三	一三五、八四二
郡廳舍修繕費	七、〇六二	二、三五四
郡役所費	三九〇、二一五	△三、二五五
救育費	二、九〇〇	五〇〇
諸達書及揭示諸費	五、〇一七	三九七
勸業費	七三〇、六二一	三、七四八
縣税取扱費	二一九、一四二	二〇、九〇二
縣廳舍修繕費	二、九二〇	
衆議院議員選擧費	五、三八九	五、一三六
縣吏員費	八六、七八九	△七、五〇五
縣會議員選擧費	二二五	△八、三一〇
收用審査會費	一二八	
行政執行費	五〇	
縣統計費	六、七七八	△九六八
財産費	一、五一九	一、三三六
神社費	五、五七〇	一九六
感化事業費	二六、〇四二	△八八一
社會事業費	九、六〇五	△一、六六一
恩給金	一八、八〇〇	一八、八〇〇
豫備費	二五、〇〇〇	
經常部計	五、七六六、一七七	三〇七、一八三
臨時部		
警察廳舍建築費	七二、三五〇	五二、三六九
消防同盟會補助費	一、〇〇〇	
土木費	七〇七、九七三	四一六、六二六
市町村土木補助費	一五〇、〇〇〇	△一〇〇、〇〇〇
衞生補助費	九二、一二九	三九、四〇九
市町村傳染病豫防補助費	二三、〇〇〇	
敎育費	八八、一四九	五五、〇四九

歲出	豫算高	増減
敎育補助費	二四九、三一三	二〇、七三六
小學校敎員加俸資金補充	八五、四二〇	
小學校敎員恩給金補充	二五五、五一五	
敎育資金補充	一、二五〇	
公立學校職員年功加俸資金補充	三八、七〇五	
誌料及史蹟名勝天然記念物調査地保存費	四、五四〇	六二〇
神職會補助費	五〇〇	
勸業費	三三三、〇九一	五二、九二九
勸業補助費	一〇〇、一一五	四一、五六五
道路改良費本年度支出額	一〇、〇〇〇	△七三〇、〇〇〇
地方鐵道補助本年支出額	一〇〇、五四六	七、一〇二
軌道敷設補助本年支出額	一七、八〇〇	一一、三〇〇
砂防工事分擔納付金	二〇、〇〇〇	△一〇、〇〇〇
千曲川改修費分擔金本年支出額	四七七、五〇〇	△四七七、五〇〇
土木補助費本年支度出額	一一六、六三九	△六、七〇三
水道補助費本年度支出額	一三四、五〇〇	一一、〇〇〇
敎育費本年度支出額	六七二、九七二	△一八三、七四一
勸業費本年度支出額	四一、二九五	△六二一、九〇九
感化事業費	九、一三九	△六、二三六
社會事業費	七、〇〇〇	一、〇〇〇
移住補助費	四、六五〇	
積立金	三、五〇〇	
縣債費	一六九、三九五	一〇、〇八九
繰戾金	一一、八一三	△三六、四二五
長野縣共濟會補助費	三、〇〇〇	
信濃海外協會補助費	三〇〇	
繰入金	一六、二〇〇	一六、二〇〇
水道補助費	…	△七、一九〇
臨時部計	四、一一五、三三一	△八六四、七一四
歲出總計	九、八八一、五〇八	△五五七、五三一

○長野市の人口

長野市では去る十一月十五日現在に依り、臨時戶口調査を執行した、其の結果に依りて見れば、震災避難者を除いて、六万千九十三名で、國勢調査當時のものに比して、三千九百四十五名の增加である、之れが男女別並に新舊長野別に、增加の狀況を見ると男三万千二

百二十三名女二万九千八百六十九名前回の國勢調査當時のものに比すると

男に於て二千四百十四名女に於て千五百三十一於合計三千九百四十五名を增してゐてこれに震災避難者總數千九百名を加へると五千八百四十五名からの增加となり之を舊合同町村の內譯に見ると舊長野が三万九千六百四十二名の二千八百八十九名增加し芹田は八千百三十九名の三百七十二名增し

古牧四千二百五十二名の百十名增し三輪六千三百十二名の三百八十名增し吉田二千七百四十七名の百九十名增しで古牧の增加率最も少いが反對に一年の出生數を見ると古牧などは二百餘件からに上つてゐて猶以上に殖えなければならぬのを

此割合に少いのはドシ〳〵他鄕へ出て了ふ關係に外ならぬといふ

○兵士の歸鄕

例年の通、去る十一月末、滿期除隊となつて、多數國家の干城が晴々しく、歸鄕した譯だ、第十三師團高田に於ける各部隊の歸鄕人員は左の如くで有る

隊別		人員
步	五八	六〇〇人
野砲	一九	四〇〇人
騎	一七	一三〇人
輜	一三	一三七人
同輸卒		一四九人

合計一四一六人で、例年ならば之等の人々は、軍服と靴とを支給されるのであるが、今年からは軍縮の結果と有て、隊よりは支給されず、名々自辨で新調した者が多かつた、土產物も可成買はぬ樣にとの注意は呉々も、上官から與へられたが、世間の實情は强ちうつかりも行かぬらしく、何れも相當用意をして歸たらしかつた

謹賀新年

大正十三年元旦

信濃海外協會

編輯机上より

夏の信州は登山客で般ひ、各の信州はスケートとスキーで般ふ諏訪湖のスケートは、兩三年來世界的となり、毎年一二月時分は、世界的の選手が多數集て、妙技を演ずる中に、時々宮様方の御滑走も有るので汽車の運轉に迄、工夫を凝らす程度になつた、スキーも本場の高田に近いから、飯山より信越の國境へかけての雪の上はナカ〳〵の繁昌である、殊に此の冬は秩父の宮様外多くの宮殿下が赤倉へ御來遊相成やとの事で、一層人氣が引立て居る

去年の六月以來、社會課長として又當協會の幹事として、公私共協會の爲に盡力された三樹理事官が、救護事務局へ榮轉されたのは、協會に取りて甚だ遺憾の事である、併し止むを得ざる事として、吾人は茲に同氏に對して甚深の謝意を表すると共に、將來を祝福するもので有る、

海外協會も茲に二度の年取をしたが、是と云ふ効績は勿論無い企つる事が永遠の事業であるから、うれが當り前だと思ふ、十年の後と雖ども、恐らく同様であらふ、幸に無意義の運動で無かつた事が數十百年の後に認めらるゝならば結構である

海の外

定價

	內地	外國
一部	廿錢	廿仙
半ヶ年	一圓十錢	一弗十仙
一ヶ年	二圓廿錢	二弗廿仙

海外郵稅四錢

注意

▲御注文は凡て前金に申受く
▲廣告料は御照會次第詳細通知致します
▲御拂込は振替に依らるゝが最も便利さす

大正十二年十二月二十五日

編輯人　永田稠

長野市南縣町
發行兼印刷人　藤森克

長野市長野縣廳內
印刷所　信濃毎日新聞社

發行所　海の外社

振替口座長野二一四〇番　信濃海外協會

信濃海外協會
海の外社發行

一九二四（大正一三）年　海の外　第二一号〜第二七号

海の外

第二十一號

目次

信濃海外協會内海の外社

目次

内地移住地紹介

栃木縣那須野原(其の三) 山崎治太郎君

那須野原の記事は今回を以て一段落となつた、今回の記事は特に熟讀すべく希望に堪へぬのである。と云ふのは、信州人と那須野の開發との關係を說く事詳細、絕好の參考資料だからである

五、人文上より見たる那須野ケ原(つゞき)

風俗の一班

關東方面の農民は、一般に質朴であるが、別けて此地方の農民は、極めて質朴である。一年中絕間の無い勤勞が續けられて居る。一寸接したばかりには、至極荒々しい、情味の無い人間達の樣に、思はれるが。夫れは、言語の方面より來る欠點で、交際りの度を加へるに從つて、律義で正直なことが解つて來るのである然し、一般に文化の程度、敎育の程度は、信州から見れば、格別の差異がある。夫れが爲か、禮節を欠くと見るべき行動が、屢直觀される。けれど、りれも亂暴な心の現れと見るべき程の、醜惡的な表現でもない。

言語，都會風の土地及諸開墾地にては、比較的明瞭な、他方人にも善く通ずる言語を用ゐてゐるが、古昔よりの住民の間に用ゐられてゐる言葉は、吾々信州人には解しかねる程度のものである。一般に早口で、痞ばしつたしやべり方で、所謂「野州のベー言葉」である。此言葉を聞き馴れるには、一二年は要しやう。然し此方から話すことは、先方へは善くわかるのだから面白い。

服裝、當地農民の服裝は、信州百姓の服裝よりは頗る儉素なもので、身輕なものだ。男女共に股引を着用する。是は蚋がゐるからであらうが、極く作業に利便らしい。着衣は大概、信州の半纒樣のもののみを着て其上に兵兒帶をしたのが男で、半幅女帶を締めて後で簡單に結んで居るのが女だ。位の調子で、女は家の內外を問はず、手拭を冠つて居るのが普通である。外出には、足中(アシナカ)と稱する、足の半分位の小さな藁草履を穿いて步いて居る。甚だしいのは、跣足で步いて居る。隨分野暮風なものだ。

暦と節句、關東地方の農村は、多く太陰暦即ち舊暦を用ゐて居るが。此地方も矢張り、一般に舊暦を用ゐ總ての月次日次を呼ぶに、皆舊暦とやつて居るので

吾々信州人の如く、全々太陽暦のみで。太陰暦と言ふものに沒交渉で、暮して來たものには、大いに困却させられる事の一つである。常に、暦本を懷にしてゐて、太陽暦に直して見ねばならぬ。始の中は、若し暦でも持つて居なかつたら、少しも見當が付かなかつた。此の太陰暦から離れ得ざる理由は、或は、農事の都合より生じて居るのであらう。太陽暦の十二月末日までには、米の賣出が到底出來ないのである。斯の如く、全々、太陰暦に依つて暮して居る位だから、舊幕時代の如く、五節句及季節による種々の物日等は、夫れは御叮嚀に祝つてゐる。斯る物日には、必ず色々な御馳走をして、一日呑氣に遊び暮すことになつて居る。吾々には、舊暦が解らぬ爲に、其日を知らずに過して仕舞ふことなど、度度あるのであるが。斯う云ふ調子だから、其物日に、他人に遊に來られて、何の愛想もなく歸し、後に其ことを知つて、家內で大笑をする樣な、滑稽事も珍しくない。

戸　口

那須郡は、現在三十一ヶ町村より成り、人口十六万七千。戸數約二万四千八百を有するが。其の中、那須野ヶ原の域內にある、各町村別の人口及戸數を、大正十一年三月末の統計によつて、擧ぐれば左の通りである。

町村名	人口	戸數
大田原町	一一六六九	一七三九
親園村	三九八八	五〇二
野崎村	三九五八	五五二
佐久山町	三九八三	六〇二
湯津上村	五五六五	七〇〇
川西町	四六八七	六四九
那須村	一一〇〇六	一二〇五
鍋掛村	三四一三	四〇五
金田村	八七六九	一一一五
黒磯町	五八一五	一〇一五
東那須野村	四四二七	六四二
狩野村	五五〇三	九八二
西那須野村	五七六八	八四八
高林村	四五六三	五九七
計	八三一一五	一一五五三

右表に於ける一戸平均人口は、七・二人で。之を那須郡の一戸平均人口六・七人に比するも、〇・五人の超過で。之を全國的に見れば、餘程の超過となるであら

う。斯く大家族の多き原因は、耕作能力の上より來る、必要によるものであらうと思はれる、那須村の如きは。一戸平均九・一人になつて居るが、二十名以上の大家族を有する家庭も、珍くないのである。

地積と地價

那須郡の全面積は、百方里と稱して居るが。其の內、民有有租地が九四一六六町歩（約六〇方里）、官有地が二三二〇八町歩（約一五方里）其他は諸種の免租地と云ふ狀態である。而して、那須野ヶ原の域內にある町村別の、大正十一年三月の統計に表はれたる民有租地は左表の通りである。

町村名	田反別	田地價	畑反別	畑地價	宅地反別	宅地地價	山林反別	山林地價	原野反別	原野地價	其他反別	其他地價
大田原町	二四二町	三四六〇〇円	三五一町	二〇六四一円	二三三六四四坪	八八七七三円	三二五町	一五四〇円	五〇町	九〇円	七町	七円
親園村	八〇七	一六〇七〇三	三〇四	一七八三二	一八〇六九六	二八七八三	五二四	一六四五	二三九	四六九	二	―
野崎村	五八〇	一五二、七六一	三二四	二三、七九二	一九八、七四〇	三一、五六二	八〇九	二、五一四	二〇二	二五五	二	―
佐久山町	四四六	九六、〇二五	二一五	一四、四八六	一二一、〇三六	二二、八二六	九五七	三、〇六八	一六〇	四四八	―	―
湯津上村	八二二	一八五、五九四	三六八	二七、五八五	一八七、三八九	三〇、五二五	五九二	一、七七三	二二〇	四〇〇	―	―
川西町	三六四	七五、四三一	三四七	一七、三六四	一三六、四八五	四〇、八五二	四六九	一、三六二	三九一	四七四	二	二
那須村	四六一	四八、八一〇	一、四五九	五八、三〇九	二七九、七二〇	三四、三五九	八、二二六	七三五六	一〇四一	七八六	八四一	二九八
鍋掛村	一五九	二三、四七四	五一六	二〇、八二八	九四、七五六	九、七〇一	一、一一一	二、〇四一	四一一	四七四	四四八	四四八
金田村	一、一二〇	二一五、〇五二	一、〇三六	六三、九一〇	四二二、三四三	六五、四七七	一、六一九	四、一二九	六一九	九二九	五七	五五
黒磯町	二三	三、一〇四	四三六	二五、七七九	一五九、七〇三	三七、〇一四	一、六五八	一、七九三	五七	四八	一八九	一九五
東那須野村	五八	六、九三六	八一四	五九、五四五	二六四、七五五	三二、〇六五	一、五三九	二、九四九	二三九	二九一	七一	二
狩野村	七七	一〇、五一〇	三五七	二六、八八四	一二一、一三三	一五、一五二	五七九	一、四八七	一、一四二	七九七	―	―
西那須野村	三	九四	八〇	一、〇五〇	二九、五二一	一四、五七七	四一四	四一四	三、二九七	三、二九七	―	―
高林村	二二	一、六八一	七六七	三九、四七九	二八七、四五三	二六、三五三	四、三二一	四、一六〇	五九三	三八〇	九四五	九四五

而して、右町村別官有地及其種別をも紹介して、參考に供したいのであるが、遺憾ながら。其の調査資料が無いから、何れ正確の資料を得るまで預つて置きたいと思ふ。尙ほ、其の民有地反別と人口との比率は、諸氏の計算に任せ、此には、其の計算を省畧することにする。

産　業

一、大正十一年三月調査の、那須郡産業統計に現れた、各種生産品を、左に畧記して見やう。

農産物

種別		作付反別	收穫高
米	水稻	一一四六九四反	一八〇二八二石
	陸稻	四〇七四四反	三〇一二二石
麥	大麥	三七二四三反	五九一〇八石
	小麥	七三三五六反	六七五二一石
	粿麥	一四一三反	一四七二石
大豆小豆		一六五六八反	一四七五一石
粟		二五三四反	三一二九石
稗		一〇〇二七反	一〇五七二石
蕎麥		五九〇八反	六七九六石
雜穀		五〇八四反	七三四二石
甘藷		六〇一七反	一五七〇七五一貫
馬鈴薯		四二四四反	九五五七二四貫
蒟蒻芋		二七一反	六四四二四貫
蔬菜類		二一八九一反	八五五五七六六貫
果實類		一三七八四一本	四一六四石 二六六一三〇貫
煙草		三三五二四〇反	一五八二〇三二貫

蠶業

種別	掃立枚數	收繭高
春蠶	一四〇三二	五三三九〇貫
夏秋蠶	一三九五九	四三二二六貫

畜産物

種別	現在數	生産數	生産價額
牛	二八八	一六	一一八五圓
馬	一二二〇五	一七七四	二〇七四〇一圓
緬羊	六四四	六九	二五〇三圓
豚	一三九七	一一四一	九二六六圓
家禽	一一三一一六	五二五六三	三二一三六圓
牛乳	一五	五四五	四二一四二圓
其他	―	―	四九一一〇八圓

但し其他の欄には屠殺及産卵の價格を記せり

林産物

種別	生産高	價額
木材	一三八〇四一	一七四九六八〇圓
木炭	五二六二四一〇	一五二七九六六圓
薪	七五〇四九	七七二六一七圓
苗木	六九九一〇〇〇	一三九八二圓

水産物

種別	捕獲高	價額
鮎	一四〇二四貫	八五六六九圓
鰻	一八六〇	八二六七
鮭	二二八七	七二九九
鱒	七〇九	二一五八
鯉	三八七一	一七一一二

工産物

種別		製造戸數	生産額	價額
酒類		三三	一九一六六石	一七二四九四〇圓
醤油類		二二	八六五二石	四三二六〇〇
蠶絲	生絲	一一七	一四七六六貫	一一〇三五二三
	其他	―	一六五〇貫	二五七五八
織物		一五	―	二一四一
和紙		三三六	二一七四一八斤	二四三五六六
陶磁器		八	―	一七四一八
木工品		―	―	―
菓子		一二〇	―	一四八八六二
味噌		一九	三三三四八貫	二〇九四五
麵類		二四八	三二五五九一斤	二九九〇〇一
澱粉		―	―	一一四四五五
藁細工		七四三	―	二二一五七七

而して、其の生産品の累計總價額は、大正十年の物價にて、二千八百五十一万九千二百余圓となり。郡內一戸平均、一千百五十圓の生産額を有する譯である。

二、各種組合及團体の狀況

種別	組合數
産業組合	
信用組合	一二
購買組合	二
信用購買販賣組合	一四
購賣販賣組合	一
信用購賣販賣生産組合	二
信用生産組合	一
實業團体	
郡農會	一
郡地主會	一
製紙改良同業組合	一
煙草生産同業組合	一
畜産組合	一
酒造組合	一
醤油釀造組合	一

那須木材同業組合　一
養蠶組合　四六
煙草耕作聯合組合　三

馬市場、郡内七ヶ所に定期家畜市場を置いて、一年に一回乃至二回開設して、一才及二才の馬を主とし其他の馬匹の賣買を行ふに便ならしめて居る。

産業に關する地方廳としての施設

一、米麥生産檢査

各町村に、生産檢査員を一名宛配置して、米麥の生産品を檢査し、各等級を附せしめて、生産品の改良向上と、生産方法の改善とを圖つて居る。其檢査の方法はと言ふに、先づ、米麥の生産期前に於て、生産者より、生産豫想數量を農會事務所へ報告して、俵の封籤及票籤を貰ひ受けて來ると、檢査員は各戸別に巡廻して、使用すべき俵の檢査を行ひ、合格せるものには合格印を押捺する。そこで其の俵が使用の資格を備へた譯であるが。俵は規定通りの製作法に依つたもので、桟俵と俵とを合せて、一貫目以内のものでなければならぬ。而して、米は玄米四斗、小麥も四斗、大麥は五斗を入れて、規定通り、器械繩にて俵裝して、封籤を施し、票籤を附して、票籤へは生産地名及生産者名、品名、容量、生産年度、檢査日附等を記入して、はじめて生産檢査を受けるものである。此檢査は、合格と不合格との二種に區分するだけであるが、生産方法の粗漏なものは、再檢査を受けしめるのである。若し檢査未濟のもの、或は籾のまゝにて、運搬又は賣買を行ふ時は、一俵につき五十錢以上かの科料を徵せらるゝことになつて居る。

二、米麥輸出檢査

米麥の取引所各地に、輸出檢査員を派出駐在せしめて。地外に移出する米麥を檢査し等級を附し、檢査料を徵せしめるのである。檢査の方法は、生産檢査と略々同樣なれども、更に嚴密に行ひ。等級を一等より五等まで區分し、其れ以下の劣品を等外とするのである票籤には、取扱商人の住所姓名を記入して、責任を負はしめる。此檢査を忌避した者には、一層重い處罰規定がある。

三、産　牛　馬　去　精

各町村に馬籍簿を設けて置いて。地内の生産牡牛馬は、二歳に至れば。必ず去精しなければならないことになつてゐる。而して、去精施術は無料で、多少の引き出し手當を給與することにしてある。

四、開墾助勢に關する規定

國庫の助勢法に範り、縣からも開墾者に助勢金を與へ。尙ほ開墾者が住宅を建造するときは住宅補助金を與へることになつて居る。是については後章に改めて述べやう。

六、農業經營地としての那須野

前章に說明した通り、此地方は、交通取引及生活等に便利な土地や、地味の比較的優良な土地は、多くは大地主によつて占有されて、其の間々に、地方人の所有地や、官有地等が、介在して居る狀態であるから、此土地で私有地の賣品等を探さうとするには、餘程不便な土地でも忍ぶ積りか、又は時價以上の高價を拂ふでなければ、容易に手には入らない。だから、此地方へ移住して、農業經營をする希望者は、大地主の土地を借受けて、土地利用をするのが、一番容易で且有利な方法であらうと思ふ。

地　　權

栃木縣は、那須郡のみならず、芳賀郡、河内郡、上都賀郡等の方面にも、隨分、那須野ヶ原の加き、新開拓地が豊富である爲に、那須野の如き小作關係を有する、地主の多い處から、栃木縣地主會なるものが組織されてゐる。其會にて、土地の貸借關係には、法律上の永小作權卽ち地上權の設定、及五年以上の貸借契約を成すことを、絕對に許さぬ決議がされてある。其爲那須野の地主も、土地貸借契約書の作製は、皆五年間を一期として、改めることになつてゐる。然し此地主たるや、皆華族其他の大地主達なれば。決して地主の方よりの都合にて、返地請求は濫に行はぬから。那須野にては、俗に、地上權と稱して、此權利の賣買を行ひ、地主に了解を得た上、小作人の名儀書替をして貰つてゐる。全く、信州に於ける土地賣買の如き調子に行はれて居るのである。此小作權を所有すれば、殆んど土地所有權を得たるが如くに、安心して生活して居られる。此の關係の內容を探つても、決して不安な廉は無いからである。

所有權及小作權賣買の價額

土地の賣買價額は。一概には言はれぬが。地方によつては隨分の差格がある。また、土地の性質狀態によつても、餘程の差異はまぬがれぬ。

既墾地（畑）一町歩について

那須野西原方面　六七百圓乃至三四千圓
大輪地原方面　六七百圓乃至一千四五百圓

其の他の方面（舊村）二三千圓

未墾地（林野）裸地にして一町歩につき

各方面とも、大体、既墾地の二三割落が普通なれど、林木の種類及其生育せし狀態によりては裸地にても、既墾地と等額位を以て、取引が行はれる樣である。

右の價額は、大正七八年の大騰貴によつて生み出されれ。其の後、多少緩和されたもので、夫れ以前は、一町歩二三百圓乃至七八百圓位なものであつたのだ。今日でも、信州方面の土地價額から見たら、隨分安價なもので、平地でありながら、信州の山地の價額位なものと言はれやう。而かし、那須野に於て、眞に事業本位で立たうとするならば。所有權等を買受けるのは、決して、有利な方法ではあるまいと思ふ。

小作權利の賣買價額は、畑地一町歩について、大体二三百圓乃至六七百圓位なものである。

借　地　料

當地方の大地主は、皆、土地貸附に際しては、開墾を條件とするのであつて、貸地を林野のまゝに放置しまたは、植林等は殆んど許さない。

開墾せる土地の借地料は、一町歩につき、二拾圓乃至三拾圓位なものである。是は勿論、地主によつて多少の差異はある。同一地主の土地でも、地味の肥瘠によつて、差等を附して置くのである。何れにせよ、我が信州の地代などから比較するなら全く、話の外である。而かも。大正十一年度以前は、一町歩十圓乃至十八圓位のものであつたのだ。夫れが開墾猶豫期の滿了になつて、地價修正された爲、値上して現今の如き地代になつたのだから、近き將來に於ては、地代の値上は絕對に行ふ、氣遣ひは無いことゝ思つて差支ない。

而して、未墾地を借受けて開墾する時は、普通三年間は、借地料を全免することになつて居る。

尙ほ、地主の多くは、自分の借地人に對して堆肥厩肥等の原料を補給する爲に、楢櫟等の林野の下草刈及落葉さらひを、僅少の料金にて、許して置く。百姓は春より秋に至るまでは、朝草刈に出かけて、到る所の林間に、嘶く馬の勇しき聲と、歌ふ俚諺俗歌の長閑な歌聲とが相和して、平和なりの暮しを偲ばせる。晩秋より初春にかけて掻ふ落葉も、馬に踏ませて、貴重な厩肥とされる。尙ほ、落葉さらひの際に、林木の手入をもするのであるが、夫によつて穫り得る枯木や柴木も

薪とするに隨分多量になる所も珍しくない。

黑磯町の豊浦農場にては、一戸前の百姓は、三町歩の耕地を標準とし、一町歩の下草刈場を無料にて貸與し、其他に一町歩の下草枯葉料として一圓を徵することゝして、二三町歩貸付けるのを普通として居る。

然し、此草刈場は農場の性質によつて、隨分豊富な所もあり、貧弱な所もあり、從つて、料金の隨分高價な所もあり、安價な所もあり、一樣には言はれない。

開墾費用と助勢法

那須野ヶ原は、前篇にも述べた通り、一般の土質は、表面を輕鬆の腐植土で蔽はれて居る處が多く、表面に砂礫や石塊を、含有して居る處は、甚だ稀である。從つて、開墾は至つて容易で、開墾當初から作物の發育も佳良で、而かも、借地者ならば三年間の地代は全免され、開墾助勢法の適用でも受ければ、甚だ、自家の負擔は輕い。且つ縣に開墾地住宅補助法であつて居宅の建築費も輕減することが出來る。

借地開墾の塲合には、先づ地主との貸借契約が整へば、地主は林木を伐採して貸與へるから、之を開墾するのである。

而して、樹木の株根は開墾能率を餘程妨げるものであるが、株根の多い場所は、夫れだけ地味も肥沃であり、薪炭の材料も得られる譯だから、決して、經濟上不利ではなく、却つて得策であると思ふ。

さて、開墾の方法及程度にも種々ある。其の精粗により、地情にもよつて、開墾費に差違を生ずるので、一概には論じられないが。一般には、當地の開墾は、至つて粗墾で簡單に行つてゐる。一町歩百五十圓乃至二百圓位で仕上げられるのである。是れは尤も、舊式な方法で。開墾鍬を以て農夫が一鍬づゝ墾すのであるが、五町歩以上の開墾には、出願すれば、縣より動力開墾用具を無料で貸與し、技術員を實費辨償で、派遣して呉れることになつて居るとの事だ。此方法に依れば、至つて經濟に理想に近い仕事が出來る。

また、開墾の時期は、凡て晩秋より初春に亘つて行ふのであつて、五月に至れば、直ちに陸稻を播種し、僅少の施肥にて、頗る好成績の收穫を得られるのである、故に開墾者は、生活準備としては、一年分の用意にて足る譯である。

今假りに、一町歩二百圓の開墾費を要した、十町歩の開墾者が、八百圓の仮宅を建てたとして、國庫及縣の補助金を計算して、差引くならば頗る少額の自己支

辨にて足りる譯である。

（計算表を掲げたいのであるが法規の調査未完につき正確の表を作製して後日發表することにしたい宥恕を乞ふ。）

故に、五町歩以上の開墾をせぬ人は、同志相倚つて、開墾組合を組織し、成可く一時に、廣面積の開墾をすることになれば、補助の請求や、開墾用具の借受け其他雜費の經濟等にも、多大の利益であらうと思ふ。

將來有利と認めらるゝ農牧

當地方の作物については、前篇動植物の條にて、大體御解りの事と思ふし、また、產業の條で農産業の狀態は御承知の事とは思ふが、更に當地の將來より見て、有利にして且つ益發展しやうと思はるゝものを摘出して見やう。

一、耕種農業

水稻陸稻は生產檢査の制度により、品質益向上し好評を博し來つたから、一般に生氣を生じて居る。大小麥は畑作凡ての裏作物として、土地利用に適して居る。而かも、野州は製粉事業の盛な所であるから、其需要價は割合に高い。また、品質も確に優良であるうだ。荳類の栽培も、土地廣濶豊富であるから、大耕作が面白からう。殊に、近年落花生の栽培が諸處に行はれて居るが、立莖性である爲に、大耕作に適し、收量も相當に多く、將來殊に興味の多い作物であらう。

二、蔬菜園藝

當地の適作物は、前記述の通りであるが、大東京に往來運搬便なるが爲、大栽培が面白からう。殊に大根は大いに有望である。東京では、練馬大根を漬大根に用ひるから、此の地に於て其の供給を企てるのは、蓋し、適切であらうと思はれる。甘藷里芋馬鈴薯もまた然りであらう。

三、果樹園藝

是も將來有利な適作物が多いから、大計畫に面白味がある。冬期の寒氣積雪も輕少であるから、經營は容易である。嵐の害は、防風林によつて防ぎ得るから、心配はない。

四、桐樹栽培と養雞

桐樹を畑作物として栽培し、其樹下を養鷄場として兩業を相兼ねれば、養雞より得た利を以て、生活及桐樹培養の資本として經營し、桐樹を殖財資本として、面白い獨立生業を構成せば將來興味の深い事業とならうと思ふ。

五、畜產業

前篇に於て述べた如く、馬牛豚の飼養は、現在も多く、緬羊の飼育は、我國として屈指の場所であるが。風土及地積より見るも、當地には、此種の大飼養が適好で、益發展するであらうと思はれる。

六、養蠶業

當地の產業中、最も有利で、最も適好なものの一であらうと思ふ。是は、此地の氣候が、至極養蠶に適し、地味が、桑の發育に頗る適して居るからである。而も、繭の販路等にも、決して、心配はいらぬ。であるから、我々信州人には最も適當な、此地の產業として照會したいのである。左に、一二事例を擧げて、資料に供しやう。

養蠶

一、養蠶地としての信州と那須野

是に就いて、聊か私の愚見を述べて見たい。宜しく諸氏の批判を乞いたいものである。

先づ、我信州の蠶の種類を見るに、殆んど皆、中巢以下の小繭種であつた。畢竟、粗繭種である。是れ、遠い昔時より發達せる、養蠶先進國の誇であらうか。決して、然くあるまいけれど、昔時より種々の品種を試育し、選擇したる結果、現時の如き、信州獨特の品種を產み出したので、昔時に於ては、是れに滿足せざるを得ない狀態であつたのであらう。

是れと謂ふも、我信州の氣候は、半大陸的で、寒暑の差甚だしく。而かも、夏期、晝夜の溫度の差の著しい事等が、養蠶業に不適當地たらしめたのである。此の不適不良の氣候に打克つて、蠶業に成功せんと、苦鬪した結果、不承無承ながら、虫質健全なる、氣候に負けぬ、飼育の容易なる、種類を本位として陶汰した爲に、現在の如く、粗繭種になつたのであらう。是れは、全く人爲的の罪ではないのであつて、自然の征服を受けた結果で、止むを得ざる次第である。

若し他府縣人をして、斯る風土の地に住はせたなら、決して養蠶を以て產業の本源を形成するは、愚か、到底養蠶を以て、生計を立て得るものが、無かつたであらう。此點から見ても、我信州人が、何れ程、養蠶の技倆に長じて居たかが判斷される。のである。

斯く信州蠶種は、粗繭種を以て本位として居るため他府縣の養蠶の適地に於ては、信州蠶種は隨分排斥されてゐる。信州種子は小繭だ、粗繭だ、と嫌はれ、產卵が少數で粗雜だ、と忌まれる。是れは決して、現在の

蠶種家の罪ではなくて、遠い過去から作り上げられた結果に外ならぬ。矢張り、信州の自然に不平を言ふより他に、道はなからう。若し、斯る狀態を以て滿足し、方針とせぬならば、到底、信州に於ては、養蠶業も蠶種業も、成立しなかつたに相違ない。

而して、養蠶飼料たる桑は、如何と考ふるに、亦大いに、養蠶國の桑園に相應しくない、成績ではなからうか。然し、是れとて、耕作者の怠慢よりせる不成績ではなく、全く自然の魔手によつてされた、惡影響であらう。品種を見よ。四ッ目、元右衛門、小牧等と、何れも小形薄肉の葉を有する、莖の弱小な、水分の少い者のみである。其成績を見よ。其發育の不完全なる、何れの養蠶國に行きてか、其の此を見やう。若し之を水分豊富なる成長善き、大葉物に改植せんか、忽ち、甚だしき霜害を受けて、上半全く枯死して、青葉を見ざるに至るであらう。

斯く、養蠶桑園共に、不適不利の信州に於て、早くも養蠶に成功して、其名を天下に轟かし得た信州人をして、彼の那須野の適地に其技倆を振はしめばと思ひ起すこと度々である。尤も、最初の二三年間は、彼の地の風土と、養蠶との關係研究にて、成績を多少犧牲にせねばなるまい。畢竟、信州の方法を廢して、彼の地に適合する方法にまで、到達する期間である。

二、蠶の種類と蠶種

當地方及關東北部奥羽地方にかけては、中巢以上の大巢物を賞美して飼育される。是れは、製絲家の要求にも依ることであるが、第一、風土が養蠶に適ひ。大繭種の、飼育困難なる、虫質の比較的虛弱なる品種も違蠶少なく。反つて掃立蟻量の割合に、成繭貫量多く收益隨つて多い爲である。而して、此那須野は、何れの品種も、幾分繭形が長大する、傾向を持つて居る。

現在の養蠶家の多くは、經驗少き人達であるし、また、設備も信州等に比すれば、全く問題にならぬ程、不完全で、仮小屋の中で、飼つて居る、であるが、皆優良な成績を擧げ、違蠶歩合の至つて少いのである、是等の實狀より見れば、現今、蠶室の設備等について甚だしい苦心をして居るのは、何の爲であらうかと疑はれ、六ケ敷い理論などは、之によつて裏切り去られる、のではないかと思はれる。程である。

而して、當地の養蠶家及繭商人等は、福島縣產の所謂奥州種子を、最も賞美し次に群馬縣產の蠶種を、飼育して居る。時々信州種子も購入されるが、皆成繭の不良なるによつて、排斥されてしまふ。尚ほ信州の蠶種は、彼の奥州種子及群馬蠶種に比して、幾分、一蛾當りの蟻量が少ない爲、一枚當りの收繭量に、減額あるためも、餘程、排斥の原因を手傳つて居るらしい。兎に角、當地の繭買商人の七分位までは、皆信州系統であるにも不拘、其人達までが、信州蠶種の成繭を喜んで買はないのであるから、可笑いではないか。

三、桑の品種と成育狀況

桑の品種は、一般に優良種を選んで、植栽してゐるからでもあるが、其發育の盛なことは、驚くばかりである。而かも多くは春蠶用の桑と、夏秋蠶專用桑とを區別して、栽培し使用する爲に、收桑率は甚だ多い。春蠶用の主なる作付品種は、島の內、改良十文字、清十郎、伊達赤木、群馬赤木、多胡早生、長沼（群馬）、鶴田、市平等で。夏秋專用の主なる植付品種は、白桑、皇國桑、佛國ルー、伊國一號、伊國二號、甘樂桑、改良魯桑等である。從つて、桑摘み手間は至極經濟である。

而して、生育時期に至つて長く、發芽期は四月中旬過ぎであるが、秋十一月初旬までは、旺盛に發育して、桑葉が餘り硬化しないから、養蠶家には誠に便利である。

四、養蠶時期

桑の發育時期が、此の如くであるから、從つて養蠶期も長い。春蠶の掃立は、何れも四月末から五月初で、是より、春蠶の上簇と共に、夏蠶を掃立て、其の終了と共に更に、第一號秋蠶を掃立てるのが、七月二十日前後であるが、其より晩秋蠶までは三四回位順を追つて掃立てるのであるされば。何れも、秋蠶は三段位に飼育して、七月下旬より十月上旬までは續けるのである。甚だしきに至つては、十月下旬に漸く成繭を持出す者もある。是等の晩秋蠶に至れば、殆んど春蠶同樣の飼育法を行ふし、また、春蠶位の日數もかゝるうだ。此土地こそ全く、純養蠶業を以て、立ち得る土地であらうと思ふ。

五、成繭の販路と製絲場

當地方の開墾移民中には、群馬縣人甚だ多く、埼玉長野、山梨茨城等の縣人が之に亞いで多い。群馬長野山梨等の出身者は、殆んど皆、養蠶を以て立つたのであつた。其ため、現在では養蠶家の數も隨分增加し、此原だけでも、六七萬貫の收繭はあらうと思はれる。

收繭期になれば、諸方の繭商人が、買次場を設けて、盛に買ひ込むため。決して、收繭の販路に困難する如きことはなく。また、多くの商人が競つて買ふため、無法の踏み付け買ひなどをされる恐はない。繭買商の主なる者は、多くは信州系統であつて、片倉組山十組筒井組大和組等が其の主なるものである。各諸處に乾燥場倉庫又は製糸工場を設けて、盛に活動してゐる。また、福島縣白河町には、二三小製絲場があつて、其上信州系統の製絲業者も喰ひ込んで居るため、此町も買繭の競爭は可成に盛である。

而して、那須野の主なる取引中心地は、大田原町、西那須野、黒磯町、佐久山町、黒羽町等である。

製絲工場には、餘り大規模なものは無いが、西那須野村第三區に大和組製絲場の本工場があつて、西那須野驛前要町に同分工場を持つて居る。双方合せて釜數四百内外であらう。西那須野驛前萬町裏に、筒井組製絲所の工場を建てた。目下、工事全部は落成せぬであらうが、千人どりの大工場に仕やうと云ふ計畫であるらしい。是皆、信州人の經營である。其他に、栃木縣是製絲場となつた千坂製絲場が、西那須野村第三區にあるが二百釜未滿の小工場である。尚ほ、諸方の製絲業者は、近頃、隨分此地に注目して、工場設立の希望を有し、内々調査を行ひつゝあるもの等もあるらしい。是も、此地が將來養蠶界の發展することを、關係者流に豫期され、有望視されればこそではないか。

而して、其他附近の製絲場としては、小山の山十組分工場の千人どり、福島及郡山の片倉組及山十組の製絲場等もあり、また、埼玉縣の熊谷、深谷群馬縣の新町等の製絲場もあること故、決して、成繭の販路に迷ふが如きことはなかるべく、年を逐ふて、出入する繭商人の數は增加し、隨つて、高價取引の行はるゝことは、今より豫想に難くないことである。

七、那須野ヶ原の開發と長野縣人既往の事實

既に述べた通り。我信州人の此地に移住して居る者も尠くない。是等の人々について、精密に其戸數、人口、移住場所、事業性質、移住の時等を調査して見たい希望は、平素から有してゐたが。遂に其機會を得ずに、今に至つた次第で、是について精細の紹介を成し得ないことは、實に遺憾に思ふ次第である。然し、是等の事情に對する期待は、隨分大なるものがあらうと思ふから、自分の現在知る範圍内に於て、大畧記して置くことにする。

其戸數は大体百戸以上であらうと思ふ。其多くは、上下伊那郡の人と、諏訪の人とであつて、最も先に移住した者である。其他小縣、更埴、上水、上下高井等の人等も居るが。何れも餘り多くはない。是等北信の人々は。概して古參者が少い。

而して、其移住地も一所ではなく、諸方面に散在して居る。其主なる所は、西那須野村、狩野村、金田村、大田原町、黒磯町等である。就中、西那須野村と狩野村三島農場が最も多い。而して、西那須野村の、那須開墾社當時の移住者は、大体、自作、農者であるが。其他は、殆んど小作農者である。

從事する生業も、亦種々相異つてあるが、多くは養蠶主体の農業に從事して居る。中には耕種本位の大農を行つて居る者もあり。特殊的農業を行つて居るものもある。南安曇郡の穗高の人で、金田村に於て、人の捨てゝ顧ぬ濕地を利用して、山葵の大栽培を行つて居る者もある。また、全然商業に從事して、可成り盛大にやつて居るものも、數戸には止まるまい。

是等の人々の間には、隨分失敗に失敗を重ねて居る人もあるが。大体に於て、可成り成功して居る者が多い。兎に角。信州人と云へば、多少人に敬意を拂はれて居る事業振りなども、多少毛色が異つて居るのが多い。

將來の豫想と希望

當地が養蠶の好適地であり。斯く廣濶の戸口稀少なる、沃野を有する土地であるから。我信州人の如く、養蠶に對する、特殊的技能を有し、且つ諸事業に對して、敏感なる活動力を有する者は、將來此地の發達に最も、適當なる要素を備へたる、適任者と視ることが出來やうと思ふ。また、當地の人達は、我縣人の活動力を知り、技倆を知つて、大いに歡迎する意向にあることは、地方人士の言にも、郡衙あたりの爲政者達の口からも、隨分聞かされる事である。是は、決して御世辞でも無ければ、伊達でもないことは、信じられたい。

斯の如き狀態であるから、我信州人の、將來の內地發展地としては、全く好適の移住地である。と言ふことを憚るに足るまいと思ふ。されば、次男以下に生れられた、農村青年諸君にして、分家又は養子等によつて、身を固めらるゝ諸君は、各其資產なり仕度なり。を、流動資本にて貰ひ受げ、少し遠き、此地に分家する元氣を有されたいものである。此地は、日本中の人達の雜居地である。寄合世間である。互に親戚などの附近に無い孤獨的の者が多いのである。斯る場所の、他人同志の交際は、實に情の厚いものがある。寧ろ、一通の親戚よりも、親しみがある。加勢同情の。眞の味は、此地に於ける他人交際の方が。餘程多くは無からうか。排他的根性などは、決して夢にだも無い。

長野縣人の長所と短所

此の問題は、獨り、那須野に行く人のみの問題でもなく、縣外に出づる者の、常に忘れてならぬ問題である。また、縣內に居る人と雖も、常に之を考へ、反省し居らねばならぬ問題ではあるが。善く考察して、自己の長所を知り美點を知つて、自重すると同時に、短所欠點をも反省し、理解して、自助自戒の法を執らねばならぬ。長短共に、其個別的事例については、諸大家の話や、新聞雜誌等によつて、よく發表され、批評されて居ることであるから、遠慮して置かうが。其の有する短所欠點によつて、あたら、充滿せる活力も、豐富なる力量も、技倆も、寶の持ち腐れたらざるを得ぬ狀態に、陷らねばならぬ事共もあることなれば。他國人の間に伍するときは、餘程の自重自愛と自己反省が必要であると思ふ。

八、旅行地としての那須野

現今各方面に於て、種々の團体にて、觀光視察遊覽の旅行を企てられるから、此に一の旅行案を提供して見やう。是は、餘り多くの日數と旅費とを要せずに、東京、關東、奥羽、越後の諸地方を巡遊して、地理的に、歷史的、政治的に、產業的に、趣味的に、得るところ多く。飽くことなくして、感興津々の中に、歸宅することが出來る案である。小學校などの、旅行地としては、先づ第一に推奬したいものである。

第一案（長野基準）

日數　七　日

經費　約十五圓乃至三十圓位

日程

第一日、夜行列車にて朝東京着。東京見物して一泊

第二日、朝日光へ直行。東照宮、華嚴瀧、中禪寺湖見物。宇都宮へ戻り。一泊。

第三日、朝西那須野へ。乃木神社、大山農場、鳥ヶ森、三島農場、松方農場。見物電車にて塩原温泉へ、一泊。

第四日、朝塩原見物。午前中に電車にて西那須野へ會津若松市へ。車中より那須野ヶ原、那須

温泉、白河城趾郡山の化學工業狀態磐梯山猪苗代湖、猪苗代發電所見物。若松市にて一泊。

第五日、會津城趾、飯盛山、會津盆地の展望、東山温泉、松平氏墓所等午前中に見物。新潟へ直行。車中にて阿賀川の風光と木流し見物。新潟市にて一泊。

第六日、新潟市內見物、港、醫專校等見學。午後長岡へ。長岡市內、石油坑及製油所見學。長岡にて一泊。

第七日、朝直江津へ。車中にて柏崎、鯨波。米山見物直。江津五智春日山高田見物。高田より長野へ

第二案（同　上）

日數　第一案同樣。

經費　第一案同樣。

日程

第一日　夜行列車にて朝高崎着、兩毛線にて桐生市へ。桐生市內、機業會社、工業學校見學。足利市へ。足利市內、市場、機業狀態、足利學校見物。一泊。

第二日、朝日光へ出發

以下第一案同樣の日程

第三案

日數　五　日

經費　約拾圓乃至貳拾圓位

日程

第一日、第二案同樣。足利にて一泊。

第二日、朝日光へ。第一案同樣

第三日、第一案同樣。

第四日、午前中塩原見物。午後西那須野へ戻り東京へ。東京市內夜景見物。一泊。

第五日、東京見物。夜行列車にて長野へ翌朝着解散

右の三案は、今假に編んで見たのであるが、もつと熟考して行つたら、より以上に面白い、良案が出來るであらう。若し右の三案內中何れかが、旅行地として諸氏によつて。選定せらるゝを得ば。爲に、那須野ヶ原の事情は、自づと博く知らるゝに至るべく。有志奮起するあるを見ば、我縣の移民政策上に多少貢献する處あらんかとも思ひ。敢て、愚見を披攊した次第である。

今回は之を以て、擱筆することにするが。不整理な

書方をして、不可解の點も多かつたことゝ思ふし、また、多少の誤謬も無きにしもあらずと思ふ。其點は、深く謝して置く。書中遺漏の點もあれば、更に追記報導を惜まない。萬一此報導によつて、那須野ケ原が諸氏より、正解を得て、多少の親しみと愛とを、受くるに到るを得るならば、筆者の喜悦は、此上ない次第である。最後に藤森先生に謝す。先生折角の期待に添ひ得なかつたであらうことを。（完）

福嶋縣より本縣農家の移住を希望し來る

福島縣西白河郡、耕地整理組合長、入江新六郎氏が、同縣產業技師大塚至氏と同道來廳し、現に同氏の關係せる耕地整理區域内に、本縣の農家を招致して、土地の開發をし度いとの希望を陳べられた、同氏の望む處は、養蠶に滿能なる本縣人の手を借りて福島縣の養蠶に、大革命を起し度いとの事である、福島縣は蠶種製造では、寧先進國であるが、普通養蠶の技能は、遙に本縣に及ばぬそうで有る

同氏は參考資料として左の如き印刷物を置いて行つたが、猶移住希望者は是非一度、實地を視察して貰い度いと繰返し言つて居られた。白河郡は福島縣の入口で那須野原に接して居るから、兩方を視察するのには甚だ便利で有る。

福嶋縣西白河郡關平村吉子川村滑津村聯合耕地整理組合地主會規程

第壹條　本會ハ農村振興ヲ主眼トシ組合地區内ノ開墾地ヲ利用スル自作農業者及小作農業者ノ募集シ殖產ノ增加ヲ圖ルヲ以目的トス

第貳條　本會ハ關平村、吉子川村、滑津村聯合耕地整理組合地主會ト稱シ之ヲ組合事務所内ニ置ク

第參條　本會ノ募集スル移住者ハ百五拾戸トス但シ事情ニ依リ漸次增加スル事アルヘシ

第四條　本會ノ募集ニ應シ自作農業者又ハ小作農業者タラントスル者ハ左ノ資格ヲ具備スル事ヲ要ス

一、素行正ク永住土著ノ決心アル事

二、身體壯強ニシテ農業ニ從事スル者二人以上家族アル者

三、現住地ニ於テ一般ノ信用アリテ前科ナキ者

第五條　移往者ニシテ土地ノ讓渡ヲ受ケントスル者ニ對シテハ特別代金ヲ以テ賣渡スモノトス

第六條　小作地ハ一戸平均二町歩以内トス　但シ勞働者ノ多少ニ依リ增減スル事アルヘシ

第七條　小作契約期間ハ拾ケ年以内トシ滿期後ハ改締スルモノトス　但シ小作料ハ五ケ年ヲ一期トシ一期間ノ小作料ハ一ケ年水田ハ一反歩ニ付玄米四斗二升ニ入テモ增料ハ五割以内トス　畑ノ小作料ハ隨時之レヲ定ム

凶作地變其他天災ノ場合ハ前項ノ小作料ヲ減免スル事アルヘシ

第八條　小作料ノ納期ハ田ハ拾壹月參拾日畑ハ七月拾壹月ノ二期トス

第九條　田畑二町歩以上ノ小作人ニシテ拾ケ年間小作料ヲ滯ナク納付シタル者ニ對シテハ地主ニ於テ家屋又ハ土地一反歩ヲ無償ニテ交付スヘシ　但小作地及宅地ハ一人ノ地主ナル塲合トス

第拾條　業務忠實精農ニシテ他ノ模範タルモノニ對シテハ奬勵ノ為特ニ無償ニテ土地ヲ讓渡スル事アルヘシ

第拾壹條　小作契約期間中ト雖モ左ノ各號ノ一ニ該當スル處為アルトキハ解約シテ退去セシムル事アルヘシ

一、地主ノ指揮ニ從ハス亦犯罪其他農業經營ニ害アル者

二、小作地ヲ地主ノ許諾ナク他ニ轉貸シタルトキ

三、小作料ヲ延滯シタルトキ

四、貸附地ヲ荒廢シ亦秩序紊亂ノ行為アリタル者

第拾貳條　他村ヨリ移住シ來タラントスル者ハ戸籍謄本及其市町村長ノ身元證明書ヲ添ヘ別紙申込書ヲ差出スヘシ

第拾參條　水路又ハ道路修繕ニ付勞役ヲ要スル時ハ小作反別ニ對シ出役スル事

第拾四條　前各項ノ規定ノ外必要ナル事項ハ協議ノ上定ムルモノトス

年　月　日

福島縣西白河郡關平村吉子川村滑津村聯合耕地整理組合地主會

（備　考）

一、移住者ニシテ自ラ家屋ヲ建築スル塲合ハ本縣ノ奬勵規定ニ依リ一戸貳百圓ノ補助金交付アルヘシ

一、他府縣ヨリノ移住者ニシテ農商務省令ニヨリ汽車ノ割引アリ

一、信用組合ヲ組織シ自作農業奬勵資金其他金融ヲ計ル計劃中ナリ

一、土地ノ讓渡ハ工事己成地又ハ工事中ノ田畑當分平均百圓以内ニテ賣渡スヘシ

一、以上熟覧ノ上移住申込者ニハ別ニ契約書雛形ニヨリ提出スベシ

移住申込書

私儀今般御地區移住民トシテ御指定ノ塲所ヘ移住致度候ニ付御承認相成度別紙戸籍謄本及身元證明書相添ヘ保證人連署ヲ以テ此段申込候也

年　月　日　本籍地

現在地　申込人　氏　名印　年　月　日生

住所　保證人　氏　名印　年　月　日生

福島縣西白河郡關平村吉子川村滑津村聯合耕地整理地主會御中

從業希望

一、米作、養蠶、苗圃、果實、蔬菜、其他

但シ　家族何人　從業勞働者何人

（以上ノ主ナル希望ヲ申込書末尾ニ記入スルコト）

契約書

私儀今般貴會ノ移住民タルコトヲ御承認相受ケ候ニ付テハ左ノ事項契約致候

一、移住民トシテ御申込書記入ノ家族同伴移住シ（何業）經營ニ從事可致候事

二、貴會御指定ノ期間迄ニ必ス移住可仕候事

三、借地ニ付テハ別ニ地主ニ對シ借地證書ヲ差入貴會ノ立會ノ下ニ引渡相受可申候事

四、御會ノ移住規則ハ勿論其外一切御指圖ヲ遵守シテ違背致間敷候事

五、移住契約ヨリ生スル一切ノ義務履行ニ就テハ貴會ニ對シ保證人ハ連帶責任ヲ負擔可致候事

右契約證仍如件

年　月　日

住所　當事者　氏　名印　年　月　日生

住所　保證人　氏　名印

住所　保證人　氏　名印

福島縣西白河郡關平村吉子川村滑津村聯合耕地整理組合地主會御中

福島縣西白河郡關平村吉子川村滑津村聯合耕地整理組合概況

▼創業　福島縣ノ勸誘ニヨリ大正二年出願許可同年起業

▼位置　福島縣西白河郡滑津村、吉子川村　關平村等大村ノ間ニシテ矢吹驛ヨリ國道常陸街道ニ沿ヒ二里亦白河ヨリハ東方三里半ニシテ古シ八幡太郎義家ノ東夷征伐之古戰塲ナリト云フ著名ノ滑津ノ廣地ナリ

▲地勢―衛生―學校　北ニ山ヲ負ヒ南ニ低ク吉子川村部落及阿武隈川ヲ見ミ高燥ノ快地ナリ地區中央ニハ江藤醫院アツテ醫藥ニ不自由ナシ　小學校モ亦不便ノ事ナシ

▼交通　本地區ノ中央ヲ横斷スル縣道ハ北約二里ニシテ東北本線矢吹驛ニ到ル南ハ棚倉町ヲ經テ茨城縣ニ通ス尚地區ヲ横斷スル一等里道ハ西方約一里ニシテ東北本線泉崎驛ニ至ル東ハ石川町ヲ經テ常磐線湯本驛ニ至ル如斯ニシテ交通ハ極メテ便利ナルモ人力車馬車ノ便ハ矢吹驛ヲ可トス

▼面積　關平村吉子川村滑津村ノ地域ニ跨リ五百六拾餘町歩ノ地區ヲ有ス

▲水利　著名ナル阿武隈川筋穴堰ヨリ堰上關平村外一ケ村穴堰水利組合ノ町堰ヨリ分水此ノ分水堰水門モ多年ノ懸案ナリシカ今春堅牢ナル水門設置ニ付此後ハ充分ナル水利ヲ得ルニ至リ且亦外ニ五町歩餘ノ用水溜池三ケ所ニ設置シタルハ水利ノ憂ナカラン

▼組合ノ事業

開田開畑ヲ主トシテ併セテ舊田畑ノ整理ヲ行ヒ土地ノ利用增進ヲ圖ルニアリ

▼土地利用ノ現況　水田ハ主トシテ米作ナルモ去ル明治三十年創業ナル入江農場ノ種苗ノ開業以來地方ニ諸種苗生產大ニ興リ桑苗諸造林苗木製產ノ本場トナリ全國各地ハ勿論朝鮮滿州ニ輸出スルニ至リ亦蠶業モ大ニ發達シ此等產業ノ爲メニ立派ナル自作農家モ次第ニ增加シ其内重ナルモノハ年額四五千圓ノ收入アルニ至レリ

桑苗諸造林苗生產金額ハ壹反步ニ付最高四百圓位ヨリ百五六拾圓ノ收入アリ

近來煙草モ作付壹反步ニ付百八九拾圓位ノ收入アリ

水田ハ上等收穫ハ四斗入七俵乃至六俵二三斗位竹林又ハ諸造林モ非常ニ收益アリ

▼農業地トシテハ最適

以上各項ニテ明詳ナルヘキモ土地ノ價額ハ平均百圓以内即時ナレハ八九拾圓ナリ　交通不便ノ地ニアラス又收穫少ニアラス農業經濟上ヨリ算出セハ全國最良ノ農業地タルヲ信ス

▼移住家作

家屋建築スルモノハ開墾耕地整理助成法ニヨリ貳百圓ノ補助金ヲ受クル事ヲ得

▼電力ノ利用

關平、吉子川、滑津村ノ三ケ村ヲ供給區域トシ目下千六百燈餘ノ點燈ヲナシ其他動力ヲ利用シ製板精米及稻核製繩等ヲナシ農民ノ便利ヲ計リ居レリ

▼名所古跡及娛樂機關

本地區内ニハ各所古跡ニ富ミ「屠胴塚」及「二ツ山「鎌取塚」等アリ「屠胴塚ハ古八幡太郎義家ノ東夷征伐ノ時東夷ノ胴ヲ屠リ埋メタリト云フ同塚ハ高地ニシテ其東西ニ組合ニテ設備シタル灌漑用水三萬餘坪ノ溜池アリ其堤ニハ「吉野櫻」「紅葉等澤山ニ植込西方遙ニ那須火山ノ雲煙ヲ望ミ東北ニハ石川、田村兩郡ノ諸山ヲ見一望千里トモ云フヘキカ眺望賓ニ絶佳ナリ「二ツ山鎌取塚」ハ古大名時代各村其領主ヲ異ニシタルヨリ生草塲ヲ爭ヒ死ヲ以テ生草刈鎌ヲ取合シタル塲所ナリト云フ亦地區ノ中央ニハ「入江農塲」ノ自然風致ノ「松楓園」ノ名園アリ「牡丹園」「競馬塲」「自轉車競塲爭」「田舍演藝塲」ノ設備アリ「牡丹園」ノ如キハ大正九年ノ開始ナルモ咋春ノ如キ盛花ノ日ハ數千人ノ來觀人アリタリト云フ以上ノ次第ニシテ鄉村ノ娛樂ノ設備自然ノ景勝ノ地タル事ハ稀ナル事ニシテ最好遊園地タルヲ信ス

以上　大正十二年

（附）外ニ五戸以上團体移住者亦ハ格別ノ熱心者ニ對シテ既開墾地田畑一反步ニ付平均七拾圓内外ニテ即時又ハ年賦ニテ讓渡スヘシ猶開墾シナ作付セザル地所モアリ兎ニ角一度實地視察ヲ希望ス

海外事情

○ブラジル國珈琲產出狀況

大正十二年八月廿九日附サンパウロ州バウルー市駐在帝國領事多羅間鐵輔氏報告

現下珈琲は、我が國に取りて、直接何等の交涉を有せざるも、對伯國移住民關係の增進と共に、追々我が企業家の、囑目する處となるべく、是等の參考資料として、左に過去三十九年（本誌には最近十年）に亘る、伯國珈琲產出額及び、右各年に於ける、平均市價の統計、過去十二年間の、伯國對外國の、珈琲產出比例及び、一九二〇年（大正九年）度の、全世界珈琲產出國、輸出一覽を左に掲ぐ

伯國及諸外國珈琲產出額

年別	伯國產額（十六貫目入）	伯國以外諸外國產額	合計
一九一三年	一二一三一千袋	四二七五千袋	一六四〇六千袋
一九一四	一四四五七	五一五四	一九六一一
一九一五	一三四七一	四三九四	一七八六五
一九一六	一五九六〇	四八〇一	二〇七六一
一九一七	一二七四一	三九五一	一六六九二
一九一八	一五八三六	三〇一一	一八八四七
一九一九	九七一二	四五〇〇	一四二一二
一九二〇	七五〇〇	七六八一	一五一八一
一九二一	一四四九六	五七八七	二〇二八八
一九二二	一二八六二	六九二六	一九七八八

歐洲及び北米輸入額

年別	歐洲諸國輸入額	北米輸入額	合計
一九一三年	一〇七一二千袋	六七六二千袋	一七四七四千袋
一九一四	一〇一四四	六六七六	一六八二〇
一九一五	一一〇二七	七五四六	一八五七三
一九一六	一三三六八	八〇一〇	二一三七八
一九一七	一一〇五〇	八八三四	一九八八四
一九一八	五一七一	九〇四六	一四二一七
一九一九	六二〇九	八六二四	一四八三三
一九二〇	六一〇三	八九六四	一五〇六七
一九二一	七〇四七	九六八三	一六七三〇
一九二二	六三九七	九七〇一	一六〇九八

サントス市場平均價格

年別	平均一袋の價格
一九一三年	四七、七ミルレース
一九一四	三四、四
一九一五	二八、二
一九一六	三五、四
一九一七	三八、五
一九一八	二九、一
一九一九	七五、七
一九二〇	一〇八、一
一九二一	六二、三
一九二二	一〇二、六

備考　爲替相場に著しき變動あり、現今一ミルレースは我が二十錢強なるも、數年前は五六十錢なりき

伯國對諸外國珈琲產出額比較

年別	伯國產額	其他諸國產額	合計
一九一一	一〇八四八千袋	三六七六千袋	一四五二四千袋
一九一二	一三〇三七	四三三七	一七三七四
一九一三	一二一三一	四二七五	一六四〇六
一九一四	一四四五七	五一五四	一九六一一
一九一五	一三四七一	四三九四	一七八六五
一九一六	一五九六〇	四八〇一	二〇七六一
一九一七	一二七四一	三九五一	一六六九二
一九一八	一五三八六	三〇一一	一八八四七
一九一九	九七一二	四五〇〇	一四二一二
一九二〇	七五〇〇	七六八一	一五一八一
一九二一	一四四九六	五七八七	二〇二八三
一九二二	一二八六二	六九二六	一九七八八

備考　一九一九年及び其翌年の減少は、稀有の霜害ありたるに依る

一九二〇年（大正九年）世界珈琲輸出高

國別	輸出高
伯利西爾	一一五二七千袋
南米諸國	二〇三三
中米諸國	一九一二
西印度諸島	七八一
太平洋諸島	八〇〇
亞細亞	三〇二
アフカ	五七三
合計	一七九二八

○新製紙原料バナナの纖維

大正十二年十月二十五日附伯國サンパウロ州リベロンプレト駐在帝國領事早尾季鷹氏報告

最近バナナ栽培業者に取りて、一大福音といふべきは現今少しも利用せられざるバナナの莖より、化學藥品を用ゐずして、製紙用の良纖維を得る方法の發見である

其の方法は、バナナの莖を、臼にて搗き碎き、之を五十五乃至九十パーセントの水分を有するものとなす、此の方法にて、莖肉は纖維分より分離するを以て、更に淸水を加へ、三乃至四氣壓の下に蒸煮罐に於て、三乃至六時間蒸煮となす

次に之を蒸煮罐より取出し、流水中にて洗滌したる後、ゴム狀の物質を除去する爲打叩けば、終に纖維のみ取殘され、直に製紙原料として使用せらるゝのである

併し前記の方法は、伯國に於て、全然未知のものにあらずして、既にロレンソ・グラナート博士は昨年之が實證的試驗の結果、バナナの莖より、製紙用として良好なる纖維、十乃至十二パーセントを、採取する事に成功した、同博士はサントス地方に於ける、ナニカ種等のバナナは内輪に見積るも、千株に付一ケ年、製紙用纖維二千六七百貫を、又含有量多き白バナナは、六千六七百貫の纖維を供給し得る旨を叙述して居る、今假に纖維一キログラム（二六六匁）を二百レースにて販賣するとせば、バナナ千株に付、二コント（二千ミルレース即現今の爲替相塲にて四百圓）換言すれば、一アルケール（二町五反）の土地より、一千圓の益金を上ぐる事が出來る、バナナの栽培は、只にサントスのみならず、サンパウロ州内に於ても、大規模に行はれ現にバウリスタ鐵道、サンカルロス驛、サンジョアキン耕地に於ける、バウリーノ、サン、バイョ氏の如きは、十二万五千本のバナナを所有し、既に二十万房のバナ

ナ價額百六十六コントを輸出したと傳へられた

○人造木材の發明

南阿に在住する、一獨乙人の發明した人造木材は、レイロキシロンと稱し、各種草木の廢物、又は藁等を材料とし、何處にても使用の場所に於て製造せられ、コンクリート工事同樣、現場に於て急造せられ、其の價格は木造や鐵造に比して、約半額にて足り、而も氣持好く落付ある外觀を備へ、不燃性を帶び、且防水性をも持たしむる事を得、壁、梁、床板、屋根等をも造り得べく、之を以て建築したる家屋は、地震の衝擊に對し、十分安全にして且火災の危險が無い、將來は見苦しき木又は鐵造屋根は、廢止せらるゝだらふとの事、要するにレイロキシロンは日本現下の急需に對し、最適合せるものであらふ、發明者創案の移動し得る裝置凡ろ百種、各約貳万圓にして、一時に家屋二千戸分を製出する事が出來る、但し二十戸宛同型なる物が出來るろうだ

○外國人營業制限法

（第三十二オレゴン州議會下院議案第二〇五號千九百廿三年一月廿九日チー、エイチハールバート提出千九百廿三年二月二十一日制定同年五月廿四日ヨリ實施）

米國市民に非ざる者の特種營業に從事せんとする場合に郡、市、町、若しくは自治制を有する地方役場に於て、營業鑑札を下附することを禁ずる法律にして、米國市民に非ざる者の特種營業に從事することを違法とし、且つ之に對する罰則を規定し又本法を回避すべく、米國市民に非ざる者を援助し敎唆するものを違反者とし且つ之に對する罰則を規定す

本法ハオレゴン州人民之ヲ制定ス

第一條 此ノ法令全部ハオレゴン州人民ノ經濟、社會安寧、衛生、平和及風敎ヲ保護スル爲メオレゴン州ノ警察權行使ト見做スベク而シテ各條項は其ノ目的ヲ貫徹スル爲メ廣義ノ解釋ヲ施スベキモノトス

第二條 何ヅレノ郡、市、町、若シクハ自治制ヲ有スル地方役場ト雖モ米國市民ニ非ザル者ガ質屋、球突場カードルーム若シクハ舞踊場ヲ營業セントスルニ對シ鑑札ヲ下附スルコトヲ得ズ若シオレゴン州内ニ於テ市民權ナクシテ斯ル營業ニ從事スル者ハ之ヲ輕犯罪ト見做シ有罪ニ決定シタル上ハ五百弗以下ノ罰金若シクハ六ケ月以内ノ郡監獄禁錮ニ處ス

第三條 何ヅレノ市、町、若シクハ自治制ヲ有スル地方役場ト雖モ米國市民ニ非ザルモノガ果物、肉類及食糧品ヲ取扱ハンガ爲メ八百屋、果物店若シクハ肉屋業ニ從事セントスルニ當リ是等ノ商品ヲ取扱フ爲ニ使用スル雇人ガ外國人ナル時ハ營業鑑札ヲ下附スルコトヲ得ズ但シ外國人營業者ニシテ自已ノ國籍及雇人ノ國籍ヲ明記シタル札ヲ掲示セル場合ハ此限リニ非ズ

第四條 何ヅレノ市、町、若シクハ自治制ヲ有スル地方役場ト雖モ米國市民ニ非ザルモノガ「ソフトドリンク」ノ營業ニ從事セントスル場合ニハ之ニ對シ營業鑑札ヲ下附スルコトヲ得ズ

第五條 何ヅレノ市、町、若シクハ自治制ヲ有スル地方役場ト雖モ米國市民ニ非ザモノガ「ホテル」「ラジングハウス」「ルーミングハウス」又ハ「アパートメントハウス」等ノ營業ニ從事セントスル場合ニハ之ニ鑑札ヲ下附スルコトヲ得ズ但シ營業者及雇人ノ國籍ヲ明記シタル札ヲ掲示スベキ鑑札規定アル場合ハ此限リニ非ズ

第六條 本法條項ノ適用ヲ回避スル目的ヲ以テ米國市民ニ非ザル者ノ爲メニ前記ノ如何ナル營業ニ關シテモ米國市民ニ非ザル者ノ使用ト利益ヲ計リ鑑札ノ下附ヲ出願シ之ヲ得タル者ハ輕罪犯ト見做シ有罪ニ決定シタル上ハ五百弗以下ノ罰金若シクハ六ケ月以内ノ郡監獄禁錮ニ處シ又ハ罰金刑及体刑ヲ併科スベキモノトス本條ニヨリテ構成シタル犯罪ニ對シテハ地方裁判所、巡廻裁判所及治安裁判所各々司法權ヲ有スルモノトス

第七條 本法中ニ特定サレタル營業鑑札ノ出願者ハ自已ノ米國市民ナルコトヲ書式ニヨリ宣誓スルコトヲ要ス若シ外國人ニ斯ル鑑札ヲ下附シタル時ハ之ヲ無効トシ無鑑札營業ノ科ニヨリ起訴サレタル場合ニ營業者ハ斯カル鑑札ヲ以テ辯護ノ資料トナスコトヲ得ズ

第八條 本法ノ條、項、節、句或ハ用語ガ何等カノ理由ニヨリ憲法違反ノ判決ヲ受クルコトアルモ斯ル判決ハ本法ノ他ノ部分ノ効力ニ影響ヲ及ボスコトナシ

海外近信

信濃土地組合の創立を讀みて

在北米シヤトル市 小池代治郎君

今回我海外協會本部にては、縣知事及各有志の諸氏發起となつて、海外發展の爲に、南米ブラジルに於て、廣大なる土地を購入すべく、土地購賣利用信用組合なるものを創立せられたる趣き、雜誌海の外第十八號に於て拜見せり。其趣意書を通讀して湧き出る心の喜び抑へ難く滿腔の謝意を表する爲、拙文をも不顧予は所感の一片を述ぶる事とせり、大正拾貳年十一月中米國大審院の下せる判決は我々在米同胞を非常なる窮地に陷らしめたり。由來農業に關しては天賦の智能を有する我民族は、其不拔の意氣と努力とを以つて過去數十年來あらゆる轗軻不遇に堪へ荒れたる山野を開きて我が利を得ると共に米國の土地に對しては實に莫大なる貢献をなし來りたるものなり。其影響は市に商業を營む者にも及ぼし兩者共助的の投資となり、彼の世界大戰の頃より我同胞は俄然として目覺しき進步發展を示せり、而して其機運に乘じ農家の大部分は永住の基礎を築かんものと種々なる合法の下に土地を購入せし者も決して少數にあらざるりき。然るに戰後賣名を是事とする米國のある政治家は歸還兵等と氣脈を通し狂暴慘酷なる排日法を制定せんと先づ其戰端を排日の發源地とも云ふべき、カリフオルニヤ州に起して之れに勝ち忽ちにして、ワシントン州及びオレゴン州をも席卷せり此間同胞は勿論奉國の最善を盡して之に應戰し、米人の中にも義を重んずるの士は起ちて、排日法の暴行なるを難し叉ある種の團体は、我米國の國体に戻るものなりと攻めたるものあるも、國家を有しながら國家を代表する當局者の援助を受くる事極めて微力なる在米同胞は衆寡敵せず總て全敗に終り以つて今日の憂き目を見るに至れり。我國は今にして我外交當局者の狹量なるを痛切に感ず。即ち千九百十三年日米間の協約に於いて彼より進んで土地に關し利權を得よと慫慂せしにも拘はらず我之を拒みたる如き退嬰極まり無き外交を。而も我等は今更過去の何事をも問はざるべし、只望むらしくは向後他の國と協商せんとする時は、先

づ其國に在住する同胞の意見を徴する事を忘れざらん事である。（政府の使臣たる領事の如き中には其地方の同胞と背馳したる考へを抱く者往々あり）斯くして初めて大過無き協約が締結さるゝ事と信ず。

法律の濫造又之を捨つる事に平氣なる米國人は向後いかなる法律を作りて我同胞を利するやは知れされど、今の儘にして推移すると假定して將來を考察する方或は賢にはあらざるか、然らば我日系米人たる我等の二代が我等に代りて社會に活動せんとする時、彼等の社會的地位樂觀を許すべきか、否、否、觀よ彼等一部の排日家の中には、日系市民の權利を剝奪せんとする叫びを聞くにあらずや。我等の第二代は無論アメリカ土人の如き無學者にあらず又黑人の如き自暴性に富む者にもあらず善良なる市民たらしめんと我等が心血を傾注する努力に酬ひられて、彼等の學校に於ける學術智能は、白色兒童と細密なる比較調査の統計の上に稍々優れる事を示し居れり。是れ吾人の大いに意を强ふするに足る、然れどもいかに善良なる民族も人種的僻見を以て多數者に容れられざる時は社會上に於ける實力は誠に徴々たるものに終はる。若しも過去の歷史を以て將來を律する事が出來得るならば、米國の白人等は必ずや日系米人たる我等の二世に迫害を加ふるであらふ。又之に對して我政府當局は決して徹底的有力なる後援を與へぬであらう。嗚呼さらば彼等はいかにすべき、是に於て予の痛切に感ずる事は我等二世の將來である、敎育ある我二世は白人の壓迫に對しアメリカ土人の如く默々として海岸や山間に逃れる事はせぬであらふ。傳統的に自尊心を其血管に受け繼げる彼等は黑人の受けて居る如き差別的待遇に甘んずる事は無からん。而して必ず彼等の鬱勃たる心は彼の淸敎徒が自由の新天地を望んで渡來せし時と同じ希望を抱くなるべし。然る時若しも彼等に對して其行くべき天地が與へられてあるとせんか彼等の將來や眞に慶すべきなり、此意味に於て予は、其豐富なる資力と有力なる社會的地位とを占むる我故國有志家諸氏が子孫百年の將來を憂ひて企だてられたる今回の我事業は民族海外發展策中の「プリンシパル」なるを信じ我故國々民の子孫延いては在米同胞子孫に對して一大福音なるを思い、此所に所感を述べて謝意を表すると共に其成功を祈るものなり。

十二月十六日シヤトル市を出帆するマデソン號にて我友伊藤豐作氏が約廿年振りにて故鄕を訪ふべく歸る事になりました。同氏は南安曇郡穗高村の人で渡米以來

農業を以て大に成功せられ同胞農業組合長又我海外協會の前身とも云ふべき瑞穂倶樂部の長たる事もあり日本人會の參事員等常に公共の爲に盡され私共の敬愛する人であります。其の中に貴會をも御訪問せらるゝ事と思ひますが米國の目下の實狀に就きては同氏より詳しく御聞き取り下さる樣御願申上ます。

十二月十三日

小池代治郎

信濃海外協會御中

信洲記事

○本縣内製絲工女數

先年中、本縣内の製絲工場に勤務した、工女數は縣内出身者が六万八千二百二八、他府縣のものが、一万八千五十一人、合計八万六千二百五十三人となるが、更に郡市別、府縣別を見ると、縣内の分は

南佐久	三〇二四人	北佐久	四〇一五人
小縣	一二九二	諏訪	六七一八
上伊那	九九六五	下伊那	七九二三
西筑摩	一五六〇	東筑摩	七三二六
南安曇	二四一七	北安曇	二八五二
更級	三三〇一	埴科	二七九二
上高井	二七六九	下高井	二〇九九
上水内	一八三一	下水内	七七三
長野市	三一五	松本市	一四七一
上田市	八七五		

縣外の分は

北海道	五人	東京	五二人
京都	一	神奈川	二二
新潟	六八八四	埼玉	五
群馬	一〇四一	千葉	二二
茨木	一七	栃木	一〇
三重	一六	愛知	一二
静岡	五〇	山梨	七五五六
岐阜	一七四三	福島	六二
秋田	六	石川	九三
富山	一二九一	宮城	二五
岩手	三		

而して、是等工女の賃金は、最低四五十圓より、最高三百圓位、迄であるが、平均百圓としても八百六十万圓となる、これが全然食料や、宿料を離しての勘定だから、當座の都合の爲に、滔々として、工女軍に投ずるのも無理ならぬ事である

○開墾事業と潰れ地

長野縣下に於ける、開墾事業と潰れ地との對照は、ズット前にも報導した所で有るが、之れは縣民特に土地を取扱ふ農業關係の、官民全部が注意研究すべき大問題で有る、開墾事業の方は多額の經費が、伴ふから、自然一般の注目する處となるが、潰れ地に就而は、殆んど無頓着で有る樣だが、學校や官衙の公共物の建築工場の增設、通交機關の開設等の爲に、美田の失はる反別は、毎年夥しいもので、恐らく開墾事業の追ひ付く所では有るまい、加之一方長野縣の人口は、毎年二万内外增加する事實に鑑みて、土地の忽にすべからざるは明である、只目のあたり、小作料問題などで、土地を厄介視する傾向が有るが甚だしき錯誤で有ると思ふ數年ならずして地主萬歳の時の來るのは明かである

○梓村に電話開通

南安曇郡梓村には、昨年末から、四十口の特設電話が開通した、之れが爲に、三万圓近くの經費が、かゝつたろうだが、豊科、松本は勿論、何處とでも、座ながら話が出來ると思へば、決して高いものでもあるまい

○管内の鐵道事故

木曾の寢覺の床に、機關車と客車二輌が墜落して、即死三名、重輕傷者二十餘名を出したるは、一寸古い事となつたが、舊臘二十五日の朝、村井驛に於ける、學生列車の事故も、ナカ〳〵の慘事で有つた、即死者新村小學校訓導小澤八郎氏(塩尻村出身)の外、重傷者九名、輕傷者三名大部分塩尻村の人で、而も松本女子職業學校や、高等女學校の生徒の多かつたのは、一段の痛恨事で有た、年が改まつたらと思つて居ると、此の十三日には、豊科出身の折井ふじ子といふ、女子師範の生徒がデッキから轉落して、悲慘な轢死をされた震災後、血腥い事に、鈍感になつたる吾々にも、近所で斯う頻々とやられては、ウッカリ汽車にも乘れぬといふものだ

○スケート大會

第四回、日本スケート大會は、諏訪湖が少しも凍結せぬので、頗氣勢を削がれたが、運動に御熱心なる、秩父宮殿下が、御臨場といふ事で、俄に活氣付き、去る十二月十三日、川岸村の特設リンクで開催された、川岸村では始めての事なので、村民擧つて歡迎の意を表し、村長片倉兼太郎氏は、御案内役として、殿下を會

場へ御先導申上げ、九時半より御前に於て、各種の競技を演じて、世界選手權の決定を終り、殿下は上諏訪へ御引上げ相成、旅館へも御立寄あらせられず、直に公園のリンクにて、いとも見事なる各種の滑走を御試み遊ばされ、夕刻僅か二時間ばかり、牡丹屋にて御休息、再びリンクに成らせられ、九時半夜行の發車時刻迄、氷上にて御練習、非常に御滿足の態にて、御歸京遊ばされた

當日競技の結果、一等五代正友氏(帝大)二等小澤武重氏(上諏訪)と決定した

○長野市の製絲場

長野市に、一大製絲を設け度いとの希望は、市民は元より、附近一圓の、久しく抱きつゝ有た處であるが、一度ならず、二度近も、好機會を失して、實現するに至らなかつたが、今度は餘程迄、可能性を持つ計畫が成り立つて、東和田裏に土地買收の交渉が始まつた樣だ、何度も逃がした後だから、今度は是非共、實現させ度いこの考は、地主側にも頗濃厚の樣だから、結局出來るものゝ樣である、一千釜位のものが一つ出來れば繭の販賣上の利益だけでも、莫大なもので、大長野市の資格が、一部備はるといふものである

○長野縣一戸當生産額

大正六年より、同十一年に至る六ヶ年間の、本縣生産額一戸當各郡市別は、左表の通である(單位は圓、日本數字は各郡市の比較順位)

郡市名	大正六年		大正七年		大正八年		大正九年		大正十年		大正十一年
南佐久	七	853	六	1207	八	1665	九	1036	十三	859	九	1129
北佐久	十	671	十	965	十二	1416	十二	903	八	945	八	1202
小縣	五	970	二	1877	四	2471	四	1465	三	1323	三	1701
諏訪	一	3282	一	3935	一	5524	一	3443	一	2987	一	3953
上伊那	四	1004	七	1205	五	2217	五	1389	四	1291	四	1574
下伊那	六	890	五	1219	七	1808	六	1171	六	1014	七	1219
西筑摩	十三	576	十三	786	十三	1201	十四	775	十四	754	十五	737
東筑摩	十二	652	十一	944	十一	1470	十	975	十	899	十一	1074
南安曇	八	821	八	1198	九	1631	八	1058	九	930	十三	1057
北安曇	十一	670	十二	917	十	1540	七	1079	十二	864	十二	1064
更級	十五	400	十四	691	十四	1118	十五	752	十五	658	十四	751
埴科	九	782	九	1159	六	1813	十一	926	七	993	十	1123
上高井	二	1178	三	1445	三	2693	二	2055	二	1618	五	1510
下高井	十四	440	十六	615	十五	1017	十七	618	十七	608	十六	632
上水内	十六	390	十五	617	十六	884	十六	620	十六	630	十七	612
下水内	十七	330	十七	500	十七	781	十八	610	十八	495	十八	562
長野	十八	160	十八	189	十九	265	十九	525	十九	254	十九	333
松本	三	1020	四	1405	二	2739	三	1624	五	1196	二	1764
上田	—		—		十八	729	十三	877	十一	890	六	1336
平均		926		1265		1930		1256		1121		1368

移植民渡航費要覽

大正十二年八月　海外興業株式會社調

區分		渡航費		
ブラジル家族移民	年齢別	船賃	旅券印紙代	計
	十二歳以上一人ニ付	二〇〇.〇〇円	一家族ニ付 五.〇〇 (但シ家族構成上旅券二枚以上ヲ要スル場合ハ一枚毎ニ五圓ヲ増スモノトス)	
	七歳以上十二歳未滿	一〇〇.〇〇円		
	三歳以上七歳未滿	五〇.〇〇円		
	三歳未滿	〇		
	例 夫婦二人家族	四〇〇.〇〇	五.〇〇	四〇五.〇〇
	例 三人家族	六〇〇.〇〇	五.〇〇	六〇五.〇〇

呼寄移民	船賃	旅券印紙代	計
	二〇〇、〇〇	五、〇〇	二〇五、〇〇
	一〇〇、〇〇	五、〇〇	一〇五、〇〇
	五〇、〇〇	五、〇〇	五五、〇〇
	〇	〇	〇

植民	船賃	旅券印紙代	サントス植民地間旅費食料其他ノ雜費	生計準備金	初年度地區代金其他	計
	二〇〇、〇〇	一家族ニ付 五、〇〇 (但シ書右ニ同ジ)	五、〇〇	七七、〇〇	一家族ニ付 一六四、〇〇円	二八二、〇〇
	一〇〇、〇〇		五、〇〇	五七、七五		一六二、七五
	五〇、〇〇		二、五〇	三八、五〇		九一、〇〇
	〇		〇	〇		〇
	四〇〇、〇〇	五、〇〇	一〇、〇〇	一五四、〇〇	一六四、〇〇	七三三、〇〇
	六〇〇、〇〇	五、〇〇	一五、〇〇	二三一、〇〇	一六四、〇〇	一〇一五、〇〇

ペルー移民	船賃 自神戸	船賃 自横濱	旅券印紙代	旅券査證料	登録税
	一一五、五〇円	一一〇、〇〇	五、〇〇	一二、〇〇	一〇、〇〇

ペルー移民（續）	ペルーニ於ケル轉乘費	計 自神戸	計 自横濱
	五、〇〇乃至三六、七〇（就働耕地所在地ニ依リ差異アリ）	一四七、五〇乃至一七九、二〇	一四二、〇〇乃至一七三、七〇

フ井リツピン移民	船賃 區分	船賃 横濱	船賃 神戸	船賃 長崎	旅券印紙代	旅券査證料	入國税	見セ金	計 横濱	計 神戸	計 長崎
	郵船ニ依リサンボアンガ迄	四四、〇〇	四三、〇〇	四〇、〇〇	五、〇〇	一八、五四（査證料ハ爲替相場ノ變動ニ依リ多少差異アルモノトス）	一六、〇〇	六〇、〇〇	一四三、五四	一四二、五四	一三九、五四
	大阪商船及東洋汽船ニ依リマニラ迄	三八、〇〇	三五、〇〇	三二、〇〇					一三七、五四	一三四、五四	一三一、五四

備考

一、本表ハ渡航費用ノ計算及其他ノ條件の概略ヲ記シタルモノトス

二、ブラジル移民ニシテサンパウロ州政府ノ旅費補助アル場合ハ本表計算ヨリ左ノ金額ヲ減ズルモノトス
　一、十二歳以上一人ニ付英貨十五磅（邦貨換算約百三十八圓八十錢）
　二、七歳以上十二歳未滿一人ニ付英貨七磅十志（同約六十九圓四十錢）
　三、三歳以上七歳未滿一人ニ付英貨三磅十五志（同約三十四圓七十錢）
　ニシテ、三八家族ノ渡航費百八十八圓六十錢ナリ

三、各移植民ニ對シテハ鐵道省線ノ汽車（船）賃半額トス

四、本表記載ノ所要渡航費以外ニ支出ヲ要スル左記經費ハ當分ノ內會社ヨリ補給ス
　一、公認取扱手數料（十二歳以上一人卅五圓）
　一、郷里ヨリ乘船港集合ニ要スル汽車賃及、乘船手續施行中乘船港滯在間ノ宿泊料（但シ一日一圓五十錢十歳未滿三歳以上半額）
　一、乘船手續ノ爲施行セラル、檢疫消毒種痘料費輸送船ヘ乘組ノ際解賃及手荷物運搬積込費

五、植民ニ對シテハ十二歳以上ノ大人四人分迄ノ船賃相當額ヲ會社ヨリ貸與スルコトアリ

六、フ井リツピン移民ノ見セ金ハ上陸ノ際携持ヲ要スル金額ニシテマニラ又ハサンボアンガ乘繼ノ場合ハ右見セ金ヲ以テ轉乘費ニ充當スルモノトス

編輯机上より

新年早々こんな事を申上げるのは、氣のきかない話ですが背に腹は代へられぬの譬、御諒察を願ひます、外でも有りません、會費の一件です、海外協會も數へ年は三つになりました、も早獨歩きが出來ねばならぬと思ひます、大方諸彦の僅かな御助勢で歩かれる、程度になつて居ります、支部の役員の方々が此の邊への御盡力は、誠に感謝の至です、それに對してもこれではならぬと思ひます、

何卒一片の御配意を願ひ度いものであります

外國在留の諸君には、此の上猶御願が有ります、諸君の御知り合の、本縣出身者で、海の外の參らぬ方が有りましたら、其の君の御名前と現在住所と、出身郡町村名を御知らせ下さい、それから時折の御通信と、寫眞標本等の御送與に預り度いものです

度々お尋ねしますが、河野保三君、高島義男君、內堀源太郎君の居所は、どうしても分らないでせうか

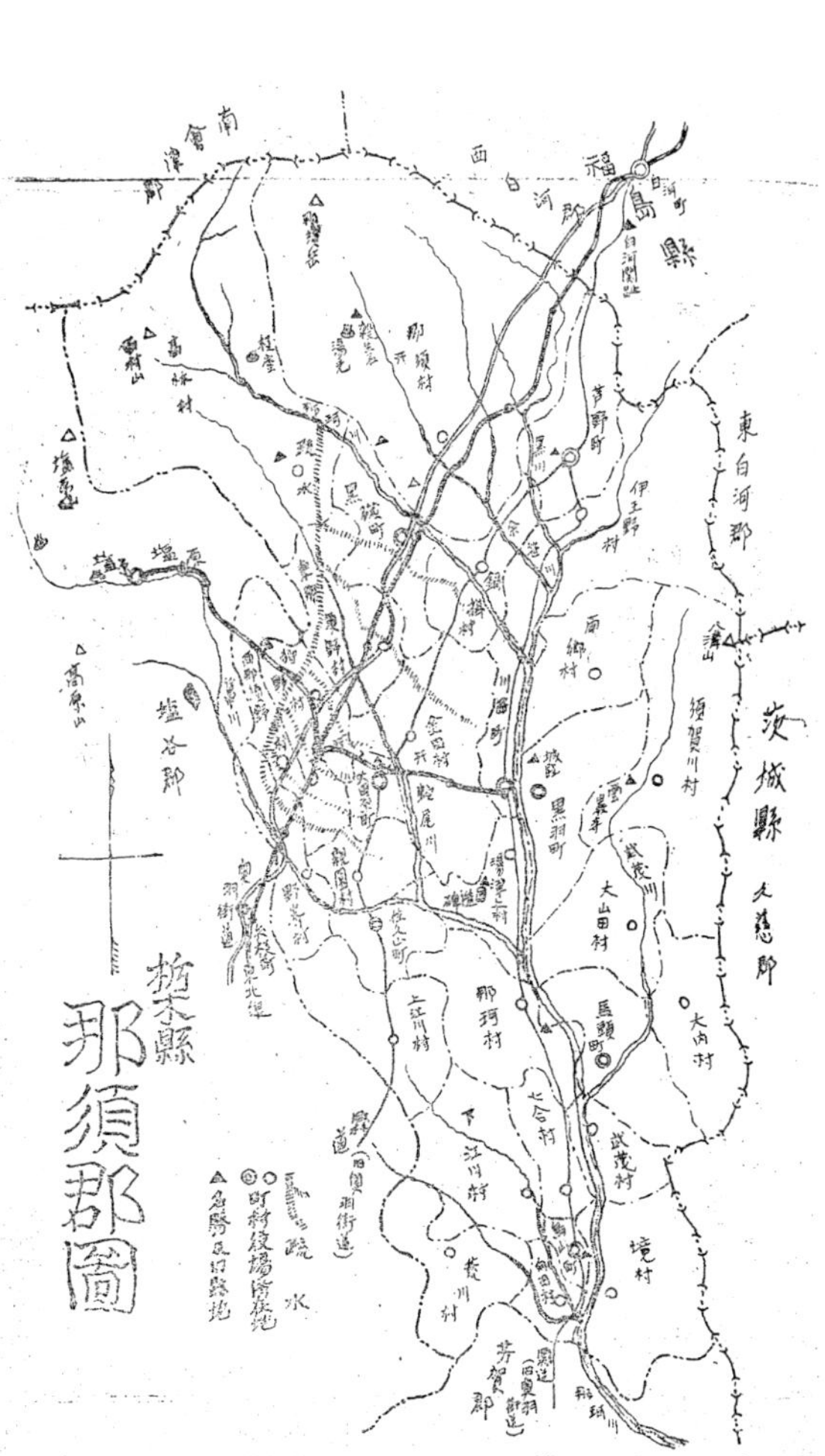

海の外

定價	內地	外國
一部	廿錢	廿仙
半ケ年	一圓十錢	一弗十仙
一ケ年	二圓廿錢	二弗廿仙

海外郵稅四錢

注意
▲御注文は凡て前金に申受く
▲廣告料は御照會次第詳細通知致します
▲御拂込は振替に依らるゝが最も便利さす

大正十二年一月二十九日
編輯人　永田稠
發行兼印刷人　藤森克
長野市南縣町
印刷所　信濃毎日新聞社
長野市長野縣廳內
發行所　海の外社
振替口座長野二一四〇番　信濃海外協會

栃木縣
那須郡圖

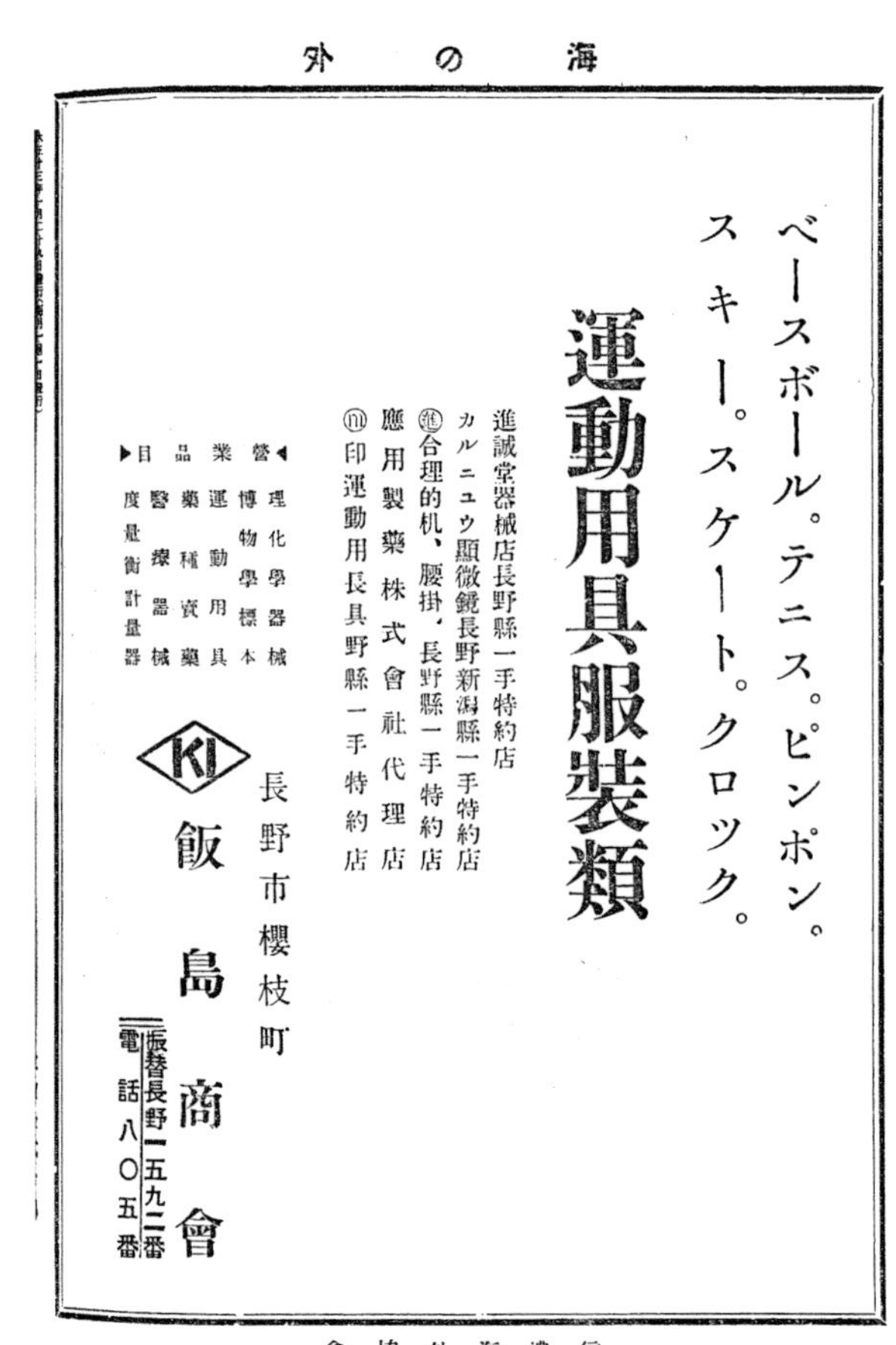
ベースボール。テニス。ピンポン。
スキー。スケート。クロック。
運動用具服装類
進誠堂器械店長野縣一手特約店
カルニユウ顯微鏡長野新潟縣一手特約店
㊟合理的机、腰掛、長野縣一手特約店
應用製薬株式會社代理店
⑪印運動用長具野縣一手特約店
◀營業品目▶
理化學器械
博物學標本
運動用具
薬種賣薬
醫療器械
度量衡計量器
KI
長野市櫻枝町
飯島商會
振替長野一五九二番
電話八〇五番

海の外

第二十二號

目次

縣會議場海外協會に關する長官の說明

海外事情

海外近信

信州記事

信濃海外協會內海の外社

目次

縣會に於ける本間長官の海外協議に關する說明

昨年十二月縣會開期中議員瀧澤音六、林七六の兩氏がせられたる我が、信濃海外協會に關する質問に對して、本間長官の說明は左の如くで有つた現に協會が計畫して居る事業の趣旨目的を、遺憾なく發表せられたもので有るから、其の速記の儘を揭載する事とした

只今お尋がありました、此の信濃海外協會の、事業の事で有りますが、是は恰度幸ひの、機會でありますから、自分から一寸簡單に、申して見度いと思ふのであります、信濃海外協會が、其の成立しました當初に於きましては、只今番外から申上げた樣な譯で、本縣に於ける所の、海外發展の思想を鼓吹する、又海外へ行かうと云ふ人の爲に、便宜を圖ると云ふ樣な、謂はば獎勵と、海外發展の思想普及と、斯うした事柄に依つて、始め出來て居たのであります、併し能く是が事業の性質等から考へまして、若し現實に海外の發展をするといふ人が有た場合は、如何にしたならば、本當に發展せしむる事が出來るか、世界の事情が分らず、殊に海外萬里、非常なる不便を忍んで、發展せんとする爲には、只單に海外は非常に都合が宜い、又行けば利益が有るから、ドシ〳〵海國男子は向に行くが宜しいと云ふだけ位では、實際功果を擧げる事は、困難でありまして、是が成績を擧ぐる爲に、勢確實に事業の成功の有る事を示し、又之に對して出來るだけ、援助を與へて、さうして不安を除き、十充なる成績を實際に擧げしむると云ふ事をせなければ、海外發展は望み得ないものであると云ふ事は、單り自分等の考へ計りではなからふと思ふのであります、斯ういふ趣意よりしまして、世界各地を選定しました結果、大体今日に於て、世界各國の勢力範圍といふものが、未だ十分に行き屆かず、而して國土が非常に廣くして、氣候が宜しい、又生產の上に於きましても、天然の惠みを享けて居る事が、極めて豊富で有る所の、南米のブラジル、此の方面が先づ以て、行くべき土地としては、適當であらふ、斯ういふ考への下に、ブラジルに向つて十万町步の土地を買入れ、さうして此の十万町步の土地に人を送る爲に一人に付き二十五町步の土地を與へて、さうして之れに對して、向に渡航する費用及び、向へ行つて一期の收獲を得る間までの食料を供

ブラジルの森林

給する又之に對して農具を供給する、又出來れば、此の十万町歩の土地に對して、道路も造り又倉庫も造るさうして生産物を、適當の近い所の停車場の方面まで之を送らしむる、さうして生産物の捌分も助ける、而して海外に行く者の、最不安を感ずるのは、子弟の教育と病氣であります、瘴癘萬里の地に臨みまして、病氣に罹り而して醫者が無い、如何に困難なる事情に立入るか、寔に氣の毒な事である、斯ういふ者に對しては、成るべく醫療の方法を與ふるのが、適當であらふと云ふ事からして、醫者を一人附けてやる、其の移民隊の始めに……それから又能く日本人なんかの南米方面を、旅行した實驗談に依りますと云ふと、向から人が來るから會つて見たらば、どうも眞黒な顏をして土人らしい、結局話をして見たら、日本語を向で喋舌り出した、其所で日本人で有た事が、分つたと云ふ樣な事が有りますので、詰り移民で有て、向へ參りましても、交通の關係もありませうが、教育を受ける所の便宜を缺くが爲に、寧海外發展と稱して行つたものが退化を意味すると云ふ樣な、實際の狀況も聞くので有ります、斯くの如き事は、國力發展の爲に、人を奬勵して置いて、却て反對の結果を見る、是は何かと言へば、所謂教育機關が、缺如の爲であるといふ事も、想像されますので、先づ病院と學校の設備、粗末ながら斯ういふものを先づ一緒に、始めから送ると云ふ樣に以て行つたならば、物質的に精神的に、此の上に出來れば、宗教家も一緒にやれば、尚都合が宜しいので有りますが、其所迄行届き兼ねるが、先づ今申上げた位の程度の方法に依りまして、志有る者を向へ送つて見やうと云ふのが、計畫の大体の精神と、骨子なのであります、之を行ふ事の爲には、斯の如き事業は、所謂國家的事業では有りますが、今日の政府に於きましては、未だ是等の事業に對して、何等手を染めて居らない、又日本の先覺者たる所の、富豪とか政治家とか申す樣な人々に至りましても、何等具体的の計畫は進めて居らない、或は營利を目的とする所の、會社等に依つて、人を送られて居るといふだけなので有ります、進んで營利を目的とせず、出來るだけ援助を與ふると云ふ事業は、我が日本には未だ一つも無いのであります、之を先以て乞ふ隗より始めよと云ふ考へで、折角信濃海外協會が、海外發展を鼓吹して、其所迄徹底して行くが宜からふ、それには經費が十五万圓乃至二十万圓あれば、先づ以て小規模ながら、實行が出來ると

云ふので、計畫を進めたのであります、而して是が將來、此の十万町歩がブラジルに於て、信濃村と云ふ樣な意味に於て、永久に是が發達を遂げ、さうして此の以後に於て將來或篤志家若くは、起業家が、ブラジル方面に向て、大なる經營を爲すと云ふ場合は、是等の我が信濃村で育つた人が、土地の慣習も知り、又地方に於ける農業、耕作に關する所の經驗等も具備して、さうして是が、其の村から飛び出して、或は十戸若くは二十戸の指導者となつて、さうして是等の事業を助けたならば、惟ふに事小さいが、結果に於ては、我が帝國の海外發展を助長し、之を完成せしむる所の先驅者となる事も、蓋し難くは無いと云ふ考を持つて居るのであります、此の意味を持ちまして、十五万圓乃至二十万圓の資金を得る、さうして是は、公費を以てすると云ふ樣な事は、事柄の性質から見ましても、縣民一般が直に均霑すると云ふ事では無いので有りまして、從て是は有力なる篤志家、殊に海外と常に關係を有つて居る所の製絲家、是等の人々の國家に奉ずる所の、奉仕的行動とも申しませうか、所謂自分の産を成すと共に、之を以て國家社會に奉ずると云ふ、高遠なる尊ぶべき考に依つて、是等の事業を遂行するに適當なりとへ考たのであります、茲に於てそれ〳〵の人に相談致しまして、約今日では或人は一人で以て、五万圓を支出する事になつて居ります、着々募集の計畫は進んで居りまするが、何分にも關東の災害等の爲に、橫濱で生絲が燒失したと云ふ樣な關係から、先づもう暫く此のお話を、控へて居ると云ふ都合もあります、斯う云ふ事情でありますから、恰度幸ひでありますに依つて、此所で大体申上げた次第で有ります、縣下の富豪たる人は、進んで卒先して、是等の事業に向て、援助せらるゝ事を自分も期待し、又各位に於かれても、何等かの機會に斯う云ふ精神を、十分鼓吹下さるならば又單り吾々許りで無い、縣下の海外發展の上に、多大の効果あるものと、斯う云ふ風に、自分は考へて居るのであります、恰度お尋の機會に、幸ひでありますから、其の趣旨を申して置きます

海外事情

最近の伯國事情

北安美麻村　松村榮治君

大正六年にブラジルへ渡航し、サンパウロ州イグアペ

郡で米作に從事せる傍、同州內各地の產業狀態並に、在留邦人の活動狀況を詳細に視察し、邦人將來の發展策に就き、研究調査しつゝ有る、北安曇郡美麻村出身の、松村榮治君が、久しぶりにて故國の父母親戚を訪ひ、一面本縣渡伯者の殘留家族に對し、先方の事情を詳說して、誤解を解き、慰安の道を講ずべく、先月歸朝された、同君の話に依りて、邦人の南米發展は極めて急務で有り、從て海外協會の使命も重大に、現に計畫せる事業の遂行が、非常に緊切なるを痛感せられた依りて同君に乞ふて、彼の國最近の事情を摘記して貰ひ、一般の注意を乞ふ事にした、

因に同君は五月頃の再渡航迄、縣下を遍歷して、在伯縣人の家族を訪問さるるさうで有る、先月二十六日から、一週間長野市滯在中の如きは、附近の渡伯者の家族が、毎日十數人押し掛けて、熱心に彼の地の事情を聞き何れも十分の安心と、喜悅とを抱いて歸られた

目次

一、所感

私の伯剌西爾へ渡航致しましたのは大正六年の事で海興經營のイグアペ植民地へ參りまして今日まで農業に從事して居りました

私の渡伯しました時分は本縣として移民が同年の三月少々行つたばかりで植民としましては私共が最初で御座ゐました、今でこそ五百家族にもなつて居りますが其の時分では漸く拾五家族しか居らず全く淋しいもので御座ゐました

さうしてブラジルに於ける日本人の數も當時は四千九拾四家族一萬六千四百〇八人で現在では家族數に於て二倍人口は增殖の結果等で四萬を算する樣になり今や至る所に或は地主となり小作人となり又は珈琲園の勞働者となり多少商工業に從事しては居りますが大体が農業に就て着々成功の域に進みつゝ有ります

私は此の七年の間に參回の視察旅行を試み各線に於ける邦人發展の現狀を見まして實に意を强ふするものが有りましたと共にブラジルは實に世界の寶庫で日本人の發展せんとする好適地である事をつくづく感じました、故に此の光輝あるブラジルの事情を皆樣に報告し旁々若し希望者がありましたら安心して行ける樣あらゆる機會を利用しまして了解の行く樣に勉めたいと思います

幸ひなる哉本縣には海外協會が御座ゐまして常に指導者となり後援者となり亦積極的には今回の移住地の建設事業等常に海外發展について先鞭をつけつゝ有る事は皆樣と共に喜ぶ事であると同時に此の企圖をして益々意義あらしむべく內外相呼應し之れが助長に勉めたいもので有ります

今度ブラジルの長野縣人會より御參考にもと思ひまして農作物の見本植物の標本及び道具類附近に居る動物の皮等海外協會へ御屆け致しました尚ほ續いて御送りする事になつて居ります皆樣の御發奮を望みます

以下項を追ふて邦人の現狀に及び度ゐと思ゐます

二、位置面積人口

御承知の通りブラジル國は世界で有名な大國で之れを地理學上の位置に見ますれば北緯五度九分四拾秒に起り南緯參拾參度四拾五分に至り面積は三百三拾三万二千參百七拾平方哩にして地球上の陸地總面積五千五百五拾万方哩の拾五分の一に當り南米大陸六百八拾万方哩の約半分に匹敵し之れを日本と比較しますれば貳拾貳倍余に當り又當國の最大州アマゾナスは日本々土の約五倍之れに次ぎマットグロッソは約三倍半日本人の發展して居るサンパウロ州が稍日本々土位な面積に當ります

人口は千九百貳拾年九月一日の人口調査の結果は三千零六拾四万五千參百九拾六人と云ふ數を示したるも之れが正確の數と見る事は出來ませんそれは國土が餘りに廣大な爲めと交通機關なり行政機關なりが整つて居らん爲め精確綿密を欠き又無智なる田舍者は此の人口調査を以て課稅でも强ひられると思い實際の數より少なく申告するの弊風があり政府は調査の都度あまりに相違があるので常に腦まされつゝ有るのであります

今から一世紀前に於ては其の數約四百万內外であつたのが此の著しい數になつた事は死亡數を超過せる自然增殖の結果たるは勿論たるも此の一世紀間に於ける各國移民の入國數が三百五拾有余万で之等移民の大半

はブラジルに土着し漸次子孫を繁殖せしめて此の一大移植民國の人口増殖に貢献する所あつたのは明かな事實で御座ゐます

之れを一平方哩の平均にすると九人參分に當り日本の一平方哩三百九拾六人二分と比較すれば四拾分の一で一番稠密であるサンパウロ州で四拾二人之れに反して稀薄なマットグロッソの如き半人アマゾナスが六分と云います斯の如く人口極めて稀薄な爲め一度渡航した者は其の歸國する事を忘れ常にブラジルを謳歌しつゝ樂しい生活を送りつゝ有ります

三、氣候及農産物

ブラジルと云へば直ちに暑いと云ふ事を想ひ毒蛇や猛獸が澤山居る樣に考へられた日本人が足一度ブラジルに入れば其の氣候が極めて温和で寒いと云ふて霜の降る事が稀れで暑いと云つて日本の土用の樣に蒸し暑くなく年中あまりに激變がないので暮しいゝ爲めに住民の生活を安易ならしめると共に年中屋外勞働が可能であり防寒に要する諸設備や衣服薪炭等に心配を要せず經濟上からも保健の上からも申分ない所で御座ゐます

凡て極北から極南まで一直線に測つて二千六百五拾九哩もあるので赤道直下のアマゾンの地方は隨分暑いとは誰しも想像する事で御座ゐますが最近各種の視察の報告に依りますれば此の地帶の中心たるマナオスに於ける平均温度は最高華氏九拾九度半最低六拾五度八四で常に西南風が吹いて案外凌ぎ安いと云います、日本人の一番居りますサンパウロ州は同國でも他にない程氣候のよい處で首府のサンパウロの平均温度が華氏六拾四度七六であり邦人發展の中心地たるリベロンプレット市は七拾度五二で暑い十二月一月二月の參ケ月は日に數回の夕立が見舞ふのであまりに暑さを感せず亦之れが爲めに非常に作物の栽培に適し同州が他州と比較して多大の生産力を有する事は此の州人の努力にも依るが氣候の力又あづかつて力ありと云はねばなりません

以上の如く氣候が良好なので總ての農作物の栽培に適し中にも珈琲が多く栽培せられ各國からの移民は大半此の勞働に從事するので其の産額も全世界生産の七割五分に當り世界に向つて供給して居ります、そして其の輸出額が四億圓に達する盛況で珈琲の出來不出來相場の如何は直ちに財界に大なる影響を及ぼすので政府及當路者は細心の注意を拂びつゝ有るので有ります

亦最近綿が各國より認められ其の質に於て纖維に於て北米産を凌駕せんとし米も日本人の入國と共に盛んに行はれ砂糖煙草玉蜀豆マンヂョーカ、カカオ其他野菜物に至りては年中育ち大豆は三度收穫がありサヂは二回茄子胡瓜は多年性となり瓜が八月蒔あて又一月蒔けるので七ケ月間喰べられる、日本で育つものはどんなものも育ち今では草餅なども喰べる事が出來る日本に居ては想像もつかん位だ薩摩芋や里芋も豚の飼料とする程豊富である

四、畜産物及び天産物

氣候の温和は總ての方面から有利で殊に年中草枯れのないブラジルにありては畜産の盛んな事は當然でサンパウロ州内を旅行しても珈琲園たらざる所は必ず牧場で牛馬羊の群が平原の夕日を浴びつゝ椰子の木蔭に居眠りをし或は山鳥四五羽宛に乘じて靜かに深い牧草の中を歩むあたりは全く大陸的である

畜牛類に於ては印度北米に次ぎ質上第二位でアルゼンチンの如き有名な牧畜國でも其の數に於て約四百万頭も少ない

今ブラジルの畜産頭數を示せば

牛　三四、二七一、三二四頭　豚　一七、三二九、二一〇頭
羊　七、二〇四、九二〇頭　山羊　六九一、五五〇頭
馬　六、六六五、二三〇頭　驢馬　三、二二一、九一〇頭

此の頭數も伯國の人口調査と同じく正確でない事は事實で實際は之れ以上と見なければなりません

林産物は全國面積の五割八分が森林で殊にアマゾン川の流域に至りては樹木蓊鬱たる密林であつて斧鉞未だ加へざる地多くサンパウロ州の如き尚且つ參分の二の森林を有し之等取り殘された森林からは建築材料造船材料家具指物用材は勿論纖維植物薬用植物染料植物製油植物蘭護謨椰子天然果樹を持ちて滿たされ又鑛物としても其豊富なる事古來評判高く既に百年以前に於て相當な産量を出し金の今日までの産出價格は一億磅を越へ隨分全盛の時があつた事と思はれます、私の居りました他方にも採掘の後や稅關の家などが殘り面白い傳說も澤山あります

金剛石も其の質に於て南阿弗利加のものより珍重され百年程前に發見された最大なものは英貨八万磅で二拾年前に出たのが五万磅で買はれた、此の産地はミナス州が第一で私の先輩たる輪湖俊午郎氏も曾此の産地へ乘り込んで四五日辨當擔ぎで檢したが遂ひ得る所なく引き上げたが日本人も中々入り込むらしい亦此の

州に住む日本人が天長節に丁度鰐を生取りにしたので早速板の上で切つて行つたお尻の方迄行つた時に何か音がして飽丁の歯が欠けた不思議に思い調べて見たら燦々たる光りを持つた丸い玉が出た、居合せた人の說は金剛石なりと一致し代表者を撰定しサンパウロ市に於ける鑑定人に見て貰つた處間違なきダイヤとの事大喜びで今度鑑定所へ行き器械に依つて見て貰つたら普通の寶石なりとの鑑定で之れには代表者大悄々として引き上げたとの事其の位神經過敏になつて居る

此の外銀白金銅鉛水銀石炭等鑛物多く今や國内の交通機關外國勞資の誘入と相埃ちて顯著なる發展を見る事でありましよう

五、各國移植民

ブラジル國が外國移民を招致したのが千八百二拾七年約百年前の事でそれから千八百八拾八年に奴隷解放令が出ると小鳥が巣立ちをする如く喜々として其處を離れ皆其の志す處に向つた爲め珈琲園は大損害を蒙り其の結果は積極的移民招致策となり非常な特典を與へたが爲め同年末既に八万四千八百余人の入國を見爾來急速度で增加し昨年度に至る過去百年間に三百五拾七万七千參百六拾五人と云ふ多大の移植民を得、サンパウロを中心とし南部方面に分布されたるも其の大半はサンパウロにして伊太利人約八拾万人、西班牙人約參拾万人、葡萄牙人貳拾五万を初め其の流入多きも常に不足を感じ伊太利との移民契約は移民の出發より伯國に至る費用全部ブラジル政府の負擔とし盛んに誘入を圖るも豫定數に達せず、爲めに日本人にも特典を與へ勸誘に勤めて居ります

五万以上の入國者國籍別を示せば

伊太利	百三十七万八千八百三十六人
葡萄牙	百二万千二百七十一人
西班牙	五拾万千三百八拾七人
獨逸	拾二万七千參百二十一人
露西亞	拾万五千二百二十五人
墺國	七万九千三百五人
土耳古	五万四千百二〇人

六、邦人發展の沿革

以上の如く早くから各國移殖民を招致しましたので御座ゐました、が日本移民に至りては今より拾七年前の明治四拾壹年四月二拾一日に皇國殖民會社の取扱ひに係る七百九拾二人を以て嚆矢とし爾後斷續的に渡來

したものが約三万人であつて、其の内海外興業會社の植民地へ行きましたもの約二千五百人を除くの外は大半契約移民として渡航したもので、入耕の時季に依り一年半乃至二年は必ず耕地勞働をせねばならず、當時にありては滿足な通譯人もなく耕地の規定は總て專制的であり耕主の言葉は法律と同じく何等の異議を申し立つるを得ず常に耕主と移民との間に葛藤の斷へなき有樣にして隨分非難の聲高く又日本人間にありても罪を會社通譯及耕地の監督にありとし之等との衝突も演じ當時會社の人たりし上塚周平氏は數回刺されんとし或る時は代表者との會見に短銃を向けられ卓子を包んで悽慘たる空氣の中にありて淚を流して彼等の誤解を解き常に伯國に於ける日本人將來に言及し先輩としその責任を說かれ之等の刺客は今や上塚氏の股肱となりて上塚植民地經營の任に當つて居る星移り月變り昔しの同盟罷業の親分は今や各地に於て成金とあり間斷なく入國する邦人の爲め指導者となり通譯となりよく世話して居ります、又會社に於ても營利を離れ事情にも通じ今は何等の爭鬪もなく從て日本人の評判もよく人口今や四万に近からんとし各自經濟上の如何により耕地勞働を續ける人と小作人なり契約仕事なり亦は地主となりて一時大戰中流行した都會の勞働者も眞面目な農業者に及ぶべくもなく相當の技術者を除くの外は再び田舍に歸り田園生活を樂みつつ有ります

七、日本人發展の現狀

今農工商其他に從事せる數を示せば

一	珈琲園勞働者	二千四百二十家族
二	新珈琲受負者	七百二十家族
三	半獨立農業者	二千百六十家族
四	獨立農業者	二千七百七十家族
五	商業經營者	三十九家族
六	工業經營者	六十六家族
七	其他の勞働者	二千余人

日本人所有面積は

一	所有土地面積	八万一千百町步
二	小作地面積	二万一千八百町步

邦人の所有面積を長野縣の面積に比較すれば稍相當し各自の希望で珈琲や綿を作り又は米作をし年々多大の土地を購入しつゝ有ります

今珈琲園勞働者借地農獨立農の收支計算を示せば

（匁はミルレース）

獨立農　收入　支出

收入		支出	
三、二〇〇匁	籾	七五匁	種子代
三七〇匁	家畜	九六〇匁	食料
一八五匁	其他	三三六匁	被服費
計三、七五五匁		一一二匁	公費社交
		二五八匁	勞銀支拂
		二七六匁	財産投資
		九八匁	雜費
殘一、六五〇匁		計二、一〇五匁	

殘一、八一二匁レース

一三二匁	醫料費其他
六四〇匁	袋代
合計三、二八六匁	

珈琲園勞働者

收入		支出	
五二〇匁	珈琲手入賃	三八〇匁	食料
二七五匁	採收賃	二六二匁	被服費
一、二一八匁	間作物取上	一二七匁	區料費
二三二匁	家畜類其他	二六七匁	農具雜費
二六七匁	日雇手間賃		
合計二、五一四匁		合計一、〇三六匁	

殘一、四七八ミルレース

借地米作者

收入		支出	
四、八六〇匁	籾	八六七	食料
二三八匁	家畜其他	四七八匁	被服費
		六二九匁	雇人給料
合計五、〇九八匁		五四〇匁	小作料

右の表は私の視察により各地より集めた調査の中位を取りしものにして綿馬鈴薯などの小作は相當な純益を擧げつゝ有るも極めて少數なれば掲載致しません

獨立農は借地の人より純益が少ない代り總ての設備諸建築など固定資本に掛けて參りますので最初の三四年の間は全く之れが爲めに苦勞せねばなりません

私は歸郷早々長野市へ參りまして上水內郡を中心とし各地の人にお逢ひし殊にブラジルに居らるゝ諸君の父兄に全部逢ひましたが第一聞かさるゝ事はブラジルは駄目な國だ金が殘らない家の子供は四五年にもなるが送金もせんあんな處なら近所に居た方が余程よかつたと大分不平を並べらる、然し無理のない事で行く人も遣る人も外國は樂で早く金の儲かる所と思つたけれども伯國殊にイグアペに行く人は相當會社から負債をして行つた、其の上土地を買つて這入る爲めに之れに附隨する總ての設備を要する、四五年は折角得た金は土地に注入れてしまふ、若し五年にして會社の負債を濟ませ土地代を拂ひ家屋の建築數町歩の開拓牧場經營牛馬豚鶏の飼育果樹の植付等濟ませたとすれば金

ほなくとも其の人の財産は五千圓內外と評價する事が出來る、イグアペ植民地へ行きし一番早い人で七回他は四五回の收穫しかせん、然るを送金がないからブラジルが惡いと云ふ風に推察さるゝ事は甚だ迷惑千萬であり亦今後の海外發展に影響を及ぼすが故に父兄は勿論一般の人も冷靜に批判して頂き度いと思います、前項獨立農の收支計算表は七ヶ年目の私のもので御座ゐます

此れ以外に珈琲の栽培を早くから初められた諸君は大分收入が多い樣であり殊に温帶にして年中育つ所にありては多年性の植物を選定して計畫を立てる事は大切な事で今や日本人の大部分が珈琲植付けに熱中して來た事は結構な事と思はれます

以下邦人の植付物及農作物の生産について申し述べ度いと思います

先づ珈琲に於きましては植付本數がノロエステ線の三百萬本アララクワラ線の七拾七萬本ソロカバナ線四拾五萬本イグアペ地方の二拾萬本其他參拾萬本で合計四百七拾二萬本にして、サンパウロに於ける總樹數約九億萬本に對しては倒底比較にならず、米作に於ては大正十年の如きに至りてはサンパウロ州の生産袋數が五百萬に對し邦人生産が約八拾五萬俵を算し六分の一に當り伯國人を驚かしめ引き續きより以上の産額を見つゝあるので邦人米作地の大關と呼ばるゝミナス州リオグランデの沿岸では十年度に五百家族にて拾五萬俵を生産し其處の町は日本人の爲めに發展した程で種々な經濟關係から邦人を歡迎する事は面白い現象で今後排日などは起りはせんとは思ふが邦人が今から注意して伯國人と經濟關係を密接ならしめる事は大いに意義ある事である樣感ぜられました

棉作は最も盛んであつたのが大正九年でサンパウロ總産量が一千百萬アローバ(四貫目)を超へたるも翌年は大虫害のため四百六十萬アローバに減じ一昨年より昨年にかけて栽培者の増加と豊年の爲め一千三百萬アローバの大生産量を示し、從て日本人としても、大正九年には漸く二十五萬アローバに過ぎざりしも十年度には七十萬アローバ昨年は百拾五萬アローバとなり、値段も十年度には一アローバ拾參ミルレースが一昨年より回復し今では貳拾ミルレースを超へる有樣にて、殊に栽培が平易なので三人家族で六百アローバは取れるので隨分本年は棉成金が出來る事と想像されます

最後に馬鈴薯について申し上げます

邦人が馬鈴薯耕作を初めたのは最近の事で、一時都會集中が流行し猫も杓子も先を爭ふて流れ込むだ、處がりー立派な技術があるでなし一方歐州戰亂に出逢ひ急に財界が不況にあると共に之に從て事業縮少で折角の目的が達せられず、今更田舍入りも出來ず迷つた揚句二三の先覺者に依つて馬鈴薯栽培が試驗的にサンパウロ市郊外に開始されたのが非常な成績を擧げたので之れが動機となつて、大正九年にはすでに拾萬五千俵を算し十年度に拾四萬俵十二年に入りて増々増加し拾八萬俵栽培家族も六百となり、大戰前多大の輸入を見たものが昨年あたりから相當輸出さるゝ樣になりました北米に於て牛島氏が馬鈴薯王の名を仰ぐ時ブラジルに於ける邦人亦名聲を得る愉快な事と云はなければなりません

八、移殖民の生活狀態

移民として參りました人は耕主が四間に參間位の家を建てゝあてがわるゝので家については少しも心配を要しませんが、殖民として行かれる人は眞先きに此の心配をせなければなりません、最初私共はトタン拾六枚所謂九尺二間の中に蒔付けの終る迄居り其時一寸氣の利いた家を建て其の內永住の決心がつくと同時に各自の好む樣な大体和洋折衷式のものを建てます、材料は自分の土地にあるので只購入を要するのが屋根瓦釘大工の手間位で五六の二階建てで五百圓も費せば充分で段々庭なども作り椰子や竹林や氣麗な薔薇を植えたり或は日覆ひに葡萄棚を作つたりしてのんびりとした氣分を味はせます

衣服は氣候が年中温暖なので日本の四月より拾月頃までの氣候を押し擴げた樣なので綿の入つたものなどは全然不用にて只寢卷に少々使用する外大体は布團などに作り替へます勞働用としては木棉のシャツとヅボンが四五着あれば充分で他所行きに折襟でゝも一寸したのを作ればよく婦人は洋裝で居ります

寢具なども薄い布團一枚と毛布二枚もあれば一人では充分なるも來客に備へる爲め少しの用意を必要とします、蚊も年中居ない町が多いようで御座ゐますが、所に依ると十二月から二月の終り迄釣る所も御座ゐます

外國へ行つて一番不自由を感ずる點は食料ですがブラジルへ行く人は此の心配は要りません、第一米は澤山取れる醬油味噌も出來野菜は常に欠かす事なく副業として豚鶏を飼養するので肉の斷へなく其の他日本に有る物はなんでもある、日本では今ではどんな田舍の

町でもバナヽが來て大變珍らしがられて居るが伯國では豚や鶏の飼料にやる程豊富でパイナップル密柑も喰べきれん位出來る、日本に歸つて種々食物の點から不自由だろうとの質問を受けるが反つて日本に居つて種々御不自由でしようと言ひ度くなる、此頃四五人見へられてブラジルが日本より百姓としてはどの方面から見ても有利であると云ふ點から數へたてゝ話したら其等の人から海興に依頼されて歡誘に來たように誤まられ隨分貴方口が上手だ歡誘は儲かるでしようと云はれて全く面喰つて仕舞つた、之れが普通の人なら罪もないが伯國へ子供を送つてある父兄にして此の言だ、一般の人から理解されて居らんのは無利もないと思い海外發展の爲め私は淚なきを得ませんでした

食料が移植民に取りて大事であると共に水と薪も忘るべからざるもので移民地にありては水利を基礎として家屋を建築してありますので心配を要せざるも植民地にありては土地撰定上注意すべき事でイグアペ地方でありては地區內に小川の一つ位は屹度あり之が利用出來なければ井戸を掘鑿すれば一丈程で立派な水が出ます、ブラジルは水がよい爲めに水當りとか水に依る病氣など少しもありません

薪は自己の地區內に無盡に有る故採伐して用ふべく毫も購入の必要が有りません

九、伯國の文化と日本人

伯國の文化の程度が日本と大差ないと云ふ人もありますが、其れは都會のみの事で足一度僻鄙な田舍へ入らば原始其儘の生活然態で勿論學校などのあり得べき筈が御座ゐません

私は片田舍を旅行した時道連れになつた外人と日本人の話しをしサンパウロ州に四萬人も居るゝして伯人と共同で種々な事業を起して居ると云ふたら初耳らしい風で驚いた之が再三であつた、歸りに早速日伯新聞の三浦主筆に面會し此の事を話したら其の筈伯國言論界の權威であると云ふサンパウロ新聞が漸く四萬の讀者のみと其の他新聞なり雜誌なりも讀者は主として海岸地帶の開けた處で奥地に入てりは讀める人がない位で、今から四年前の學事統計に依る

義務教育年限にある兒童數	五十三萬七千九百七十五人
就學兒童數	十八萬八千四百五十五人
不就學兒童數	三十五萬九千五百二十人

あらゆる機關が完備して居ると云ふサンパウロ市で右の有樣なれば他は推して知るべしで病院學校なども田

舍に有りては常に不自由を感じて居ります

然らば日本人はどうとか申しますと新聞では週刊が三つあり讀者合せて五千程で農業雜誌月刊が一つ地方に謄寫器械に依る小雜誌が三四ある位で日本から取り寄せて居る數は大分多い樣に見へますが四萬の人口から見れば極めて小量なものと思ひます、イグアペに居る人は總ての點から不自由を感せず五百家族の村に圖書館三ッ靑年會館二ッ學校三ッ產業組合一ッ病院一ッあり日本醫師一名助手二名居り邦人の集團地としては此の上ない所ですが珈琲耕地へ參りますと學校を建てるには家族數がなし金は出來ても敎師がなし醫師としても日本醫師どころか白人醫師でさへも不足で一寸賴めば五拾圓も取られる樣な事で隨分腦まされて居ります

今度私と同じ船で大分歸國者御座ゐました、中には數万圓の特參者もありましたが子供の敎育には更に無頓着とでも申しますか十三歲になる子供が尋常科の卷の四を漸く讀む位いで、實に氣の毒な至りで伯國に於ける邦人の二代目がこんな事かと思ふと感慨無量で御座ゐます、金は勿論貯へべきものではあるが金以外尊ひものゝ有る事は忘れてはならんと思います、此の點につき在伯同胞は日本政府に向つて後援を乞ひつゝ有ります近き將來に解決がつく事と期待されて居ります亦醫師についても本年あたりから留學生を派遣し先方の學校を出で各國の如く都會に慈善病院を設立する運びをつけんと其の準備中なりと聞きます

今迄に渡航した者は言葉の不通や事情に暗かつた事や何等の設備がない爲めに人知れぬ困難と戰ひましたが今行く人は何の顧慮する事も要しません、到る處に日本人が居ります長野縣人も二千人に近からんとして居ます、政府の後援に依る低利資金の貸出敎育費補助等漸次積極的に出でつゝ有ります

移植民たるやう急激に金の儲かるものでない北米に於ける日本人か今の樣な成積をかち得る迄には參拾年の古い歷史を持つて居る、ましてブラジルに於ける邦人が拾年內外で充分な成積を擧げんとし亦一般が期待した事は淺薄である北米が現今の如き排日の憂き目に遭遇した事は出稼氣分が濃厚な爲めに百年の計畫を忘れた事も大なる理由とする事が出來る、伯國の同胞は北米に於ける苦き經驗に鑑み土地所有權と歸化權を得る事經濟關係を密接ならしむる等細心の注意と努力を拂ひつゝ有ります

一千有余人の愛する兄弟姉妹を送りました縣下の皆樣今迄の樣な誤り多いブラジル觀を去つて頂き度いもので御座ゐます、必ず皆樣の期待に添ふ時が近い將來にあると思ゐます

何卒遠い異鄕に奮闘しつゝある同胞の爲めに其の健康と成功とを祈って下さい

十、結　論

以上極めて簡單では御座ゐますが大体に於ける、日本人發展の現狀がお判りになつた事と思はれます

今度の京濱の大震災に當りましても、九月三日入電と共に邦人間に義捐金募集團が設立せられ、僅々三ヶ月の間參百コントス以上の集金が出來、二枚續きの毛布貳万枚現今の相場に見積れば約五拾万圓に當り之れを邦人四万に平均すれば一人拾貳圓五拾錢で、之れを長野縣震災地義捐金一人當り四拾錢と比較すれば其處に大なる相違を發見すると共に伯國邦人の伸展の有樣と日本農村の窮狀とを露骨に證明して居ると思います

今度の義擧により一般の誤られたる伯國觀を除き且又日本政府の對伯政策上にも余程の變化を見る事になると想像が出來ます

私が歸鄕勿々深い印象を殘した事は、電車が通る自動車が飛ぶ電燈が點せられたりんな物質文明ではない農村の著しい變り方で山は段々禿山とある、學校建設の爲めでもあるが村稅が七年前の五倍と云ふ、村に居ては財產の維持が出來ず他村へ轉住したり、田畑なども余程荒蕪して行くと云ふ、其の他總ての方面に負擔が多くなった課稅課目が余程增加し農村は之等負擔過重に苦しみ今や意氣消沈の有樣である、りして益々貧富の差が甚だしくなつて來る、八年前の貧乏人は貧乏なりがよかつた今は目も當てられん窮狀で、青年は都會へ集中する婦人は女工が經濟上有利なりとし大分其の方面に走る有樣勿論四五年は有利ならんも、果して之等青年婦女が再び農村に歸つて鋤を握るか、若し歸らずんば農村は誰れが經營する、最近農村の勞働能率が減退したと聞く無理からん事である、農村は今や窮狀のドン底にある、大いに識者の考慮を要すべき時である

此際海外發展は益々意義ある事であり、海外協會の事業亦時宜を得たものと云はねばならん

私は伯國に居るが爲めに伯國を宣傳するは勿論なるも、自分の見解とし又農村の移住地としてあんな好適地は他にないと思ふ、朝鮮滿州は近くであり政府實業

家の後援ありて猶遲々として振はず、日本人勞働の性質及び種類に於て適して居る北米カナダ濠州南亞は邦人を排斥し至る處入國を禁せられて居る有樣、幸ひメキシコ以南のラテンアメリカ諸國は今日なほ日本人を歡迎し殊に伯國に於ては無儘藏なる國富開發の爲めに廣く外國人を招致し殊に日本移植民には多大の補助を與へて歡迎して居るのである

前に述べた如く伯國は土地廣大にして肥沃、氣候溫和にして人口稀薄過去百年間に參百五十七万七千余人の入國者を得たるもなほ一平方哩九人三分で如何に之等人口にして働いた處が、開拓出來る譯でなく、今後尚ほ數倍の人を要し勞働不足の結果はよく外國移民を優遇し、日本人も極めて善良なる開拓者として認められて居る

私の歸國した後で移民法案即ち日本移民制限案が或る議員に依つて議會に提出された、處上下兩院より盛んな反對を受けて忽ち影をひそめて終つた、其の際日本人最負の一代議士が獅子吼して曰く北米なる國は外國に向つては隨分大風呂敷を擴げて正義人道を呼ぶが自國內の政策は隨分了解に苦しむ點多く、殊に日本人排斥の根據甚だ不徹底で米國の爲めに惜しむべきで伯國に於ても一つの米國主義にかぶれて日本人制限問題など擔ぎ上げる事は考慮すべき事で憲法の精神に違ふもので、殊に耕主は日本人は耕地に於ける善良なる勞働者なりと賞讚し居り、亦今回の母國大震災に當り僅かの日數の間に數百コントスの義捐金を作った事は實に立派な國民性で大いに學ぶべきで、なほ其の金を其の儘送金せず伯國で生產した毛布に代へて送つた事は全く產業上に貢献した事であつて各方面から見て根據なき理由薄弱な制限論を撤廢すべしと云ふ趣意を述べられた、之れは一例に止まるも、總ての階級から認められ、爲めに日本人は細心の注意を拂ひ、伯國の喜怒哀樂は亦日本人の喜怒哀樂なりとし互に相提携し合つて居る

尚ほ一步進むで此の新興國の新精神たる憲法中に於て

憲法は國內に住居するブラジル人及び外國人に對し自由及び個人の安全及び財產に關する權利の不可侵を保證すと規定し

法律の前には何人も平等なり

法律は私權の取得及び行使に關して內國人と外國人とを區別する事なしと明言し猶又ブラジル國法は人種及び國籍を問はず一般外國人の歸化を認める事になつて今日本人は大分歸化しつゝ有るので有る

御承知の通り我が國の一ヶ年增殖人口が六拾万であり然かも國土狹少人口稠密の結果は早く既に此の過剩人口のはけ口を求めねばならなくなつて來た近來頻りに喧傳せらるゝ農村問題、小作爭議、さては就職難、勞働運動、差別徹廢の何の彼のと、目まぐるしい社會相は、其の根源が此所に有りはせぬかと思はれる、ブラジルには是等の一つもが、藥にし度くも見當らぬ、りうかといふて、しかく原始的生活をして居る譯では決して無い、一ヶ月半か二ヶ月遲れて、日本で發行する所の新聞雜誌は讀んで居る、政事問題、思想問題も研究して居る、青年會員は庭球野球の競技や、マラソン競走で優勝旗の取り遣りをして居る、婦人會では、衞生や技藝の講習もやる、西洋料理は何でも出來ないものはない、社交もダンスもお手のものだ、嘘だと思はゞ行つて御覽なされ、所謂文化生活とか號するものは、吾が輩在伯者の方が、寧數段進んで居る、而も內地の如く徒に外形的ならずして、眞に精神的にだ

終りに切言したきは、ブラジルに邦人發展の基礎を造るには、今が絕對の時期で有ると云ふ事だ、既述の如く幾多の好條件を具備せる上に、爲替相場が極端に邦貨に有利になつて居る、此の時此の際、僅少の邦貨を持つて行けば、土地でも物資でも、ビックリする程購ひ得られる

內地の資本家も爲政者も、蝸牛角上の爭ひを止めて、大和民族永遠の大策を南米の天地に樹立すべきでは無からふか

オレゴン州外國人土地法

（第三十二　オレゴン州議會下院議案　第三四號
千九百廿三年一月十日　ペーレー及ヒユーストン　提出
千九百廿三年二月十六日制定　同年五月廿四日ヨリ實施）

本州ニ於ケル不動產ニ對シ外國人及特種ノ會社組合及法人ノ權利權力及無資格ニ關スル法律ヲ制定スルモノニシテ或場合ニ於ケル土地ノ沒收及其手續ヲ規定シ本法ノ勵行ヲシテ便宜ナラシムル爲メ特種不動產保有ノ報告ヲ要求シ本法條項ノ違反ニ對シ罰則ヲ規定ス

本法ハオレゴン州人民之ヲ制定ス

第一條　合衆國々法ニ據リ合衆國市民タルコトヲ得ル總テノ外國人ハ合衆國市民ト同一方法及同一範圍ニ於テ本州內ニ於ケル不動產又ハ不動產上ノ權利ヲ取

得、保有、使用、讓渡及相續スルコトヲ得

第二條　第一條ニ掲ゲタル者以外ノ外國人ハ合衆國政府ト當該外國人ノ本國トノ間ニ存在スル現行條約ニ規定セラレタル方法、範圍目的ニ於テノミ本州內ニ於ケル不動產又ハ不動產上ノ權利ヲ取得、保有、使用及讓渡スルコトヲ得

第三條　本州他州又ハ外國ノ法律ニヨリ組織セラレタル會社組合又ハ法人ニシテ其會社員又ハ組合員ノ過半數カ(第一條)ニ特定セル以外ノ外國人ナルカ又ハ其發行株式ノ過半數ガ是等外國人ノ所有ニ係ル場合ハ該會社組合又ハ法人ハ合衆國政府ト當該社員組合員又ハ株主ノ本國トノ間ニ存在スル現行條約ニ規定セラレタル方法範圍、目的ニ於テノミ本州內ニ於ケル不動產又ハ不動產上ノ權利ヲ取得、保有、使用及讓渡スルコトヲ得

合衆國政府ト(第一條)ニ特定セル以外ノ外國人ノ本國トノ間ニ存在スル現行條約ニ規定セラレタル方法範圍、目的ニ於テノミ將來當該外國人ハ農業地ヲ取得、保有、使用又ハ讓渡スルノ權能ヲ有シ又ハ有シ得ル會社組合又ハ法人ノ社員又ハ組合員トナリ又ハ之ガ株式ヲ取得スルコトヲ得

第四條　第二條ニ掲ゲタル外國人及(第三條)ニ掲ゲタル會社組合又ハ法人ハ將來之ヲ未成年者ノ財產中本法ノ規定ガ該外國人會社組合又ハ法人ニ對シ取得、保有、使用又ハ讓渡ヲ禁止セル部分ヲ管理スル後見人ニ任命スルコトヲ得ズ適當ナル個人若クハ法人ハ之ヲ本條ノ規定ニ據リ後見人ニ任命セラル資格ヲ有セザル者ヲ兩親トスル未成年市民ノ財產ノ後見人ニ任命スルコトヲ得

郡裁判所又ハ巡廻裁判所ハ左記ノ事實ヲ認メタル時其ノ必要ト認ムル通告ヲ與ヘテ前記財產ノ後見人ヲ解任スルコトヲ得

イ、後見人ガ第五條ニ規定スル屆出ヲナサヾリシコト

ロ、後見人ガ被後見人ノ利益ヲ主眼トシテ管理セザルカ又ハセザリシコト

ハ、後見人ガ最初ヨリ後見人ニ任命セラルベキ資格ヲ有セザリシコト

ニ、其他解任スベキ法律上ノ理由アルコト

第五條　イ本條ニ於テ「受託人」ト稱スルハ(第二條)ニ掲ゲタル外國人又ハ斯カル外國人ノ未成年ノ子ノ所有ニ係リ且本法ノ規定ニ依リ斯カル外國人ガ取得、

保有、使用又ハ讓渡ヲ禁セラルベキ性質ノ財產又ハ財產上ノ權利ヲ後見人、受託人、事實上ノ代辨人若クハ代理人又ハ其他ノ資格ニ於テ所有、保管又ハ支配スル個人會社組合又ハ法人ヲ謂フ

(ロ)受託人ハ每年十二月三十一日迄ニ本州々務長官及財產所在地ノ郡書記ニ左記事項ヲ記載シテ公證アル屆書ヲ提出スベシ

一、受託人ガ前記外國人又ハ未成年者ノ爲メニ保有スル動產又ハ不動產

二、前記財產ノ各項目ガ受託人ノ保有又ハ支配ニ移レル年月日ヲ示ス事

三、前記財產ノ管理及支配ニ關スル一切ノ經費、投資、地代、收穫及益金ノ箇條書特ニ所有株劵借地契約、收穫契約其他土地ニ關スル契約及作物ノ貯藏又ハ販賣ニ關スルモノ

(ハ)本條ノ規定ニ違反スル個人會社組合又ハ法人ハ之ヲ輕罪犯トシ千弗以下ノ罰金又ハ郡監獄ニ於ケル一ケ年以下ノ禁錮ニ處シ又ハ前記罰金刑及体刑ヲ併科ス

(ニ)本條ノ規定ハ累加規定ニシテ裁判所管轄又ハ其ノ手續ニ關スル規則ヲ變更スルコトナシ

第六條　管轄裁判所ニ於テ遺產處分又ハ遺言執行ノ手續中當該相續人又ハ受遺者中ニ本法ノ規定ニ依リ本州內ノ不動產ヲ取得スルヲ得ザル者或ハ會社組合又ハ法人ノ社員權組合員權又ハ株式ヲ取得スルヲ得ザル者アル時ハ裁判所ハ該財產ヲ相續人又ハ受遺者間ニ分配セシメズシテ遺產處分ニ關スル法規ノ定ムル方法ニテ之ガ賣却代金ハ之ヲ當該相續人又ハ受遺者間ニ分配スベキモノトス

第七條　將來直接又ハ間接ニ不動產ヲ本法(第二條)ニ掲ゲタル外國人又ハ本法(第三條)ニ掲ゲタル會社組合ハ人或ハ其他ノ團体ニ讓渡、賣却、賣買契約及賣買行爲ヲ設定シ又ハ讓渡、賣却、賣買契約及賣買行爲ヲ設定セラルベク惹起シ受諾シ又ハ認許スル個人會社組合法人或ハ其他ノ團体ハ本法違反者タルベシ

本法ノ規定ニ違反シ取得シタル不動產ハ沒收セラレ州ニ歸屬スベシ、斯ノ場合ニ於テハ當該不動產又ハ其ノ一部ノ所在地方區域ノ郡檢事ハ右不動產沒收ノ裁決及之ガ執行ヲナス爲メ其郡ノ巡回裁判所ニ於テ訴訟手續ヲ執ル義務アルモノトス、斯カル手續ハ當該地方檢事ガ當該裁判所ニ告發スルヿニヨリ開始セラルベシ、此ノ場合オレゴン州ハ原告ニシテ全テノ

他ノ訴訟當事者ハ被告タルベシ、論告書ハ不動產其所有者ノ姓名及不動產ニ權利ヲ有スル者又ハ權利アリト要求スル者ノ姓名並ニ沒收ヲ立證スベキ事實又ハ狀態ヲ記載スベシ、而シテ不法行爲ニヨリテ取得シタル當該土地ノ沒收ヲ目的トスベキモノトス。召喚狀ハ召喚規定ノ形式ニ從ヒテ之ヲ被告ト見做サレタル全テノ者ニ發給シ又行使スベキ者トス訴訟ガ提起サレ召喚狀ノ發給アリタル後ハ何時ニテモ地方檢事ノ請求ニヨリ裁判所ハ被告ノ答辯ノ以前タルト以後タルトヲ問ハズ裁判所ノ規定ニ從ヒテ被告ニ通告狀ヲ發シタル上若シ裁判所ニ適當ナル理由提供セラレタル場合ハ此ノ訴訟繫爭中該不動產ヲ管理シ其收入及利益ヲ受取ルベキ管理人ヲ指定スルヿヲ得ベシ被告ハ裁判所ニ出頭起訴ニ對シ答辯シ又ハ其他ノ申請ヲナスコトヲ得、論告書ニ記名サレザルモ當該不動產ニ權利アリト要求スル者ハ開廷前何時ニテモ裁判所ハ出頭其要求ニ對シテ申請シ被告タルコトヲ得べシ、事實上ノ爭議ハ其如何ナルモノタルヲ問ハズ總テノ事實上ノ爭議ニ關スル法規ニ從テ審査セラルべシ、若シ原告或ハ被告ヨリ請求アル場合ハ陪審ノ補助ヲ受クルコトヲ得、若シ裁判ノ判決ガ州ニ有利ナル場合ハ其ノ土地ハ沒收セラレ州ハ其ノ財產所有權ヲ取得シ被告ヲシテ訴訟費及其他ノ負擔ヲ倍償セシムベシ、將來外國人會社組合又ハ法人ニシテ本法施行ノ際既ニ設定シアリタル不動產上ノ擔保權行使ノ結果當該不動產又ハ不動產上ノ權利ヲ取得シタル場合ハ右財產ガ當該所有者ニ屬スル限リ(第二條)(第三條)及本條ハ之ヲ適用セズ(第二條)又ハ(第三條)ニ掲ゲタル外國人會社組合又ハ法人ガ將來其債權ヲ確保スル爲メ善意ニ設定シタル擔保權ヲ行使セル結果農業地ヲ取得スルニ至リタルトキハ二年以上之ヲ保有スルヲ得ズ

第八條　將來直接又ハ間接ニ借地權又ハ所有權以外ノ不動產上ノ他ノ權利ヲ本法(第二條)ニ掲ゲタル外國人又ハ本法(第三條)ニ掲ゲタル會社組合法人或ハ其他ノ團体ニ讓渡、賣却、賣買契約及賣買行爲ヲ設定シ又ハ讓渡、賣却、賣買契約及賣買行爲ヲ設定セラルベシ

將來本法ニ違反シテ取得シタル借地權或ハ所有權以外ノ他ノ權利ニ關係アル不動產ハ以下規定ニ從ヒ賣却セラルベシ、本法(第二條)ニ掲グタル外國人又ハ(第三條)ニ掲ゲタル會社組合又ハ法人ガ本法ノ規定

ニ違反シ取得シタル借地或ハ所有權以外ノ不動產上ノ權利ハオレゴン州ニ沒收セラルベシ、當該司法區域ノ地方檢事ハ本法(第七條)ノ規定ニ從ヒ前記沒收ノ判決及之ガ執行ニ必要ナル裁判上ノ手續ヲ執ルベシ、該訴訟ニ於テ借地權或ハ其他ノ權利ノ價格ノ事實ノ爭議トシテ審査ノ上之ヲ評定シ若シ判決ガ州ニ有利ナル場合ハ右借地權或ハ其他ノ權利ハ州ニ沒收スベキモノトス而シテ評定價格ニ對スル判決ハ其評定價格裁判費用及其他ノ負擔ト共ニ州ニ歸屬セシムベキモノトス、然ル後裁判所ハ斯ル借地權或ハ其他ノ權利ヲ有スル不動產ノ賣却ヲ其不動產所在地ノ郡長ヲシテ不動產ノ公賣處分法ノ規定ト同一方法ニテ現金ニテ競賣ニ付セシムベシ。然シテ此ノ不動產公賣ノ報告ヲ裁判所ニ提出シ認可ヲ受クベキモノトス若シ認可セラレザル場合ハ該不動產ハ前記ノ規定ニ從ヒ再ビ公賣ニ付セラルベシ。前記判決ニヨリ州ニ屬スベキ金額ハ之ヲ前記賣却代金ヨリ控除シテ州金庫ニ支拂ヒ剩餘金ハ之ヲ裁判所ニ供託シ關係當事者ノ權利ニ應ジテ分配スベキモノトス、將來(第三條)ノ規定ニ反シテ取得シタル會社組合又ハ法人ノ株式又ハ社員若クハ組合員ノ權利ハ之ヲ州ニ沒收ス、前記沒ニ關スル裁判上ノ手續ハ借地其他所有權以外ノ不動產上ノ權利ノ沒收ニ關スル本條ノ規定ニ依ル

第九條　第二條ニ掲ゲタル外國人ニヨリ取得、保有、使用又ハ讓渡ヲ禁止セラレタル不動產又ハ不動產上ノ權利ノ移轉ガ本法規定ノ沒收ヲ免カレントスル意思ヲ以テ爲サレタルトキハ其形式ノ合法的ナルニ拘ラズ該移轉ハ無効ニシテ之ニヨリ移轉セラレ又ハ移轉セント企テラレタル權利ハ之ヲ州ニ沒收ス、

左記事實ノ一ヲ認メタルトキハ本法ノ規定ヲ免ル、意思ヲ以テ移轉ヲ行ヒタルモノト推定ス

(イ)第二條ニ掲ゲタル外國人以外ノ者ノ名義ヲ以テ不動產ニ關スル權利ガ取得セラレタル場合ニ於テ其對價ガ(第二條)ニ掲ゲタル外國人ニヨリ支拂ハレ又ハ支拂ハルベキ契約若クハ合意アルコト

(ロ)會社組合又ハ法人ノ名義ヲ以テ不動產ニ關スル權利ガ取得セラレタル場合ニ於テ其會社組合又ハ法人ノ社員權若クハ組合權又ハ株式ニシテ(第二條)ニ掲グル外國人ニ屬スルモノト是等外國人ニ屬セザルモ其對價ガ實際是等外國人ニヨリテ支拂ハレ又ハ支拂ハルベキ契約若クハ合意アルモノトヲ合算シタル結果前記會社組合又ハ法人ノ社員權組合

員權又ハ株式ノ過半數ニ達スルコト

(ハ)第二條ニ掲ゲタル外國人ニ對シ抵當權ヲ設定シタル場合ニ於テ該抵當權者ニ其不動產ニ關スル保有支配又ハ管理權ヲ與フルコト

前記ノ推定ハ本法ニ因リ沒收ヲ免レントスル意思ノ存在ニ關スル他ノ正當ナル推定ヲ妨ゲズ

第十條　二人以上通謀シ本法ニ違反シテ不動產又ハ不動產上ノ權利ノ移轉ヲ爲シタルトキハ州若クハ郡監獄ニ於ケル二年以下ノ禁錮又ハ五千弗以下ノ罰金ニ處シ又ハ前記罰金刑及体刑ヲ併科ス

第十一條　本法ノ條、項、節、句或ハ用語ガ何等カノ理由ニヨリ憲法違反ノ判決ヲ受クルコトアルモ斯ル判決ハ本法ノ他ノ部分ノ効力ニ影響ヲ及ボスコトナシ

海外近信

桑港にて

クリスマスの日　小宮山成己君

拜啓、貴誌海の外、毎號御惠送下され、有難く拜讀致して居ります

創刊號を拜見致して居りませんから、會員とか、支部とか云ふ、悉しい事は何も存じませんが、貴誌の主義綱領と云ふ樣なものは、略了解致して居ります

新聞紙上にて業に御承知の御事と存じますが、今度米國大審院にての判決に依り、在米日本人の差別的待遇は、全く合法と認められました、これ迄在米日本人の權利は、手をもがれ、足を切られ、愈々本來の裸一貫となつた譯です、次に來るべきは、日系市民の權利剝奪、在留日本人驅逐問題等で有りませうか

何れにしても、此の國に於ける日本人の前途も、何か非常なる突發的動機でも起らぬ以上、大勢は既に定まつて居る樣に思はれます、實力主義の現代で、徒に正義人道などゝ末香臭ひ御題目を並べて見た處で、何になりませうか、要するに成る樣にしか、成らぬのですから、それよりも水の低きに流るゝ如く、比較的抵抗力の少き、迦南の樂土に、移動するが宜いでせう

考へて見れば、日本國の全人口を、一加州に包容して猶餘り有る樣に思はるゝ米國が、僅々數分時の地震に失つた、人命に相當する十万内外の日本人を、目の上の瘤の樣にして、虐げつゝある心理が、全然不可解で

有ります、地球は全人類に取つて、餘りに狹しとは、未だ感ぜられません、唯資本主義の横暴が、現代を惱ましつゝある樣に、白人閥の爲に、吾等有色人種は、幾何の不決と、不自然の境遇に置かれ居る事でせうか

惟ふにメキシコは、米國と餘りに近く、隣接せる爲め吾等日本人の、驥足を伸ばすべく、幾多のハンヂキャップ有る事を、豫想せしめられますが、ブラジルの如きは慥に有望で有らふと思はれます、此の際信濃海外協會が、率先してブラジルに、組織的の移殖地を、建設せらるゝのは、實に機宜に適したる計畫と信ぜしめられます、希くは一日も早く、モーゼ出でよ、而して天然的に虐げられつゝある、吾等同胞民族を、白人閥の横暴より救へ

追記、在米日本人は今や、外人土地法に依り、土地所有權及び、借地權を失ひ、又所謂收穫契約の權利迄も剝奪されましたが、別に驚きもせず、悲觀もせず、益々努力しつゝある同胞の態度は、實に賞嘆に價すると存じます、早く此の賴母しい、有爲の民族を、より自由な天地に活躍させ度く、切望致します

之れを具体的に申せば、在米日本人總數の三分二を、加州に在りと測定して、其の三分二は、從來主として農業に依りて、生活の基礎を固めて居たと見て、大なる誤りは有りますまい、此の日本人が、過去數十年來勤勉努力の結果、加洲の農產業に貢献せし、偉大なる功績は、既に世間周知の事實で有ります、然るに米國は、此の恩に酬ゆるに仇を以てし、吾等同胞の、汗と血で築き上げた、光輝有る基礎を、冷い法の力に依りて、其の根底から、覆へして終つたのです、即ち土地所有權及び、借地權を奪ひ、收穫契約を破棄し、今後同胞は、地主と勞働契約でもして、此の苦境を突破しやうとして居りますが、雄心勃々たる、同胞民族を、斯る悲慘な奴隷的境涯に、果して何時迄、閉ぢ込めて置く事が出來ませうか、ろは餘りに不自然な、殘虐では有りますまいか

玆に於てか、モーゼがユダヤ民族を、エジプトの壓制から導き出した如く、在米同胞ブラジル移動論の、可能性と有意義とを認知せしめらるゝと共に、其の方法手數等は、各自の決心さへ付けば、容易に實行せらるべく、大してハードな、冒險的企圖で有らふとは思はれませぬ

尙悉しい事は、到底此の短き通信に、述べ盡し得ませんから、今度信濃海外協會の、企圖せられたる、ブラ

ジル移殖地建設事業の、多望なる將來を祝福し、併せて協會が、此の[illegible]的大事業たる移民事業の爲に、益々御奮勵あらん事を、祈りて止まざる次第で有ります

信洲記事

○大正十二年海外渡航旅劵下付調査表　其ノ一

長野縣保安課調

渡航先國別 \ 郡市別	南佐久 男	南佐久 女	北佐久郡 男	北佐久郡 女	小縣郡 男	小縣郡 女	上田市 男	上田市 女	諏訪郡 男	諏訪郡 女	上伊那郡 男	上伊那郡 女	下伊那郡 男	下伊那郡 女	西筑摩郡 男	西筑摩郡 女	東筑摩郡 男	東筑摩郡 女
北米合衆國	一	—	二	一	一〇	四	七	一	三	四	一	一	三	二	—	—	三	三
布哇	—	—	—	—	—	一	—	—	—	—	—	—	—	一	—	—	—	—
米領比律賓	—	—	—	—	一	一	—	—	—	—	一	—	—	—	—	—	—	—
南米伯剌西爾	三	二	—	—	四	三	一	—	一	—	二	三	四	二	—	—	四	一
墨西哥	—	—	—	—	—	—	—	—	—	—	三	四	—	—	—	—	—	—
英領加奈陀	—	—	—	—	三	二	一	一	—	一	一	三	一	—	—	—	一	—
英領ボルネオ	—	—	—	—	—	—	—	—	—	—	—	—	—	—	—	—	—	—
佛領印度支那	—	—	—	—	一	—	—	—	—	—	—	—	—	—	—	—	—	—
南米智利外五ケ國	—	—	—	一	一	一	一	—	—	—	—	—	—	—	—	—	—	—
英吉利	—	—	—	—	—	—	—	—	一	—	一	—	—	—	—	—	一	—
佛蘭西	—	—	—	—	—	—	—	—	—	—	—	—	—	—	—	—	—	—
瑪玖	—	—	—	—	—	—	—	—	—	—	—	—	—	—	—	—	—	—
獨逸	—	—	—	—	—	—	—	—	一	—	—	—	—	—	—	—	—	—
計	四	二	二	二	二一	一二	一〇	二	六	五	九	一一	八	五	—	—	九	四

渡航先國別 \ 郡市別	松本市 男	松本市 女	南安曇郡 男	南安曇郡 女	北安曇郡 男	北安曇郡 女	更級郡 男	更級郡 女	埴科郡 男	埴科郡 女	上高井郡 男	上高井郡 女	下高井郡 男	下高井郡 女	上水内郡 男	上水内郡 女	長野市 男	長野市 女	下水内郡 男	下水内郡 女	合計 男	合計 女
北米合衆國	—	—	二	一	一	一	一	—	四	—	—	—	—	—	一	—	—	—	—	—	三九	一八
布哇	一	一	—	—	—	—	—	—	—	—	—	—	—	—	一	—	—	—	—	—	二	三
米領比律賓	—	—	—	—	—	—	一	二	一	—	—	—	—	—	—	—	—	—	—	一	四	四
南米伯剌西爾	—	—	—	—	—	—	—	—	一	一	—	—	—	—	—	—	—	—	一	二	二一	一四
墨西哥	—	—	—	—	—	—	—	—	一	—	—	—	—	—	—	—	—	—	—	—	四	四
英領加奈陀	—	—	—	—	—	—	—	—	—	—	—	—	—	—	—	—	—	—	—	—	七	七
英領ボルネオ	—	—	—	—	—	—	一	—	—	—	—	—	—	—	—	—	—	—	一	二	二	二
佛領印度支那	—	—	—	—	—	—	—	—	—	—	—	—	—	—	—	—	—	—	—	—	一	—
南米智利外五ケ國	—	—	—	—	—	—	—	—	—	—	—	—	—	—	—	—	—	—	—	—	二	二
英吉利	—	—	—	—	—	—	—	—	—	—	—	—	—	—	—	—	—	—	—	—	三	—
佛蘭西	—	—	—	—	—	—	—	—	—	—	—	—	—	—	—	—	一	—	—	—	一	—
瑪玖	—	—	—	—	—	—	—	—	一	一	—	—	—	—	—	—	—	—	—	—	一	一
獨逸	—	—	—	—	—	—	—	—	—	—	—	—	—	—	—	—	—	—	—	—	二	—
計	一	一	二	一	一	一	三	二	八	二	—	—	—	—	二	—	一	—	二	五	八九	五五

備考　本表ハ移民非移民並ニ携帶兒ヲ含ム、移民七三、非移民七一

同一人ニシテ渡航數ケ國ニ亘ルモノハ其主タル國ニ計上ス

○大正十二年中海外渡船旅券下付調査表　其ノ二

長野縣保安課調

國別		再渡船	夫其他ニ全伴シテ	父母夫其他ニ呼寄ヨリ	産業視察トシテ	學術研究視察ノ為メ	商用ノタメ	定著農夫トシテ	農業勞働ノタメ	雜役勞働ノタメ	計
北米合衆國	男	二七	二	三	一	四	一	―	―	一	三九
	女	六	一〇	一	―	一	―	―	―	―	一八
米領布哇	男	二	―	―	―	―	―	―	―	―	二
	女	一	―	二	―	―	―	―	―	―	三
米領比律賓	男	四	―	―	―	―	―	―	―	―	四
	女	一	二	二	―	―	―	―	―	―	四
南米伯剌西爾	男	―	―	―	―	―	―	―	二一	―	二一
	女	―	―	一	―	―	―	―	一三	―	一四
墨西哥	男	―	―	二	二	―	―	―	―	―	四
	女	―	一	三	―	―	―	―	―	―	四
英領加奈陀	男	四	―	―	―	一	―	二	―	―	七
	女	四	二	一	―	―	―	―	―	―	七
英領ボルネオ	男	―	―	―	―	一	―	―	一	―	二
	女	―	二	―	―	―	―		―	―	二
佛領印度支那	男	―	―	―	―	―	一	―	―	―	一
	女	―	―	―	―	―	―	―	―	―	―
南米智利外五ケ國	男	一	―	―	―	―	―	―	一	―	二
	女	―	一	一	―	―	―	―	―	―	二
英吉利	男	―	―	―	―	三	―	―	―	―	三
	女	―	―	―	―	―	―	―	―	―	―
佛蘭西	男	―	―	―	―	―	一	―	―	―	一
	女	―	―	―	―	―	―	―	―	―	―
玖瑪國	男	一	―	―	―	―	―	―	―	―	一
	女	―	一	―	―	―	―	―	―	―	一
獨逸	男	―	―	―	―	二	―	―	―	―	二
	女	―	―	―	―	―	―	―	―	―	―
合計	男	三九	二	五	三	一一	三	二	二三	一	八九
	女	一一	一九	一一	―	一	―	―	一三	―	五五

備考（同前）

○學校の火災

先月十五日、小縣郡神科村の小學校を初めとして、同二十七日に上水内郡南小川村小學校、本月二日に下伊那郡、伊賀良村小學校、同八日には、上高井郡都住村小學校同十五日諏訪中學寄宿舍と、僅一ケ月足らずの間に、五ケ所の學校が燒け、何れもが殆んど全燒、都住では畏多くも御眞影迄災厄に罹つた、よく／＼祝融に崇つて居ると見える、天災は如何ともすべからざるものでは有るが、一面には人事の限りを盡すべく油斷が有てはならぬ

○支部長の更迭

郡長樣の更迭がポツリ／＼と有る、行政上の都合といふよりも、個人的の都合で、退職された向が多い樣だ曩に本誌で報告した後の更迭は、下高井、下水內、更級、南安曇、の四郡で、現在下高井は前會計課長の中山德十氏、更級は地方課屬たりし石原快三氏榮轉、下水內へは更級の首席郡書記，竹中三吉氏拔擢され、南安曇へは更級より須藤信敬氏が榮轉された

○皇太子殿下御成婚當日縣下各地の遙拜式と祝賀式

先月廿六日宮中に於て、御擧行になつた御盛儀は、萬民齊しく滿腔の祝意を表し、信州の山間谿谷にも奉祝氣分が溢り、思ひ／＼の趣向で祝賀會を行つた、其の

一二の狀況を記すれば．

長野市、廿六日午前十一時、城山運動場に、有志一千餘名參集し，丸山市長開式を告げ、君が代の奏樂に次いで、市長は長野市民を代表して、奉祝表を奉讀し、本間知事の發聲にて、天皇皇后並に、皇太子殿下良子女王殿下の萬歲を三唱して式を閉ぢ、引續いて縣社に奉告祭あり、終て城山館にて祝宴會を開いた

上諏訪町、午前九時三發の號砲を合圖に、町民小學校に參集、午前十時嚴肅なる、遙拜式を行ひ、二十一發の祝砲を打ち上げ，上諏訪驛の機關庫にては、十時十五分宮中に於て、御祝典を行はせられる時刻を期とし、全部の機關車一齊に一分間汽笛を鳴らして祝意を表した

○表彰を受けたる縣下の功勞者

今回の御成典に際し、本縣下に於て、表彰の榮譽を擔へるは、前松本小學校長樋口壽八郎氏(舊姓三村)前長野高等女學校長，渡邊敏氏、上水內郡安茂里村福壽園主小林仙苗氏と松本女子求道會育兒部主任、寺田五三子女史の都合四人で有る、樋口渡邊の兩氏は、隱れも無き信州敎育界の元勳で有るが、他の二氏に就ては、世間或は未知の者が多かつたであらう、小林氏は明治三十七年以來二十年間、免囚保護事業に盡瘁し、其のお蔭で正道に就いた者が、五百九十餘人の多きに達して居る、又寺田五三子女史は、初め小學校、高等女學校等に十ケ年程、敎鞭を執つたが救恤事業の、忽緖に附すべからざるを感じ、鄕里松本市に於て、女塾を設立すると同時に、女子救道會を設け、先輩や同情者に愬へて、孤兒や貧兒を收容して育て上げた者が、既に百餘人に及び、現在男六人、女七人、老婆二人の世話をして居る

猶又今回の御成婚を記念する爲、縣下の各町村に於ては、一齊に各種の記念事業を創設した、圖書館、靑年會館、公會堂、公園、校舍道路の新設、生活改善の申合はせ、少年團、處女會の設立等、其の多くを占めて居る、何れも文化の進步に、貢献尠からざるもので有り、永久に御聖德を忍ぶよすがとなるのは喜しい事である

○信州から大臣が出た

諏訪の渡邊兄弟が、大臣をやつたのは、もう二昔も三昔も前なので、信州出の大臣などいふ事は、忘られて居た處へ、ヒヨツクリ現はれたのが、松代町出身の小

松遞信大臣で有る、變態內閣とか非立憲內閣など言つて見ても、大臣を一人出した事は、さすがに誇らしさを感ぜずには居られない樣だ、由來松代は、人材を出す事に於て、縣下屈指と號せられ、曩には象山といふ逸物を出し、近來は海陸軍の要職にも、多數を送つて居るが、今回は信州でタツタ三人目の大臣が出たといふので、松代人士の得意は絕頂に達して居る

○善光寺の御開帳

七年に一度の、善光寺前立本尊のお開張が、愈々來月二十日から始まる筈だ、長野市では中央道路の改築が間に合はぬと言つて、あせつて居るのも無理はない、今の樣子では徒に廣くなつたばかりで、人も車も往來が出來ない、商店は勿論見違へる程立派にはなつたが、當て込んで居る商ひが十分一も出來まいといふので、いぢれ立つて居る

鐵道側では、百万人の參詣を豫想して、特別に昇降場を新設するとか、市內十數ケ所に切符賣場や、手小荷物取扱所を拵らへて、旅客の便宜を計るそうだ

○信州の副業

一年中の三分一、即ち冬期四ケ月間、何も仕事の無い信州は、それだけ自然の恩惠を缺いて居る譯だが、徒に手を束ねて、自然の虐遇に甘んずるも譽めた、話でも無いと云ふ處から、昨今頻りと此の期間の利用法を講ずる樣になつた、東筑摩、小縣あたりの機染業、松代附近の眞綿，長野や野澤の柳行李等、何れも近來勃興の機運に有るが、殊に本年目立つて殖えたのは、女子の手藝として、毛絲の編物で有る、各地の講習會が大繁昌、女學生は勿論、奧樣迄が汽車の中でも毛絲を引張り廻はすといふ、狀態で有る、一方二三年前より唱導された、農民美術は實用の域に進み、夏季の避暑客や、登山客を當て込み信州土產を拵らへて、賣り出そうといふ意氣込で居る、藝術趣味の豐富な、信州人の手を以てしたら、存外の生產を見るだらうと、期待されて居る

○諏訪の寒心天

副業の域は、疾の昔に脱した、宮川村を中心に、附近數ヶ村に亘る寒心天業は、隨分盛衰隆潜は有たが、大勢は發展增進の一方で、本年などは格別好天氣が續いたので、出來工合が非常に宜しく、製造額も從而增加し、價額二百六十万圓と云ふ景氣である、從業戸數凡二百と云ふから一戸平均の生產額一万三千圓、內純益が三千圓は確實だそうだ、遠くは新潟縣、山梨縣あたりから、近くは北信の各郡から、入り込む人夫は約二千人、名々百圓以上を握つて歸るのだから、此の分も馬鹿には出來ない

○御祝典と贈位者

今回の御祝典を記念として、紀元節の佳辰を以て、贈位の恩典に浴した、縣下の名士は左の七名である

出身地	氏名	贈位理由	位階
舊須坂藩	堀直虎氏	勤王功勞	從四位
松本市	近藤茂左衛門氏	國事盡瘁	正五位
舊松代藩家老	眞田貫過氏	藩政釐革	正五位
舊松代藩	大里忠一郎氏	產業進展功績	從五位
北佐久郡南大井村	柏木小右衛門氏	開拓功讀	從五位
上高井郡小布施村	高井鴻山氏	勤王文敎貢献	從五位
舊上田藩	赤松小三郎氏	國事盡瘁	從五位

新刊紹介

西班語獨習書、菊版三百頁、全三冊、各冊定價金參圓

東京赤坂郵便局私書函第一號振替口座東京二八七七七番　村岡玄氏著

編輯机上より

松村榮治君がブラジルから多數の標本を持つて來て呉れた、各種の毛皮や、農產物、農具、木履、植物の押葉等百餘點何れも絕好の參考材料で有る可成機會を求めて利用し度いと思ふ

過般の震災に當り外國在留の同胞が比較的多額の義捐をされた事は既述の事で有るが、ブラジル在留四万の同胞が醵金して彼の地製の毛布二万枚(二枚續きで日本に於ける時價二十五圓)を寄贈された事などは特記すべきは勿論內地人として甚深の謝意を表すべきで有る

海の外

定價

	內地	外國
一部	廿錢	廿仙
半ヶ年	一圓十錢	一弗十仙
一ヶ年	二圓廿錢	二弗廿仙

海外郵稅四錢

注意
▲御注文は凡て前金に申受く
▲廣告料は御照會次第詳細通知致します
▲御拂込は振替に依らるゝが最も便利さす

大正十三年二月二十日
編輯人　永田稠
發行兼印刷人　長野市南縣町　藤森克
印刷所　信濃每日新聞社
發行所　長野市長野縣廳內　海の外社
振替口座長野二一四〇番　信濃海外協會

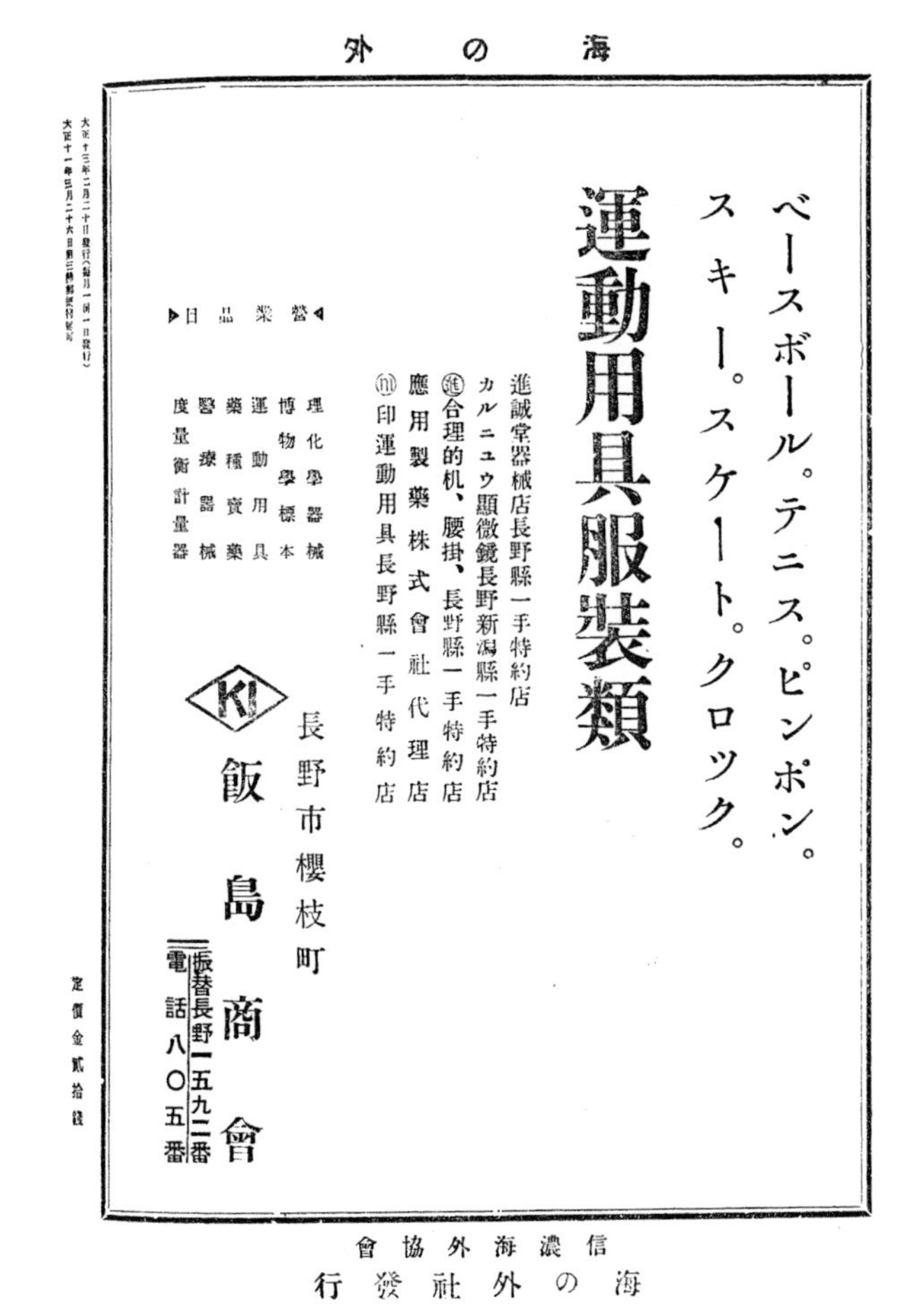

大正十三年二月二十日發行(每月一回一日發行)
大正十一年五月二十六日第三種郵便物認可
定價金貳拾錢
信濃海外協會
海の外社發行

海の外
第二十三號
目次
海外事情
海外近信
信州記事
信濃海外協會內海の外社

目次

伯國首都リオ・デ・ジャネイロの全景

海外事情

○伊太利に於ける國際移民會議

本年五月羅馬に國際移民會議開催せられ、我國よりも代表者を送る計畫である、其の內容

伊太利政府は千九百二十一年七月同國主催の下に羅馬に開きたる國際移民會議の成功に鑑み千九百二十四年再び同地に於て之が開催の爲各國に招請狀を發せり、而して右招請狀には同會議の範圍及性質を概說せる左の如きプログラムを副へたり。

國際勞働會議は其廣汎なる事業計畫を擴張して移民問題にも及ぶべき計畫を發表せるが、移民問題の如き特殊の分野に國際的規則を設定せんとするには、同會議にとりては非常なる時間と多大の準備とを要すべし。加之同會議に於て之を行ふ時は同會議參加者以外の者は關與せざるに至るべし。

各國は一樣に移民問題に利害關係を有するものにあらずして人口、地理及經濟上の事情に依り同問題が特に其國民生活の重要部分を構成する諸國あり。此等の國にありては直接の利害關係より、苟くも移民問題に對しては大に努力して國際協約を結び共同的に活動するの必要を益痛感せり。是に於て伊太利政府は主なる移民國代表者の專問的會議を以て眞面目に此等問題の研究を促し其結果多數の意見を集め得て之に關する國際的規則を設くるに與つて力あるべしとなし、爰に主なる移民國を會議に招請するに至れり。

㈠國際移民會議は千九百二十四年の初め羅馬に於て開かれ其開催日に關しては追て定むる處あるべし。

㈡會議は專問的會議にして外交的會議の意義を有せず、又其性質上會議は地方的法規に依り各國が處理し得る凡ての問題に觸れず、專ら各國の移民事業を調和せしめ且優良なる方法にて移民の需要を充すには如何なる協約を必要とするかを察する目的を以て各種の移民問題を研究するものとす。

會議は純然たる專問的性質を有するものなるが故に、條約に調印せしむるの權能を有せず、寧ろ各國政府が一般條約締結の際採るべき標準或は個々の事業遂行に便なる行政的聯絡を提言の形式原則の聲明若くは慫慂の形式を以て概說するに止れり。

㈢會議の事業を更に秩序ある方法にて遂行せん爲若干の部門に分てり。各部門は各々特別の部類をなす特殊問題を研究するものとす。

㈣後日變改の保留條件を以て左の如き部門に分つ。

(a)移民の輸送
(b)衛生事業
(c)各國の移民輸出入に於ける共同
(d)出發港に於ける移民並に上陸港に於ける移民に對する援助及既に移住せる者に對する個人機關の援助
(e)移民輸入國の勞働需要に移民數を調節せしむる適當なる方法(勞働市場就職及植民計畫等參考)
(f)移民の共同節儉及相互援助等の促進
(g)移民輸出條約を支配する原則

㈤會議に參加招請を受けたる各國政府は千九百二十三年十一月三十日迄に特殊問題研究の爲會議の各部門にこれが附託申込の權利を有す。

㈥會議は全員出席の下に所定の手續を經て、其任命せる委員會の提言に基き提案問題の議事日程及各部門附託の決定をなすべし。

因に伊太利移民委員會の月刊雜誌「主なる移民國は既に本會議に其代表者を送るべき計畫を表明せり」と述べたり。(東拓月報)

最近に於ける伊國の移民保護規定

千九百二十三年八月十六日の官報は同年七月十九日の勅令(千六百八十六號)の本文を發表せるが、同令發布の目的は移民の訓練、海外移民に對する求職及移民密航の防止等の施設改善にあり、外務大臣は同勅令に基き移民局の下に主任監察官一人地方監察官四人及地方委員若干名を臨時任命するの權能を有せり。

千九百二十三年九月六日內閣は主要なる出發港に於て移民の宿舍を設備する法案を承認せり。而して移民局は直接この設備を管理し若くは其管理を私の事業に委任することを得、又移民總監は鐵道停車場或は港に近き旅館を移民の宿泊所として利用する爲に一時徵發する權能を有す。

移民總監は外國船舶會社の移民輸送に關し左の如き規則を發布せり。

㈠外國汽船にして伊國移民輸送の許可を得るには、規則としてネープルスに於て準備を整ふることを要し、其後の航海は常に少くともパレルモに寄港するこ

とを要す。

㈡外國汽船會社の取扱ふ伊國移民の就職狀態は良好ならざるべからず。

㈢各會社は移住誘惑の宣傳をなさざることを要す、又其代理人に對しても斯る宣傳を禁ずるを要す。又彼等は伊太利法律に定むる所の普通書類を所持せざる伊國臣民を輸送する能はず。

㈣外國の港より乘船する伊太利旅客ある時は其數丈同一會社の船舶に割當てられたる論送人員數より差引かるべし。

千九百二十三年九月七日、內閣はシシリー銀行の貯蓄銀行部に對し移民の貯蓄金を送付する計畫の爲外國に代理店を設くる權能を與ふる法案を承認せり。而して政府は此種の制度を詐欺防止の爲擴張すべきものと認めたり、蓋し送金に關し詐欺事件屢々起りて移民に損害を與へたればなり。右法案は更に銀行に對して伊太利移民の經濟的利益に關係せる外國會社の管理に參與し得る權利を與へたり。而して斯く代理店を設定し或は問題の外國會社に關係する爲に要する資金は貯蓄銀行部準備金の四分一を超過するを得ず。

政府は最近、國民信用組合協會に對して外國に於ける伊太利人組合の活動を統一する爲に斡旋すべきことを要求し、又佛國に於て有利の機會を求めつゝある組合に對して必要なる財政上の助力を與ふる爲に銀行團と交涉して契約を結ぶ權能を與へたり。

○南洋雜話(續き)

倉石鶴治郎君

前々號に掲載、した倉石鶴次郎君の、南洋雜話は、大に讀者の興味を喚起し、方々から續きの掲載を促して來たが、他の原稿の都合で、二ケ月の間を置たのは實に遺憾で有た、併し本號に載せた部分だけ切離しても、南洋事情としての一大長篇たるを失はず、充分讀者の期待に添ふ事が出來やうと思ふ。

次に比島人即ち開けた比律賓人と米國人に就て少々お話しして今晩は已めにする事にします。前には大略人種の事は申上て置きましたが北の方ではイロコス州のイロカノ、バンペンガ州のバンペンガ、バンガシナン州のバンガシナンとマニラとその附近のタガロと云ふた樣な種族ですがこれ等は大抵。米を作つて生活を立てゝ居るのでして、耕作方法は全部水田で日本の樣に苗代を作り苗を仕立て置いて相當に大きくなつた時に

本田に植え付けるのです。三回位田の草を採りますが日本の樣に丁寧な事は致しません。肥料は枯草を入れるだけであとは何も使ひません一回作るだけで後は水牛を使用して打ち返し風化作用に依る天然の肥料を利用しますから收穫は相當に有ります、肥料の事に就て一寸申上げて置きますが、人糞尿は比律賓全島法律で使用を禁じて有ります何を作つても肥料を與へる事はなく、元肥としては打ち返し、追肥としては除草がそれに代へられるのです、で前の米作の續きですが自作も少々有りますが大抵は西班牙人とか米人とか、比律賓人とかの大地主が有つてそれを小作するので家も農具も牛馬も水牛もはては鷄から豚まで主人のもで無賃で借り受けて全收入の五分を年貢にやるのです。稻を刈り取ると水牛に挽かせて田の端に大きく積み重ね一二週間してから乾燥を待つて水牛に踏ませて大概落ちると籾と藁とを分けます。大きな動力精米所で米にして南方のシボーやダバオ邊へ送り出します、有名なマニラ烟草は大抵此處等から出るので大きなのは一葉三尺以上にもなります、日本物の樣に、ヤニ、はなく一種特別の芳香が有り品質は良好です、マンゴーの栽培も盛で望む時期に實を結ばせる事が出來ます、向ふの果物は大抵何月に實を結ぶとか花が咲くとか云ふ事はなく年に依つてみんな違ます、二ケ年に三回とか五回とかで年になほすと一回半から二回半位までなるのですから面白いです、山を見ても何時も何の木か紅葉してをり、またどの木か落葉して枯木の樣になつて居ります、マンゴーも大抵一年に二回半位實を結びますが。それをまだ人工を加へて、何月何日に實り出さうと思ふ日に、ちやんと熟する樣にする事が出來ます、初め豫定の日より約百日前に、木の下で火を焚くので、一週間から所によると五日位で花が咲きます。澤山薪や青草を集めて晝夜燻ぶすのだから骨が折れます、若し豫定の日までに成熟せんければ、二度の燻烟法に依りて、五日や一週間位は加減が出來るし、まだ正確な時に實り出し度かつたら、何時でも豫定日より三日早くもぎ採つて、高さ一尺幅二尺位の棚を造り下と上へ青草を置き、其の中にマンゴーを入れて、下で盛に烟を立て通すのですが、さうすれば美味しい、甘い、マンゴーを得る事が出來ます、中部ではシボのシブハノ族イロイロ、のイロンゴ族ボホールのボホラー族などですが言語が大抵似て居るので此れ等を總稱して、ビサヤン族と云ひます、島人中一番人口が多いで

せう。生業は甘蔗、玉蜀黍、烟草等を栽培しますが、南方のダバオ方面へ出稼ぎ人が澤山來ます、ザンボアンガ州にサンバンゲニヨと云ふ種族が居りまが、これは比島人全部の混血種とも云ふ可きもので、初め西班牙人が開港して、ザンボアンガと名をつけたので、順に全國から集つたのださうです。言葉なども餘り多くの種族が寄り集つたので一寸も通ぜん爲、仕方なく西班牙語を使用する事にしたさうでして、今でも大抵は西語訛です。ザンボアンガと名をつけたのは、西班牙人が始めて來た時に、何と云ふ所かと尋ねた所、その小女は奇靈な花を以つて居たので、その花の名を尋ねられた事と思ひ、ザムボアンガと返事をしたので花の名前が地名となつたさうです。此處は主に椰子栽培です、南方のホロとダバオとの方面にモロと云ふ種族が居りますがこれは元は海賊だつたらうで、シンガボールからボルネオ、方面にも澤山居るらしく、日本人と非常に似た點が有るのです、外の比島人はみんなキリスト敎信者ですが、これはマホメツト敎です、頭髮は五厘か一分に刈つて足には細い股引を履き、頭には細いハンカチの樣なもので鉢卷をし、性質は勇敢で仕事の仕方もうんと稼いで後は休むと云ふ風で、日本人と少しも變りません、大和民族は蒙古から來た說と北方アイヌから來た說と南方から來た說とが有りますが、私は此のモロ族が北に進んで大和民族の祖先になつたのではあるまいかと思ひます。で髭の割合に多い人はアイヌの血を餘分に受けて居り、髭の割合に少ない顏形の優しいのが高間ケ原系で、髭がなく顏の長いのが蒙古で、短かい四角な方が、モロ族の血を多く受けて居るかと思ひます。彼等が作る劍は丁度日本の神代のと形が少しも變りません。兩刃で然も波を打つて居て切れ味は恐ろしい樣です。彼等はバンカと云ふ小さな丸木船に乘つて行商や漁夫をして居ります。頭腦も割合に外の比島人に比して優つて居ります。もう一ツ序ですが昔三保の松原へ天女が降つて羽衣を松の枝へかけて舞を舞ふた時に漁夫が通り掛つて衣を云々……と云ふお話が有りますがあれは確かに比島婦人かと思はれます。彼等の着て居る蟬の羽の樣に美しい上衣がうの羽衣でせう。そして彼の國の婦女子即ち龍宮の乙姫樣が丸木船に乘つて遊びに來たのではないでせうか。彼等の生活は極々簡單なもので何所の家へ行つても毎晩鳴らして踊るマンドリンが一ッに盜賊の番をする犬が一匹。次に敷いて寢るビタテ即ち日本の蓙が一枚。

枕一ケ、風呂敷の樣な毛布代用品が一枚に密柑箱より稍々大きいトランク、即ち大事な着物入が一桿。に鍋と釜と手桶代用の石油の空罐が一ケとで足るのです。稍々上流向になると家の構造から食事服裝まで米國式ですが中流以下になると家は彼等獨特の床下の六尺も有るニッパ小屋でお米の御飯に魚や肉の墻汁。それに着物は學生官吏は全部洋裝で普通は男女共洋裝に似ては居るがやはり比律賓式に大きく涼しくこしらへて着ます。そしてもう一ッ特筆すべきは彼等の男女共に素足で歩く事です。稀には靴やシネラス即ち日本の草履の樣なものを履きますが大低は跣足です。他處の家へ行くには入口で一寸犬が小便をした後で後の方へ土をかく樣な工合にして土を少し落して上ります。膝より短かいズボンや腕より短かいシャツを着けたては一寸も戸外へ出られませんが素足丈は天下御免でどんな官廳でも大道でも、大手を振つて歩く事が出來ます。然し例のダンスなどで夜會などの有る時には大抵靴かスリッパを履いて出かけます。それと彼等は温浴と云ふ事は年から年中なく何時も水浴だけです。石鹼を澤山つけて、こすりもせずに頭から水をかぶるのが彼等水浴の特記すべき事です。男女共に肌を少しも現はさぬ事だけは我々日本人が感服するところです。男子は腰から下、女子は乳から下は決して他人に見られる所では出しません。水浴をしても上から乾いた着物を着るか亦は敷布位の大きなタオルで身体を隱して置いてから下の濡れた着物を脱ぐのです。無論水浴は大抵川ですが、どんな水の中でも決して裸体では入りません。日本人などの困るのはこれです。どうしても裸体にならねば工合が惡いです。それから彼等共通の一番の御馳走は、レチョンと云ふて豚の頭から尾へ棒を入れて遠火で丸燒きにしたものでそれを小さく切つてトマトソースをかけて食べるなり、亦は外の料理の上へかけたりして食べるのですが、どうして私共が食べても仲々美味しい。クリスマスとか誕生日とか其他祭日とか宴會には是非此のレチョンとバイレ(ダンス)とが付きものです。前に三保の松原で申上た樣に比島人は實に音樂好きの人種で今やるのは大抵西洋物ですがマンドリンでもヴァイオリンでもクラリオネットでも遙か西洋人が及ばぬ位です婚禮とか、誕生日とか祭日とかクリスマスとかには何時も獨特の妙妓を振つてダンスを致します、ダンスのお話を少しくすると。先づ誕生日に招待されたとします大抵三日位前に招待狀が來ますが日

本の樣に親類の者のみを招待するのではなく。寧村長とか郡長とか縣知事とか云ふ樣な官職に在る人と、辯護士とか醫者とか云ふ樣に特にその町に功勞の有つた樣な人を招待します、學校あたりへ天長節で招ばれる樣なものです。みんな一枚づゝ招待劵が有るので先づ受付へそれを出します。婦女子は男子に付きもので私なら私が假に招ばれたとすると三人位は連れて行く事が出來ます。また夫婦はこれを一人として有るので亭主が呼ばれて妻君の行かぬ事は有りません。何時も二人連ですが呼ぶ方でも二人で來る事と承知してをります。これはどんな所に招待された時でも同じです。そして受付から入るとそこには誕生日の主人公即ち私の誕生日なら私の寫眞を飾りすぐその前に來客中一番高位のたとへば知事とか郡長とかゞ居つて一一挨拶をします。それで案内人が來て自分の席へ連れて行きますが別にお土産が要るわけでなし家内のものに一一挨拶をする必要は有りません會へば、今晩は、だけです歸りにも(お休み)だけでお御馳走になりましたとか何とか云ふ事は絶對にしません。ほんとうに日本の樣に一品づゝ又は一擧手一投足毎にいやお御馳走です。どうも有り難ふなんて事を云ふたでは　した方ではよいか知れんが折角の御馳走も甘くなく呼ばれた方で返つて釣を取られてしまひます。音樂隊は定時間になれば來て始めます。法事の時に坊主が來る樣に宴會に音樂隊はつきものでして來客は食堂で御馳走を食べて後は勝手に踊ります。飲み度い人は食堂へさへ行けば何時も酒が有るから好きな時に好きなほど飲んでは踊ります、席は男も女も別なく、また平民も士族もなく知事さんでも職工でも招待された以上は同じものですから上も下もなく入り亂れて腰をかけて居ります。音樂に色々の曲が有りますから一曲が終れば一旦席へ歸り次の曲が初まると又出かけて踊るのですが、令孃でも貴夫人でもその會場に居る以上は誰に申込まれても組になる事を斷るわけには行きません。私もチョイチョイ宴會に招待されましたが郡長さんの令孃でも、署長さんの奥さんでも誰でもかれでも構はず組になつて踊りました。男が先きに立つて行つて思ふ人の前へ行つて、ウイルユー、ブリーズダンス、ウイズミイとか、テンゴウステーラカボンダードデバイリャールコミゴとか、私と共に踊つて下さいませんかと云ふ意味の事を云ひますと、イエスとか、スイーとか、ハイと云ふ返事をしますから男の方から手を出して婦人の手をと

り音樂に合はせて踊り始めるのですが一曲終ればまた元の椅子まで連れて歸り「有り難ふ」と禮を云ふて自分の席へ戻ります、婚禮は敎會へ行つて洗禮を受けて契約書を夫婦が取り替せばそれで濟むので宴會はしやうとせまいと差支は有りませんが近頃また敎會へ行かずに辯護士の處へ行つて契約をしてその書類一通づゝ取り替はすのが流行する樣です。序でてすが向ふの辯護士は日本の公證役場や登記所の事務も兼ねて居ます、葬式は泣きも何もせずに敎會へ行きそれより墓地へ行つて埋葬にします。マニラ邊では火葬にする處も有るろうですが大抵は埋葬です、法律上滿三ケ年と病氣に依つては滿五ケ年を經過せんければ掘る事は出來ません、先づ此處に一人の死人が出來たとすれば第一に醫師の診斷書を受けそれを町村長へ出して死亡證明と墓地の許可とを貰ひ次に警察署長の處へそれと死亡届とを出して埋葬許可を得ます、次に葬儀通過の許しを二度町村長に得て初めて葬式を出す事が出來るのでして仲々手續が難しいのです、それが濟めば葬儀自働車と穴掘りとを心配せんければならんのでぐづぐづして居れば其の日の葬式になりません。おまけに日本と違つて死人は死後二十四時間以内に片付けてしまはんければ法律上やかましいのですから樣子の分らん人特に外人などは困ります。死亡診斷が難かしいので病中の經過から体質職業、國籍外人は上陸から死亡までの同國滯在日數等まで詳はしく書かねばなりません。ですから後にその死人に對して問題の起つた樣な場合でも醫師には一寸も關係はなく各州の政廳へ行けば全部詳はしく分ります。日本などの樣に其の時の關係醫師が死亡した爲に證據不充分で取調べに苦しむ樣な事は有りません。言語は普通は其の種族のものを用ひますが上流交際語としてはマニラのタガロと云ふ人種のものを用ひます。少しハイカラの人は西語で話します。英語はまだ二十年位にしかならぬので學校へ出た若い連中にしか通じません。五六年前までは學校でも英語に西語と兩方敎えましたが今は英語ばかりです。政廳からの書類例えば通知書とか命令書とか云ふ樣なものは英語で大きく書いて其の下へ小さく西語で譯して英語と西語と二通書いて有るわけですが裁判は西語が主で場合に依つて英語に譯すだけですですから今は比島の用語は西語でして一千九百三十年から英語に全部換えて場合に依つて西譯にする事に本年の議會で決まりました、本年は千九百二十三年ですからさうするとま

だ向ふ七年間西語を使ふ筈ですそれでも向ふ四五十年は西語を絶對に廢するわけには行かんでせう。ですから比嶋へ行つても困る事は第一に言語です。子供には土語。學生と三十五六才位までの人には英語でそれ以上の年寄には西語で其他何にも學問の素養の無い人には土語ばかりでその中でも交際を上手にするにはタガロを習ふ必要あり、普通官廳へ出ては英語で。裁判とか云ふ樣な法律に對しては西語です、要するに日用語は土語。ハイカラにするにはタガロと西語、行政は英語。司法は西語と云ふわけです、貨幣は銀貨本位で一ペソと云ふて日本の一圓と殆んど同じ位のが單位です。銀貨は餘り重くて取扱ひに不便なので紙幣も有りますがその中でナショナル銀行で發行するものと大藏省で發行するものと二通り有つてナショナル銀行のは不換紙幣、大藏省のは兌換紙幣です二圓と五圓との兌換紙幣は多いですが順次ナショナル銀行の手で不換紙幣に換えられてしまふでせう。種類は一圓。二圓。五圓。十圓。二十圓。百圓。五百圓の七通りで銀貨は一圓。五十錢。二十錢。十錢の四種で其他五錢の白銅貨と一錢の銅貨とが有ります。ナショナル銀行は半官半民のもので低利資金の融通もし預金も取扱ひますが預金の方は千圓以下と千圓以上でも定期で無い限りは無利子です。千圓以上の定期でも年に五厘の歩合ですから實に安いものです。そのかはり貸出も五分七分。銀貨本位ですから銀の相場に非常に變動が有るので日本との爲替のとりやりをしても面白いもうけが有りますがないのですけれ共時に依ると十二三圓から十五圓位まで違ふ事が有ります。比律賓人には日本人好きと米人好きとが有りますが、日本人好きは三分位で米人好きが七分位でせう。日本人は金が無いのと、永住の精神がないのとでどうしても彼等の感情は自然好くは有りません。例へば彼の國の婦人を妻にするとしても永住の精神が無いものですから、つまり一時的のものとなり子供まで出來たものを妻子共に置ざりにして逃げる人が珍らしくは有りません。ついでですが彼の國の婦人を娶るには餘程考へぬと失敗をします。根が遊民なのですから彼に財産が有るとか亦は特に夫を援けやうと云ふ精神のものでなければ彼等と結婚に依つて少々位のものは食ひたほされてしまひます。彼等の習慣は家内五人も七人もして親類へ行つて一週間や二週間寢食をする事は何とも思ひません。それに職業に依つ

ても違ひますが商ひなどをするとか、土地でも廣く借りて大勢の比島人を使用して事業でも始めやうと云ふ人は彼の國の婦人と結婚すると云ふ事が却つて必要條件でせう。もう一つ大きく考へれば自分そのものよりも子孫の時代に於て大きな仕事をする事です。それには彼の國の婦人と結婚して、澤山の、ミステーソ、即ち相の子をこしらへて置いて教育年齢に達したならば日本へ送つて相當の智識をつけ技能を磨がせて自分の業をつがせる事です。彼の國で教育したではどうしても比律賓式と云ふ呑氣な式に染つてしまふから駄目です。さう云ふ樣にして人間を植え付けて置けば最早占めたものです。おまけに日本人は種が良いし、相の子は日本人同志の子供よりもまだ利口な子供が出來ます。母親が色々考へたり心配したりすると馬鹿な子供が出來ますが、比島人の樣に呑氣で何の野心も無い女神の樣な婦人から生れた日本人こそ利口で然も何事も先天的に備つた天才と云ふものが有るからやがて私共の希望を滿足させて呉れるに足るでせう。諸君吾が帝國の前途を憂ふる有爲の青年は宜敷南洋へ行つて相の子をこしらへる可しです。大分相の子の話が長くなつた樣ですが前へ戻つてお話しませう。彼等はまた非常に獨立を願つて居りますが自然の寶庫に生れ美味美食に馴れて今では遊民同樣ですから音樂や運動や手先きの業に長じて居るばかりで勞働嫌ひの彼等には自立自營はとても難かしいでせう。向ふ五年や三年には彼等の財政は自給自足出來んでせう。

今度は米人に就而ですが米人は餘り多くは居りません。彼等の内肉体勞働をする人はほんの僅かで大低は大事業とか大商店とか亦は官吏でしてみんな他人の頭になつて指揮する位置に在る人々です。大きな農園など經營して居る人即ち全比島に在住する米人の六割以上を占むる此の種の人は大低軍人上りで前に米國が西班牙から八百万弗で買ふた當時比律賓の討伐に來た人が本國へ歸らずに比島人を妻君にして土地をとつて事業を始めた人々です。十年ばかり前までは軍人は全部米人でしたが大体整理もついたので將校は米人として下士兵卒は比嶋人をとる事になり、後は本國に歸へりました。今は將校にも比島人が居ります。各州の知事とか其他重要の地位にも米人が居りましたがこれも一昨年あたりから比島人に替りました。尤も今は前にも話した通り比島人も獨立をしたいと云ふほどだし米國でも餘り金をかけずにやり度いと云ふ處から大低は比島

人を使用して居りますが、でも全比島に在住する米人は三千か四千位は居りませう。彼等の半數以上は徒歩で銃を擔いで廻つて自分の墳墓の地を探した程ですから何處の島にも何處の町にも殆んど米人の經營する農園や商店の見えぬ處は無いと云ふてよい位です。然も彼等の事業は永住的で遠く子孫の時代の事まで考へて始めて有りますから日本人などの樣に一時的のものと違ひ基礎が動きませんから根からひつくり返る樣な事は餘り有りません。大勢の使用人に對しても時間の正しいのは勿論だし會計も一週間毎にきちんとやりますし、其他信用と云ふ事に對してはそりや驚く樣です。それは何處でも同じでせうが彼等に一度いけないと見られたが最後如何に奮發しても信用の取返しは駄目です。のみならず次の日からお拂箱になるのが多いのでして比島人なども米人に使用される者は非常に彼等を恐れて居ります。その代り一度信用を得たら全然其人任せで口は出しませんからその呼吸さへ飲み込めば面白い事が出來ます。農園では大低何處でも使用人に米を始めとして日常生活に必要な品物は經營者が店を出してそこから通で賣る事になつて居ります勿論生産物も其店で買ひますが米人經營の處では餘程相場が下落しても下げず騰貴しても上げず何時も餘り變動の無い處で賣買して居りますから働く人は誠に仕事がやりよく有ります。萬事がこんな樣ですから、アメリカーノ即ち米人に對しては向ふの巡査や軍人でも平身低頭でハッと云ふた丈で一言も有りません。特種な人種として、また彼等の上に立つ人間として絶對信用を置いて居る樣です。今後も益々彼等は入り込んで來るから餘程注意せんと我々日本人は、大資本と獨特の經營法とで彼等の爲に踏みたはされてしまひます。毎日の新聞で見る樣に米本國では本國でいいやうに虐められ、また比律賓へ行けば其所でもかう云ふ樣に彼等の足の下にならねばなりません。ヤンキー、何のそれ、我々は宜敷團結して奮闘努力、大勢の力を以つて彼等の上に出ねばなりません。惜い哉我々日本人には事業に對しては實に結團力が乏しくお互に食ひ合つたり打ち合つたりして共だほれになる樣な事になり、然も持つて生れた島國的根性は何事をするにも人先にやりながら睾丸と尻の穴の小さい事は何時も失敗の原因になりますから此時此際大に考へねばならん事だと思ひます。

其他の外人としては支那人が一番多く是れは主に商業で全比島何處の果迄も入り込んで居り商店の八割以

上は支那人の經營であります。彼等は商ひに對しては獨特の手腕が有り小賣商人などは懸値が特長で相手次第ではどんなに高くでも亦は損をしてでも賣ります。また腹を立てぬと云ふのが面白い所でどんなに馬鹿にされても、如何に笑はれても、いくら少しの品物でもかまはずに相手の氣色を伺ひ乍らどう〳〵賣り付けてしまふ事です。それに次いで印度人、土耳古人の商人も居りますが、これもまことに拗い人種です。英人、佛人、獨人なども少々は見えますが數には入りません。露西亞人の勞働者が五六百人此の正月頃から入り込んで來ましたがこれは身体が大きい丈で一寸も恐るゝに足りません。勞働能率は日本人の半分位で然も食事の關係上諸費用が多くかゝるので彼等は到底日本人とは競爭は出來ません。西班牙人は前に彼等の領土で有つただけに至る處に散在し、昔からの大地主は彼等に限つて居りますし、教會の牧師も大抵は西人です。彼等の昔の政治が束縛主義で非常に惡かつたので比島人からは大變に恨まれて居るのに反して今度の米國は自由主義で權利を尊重しますから前と比べて非常に喜ばれて居ります。

比律賓と云ふ國は昔から外國の勢力下に置かれて異人種が多く入り込んで居たゞけ混血種が多く内西人との相の子が最多く、米人との相の子も是に次ぎで居りますが鼻だけ父の方へ似たり髪の毛が似たり目が似たり亦は髪の黑いのは母に似て、チヂレたのは父に似るとか兩方へ似て黑とも赤ともつかぬ灰色の髪とか、それは變挺子な者が出來て居ります。支那人との相の子が色が白く丈が高く髪が黑く目が涼しくて一番美しく日本人との相の子はまだ新しいので一代交配が出來るには出來て居りますが餘り多くは居りませんし皆小さいので特長はよく分りませんが、負けぬ氣と身体の堅く出來て居るのとは確かです。美しい事も支那人のには負けぬでせう。大和櫻の美しさと、大和魂の强さとは何處の果まで行つても枯れも弱りもせずに芽を出します。日本人はどうしても外國へ出ては農で立たなければならんと思ひます。商業で支那人や印度人と競爭は出來ませんしたとへ農をするにしても資本の關係上米人とは角力は取れませんから、つまり個人〳〵が肉体勞働で小資本をこしらへてそれが團結して、そこへ大きな仕事を生まねばなりません、お互に共々弱みに付け込んで食ひ合ふ樣な事は日本人の一番の欠點で不成功の原因だと思ひます。それには如何しても第一番

に内助者を求めて急がすあせらず手に手をとつて永住的決心で進まねば駄目です。誰でも外國へ行けば日本に居たよりもまだ變化が多く、仕事なども五年も十年も始めから同じい仕事をするものではなく、困る時は庭掃除からお勝手の手傳ひまでして、順々に資本をこしらへ、色々の經驗をなめて大きな仕事にかゝるのですから、時に依ると意外の失敗をして、新規撒き直しの二度第一歩より進まねばならん樣な事になります。その時に大抵はヤケクソになつて、二度取り返しの付かぬ樣な處へ落ちてしまひます。たとへば少々位の資本が有つたにしてもみんな使つてしまつて其の揚句病氣にでもなつて看護のして呉れ手もなく藥を買ふ金さへもなくなる事になりますから是非〳〵共々働いて生死も樂しみも共にすると云ふ配偶者がなくては成功は出來ません。それには出發する前に候補者を決めるなり約束をするなりして行く必要が有ると思ひます。さうして相當資本も出來て彌々事業を始むると云ふ時に呼び寄せる樣にしたら成功はうたがひ有りません。それと何と云ふても單獨で千里も二千里も離れた處へ行つて居るのですから眞に心から慰めて呉れる友人の手紙が欲しい物です。如何に堅い決心の人でも朱に交はれば赤くなるで惡風と知りつゝも永い間にはついに彼處の習慣に馴れて惰けものになつてしまひますから時々日本から色々と勵ましたり慰めたりする手紙が來て眠むりかけた其人を覺醒させなければなりません。尤もこれは其の土地の風習を眞似るなと云ふのではなく惡習に染むなと云ふのですからそこを誤解せぬ樣にして頂かなくてはなりません。今度は反對に日本人は何時まで其の土地に居ても日本式を發揮して、ズボンも履かずに和服で町を歩いて見たり、物を食ふに音をさせたりや大酒を飲んで夜更けてから大聲で騒いだりしていけません。かう云ふ事は日本に居てさへも良くないのですが、特に外國へ行つたら其の土地の習慣に馴れて、變な日本式は止めにしなければなりません。酒のお話を一寸すると外人は隨分大酒を飲むが然も後の騒ぎの甚だしいのは日本人だと云ふて居ります。これは外國へ行つて居る日本人は淋しさを忘れる爲に日本に居る人より特に澤山飲んでさはぐのかも知れませんが甚だ宜敷無い事と思ひます。それから故郷の家の方とは絶對に係累のない樣にして出發せねばならんと思ひます。向ふで南洋美人と共に一生を送る人は無論の事。でない人でも十年や十五年は一寸も係累の無い樣

にせねば腰が落ちつかんので思ひ切つた仕事は出來ません。時々來る手紙には外の文句は無くも「金送れ金送れ」では何時まで經つても一文無しで其日暮しの日庸取りです。成功の芽の延びる時はなく折角延び始むれば日本へ送りまた延び始むれば日本へ送りでは餘り氣の毒です。りれで然も「うちの野郎は何をして居るのか何時までも他人に使はれて居るだけでどうも仕方が無い早く自分で人を大勢使ふ様にならなければ、到底大金儲けは駄目だ。どうも仕方の無い野郎だ。」なんて言はれては毎日汗だらけになつて外國で働く者の立つ瀬が有りません。不思議な事だ懐中に金の有る時は病氣をせんし一文無しの時にはきつと病氣をするものでした。これだけは外國に居る人は誰に話しても同じ様な事を云ひます。要するに今此處から「太郎さんが太きな抱負と堅い決心とを持て外國へ行くとしますと……

第一に十年なり十五年なり豫定の期間は家族と離れて居ても差支の無い様にして行く事。

第二に殘つた家族の人は一寸も當にせず勵ます樣な手紙を時々出して然も悲しい樣な事はどうせ千里も二千里も離れて居る事ですから色々と云ふてやつた所でどうもこうも出來るのではなしりんな事は云はずに外國へ出て居る人が餘り心配せずに安心して仕事の出來る樣にする事。

第三には出發する前に妻君を見つけて置いて行く事。……りれと心から自分に同情して吳れる氣の置けない自分の一番相談相手になる友人を日本にこしらへて置いて何事も其人に聞いたり話したり相談する事。……身を切られる樣な悲しい親の手紙よりも時々來る温かい友人の手紙と、いま一つは自分の將來の妻君になる可き異性の手紙とが外國へ行つて居る人々が何時も淋しさを感せず然も眞面白に働く事の出來る、所謂成功を助くる大なる後楯となるのです。

第四には出發した人はどうせ世の中の事はなる樣にしかならんのですから不要の心配をせず大きな氣になつて自分の体力と腦力と特長とを考へて一番自分に適當な仕事を選んでそれに向つて倦まず撓ゆまず最後の勝利者となるべく急がずに�れて後已むまで突進する事。

私は此の四ッを太郎さんに餞別として差上げ度いです。終りにいま一ッお話すると……外國へ行つて居る人で小利口なあれをしたら儲かるだらうこれがよからう、この道では何程損をする。どうもいかん……などと勘定高い人よりも損でも得でも同じ仕事につかまつて根氣よく働く馬鹿になつて働く人の方が成功します。

然も景氣不景氣は、丁度道を歩く樣に、何時も上り下りが有るので、ドン底まで下り切れば、今度は上るに決つて居るのですから、今度の好景氣の來る迄、大抵の處なら辛棒するのです、自分に運の向いて來る迄、谷底で待つのです、「待てば海路の日和有り」です

好景氣の後を後をと、追ふて歩いたでは、御都合商人が、品物を高い時にばかり、仕入をする樣なもので、何時も他人の儲けた後を探す外なく、甘い汁を吸ふ事は出來ません、ですから外國では、利口の者よりも、少しお目出度い者の方が、却て成功するといふ奇現象を呈する事が、往々あります、結局馬鹿が利口になつて、利口が馬鹿になると云ふのが落ちです、りして又大成功を望まずに、小成功から順々に進む事です、其所に大成功の秘訣が有るといふものでせう

私は正直の處、此の秘訣を知らなかつた爲に、徹頭徹尾、失敗に失敗を重ねて來ました、斯くして成功談は、一つも有りませんが、失敗談ならば、幾らでも有りますから、何時でも御注文に應じます

只今私がお話した、太郎さんへの餞別も、成功の秘訣もみんな此の失敗から、割り出したのです

私ももう一度、失敗をしに、出かけやうと考へて居ります、何時になるか分りませんが、六十歲になつてから、出かけた人さへ有るのです、りれから見ると、未だ三十五年も若い、氣長に時期の來るのを、待て居ります

○最近の伯國事情（其の二）

松村榮治君

歸國匆々海の外の二月號へ、伯國の大体について少々書かせて頂きましたがりれは主として日本人發展の現狀で御座いまして伯國の有識者は吾々を如何に觀て居るかに就いては、極めて簡單に書いたばかりでしたから其所を少し書いて見たいと思います。

如何に其の國が土地廣大で天惠に富んで居ても、入國を禁止したり、亦は排斥したりしたなら、りれは移

住せんとする者にとりては何等の價値も有りません。北米は邦人發展の好適地には相違ありませんが、今後大々的に移住せんとする我國に取りては、最早や行き詰まつて居ります。矢張り伯國を撰ばなければなりません。然し乍ら如何に伯國が日本人を歡迎するからと云ふて永遠に排斥がないとして、樂觀する事は出來ません。昨年の拾壹月廿六日の通常議會に於いて黃色人種移民制限が提出されました事ははしなくも黃色人種として四萬の同胞を抱擁する聖州の有識義の士を奮起せしめ州議會上院に日本移民擁護の獅子吼として現はれ聯邦下院に對する抗議となつた事は同胞の爲めに喜ぶべき事なるも、それだけ油斷が出來なくなつた事を想像せなければなりません。殊に在伯米人の中には隨分煽動に勉め邦人排斥の爲めに新聞經營をさへして居る者が有ります。如何に其の記事が事實無根で有つてもりれに依つて邦人を嫌遠せんとも限らず、余程注意すべき時期になつて參りました。此の際日本政府の後援と資本家の着目海外協會の移住地計畫の實現は時宜を得たものであり、此の種團体の活動を望むもので有ります

今上院の邦人擁護演説を示せば、當日議員バドウナ、サアレス氏は、デョルデ、チピリサア議長に發言の許を得、黃色人種入伯制限法案の聯邦議會通過せしめざる爲め、抗議請願をすとし、伯國に萬里の長城は築けぬ、日本移民制限どころか增加さすべきだと前提し、遠い國から異國の地へ幸福と成功とを求めて來る者を呼寄る爲め、今日迄最も強い引力を有して居た聖州は此の問題は默視は出來ない。當州の農業發展を助けに來る勞働者を引き續き受入るゝ事の出來なくなる樣な法案が聯邦下院を通過するを阻止せよ！とするは、當州の分に過ぎた事でない。若し伯國が豐富な勞力を有して居るなら、自國民に仕事を與へる爲の外來者制限も出來るだらうが、この廣漠なる伯國土はりの人口の不足を感じて居るではないか。新法案中には黑人種の入國を禁じ黃色人種は年々其國內在留人類の五分に當る人數に制限しようとして居る、所で今日迄日本移民を抱擁して來た唯一の州はサンパウロ州で從て本州のみが新法案に抵觸する事となるのである。黑人入國禁止は今日何等急を要すべくも見へない何故ならば何處からも黑人移民が流入するを脅かされて居ないからである。然し聖州發展の爲め非常に大なる貢献をした黃色人種に對し歐州移民でないものを入れない樣にと云ふ政策は其の如何を問はず不當至極のものである。歐州移民が其の勞作を以て伯國富增進に與つて大なるものと云ふが事實なら其他諸國から渡來した移民亦等しく其勞作に依り規律正しい行爲により、聖州の進展開發の一部に貢献した事も眞實である。此意味で禁止策を討議するなどと言ふは時機でない何處の國籍の移民でも十分抱擁し得る伯國は、其の國土の廣漠なる爲めに殆んど無限のりして未知にして開發されない天惠の富源があるのだから、之れが國運の發達に對する他國民の協力を妨げんとする策に全意してはならない。伯國は勞働者を必要とするのだ遠き距離をも恐れず、此の國を慕ひて物質上及精神上の進歩に伯國民と協力して自らの運命を開拓しようと云ふ者を排してはならない。其が歐州人だらうが米國人だらうが將又亞細亞人であらうが

何んでもいゝ勞働者を必要とするのだ、米國は散々黃色人種の勞力を利用した後に投り出した、日本人や支那人に對して忘恩者だ、伯國はりんな事は出來ない。現時米國は世界各國から、資本家であれ勞働者であれ寄り集ふので人口激增から自國民との競爭を避けしむる爲め外國移民入國を制限するを賢なりとした。

然し伯國の狀態は全くりれと相違して居る。ブラジルは外國人の勞力を必要とする新國家である。移民が國運發展の爲め利用し得べき要素たる以上其れを受け入るゝ事を止める事は出來ない。又新法案には通商條約中に移民問題に就て觸れようとして居るか、りれは駄目だ、移民を引きつけるには勞働法規を完備して彼等に慰安と懇切と保證とを與へねばならん。爲替も好くしなければならぬ。好ましからざるものでない移民の入國制限に反對すると全時に聯邦議會に抗議されたいとの請願を提出し直ちに可決された

又之れを機會に有力な一新聞は、近づかんと勉める日本人を伯人側で敬遠する錯誤と題し邦人の爲めに氣勢を擧げ、其の記事中伯國の開拓に勉めた事を賞讃し、日本人は農夫として不適當である、何故なら落ちつきがない全化しないと云ふ樣な事を聞くがりれは錯誤である、と云ふ證據はサンパウロでは彼等の子女は自らブラジル人たるを任じ伯國語を話し伯國學校に就學して居る

又サンパウロでは日伯人の結婚は極く普通の事で伯國人にして日本人と共に働くものは皆常に彼等が仕事をよくする事で滿足して居るがタバラ耕地には日本人

百家族、カンブイ耕地には百五十家族其他百家族内外の耕地は澤山あるが皆日本農夫が勤勉で正直であると賞讃し、其の文化に於ても四萬の日本人間に三新聞一雜誌其の他澤山の著作があり、サンパウロ市には日伯合同の小學校があり日曜學校があり極めて仲よく見分けつかん程融和されて居る。亦今回の京濱の震災に二万枚の毛布を送つた事は全く吾が伯國の生産に盡したものと認める事が出來ると三段抜きに大書して後援に勉め引き續き邦人の指導者となりつゝ有り、大いに意を强ふするものがあります

以上の如く議會で紛擾した揚句、再び世人を驚かした事は、英國馬來半島産の護謨の生産輸出制限を決行しその實果が擧ると共に悶へ出した米國は、伯國から護謨の原料を得ようとし資本金五億圓より成る或るシンジケートを起し、アマゾン流域に一大植民地を企圖せんとし伯國にその契約をせまりし事にして一般の輿論は米國資本排すべしと激昂し、アマゾン州の代表者は聖市取引所長に宛てし手紙に曰く

米國の企業組合の一委員は土地の讓渡を受けアマゾナスの地に米國人を使用して護謨樹栽培をなし、米國船無税航運の自由の特許を受けやうとして居ます

かうした事は皆既に、貴下の御承知の事に差ひありません。又未開發無盡の大寶庫を所藏する此の膨大な地方の富源について、充分御存じの事と思ひますので、前申したような特許が如何に損害となるか、それは單にアマゾナスに對してのみでなく全伯國殊にサンパウロに對し非常な障害となる事を御考へになる事と思ひます。アマゾナス地方について熟知して居るだけに、遂いこうした手紙を貴下に書くようになつたのです。少し考へのあるものは吾等が今算定も出來ない程如何に大なる危険の淵に臨んで居るかと言ふ事は充分に解ります。彼等は先づ護謨栽培を始めそれで大拾得を得ましよう、それから今後は珈琲の栽培を始めるでせう。該地方は最も天惠に富んだ土地なのは勿論で、三年樹で平均四キロを產し（一キロ二百六十六夊）價格邦貨約五拾錢、完全に育ち上がつた時は約十キロ以上も生產します。そしてアマゾナスはサンパウロが僅かに貳拾五万平方基米突の地域であるに對し、實に參百万平方基米突の地域を抱擁してゐるものです。此の企業組合の爲に脅かされている危難を避け得るのはまだ時は遲れては居りません。吾人は此の米國民に對し米國民が墨西哥や玖馬やパナマやポリトリコやニカラグ

ヤやサンサルバルドやホンジユラスやグアテマラやに對して行つた前例からして豫防線を張る充分な理由を有つて居るので御座ゐます

吾人は之れも全じくヤンキーに脅かされて居るサンパウロの協力を喜んで受け入れるもので御座ゐます。米國資本がアマゾナスへ入ると言ふ事は、果して我が財界の平衡を得らるゝ事になるでせうか、政府は宜しくサンパウロの資本家と諒解を得てアマゾナス產品がサンパウロの商品取引所に於て價格付けらるゝと共に、アマゾナス地方へ技術家を送り護謨樹栽培其の他の生產につき指導させ、アマゾナス政府は機械類の購入の爲めその歲入の幾分を割くを義務とし、そして州内八拾五郡は勞働者の賃銀支拂の爲め各割當額を負擔し其の收入中の二コントス（邦家約一千圓）宛を賃銀に振り當てれば六年間には各郡は六十平方基米突の珈琲耕地を有する事になり。其の生產は聖州產の二倍又は三倍になりはしまいか。兩州の人口を合すれば百五拾万に達します。其上アマゾナスはロンドン將軍の一隊に依つて敎化された印甸人を有して居ます。かゝる資力を以て賢明な聖州人のその生產をして世界市場を左右するに至らしめた例を以て指導すればアマゾナスを興隆せしむる事は容易であります。かくて得た大利益から各州を連絡する電信線に添ふ自動車道を作る事も出來ませうし、又それには多分聯邦政府だつて便宜を計つて吳れる事で御座ゐませう

紐育のボリビヤ企業組合と共にアークレへ侵入して來たボリビヤ人を私共は斥けました今亦それと全樣にヤンキーを斥けようでは有りませんか。双手を攅げて我が全胞聖州人の來るを抱擁します　頓首

上院議會では日本移植民歡迎となり、聖州及アマゾン地方資本家の協全による米國資本家排斥となつた事で、伯國は常に彼の惡辣なる米資本團の排斥に勉めようとして居りますが惜しい哉、南米の新興國として認められては居るものゝ債務國なるが故と新事業投資に多大の資本を要するが故に、止むなく米資を受け入れるので若し北米に代るべき投資國が見當れば忽ち北米との緣を或る程度まで切る事が出來ます。最近日本より年に數名の實業家が參り一昨年の獨立百年祭には二十五名よりなる實業團が參り到る處歡迎され、亦在伯邦人の前で盛んに大風呂敷を擴げて歸國しましたが未だ何等の計畫もありません。亦日本知名の士百余名よりなる南米企業組合も創立後六七年を經過し年々代表

者が渡伯しますが何等着手致しません。海外興業株式會社も資本金五百万圓あるゝ更に事業の見るべきものが有りません。水野龍氏のカーヒーパウリスタでも年々參千俵の珈琲を東洋方面への宣傳として無代又何等の條件なしに提供して居ります。之れは一例にすぎませんが移植民への多額の補助から日本人及日本資本家を歡迎する事一通りではありません。此の際實業家の結束に依り有望なる紡績業、珈琲園經營、鑛山發掘、製材水產業、土地買入等或はサントス及サンパウロに商業取引所の設置により日本人生產の珈琲、棉の取引等總てに有利であり亦在伯四万の全胞の爲め此の設立は亦意義あるものと思います

今や各國競ふて土地を求め、利權を爭ひ、植民興業に勉め、手を盡し品を換へ、表面よりは官憲の强制交渉を試み、裏面に於ては資產家の誘惑的活躍となり、各國が既に獲得したる利權も少なくありません。顧みれば我が國の伯國に對し何等の交渉もなく亦施設なく累々として各地に横はり居る天賦の恩惠を徒らに、各國多數資本家にのみ獨專せられつゝ有るは誠に焦急に耐へあい事で、在伯全胞の常に遺憾に思ふ事で御座ゐます

伯國の如く遠距離に在り風俗習慣の全然異りて、何等事情の知れざる處に放資の危険なる事は申迄もありませんが、全胞渡來後十五年邦人四万を算するに至り、勇敢勤勉にして何等の後援なきにも拘らず、土地の所有拾万町歩其の生產額數千万圓となり、着々確實なる基礎を築き、此等の全胞が朧げながらも知りしたる各方面の事情は、投資家が未知の危険を避くるに充分なると共に、千古嘗て斧鉞の入らざる處女林は良材奇木を飾りて放資の新郎を待ち、無盡藏の礦石は其儘地下に埋伏し其他總ての方面に放資家の試練を希望して止まざる有樣で、此の際政府後援と相俟ち、此の千載一遇とも云ふべき好機を逸するなく資本家は資本を、勞働者は其の勞力を以て互に相寄り相助け、以て此の國の開發に貢献すると共に、一面日本民族發展の爲め、意義あらしむべく希望するもので御座ゐます

海外近信

○墨國カラコールより

上伊那郡朝日村出身　岩垂貞吉君

旅券獲得に、三日間といふレコードを作つて、昨年十二月メキシコに渡航された、岩垂貞吉君からの第一信に接した、同君の伯父の矢島璋三君の事は、一二度報道したが、岩垂君の通信で、其の活動振と墨國の一面の事情とが、一層判明して來た、之に依りて見れば、墨國の救濟と開發とは、是又我が大和民族の使命たるべきを、確信させられる、岩垂君には無斷で掲載し、敢て一般會員の一讀を勸むるものである

謹賀新正

扱旅券下附に際しましては、種々御厚情に預り、何とも御禮の申上樣も、御座いません、お蔭樣で三十二日間の航海も、至極平穩で、先月十六日、墨國マンサニーヨ港に、上陸致しました、世界地圖に、堂々と表はされた港としては、餘りに淋しく、見すぼらしい一寒村に過ぎません、税關も日本人に對しては、實に寛大なものでした、此處には仁井と云ふ、日本人の旅館が有ります、話によれば二三年前より、餘程美しくなつたといふ事です、伯父樣がわざ〳〵迎へに、來て下さつた爲に、蘇生の思を致しました。

一日半位で、墨國第二の都會、グワタラハラに着きました。此の間土地は非常に肥沃の樣に見受けました、鐵道の兩側は牧場（主に牛）が、何十里となく續きます、野にも山にも珍らしく、美しいシャボテンの林が一パイです、點々として見え隱れする土人の住宅は恰も祖國の茅葺屋の如く、それに一般土人は毛の色、目、顏、何處と云はず、日本人にそつくりですから、田舍を旅行して居る間は、何となく日本の屬國に居る樣な感じが致します、土人の生活程度は割合に低い樣です、併し私達は旅行中何時も、一等汽車ばかりに乘せて戴きました故、同室中の墨國人は、美しい紳士淑女ばかりで、實に見上げた態度でした、こうした上流の人達も、私等日本人には、常に好意的な目を向けてくれました、グワタラハラの南方さんは、日本人中での一番の成功者だろうでして、墨國人と結婚して居ます、氏の經營される、シャボン工場も拜見致しました、次の日は約四時間位で、ラバルコといふ所に着きましたが、それより先は、內亂の爲に汽車が不通で、四日程の滯在を餘儀なくされました。何日居ても汽車開通の模樣が見えませんから、

伯父の決斷で、此の危險な戰線、約五十里を自働車二臺を雇つて、突破する事にしました。途中五六回兩軍に推何されたり、一度は伯父樣は兵舍迄、連れ行かれなどして、スッカリ冷汗をかきました、併し官軍も賊軍も、お前達はハポンネサ（日本人）かと言つて、難なく通行を許されました、そうした彼等の言葉が、しみじみと浮び出されて、涙ぐましい程、强い嬉しさを感じました、世界中で此の國程、我々日本人に敬意を拂ひ、好意を持つ人種は無からふと思ひます。

こうした危險は有りましたが、伯父樣が居られた爲に、別して困る樣な事は少しもなく、面白い愉快な旅行を續ける事が出來ました、二十五日の正午、無事に伯父の家に落着きました

氣候は祖國の、九月時分か春の如き有樣です、螢が飛びます、廣い野原に、ポツネンとして立てる私達の住家は、美しい自然の庭園に圍まれて居ます、タンピコから四里の田舍ですが、晝間は石油穴の發掘の勞働者で賑はつて居ます、新に加はつた私達を合せて、十九人の大家族で、夜は暖い、農家の雰圍氣に包まれて、何等の屈託も無い心持好き夢を結びます、家の前にはパヌコ川と呼ぶ、幅二町深さ十尋もある川が流れて居ます、大きな汽船が、三里も四里もの上流迄やつて來ます、伯父の所有船カラコールも、客や貨物を乘せてタンピコ迄定期に通つて居ます、三四年前から店賣を初めましたが、日に三百圓位の賣上が有ります、農場は今の處、馬鈴薯とトマトーだけで有りますが、畠の廣いのに、信州の山家育の私達は、スッカリ度膽を拔かれて仕舞ひました、三里に四里もある地所を、何處でも勝手に、耕作すると聞いては、只々驚かずには居られません。

信州で山の峯迄も、畠にする人達が、此の國へ來て盛に耕したならば、難しい思想問題も、職業難も平易に解決される事と思はれます、二臺の自働車は、耕作物の販賣と、陸上旅客の運搬に當てゝ有ります、農場耕作は、トラクターと馬とです、トラクターは二十馬力で、無限軌道式で、大戰爭當時の、タンクの變形です、どんな廣い處でも、凸凹の土地でも、一度に十二尺づゝ耕して行く機械力の、自然を征服して行く爽快さは、何とも言はれません。

十六日には、伯父に連れられて、タンピコの日本人會に、招待されました、伯父と同じと云ふ醫者さんとが、牛耳を取て居ります、會員は約百三十名、公使館

の公認になつて、獨立した會場迄出來上つて居ます、昨年タンピコ市百年祭に當り、各國人は競つて種々の山車を造り、日本人會からは、軍艦を出したそうですが、米國人などが何万圓とかけて、造つたものより歡迎され日本万歲の聲は、天地に和し遂に一等の賞に入つたそうでして、在墨公使館からも感謝狀が來たそうです、集つた人達は皆、美しい人ばかりでした、何年か前に移民として渡墨し、今此處に一つの會堂に會して、樂しく話し合ふも、皆我々の奮鬪の賜で有ると言はれた會長の言葉も、感慨無量で、涙なしには聞かれませんでした、祖國の震災にも、三千圓とか集めて送つたそうです、眞に國を思ふは、矢張海外に生活して切實にこれを感じます。

私は慣れない手付で、毎日畠に出て働きます、雪の故郷信州では、今頃は炬燵にうづくまり、四月頃迄は別に仕事も有りませんが、此處は元日初めから仕事が出來ます、此の一事でも生活が容易な譯で、土人が一週間に三日働けば、喰つて行かれるのを見ても、自然に惠まれたる處に住む人の幸福さを思ひます、牧畜の方は今の處內亂の爲、一時中止の狀態ですが、非常に有望な仕事だそうですから、日和次第で初めると言つて居ります、內亂さへ平穩になれば、こんな住みよい國は無いと云はれて居ります、生活上に於ける總ての習慣も、實に簡便なもので、祖國の如き複雜さは、想像だにも及びません

昨年の暮には、伯父の主催で、家の前の廣場で、土人のダンス會が催されました、遠く二里三里の人達が押し懸けて、男女揃つて踊り明しました、餘り盛な爲に兵隊を、六七人警戒に賴みました。

私達は言葉も解せず、樣子も分らず、ろくに仕事も出來ませんが、伯父樣一家の、暖い團欒の中に、些の心配も苦痛も無く、日を送つて居ります、どうぞ御安心下さい。

昨日も公使館から、在住日本人の生活狀態の調べに參りました、外務省の方針として、狀態の如何に依りては、ドシドシ渡航を許可する、下拵へだとか話されました。

折を見まして、附近石油地帶の、實寫眞を寫して、御送附致します、石油の發掘は中々盛にして、近邊の少いのでも一日に二三百樽、多きは四五百樽より、世界一の稱あるものは、一日に五十万樽も出るとの事です、ハバス

直ぐにお禮の手紙を差上樣と思ひましたが、

（馬鈴薯）の手入で遲れて仕舞ひました、惡しからず御諒承下さいませ、伯父樣よりも宜しくと申されました

（大正十三年一月廿四日）

○レヂストロ縣人會の動靜

宮下延太郎君

伯國レヂストロの、長野縣人會々長、宮下延太郎君から、最近縣人會の狀況並に、會員の動靜を報告された、縣人會としての活動振や、郡市別の會員氏名や、會員個人の履歷事、さては彼の地最近の經濟狀態等、一讀興味津々たるものが有る

拜啓貴協會御活動の狀平常「海の外」にて拜讀海外遠く住める縣人の欣喜に堪えざる處兼ねて、みすゞかる信山の懷しき風情の窺はれて樂しく存じ候

却說、當地縣人狀況其他曩きに北原君より報導の節誌上へ御揭載にも相成り且つ、片倉翁一行の視察談等にて當伯國一般事情より植民地の事情御判りの御事と存じ候が尙茲に本會近況等御報申上げ候

㈠本會々則

一、本會ハ長野縣人會ト稱シ事務所ヲ會長宅ニ置ク、

二、本會ハレヂストロ植民地及其ノ附近ニ在住スル長野縣人ヲ以テ組織ス

三、本會ハレヂストロ及其ノ附近ニ在留スル同縣人ノ交誼ヲ結ビ且ツ中堅タル地位ノ向上ヲ圖リ縣人間ノ罹災者ヲ見舞尙郷里ノ後援團体トノ連絡通信及新入植者ノ便宜ヲ計ルヲ以テ目的トス

四、本會ニ左ノ役員ヲ置ク

會長一、副會長一、幹事四、評議員各方面一名ヅヽ、會計及圖書主任ハ幹事中ヨリ互選ス

五、會長ハ會務ヲ總理シ會ヲ代表ス副會長ハ會長ヲ補佐シ會長事故アルトキハ代理ス幹事ハ重要會務、且ツ之レヲ評議ス評議員ハ各方面ノ會務ヲ處理シ本會ノ諸協議ニ列スルモノトス

會計ハ本會々計事務ヲ司リ圖書主任ハ本會圖書ノ保管ニ任スルモノトス

六、會長、副會長、幹事ハ全員ノ總選擧ニヨリ評議員ハ各方面ニ於テ選出スルモノトシ各任期ハ一ケ年トス

七、會費ハ年參ミルレース宛徵集シ之レヲ積立ツル事、收金ハ年二回トシ七月二ミルレース十一月一ミルレーストス

八、會費ハ當座預金トシテ經常費及會員中罹災者ノ

見舞ニ支出シ殘餘ハ積ミ立ツルモノトス但シ幹事會ノ決議ヲ經ルヲ要ス

九、會計ハ常ニ帳簿ヲ整理シ會員ノ求メニ應シ之レヲ閱覽セシムルモノトス

一〇、毎年一月十五日總會ヲ開キ會務及會計ノ報告ヲナシ役員ノ改選ヲ行フモノトス

一一、本會員ハ品行ヲ愼ミ苟モ同縣人タル体面ヲ毀損スルカ如キ行爲ナキハ勿論進ンテ在留同胞ノ模範タル事ヲ期スヘシ

一二、鄉里ノ後援團体及個人ヨリ寄贈セラレタル書籍ハ本會ニ於テ保管シ會員ノ閱覽ニ供ス

一三、第三項罹災者見舞金ノ程度及種類

1、會員ノ死亡　三〇ミルレース

2、會員ノ主婦ノ死亡　二〇ミルレース

3、火災及傷病ハ幹事ノ協議ヲ經テ金額ヲ決定ス

一四、縣人新入植者アル塲合ハ役員出張シテ之レヲ迎ヘ種々便宜ヲ計ル事

一五、規則ノ改廢ハ總會ノ決議ヲ經ルモノトス

㈡現在會員

長野市　內田登始雄　和田陸衛

上水	六川佐市	丸山爲治	松橋久彌
	高野右市郎	宮澤今朝吉	横谷久
	太田政彌	倉島駒治	石川忠愛
	松本覺治	土屋武雄	村田政勝
	平出二郎	金子繁松	水上廣太
	海野助彌	大日方龜惣	高野實
	粟之原由平		
上高	植木吉右衛門	中島省三	井ノ浦多吉
下高	永井覺市	秋山尊一郎	藤澤房吉
	小林武次郎		
更級	久保田安雄	宮下延太郎	中澤與五郎
	大谷政信	南澤增衛	松林米治
	近藤新九郎	寳臣衛	大室助治
	大室猶治	吉原喜太郎	
埴科	村山七郎	春日文藏	島田晉
	島田鶴雄	青柳新治	中澤廣元
	中島貞雄		
小縣	山寺融	高井多賀治	花岡賓
	長澤信家	翠川半之助	南澤龜之丞
	曲居良雄	中曾根平四郎	
北佐	大工原宗一郎	大工原佳郎	柳澤喜四郎

北安　塩川常造　青木忠太郎
　　　松村榮治　中越今朝男
南安　藤原滿壽門
東筑　深澤深一　田中益雄　堀内友次
　　　加藤吉松　中島川佐　淺野利實
　　　松澤肅
松本　猪俣久美
上伊那　小松敬一郎　中島幸吉　飯島義政
　　　下平與市　那須野喜平治　田中甲子喜
　　　湯澤藤平　座光寺與市　伊藤長喜
　　　池上熊治郎　西村鍵重郎　淺川正賢
　　　唐澤實雄　北山金作　中村芳彌
　　　宮下刃藏　有賀德治　北澤伊代吉
　　　戸田今朝市郎
下伊那　林今朝士　金野幸輔　吉川司馬藏
　　　吉川喜之作　田中正勝　小笠原秀雄
　　　中島源吾　牧内忠　小平桑藏
　　　熊谷政雄　野上忠行　木ノ下東
　　　下平與茂太郎　島岡幸一　村澤和一
　　　中村芳美　長谷川小一郎
下水　市村學治　小出長助

⦿現任役員
會長　宮下延太郎　副會長　欠員
幹事　松村榮治　内田登始雄
　　　土屋武雄(會計主任)中島貞雄(圖書主任)
評議員　小松敬一郎　深澤深一
　　　久保田安雄　大工原佳郎
　　　六川佐市　北山金作
　　　太田政彌　村澤和一
　　　松林米治　中曾根平四郎
　　　植木吉右衛門　吉川喜之作
　　　花岡賢　有賀德治
　　　高野實

㈢會員其他(家族)ノ動靜
○前會長　北原地價造氏　本會ノ爲メ終始一貫盡粹セラレタル同氏ハノロエステ線方面ヘ第二期戰ニ活動中
○松村榮治氏　本會幹事同氏ハ私用其他特種ノ用務ヲ帶ビ一時飯朝本會近況並ニ實情ヲ郷黨ヘ傳ヘ又祖國事情ヲモタラサルナラン長途健在ヲ祈ル
○輪湖俊午郎氏　同氏ハ目下北聖年鑑編纂中
○其他轉住セラレタル諸君

市川又太郎　土井吉助　淺田乙　柳澤作治　堀内謙吉　伊藤重彥　大葉　園原千鶴
▲宮坂三治氏　埴科出身伯國渡航ノ先驅者同氏ハ活動家ノ聞エ高カリシガ不幸病魔ニ襲ハレ長逝セラル
▲吉原ひさ子　更級出身吉原喜太郎氏夫人同子永ラク病氣ノ處永眠セラル
▲島田覺氏　埴科出身鶴雄氏令弟同氏ハ青年有爲ノ人才病魔ノ爲メ長逝
哀悼ニ堪エズ

◎祝事數件
塚田孚君(下高)と丸山や子(上水)　石川文雄君(小縣)と春日とく子(埴科)　島田俊君(埴科)ト島田たか子(埴科)何レモ結婚
北澤政二君(伊那)　有賀國平君(伊那)何レモ新夫人ヲ迎フ
大工原某孃(北佐久)熊本縣人と　淺野かづい子(東筑)廣島縣人と　中島滋子(埴科)山口縣人と何レモ結婚

◎來訪二件
諏訪出身矢崎節夫氏(アニューマス農場支配人)當地植民地視察當會ヲ訪ハル
村上眞一郎(西筑摩出身)齒科醫ノ同氏ハ同病患者治療ノ爲メ來植本會ヲ訪ハル

五、一般情況
農業生産物及び其の加工品の下落殊に糖價の下落より一時悲況にありし當地は、昨今甘蔗加工品即砂糖及甘蔗酒は非常に好況にして活氣を呈し米作者も來年の米價を豫想して大奮鬪中、特に近來各地に永久作物たる珈琲栽培勃興し、油料類「マモナ」の栽培等も始まり、家畜家禽の副業等へも組織立ちたる經營を見るに至り漸く基礎確定せるの感あり、此の調子にて進まば見る可きもの有るやに被存候但し米等に活動さるゝものと異り祖國へ對して送金の出來難きは一時的出稼ぎと性質の異る植民の當然の事と存じ候
敎育は伯國々法に依る小學校にて受けしめ、邦語敎授も州政府の公認を得て致し居り候土屋武雄氏は當植民地中央部に横谷久氏は桂植民地に何れも伯人敎師と共に兒童敎養の爲め犧牲的努力を致され居り候
名論、屁理屈何れにせよ、淺間、燒岳の噴煙に負

けず吹き上げるは縣人の特徴とや面白き點に候はずや、
近來一般に元氣よく活動し居り青年連も修養に腐心いたし内には練習、金儲等武者修業に他に出て、奮闘いたし居るものも多々有之候
今回松村君の飯朝より當地より參考となる可き標本等送り度く候ひしが時日なく只農産物、植物其他の標本を依頼致し置き候へば適當に御處分下され度く敎育的參考資料には不備に候へども多少御參考にならば在留縣人の幸甚と致す處に候
協會加入者及雜誌購讀等も松村氏へ萬事依頼しある次第委細御聞き下され度く候

信洲記事

○下伊那郡青年秘密結社事件

三月十七日に、下伊那郡飯田町を中心に、赤化青年の大檢擧が行はれた、檢擧の理由は、新聞紙法違犯、脅迫罪、名譽毀損事件等で有るが、其の内容は頗複雜なるもので、中央の共産主義者とも關係あるらしく、事件は一般に重大視されて居る、十七日に檢擧されたのは、七八人で有つたが、其の後數日に亘り、各方面から續々檢擧されて、總數二十五六人に及び、中には一人の女子も交つて居る、檢擧された者は同時に、家宅搜索をされたが、巧に證據物件を煙滅したとかで、審議には甚だ困難らしい、何れ其の中に、眞相が判明するだらふが、兎に角長野縣としては、珍らしい事件で有つた、

○善光寺の御開帳始まる

七年に一度の、善光寺前立本尊御開帳が、三月廿日から始まつた、善光寺協賛會では、全國各地に數十万枚の、大ポスターを張り出し、震災慘死者の供養を呼び物に、盛に宣傳をするし、鐵道省でも旅客を當て込みに、例車客車を出來るだけ増加して、大儲をやらふとして居る、開期六十日間に百万の人を運ぶ豫定だといふが、例年に無く氣候の寒いにも拘らず、初日から長野驛の昇降客は、一万を越えて居るから、來月中旬の花時になつたら、毎日二万にも達するだらう、少くて七八十人、多いのになると三百人もの團体が、續々と押しかけて、院坊も宿屋も大繁昌だ、名古屋附近や、北陸地方からは、一度の參詣では、物足らず、御開張中に少くも、三回はお參りをするなどいふ者も隨分ある樣だ

○内務省主任の移民奬勵講演會

内務省社會局では、全國に亘りて、移民奬勵の宣傳講演をして居るが、福島、新潟、長野の三縣へは東京高等師範學校敎授中島信虎氏、と拓殖大學敎授大島喜一氏とが、海外興業株式會社の、活動寫眞班を同伴して巡廻された、信州では三月十四日から、同十七日迄、長野、松本、飯田の三ヶ所で開演した、聽講者は割合に少數で有つたが、中央當局に於ても、此の點に注意を向けて來た事が、一般の認むる處となり、大局より見ての影響は、尠からざるもので有た

○須坂の鬪雞會

本月十五日須場で、開催された鬪雞會に、高水四郡から參加した雞は、總計約百羽で、午前十時から、午後大時迄、間斷無しの取紙に、同地方人は非常に珍らしがり、場内溢るゝばかりの盛況を呈した、角力と同じ樣に番附を作つて、其の順序に取組ませたが、大關の役で優勝したのは、須坂町某氏所有のもので有た、鬪雞會は之れが信州での嚆矢である

○下水内支部の總會

本月十一日に、下水内支部の總會が開催された、東京からは宮下乾事、本部からは藤森幹事が參列し、折柄ブラジルより歸朝中の松村榮治君も出席して、彼の地の詳細なる事情を話された、出席者は餘り多く無かつた代はり、懇談的にシンミリした話が出來た、會員諸氏からの質問や發議は、何れも肯に當り、海外思想の普及に、頗徹底味を帶びて來た

○精神病院建設の議

本縣には二千人餘の精神病者が有るそうだが、之れに對して、未だ一個の病院も、持たないと云ふ事は、社會政策上から見ても、甚だしい缺陷と言はねばならぬ、此の點に着眼した、本間長官の抱負を聞くと、「精神病院建設の事は、今日既に議論を離れて、如何にして之を建設すべきやに、事態は押し進んで居る、自分は此の見地から、速に實現すべく、計畫を進めて居るが、一方實は赤十字社の、長野支部に於ても、之を急務として、建設を如何にすべきかに就き、調査をして居るので、之を幸に自分は、此の機會に於て、赤十字

社支部と協調を取り、實現する事を考へて居る、財政不如意の今日、約三十万圓から要する建設費を、此の際一擧に縣費の支出に求むるは、不可能の事に屬するから、約二十万圓限度を、縣內篤志家の寄附に求めたい、此の運動は及ばずながら努力するし、又縣內の人々も、此うした事業の爲ならば、同情ある理解をして、呉れる筈で有ると、自分は信じて居る、此の義捐に依り、尙不足分は赤十字支部に、現在常備積立金が、四十四万圓も有るから、其の方から支出するならば、決して財政上は困難でない、赤十字社としても、既に本縣に長野と諏訪の、二病院を認めて居るので有るから、更に進んで不幸の境遇に在る、精神病者の爲に此の建設を認めない樣な事は無い筈だ、若し病院といふ、獨立組織が不可能の場合は、現在の支部病院に於ける、精神病科と云ふ、一分科制方針の下に、之を組織する事は、決して不可能ではないから、自分は此の點より、近く赤十字本部當局と會見して、協調を進める積りである」云々益緊切の施設といふべきで有る

○諏訪の大都市計畫

全國に六千有餘の、末社を持つといふ、建御名方富命の鎭座まします諏訪の地は比類なき歷史的背景を有する上に、湖水と溫泉との天惠に浴する處より、寧遊覽地としての開發が、外來者の一樣に、氣の付く處であるが、生粹の諏訪人には却てそれが分らず、製絲や寒心天を以て、誇つて居たが、近來漸く金儲ばかりが能でも有るまい、一面には慾德を離れた、情趣の世界が無くてはならぬと氣付いた、高島城下の天狗連中は、より〳〵此の問題に就ての研究を始める樣になつた

差當り起工の運びになつて居る湖畔電車は上諏訪を中心に、岡谷、下諏訪、茅野を結び付け、湖水を取卷いて此處に、人口十万の諏訪市を現出せしめ、一方湖水の西側を通つて、岡谷から茅野に延ばし、途中諏訪明神の上社と、上諏訪とを連絡せしむる參宮線を敷設すると、狹い平は宛然たる一大都市となる、こうなると岡谷から下諏訪迄の一帶と、茅野附近一圓とは、南北に相對して、工業地帶となり、上諏訪と其の對岸一帶とは、東西相對して遊覽地となる、夏の避暑地としては無論の事、冬のスケート場としても既に天下に聞え、春夏秋冬可ならざる無しといふ事になる、富士見高原に別莊を持つ人にも、好適の散策地となつて、愈々繁昌する事であらふ

雜報

○北海道炭礦汽船株式會社常務取締役古田慶三氏（信州高遠出身）は歐州戰役中露國及北淸に於ける鑛山森林漁業等實地調査の爲め三井三菱大倉古河藤田鈴木其他重なる事業者を糾合し專門技師三十余名を撰抜し探險隊を組織し彼地に派遣し普く踏査を遂げしめ最も有望なる事業の經營方法に就き邈に日本實業家を代表し危險を冒し深く彼地に入り大に國事に奔走努力せし功に依り今回勳五等に叙し瑞寳章を授けられたり

編輯机上より

松村榮治君の依賴により、レヂストロの靑年會館へ、揭げる筈の額面を、本間總裁から書いて貰ひ、表裝をして、送る事にした、總裁は非常に急がしい中を、心好く請合つて、二尺五寸に六尺といふ大物を、四枚書かれた、大和魂、不忘本、雄飛海外、忍（男兒欲伸志於海外忍一字成功基）等、實にふさはしい文句を撰んで呉れた、茲在伯同胞には、絶好の贈物である

同レヂストロには、野球のグラウンドや、テニスのコートが有つて、靑年會員は日曜毎に、練習や試合をするそうで、一通の用具を、松村君が買つて行く筈だ、會館にグラウンドに、靑年の爲め設備が整ひ、日本などゝ違つて、日曜日には必ず仕事を休み、早朝より乘馬で此處に集まり、社交に、運動に、讀書に餘念無しといふのだから、寧一層進んだ、所謂文化生活をして居る譯だ。

本縣農事試驗場は、諸般の設備がスツカリ完成したので、落成式を機として、四月二十日二十一日の兩日、大展覽會を開く計畫で、海外協會へも出陳方を要望して來られた、協會は勿論大贊成で、南洋や南米から、寄贈された特產品の標本其の他を、出品する筈である

海の外

定價

	內地	外國
一部	廿錢	廿仙
半ケ年	一圓十錢	一弗十仙
一ケ年	二圓廿錢	二弗廿仙

海外郵稅四錢

注意
▲御注文は凡て前金に申受く
▲廣告料は御照會次第詳細通知致します
▲御拂込は振替に依らるゝが最も便利さす

大正十三年三月三十日
編輯人 永田稠
發行兼印刷人 藤森克
長野市南縣町
印刷所 信濃毎日新聞社
長野市長野縣廳內
發行所 海の外社
振替口座長野二一四〇番 信濃海外協會

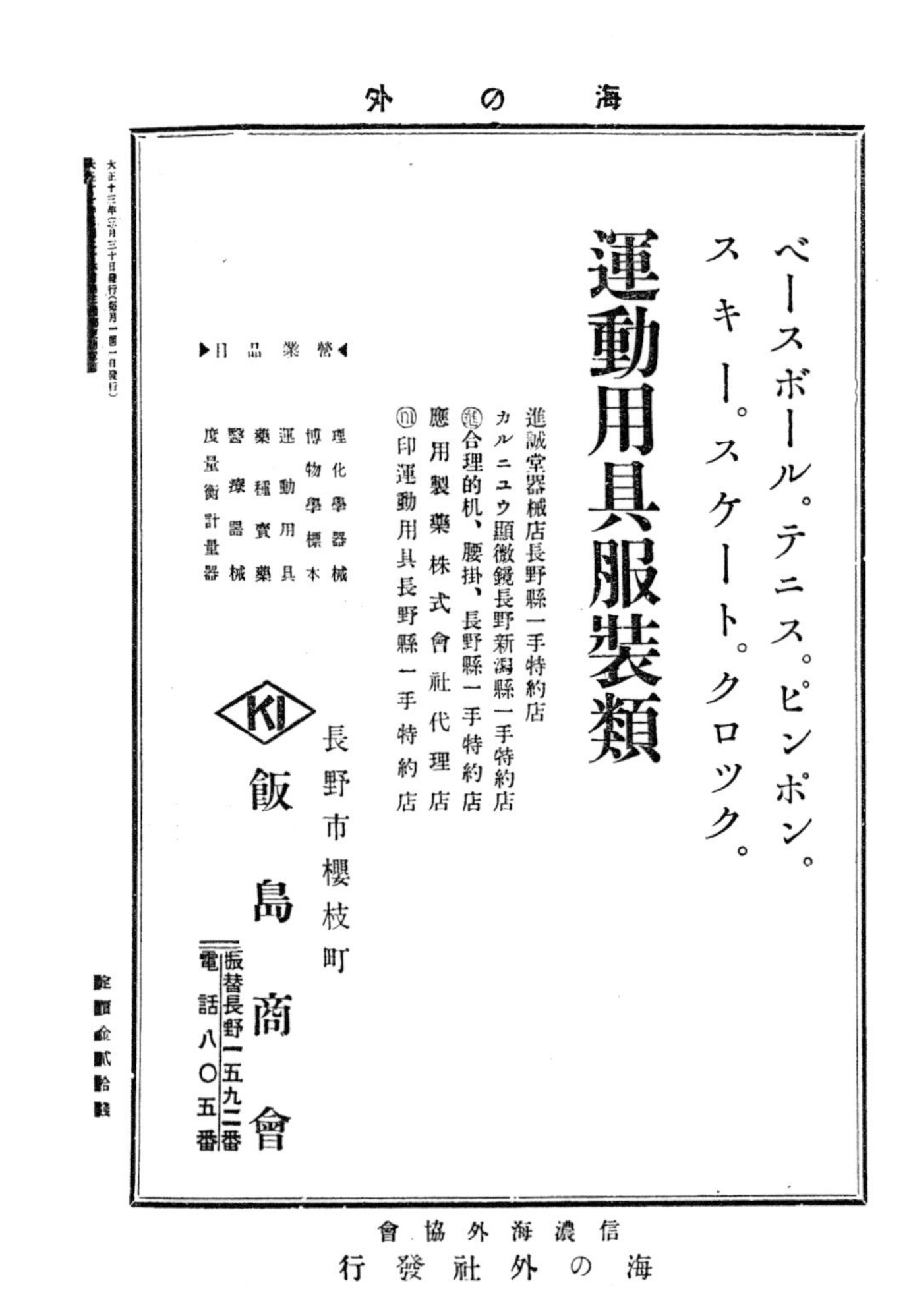

信濃海外協會
海の外社發行

目次

南洋のバナナと椰子

海外事情

我が協會の計畫したる、ブラジル移住地建設の事業も總裁の特別なる盡力に依りて、愈々着手の時期に到達し、近々永田幹事が渡伯する段になつた、而して移住地は、サンパウロ州の、ノロエステ(西北)鐵道沿線に地區を選定する豫定で有る、從て此の方面の事情を、會員諸君に報導する事は、最有意義なるを信じ、最近外務省で發表せるものを拔萃して、掲載する事にした。

ノロエステ鐵道沿線概況

サンパウロ市總領事 藤田敏郎氏報告

當ノロエステ鐵道沿線に亘りて散在する本邦農業者は、獨立農、分益農(步合作をなすもの)、及珈琲園勞働者を併せ、總家族約二千五百二十家族、總人口八千二百二十八餘(内男四千三百二十八、女三千九百八)を數ふるに至れり、(バウル-領事館、大正十年度調査に依る)

當沿線の農園は、所謂新珈琲園地帶にして、之を舊珈琲園地帶、即リベロン方面と比較すれば、土地の高低に於て相違あり、即當地帶は、舊地帶より一般に低位にありて、珈琲栽培適地は、當方面に於ては、比較的僅少なり、されば珈琲園に適する土地を選定し、開發々展は頗る至難なり、蓋本邦農業者にして、夙に卒先當地方に入植し、未開の瘴澤原野を開拓し、疫病と戰ひ、多大の犠牲を拂ひ、困苦の末遂に今日の地歩を占むるに至りしもの有り、又多大の犠牲を拂ひしも、全然土地の選定を誤まりたる結果、何等得る所無く、今日未だ其の成果を見ざるの輩も少からず、思ふに各沿線に於て、土地の高低を論せず(珈琲の適地は、普通五百メートル以上となす)妄に珈琲を植へたる地方は、連年霜害に犯され、廢園と化せるが如きは、如何に珈琲栽培の成功不成功が、地盤の高低と直接關係あるかを、切實に感せしめらるゝものなり、近時此の地方入植者は、已往の失敗經驗に鑑み、土地の選定に多大の注意を拂ひて、各作物の適地を選定し、漸次發展しつゝある事は、極めて喜ばしき現象なりとす、今踏査せる、ノロエステ沿線の、地盤高低を示せば次の如し

地名	地盤標高
バウル	五〇〇メートル
プレシデンテ、ペンナ	四五〇
ノゲーラ	五一〇

アバイ	四四〇
プレシデンテ、アルベス	五四〇
トレド、ピザ	五四〇
ラウロ、ミュレル	五二九
ミンシナト、ブラガ	五〇〇
グワランタン	四四〇
ペンナ	四一〇
アルブケリンス	三八〇
エートルレグル	四一〇
カビチーバ	三八〇
ペンナポリス	三八〇
ビリグイ	三八三
アラサツーバ	三八〇
イタプラ	三一〇
トレスラゴア	三一〇
ジュビア	二五〇
ラゴアリカ	六八〇
カンボグランデ	五二八

前表の示すが如く、ノロエステ線中、バウルを起點とし、漸次鐵道線を、バラナ川方面に進むに從ひ地盤下降し、其の最低部をバラナ河岸のジュビヤとなす、夫れより又漸次地盤上昇し、ラゴアリカ方面に於て最高となり、以下漸次又々下降して、ボルトエスペランサ方面に及べり

此の地帶の土質は、大体第三紀層に屬し、チエテ河沿岸低窪地は頗る沃土に富むと雖ども、未だ適切に利用されず、元來此の地帶一般に、砂土にして、加里分に富めども、有機物に潤澤ならず、然れどもソロカバナ線の土砂の如く、石英粒の集合せる土砂に非ずして雲母輝石より成る土砂なれば、多少の養分有機物を含有し、諸作物に適せり、思ふに伯國の內地方面には、石英粒より成る、砂質土の比較的少き事は、土地開拓者に取りて、誠に幸運の事なり、然れども將來土地改良上、此の地方一般の獨立土地所有者は、綠肥の如き最適の肥料を使用し、作物の生育を期する事に、今より注意する事肝要ならん、尙此の地帶一般に、種子の選擇に注意を拂はざる傾向あり、綿花栽培者の如きは殊に優良消毒種子を、必要とするに、多くは在來種、無消毒の種子を使用するもの多きを散見したり、若しノロエステ線發展策の一として、棉花に依り沿線の富源を開發せんとせば、其の基礎たる種子を、等閑に附する事は、極めて策の得たるものに非ず、然らずん

ば是れ、害蟲に門戶を開放し、將來棉花の品質を、破壞するものなりと云ふべし、聖州に於ける棉作脅威なる、害蟲の一種クルクレーの如きは、驅除藥の勵行に依りて、完全に之を防止する事を得べく、有名なるラガルタ、ロサの如きも、優良なる種子の栽培を實行せば、決して恐るゝに足らざるなり、其の他霜害に對しても、可成早生種の選擇をなせば、被害は全然無かるべし

以上は單に、棉花に對する、種子の選擇なるも、其の他の作物、米、玉蜀黍、豆等に於ても、亦然り此の點當業者の注意を要すべきなり

次に山林の狀態を述ぶれば、此の地帶鐵道沿線の山林は、伐採に際して火を入れたる爲め、已に開發され處女林を見る事極めて稀なり、然れども各驛より、少しく奧に入り、十里以上を距つる地域にありては、未だ斧鉞入らず、天與の豐富なる、無限の山林多く、氣候良好にして、將來開發を俟つべき個所少からず、現在邦人農業者の所有に係る山林中に殘存せる、十數種の樹木は、何れも甚だ有用なるものなり、元來此の地帶の山林は、良材豐富にして、製材業又頗る有望なりとす、之を要するに當地帶は、槪して砂質なれども、珈琲以外米作の如き、作物の生育に好適し、地價又他地帶に比較して廉價なる故、將來の發展を豫想して、本邦人の此處に入植する事は、頗る有望なりとす、只從來入植せる者の中、珈琲の生育充分ならず、且つ資金の融通豐ならざる故、地方商業家等より、資金の融通を受くれども、返濟期短く、農業資金としては、安全確實ならず、現に六十日を期限として、銀行等より一時融通を受け、其の期限滿了と同時に、更に書換をなさゞるべからざるの、窮地に陷る者少きに非ず、本邦農業者發展助成の方法としては、事業資金を、低利長期貸付の方法に依りて融通せば、堅實なる企業の發展を促す事を得べし、現に此の地帶に於て、獨逸の一農事會社、ハツケル會社は、鐵道線より二十餘里を距つる地點に、植民地を選定し、面積五万アルケール（我が十二万町歩）の尨大なる區域に、開拓事業を試みんとするが如きは、如何に此の地帶の將來益々有望なるかを證するに足らん

以下各地區（此處には二、三）の現況を記述せんとす

アバイ驛附近、邦人アルフハルフア（紫苜蓿）栽培地

バウル驛を距る事十二里の地點に、アバイ驛あり、

此の驛附近には現在邦人農業者、三十有餘家族在住し重にアルフハルフアと稱する牧草栽培に從事す

元來此等農業者は、曩に珈琲園契約移民なりしが、三四年前より此の地方に轉じ來りて、該栽培に着手せるものなり、抑も此の牧草栽培は、現在當國政府に於ても、極力奬勵しつゝあり、大正四年四月に於て、時の農會々頭を始め、有力者數名にて、該栽培に關する會議を起し、以て全州に此の栽培の聲を昂むるに至れり、大正元年ピランカバ農學校の報告記要に依れば、我が一町歩にて約三千貫の收穫を得たりと（一ヶ年十回刈取り、一貫目の代價三十錢內外）而して普通の牧草類なれば、三パーセントの蛋白質を含有するが、該牧草は一二パーセントの蛋白質を含み居る事を發表せり、會議員の一人は公表して曰く、伯國の主要作物は珈琲なるは勿論なりと雖ども、此の厖大なる土地に對し、全部を盡く、珈琲園に開發する事は、絕對不可能なり、況や地盤の關係、其の他の事情に依り、珈琲に不適なる土地も蓋し尠少ならざるに於てをや、之等の土地は勢大規模の牧畜業の發展に俟たざるべからず、是れ伯國農業政策として、極めて緊急且つ、根本問題なり、隨て其の牧畜業に對する飼料問題として、早晚アルフハルフア栽培は、忽緖に附す可からざるなりと

現在アバイ驛附近、邦人栽培者は、此の趨勢に鑑み漸次其の作付反別を擴張し、益々進步發展を、劃策しつゝあれども資金潤澤ならざる爲め、徹底的に事業を擴張する事能はず、又勞力節減上の農具等の買入充分ならず、又壓搾機完備せざる爲め、乾草の荷造不完全なり、故に以上の缺點は、速に改良せざるべからず、尙土地耕耘上、傾斜地を利用せるが、雨水の流出を防止する、防水設備不完全の爲め、若草を流失せしむるの損失又莫大なり、以上の如き缺點あれども、販路確實にして、聖市（サンパウロ市）若くは、マトグロッソ州、カンポグランデ市方面に搬出され、大抵價格は、冬期の時期七八月の交、高價を呼び、一般牧草が霜害の爲め、拂底を告げる時期に當り、必要缺くべからざるものとなれり、蓋し此の附近地盤低く、珈琲栽培に不適當なれば、斯る牧草栽培を營む事は、有利にして且つ緊要なる事業なり、近時斯業の發達に伴ひ、一二邦人が販賣せる乾草中に雜草を交へて取引をなし、關係商人の信用を失ひ、爲めに邦人當業者全般の信用を失墜せる事あり、甚だ遺憾の事なりとす

藤本久太郎、下田三次郎、渡邊吉之助は、土地各十二町歩を所有し珈琲をも栽培し居れり、村上幸左衛門は借地農なれども、相當廣き土地に、アルフハルフアを栽培し、每年二千圓以上の收入ありと、此の地方は初め、珈琲專門地なりしも、連年の霜害の爲め、遂に廢園に歸し、最近は一般にアルフハルフア及び玉蜀黍類を栽培し、外人勞働者も同樣、該牧草を栽培す、此の地方の衛生狀態は極めて良好なり

此の地方に在る邦人は、廣島縣六人、岡山縣二人、福島縣二人、石川縣一人、熊本縣十一人、山口縣四人、福岡縣一人計二十七人なり、此等の農業者は借地契約により、單に土地丈を借用せるもの、或は土地と農具等を借用するもの、又全部の材料一切を借用し、單に勞働能力を供給し、收穫を二等分する等の諸契約方法あり現在にありては、最後の契約即ち耕主に勞力を供給し生產を等分に收得する事は、勞働者に取りて不利なり

ビリグイ植民地

當植民地は、大正二年二月より、賣初められたる植民地なり、ビリグイ驛は標高三百八十三メートルにして、驛と植民地との距離十七キロメートル（約四里）あり、此の間多少起伏あり、植民地の標高平均四百メートルなり

現在邦人家族四百家族あり、日本人にして此の地方の土地を買ひたるは、大正三年十二月、福岡縣人牛野潤次郎氏を以て嚆矢とす、同氏はサンパウロ、土地材木株式會社より、土地を購入し、茲に初めてビリグイ日本人植民地の端を開けり、當植民會社は、一方に於て內外人に、土地を賣却すると同時に、他方に會社直營の農場をも經營し、相當良好なる成績を擧げつゝありと云ふ、注目に値す、彼の海外興業株式會社の手に依り、建設せられたる、イグアッペ殖民地の如き、會社は單に、土地を年賦に依り、植民者に賣却するのみにして、會社自ら其の一部の、農事上の經營を試みざるが如きとは、全然經營方針を異にせり、此の點は特に注意すべきことゝ認めらる

サンパウロ土地材木會社は、近來ノロエステ全線に於て、荒廢せる牧場の改良策として、種々なる牧草の種を試植し、人工的牧場の建設に注意しつゝあり。

ビリグイ植民地には、五個の日本人部落あり、今其の各部落につきて、概況を述ぶれば

一、バグワス部落

當部落の全面積は、一千三百二十町歩ありて。珈琲を主作とし、甘蔗、綿作、米作等をなす、地區の內其の半は開墾され、未開地は山林にして、寧地盤高し、開墾地の地盤、一般に四百メートルに達せす、連年霜害に犯され、場所に依りては、寧ろ他作物を以て、之に代ふるを得策とし、甘蔗又は綿作に力を注ぐ者も、増加するに至れり

小學校には、現在生徒四十八名、葡語外人教師ダーナ、テリオ、サントス氏あり、氏は更に夜學を催し、部內の青年に、葡語の教授をなし居れり

二、エリヂオ部落

當部落は總家族二十家族、人員七百二十八、地區面積千三百九十二町歩あり、珈琲樹數四十万本あり、主として三年生樹なり、近來霜害を蒙り、發育良好ならず、此の地方又綿作、米作をなす、山根寬一氏は、他の十六家族と共同して、七十町歩內外の甘蔗畑を有し、甘蔗栽培をなし、製糖場をも設け居れり、此の製糖場には、十馬力の製糖機を据付け、製糖期以外餘力を以て、精米及び玉蜀黍の製粉をなす、此の地方も標高四百二十メートル內外にして、霜害を蒙ること常なり、昨年度の甘蔗の被害又尠少ならざりき、此の部落には、山根氏又外人と共同してアルマゼン（雜貨店）を設立し、諸人の便を計れり、植民地の雜貨店としては可なり完備せるものにして、他部落も其の利便を享け居れり、尚中心地には、日本人專用の、病室の備あり小川涉氏醫療に從事したれども、大正十一年七月物故せらる

三、上流アグアリンパ部落

本地區在住者は、總數六十家族にして、面積一千町歩あり、其の過半は開墾され、當初は珈琲を栽培したりしも、現在は寧ろ綿作に力を注ぎ、其の品質又良好なるものを產出す、米作も又相當の成績を擧ぐ、地盤四百十メートルなり

四、下流アグアリンパ部落

當部落は地盤遙に低く、三百八十メートル內外なり年來珈琲を栽植すと雖ども、數次霜害を蒙り、所期の成果を見ず、地味も又良好ならず、全家族數四十家族

面積七百町歩あり、開墾地既に全面積の七割五分を占む、思ふに此の地方は、珈琲を主作となすよりも、場所に依りては、他作物を栽培するの有利なるあり、近來此の地方は、養豚事業勃興し、相當の成績を擧ぐ、但し此の地方は砂地なれば、乾燥期特に乾燥の度甚だしく、加ふるに水質惡しく、飼料充分ならざる爲め、豚コレラの流行する傾向あり、但し該病は豫防注射を以て、能く未然に防止する事を得べし

五、ツピー部落及リオ、フエイオ附近

當部落には邦人六家族あり、尙リオ、フエイオ附近即ちピリグイより二十四キロメートル（六里）の地點に、約十家族の邦人散在して小部落をなす

バウリスタ植民地

當植民地は、獨逸ハツクル會社附屬の植民地にして本社を獨國に有し、ハンブルヒ、ベルリン、ステルラエイヒ等に支店を有し、當伯國に於ては、聖州に總本店あり、リオグランデスル州、ポルトアレグレ、バラナ州、ポルトユニオン、サンタカタリナ州エルバル及マトグロツ州、カンボクランデ及當アラサツーバ市に各取扱店を置く

抑も當バウリスタ植民地は、アラサーバ市（バウルを距る事、二百八十キロメートル、標高三百七十五メートル）を距ること、西南八十五キロメートルの地點にあり、創業日尙淺く、道路未だ完全ならず、交通極めて困難なり、驛より十九キロメートルの地點迄は、自働車の馳驅に耐ふる、完全なる道路あり、之より更に三十キロメートル迄は、晴天の日のみ、自働車を通過し得る道路あり、即ち驛より四十九キロメートルの地點迄は、自働車を通過し得べし、此の地點にビメンタルと稱する農場あり伯國人の所有に屬し、面積七千五百町歩あり、現在は山林及牧場のみなり、

驛より六十キロメートルに至る間、一つの川も無く初めてアグアペーイ川に會す、此の川は幅員廣く、水深又深く、馬車、荷馬車等は、筏に依りて運搬せらる此の川を渡れば、瑞西人所有、マツクスウエル耕地に着す、此の耕地は十四万町歩を抱容し、將來此の地方に、牧畜業を實施せんとする計畫の爲め、目下住宅を建造し、特に專用の製材場を開き、聖市に在る、ブロンベルヒ會社の技師監督の下に、機械据付を急ぎつゝあり、動力は蒸汽力にして、二十四馬力なりと、其の途中の道路は、既述の狀態なるにも拘らず、將來を考へ、其の規模を大となしたる事、寧驚嘆に値す、此附近にドクトル、カルロス、ボツテリオの瀧あり、壯觀言はん方なし、唯未だ天然の美觀を恣にするに過ぎずして、自然の力は徒に放棄せられ、利用の機なきを憾みとす、蓋し此の瀧を利用せば、優に五千馬力の動力を得べしと云ふ

此の地點より、更に二十キロメートルにして、バウリスタ植民地に達す、地區總面積十二万町歩なれど、現在入植せる家族は、四十有餘家族に過ぎず、大正十年九月頃より入植し、住居を選定したるのみにて、開墾作業等未だ進捗し居らず、地價は凡そ、二十五町歩を一區となし、每區百ミルレース乃至、百五十ミルレースの割合なり、而して年賦若くは現金を以て賣却す、入植者に對する移住費は、十二歲以上、五十歲未滿の農夫にして、渡航する者に對し、本國及サントス港間船費を、當政府に於て負擔し、サントス港アラサツーバ驛間は、移民局の手に依り送輸せられ、驛及耕地間は、費用の三分二は會社に於て負擔し、三分一は各自入植者の負擔として、入植を奬勵し居れり、實際入植せる移住民の內、純農業者は少く、寧知識階級に屬するもの郎ち、軍人上り或は相當資力有る者多く、主として獨逸人若くは墺太利人なり、曩に一時は、多數の入植者を見たりしも、地區の遠距離なるに驚き、退耕せる者少からず、現に食料品等は未だ植民地開始後、日尙淺き爲め、耕地產のものを以て供給する事能はず、アラサツーバ驛より、運搬せざるを得ず、行程少くも二日を要す、故に運搬費嵩み、隨て買入品廉ならず、されば若し、將來地區を通過すと稱する、新計畫の鐵道敷設の實現有らざる限り、交通運搬の便頗る惡しき事は、將來耕地發展上に多大の影響あり、尙本年度中には、自働車道路完成の豫定なる故、全部貫通する曉には、其の利便を感ずる事、大なるは勿論一般生產價値を騰ぐる事、頗る大なるべし、耕地は地盤最高の地點と雖ども、四百メートルに過ぎず、珈琲の栽培には、不適當なりと思考せらる、山林は頗る良材に富み、一大富源たるを失はず

尙特筆すべきは、當植民地は、學校の設備未だ無しと雖ども、醫療設備の完全なる事、他植民地の遠く及ばざる所なりとす、地區內事務所附近に、治療室を設け、獨人醫師專ら治療に從事す、醫療器具、藥品等完備せり

要するに當地區は、地味良好なれども地盤一般に低く霜害の虞ある爲、珈琲の栽培には適せず、又道路不完全の爲め、交通運搬の利便を缺けども、將來此の不便を除去するに於ては、最も有望なる植民地たるべきは疑を容れざる所なり、幸入植者は盡く永久的移住の目的を以て、獨逸、墺太利等より、移住せる者のみにして、邦人勞働者の如く、一時的ならず、又相當の資產を有し、漸次永久的設備を施し、着々其の業に勵みつゝあるは、注目に値するものなり

ヒリツピン、ミンダナオ嶋

ダヴアオ州邦人企業狀況

（ダヴアオ帝國領事館報告）

西部地方

概說

交通。ダヴァオ州內邦人分布の狀況を見るに殆ど全部はダバアオ灣に瀕む一帶の地に於ける麻及椰子の耕作地域に在留し其沿革より見るも先づ邦人中ダヴアオ町近隣西北の地に麻耕作に從ひて相當の成績を擧げたる者あり軈て邦人の渡來相踵ぐに至り漸次後方森林地を開拓し既に西北部地方に好望の地無きに至りて灣の東岸地方の地域を占むるに至れるものなれば其開拓の度も東南部地方に比し西北部地方の遙かに進展し居るを見るべく邦人も亦州內在留者の大部分は是等西北部地方耕地內に居住するものにして東南部地方が今に至る迄ダヴアオ町との聯絡を發動機船及獨木舟等の水路によるに西北部地方は陸路交通を有し邦人經營會社事務所中ダヴアオと直通若は聯絡の自動車便を有するもの四割に達す然れども若し夜間降雨あらば其便を失ひ騎乘者は徒歩によらざる可らず各耕地內は就働者散在し居り視察上に時日を費すこと大なり

ダヴアオと電話の聯絡あるはタロモ太田會社事務所ダリオン古川會社事務所バト拓殖會社事務所ビイダツド耕地事務所（米人）にして太田會社は私設電話を架して同社及同ミンタル耕地事務所バゴ事務所ミンタル拓殖會社南ミンダナオ興業會社ミンダナオ農商會社マナムブラン興業會社ムリダ農商會社等の各事務所と

聯絡し居り古川拓殖會社は同社と南民農事會社マヌエル興業會社事務所と之亦私設電話を以て聯絡し居れり

タロモ太田會社及ダリオン古川會社は共に私設棧橋を有し比嶋內海航路船は直に之に橫付して載貨をなし得且兩社共發動機船を有し平時ダバオ灣內各地との間に運搬に從事し陸上交通杜絕の折はタヴアオと海上聯絡の便に供す

邦人經營會社　曾て麻價高値を持し資金の融通圓滑なりし際には邦人經營會社は其數七十に達したりと云ふ

然るに其後經濟界不況に際し是等多數の會社中事業未着手の儘消滅せるもの或は邦人他會社へ若は外國人の手に讓渡したるもの又は土地貸下等の權利を得たる儘今に開墾に着手せざるものあり現に事業に從ふものも嘗て植付たる麻を收穫し居るに止り何等之が手入をなさゞる有様にて今や邦人經營會社は資金關係上一大危機に遭遇し居るものと云ふ可し

ダヴアオ西部地方に存する邦人經營會社左の如し

太田興業會社
北タロモ拓殖會社
ミンタル拓殖會社
ピアオ拓殖會社
リバーサイド拓殖會社
南ミンダナオ興業會社
ミンダナオ農商會社
マナンブラン興業會社
ツウインリバー拓殖會社
ムリグ農商會社（オキク・ゾーン）
ミンダナオレクラメーション會社
ダリアオ拓殖會社
バト拓殖會社
バヤバス拓殖會社
古川拓殖會社
南民農事會社
マヌエル興業會社
シラワン拓殖會社
カタルーナン農業會社
拓南拓殖會社
ギヤンガ拓殖會社
タロモ河農業會社
タグラノ河拓殖會社

ギヒン拓殖會社

以上耕地は經營者及資金の系統上之を三大別となすことを得即ち一太田會社系二古川會社系三其他之なり更に極言すればカタールナン農業會社及拓南拓殖會社を除けば太田古川二大系統となすことを得べし

又會社設立に至れる沿革上より之を大別すれば是亦三となすことを得即ち一初バゴボ族等との親交關係等よりして漫然官有地を占有開墾し後官有地調査の進展に從ひ會社組織となして土地貸下を得たるもの二豫め土地事業を目的とし會社を設立し後土地の購買若は借入を爲したるもの及三既に土地事業を營む會社が更に事業を擴張せんとするも法規上官有地貸下及拂下の地積に制限あるを以て別名義の姉妹會社否子分會社を設立せるもの之なり

商業狀況　上述の如く交通不便なる耕地內に居住する邦人の日用品食料等の供給は主として各會社事務所に之を取揃置きて耕地內就働者に貸與し生產麻仕切の際貸借の精算をなすものなり支那人は可成奧地迄入込み商店を經營し在ダヴアオの同國仲買商と聯絡し麻耕作者に商品を貸與して生產麻を購買し小利に甘じて麻價の攪亂買占を試み之が聽て栽培請負契約者と會社側との間の麻仕切價格に關する紛擾を來す基となる啻支那人一流の根氣と長期貸付策とは著々として彼等の發展を齎しつゝありて邦人にして資金の潤澤を圖り對策を講ずるに非ざれば利益は支那人に壟斷せらるゝならん各耕地內に供給せられ居る本邦商品の重なるもの左の如し

湯上用單衣地莫大小襯衣同靴下同手拭ライオン齒磨齒磨楊子護謨製靴鎌月琴印及ハンマー印燐寸龜甲青印醬油

ダヴアオ州內邦人の土地所有若は貸下を受け居るもの三萬町步弱ダヴアオ町を圍繞して宛然日本部落の觀を爲す其既墾面積は一萬町步に足らずして殘餘は將來の開墾を待つものなり現行公有地法によれば比島人が六割一步以上の株を有する法人は公有地の行政處分を以て貸下を受け得べく其資格なき法人も議會の協贊（エキスプレス・オーソライゼーション）を以て貸下を得可きことゝなり居れるも是立法技術の優秀なるものにして其改正の沿革よりすれば議會の協贊を得るは殆ど絕對に不可能にして又六割一分の比島資本を加へたる行政處分により貸下を受くる有資格會社と雖今後貸下を受け得るは至難にして殆ど今後當地方面に於て

は不可能なりと斷言するを得然らば今日迄多大の資本と勞力とを傾注多數同胞の生命を犧牲として獲得したる官有地貸下の既得權は例令莫大の利益無き迄も之を擁護せざる可らず過去二三年間麻市況不振の爲當地邦人會社は何れも缺損を招きたりと雖事業の性質を仔細に點檢すれば將來必ず利益を擧げ得可く官有地貸下期間は二十五箇年なれども借繼の方法もあれば七十五箇年は當該土地を用役し得可し然るに目下各社共資金に行詰りには貸下契約後二箇年に及ぶも開墾を爲さゞるものもあり然るに貸下地に對しては、契約後六箇月以內に開墾に着手すべきものにして（公有地法法文には其規定を見ざるも土地局編纂 Compilation of law and regulations regarding to Public lands in the Philippine Islands. Page 96. に其旨記述あり）未開墾の儘放棄し置かば將來權利に影響するなきかを懸念せらる

要するに目下本邦より勞力の移入は强て勸誘し難きも資本的援助は絕對的必要にして過去に於ける人命と財貨との犧牲及法制に對する外交的折衝の犧牲は疲憊困窮せる邦人會社の資本的救濟の成否如何に懸るものと謂ふべし

古川拓殖會社系統

古川拓殖株式會社　沿革　現社長林學士古川義三郎氏夙に南洋發展の雄志を抱き其學業を終るや大阪市伊藤忠兵衛氏後援の下に大正二年十一月比島に渡來し各地を視察調査の上ダヴアオに事業の基礎を定むるに決し三年六月一先歸朝し資金を齎して同年十二月伊藤孝太郎芳武良藏の兩氏を伴ひ再渡來し同月二十日マニラ商工局に會社設立の登記を了せり當時公稱資本十萬「ペソ」四分の一拂込なりき斯くて同四年一月早々ダヴアオに來り三月ダヴアオ郡ダリアオンに所在する米人バーチフエルド氏所有地百餘町歩を二萬「ペソ」を以て購入し次で同五年キノコール所在の西班牙人所有地六百餘町歩を二萬「ペソ」を以て購入し更に同年八月ダリアオン耕地隣接地に百餘町歩を比律賓人より一萬六千「ペソ」を以て購入し全部地權の移轉を了せり斯の如く總て私有地を購買して莫大の費用を土地受得に投じ而して地權の確保を得たるは一特色にして數多き邦人會社中本邦資本を以て事業開始せるもの〻嚆矢なり

耕地狀況　前記の如く會社所有地は四回に亘り四箇

所の私有地を購入せるものなるを以て耕地も亦四分して經營す而して他會社の如く官有地の貸下拂下を受け半ば開墾して中止せるものと異り僅に百五十町歩を除きては何れも既墾地なり其內譯左の如し

ダリアオン耕地	一〇六町歩
リパダス耕地	二〇〇町歩
ダロン耕地	一三〇町歩
イヌワヤン耕地（キノコール）	五八〇町歩
計	一、〇一六町歩

既墾地千十六町歩の耕地內には椰子二萬八千株麻四十八萬株植付あり其生產年額椰子六千八百「ペソ」麻九萬八千七百「ペソ」に達す尙家畜の放牧を經營し居れり西北部地方耕地中椰子の栽培を爲し居れるは太田會社バゴ耕地と當古川會社のもの最大なり當社の椰子も成育狀態良好なり

直營と契約　椰子及放牧は總て會社の直接經營にして給金制度による勞働者を使役して手入及收穫を爲す

契約者　麻栽培請負契約は協定契約書により目下は邦人六十名比島人十二名の請負者ありて六十名の勞働者を使役し水力を利用する麻挽機三臺を有して麻二十一萬五千株の請負を爲し居り其年產額約五萬五千七百「ペソ」なるを以て契約に基けば一契者約一箇年收得生產の九割六百八十二「ペソ」餘となる割合なり

直營　直營麻は二十六萬五千株にして年產額四萬三千「ペソ」なり動力による麻挽機はリパダス耕地に灌漑水力を利用する工場二あり第一工場は大正九年の設立にして麻挽機四臺を有し第二工場は大正十年十月に完成し麻挽機十臺を有す又ダロン耕地には大正十一年六月設立の工場を有し重油發動機六馬力の二機を以て運轉する麻挽機八臺を有すと云ふ

直營麻生產に從ふ勞働者の給金に日給及挽分の二種あり日給は一日一「ペソ」四十「センターボス」挽分は機械挽の場合と手挽の場合とあり手挽は切倒皮剝及挽全部勞働者にて爲し生產高の七割を受け三割を會社に納む機械挽は更に二途に分れ生產麻一吁三乃至四センターボスのものと切倒運搬會社持皮剝挽勞働者持にて生產高を折半するもの之なり

椰子　椰子は二萬八千本あり年產額六千八百「ペソ」にして全部日給制度の勞働者を使用して經營す

同社の牧畜も未だ主要事業の境に達せず目下の處麻椰子栽培の副業の感あり現在家畜左の如し

馬	十七頭
水牛	二四
勞働牛	三〇

其他ノ牛　四〇
計　一一

同社は以上の事業の外フェルナンデス汽船會社代理店スタンダード石油會社代理店を兼ね且他會社生產及椰子の購入販賣を爲し且耕地就働者に對し食糧品及日用品の販賣を爲すを以て本社所在地たるダリアオンには倉庫を有し大正十九年完成の重油發動二十馬力の水壓壓搾機一臺を有して麻の俵裝をなす

目下社員及直營事業就働者は日本人六十五名比島人三百名なるが社員を除く一般勞働者は麻挽等の特種制度を除き何れも一日一「ペソ」四十「センターボス」を受け其勘定は週間勘定にして勞働時間は日曜祭日を休日とし其他は午前六時より十一時午後一時より五時半合計九時間半なるが午前午後各三十分間の休養を與へ正味八時間半の勞働なり

特殊設備　電話　大正十年六月起工同年十月完成せる延長三十粁の單線式電話にして建設費三千「ペソ」を要せる由なるが會社耕地及サウス●ミンダナオ農事會社及マヌエル與業會社事務所とを聯絡す

灌漑　大正七年完成すりパダス河の河水を引用しりパタス耕地の水力發動とタリアオン耕地の灌漑とに使用す延長四粁半費用三千「ペソ」を要せり太田會社の灌漑に比すれば規模小にして同日の論に非ざれども同社を除けば他の會社に見ざる所なり

軌道　本社所在地構內に敷設し延長三百米突の十三封度軌道にして構內各倉庫間及棧橋間の運搬用トロッコを運轉す

棧橋　長さ三十六間の私設棧橋にして本社事務所附近に存し比島內海航路船は之に橫付して載貨す棧橋材料は木材にして上にニッパ屋根を有し雨露を防ぐ

壓搾機　邦人會社中俵裝用壓搾機を有するは太田會社と當社のみなり　Croup　會社製水壓式にして二十馬力の重油發動機を以て運轉す一日能く四百梱の俵裝をなす

發動機船　運搬用として牛水牛を有するの外ランチ二搬を有すダリアオン號は重油發動四十五噸六十馬力にしてカモメ號は輕油發動十噸十五馬力のものなり

資金關係　當社の資金は大阪伊藤忠商店より融通し居たるものにして設立當時は公稱資本十萬「ペソ」四分の一拂込なりしが大正七年下半期に於て公稱資本五十萬「ペソ」全額拂込に增資變更したり而して實際投資額は七十五萬「ペソ」を越え目下他會社貸付金二十萬三千

八百「ペソ」耕作請負契約者に貸付金二萬九千三百「ペソ」を有す是等貸付金は麻價上騰し各契約者及會社相當利益を擧げ得る迄は回收容易ならず

大正六年末慈惠院醫學士有賀國一郎氏を招き比島人醫師ボンドック氏と共にダリアオン病院を開きたるも大正八年に至り邦人醫師禁止命令に接し有賀氏歸朝し次で病院を閉鎖せり然れどもダリアオンは同地方の中心點にして邦人勞働者多數に散在するを以て病院の必要なるは明なるも會社は病院設立及經營に關する困難と資金の關係之が再擧を爲すに至らず

耕地の手入を爲し生產の平常を維持するに必要とする人員及資金に關しては五十萬「ペソ」百五十名を要す可し

太田會社系統

太田興業株式會社　沿革　明治三十八年呂宋島ケンノン道路(舊稱ベンゲット道路)從事の本邦移民を率ゐて前社長故太田恭三郎氏初てダヴアオに來り殆ど無資本にてマニラ商人より借入たる商品を擁して小商店を開き日用品の販賣を營み居りたるが後明治四十年五月三日知人數名と共力して現會社を創立し爾來日と共に進み事業轉換期に際して同氏死亡し次で經濟界不況とあり資金捻出に困難を感じ本邦に於て海南產業株式會社の設立を見同社より資金を借入れ以て今日に至る

位置　ダヴアオ町を西に距る約九粁タロモより西北に亘る千十五町步の廣大なる地積を占め交通の便よし北はバゴボ族土地に東は比島人私有地に西及南の一部はミンダナオ農商會社耕地に接す

官有地拂下の出願は大正三年六月十四日にして現在總面積千十五町步六七六あり內千九町步六七六を開墾し殘留六町步は之を保留し居れり耕地をミンタル耕地バゴ耕地に二大別管理す尙本社の管理に屬する椰子山あり

本社管理耕地　タロモ所在の本社には約三十五町步の面積に椰子三千五百三本ありて月平均三十擔(一擔は十六貫)を生產す又倉庫棧橋俵裝機を有すること別項記載の如し邦人社員十五名比島人一名邦人雇二十四名外に土人勞働者六十三名あり內三十八名は日給にて一日二圓を受く二十五名は俵裝仕事請負にて一俵六十六錢なり勞働時間は午前六時半より十一時半午後一時半より五時合計八時間半なり

パゴ耕地　直營　太田興業會社耕地の大部分即ち八

百十八町步を管理し三內直營は椰子一萬六千本麻十七萬株を有し邦人七十名土人百三十名の勞働者之が栽培生產に從ふ勞働時間及賃金は本社と同樣なるが麻の挽出には請負制を執り伐倒及運搬會社持にて生產麻を等分す挽出工場は會社施設の灌漑水道を利用する水車二箇所あり第一工場は挽機二十臺を運轉し一日平均二十擔を挽出す第二工場は挽機十臺及製板を營み一日平均麻十擔及板六百ボード・フイートを出す

尙當事務所直營のものに放牧ありて水牛六十二頭牛百六十三頭勞働牛六十五頭を有す又事務所附近に木製軌道あるも別項に之を述ぶ可し

請負栽培契約　自營者は九十二人あり總て邦人なり八十七名の內外勞働者を使用して麻三十八萬株を栽培す石油發動機三馬力三臺一馬力一臺を以て挽機七臺を運轉し手挽機二十臺と合し一臺一日平均二十瓩を挽出す

ミンタル耕地　直營　太田會社耕地北半をミンタル耕地と稱しミンタル支店に於て管理す邦人三十五名土人百名の勞働者が直營に係る椰子麻の耕作生產及其他の直營事業に從事す挽出工場は二箇所あり何れも會社施設の灌漑水道を利用す第一工場は約六十馬力あり麻挽機十五臺を運轉して一日平均十五擔を挽出す其他此動力を利用してタロモ川對岸地ミンタル拓殖會社耕地內敷設の木軌道終點よりケーブルを輪轉して皮剝麻を工場に運び又一日二十四枚の氷を製してO・D・C病院の用に供し電氣を起して同病院及耕地事務所及住宅の燈火用となし尙機械鋸を運轉して製板す一日の製板能率六百ボードフイートなり第二工場は麻挽機六臺を運轉し一日平均六擔を生產す勞働時間及勞銀制度バゴ耕地に同じ

尙當耕地事務所はゼヤオ拓殖會社耕地を受任管理し又ミンタル拓殖會社耕地東南部四百二十六町步を同じく受任管理す

栽培契約者　自營者は邦人九十一名あり七十名の使用人を有す會社の灌漑を別用する水車三箇にて挽機六臺を運轉し又一馬力半の石油發動機にて挽機一臺を運轉するもの三箇所の外手挽機三十臺を有し合計一日平均二十瓩を挽出す

特殊設備　當ダヴアオ州に於て否當比律賓群島に於て邦人企業中の最大なるは當太田會社にして從て特殊設備の多數なるも亦第一位に位す灌漑水道電話棧橋軌道病院木板工場製氷電燈俵裝機運搬機等其主なるも

のなり木板工場に就ては既にバゴ●ミンタル兩耕地下に記述したるを以て之を省き他の設備に付概說すべし

灌漑水道　タロモ川流水を堰止め之を開鑿運河河底部幅員八呎深さ五呎のものを以て本線六千二百八十九米支線千五百米の間流過し灌漑面積千二百町步に及ぶ大正三年五月工事を起し同六年一月完成し總費用十三萬二千「ペソ」勞力延人員九萬人を費したるものにして一秒間千五百六十立を許可せられ居り當初の計畫は耕地內の灌漑ありしが今は之にて水車を運轉し居ること既述の如し

電話　タロモ太田會社同住宅小賣部ミンタル耕地事務所同住宅同病院バゴ耕地事務所ミンタル拓殖會社事務所南ミンダナオ興業會社事務所ミンダナオ農商會社事務所マナンブラン興業會社事務所ムリング農商會社事務所を連絡する單線式電話にして大正八年八月架設し經費一萬ペソを要し延長二萬五千米に達す

軌道　タロモ本社構內ミンタル拓殖會社ミンタル支店管理區バゴ耕地の三箇所にあり本社內のものは大正元年の敷設にして八封度鐵軌にて構內倉庫と棧橋とを聯ね人力を以て無蓋車を運轉し貨物を船舶に積下すバゴ及ミンタルのものは共に木製軌道にして大正十年の敷設に係り牛一頭にて無蓋車を曳き麻及木材を挽出工場に運搬す前者は延長千八百七十五米、敷設費二千八百十二「ペソ」五十「センターボ」後者は延長千三百米、敷設費千九百五十「ペソ」なりと云ふ

棧橋　タロモ本社所在地にあり比島內海航路船は橫着となる全部木造にして長さ四百三十二呎巾平均十呎面積四百六十七平方米にして大正元年の建設に係り經費一萬八千「ペソ」を要したりと云ふ

水上運輸機關　十五噸の重油發動機船を有し明治四十四年の進水にして三十馬力一時間七哩の速力を有し價格一萬「ペソ」なり

陸上運輸機關　Cleveland トラクタ二十四馬力のもの三臺附屬四輪車貨車三臺輕油發動のトラク六十馬力三十馬力の二臺 Dodge 乘用自動車十四馬力二臺を有すクレーブランド●トラクタ第一號は四千六百二十九「ペソ」第二號は四千八百二十三「ペソ」第三號は五千四百三「ペソ」附屬四臺二千百四拾五「ペソ」にして麻及商品の運搬に用ゆトラック六十馬力のものは Delahaye 社製にして價格六千「ペソ」三十馬力のものは Smith 社製にして千四十「ペソ」なり

O・D・C・病院　大正七年に設立し木造平家建のものにして收容力三十名乃至五十名を有し本邦醫學校出身の比島人醫師之に長たり大正十年以來臺灣總督府よりダバオ栽培協會に補助せらる、全員中より補助を受け殆ど實費を以て診療す

伊太利生絲の世界的地位

在米蘭帝國領事報告

最近國際農事協會の公表せる統計表に徵するに大正十一年度世界蠶業界の收繭額は四三七一万九〇〇〇貫にして其生絲生產額は四二五六〇〇〇貫と稱せらる尤も該計數には支那生產額を含まず(支那方面よりの生產額報告なかりし爲)然れども其輸出方面より之を概算總計すれば一箇年の世界生絲生產額は六三八四〇〇〇貫と算出するを得べし其中約十分の八は日本支那及伊太利の三箇國に於て之を占め之に亞ぐを生產數量に於て著しく下位を示す土耳其亞細亞露西亞とし尙之に亞ぐを佛蘭西墺太利洪牙利西班牙ブルガリア印度及朝鮮とす

今回の日本大震災の爲多量の同國產生絲の燒失と今日に至る迄世界の生絲輸出國中其覇を稱へ居たる日本が茲數年間斯業に脅威を蒙むるの狀態に陷りたることは著しき絲價相場の昂騰を來し同時に諸外國市場に異常の活況を惹起し殊に北米合衆國方面の生絲市場にては一大恐慌を來せり蓋し北米合衆國は有名なる生絲消費國にして其重なる需要は之を日本市場に仰ぎ居たり現に大正十一年度の如き北米合衆國の生絲需要の八割は之を日本市場に仰げり然るに今や北米合衆國は彼の需要を主として伊太利に向くることゝ成り爲に一時全く伊國市場は最有利なる地位を確保するに至れり

尙次の計數に徵するも斯業が伊國に執り如何に重大なるやを測知するに難からざるものあり即ち恐怖すべき日本大震災の結果生絲相場は一基瓦に付二百圓以上に騰貴し爲に大正十二年度伊太利產生絲の獲利は僅に二箇月足らざる間に約八千万圓と計上せられたり

大正十二年九月國際農事協會公報に據れば伊國收繭額は一千十万貫と稱せられたるも其後伊國々民經濟省農事統計局の報に據れば大正十二年度伊國收繭額は一千百万貫に上れりと云ふ而して生絲一基瓦に付平均繭十一基瓦を要すとせば少くとも大正十二年度伊國產生絲は一百万貫を市場に提供せるものと謂ふべし

日本商品の東アフリカ市場割込

在モヴアブール帝國領事報告

本年二月二日發刊タイムス紙に記載の東阿弗利加駐在英國商務官報告中最近の日本商品の同市場割込を甚だ重大視すると共に本邦品賣行に深甚の利害を以て觀測せる一節左の如し

東阿弗利加(ウガンダ、ケンヤ、タンガニイカ及ザンヂバル地方)の英國品輸入高は昨年中幾分增加したるが同地方輸入業者の多くが商品の實質よりも價格の低廉を喜ぶ風あるに鑑み右英國品輸入額の增加は實に英國當業者の着實なる營業振の奏功を示すものなると同時に英國當業者が需要品の價格を引下げむが爲に拂ひたる甚大の犧牲を物語るものなり對東阿輸出貿易上日本及米國の生地木綿印度及和蘭のブランケットは何れも重要品にして此等主要諸國相互の輸出額割合は年々多少の變化を見ることあるべきも今後生地木綿乃至ブランケット輸出國としての右諸國の貿易上地位は變ることなかるべし

日本は最近東阿市場に大に着目し今や日本當業者は生地木綿の賣込高に於て尠くとも一時的優勝の地歩を獲得せり而して日本は昨今ランカシャ特產綿製品と同種品を盛に賣込みつゝありて米國產綾木綿の如きは日本製品の爲に市場より驅逐し去られたり日本製緋金巾は品質不良なるを以て聲望ある在來品の間に割込むこと萬なかるべきも土人向日本製金巾生地は甚だ賣行良く最近東阿に日本商會二戸開業し英國產バフタ地に匹敵すべき晒金巾を試驗的に少量輸入したるが其價格は英國品より低廉なり又日本製綿莫大小襯衣の如きは最近相場(C・I・F)一打に付八志六片を唱へバザーに於ける荷捌迅速なり上述各種日本品の見本はデパートメント・オヴ・オーヴァーシーズ・ツレイドに陳列し一般の觀覽に供せり尙前記日本商會二戸は何れも日本品輸入業者たるのみならずウガンダ產棉花の大なる買手となりつゝあるを以て將來之が買付資金補充の必要上輸入日本品賣上高の增加を計らむが爲大に努力するものと信ぜらる

シャム國朱檀材輸出狀況

新嘉坡帝國商務官報告

●●產額　朱檀の產地は暹羅國內の局部的方面即ち東北部コーラットの山奥及東部海岸地帶佛領國境附近の山

奥に限られ而も年々伐採し來りたる結果現今其產額は極めて尠し殊に本邦內地商人の要求するが如き太材は一層稀にして細丸太多し土人は木材の値段高きを知り國內の消費に使用せず殆ど輸出さるゝ狀態にして輸出數量より推し一箇年の國內產額は二千四五百噸位なるべし

●●●●輸出狀況　全部盤谷港より輸出され仕向地は香港を主とし日本行は全體の二割見當なり一箇月の輸出量は香港行約二千噸日本行三百噸內外ならん前者は在留支那人により後者は同本邦人により取扱る西洋人會社にして扱ふもの殆どなし期節は一年を通じてあり香港行は盤谷發の太古又は怡和洋行等の船便を利用し本邦行も直航船なきを以て前述の便船を利用し香港積替の方法によりつゝあり昨今本邦行(多くは神戸大阪揚)運賃は一噸に付新嘉坡弗二十五弗內外(積替費用船會社持)を唱へ居れり

●●●●●●●取引情況及在荷數量　香港品は前述の通り全然支那人同志の土着取引に屬し又本邦若は外國人が此一方に參加し彼等と取引を行ふが如きは一寸實行出來難きことなり本邦向品は事實上同地の一二本邦商の手により營まれつゝあるが彼等は同地支那人材木商より買付くるを普通とするも前述の如く產額尠きを以て屢ゝ山元に人を派し直接買付くることあり等級其他に關し何等公定なきも個々の丸太に付實物檢査(所謂拜見)を行ひ居れり盤谷の受渡は鐵道終點鐵道省揚渡にして其後本船迄の積込は買手方本邦商人にて手配す

本邦向品取引は多く圓建にして六十日拂爲替付銀行信用狀送付方法により居れり前述の如く總體の產額少きを以て在荷數量多からず鐵道揚場所には普通五六十噸を存するに過ぎず從て一度に大量の註文に應ずるは現在全然不可能事とす

●●市價　大體左の如し(一擔は十六貫目)

長サ五—六呎の丸太(直徑十五吋以上)

一等品	平均六擔以上阪神着一擔に付約	一〇、〇〇円
二等品	平均五擔內外(同)	八、七〇
三等品	同　三擔內外(同)	八、〇〇

諸國汽船及人口比較

(通商局)

神戸市某船舶部の調査によれば英國ロイド保險に登記せる世界各國所有汽船總噸數と人口數との比例は左表の通りにして本表に依り各國海運界の趨勢に關する一班を窺知し得べし

國名	總噸數	人口(千單位)	千人に對する比例噸數
諸威	二、三七六、九七〇	二、六三二	九〇三
フユーメ	四二、二九六	五〇	四六八
英國	二一、六五九、〇七四	四六、二六二	四五九
波蘭	二、六〇七、二一〇	六、九七七	三七四
丁抹	九三七、七四三	三、二四〇	二八七
瑞典	一、一三五、六一二	五、九八八	一九〇
西普魯西	九二、八二九	三六五	二五四
米國	一五、六八四、七八七	一〇七、八三三	一四五
希臘	七四七、四七四	七、〇〇〇	一〇七
佛國	三、五五二、九四〇	三九、二一〇	八八
白耳義	六〇五、〇五〇	七、四六六	八一
伊國	二、八八〇、七七六	三八、八三五	七四
日本	三、六〇四、一四七	五七、六五六	六三
西班牙	一、一九八、八一六	二一、三三八	五六
南米	七二、六四一	一、五二九	四八
葡萄牙	二六一、三一七	六、〇四一	四三
智利	一六三、八三四	三、八一九	四三
獨逸	二、五〇九、七六八	五九、八五六	四二
芬蘭	一一七、七九九	三、三三〇	三五
エストニヤ	三三、二〇八	一、一一一	二九
亞爾然丁	一六〇、六〇九	八、六九九	一八
ラトビヤ	三二、七三〇	一、八五一	一八
伯剌西爾	四五九、四一六	三〇、六三六	一五
玖馬	四三、〇八四	二、九〇〇	一五
ユーゴースラビヤ	一一九、七七八	一二、四〇〇	一一
祕露	五九、一八八	七、三〇〇	八
羅馬尼	七三、八四八	一六、二六二	五
支那	二二二、九七〇	四三〇、〇〇〇	一
其他各國	七三三、三九〇	—	—
登記せざる船舶	二一二、三六九	—	—
合計	六二、三三五、三七三		

支那に於ける自動車數

(天津帝國領事舘報告)

米國商務局當地方事務所の最近改正調査に據る支那に於ける自動車の現在數左の如し

南香港より北哈爾賓に至る間の總數　一一、〇三九台

右內譯

客自動車	八、五一〇
トラック及乘合自動車	一、一四〇
聯絡車	六七

牽引車	二
自動自轉車	一、一二六
飛行機及水上飛行機	九九
消防自動車	九五

右總數一萬三千三十九臺中上海は其所有數最多く殆ど其半數を占め雲南は最下位に在りて僅に一臺芝罘及鎭江は客用自動車各二臺を有するのみ

今主要地に於ける其所有數を掲ぐれば左の如し

	種類	所有數
北京	自動車	一、三三二
	飛行機及水上飛行機	四二
庫倫、張家口間（庫倫張家口間は自動車聯絡の便あり）	客用自動車	一〇五
	トラック及乘合自動車	一〇
	自動自轉車	三
奉天	客用自動車	一〇二
	荷物運送及乘合自動車	一五
青島	自動車	一八八
哈爾賓	客用自動車	三四二
南京	自動車	五二
漢口	客用自動車	二一四
香港	客用自動車	七一五
	自動自轉車	三二〇
上海	客用自動車	四、〇九四
	自動自轉車	三三〇
	消防自動車	四九
	飛行機及水上飛行機	二五

人造絹絲の稱呼

（通商局）

人造絹絲は化學上眞正絹絲との間に何等の關係なく其光澤と外觀との外に殆ど一切の特質に於て蠶絲と異れり人絹は其獨特の長所を有し眞正絹絲の單なる代用品たるに止らず別箇の織物纖維として確實なる地歩を占むるに至れるも不幸にして不適當なる名稱を附せられたりと云ふ一般に人造絹絲と稱せらるゝも正確の意義に於ては實は絹にあらず是に於て商業用語として一層種別的名稱を創成使用せんとする運動を起す者あるに至れり人造絹絲製造業の見地よりすれば何等詐りたる名稱を使用せる譯にあらざるも新稱呼採用の利益は

同業の別箇の特性を表し以て世界織物纖維界に無比無類の新原料を提供するに至れる異常の發達科學の進歩に對し其眞價を認めしむるに仕り殊に同製品の廣告に於て特に其必要を感せしむるものなり且之を眞絹と誤認又は詐稱せしめざるの利益あり獨逸人はグランッストッフ即ち光澤纖維なる名稱を採用せり又商業界に於てはヴイスコーズ、カプラムモニウム、アセテート絹シヤールドンネ絹ピロキシリン、ニトロセルローズ、コロヂオン絹等使用せられ又一部にはラストラセルローズ、ラストローズ木質絹セルローズ絲等を使用せり

海外通信

伯國植民地農場經營に就て

在ブラジル 松村榮治君

地勢土質

地勢は一般に起伏高低多く錯雜せる形狀となつて居る低地は自然の儘では陰濕地であつて排水工事の結果乾燥せしめ得る可能性を有する丘陵地は其の傾斜度數の大少に依つて全部利用し得るものもあれば裾地だけ役立つものも有る、

土質は一般に低濕地は粘土、腐植土に富み、丘陵地は砂質壤土、壤土が多い、丘陵地中位の土壤分析の結果は次の樣である

項目	含有量	
窒素	〇、一一%	中位
燐酸	〇、〇三%	貧弱
加里	〇、〇二%	貧弱
石灰	痕跡	
有機物（灼熱により消失せる量）	七、〇二	中位

分析表の示す通り燐酸加里、石灰に缺乏して居る又有機物も豊富とは言へないので連作をするに從つてこれ等を補給して行かなければならぬ

氣候風土

氣候は概して高温多濕であるので雨期と乾燥期との差が酷だしくない、當地方の氣象狀態概略は左の樣である。

季別（月）	平均温度	平均最高温度	平均最低温度	平均濕度	平均降水量	一日中ノ最大雨量	晴天日數	曇天日數	雨天日數
春（九、十、十一）	二〇、一℃	二七、一	一四、八	七四、三%	三六四、八	七四、六	三八	二〇	三三
夏（十二、一、二）	二五、五	二八、六	一八、一	七九、八	六九八、七	一一〇、五	二六	一二	五二
秋（三、四、五）	一九、九	二七、一	十四、九	七九、八	三一三、七	八三、〇	五一	一三	二八
冬（六、七、八）	一六、七	二五、三	一〇、七	七五、九	一〇四、四	三九、五	六五	一〇	一七

經營の準備

面積二十五町歩の森林原野を、當初三人の勞力と千五百圓の資本金、（渡航費保險金、一ヶ年の生計費、雜費等を含む）とで開拓して行く耕種、牧畜、併用農法たる事を前提とする、土地の選定が出來契約が濟んだなら第一に家屋を建築しおければならぬ、當初の建築が農繁期に近い場合は勢ひ大なる物は出來ぬ、辛ふじて雨露を凌ぐ程度の小屋たるに止る、農閑期に建築するものは數年間使用し得べき程度のものを建築し得る、住居が出來たなら除々に森林、原野を伐採し之に作付をする。一家族三人の勞力では初年は何程の仕事もなすことは出來ぬ、大體籾百俵内外を主なる收入として之に少許の雜收入があると思へば間違はない、

第一年度は最も困難の時期で此處で意氣銷沈して仕舞ふやうでは最早や落伍者たるをまぬかれぬのである物事には順序がある第一年は自己の體力の練磨である凡ての事情を異にした、就中日本の農法を直に應用し兼ぬる燒畑農法の主なる仕事は伐木と燒却跡の片付である農具として用ゆるのは、斧と長柄鎌とである烈日の下、黑焦の燒跡に入つて眞黑の汁を流しながら、不慣な農業を不慣な農具で不慣な自己を習慣づけつゝ除々に身体の試練をなすのである、云はば第一年度は尋常一年「いろは」の手ほどきである、小農家として立つて行く準備をするのであるあながち利益のみが主眼でない。

先づどおやら一期の收獲は給つた日記帳や小遣帳やら引合に收支計算をやつて見ると其の年に拂込むべき土地代金（當國の植民地の土地代支拂方法は即時拂及年賦拂の二つになつて居る）や資本の利子を控除して

仕舞ふと、後は僅に一年間の飯米雜穀と小額の小使が淺る、此の僅の收益を得るために過去一年間粒々辛苦した經路を回顧して、其の何故であるかを知る事が最も必要である、其れに依つて來た原因と其れによつて得た結果を對照して次年度の計畫に着手せねばならぬ。

第二年度は主食物たる籾及茶豆等は買ふ必要は無い又建築の必要もないので從つて時間の上に多大の餘裕を生じて來るので之を他に利用して、養豚の計畫をするも良し或は牧牛の用意として除々に放牧場の構成に取かゝるも良し一ヶ年の試練を得たる頑健な身體を働かすべく仕事はあり余る程である。初年度と異り氣候風土には慣れ、作事には熟練し來り、凡ての點から見て作業能率は擧つて來る、然し一方には若い婦人の間には愛兒の出生を年中行事の中に加へて置く必要がある適當な兒守の無い家庭では一人の乳兒は其の母の勞働能率を半減する事も考へて置かねばならぬ、然し女の勞働が半減されても男子の能率は初年度に比し著しく增加して居るので結局は少しも苦痛は無いのである

從つて主作物たる米作も適地さへあれば前年度より以上に作付し得る事となる其の他の作物に於ても同樣である。

第一期開拓時代

初年度準備時代當初より自己の土地に對する百年の計を定むるは必要の事ではあるが扨實際に當つては不慣の爲め決定し難い點が多いので初年度始には正確な計畫を樹るのは容易でない。一ヶ年を經て第二年度の初めに至る迄には細大漏さず二十五町歩に附て知つて來るので此處は畑に彼處は牧場にと云ふ樣に計畫をする、扨大体の計畫が出來たならば其に準じて主作物地を伐採する出來得るなれば原始林半分。後生林半分と云ふ向が良い之れは將來土地を整理する上に是非必要な事である、次に牧場候補地の一部を伐採して之れに玉蜀黍を播種し置き一、二月の降雨に其の間に牧草を植込む牧畜は單に自家用役畜の飼養の爲か又は將來育牛の目的かに就て牧場面積に廣狹を生ずるが何れにしても水流と樹陰とを取込む事も要件とする、又適當の肥沃な後生林を選むで二、三反歩の菜豆を作付する、菜豆の播種期は二月下旬より三月上旬七月下旬より八月中旬の二度がある、其の他土地に適應した日本大豆等も自家用だけは作付するのが良い、十月から十一月

にかけて播種すると中々良く出來る菜豆で造つた味噌より大豆の方が上等なので此の頃では栽培者が段々增加して來た。四、五畝歩の菜園の開墾柵園等も此の年に完全になる野菜畑の柵園と云ふと一寸奇妙に聞ゆるが之は鷄のいたづらを防ぐので丁度日本とは反對である。海岸から遠い植民地では鷄と卵とは主婦の家庭料理の主な材料なので各自の必要だけは飼養する、最少限度で一週一羽年に五十羽はつぶすりの外來客だ祝儀無祝儀だ病氣見舞だと臨時があるので一年に七、八十羽は要するだらう、卵も賣ると云ふよりは自家用が多い、此の樣に鷄の消費量は隨分多くとても柵園で飼養したのではやりきれぬので野菜畑の方を圍ふ方が得策と云ふ事になる、斯くして仕事の範圍が段々廣くなつて行くと同時に婦人の仕事も又多くなつて來る野菜畑の手入鷄の管理と云ふ風にそれからそれへと段々仕事が增加して來る、さて主作物の播付、手入等と半年は夢の樣に過ぎて四月頃秋風の吹き初めて日が短くなり太陽が北へ北へと片寄つて釣瓶落しと云ふ樣になると黑い汗の結晶が黄金色に光り出して收穫を待つ樣になる二、三日早く鎌入を初める二日三日は刈方一方それから脱穀と刈取と交互に目の廻る樣に急しい一しきり早口が片付くと次の口が收穫を待つて居る幸にブラジルの米作地と稱せらるゝ地帶では播種期間は三ケ月もあるので第一第二と云ふ樣に二十日乃至三十日を違へて播種すれば三町歩や四町歩の米作は餘り苦にならぬ、稻の收穫が終ると直に玉蜀黍や三月播種菜豆の收穫にかゝる

何だ彼だと六月一杯は中々忙しい七月に入つて、ホツト一息ついて前年度と同じ樣に收支計算をやつて見る中々元金償却の方までは手がとどかぬそれに明年度は役用馬、種豚の購入費と中々支出が多いので此の方にも相當現金の用意をせねばならぬ。三年度は略二年度と同じ經過を繰返して行く初年度又は二年度伐採地中で樹株の少い所を選んで出來得るだけ土地整理を行つて犂耕の準備をする一方には役用馬放牧場、豚放牧場の柵園ひをなし其等の家畜を購入する、婦人の仕事が又一つ增す事となるこの樣にして一農家としての段取が略完成する、然しまだ合理的栽培を行ふと云ふ事は出來ない、やつぱり原始的な燒畑農業を主として小面積の開墾地を有するに過ぎない

第二期開拓時代

此の期間は凡そ第四年度第五年度第六年度の三ケ年である

此の期間は準備時代及第一期開墾と異り、主作物以外に各種の副作物の栽培をやるので忙しい折などには日雇勞働者を雇入れる。森林原野の伐採等は伯國人に請負はせる自分は他の作物栽培又は土地整理等に重きを置く。初年度二年度に伐採した後生林は此の期になれば株根は腐朽して拔き易くなるので簡單な根拔機械と犂とを購入して出來るだけ土地の整理をする、株根の程度にも依るが中位の處で二人で農閑を利用して整地すれば二年に一町歩位は出來るこの樣にして一方に燒畑式をやりながら片方に除々と開墾を增加して行く斯くて第二期の終りには尠くとも二町五段の熟圃を得る樣になる、牧場の構成は怠りなくやつて行かねばならぬ、第二期の經濟狀態は第一期に比し收支共に增大して來るがまだ資本回收と云ふ迄には進まずむしろ利益は企業資金として流用するのが普通である、然し家畜、牧場、既成開墾地、農具及一切の什器を評價すれば莫大の額になつて始んど投入資本の數培になる初年準備時代より第三期の五年目で土地代金拂込完了すれば地劵の獲得によつて完全に土地の所有權を得る從つて第六年目からは支拂額が減少して支出が少くなる譯である、以上は單に耕種栽培をのみ本業とした一例に過ぎないが或は珈琲栽培、小規模の粗糖製造「マンヂネカ」製粉等小資本にて出來る事業が多くある

第三期開拓（七年八年九年十年度）

第一期第二期の努力に依つて二町五段の開墾を完成した上は愈々此の二町五反で一年の生計費を得る樣合理的に利用せねばならぬ。

既に三年四年と連作せる部分は此の期の初に於て堆肥厩肥等の有機質肥料を與ふる事を忘れてはならぬ。熟圃にては年二回作をなすので肥料分の消耗は甚だしいそれ故に掠奪農法は深くつつしんで土地の荒廢せぬ樣自給肥料で地力を維持すべきである二町五反の熟圃を耕すには同面積の原始林を伐採燒却片付ける約四分ノ一の勞力で出來るので、餘力は極力土地の整理及副業に注いで行くそおして投入資本の回收をなしつつ一方更に果樹、蔬菜等の集約農業を開始する、開墾地が總計五町歩に達したなら一時開墾を中止して、今度は牧場の擴張に從事する

放牧地は第三期の終りに於て少くとも二町歩位に完成されてあるので今後は殘餘の土地を伐採して玉蜀黍を作付け此の間に牧草を播種又は插秧する斯くして第三期の終り迄には全地區中甚だしき泥濕地と用材林とを除いて他は悉く畑と牧場とに變化する。

二十五町歩內外の一區劃が全部使用し得れば之れに過ぎた事はないが多くは其の二割三割は開墾に適しない處があるのでこれは數年に一回づつ伐採して米作地として利用する他に二町歩內外の原始林は薪炭用森林として保存して置く植林しない限りは山中で薪に不自由することが出來る故前以つて用意を必要とする十ケ年目に至つて熟圃五町歩、特殊作物一町歩、未墾地七町歩、牧場十町歩用材料二町歩と云ふ計算になる。尙第二期の終末から段々に購入又は繁殖させた牛が相當の額にのつて居る當國での良好な放牧地では一町歩二頭乃至三頭は放牧が出來るので大少取り交せ三十頭の牛畜を飼養して行く事が出來る。

牝牛は每年分娩するので繁殖は頗る早い從つて畜牛より得る利益は莫大となる。最初三才牝牛一頭を購入し順調に繁殖して行くときは十ケ年目には牝牛九頭三才牝三頭當才牝三頭二才牡二頭當才牡五頭計二十二頭となる、勿論七ケ年の間には老牛奄牛は賣却して牧場擴張費に充當した殘餘が此の二十二頭である。

完成せる良好な放牧場は資本に對し二割乃至三割五分の純收入を生産する、當初の構成に費用を要する故一般に後廻とさるゝが出來得るならば牛畜の飼養は土地を撰定すると同時に着手するの心懸であつてほしい

第三期の中頃になると、初年度に建てた家屋は腐朽するし又手狹にもなるのでかねての家敷地として撰定して置た所へ新に住宅兼倉庫を建設する、樣式は各自の好みであるが便利なのは二階建とし階下を倉庫に階上を住宅とすることである

以上述べ來つた所は甚だ雜駁で單に植民者が土地を撰定購入してから十ケ年間の經路の概略であつて勞力は主として自家の勞力を用ひ最も地味な然し確實な方法で土地を經營して行く半耕種半牧畜の方法である。

植民は急に金の殘るものでないが永い計劃でやつて行けばそれは日本の農村との比較にはならん程樂になつて來る

右の計畫に依る拾年目の見積り約土地代貳千五百圓家屋一千七百圓家畜額三千八百圓合計八千圓となる之れは極く內場に見積つたのであるが其の人のやり方の如何に依て又は他のコーヒー、綿の栽培に至りては之

れに數倍する事あるも可成危險をさけて半耕種半牧畜を撰定した譯である。

信州記事

○郡長警察署長の異動

最近本縣の郡長及警察署長に、稍多數の異動が有た內郡長の方は

新任所	舊任所	氏名
本縣蠶絲課長	諏訪郡長	阿蘇溫藏氏
諏訪郡長	小縣郡長	安藤兎毛喜氏
休職	西筑摩郡長	川瀨宇吉氏
西筑摩郡長	長野警察署長	羽生秀三郎氏
小縣郡長	京都府	白石喜太郎氏
南佐久郡長	內務屬	但丸留藏氏
休職	北安曇郡長	諏訪好正氏
北安曇郡長	南佐久郡長	小林嘉三郎氏

以上の各郡に於ては、自然本協會の支部長も、更迭された譯である、又同時に異動の有た、警察署長は

新任所	舊任所	氏名
長野警察署長	松本警察署長	福澤準治氏
松本同	上田同	長山謙吉氏
上田同	飯田同	西澤繁右衛門氏
飯田同	篠井同	廣瀨善藏氏
篠井同	屋代同	雨宮以衛氏
屋代同	臼田同	大川順平氏
臼田同	中野同	高島淳藏氏
中野同	飯山同	佐藤友五郎氏
飯山同	丸子分署長	百瀨淸水氏

○堀直虎公の贈位奉告祭

勤王家として、從四位に贈位された、舊須坂藩主堀直虎公、贈位報告祭は、四月二十日に須坂町臥龍山公園の、同公墓前で執行された。

式は神官の、大祓行事に始まり、遺族として奥田子爵は、陸軍中佐の大禮服にて、家族一同並に、舊藩の士族一同を從へて墓前に進み、贈位の奏聞をなし、玉串を進獻して閉式となつた、參列者は本間長官を始め郡長、警察署長、中等學校職員生徒、町村長、地方有力者等數百名に達し、それに町內の參觀者數千、須坂

町近來の賑ひで有た、此の日壽泉院に於ては、直虎公の遺物展覽會を開いたが、當時公が德川慶喜公に諫言して容れられず、割服した記念の短刀、江戸表にて賣り出したる、公の錦繪等、人目を惹くものが却々多かつた。

○雪解の出水

下水內郡飯山地方は、雪を以て名高いだけ、其の融解の時季になれば、他方人には一寸意想外の、現象を呈する事が有る、雪解の出水がそれである。

殊に今春は、雨の少なかつた爲め、信州各地井戸水迄も涸渇するといふ中に、突如洪水の聲を聞いては、驚かされざるを得ない。

飯山町附近では、四五尺も積つて居た雪が、四月廿日前後僅かの暖氣で融解し、榮川が汎濫して、沿岸は一面の湖水と化し、浸水家屋數十戸に達した

又柳原村では、皿川の支流が汎濫して、硫黃、藤ノ木兩部落の內、人家の埋沒若くは傾斜せるもの九戸、死亡者五名、田畑の流失六十町歩といふ、大災害を生じた、秋津村にても同樣、家屋一戸埋沒し、田畑一町五反を流失した。

昨年は上伊郡と西筑摩でやられ、今年は春早々北信の果にてこんな騒ぎが出來た。

○淺間電車の開通

筑摩電氣鐵道會社經營の、松本驛淺間温泉間の電車は、愈々四月四日から運轉を開始したが、時恰も善光寺開帳中にて、關西方面より來る多數の客は、多く松本に下車して、淺間温泉に一浴するので、電車は往復共滿員の盛況で有る、兎に角片道二十分、賃金僅に十九錢といふのだから將來益々利用される事だらふ。

○製絲工男女の賃金調

大正十二年度の、本縣製絲職工賃金調に依ると、調査工場數六百七十二、男工の方では、各工場の最高賃金中の、最高は一日三圓八十錢で、最低は七十錢、平均一圓五十六錢となる、此の平均額は十一年度が最高く一圓五十八錢で、十年度は一圓四十五錢、九年度は一圓三十八錢で有た。

又各工場の、最低賃金中の最高は、一圓二十錢、最低が二十錢、平均五十六錢七厘で、十一年度は五十三錢、十年度は四十九錢、九年度は三十八錢で有た。

而して男工全部の平均は、一圓一錢七厘、これが大正十一年度には九十二錢七厘、十年度は九十錢一厘、九年度は七十九錢八厘で、逐年增加して居る

次に女工の方は、各工場の最高中の最高は、二圓四十錢、最低が五十五錢、平均一圓三十七錢一厘、九年度以來年々增加し、九年度が一圓二十三錢、十年度が一圓二十七錢、十一年度が一圓三十錢九厘である

又各工場の、最低中の最高は八十三錢、最低二十錢平均三十六錢八厘で、同じく九年度以來、逐年增加し九年度二十八錢、十年度三十二錢、十一年度三十四錢で有る。

而して女工全部の平均は、七十八錢八厘で、是又九年度以來逐年增加し、九年度六十九錢、十年度七十二錢、十一年度七十六錢といふ樣に、逐年增加して來て居る。

右の如く、男女共逐年增加の一方で有るが、目に立つのは高低の差が非常に多い事で有る、これは勤續年數や、技術の能否に大相違が有る故であらう

○村山橋の架設計畫

本縣と長野電車會社との共營で、千曲川に加設せんとする村山橋は、既に大体の設計を終はり、七八月頃は工事に着手する豫定で有るが、其の設計に依れば、橋梁の總延長、二千七百フイート（七町半）、幅員三十四フイート六インチ（五間四尺五寸）、步道は幅十八フイート（三間）、アスハルチック、コンクリートで、電車道は幅十六フイート六インチ、總工費百二三十万圓との事で有る、完成の曉には縣下で、最壯大なる橋とある譯で有る

○青年講習會

本縣主催の、縣下青年の講習會は、三月末から四月へかけて、二週間長野商業學校の、同窓會館で行はれた、講習員は各郡市より推薦せる、年齡二十五才以下なる屈强の青年約四十名、講師は東京より招聘したる名士約十名、各方面の問題に就き、二三時間乃至五六時間の講演をやつたが、講習の主目的は、寧講習員一同が、指導者たる大日本修養團幹事、北爪子誠氏と共に、同窓會館內に宿泊して、心神の鍛錬をなす事で有た樣だ、されば講習の初めと終りとに、身体檢査を行ひ、其の結果を比較研究し、食物は營養研究所の考案に成る献立に依り、又一日の行動中

には、自彊術、体操、野外運動等を加へて、所謂合理的生活をした譯だ、こうした經驗の爲めには、時日が寧短かゝつたが、相當の効果を修め、講習員一同滿足して歸つた。

○長野市に於ける諸會合

花の時季と、お開帳さに持ち込んで、色々の會合が長野市に開催された、中にも全國醫師大會、全國蠶絲業大會等主なるもので、四月下旬に城山館に開催された、殊に蠶絲會には、總裁閑院宮殿下の御臨場あり、前田農商務大臣、會頭牧野子爵、今井貴族院議員、其の他の參會ありし爲め、一層の光彩を添へ、盛況を呈した。五月に入りては五縣聯合神職大會が開催された。

農事試驗場の落成式

本縣の農事試驗場は、數年間の日子を費して、愈々完成したので、四月廿日に落成式を擧行した、兎に角縣農業の、權威で有る處より、南北信各都市より、參集する者一千餘名、却々の盛況で有た、試驗場では之を機會に、展覽會を開催し、二十日、二十一日の兩日場內備附の機械標本、各種樣式の農具を陳列し、一般の觀覽に供したので、是又非常なる盛況を呈し、兩日の入場者二万と號せられた。

我が信濃海外協會でも、縣の度量衡檢査所と共同にて、一室を借り受け、更級農學校の應援を得て、南米南洋其の他の海外特產品を陳列したが、目先の變はりし爲め、一般の好奇心を買ひ、海外思想普及上、資益する所が多大で有た。

又縣の社會課では、各方面より材料を蒐集して、兒童室、生活改善室を、設けて、大に參觀者の注意を惹起した。

編輯机上より

滿一ケ年の視察を終はり、最近合衆國から歸朝された、坂井辰三郎氏は、各方面に亘りて、非常に豊富なる報告材料と、多數の實物標本とを、携帶せられ需に應じて展覽並に講演をされる筈である、移民問題に直面したる、帝國民に取りて、氏の報告及意見は眞に傾聽に値するものが有る

メキシコに在留する、長淵鐘六君から、次の如き感懷を寄せられた、氏の意氣の躍如たるものあり、一讀痛快を覺ゆ

中米メキシコ市より

長淵劍影

一、天產豊に國は廣く
　野でも山でも石油や銀は
掘つても盡きぬ此のメキシコは
　ヤンキーさんの心配なさる
有色人種の文句も無くて
　日本人とは兄弟の樣に
睦み親しむ親日國よ

二、廣い世界を足蹴にかけて
　渡つて歩く天下の浪士
排日問題恐れはせぬが
　私しやメキシコが一番好きよ
メキシコにや年中花が咲く

三、合衆國の大審院で
　排日土地法に破られて
大平洋岸の同胞が
　無念の涙にむせぶ頃
我がメキシコの諸州には
　革名の旗は飜がへり
內亂再び起れども
　往めば都よキャリホルニャの
ヤンキーさんの悲圖の樣に
　日本人には癪にもならぬ

四、中米の空に高く聳ゆる
　カトリック敎の高塔に
夕べの鐘の音を聞けば
　私しや故鄉がなつかしい
父母戀しと思へども
　惠まれて居る今の身を
土臺に奮鬪して行くが
　六千万の同胞や
國の爲めやら父母の爲め

海の外

定價

	內地	外國
一部	廿錢	廿仙
半ケ年	一圓十錢	一弗十仙
一ケ年	二圓廿錢	二弗廿仙

海外郵稅四錢

注意

▲御注文は凡て前金に申受く
▲廣告料は御照會次第詳細通知致します
▲御拂込は振替に依らるゝが最も便利さす

大正十三年四月三十日

編輯人　永田稠
發行兼印刷人　藤森克
長野市南縣町
印刷所　信濃每日新聞社
長野市長野縣廳內
發行所　海の外社
振替口座長野二一四〇番　信濃海外協會

◎渡米者は急いで出發せよ

再渡米者と呼寄せらるゝ人は急げ

二重國籍を有する者は日本の國籍離脱を急げ

合衆國の新移民法が實施されることゝなれば呼び寄せによる渡米と再渡米が不可能となる恐れがあるから此れ等の人々は至急渡米することが必要である

又二重國籍になつて居るものは此の際至急日本の國籍を離脱せねば米國市民たるの權利を剝奪される虞があるから至急內務大臣に對し國籍離脫の手續をせねばならぬ旨在米各海外協會から海外協會中央會へ一般國民に注意して吳れるやうに入電があつた

信濃海外協會
海の外社發行

目次

寄書

○在米同胞に資金提供の途を講ぜよ

坂井辰三郎

余が昨年より本年にかけて、北米合衆國の各地漫遊中、常に各地で我が同胞から耳にせることは資金の問題であつた。而して余も亦我同胞の實狀に關し、其實況を知るに從て愈々益々其の然る所以を痛切に感得したものである。

云ふまでもなく、現産業組織は資本の競爭である。少より大、大よりはより巨額の資本を擁するものは、最後の優勝を得るの常態である。況して資本優逸の米國に於ておやである。

由來移民の大部分は、最初より多くの資本を擁せず加之移住地に於ける信用も、且又資金を得るの便宜も薄弱であるは勢ひ免れぬところである。彼等は其驥足を延ばさんとあせる、此れに伴ふ手腕も備はり、善き機會も亦眼前に横はりつゝあるも、之に應ずべき資金の欠乏は遺憾ながらみすみす好機を逸するなどが常態である。

在米同胞の數に表はれたもののみでも、合衆國本國に十三万餘、布哇嶋に十二万餘である。彼等は一百貳十七種の職業に從事してゐるが、其大部分は農業經營と農業勞働に從事してゐる。而して玆數年來農業の經濟的不況と近く實施された、ワシントン州、オレゴン州、カリフォルニア州（この三州に日本人の大部分在住する）等に於ける排日土地法の壓迫の爲めに、從來多少蓄積せる餘裕を吐き出しても未だ足らず、負債によつて一時を糊塗するの悲境にあり、而も生産地は奪取さるゝの苦境に沈淪し。今や全く進退谷まるの慘狀は實に同情に餘りあるのである。

偶々米國に我が横濱正金銀行、住友銀行等の支店あるも、此等は孰れも在米同胞に資金の調達は殆ど爲さず、却て僅かな預金を吸收して、之を本國に送金してゐるやうな有樣で、斯る銀行は我が移民には、有害にして全く寸功だに無く寧ろ無益なものであるとは、我が移民が異口同音に唱へてゐるところである。之に反し伊太利亞人にはイタリアンバンク、支那人には支那銀

ブラジルの棉花採集

行が、アメリカに於て他銀行から押しも押されもされぬ大銀行が後援して、其の移民の發展を計つてゐる。然るに我が日本人によつて設立されてゐるものは、僅か十六万五千弗?の小資本のニツポンバンクがカリフホルニア州のサクラメント市に唯一個あるのみである。そしてそれも極めて微力で我が同胞の後援としては全く賴むに足らぬ狀態である。

今や新排日法は合衆國上下兩院の議を經て、且に實施されんとしてゐることは周知の事實である。之が實施のあかつきは、從來可能であつた歸國迎妻、再渡航、老父母及び未成年兒女の呼び寄せ等も今後不可能となり、母國とは全く絕緣孤獨の狀態となる。孤獨の寂し味は海外在住者の常に經驗するところであるが、こは海外雄飛者の素より覺悟するところなるも、前述の如き迫害は、我が同胞を精神的に殺すものである。搗て加へて內にあつては例の排日土地法の爲めに、農業上土地の使用權は停止せられ、尙且營業制限法（オレゴン州法によれば、米國市民にあらざるものには、質屋、玉突場、カルタ遊戯場、舞踊場の營業を禁止す）の壓迫に面接しつゝあるのである。之が對策として土地の小作契約に代るに、表面上雇傭農業勞働の形式によるものあるも、從來の小作料金に相當すべきものは勢ひ引き上げられ、剩へいつ何時立ち除きを命ぜらるゝやも計り知れぬ極めて不利不安の境遇の下に置かれてゐる。

我が在米同胞の美點で同時に欠點──資本專制の現經濟組織の下に於ては──であるかも知れぬが、我が同胞は雇傭賃金勞働者としては、熱心從順の點に欠くるところがある。而して永久此の境涯に甘んぜず、大なり小なり一企業家として獨立經營に當らんとして居る。而もそれ相當な手腕もあれば又獨立企營家として內地邦人よりもより以上勤勉であるは、米國漫遊者の何人も等しく實感するところである。彼等は日常生活或は風習に或は次代兒女の敎養に所謂米國式に順應し、今や將に大いに爲すあらんとする時に際し、經濟的にも將又政治的にも非常な迫害に逢着しつゝあるのである。

茲に於てか、今回の排日法に對する善後策は、國際外交に俟つべきは勿論なるも、常に之れのみによつて我が在米同胞の痛手を癒せしむるには甚だ遠いのである。須く國民一般の輿論を喚起し、國家の偉力によつて在外同胞に資金を適當なる方法によつて貸與し、或は轉業或は轉住或は新企業の資金に充てしむべき幾多の方策を講ずるは焦眉の急務であると信ずる。嘗に國家の体面論ばかり叫んでゐる外交政策では現に苦しんでゐる同胞に對しては、隔靴搔痒の感なくんばあらずで、同胞を見殺しにするものと譏らるゝも敢て辯明の余地なかるべしである。

抑も在米同胞に限らず、何地に民を移植するも單に人のみを移すを以て能事終はれりと爲すが如き移植民政策は、到底成功すべきものでない。必ずや人と共に相當の資金を移すことを忘れてはならぬ。資金の伴はぬ移植民は眞に民を移植する所以にあらずして、うは一種の無慈悲な棄兒であると云ふことを最後に一言して玆に筆を擱く。

○日本民族發展の爲めに百年の大計を樹つべき秋

四月二十二日　南加州にて　木下　斜

○

排日移民法通過に關して、刻々と報導せらるゝ母國の輿論は、今や朝野を擧げて白熱の度に達して居るやうに見受けられる。清浦首相、松井外相の聲明、西園寺公上京、各政黨の反對決議、宗敎實業愛國諸團体の決議大會、加州商品のボイコツト、曰く何、曰く何と然れども今となつては臆病犬の遠吼に等しく、何等の反響も望み得可くもない。反響も効果もない實行の伴はない咆哮は却つて相手から輕視せらるゝものである事を思はねばならぬ。

日本の輿論として報導せらるる所に依れば、移民法の通過は兩院議員の感情的結果であつて、米國民の意志でないから正義人道で、大統領や國民の反省を促し議案の實施を阻止せんと唯一の望みを玆に囑して居るらしい、誤れるも亦甚しい。

現代米國民の大多數は、今や建國當時の自由平等正義の尊い感念が薄らいで之に代るに「我は米國人也、米國は世界一也」と云ふ傲岸自大の氣風が强烈に增長して居る、埴原大使の抗議に依つて上院の態度がガラリと一變し全院一致一瀉千里の勢で、移民案を通過してしまつたのも、明かに此傲岸自大心を刺激したからである。斯くの如き思潮の米國民に正義の反省を促して、排日問題を解決せんとする如きは千年黃河の淸を俟つに等しき愚策であると斷言して憚らぬ。

註曰｛正義の爲めに常に奮闘して居る人格の士も日本などより非常に數多い事を忘れてはならぬ

斯る見他から埴原大使の抗議は外交上の失敗と云はねばならぬ、而し他面から見る時其抗議書が正々堂々正義に立脚し、條理整然日本の公正な態度を表明したもので、日本從來の軟弱外交としては近來にない痛快な、處置であつた事を滿足に思ふ。

○

米國に於ける幾多の宗敎、婦人、商業の諸團体は大統領クーリツヂ氏に書を寄せて、排日法案に調印せざらん事を要請し、國務鄕ヒユース氏の如きも、極力大統領を說き伏せんと努力して居る。日本の官民も亦玆に望みを囑して居るらしい、然れども大統領の調印拒否は至難事中の至難事である。何んとなればクークツヂ氏は現に大統領候補者として、鹿を中原に爭つて居り既に豫選の結果は勝算の明かなる今日、米國政界大多數の排日意向に逆行して、アタラ勝算ある大統領の椅子を犧牲にするなど思ひも寄らぬ事である。政治家としてのクーリツヂ氏は正義の爲めに此大犧牲（?）を捧ぐる丈け高潔な大人格者ではない、思ふて玆に至らば排日移民法の運命は最早決定して、動かないものと斷定する事が出來ると思ふ。況んや大統領が調印を拒絕するとも、法律となる可き可能性があるに於てをやだ。

○

正義反省の聲が象の尻に蚊の鳴く如く、ボイコツトは兒戯に等しく却つて日本の不利に陷り、戰はん乎、經濟の見込が立たないのを奈何せん、而して列國の同情を失ひ愈々孤立の一島國となりはしないだらうか、此際日本國民は徒らに激越の論議に逆上する事なく、涙を呑んで侮辱を忍び毅然たる大國民の、態度を持して實力蓄積に全力を注ねばならぬ秋である。

と同時に今日迄政府當局のとり來つた、蓄妾の旦那樣に於ける如き、一顰一笑唯々米國の意に反かざらんとする政策を一變して、一國家としての尊嚴を持し米國の思惑などに顧慮する事なく、日本民族百年の大計の爲めに　㈠日支提携、東洋の利權伸張　㈡墨國植民政策の實行、此二つを斷行せられん事を切に望み度い。

從來東洋の利權伸張は、米國の顏色に氣を兼ねて手を出す勇氣なく、墨國の移民政策は米國との紳士協約に依つて封じられて居たのであるが、今回米國兩院は紳士協約を勝手に破棄した以上、墨國の移民禁止も向

から解いて吳れた事になつた、日本は嫌はれる植民地の路を閉ぢられて、喜んで迎えて吳れる移民地の扉を開けて貰つたのである。實に逸してはならぬ好機會である、逡巡して此好機を逸したならば又再び米國の手で扉を閉ぢられる恐れがある。既に四月十八日のレバブリカン紙は墨國日本移民防壓策に就て、米國下院灌漑委員會に於ける土地開墾課長マソウスエル氏の陳述を引照して論して居る、未だ全米國の輿論となつては居ないが、早晚玆に到るは明かなる道程である事を思ふ時、日本官民が一致協力して一日も猶豫なく具体的實行に取掛る事の最も急務あるを思ふ。

○

理想的殖民地としての墨國（メキシコ）は余り廣く深く紹介せられて居ない、と云ふのは米國との紳士協約に依つて全く封じられて居たからであるが、實に理想的の殖民地として、南米と共に日本民族絕好の發展地である。

一、墨國の官民上下を通して日本人を心から歡迎し親しむ。大統領オブレコン氏內務卿コルガン氏シナロア、ソノラ其他諸州の知事を初め、政治上責任ある人々が日本移民の來住を歡迎する旨明言して居るに見て判る

二、氣候溫和にして日本のそれと大差なく、未開の富源到る所に在る。

三、生產物に對する世界的市場に近く便利が多い。

四、日本と近距離にあるが故に渡航が容易である。

今や墨國は藏の開いた寶庫である、寶庫の持主が喜んで寶物をさらにお出てなさいと待つて居る。私は貴協會が率先して中央海外協會を動かし、日本民族發展百年の大計の爲めに政府當路者を鞭撻し、國民の進取的志氣を鼓舞して、此新たに開かれる新發展地に進展し得る樣適宜の方法を採られん事を切望するものであります。

○

墨國に於て吾々日本民族が發展し、日本民族の發展に依つて墨國の文明と富とが增進して、世界强國の班に列し米國に肘鉄砲を喰はすに至ると得ば、今回米國より受けたる國民的屈辱は聊か以て慰められ得可きではなかろう乎。世界的大發展をなす可き大民族は百年後の大勝利者であらねばならぬ。

海外事情

○英領北ボルネオの富源

（大正十三年一月十四日附在新嘉坡帝國商務官報告）

今般英領北ボルネオにて該地開發の目的を以て土着土人及歐洲人を除く他國人の小資本家及移民の入國を歡迎する土地法改正あり該地事情概畧及改正土地法文は左の如し

英領北ボルネオは門司より南方二千百餘哩大阪商船の定期船によれば三等賃金僅に五十餘圓航海約二週間の日數にて渡航し得る南洋の未開地なれども物資豐富にして地味煙草椰子護謨等の栽培に適し鐵木杉等の木材に富む山林鐵石炭其他の鑛物に豊なる鑛脈存し漁業も有望にして環海よりは高瀬貝眞珠母貝の如き輸出向魚貝の收獲尠からざると聞く然れども北米移民の如く賃銀勞働を目的とする移住は全然不可能にて到底土人或は底廉なる賃銀に甘ずる支那人と競爭出來ざれば此點は特に豫告し開墾を目的とした多少資金を有する移住希望者又は小企業家ならざるべからずと思考せらる

其位置　比律賓群島の南方にて面積　三一、一〇六平方哩（長野縣の約六倍）ボルネオ全島の約九分の一を占む

人口　は大正九年の國勢調査によれば　二五七、八〇〇人之を細別すれば土人一九七、〇〇〇支那人三七、五〇〇蘭領土人一一、〇〇〇馬來人二、〇〇〇印度人一、二〇〇比律賓人四五〇スルー人四一五白人四一五日本人四五〇其他一、八〇〇人にて一平方哩に付約九人の割合となり移住の餘地未だ十分存すべし

氣候　熱帶なれども三面海洋に接する爲か暑氣甚しからず晝間普通八十度乃至九十度位常に微風來りて暑氣を緩和し夜間七十度乃至七十五度なれば不建康地と稱すべからず季候風は自十月至三月北東風自四月至九月南西風吹き暴風雨及颶風等は殆どなしと云ふ年平均雨量は約百二十吋にして內半分位の雨量は十一月十二月一月の降雨量にして其他の九箇月間は毎月凡そ平均雨量とす尤も三四五月の三箇月は最乾季節なれば多少の差違あるべし風土病はマラリヤの外惡疾の流行を聞かず

該地は概して平地少く高地及山林地帶多けれども人煙稀薄地味豐饒にして種々の野生天然物資に富むを以

て有名なり全長九百哩餘に亘る海岸附近には染料及上質薪炭の材料たるマングローブ林密生し是より數哩間は土地平坦地味肥沃にして煙草原料護謨椰子等の栽培に最適し栽培會社數二十九內久原鑛業株式會社經營の農園一萬二千英反はタワウにあり

產業　農業鑛業及漁業にして就中農業は當領富源の主要なるものにして原料護謨煙草木材胡椒椰子は世上周知の產物として名高く又タピオカ、サゴ（以上澱粉）ガンビヤ珈琲等の栽培業も有望にして未開の處女林よりはダマル、カッチ（共に塗料の原料）籐ガタペルチャ鳥巢樟腦等の產額尠からず其取引高は毎年漸增せり

外國貿易　一九二一年の該地外國貿易統計によれば總額一五、四六一、七六六弗內輸入七、六四七、三八二弗輸出七、八一五、三八四弗其主なる取引先は新嘉坡港なり

輸出　主なる品種は密蠟鳥巢石炭椰子コプラ樟腦カッチダマル薪乾魚ガタペルチャ印度護謨眞珠及同母貝胡椒籐サゴ鱶の鰭高瀬貝其他飾用貝木材葉煙草海參等

輸入品　建築材料布類陶磁器鐵器燈火用石油其他油機械燐寸阿片食糧品米鹽酒類文房具砂糖茶煙草等なり

海運交通　大阪商船株式會社等遠洋及近海航路汽船の便ありて該地方と新嘉坡フィリッピン諸嶋香港日本濠洲間を往復し當領は首府ゼルトン及サンダカンに寄港す詳細は次の如し尚此外沿岸航路汽船ありて同領の交通に資する處多し

內地交通　未だ開けざれども河川比較的多きを以て之を利用する外百餘哩の鐵道と五百餘哩の小徑を利用し居れり

通信機關　電信電話各都邑に存し無線電信四箇所に設置せらる

該地の首府ゼセルトンはガヤ灣に臨み汽船及鐵道の發着點にして西海岸物資の集散地として名高く商業盛なり

沿岸航路　毎週一回新嘉坡へ月三回香港へ毎月一回の定期船其他の便あり

銀行　スティト・オブ・ノース・ボルネオの外香港上海銀行及チャイニーズ・コムマーシャル・バンクの代理店あり

貿易品　籐ガタペルチャ、ダマル其他處女林產物葉煙草サゴ家畜原料護謨等なり

貿易港　サンダカン名高く灣內十五哩幅五哩のサンダカン灣內に位し人口一萬二千當領第一の都會にして

木材の取引盛大木材工場マングローフよりカッチを製造する工場機械工場六百噸位の造船工場等あり銀行はステ ト・オブ・ノース・ボルネヲ、香港上海銀行臺灣銀行チャイニーズ、コムマーシアル・バンク等の代理店ありて本邦との關係尠からず

經濟上の地位　支那人の勢力は英領馬來半島の如く顯著にして半世紀前より入國し其活動範圍商業農業下級官吏大工其他の職工及苦力等各般の職に從事し當地開發に資する處多く納稅より見るも其額多額に上り當政廳の歲入を助くること多く經濟上の勢力より立法會議員の任命を見る迄に至れり

要之鑛業はゼセルトン附近一帶有名にして栽培事業はタワウ地方好適地と稱せられ小企業的移住希望者に對しては目下資金に枯渇せる既成椰子林買收經營が有望なる事業なるべしと聞く尙詳細は實際の視察調査を希望す

英領北ボルネオ土地法

英領ボルネオ政府は今回土地法を改正して從來より一層寬大なる土地租借の法を定めたり同法の目的は主として小資本及移民を歡迎する趣旨　基き出來得る限り土地課稅を輕減し渡航を容易ならしめ土地投機を禁じ以て經濟界不振の際に於ける同國開發の方針を定めたり其規定次の如し

第一　土人が習慣的借地法に依って租借する場合を除き今後六百四十英反（一英反は六二四坪）以下の土地は其開拓方法の如何に拘らず次の條件を以て租借し得

プレミアム（租借特許料）無し

最初六箇年　　地代無し

次の四箇年　　一年英反に付五十仙の地代

其　後　　毎年一英反三弗の地代

但し官報告示を以て指定する特別有利なる土地並森林局が良材を保有すると認められたる土地に付きてはプレミアム（租借特許料）を課する權利を政府に留保す

第二　六百四十英反以上の土地に付ては Court of directors（英領北ボルネオは私立會社の形式を取り居るを以て重役會の如きコート、オブ、ダアーレクターなる相談會あり）の承諾あれば前記の條件にて租借を許す事あり若は申込者と重役會との合意の上成りたる其他の條件を付して租借を許す

第三　無稅及低率稅の時期則ち最初の十箇年間には政

府の許可なくば其土地の買却を許さず

第四　六百四十英反以下の土地に付ては木材特許料を課せず

第五　土地開拓に付ての條件次の如し

一　土地の實際的開拓は租借許可ありてより六箇月以內に開始すること

二　百英反以下の土地は三箇年以內に全面積を開拓すること

三　百英反以下の土地は各年總面積の五分の一宛開拓すること

四　六百四十英反以上の土地に付きても此法律の條項に從ひ租借を許す但し開拓地代失權其他の事項に關する適當なる條件を付す此條件は Court of Directors の承認を經て總督之を付課す但し斯る土地を分筆し又は其一部を賣却讓渡するに當ては其分割せられたる各土地に付て前記の條件を一々之に付すること

地代なき土地を分割する場合には各土地の地代を徵收する事なし

五　開拓に付特に條件を付せざる場合には分割されたる各分區は其面積百英反以下なるか百英反以上六百四十英反以下なるか又は六百六十英反以上なるかに從て本條第二第三又は第四項を適用す而して此開拓條件の効力を發生する時期は分筆登記の時を以てす

第六　申込の土地に栽培す可き作物は其如何なるものが最適當なるかに付出來得る限り助言を受くるを可とす

第七　現在支那人が自己の知人緣者を本國より招致せん事を奬勵せん爲に政府は渡航補助の制定を繼續存置す一九二四―一九二五年に於ては之による渡航は無賃とし且後に辨償する必要なし其渡航人員の割當は次の如し

East coast	區	一年	一二〇
Sandakan	同	同	一六〇
Kudat	同	同	一五〇
West coast	同	同	三〇〇
Interior	同	同	二〇〇

註（本書は土着の土人及歐州人に適用せず）

○蘭領東印度と我國との貿易額（大正十一年）

我國よりの輸出品名及金額（單位千圓）

品目	價額
色付及捺染綿布	八二一〇千円
生綿布	八〇一六
燐寸	三四六五
陶磁器	二八一二
茶	二三五六
衣服類	一九六八
絹及半絹織物	一三二五
自動車タイヤ	一三〇五
晒綿布	一三五二
小間物類	一三四八
裝身具	一一四三
石炭コークス	一一二八
硝子及硝子製品	九〇五
人造肥料	八六八
木材及木製品	八五三
絲類	七八六
セメント	五四三
鐵鋼及其製品	五二四
食料品	四六〇
紙及紙製品	二五七
自轉車タイヤ	三三一
麥酒	三一八
ランプホヤ	二七九
銅製品	二一三
賣藥	二〇二
ランプ	一八〇
石鹼	一五三
化學藥品	一五〇
電氣器具	一五〇
革製品	一一七
大豆	一〇八
蓙莚及其製品	一〇五
機械器具	七七
樹脂	七五
馬車其他車タイヤ	七五
其他	八九一
計	四三一二〇

我國への輸入品名及金額（單位千圓）

品目	價格
砂糖	四五九三二千円
鑛油	二五五三三
石油	三八四〇
ベンジン	六三一
パラフィン	二三六五
錫	一三〇五
蠟燭	八九九
規那皮	六九七
タピオカ澱粉	四六九
テレピン油	四四四
規那	四〇〇
貝殼	三八三
生棉及繰綿	三二一
木材及木製品	二九七
コカ	一八六
コパル	一一八
油脂	一一〇
護謨	九〇
コプラ	八三
鐵鋼及其製品	七八
其他	四九〇
計	八六五七二

○合衆國在留邦人間にブラジル研究會生まる

北米合衆國の排日は、彼國在留の同胞をして、痛く不安の念を抱かしめ、善處の一策として、メキシコ若くは南米へ轉住を企つる者が有る樣だ、南加洲ロスアンゼルスに生まれたる南米伯國研究會も亦、顯著なる其の實例で有る、旣に會員數十名を有し、其の實行部に於ては、サンパウロ洲に移住地建設の計畫を立てゝあり、其の研究部では第一會報を發行して廣く領布した、今其の趣旨並に、會則を見ると次の如くで有る。

南米伯國研究會設立の動機

南加に於ける同胞は土地法私訴の全敗に歸して以來、我か多數の同胞は其嚮ふ處に迷ひ、行き惱みの態である。又母國の慘狀は、年々增殖するし、都鄙失業者が算を亂し、加ふるに震災大火に逢ひ、國民の思想は惡化し來り、前代未聞の行詰りと云ふ外はない。

南加在留同胞はさあどうしやう、去って母國に歸らんか、恰も死地に足を入るゝが如し、儘よ暫く留って成り行きを觀望せんか、到底永住の望みなきを奈何せん思ひ回せば排日の聲を擧げてより以來、永年に渉り漸を逐て惡化したる跡を觀來れば、將來の推移は概ね忖度するに難からずである。

假令暫く隱忍して茲に足を留むるも子孫永住の地として安堵する事は不可能事ではあるまいか。

於是乎、自然安樂の永住地を求むる心は、沛然として起り、所謂窮すれば通ずる諺に漏れず、一方血路を開き得たる心地がするを愉快に思ふ。疊りに言ふまいぞ、同胞は八方塞りであると、天は偏頗なし我大和民族をして優に發展せしむる地を與へ而かも氣候善良、土地肥沃、物産豐饒、交通至便、加ふるに人權平等にして而も我同胞を歡迎して待ちつゝある國を識らざらんや。即ち南米伯國である事を。而かも此の伯國に發展するは、今日が最も好時機である事を斷言して憚らぬ其事由を一と通り聞て貰らひたい。

客年十月廿二日伯國聯邦下院に某議員が黑人黃色人種の入伯を制限した事が、端しなくも黃色人種としての四万の同胞を抱擁する聖州の有識正義の士を奮起せしめ、全廿六日の州議會に日本移民擁護の獅子吼としてあらわれ、聯邦下院に對する抗議となつて、一と溜りもなく通過したのは痛快であつた。其論者は議員バドア、サァレス氏にして、曰『伯國は國土の廣漠なる爲に殆と無限の、そして開發されない天惠の富源があるから、如何なる國籍の移民でも十分に抱擁し得るが故に、國運の發達に對する他國民の協力を妨げんとする策に同意してはならない伯國は勞力を必要とするのだ。遠き距離をも恐れずして、此國を慕ひ來て物質上及精神上の進歩に、伯國民と協力しつゝ、自分の運命を開拓しやうと云ふ者を排してはならない。其か歐州人だらうが、米國人だらうが將又亞細亞人だらうが、何でもいゝ勞働者を必要とするのだ、米國は散々黃色人の勞力を利用した後に投り出した、日本人や支那人に對して忘恩者である。伯國はそんな事は出來ない。現時米國は世界各國から資本家であれ勞働者であれ、寄りつかうので、人口激增から自國民との競爭を避けしむる爲、外國移民入國を制限するを賢なりとした。然し伯國の狀態は全くそれと相違してゐる。ブラジルは外國人の勞力を必要とする新國家である、移民が國運發展の爲利用し得べき要素たる以上、それを受入れる

事をやめる事は出來ない又新法案には通商條約中移民問題に觸れやうとしてゐる、られは駄目で、移民を引き付けるに勞働法規を完備して、彼等に慰安と懇切と保證とを與へねばならぬ。爲替もよくなければならない。』と云ふ意味を述べ最後に好ましからざるものでない移民の入國制限に反對して聯邦議會に抗議されたいとの請願を提出して直ちに可決されたが、此日同院各議員は皆日本人の爲に味方して誠意を示し、サアレス氏の演說は終始喝采を以て迎へられ、或はジョアン、サンパイオ氏は日本人民は實に賞讃に價すと云ひ、エドアルドカント氏は米國は日支人に大恩ありと叫び、ジョアン、マルチンス氏は吾人の經驗上、吾人は却つて日本移民の渡米を增加せしめねばならぬと聲援する等、其他諸員の發する聲援、一として日本人に不利なものはなかつた。請願可決後、カルロス、ボテリョ氏はチピクサ氏が州統領の時、農務長官として伊西兩國が伯國行移民の門戶を鎖したので、初めて日本移民三千人を迎へた事から說き起して、農業移民として日本人の優良なる事を高唱し、伯人の讃辭を受くる價値あるを述べ、續いてフォンテス、シエニオル氏熱辯を振つて、イグアベのリベイラ沿岸地帶が日本人により、見違へる程大發展した事を力說し、日本人が醜いと云ふは下らぬ感情だと說破し、今回震災義捐團が募集金を聖州品に替へて送つた行爲を賞揚し、ジョアンマルチンス氏又イグアベに於ける日本移民の功勞を賞する等新法案は料らず州上院の對同胞感を知る試金石となつた。（ブラジル時報掲載）

又アマロ、カヴアルカンテ博士は前伯國大審院判事で且內務大臣其他重要なる公職にありし事あり殊に共和國建立の際、伯國憲法起草者の一員で同國の大元老であるが、先般一米人記者が伯國の有色人種、殊に黑人に關して說を請ふたのに對して『其れは白人移民中にて有色人種に對して反感を抱かぬ者がある故、之等の人々と有色人種系の伯人とを成るべく雜婚せしむる樣にすれば自然解決する。又吾々伯人は現に其れを爲しつゝある』と云つて其米人記者を驚かした位で、勿論日本人に對して滿足してゐる。唯吾々の絕對的に注意すべきは彼地の人となつた後でも猶は日本帝國を擔ぎ廻つて、自分から親切なる伯人の心中に排日の種を蒔かぬ事である。

起てよ、起て、起て、同胞よ。況して農業に特技を持つ我大和民族よ、我か手腕は先天的傳統の賜にして

歐米人に誇るに足る自信を持つて居るおやである。

ブラジル研究會々則

名　稱

第一條　本會をブラジル研究會と稱す

目　的

第二條　本會はブラジルを研究し、且つ其地に發展するを以て目的とす

組　織

第三條　本會は在米同胞の同志者を以て組織す

位　置

第四條　本會の本部を羅府リフムード敎會內に置く

會　員

第五條　本會々員は通常會員並に贊助員の二種とす

一、通常會員は本會の目的に從ひ正式に入會したるものとす

二、贊助員は本會の目的に贊成し應分の援助をなすものとす

役　員

第六條　本會は左の役員を置く

會長　一名　副會長　一名

幹事　二名　會計　二名

理事　四名　顧問　（若干）

部長　（若干）

役員の權限

第七條　本會役員の權限を左の如く規定す

一、會長は本會を總理し、且つ役員會に於て座長たる可し

二、副會長は會長を輔佐す

三、幹事は本會の事務を處理し總會に於て書記たる可し

四、會計は本會の財務を處理す

五、理事は本會の要務を議定す

六、顧問は本會に對し補導奬勵をなす

七、部長は各部を司る

役員選擧及選定

第八條　本會の役員は定期總會に於て選擧するものとす

一、會長、副會長、幹事、會計及理事は投票に依り會員の中より選出す

二、顧問は役員會に於て推選す

三、部長は會長の指命とす

總會及例會

第九條　本會の總會及例會を左の如く規定す

一、定期總會は每年二回(一月と七月)是れを開く

二、臨時總會は會長又は役員過半數の必要と認めたる場合是れを開く

三、例會は每月二回第二、第四火曜午後七時半に開くものとす

經費及會費

第十條　本會の經費及會費を左の如く規定す

一、經費は會費或は寄附金を以て之に充つ

二、會費は六ケ月貳弗とす

機　關

第十一條　本會は本會の目的を達成せんが爲め左の各部を置く

一、研究部　二、宣傳部

三、實行部　四、圖書部

五、通信部

入　會

第十二條　本會に入會せんと欲するものは其の旨を會長或は幹事まで申し込むべし

退　會

第十三條　本會員にして本會より退會せんとするものは其の理由を會長に申出で其の承認を受くべし

補　足

本規約にして修正增補の必要を認めたる場合は總會に於て出席者三分の二以上の同意を以て是れを爲す　以上

因に上田市出身森田三樹氏は、同會幹事の一人として、幹旋盡力されて居る

○伯國移民成功實歷談

原籍　廣島縣安藝郡仁保村、池岡鶴松氏は、大正二年三月、一家族九人にて、伯剌西爾國サンパウロ州、珈琲園勞働の爲め、契約移民として、若狹丸に乘船、渡航したるものなるが渡伯後十年にして、著大の成功をなし、還回母國訪問の爲め一時歸國し、長男の嫁と共に、來る六月船に、再渡航の準備中である、今其談話を摘記すれば、左の如くである。

私が伯國渡航を企てましたのは、狹苦しい日本に居つては、如何に苦勞するも、到底將來の望みがないと感じまして、外國渡航の希望を持ち、何處かで、一稼ぎして見たい思ひましたが、時恰も北米では、我移住者を排斥する樣になりましたから、ブラジル行に極めまして、大正二年三月神戶港出帆の若狹丸で、渡航した

のであります。

最初は「サンパウロ」州、「モヂアナ」線サランゼー驛、ルイスピント耕地に配耕を受けまして、玆で一年半の契約を完全に仕遂げましたが、獨立農をなすには資金が足りませぬので、「ミナス」州コンキスタ耕地に移りまして、五年間珈琲耕地に全力を擧げて、一生懸命働きました甲斐がありまして、貯蓄金も相當に出來ましたので、獨立農に移りましたが、米作が比較的利益が多いことを知りましたから、直に耕地主から三十アルケール（我約七十五町步）を、一年十二コント（邦貨約三千圓）で、賃借して米作を始めました、最初は六アルケール丈耕作しまして、米千二百俵を收獲しました、それから年々千俵內外の米を收獲して居ります。其外玉蜀黍等の耕作をして居ります。

昨年十月彼の地を出發しましたが、歸國の爲め米九百俵を、一俵に付十八ミルデ賣却しました。御蔭樣では現金百四十コントス（邦貨約三萬九千圓）、牛百頭、馬九頭、豚百以上、雞は山で孵化しては連れ戾り、殖へる計りで數へ切れない程居りますので、此等の家畜類を賣卸すると仲々の値になりますが。其外平野植民地に五十アルケール（百二十五町步）、買收して居ります、私は不相變「コンキスタ」を墳墓の地と定め、平野殖民地の土地を賣拂つて、今のコンキスタに、三千町步ばかり買入れる計畫をして居ります。

來る六月船には、長男の嫁を連れて再渡航をする積りで居ります。

日本に、久々で歸つて來て見ますと、右も左も行きつまつて、こせこせして居心地が惡くてたまりません。あんなよい處がある事を、日本人がまだあまり知りませんのは、殘念に思ひます。私は渡伯十年で、右の貯蓄を得ましたのですが、まだまだ私よりづつと、成功して居るものが澤山あります。

會　報

○海外協會中央會役員會

四月十八日に、海外協會中央會の理事會が、丸ノ內ビルディングある、同會事務所內に開催され信濃海外協會からは、永田理事が出席した、其の報告の大要は次の如くで有る。

一、出席者

海外協會中央會々長　今井五介

今　幹事　宮下琢磨

香川縣拓殖協會主事　黑川芳雄

岡山縣海外協會代表　西村柳藏

廣島縣海外協會理事　姝尾萬郎

熊本縣海外協會理事　緒方二三

同　阿部野利恭

信濃海外協會幹事　永田稠

一、會の次第

1、會長挨拶

2、事務報告　宮下幹事より、左記指導員養成に關するものを主とし報告す

海外發展指導員養成狀況

イ、設置の場所　日本力行會に附設

ロ、修業期間　自本年一月至同十二月

ハ、學科目　植民史　海外事情　海外渡航（渡航法、海外禮式、衛生）外國語　法規、產業組合法大意　國際法、各國移民法規　植民原論　植民方法　移民者及在外者指導法　企業法　作業能率　基督敎　綱要　音樂

ニ、授業時間　一日六時間　其の他課外　講演　討議　演習

ホ、經費豫算　五千圓

ヘ、講習會　十二名

沖繩縣　邊野木親房

鹿兒島縣　原口清兵衛

福岡縣　河鍋清巳

山口縣　山本猛雄

廣島縣　大友薫

香川縣　石濱泰

同　十河計一

愛知縣　眞中義公

東京府　鬼頭銀一

長野縣　宮本乙巳

栃木縣　中川權三郎

北海道　沖野喜賫

3、協議

中央會提出に係るもの

イ、海外協會補助申請之件

各府縣のものを一括し、中央會より、內務省に

金拾万圓の補助を申請する事
ロ、南米土地組合の件
各府縣に於て、知名の士兩三名を、至急加入せしむる事
永田理事の歸朝を待て、大々的に活動する事
在米日本人に對し、加入勸誘をなす事
ハ、在外同胞に圖書寄贈之件
中央會より趣意書を印刷して、各府縣に送る事
各府縣に於て、適當に努力する事
ニ、南北アメリカに於ける各日本人會と連絡之件
永田氏に依賴する事

防長海外協會より提出したるもの
イ、北米に於ける、排日問題に關し、國民の輿論を昂張する事
左記の如き陳情書を、外務大臣宛提出する事

陳　情　書

我が國民が、最敬愛信賴せる　米國の上下兩議院に於て、同國が國本とせる、正義人道を無視し、極めて辛酷なる、排日的決議を敢行せしは甚だ遺憾とし、同國の爲め、大に惜む所ありとす、故に我海外協會中央會は、默し難く、慈に府縣海外協會の、各代表者を招集し、愼重に審議し、以て之れが善後策を、講究したる、左記事項を陳情す、幸に微衷の有る所を諒とせられ御詮議あらん事を切望して、止まざる所なり
一、此の際在米同胞の、輕擧妄動を戒しめ、同胞をして、暫く隱忍自重。適當なる解決の時機を俟つ樣、勸奬あらん事を
二、我同胞にして、米國の開發に貢献したる、其の衷情の入れられざるを以て、憤然歸國をする者有りとすれば、我が國民海外發展の前途に尠からざる、支障を來す懼ありとす、寧我國民を歡迎して止まざる、メキシコ及南米地方に、開展の途を講ずる樣、誘導あらん事を
三、事爰に至りしは、我朝野國民、努力の足らざりし、缺陷の齎したる、一大恨事とす、此の關係は、彼我兩國間に於ける重大なる問題なれば、政府は宜しく善處の道を執られん事を

大正十三年四月十八日　海外協會中央會

外務大臣　男爵松井慶四郎殿

ロ、渡航取扱手續の統一を、外務省に建議し、之が實行を促す事
理事會出席者全部にて、外務省を訪問懇談する事
ハ、歸朝者大會を開き、海外思想を振興する事
出來るだけ之を實行すること
ニ、滿蒙地方に、中央會支部を設置する事
當分延期する事

熊本海外協會提出に係るもの
イ、政府に於て、南米ブラジル、ペリュー、メキシコ及南洋、滿蒙其の他、適當の地を調査選定し速に移植民の大方針を定め、日本の人の渡航並に定住に對し、夫々の機關を督勵して、之を援助せしめ、而して移植民の安定を得べき、經濟的組織を完ふし、且衛生、教育の設備をなし、國民的海外發展を圖り、以て我國民過剩の緩和に勉められん事を、當局に要望するの件
ロ、尙移植民の向上、節制を計る爲、團体統率者を、養成するの必要有るに依り、國費を以て植民學校を設立せられん事を、併せて其の筋に要望するの件

右は最善を盡して、其の實現の爲めに努力する事の、決議をした

廣島縣海外協會提出に係るもの
イ、北米に於ける排日問題と善後策
ロ、在米同胞、殊に次代同胞歸朝者の、職業問題並に思想問題に關し、其の紹介及、善導に關する對策
ハ、南米、墨國、並に滿鮮移住の、積極的奬勵策
ニ、渡航取手續の、聯絡統一を期する爲め、全國海外協會をして、專ら渡航手續の衝に當らしむる樣、更に當局に建議交渉する事
熊本縣提出のものと同樣、其の實現に努力すべき事を決議した

四月十九日は、出席役員打揃ひ、內務省、外務省及、通信社、新聞社を歷訪して、陳情、請願、懇談を重ねた

○北米に於ける支部設置

曩に北米シャトル附近に、活動されつゝ有る本縣出身者は、信濃海外協會米國西北支部を設置し、當協會と相呼應して、斯業の爲めに、奮進される事となつたが最近同國ロスアンゼルス地方に活躍しつゝ有る本縣人も亦、支部を設置し、信濃海外協會北米支部と稱する事となつた、當協會に對して、漸次共鳴者を得來りたるは、心强き事で有る。

信州記事

○代議士選擧の結果

五月十日に行はれた。衆議院議員選擧の結果、本縣の分は次の如くで有る。

第一區　長野市
當選　一七二四票　笠原　忠造氏
次點　一七〇九票　傳田　清作氏

第二區　松本市
當選　八九六票　畔田　明氏
次點　八七六票　百瀨　渡氏
同　二一五票　清水　孫秉氏
同　二〇〇票　澤柳　猛雄氏
同　五二票　金井　階造氏

第三區　上水內
當選　四五九一票　松本　忠雄氏
次點　三八二三票　小坂　順造氏

第四區　上下高井、下水內
當選　五六六三票　蟻川五郎作氏
次點　四九七四票　小田切盤太郎氏

第五區　更級、埴科
當選　四〇九四票　山本　愼平氏
次點　三〇〇二票　春日　俊文氏
同　二三九一票　風間　禮助氏

第六區　小縣、上田
當選　五三八二票　深井　功氏
次點　四七三二票　山邊　常重氏

第七區　東西筑摩
當選　四六一二票　降旗元太郎氏
同　三七九六票　二木　洵氏
次點　三三〇〇票　塚原　嘉藤氏

第八區　南北安曇
當選　四三〇二票　植原悅二郎氏
次點　四一八〇票　青柳　榮司氏

第九區　南北佐久
當選　三八三七票　岡部　次郎氏

次點　二九九七票　篠原　和市氏
同　一三五九票　佐藤寅太郎氏
同　七二一票　井出　郷助氏

第十區　諏訪
當選　四一八六票　小川　平吉氏
次點　四〇二〇票　丸茂　藤平氏
同　六四票　太田　幸作氏
同　三九票　五味　染八氏

第十一區　上伊那
當選　五一八九票　戶田　由美氏
次點　二九三五票　野溝傳一郎氏
同　一一一票　戶田　千葉氏

第十二區　下伊那
當選　四九〇二票　樋口　秀雄氏
次點　四八七八票　平野桑四郎氏

○松本市水道竣功

松本市始まつての大事業。水道敷設は愈々竣功して、先月初めより、市中に配給する事になつた、元來松本市は優良なる天然涌水が豊富で、他所の羨望する處で有たが、近來戶口急激に增加し、各種の工業も、著しく發達した爲め、涌水のみにては追々不足を告ぐる狀態となつたのみならず、松本市には、屢々大火災が有て、市民は常に脅怖を感じつゝ有るので、數年前より有識者間に、水道敷設の議起り、調査の歩を進めて來た、大正八年中工學博士佐野藤次郎氏に依賴して、調査研究の結果、頗良案を得たので同博士の推薦ある、工學士武智正次郎氏に設計を囑託した、總工費百三十万圓之內、國庫補助三十二万五千圓、縣費補助二十六万圓、其の餘の七十餘万圓は市の負擔で有る。

水源は松本市に隣接せる、島內村字靑島と稱する、奈良井川の西岸で、奈良井、梓二川に挾まれたる、地域への降水が、廣き地層に自然に濾過されて、涌出するもので、沈澱池濾過池を設くるの必要なく、極めて淸澄なる水を、豊富に取り入れ得る事は、此の水道の特徵で、全國に其の例が少いとの事である。

水源地附近に、電動力の送水ポンプを装置し、七八町を隔てたる、城山中腹の貯水池に送り、二百七十五尺の落差を有する、市中へ配給するのであるから、消火栓の威力も、充分に發揮し得べく、ポンプの增設に依りて、十万人迄は配給し得ると云ふから、松本市民に取りては、空前の福音で有る譯だ、

○飛行機アルプス號

松本市出身の飛行下士、長谷川澄登氏は、今春退役と同時に、陸軍より豫備飛行機一臺を拂下げ、アルプス號と名づけて郷里に持ち歸り、安筑の空は勿論、遠く長野附近迄度々飛來し、鮮かなる各種の曲藝を演じて、山間の人を魂消させて居る、先頃の選擧運動を始め、禁酒運動、生活改善運動等にも參加して、宣傳ビラを散布するなど、漸次實用の域に進むも痛快である。

○霜害

五月十四五日頃、俄然氣温が低下し、前後數回大霜が來た爲め南北信の全般に亘りて、かなりの被害が有た損害價額は、二百万圓乃至三百万圓と見積られたが、絲況不振で悲觀の極に在る所へ、此の災害は、信州の養蠶家に取りて、由々敷打擊で有る。

○師範學校長の更迭

松本女子師範學校創立以來の校長で、又信州教育界の元老とも、オーソリチーとも目すべき、矢澤米三郎先生は、突然長崎縣師範學校へ、轉任する事となつたのは、縣民の等しく意外とする所で有り、且痛惜措く能はざる所で有る、是と同時に長野師範の磯貝校長も、千葉縣師範學校へ轉任を命せられた、同氏も難治とせられて居る地位に、滿五ヶ年間勤續されて、相當成績を揚げ、最近研究科の附設も實現せんとする矢先に此の異動は實に惜しきもので有る。

矢澤先生の後へは、靜岡師範から、山松鶴吉氏が來り長野師範へは磯貝氏と入り代はりに、豊田潔臣氏が赴任された。

兩師範學校長と前後して、長野高業學校教頭に渡邊信夫氏が、木曾中學校長に任命された、新設の同校は、良校長を得て、前途多望と云ふべきで有る。

○善光寺の開帳終はる

六十日間といふ、滅法長いお祭騷ぎも、何時しか目出度終末を告げた、豫想に反して、不景氣だつたなど〻は言ふものゝ鐵道旅客は百万を突破して、遙に上に出で善光寺本山は固より、大勸進、大本願を初め各院坊何れも、ナカ〳〵の繁昌だつた、市内の旅館、商人、各種の興行物も、相當の收益を得たのは何と言つても善光寺樣の御利益は偉大で有る、それも其の筈、名古屋附近や、北陸方面の信者中には、開帳中に三回も參詣するといふ熱心家が、少くないと聞いては感心の外はない。

○養蠶の所得百三十三圓五十錢（桑園二反歩に對する計算）

本年の春蠶に就て或る技手の立てた收支豫算は左の通りである

收入（單位錢）			
上繭	五〇貫	一貫目 九、〇〇	四五〇、〇〇
中下繭	六	三、五〇	二一、〇〇
蠶沙	四〇〇	五	二〇、〇〇
桑條	三〇〇	三	九、〇〇
古簇	三〇〇	―	一、〇〇
合計	―	―	五〇一、〇〇
支出			
桑葉	七五〇貫		一八七、五〇
蠶種	一四枚		二八、〇〇
人夫（男・女）	七〇人・二〇人		一四五、〇〇
蠶箔料	五〇〇枚		七、五〇
炭	三〇貫		一五、〇〇
簇	三〇〇個		六、〇〇
蠶室料	（十二疊半四室蠶架附）		一五、〇〇
ホルマリ	七封		三、五〇
諸税諸掛	―		一〇、〇〇
雜費（障子紙電燈蓮繩）	―		一〇、〇〇
合計	―		四四七、五〇

收入から支出を差引いた純益は五十三圓五十錢となる繭一貫目に對する純益は一圓七十錢となるので有る五十貫の繭を取つて五十三圓五十錢の純益では固より多いとは云はれぬ併し此の人夫賃の内には自家の勞力女四十人男十八人が含んでゐるのである此の勞働報酬は八十圓に當る八十圓と五十三圓五十錢を合計した百三十三圓五十錢は春蠶の所得と見てよいのである又桑葉七百五十貫は約二反歩の桑園から取ることが出來るのであるから自分の桑園があれば若し其の桑を百貫目二十五圓以上に賣ることが出來ない時は蠶を飼つた方が利益となるのである二反歩の桑園を本とした養蠶の繭五十貫の所得が百三十三圓五十錢とすると一反歩當りが六十六圓七十五錢となるこれを米作に比較するに一反歩からの收穫玄米四石一石の時價三十六圓八十錢として百四十七圓二十錢の收入金となるが一石の生產費約三十一圓七十錢を差引くと一反歩の田地に對する純益は僅か二十三圓二十錢となる尚一反歩耕作の自家の勞

力報酬男一人一日一圓十錢とし一反歩當り二十三人として四十一圓四十錢此の報酬と純益を合せて六十四圓六十錢である、されば養蠶の方が尚二圓五十錢多いことになるのである殊に此米作收穫は反當り玄米四石と云ふ本縣では餘り類の澤山ない多收穫に比較したものであるから假りに本縣の平均收穫二石とすると米作の所得はこの半額の三十二圓三十錢となるのである。今年の春蠶の相場が一貫目九圓でも尚米作よりは遙に有利なことになるのである尚此の技手は蠶を飼つて腐らせるから養蠶をして損になるのであるが蠶を腐らせさへせねば養蠶は儲からぬ道理がないと語つた

○長野縣中農者減少

本縣は自作農創立維持及び小作爭議問題等に對しては屢報じた如く傍觀的態度を持してゐるがそれでも最近町村農會及び產業組合の事業として低利資金の借入れを企てるものも多く又小作爭議問題に就ても現在の處ではそう他府縣の夫の如く惡化の傾向はないがそれでも漸次組織的に團結して來るので今後何等かの方法によつて防止手段を講ずる方針である而して今回縣の調査した自作農小作農自作兼小作農の趨勢を見ると大體に於て自作農は漸く減じて小作兼自作は多少増加し小作者は大差ない傾向をたどつてゐる之等はなんによるかと云へば小面積の地主では經濟がとれぬ所謂村でも地主と云へば中以上に總ての交際をしなければならぬ即ち社會的生活費の消費か多い爲め農業上の利益はあつても到底收支償はぬ結果となつて漸次自作兼小作になり下がるものが多い殊に最近の如く一般生活必要品は昂騰し一面生產費の増嵩等一層かう云ふ傾向を多からしむるもので又小作者も不勞家族の多いとか餘り小面積の耕地では算盤が採れないから漸次土から離れるものが多くなつてゐる即ち十一十二年の比較を見ると

	自作戸數	小作農	自作兼小作農	計
十一	六七、八八九	五五、八二三	八四、九二一	二〇八、六二三
十二	六六、六七三	五三、四七五	八四、八一八	二〇五、五六六

等で大體から見れば順調の如くであるが以上の如く局部的に仔細に觀察したならば農家總戸數では元年に比し一昨年は七千七百餘戸から増加してゐるが昨十二年は一昨年よりも三千百戸から激減し更に自作農では小作地返還等によつて止むなく自作した樣のものも數多い等彼之三百八十四戸を逆に増加し自作兼小作では九十三戸及小作戸數で三千三百餘戸を激減した事は多少統計上に誤差はあるとしても大勢を知る事が出來る

○長野縣米收穫高（大正十二年）

	作付反別	收穫高
南佐久	三、二七四、五反	八一、二三二石
北佐久	五、五二〇、〇	一一六、八〇七
小縣	五、六九〇、八	一三四、二二三
諏訪	五、三六七、一	一一七、二六六
上伊那	六、九三八、五	一五一、一四二
下伊那	四、六八六、〇	一一一、四三五
西筑摩	一、九一〇、四	三〇、二八七
東筑摩	七、一七五、八	一四二、五二九
南安曇	四、九五二、四	九六、六七四
北安曇	四、五三五、一	六八、九六六
更級	三、九五七、八	八六、九七五
埴科	一、二四〇、一	二九、九三六
上高井	一、七九五、五	三五、八七四
下高井	三、七九五、三	六七、六七五
上水内	四、九五九、〇	九〇、二三一
下水内	二、三三三、〇	四〇、六〇二
長野	一、〇九〇、五	二七、六六九
松本	二三六、五	四、九三八
上田	三三五、八	六、八八九
計	六九、七七四、一	一、四四一、三八九

左の如く昨十二年の本縣の米の收穫高は玄米百四十四萬一千三百八十九石であるが之を現在人口百六十萬人の一人當りに計算して見ると八斗八升九合となる然るに推定に依る人口一人當り一ヶ年の消費高は一石二斗と云はれてゐるから一人三斗一升一合の不足を生じて來る總人口に對して五十万三千八百八十二石の不足高となるのであるこの不足米は縣外よりの移入米又は外國輸入米に依り補足して行きつゝあるが十一年中に縣内に於て酒造のために使用した米を見ると十二万四千六百一石ある又菓子製造の爲めに使はれる米は二十一万六千七百石ある菓子製造のために消費したる米は酒にする米の約倍額に達してゐるのである本縣の自給自足は其必要を叫ばれて計畫せられてからもう十數年になるが未だ其の目的を達することが出來ない、いや自給自足の計畫の立てられた當年は三十九万乃至四十万石の不足であつたが今日では増加して五十萬以上にあ

つてゐるのである又當初の自給自足計畫の際にはせめて酒と菓子との原料に供する數量の米丈けでも增收に俟つことゝしたいとあつたのであるが菓子に二十一万石酒に十二萬石を要するのでは層一層努力せねばならぬ筈である

海外笑話

ボルネオ土人の、便所といふのが振つて居る、川の中に筏を浮べ、一寸した木の葉の屋根を覆ふて置く所は現代最進歩せりと稱する、水洗式にも勝る譯だが、同じ所で洗濯もすれば、水浴もする、食器も必ず其所で洗ふと聞いては、聊滑稽味を覺えぬでも無い

謹告

左の趣意書御覽の上御同情御援助を願ひます

在外同胞に圖書寄贈趣意書

日淸、日露、日獨の諸戰に我國民は出征軍人の爲めに熱心なる送迎をなしたるのみならず幾回となく物品を追送して彼等を慰問、激勵致したことが、これ等の戰役に立派な勝利を得た原因の一つであります。

今は多數の日本人が平和の戰爭をなす爲めに海外萬里の異域に行き日本民族の先驅者となつて活動して居りますが、出征軍人を慰問したと同樣の意味に於てこれ等在外同胞を後援することは正に故國の人々のなさねばならぬ當然の仕事であらうと思ひます。

在外同胞は外國語が不十分の爲め在留國の新聞雜誌圖書其他の出版物を讀むことが出來ず、又、交通不便の爲め日本々國の圖書を閱覽することも出來ず、從つて世界の文化に取り殘され、天涯萬里の地に孜々として勞働に從事して居る次第であります。これ等の誠に氣の毒な在外同胞と精神的に密接なる聯絡を保持し我國民精神を異民族の間に發揮する爲めに祖國の人々が爲さねばならぬ事業が澤山ありますが、私共は出版物に依る文化の宣傳が一番よいと存じます。それも各位の御後援を得て圖書を集め百冊程づゝ堅牢な函に納めて運搬に便ならしめ海外各地の在外公館、日本人會、靑年團等を順次に巡回閱覽に供したいと存じます。

第一期の事業として此圖書函を送附し度いと思ふ所は日本から一番遠く且不便で祖國の文化から遙かに離れて居る南米ブラジル、アルゼンチナ、ペルー、メキシコ等の諸國でありますが、圖書が澤山に集まりますれば南洋の各地方にも送りたいと思ひます。就ては左記の要項御一覽の上御賛助を願ひ度う存じます。

要　項

一、在外同胞の閱覽に適する圖書は宗敎、哲學、敎育文學、小說、歷史、傳記、衛生、經濟、農業、商業、修養、婦人小兒書類等で同一のものが幾冊あつても宜しいし、又、古い書物で結構です

二、御寄贈の圖書には別紙の御住所御姓名の御記入を願ひます

三、御寄贈の圖書は海外協會、拓殖協會又は海外協會中央會へ御送附を願ひます

四、金錢にて御寄附下さるも結構です、此塲合には振替口座東京六六四八四（海外協會中央會）の御利用を願ひます

五、東京市内は端書又は電話（牛込六二三二一番）へ御通知下されば頂戴に參上致します

圖書は集まるに從ひ便船で送り出します。

大正十三年五月　日

東京市麹町區丸ノ内ビルヂング四五四　海外協會中央會
熊本市南千反畑三三　熊本海外協會
香川縣廳内　香川縣拓殖協會
山口縣廳内　防長海外協會
廣島市水主町二六　廣島縣海外協會
岡山縣廳内　岡山縣海外協會
和歌山縣廳内　和歌山縣海外協會
長野縣廳内　信濃海外協會

編輯机上より

代議士總選擧といふ、大風が息んで、やつと平穩になつた、多少の經緯は殘つたらふが、大体に於ては敵味方共、破顏一笑光風霽月の態度には、懷しさを感せずには居られぬ、選擧違犯の聲は縣下にもボツ〱聞えたが、干渉の事實は痕跡だも認め得なんだのは、眞に慶すべきで有た。

我が協會の、移住地計畫も益々實行の段となり、永田幹事は一切の任務を帶びて、今や渡伯の途上に在る、快報を齎すのは盆初秋の頃にもならうか

海の外

定價	内地	外國
一部	廿錢	廿仙
半ケ年	一圓十錢	一弗十仙
一ケ年	二圓廿錢	二弗廿仙

海外郵税四錢

注意
▲御注文は凡て前金に申受く
▲廣告料は御照會次第詳細通知致します
▲御拂込は振替に依らるゝが最も便利とす

大正十三年五月三十一日
編輯人　永田稠
發行兼印刷人　長野市南縣町　藤森克
印刷所　信濃毎日新聞社
發行所　長野市長野縣廳内　海の外社
振替口座長野二一四〇番　信濃海外協會

大正十三年四月廿五日發行（毎月一回廿五日發行）
大正十一年三月廿六日第三種郵便物認可
海の外第二十五號附錄

一部の諸君に謹告致します

當信濃海外協會も創立以來二ケ年半微力ながら最善を盡して來た積りで有りますが元來餘り基礎の强固で無いのに事業は各方面に向て積極的態度を以て進み一般社會も亦寧過重なる期待を抱かる樣になりました協會としてはそれが本領でも有りませうが事實任重うして道遠しの感無くんば非ずです、殊に雜誌ですが今迄外國在留者諸君の多くには默つて送つて居りましたがも早それもやり切れなくなりました依つて此の際何等か御沙汰の無い限りは遺憾ながら發送を中止致さねばなりません何卒斯業の爲めに一片の同情を寄せられ雜誌代若くは會費を送らる、なれ通信をするなれして戴きたいもので有ります。

大正十三年四月

信濃海外協會

第二六号

目次

惜別のテープ

特使を載せたる大洋丸（一四五〇〇トン日本郵船）

甲板上の永田特使

永田稠君を送る

海外協會中央會幹事　宮　下　琢　磨

信濃村建設事業着々進捗して、幹事永田君は愈五月廿八日を以て、東洋汽船會社の大洋丸で渡米することゝなつた。

抑今回の君の使命は、言ふまでもなく信濃海外協會に於て熱心に唱導し、力説し、計劃して居る處の信濃村建設の基礎を定め、下準備をする爲めである、是れ迄のブラジルに於ての準備としてはサンパウロ、ノロエステ沿線を目標として、適當なる移住地を選定すべく、本間總裁の懇囑により、バウルー領事多羅氏斡旋の勞をとり、輪湖北原兩君が懸命に奔走して居るのである、今回君の使命は此の選擇されたる候補地について、最も適當なる地を選定し、將來の移住地について實地計畫を立てることにある。

只是れだけ言へば事頗る輕易なるが如きも此の間に重大なる責任が存在して居る、と云ふのは萬里の異域に植民地を新設するに於て日本の如く永い間小天地に蹋蹐したる人には現在の如く植民上には充分智識經驗を積んで居つても、猶非常の苦心を要する、今回の選定についても、土地の肥瘠交通の便否、氣候の適否、水質の良否等の條件が備はつて、而かも價格も相當でなくてはならぬ、土地の選定は次の計畫として作物の選定、家屋道路衛生敎育慰安等の設備である、最後に而かも最も重要なるは管理指導者其の人を得ることである。而して始め終りを通じて圓融無碍の活動を爲すは資金の問題である。

永田君の今回の使命は土地の選定から、第二の準備第三の人の問題まで含まれて居る。

次には君が最も力を注いで居る信濃村建設と姉妹關係にある土地組合である、現今農村が行き詰りて二三男

の爲めに、南米に容易に土地を得られ、渡航資金蓄積を融通するの途を開き、且大資本家若しくは政府が何千万と云ふ大規模を立つるとも、多くは計劃倒れに終りて、實現の期は果して逆睹し難い時にあたりて、小資本主の力を糾合して、漸次其の發展を圖ると云ふが如き其の名を求めずして其の實を收むべき、最も有効なる方法たるを失はない、近き例を以てすれば諏訪郡富士見村の如き、村内重立ちたるもの〻力によりて既に富士見一村に匹敵すべき地所を得るを以て理想として着々進んで居るではないか、此の方法が普及徹底すれば日本の面積を事實に於て二倍になし得る譯で、吾人は此の方法によりて必ず有終の美を擧げ得らる〻と確信して居る、而してこれは我國として最も新らしき創造であつて、此の蹤を追はんとするのが非常に多いのは意を強くすべきであるが、若し今回の事業計畫が順調に發展すると否とが今後の此の種の事業の消長興廢に關するので其の大半の責任は君の双肩にか〻つて居ると云ふべきである。

これは當面の問題であるが、更に今回の北米排日につきて善後策の如き、十數萬の我が同胞は其の去就に迷つて居るものが尠くない、南米に移住を企て〻居るものは屢々書を寄せて君の來米を鶴首して居る、此れ等の諸君と膝を交へて語ること、さてはメキシコ、チリー、ペルー、アルヘンチナ等につき同胞發展の途を講じ比較研究をすることも世人は大なる期待を持ちて居る。

現下我國に海外發展を論するの士は尠くない、併し君の如く觀察犀利、意志鞏固、實際的事實の上に立脚して難を厭はず、勞を思はず月又月年又年終始一貫海外發展の爲めに捧ぐる熱誠に至りては誰か追隨するものあらん以是君の議論には必ず計劃あり、計劃には必ず實行の熱を伴ふ、數千の力行會員が海外萬里の異域に於て奮闘に堪えて行くのも因ありと云ふべく、君が海外發展上の新しき生命も實に此處にある。

今や我國は上下都鄙を通じて、海外發展の幸運に嚮つて來た、就中本間總裁の熱心唱導による諸計劃は、曉鐘であり、進軍の喇叭である。而して君の熱心と努力とによりて具體化されて行く、君の一身より言へば五月

雨を集めて早き最上川の、幾千萬の苦心が凝りて一ッの體形を爲さんとする時機であり、今回の計劃の興廢は我國殖民史に消長を劃する問題である。

南米北米共に君の曾遊曾識の土地であり、且つ日夕耳にして口にする土地である、廬山烟雨漸江の潮山河依然たるも、觀來りて君が腦中閃く處果して如何、

旅中につき一辞の附言すべきものなきも、唯奮闘の猛者、身體に無理を强要すべきを憂ふのである、偏に君の自愛と平安を萬禱して止まんのである。

旅　程

五月廿八日	横濱出帆
六月十二日	サンフランシスコ
六月二十一日	ロスアンゼルス
七月十日	ワシントン
七月十五日	ニューヨルク
七月三十日	サンパウロ
十月一日	ブエノスアイレス
十月十五日	バルパライソ
十月廿日	リマ
十月三十日	パナマ
十一月五日	メキシコ
十二月十五日	ロスアンゼルス
十二月十日	サンフランシスコ
十二月十五日	シヤトル
十二月卅日	横　濱

日米問題と我國民の採るべき道

風　滿　樓

多年人道と正義と世界の平和を以て看板としたる、米國が、今回我國民を侮辱したる決議を敢てし、大統領も之れに署名して仕舞つた。

之れに就いて我國民は非常に昂奮して來た、各所で對米問題の大會が催ほされ、米國の態度を責め飽く迄反省を促す決議がされる、米國の映畫は一切上映しないと云ふ決議が出來る、又一部藝者の仲間で米國の化粧品は一切用ゐぬと云ふ相談が始まると、米國品を買ふな贅澤品を買ふなと云ふ運動が起る、大行社のある者が帝國ホテルで、舞踏廢止の荒藝を演ずると、米國からの寄贈品を返せと叫ぶものがある、米國風の耳かくしの髮は亡國の兆だと怒鳴る、我國民は異常の緊張振りを見せて、興奮激昂の態度を示して來た。

於是吾人の考へて見ねばならぬのは、我國民が何故に今回はかく憤慨したかである、抑排日は米國から言へば永い問題である一朝一夕の問題ではない、大正九年に於て既に吾が邦人の運命は決して仕舞つた、併し吾が國民は何等の感じも起さなかつた、然るに今回は異常の興奮を示した、これは何故であるか吾人は今靜に排日の經過を考へて見やう

抑サンフランシスコで排日の決議を通過したのは明治三十三年である、同四十年には學童排斥問題が起つて、夫れは大統領ルーズベルトの盡力でどうにか收まつたが、交換條件としてハワイ轉航を禁止され、日本の方から自制的に紳士協約を作つて、移民については嚴重に監督し、米國に無暗に移民を送ると云ふことはなくなつて來た、米國はこれで滿足すべき筈であつた、然るに此の年に日本人には土地を持たせぬと云ふ即ち日本

人土地所有禁止案と云ふものがカリフォルニア州會の議に上つた、これは大統領が干渉して止めさせたが執拗なるカリホルニヤ州會は大正二年迄に四度上程して遂に同年五月十九日日本人土地所有禁止、借地權制限の法律が通過して仕舞つた、吾が外務省は珍田大使に命じて米國政府に抗議させた、此の時に於て日本の國民はどうであつたか、何等の反響もなく何等の痛痒も感じないと云ふやうに對岸の火災視して居つた、やゝ事情に通じて居る者も、日本人は禮儀作法を知らないから輕蔑される、日本人は同化力がないから排斥されるのである、今少し素質を良くしなければいかぬと云ふ位であつた。

夫れから歐洲戰争となつて日本人は寄附もする、義勇兵にも應ずると云ふので、感じもよく小康を得てやゝ事無きを得たのであるが大正九年に至つてカリフォルニヤ州は邦人の借地權を絶對に禁止し、又米國生れの子供の名義になつて居る其の後見人と云ふことすら禁じて仕舞つた、事こゝに至れば多年異郷に於て粒々辛苦で、荒野を開發した其の勞苦は一朝にして奪はれて仕舞ひ、日本人としては再び起つ事の出來ない羽目に陥つて仕舞つた、渡航するものは紳士協約で縛られ、彼の地に居るものは土地法で叩かる、此の時に於て既に大事去り運命は決して居つた、然るに我國民は戰後の好景氣に浮かれて、在外同胞が必死の運動をつゞけ、必死の叫をなして居るのに何等の聲援をも與へず、何等の感じをも起さなかつた、夫れから後に起つた大正十年三月ワシントン州の日本人の土地所有權を禁ずる法律や、寫眞結婚を禁じたり、日本人の歸化權なき判決や、排日土地法を有効とする判決など寧ろ當然の成り行きと言はねばならぬ。

處が是迄の成行きに冷々淡々たる我國民が今度は非常に興奮した、悲歌慷慨戰争も辭せない位の勢を示して來た、是れは何故であるか。

第一に注意すべきは是れ迄の排日は主として加州の問題であつた、日本人がストライキにも加與しない、休む時間にも休まない、汚ない風をして眞黒になつて働く是れが白人勞働者の氣色を害して居る、米國は勞働者

の勢力のある處、勞働者の御機嫌を損しては議員になれないと云ふので政治家が排日をやる、やるが是れは一部の仕事である、米國は日本に好意を持つて居ると解して居た、然るに此度のは全北米合衆國の名譽ある議會が日本人を公然劣等人種扱ひにした、差別待遇をしたと云ふことである、よもやと思ふた大統領迄之れに署名したと云ふのである、今迄期待して居た全米國の好意と云ふものが裏切られた譯である。

次には日本には始めは支那が一番近間の强敵であつた、之れとも戰ふて勝つた次には北の方から脅すロシヤであつたが、これも戰に勝つた、今歐洲列强は永年の傷痍未だ癒えず、且つ日本との問題とて格別の事はない、唯殘る世界の問題は太平洋を挾んだ二大强國の態度である、於是か米國も日本に對し一層の注意の眼を向ける、日本とてもシミ〴〵米國の態度について國民として考へさせらるゝ時機に到着した、即ち幸に移民の問題でなく人種爭鬪の大問題に逢着したのである。

米國は果して正義人道の國か

米國は建國の始めより人道主義を以て立つて來た、ワシントンやリンコルンの精神を傳統的に繼承して正義と人道の體現者として世界の平和の指導者としての大看板を掲げて來た、今冷靜に過去の歴史を顧みるに純然たる帝國主義侵畧主義である、始めはそうであかつたにしても、さう云ふ風に變化して來て居る、論より證據之を數十年の歴史に觀よ今日米國のテキサスなるものは始めメキシコの領土であつたのを奪つたのは八十九年前である、次で今自分のものとして威張つて居るキャリホテルニヤも七十六年前にメキシコから奪つたのである、うこで米國は大陸の東の方から西の方迄思ふまゝに手をのばすことが出來た、アラスカを露西亞から買收した問題はさて置き、二十六年前にはハワイの議員を買收して布哇の王國を廢し米國と合併すべしと云ふ決議をさせた、其の時日本人に對してはハワイに於ける日本人の既得權利は之を尊重すると云ふ大統領の聲明があるにもかゝはらずハワイ二分の一の人口を有する吾等の同胞が既得の權利は脅されつゝあるではないか、次に

は米西戰争である、此の戰争はキューバの獨立が目的である、キューバには糖業が盛んで米國は大分資本を卸してある、決してスペイン領のフイリッピンなどに手はつけぬ、飽く迄日本の權利を侵害するやうなことはしないと云ふのが、日本に對しての誓約であつた、處が米國はヒリッピンを領有して仕舞ふた、遂にパナマは賄賂によりてコロンビヤから獨立させ、そしてパナマより運河開鑿の權利を得た此の事業が完成して太西洋の艦隊はパナマ運河を通りハワイを經て、何時でも太平洋に集注し得らるゝやうになつた、

此等の事實によつて見れば米國が侵畧主義帝國主義に變つて來て居ることは爭はれないことである、而して華府會議に於て日本に軍備の制限をさせ、而も未曾有の大變災によりて手も足も出せなくなつた機に乘じ、公然日本を劣等國扱ひにしたと云ふ、其の心事を陋とし其の野心を惡んで、我國民は異常の昂憤をしたのである

各國は如何に見て居るか

英國の新聞は日本の自負心が新移民法によつて傷けられたので怒るのは最もである、米國のやり方はよくない、日本移民排斥は其の價値以上に損害を發見するやも知れぬと云ひ又たモーニングポーストは「若し此の問題に對して細心周到の用意を以て取り扱はぬと世界を流血の慘事に飛び込ませる慨れがある」と警告して居る、何れも日本の立場には同情するが注意しないと飛んでもない大騷亂になることを心配して居る、又パリーのルヽタン新聞は「此の問題は大統領が遺憾の意を表明した事と各國が同情して居るのでマア〳〵我慢したがよい、何時迄長びかせても詰らぬ事だ、仕方がないとして水に流すサ」と言つた調子である。

米國の眞意は何處にあるか

前叙述した處によりて之れを忖度すれば其の眞意の那邊にあり、將來の世界の問題としては如何なるものが伏在されて居るかは多く說くを要しない、日本を徹底的に排斥せんとする加州排日紙サクラメント、ビーの前主筆マクラチーが日本の排米騷ぎを論評したのは少くも今度議會を通じての上下議員の頭に流れた共通の心理と見て差支なからう、「日本が排米などゝ騷いだとて永續きするものでない、日本では排日立法を米國の輿論

ではなくて、東部の諸新聞や商業團体宗教團体の排日反對決議が米國の輿論を代表するものと思ふて居るがそれは間違ひである、新移民法は國內問題を適當に處理する爲め正義と權利とに立脚してやつた事である、日本が排米ボイコットなどやれば夫れは日本の經濟的自殺だ」と高をくゝつて居る、然し六月十日共和黨大會には政綱の中に親日的の意味を強く表明することになつて、排日の巨頭ロッヂは勢力頽き不人望の位置にある」とある、排日親日何れにしても

要するに實力の問題

である、今後國民としては如何の態度を要するかと云ふに、只一時の感情に馳せて事を誤るやうな事はお互に注意すべきである、國際間の問題に於て正義を主張するも權力のなき正義は何の役にも立たぬ、米國を第一の御得意にしなければ日本の經濟は立たぬ、米國から品物を買はねば復興の大業も成し得られぬ、米國から金を借りねばやりくり算版が出來ぬと云ふ國情で、イザと云へば膝を折り叩頭百拜して、扨事件が起るとヤレ馬鹿にして居る、劣等國扱ひにして居ると力んだ處が始まらない、仍て策としては、輕擧妄動を戒しめ

△飽く迄正義人道の上より彼れの反省を促すこと

△日米兩國の委員會を設置し國民外交により、問題の解決を圖ること

△國民志氣の作興を促し、惰弱の風を戒め勤儉勵精産業の進興を圖り、國富の充實を期すること

△教育を盛んにし世界に誇るべき文化を建設すること

△對支對露の關係を親密にすること

彼の米國は世界大戰により、最も有利優勝の位置を占め、世界の富は悉く米國に注集したゝかの觀あるに當りて、物質的の滿足によりて國民の墮落を憂ひ、國民は一致して無酒國とした、熱し易く冷へ易き我が國民は忽ち悲觀し忽ち有頂天となる、少し位の暴言を吐き少しボイコットをやり、宣教師にあたり散した位で、將來の大計を思はずア、溜飲が下かつた位でおさまる問題ではない、國民は深く自省し戒愼し、大決心を以て奮鬪すべき時機である、深く之れを思へ。

排日移民法

議會通過ノ經路

◆上院

ジヨンソン法案

大正十二年五月　下院提出下院委員會に附託

大正十三年一月三十一日　委員會にて修正の上同案採決(但し日本人排斥條項は其儘)

二月　一　日　ジョンソン氏より右委員會案を下院に提出委員會に附託

二月　九　日　委員會より下院に賛成報告

二月十三日　國務卿よりジョンソン下院委員長宛勸告的書面(二月八日附)公表

二月十七日　委員會に於て右國務卿の勸告の一部を容れ「通商條約上商業の目的の爲入國する者」を排斥條項適用より除外することを決定し新法案と更にジオンソン氏名義にて下院に提出委員會に再附託

三月廿四日　委員會より下院に同案報告

四月　五　日　下院に於て特別議事規則可決、直に同案一般討議に入る

四月十一日　修正討議

四月十二日　同案通過(三二二票對七一票)上院に廻附

◆下院

(イ)ロッヂ案(ジョンソン案と內容同じ)

(ロ)リード案

大正十二年十二月五日　上院提出、同院委員會附託

二月十九日　國務卿より上院委員長コルト氏へジョンソン氏宛書面と同趣旨の書面送付

二月十六日　リード法案(排斥條項なし)提出、委員會附託

三月廿二日　移民委員會小委員會に於て日本人除外條項を挿入する修正案決定

三月廿七日　委員會に於て右小委員會案を採決、直に上院に賛成報告

四月　二　日　上院討議開始

(ハ)シヨートリッヂ修正案

四月　二　日　上院提出

四月十四日　日本人排斥條項否決(七六票對二票)

四月十五日　日本人排斥條項を挿入せんとする修正案投票に依らずして可決

四月十六日　同案を再考に附し投票に依り再び通過(七一對四票)

(ニ)其の他の修正

一、五年間移民入國を禁止する修正案
四月十六日提出直ちに否決

二、農業勞働移民輸出國に限り二割五分のクオータを許す修正

四月十八日　提出直ちに可決(四十六對三十)

四月十八日　最終投票の結果上院移民法案可決確定(六十二對六)下院に廻付

同　　日　ジョンソン案を採用せず、上院案(日本人排斥條項の外大體リード案を基礎とす)を以て之に代ふるに決定

◈兩院協議會

四月二十五日　開　會

上院委員　リード　スターリング　キーズ　キング　ハリス

下院委員　ジョンソン　ヴエイル　ヴインセント　サバス　レイカー

協議事項(兩院の異點)

(上院案)

一、移民に對し査照證明書を交付す

二、ノン・クオータ移民の規定無く、勞働者の家族等をもクオータに算入す

三、クオータを一九八〇年入國調査の二分、定員の最低を百人となし、且つ一九二七年以後は凡ての外國移民を合して十五萬人と定め一九二〇年入國調査を基礎とすべし

四、海員に關する取締規定につき異點あり

五、大統領の署名即日効力を發生す

(下院案)

一、移民に對し入國證明書を交付す

二、入國者を移民、ノン・クオータ移民、及び非移民の三種に分類し勞働者の家族等をノン・クオータ移民として自由に入國せしむ

三、クオータを一八九〇年人口調査の二分に百人を加へたる數となす

四、海員に關する取締規定につき異點あり

五、七月一日を以て効力を發生す

四月廿八日　大統領實施延期の妥協案を提出す

同　廿九日まで休會に決す

五月　六　日　愈々協議會案成立、排日條項は七月一日より實施に決定

五月　七　日　協議會案を下院に提出、次で上院に廻附す

五月　八　日　上院協議會案を上程、盛に反對起る

五月　九　日　下院協議會案を否決、協議會に反附す

五月　十　日　協議會は下院決議通りに逆戾りし、排日條項實施期日を七月一日となすに決定

◈排日移民法

三案の要點

外務省公報

ジヨンソン案

(一)　移民とは米國外より米國に來るべき一切の外國人を指す但し次の者を除外す(ノン・イミグラント)

(イ)　官吏及其の家族從者

(ロ)　旅行者若くは商用又は遊覽の爲一時入國する者

(ハ)　通過旅行者

(ニ)　接壤國を通過して米國內の一地方より他地方に赴く者

(ホ)　職務執行の必要上入國する海員

(ヘ)　現行通商航海條約の規定の下に商業を營む爲にのみ入國し得る者

(二)　一切の移民は前項の外特定の例外を除き每年入國許可數を一八九〇年の國勢調査に基く米國在留外國人々員の二パーセントに一〇〇を加へたる數に制限す

(三)　歸化權なき外國人は(イ)前記ノン・イミグラントの部類に屬する者及(ロ)再渡航者　(ハ)宗教家大學其の他高等の學校の教授及其の妻子及(ニ)學生を除くの外入國を禁止す

リード案

(一)　次に掲ぐる者は移民の部類に屬せず(ノンイミグラント)

(イ)　官吏及其の家族從者

(ロ)　旅行者は商用勉學又は遊覽の爲一時的に入國

する者

（ハ）通過旅行者

（ニ）接壤外國を通過して米國内の一地方より他地方に赴く者

（ホ）職務執行の必要上入國する海員

（ヘ）再入國者

（ト）通商航海條約又は特に移民に關し規定せる協約に依り入國し得る者

（チ）加奈陀、ニユーフアウンドランド、墨西哥、ハイチ、ドミニカン共和國、中南米諸國中央亞弗利加及南米に在る歐洲諸國植民地及保護領に生れたるものにして米國に歸化すること を得る者及其の妻子

米國市民の子、夫及妻に對しては、ヴイザ・サチフイケート發給に付優先權を與ふ

（二）每年度に於ける各國移民入國許可數は一九一〇年米國々勢調査に依る在米國大陸各國人口の二パーセントとす但し一國に對するクオータの最小限度は一〇〇とす（立法者の意見によれば日本人は前掲ノン・イミグランド中（ト）に該當する者として本法の適用より除外せらる）

シヨートリツヂ修正案

（一）前顯リード案所ノン・イミグランド中（ト）を削除し「現行通商航海條約の規定の下に商業を營む爲にのみ入國し得る者」の字句（ジョンソン案と同じ）を挿入すべし

（二）次の條項を挿入すべし

歸化權なき外國人は左の者を除くの外入國を禁止す

（イ）官吏及其の家族從者

（ロ）旅行者又は商用觀光の爲に一時滯在する者

（ハ）米國通過者

（ニ）接壤外國を通過して米國内の一地方に赴く者

（ホ）職務執行の必要上入國する海員

（ヘ）再渡航者

（ト）條約の規定に依り入國し得る者

（チ）加奈陀、ニユーフアウンドランド、墨西哥、玖瑪、ハイチ、ドミニカン共和國、中南米諸國、中南米又は西印度等に在る歐洲植民地及保護領に生れたる者にして米國に歸化することを得る者及其妻子

（リ）宗敎家、大學其の他高等の學校の敎授及其の妻子

（ヌ）學生

米國排日運動年紀

一九〇〇年　桑港排日派市民大會開催、排日決議を通過す

一九〇一年　一月カリフオルニア州知事ゲーヂ氏排日敎書を州會に送る

州會日本移民制限の建議案を可決し之を聯邦議會に送附す、是れ加州々會排日決議の嚆矢である

一九〇三年　市俄古に開催せる米國勞働組合大會日本人問題調査開始を決議す

一九〇五年　桑港に日韓人排斥協會成る

一九〇六年　十月桑港學務局、日本兒童の爲め隔離學校を設くるの決議をなし初めて日米間の公式交渉案件を發生す

一九〇七年　日本政府、學童排斥中止の交換條件として在布哇日本人の大陸轉航禁止に同意す

同年日本の移民自制を約せる紳士協約初めて成る

米國議會九名より成る移民調査委員會を設く

此年日本人土地所有權禁止案始めてカリフオルニア州會の議に上る、下院通過後、大統領ルーズヴエルト氏干渉之を阻止せしむ

一九〇九年　日本人土地所有權禁止案再びカリノフルニア州議會に現る、ルーズヴエルト氏再び之を阻止す

一九一一年　日本人土地所有權禁止案三度カリフオルニア州會に出づ大統領タフト氏之を阻止す

一九一三年　日本人土地所有權禁止案四度カリフオルニア州會に現る大統領ウイルソン氏干渉を試みたるも不成功に終り、同年五月十九日初めて日本人土地所有權禁止借地權制限の法律成立す

一九一五年　四月我政府珍田大使をして米國政府に抗議せしむ

歸化不能外國人移民禁止條項を含む移民法案米國議會に出づ、バーネツト法案とす、成立に至らず

一九一七年　歸化不能外國人移民禁止を含む法律案米國議會に現る、外交事情を鑑み削除せらる

一九二〇年　十一月カリフオルニア州再び一般人民投票に依る排日法律を通過し、邦人の借地權を全禁し且つその米國生子女の後見人たるを禁止す

一九二一年　三月ワシントン州會、日本人の所有權禁止を目的とする外國人土地法を通過す

一九二二年　加州高等法院、邦人父母の米國生子女後見を禁ぜる州法の無効と宣告し、邦人大に欣ぶ

同年十一月米國大審院日本人の歸化權無き旨の判決を下す

一九二三年　六月日本人の收穫分配契約に依る耕作を禁止する法律加州に於て成立す

同年十一月米國大審院カリフオルニア州及ワシントン州の排日土地法を有効と判決す

一九二四年　四月米國議會初めて日本人排斥を目的とする歸化不能外國移民禁止條項を含む移民法案を通過す

紳士協約摘要

埴原大使の書翰にて始めて公表さる

駐米大使埴原正直氏が國務卿ヒユーズ氏に宛て交附した日米紳士協約の摘要左の如し

（一）日本政府は熟練不熟練を問はず勞働者に對しては米本國行旅劵を發給しないこと、但し從來米國に居住せる者、其兩親妻又は滿二十歳以下の子女は此限りに非ず、旅劵の形式は僞造を防止し得るやうに考案され其の發給は詐欺を防ぐ爲に凡ゆる調査の手段を盡した上に行はれること、日本政府は千九百七年四月八日の合衆國行政命令に於て與へられた勞働者の定義に從ふこと

（二）旅劵は特に其權限を與へられた定數の官吏によりの外務省周密なる監督の下に於てのみ發給せられる、外務省は旅劵事務の最高の監督權を有し之が管掌上必要なる局課を設けて居る、學生、商人、旅行者發等が旅劵の給を申請した場合には之等の官吏は十分な調査を行ひ申請者が勞働者となるやうなことがないか否かを確め且つ之等の申請者が其の地位の維持を保證するに足る資産を有せねばならぬと云ふ規程を勵行するか又は其の爲に保證人を立てると云ふ規程を勵行せねばならない、之等の申請者が旅劵の發給を受くる資格あるや否やに就て疑惑が生じた場合には此事件を外務省に照會して其決定を仰ぐこと再渡航勞働者に對する旅劵は駐米日本領事の證明書を提示した場合に於てのみ發給すること、之等勞働者の兩親妻子に對する旅劵は領事の證明書及び日本に於ける之等勞働者の戸籍謄本を提示した場合にのみ發給されること詐欺を防止する爲に最も周到な注意を拂ふこと

（三）所謂寫眞花嫁に對する旅劵の發給は紳士協約で禁止されては居ないが、千九百二十年三月一日以來日本政府によつて差止められて居る

（四）渡米及び歸國日本人に關する每月の統計は日米兩國政府間に交換されること

（五）紳士協約は布哇には適用さる可きものではないが布哇行の旅劵發給を制限する方法は實質上米本國行きの旅劵發給に對すると同樣に勵行されて居る

（六）日本政府は米國に密入國を防ぐ爲に米國の接壤國に對する日本勞働者の移民に對して一層嚴重な取締を加へること

母國通信

東京市の奉祝會

六月五日東京市では二重橋前の奉祝會場へ皇太子同妃殿下の台臨を仰いで、御結婚の奉祝會を擧行した、會場の入口馬場先門や凱旋道路の南北端及櫻田門の四ケ町に何れも綠葉の角型大奉祝門が建てられ式場は二重橋前北寄の廣場へ建てられた、凱旋道路の南北兩門から三萬の市公民が入場し、櫻田門からは大勳位、總理大臣以下各親任官、市區名譽職等三千の來賓が入場し軈て各皇族殿下及妃殿下には馬場先門から御入場遊ばされ、十時二十五分には皇太子同妃殿下は御同列で諸員奉迎裡に會場へ成らせられ市長の御先導で御休所に入らせらる、こゝで市長、市會議長に拜謁を賜はつた、大勳位東郷元帥を始め首相、各大臣等廊下に立ち並ぶと、各殿下が式場へ臨ませられ最後に皇太子殿下及妃殿下には君ケ代の奏樂裡に御同列で式場中央の御席へ着かせられこの時公民席から期せずして萬歳の聲が起つた、やてが永田市長は市民を代表して奉祝の辞を捧讀し終れば畏も皇太子殿下には市民に對して、懇な御詞を賜り、市長は再び最敬禮の後階段を下り兩陛下の萬歳、兩殿下の萬歳を三唱すれば參列者一同これに和し、再び起る君ケ代の奏樂裡に兩殿下並に各宮殿下には御退場遊ばされ十一時御還啓あらせれた兩殿下奉送の後、三千の來賓が天幕張りの食堂に集まり大祝宴が催され清浦首相の發聲で東京市の萬歳を三唱して散會した

護憲内閣成る

加藤高明子は六月十一日東宮假御所に伺候し表謁見所において拜謁仰せ付けられ徳川侍從長侍立し先づ宇垣陸相に對して留任の御沙汰あり更に宇垣陸相侍立の上加藤子の總理大臣親任式を行ひ右畢つて加藤首相より閣僚一同を御紹介申上げ左の如く各大臣の親任式を擧行された

任内閣總理大臣	子爵	加藤高明
任外務大臣	男爵	幣原喜重郎
任内務大臣		若槻禮次郎
任大藏大臣		濱口雄幸
任陸軍大臣(留任)		宇垣一成
任海軍大臣		財部彪
任司法大臣		横田千之助
任文部大臣		岡田良平
任農商務大臣		高橋是清
任遞信大臣		犬養毅
任鐵道大臣		仙石貢

◎永田稠君の送別會

永田幹事の送別會は、五月廿三日午後九時丸ノ内保險協會に於て、當海外協會東京支部の主催で行はれた。

當夜は小川、今井兩顧問を始め植原、畔田の新代議士、片倉、小口(村吉氏)小口(善重氏)山岡、木下、長井、小平等の名士、數十名の出席あり、一同卓に着きデザートコースに入り加藤博士の開會の辭永田氏の謝辭ありて後山岡、植原、相馬諸氏の希望等ありて盛會裡に散會

永田君の出帆

五月廿八日は永田君の出帆の日であつた。此の日空は薄曇りなれど穏かな日であつた。力行會員及中央會指導員養成所の連中は大半は夜半に出懸けて徒歩で濱に行つた、力行會員は手に手に旗を振りかざして、力行會の會歌や讃美歌を歌ふ

我に腕あり君見ずや　我に膽あり君見ずや
斃れて後に止まんのみ　よしやしば〳〵倒るとも
天の御聲のかゝる時　なえたる足は蹶起して
つかれし腕は骨鳴りて　元氣奮然赤振ふ
見よや希望の御光は　我行く途も照らさずや

と若き男や女の歌ふ聲は、靜かな波も踊り立つ勢であつた、君は上甲板高く欄に倚りて厳めしい顔をして旗を振つて居る、やがて正午近く劉喨たる樂聲起ると船は徐に岸壁をはなれる、折りしも海風吹き起りて、船體を覆ふ細き赤青紫黄のテツプは空に吹き上げられる、龍宮城のやうな美觀を呈すると、萬歳萬歳の聲起りて帽子を振る船は靜に回轉を始めた。

信州記事

○天龍峽谷鐵道

下伊那地籍の、天龍川沿岸に、電氣事業の勃興せるに伴ひ、電力應用の鐵道を、敷設したらといふ議が持上り最近本間知事並に土木課長の天龍川舟行に依りて、速進の機運を、招致した樣だ

元來下伊那郡の自然は、頗雄大で面積から言つても、一二三方里といふ、大阪府や、香川縣よりも廣く、東京府や滋賀、神奈川、佐賀の諸縣と、伯仲の間にありて、高原山河の開發すべき餘地が少く無い、殊に山水の美は、眞に天下に誇るに足るものが有るので、設備の如何に依りては、世界的大遊覧地たらしむる事が出來るといふ譯で、地元の有力者は勿論、電氣企業者も大なる意氣込を以て、是非共鐵道を敷き度いと言つて居る

此の鐵道を延長して、東海道線に連絡せしむる事は單に一地方の開發に止まらず、本州中部を縦斷する所の國防上樞要なる路線となるので有るから、本間長官の交渉に依りて本省當局に於ても、餘程迄了解を持つたらしいから、近き將來に實現するであらふ

○信州の春蠶

信州の春蠶は、豫想通不成績に終つた、生糸市場の不振は昨年來の事で、繭價の安かるべきは、既に覺悟の上で有たが、それでも夏挽時分には幾分見直す事だらふとの思惑も、全然空頼と化して糸價は、低落に次ぐに低落を以てし、遂に千五百圓台になつて終つた一方かなり廣範圍の霜害は、掃立の當初に於て、痛切に脅威を與へ、掃立の手控、稚蠶棄却等の慘事を餘儀なくされた結果、上簇期に入りて、桑葉の大剰餘を來したなど餘りの皮肉で有た、又上伊那郡赤穂村其の他數ヶ所では、催青時期に取扱の手違から、數千枚分が二齢三齢期に全部違蠶となつたなども悲慘事で有た

兎に角全縣を通じて、著しく收繭が減じた處へ、一貫目八圓内外といふ、數年に無い安値の爲、總額一千五六百万圓、養蠶家一戸平均百圓以上の減收だらふと號されて居る

尤此の不況を一轉機として、養蠶にも製糸にも、一大整理を斷行し、生糸の販賣手續の不合理から、進んでは光澤繊維(人造絹絲)及び支那に於ける、蠶絲業の對策を確立し得るならば、所謂禍を轉じて福となすの良

結果を他日に收め得ぬとも限らない

○避暑地の開發と登山設備

十年程前迄信州の避暑地としては、輕井澤を唯一のものとして居たが、數年來著しく各所に増加した、南佐久の松原湖、諏訪富士見高原、北安の木崎湖、上水内の野尻湖、木曾福島等、漸次發達して來たが、新奇を好む所より、將來は戸隠、上高地、伊那の遠山、木曾の王瀧、下高井の岩菅山麓あたり迄、入り込む樣になるだらふ

更に又、一層奇抜なのにあると、一週間乃至十日間位宛、右の各地をテント生活をして移り歩くといふのも有る、之れ等の珍客を迎ふべく、各地共夫々準備に怠り無く、土地の有志者や、青年團などが躍起となつて居る

避暑客と共に、登山者も亦著しく増加し、且往々大規模の計畫が行はれる樣にあつた爲、各高山に完全ある足溜を備ふべく、縣の當路者を始め、山岳會員や地方有志が奔走して、道路の開鑿、小屋建設、通信の設備等、萬遺憾の無き樣盡力して居る、されば毎年莫大の登山者に比すれば、事故は極めて微少なるものである

○長野市會議員改選

長野市々會議員の改選が、六月初めに行はれた、何にせよ附近四ヶ町村を併合してより、最初の選擧と有て新舊市部の權衡やら所謂大長野市を、如何に發展充實せしむべきか等、六万市民が頭を惱ましつゝある折柄とて、自然力の入た選擧で有た、逐廿日程前の代議士選擧に、血道を上げて爭つた餘熖の、醒めやらぬ事とて、一層猛烈に、一層巧妙なる競爭が行はれたが、さすがに縣廳のお膝元だけ有て、選擧違反の形跡だに無かつたのは喜ぶべき現象だつた、選擧の結果當選したのは、左の三十六氏で有る

舊市部

諏訪部元助	鈴木雄次郎	早川宗次郎
矢島武	阿部橋治郎	中村邦造
鈴木續	佐藤淸美	笹木員義
北澤太兵彌	小笠原平作	瀧澤永十
楠本正慶	船坂恒久	町田利三郎
山崎喜三郎	湯田家内太郎	荒井郡司
西澤菊藏	中島森之助	守谷駒次郎
水島由太郎	桂橋久左衛門	松澤瀧
塚田嘉太郎	宮澤要次郎	

新市部

新井昇	長田茂左衛門	飯島初次郎
井原岩吉	北村助之進	横田九一郎
土田仁太平	西澤榮一郎	堀内文作
高野善助		

猶十七日の初市會に於て、役員選擧が行はれ、議長に塚田嘉太郎氏、副議長に長田茂左工門氏が、當選した

○活動寫眞の普及

去年の夏、縣の社會課で、活動寫眞の映寫機と、フィルム五六種とを買つた頃は、未だナカ〳〵珍らしくて方々から盛に映寫の希望が出て、斷はりきれぬ程で有たが、それが動機ともなり、又素人にも容易に扱ひ得る手經な機械が、比較的安價に買ひ得る樣になつた爲凄まじい勢で各郡に普及し、滿一ヶ年經つか經たぬに此の頃は何の郡にも、一組二組の機械が、備へられる樣になつた。

信州は名にし負ふ電氣の國とて、何れの村落にも電燈が入つて居るから、活動には以て來いで、どんな山の中でも居ながら見られる、各種の宣傳事業も、活動利用が大流行で、其の向の人々は、眠に暇の無い程奔走して居る、此の趨勢で行つたら、近い中に各町村に一つ宛位の機械が備はり、活動寫眞萬能の世の中となるだらふ

○上田市の新市長

上田市の名市長として、市制實施以來、市の爲に盡瘁され、城下村の、併合を始め市の發展充實に、功績尠からざりし、細川吉次郎氏が、五月末病氣の爲、長逝せられてより、適當なる後任を得ん事は、上田市民の等しく僕望する所で、之が詮衡は、最愼重なるべしとて、十名の委員を擧げ、數回協議の結果、市會議長たりし、勝俣英吉郎氏を擧ぐる事に決定した、勝俣氏は上田市の醫師會長として、又憲政會北信支部長として重きをなし、市長として申分の無き資格の持主である之と同時に、商業會議所會頭たる、法學士成澤伍一郎氏を、市會議長の椅子に紹致する事となつた、同氏も亦勝俣氏に劣らぬ、上田市の大立物で、中信銀行專務取締役、信用組合長其の他肩書を有する外、同仁會の重役として、社會事業にも奔走しつゝある、大活動家で有て、市長としても勿論、絶好の資格者で有る、上田市に人才の豊あるは、同市將來の爲、慶すべきである

○信州に結核多し

信州は土地高燥で、衛生上天惠に富んだ所で有りながら、結核の多いのは不思議で有る、之に就て長野赤十字病院の相原博士は、二つの原因を擧げた

一つは炬燵である、戸障子を閉鎖して、温度を高めるから、黴菌の繁殖に都合が好く、一面此の期間は勞働をあさず、多く非衛生的の生活をして、身体が弱くなつて居るから、病菌は益々勢を逞うするので有る

今一つは工女である、寄宿舍の設備の不完全、食事の不良、作業と体質の不權衡等から、病原の傳播が激しいからで有ると

机上漫録

△海外發展が必要であると言へば、内地にある人はそれ程必要な喫緊事であるならば、政府でやつて然るべきではないかと言ふ、海外に在る人に言はせると最も恐るべきは日本政府が植民に骨を折ると誓言される事である、何んとなれば直ぐに列國が眼をつける、當の相手方の國も氣をつけるとなる、直ぐ條件が面倒になり、萬事が八ヶ間しくなる、可成人の知らぬやうにドシ／＼實を擧げて貰ひたいとある

又、海外發展も最も好時期ではあるが、こう不景氣では困る、と言ふ、併し内地が好景氣であれば强て海外に行くと云ふ氣が起らない、行つても活動の出來ぬ位のものが、どうにか内地で食つて行けるとなる、丈夫なものは衛生を重んじない、養生に氣附く頃には起死回生の途なしか

△排日問題は活動映畫の排斥や、米國製香水をつかはぬ位では餘り問題にならぬ、否問題は米國の親日的の分子迄も氣をわるくさせる位のものである、日本人はシミ／＼内省して觀る必要がある、我國民の品位を高め、實力を養ふこれが最初にして最後の解決である、

△醒めて國産獎勵を考へるのは喜ぶべき現象である、併し外國の競爭品を防壓して、又内地の粗製濫造しかも高價なもので、無理に我慢しろと云ふ注文も無理、宜しく價廉、精良一般の改良に努力せよ

丸ビルの大建物の前に立ちて、大幟を立てゝ宣傳ビラをまいて居る。曰く

覺よ國民！　猛省せよ大和民族!!

△婦人も子供も今直ちに決せよ

△舶來贅澤品は斷然買はぬこと

〇我七千万の同胞が一ヶ年拾圓の外國品を買はぬとせば一ヶ年七億圓の餘裕を生ずる

大國難の昨秋震災後より本年三月迄

勿驚（舶來品奢侈品丈輸入總額）參億餘萬圓

淫亂小説性慾書籍	三十萬圓
男女装身諸具	四千六百萬圓
婦人舞踊用奢侈品	七百万圓
貴金製指輪及腕輪類	二千五百七十万圓
其　他	

奢侈を戒め浪費を省く千古を通じ齊家治國の要訣

△東京市内の化粧店洋品販賣店醫師貿易商店など、店

頭に貼札を觀る、單に「米國人入る可からず」としてあるのもある、又私の店ではドイツ、フランス品で米國品は扱ひませんと斷つたのもある、中には「人道をわきまへざる米國人は獸だ、獸とは物を言はぬ」と云ふ類のものもある、新聞では何れも書き立てゝ面白がつて居る、心理狀態に立ち入つて見れば、眞から米國人のやり方が癪にさわるから、イマイマしくて仕方がないと云ふのもある、又排米の側杖を喰つて店がサビれては困ると云ふ辨解のもあるが、中には自家廣告で米人など何の關係もないのに、客引きの手段に盛に職業入りの排米ビラを配るのもある

此れ等は排日を議員當選のまじないと心得て居る米國下等議員と殆ど好一對で擇ぶところはない。

△排米の氣勢は婦人の髪の結ひ方に迄及んだ、米人のハイカラの眞似をして喜んで居るのは亡國の兆だと攻撃して此の本家本元と目さるゝ丸ビルの前に立ちて一人一人注意する、氣の弱い女は人中で髪をこわされたり恥かゝせられたりしてはと八分通りは耳タボを出すやうになつた、併し承知出來ぬと云ふ女は何が亡國です、西洋の眞似じやない日本歴史の少しでも讀れたら聖德太子の髪を見ても耳かくしに結ふて居らるゝのを御承知の筈だ、女子の事とかれこれ言ふよりは男子の品行を省みて、ドッチが亡國だか考へて御覽と出る。同じ喧嘩でも大に愛嬌がある、併し震災後女子が華奢の風になつたと攻撃されて特に丸ビルの職業婦人は何やかやと餘分に人の口端に上るが、其の邊の消息に明るい人に聞くと、地位を得るの便宜と、得た地位を安全にすると云ふ方から、智識才能があると云ふよりは、姿かたちの美的な方が位地の保障が確實であると、矢張り罪は男子にありか

△排日排米の聲の盛んな時、佛領印度總督のメルラル氏が來朝され、佛國詩人大使クローデル氏の晩餐會に臨んでの、同大使との間に交された日本觀の談と云ふのは、やゝ古くはなつたか多大の興味を以て回想される。

大使曰く、日本は不足せる米を西貢に求めて居るが米ばかりではない、日本は印度支那に工業原料を仰ぎ、其の加工品は印度支那に向つて輸出せらるゝので、兩國の産業工業は互に相補裨する狀態にあると兩國の關係を說き更に

◎私は物質問題に付いて長く申上げ度くありません。

佛蘭西と日本は經濟的利益以外に他のものがあります。即ち兩國間に常に利害關係をはなれた、傳統的友情があるのであります。それは御維新以前の古のサムライ時代に始まり、歐州戰爭に於て繼續せられ、且つ最近には、私が交つて同情を被つた、日本の藝術家、文學家學者階級の勇氣ある自由ある青年方に依て其友情が繼續せられてゐるのであります。私は之等の青年と交際しながら、彼等の熱心と信念とを見、彼等の先生や長上の人達との關係に於て、謙遜と同時に不屈の態度を見るに及んで、日本を知り其未來を堅く信じたのであります、

印度支那總督閣下は滯在日數尚淺いのでありますが聰明にして觀察力の鋭い閣下の眼に必ずやそれが映じることと思ひます。

扨て私は閣下が日本を去られるの日、次の如く云はれる事と思ひます。即ち「日本に來た甲斐があつた、美しく且つ興味深い國を見た甲斐があつた。さうして日本國民の同情を得て貴重な得物があつた。さうして斯の如く友情を繼續させるのは有利である」。

メルラル總督

◎私が派遣せられましたに付て、大使閣下の本國政府に申請せられた事を感謝致します。さうして私は私共の協力が佛國に對して益ある事を確信し喜んで來るのを承諾したのであります。

印度支那は實際亞細亞に於ける第二の佛蘭西であり貴方が今迄日佛親善の爲めに努力せられた事業を援助する爲めに、誠意と全力とをつくすつもりで來朝したのであります。

◎印度支那と日本とが亞細亞大陸の一端にありまして相互に無知であつてはいけないと思ひます。其反對に相互に益々密接になつて行く貿易及經濟關係に依つてより以上接近し合はねばならぬと思ひます。而して相互の利益は相反する事はありません。何となれば各々の國の産業の性質は農業國たる印度支那及工業國たる日本の相互の利益は容易に結び付けられます。

此の可能性ある利益の協調の爲めに貴方と協力する爲めに來たのであります。さうして幕僚と商業會議所會頭との援助を以て佛蘭西及印度支那と日本の利益の協調をはかるつもりであります。

此の研究が一度終るや佛蘭西及日本政府は現在及未來をはかり最も適當なる協約をする事となると信じます

此の希望の中に貴大使と協力し禮儀を守る日佛兩國に

常に一致を得る事を信じて止みません

△吾人は一片の外交的辭禮に畢らず、將來の何等かの具体的實現を期待する

△廣島海外協會の幹事妹尾君の北米からハワイを觀ての話にハワイ娘の日本へ洋行すると云ふ話がある、それはハワイで生れた女子はハワイでは嫁に貰ひ手がなくて困る、同じ嫁を貰ふなら、米國かぶれのしたものよりも、本國からハル／＼主を頼りに來たワイなてな貞淑順良な、共かせぎをする日本娘を欲しと云ふので、ハワイ娘は嫁入前は一度日本へ洋行させ日本行儀作法風俗習慣を見習ふたものを歡迎する、それで日本へ洋行すると云ふ新熟語が出來た譯である

それで廣島の海外協會では日本洋行娘を教育すると云ふ心配をしてやる仕事が出來た譯である

處が北米にも同じやうなことがある、無學な日本勞働者は米口流の高飛車に出る嫁さんは始末がわるいと云ふて厭はれる、去り迚白人の處へは嫁には行けぬ、黑ン坊ではコチラが厭、困つて居た時、愈新移民法では本國から妻を近へることが出來ぬとなるとイヤでもオウでも米國生れの娘さんと結婚する外途がなくなつて仕舞ふ、これで漸く日本娘もホツト一安心の胸を撫で下した譯である、排日法で喜んだのは日本娘だけと云ふ評判

△前長崎高商の教授現在米國貿易に活動して居る坂本忠恕氏が此程獨逸より歸りての話に、日本人は外國へ行くとどうして御行儀が惡くなるか、留學生にも獨逸人の家庭には入ることは喜ばれない、下宿屋でも觀迎されない、と云ふのは女中など、どうかして困ると云ふのである、さうでなければ花柳病の御土産持參であつたり、又子供の始末で裁判所へ呼び出されたり、ソレが國へ歸れば堂々と身分のある反りかへつてあるく連中だから驚く、實にどうも不埒であると一々例證をあげての談

ソコへ行くと支那人などの方が餘程御行儀が良い今ベルリンに居る支那人は四千人許り居るが、皆月百圓で生活して居るに、日本人は三百六十圓で足りない日本人は金ばなれが良いので、多少は持てるが節制が出來ぬとは困つたものだと

又曰く日本人と支那人とは外見一寸似て居るが、獨逸人の見わけ方は、鬚のない獨逸語を談す、品行のよい方が支那人で、鬚のある獨逸語を談す、品行の惡ひ方が日本人だと

有限責任信濃土地購買利用信用組合員

口數	氏名
二〇	遠藤於菟君
一〇	木村賛夫君
五	江橋活郎君
五	小平保藏君
五	濱種治君
一〇	佐藤秀松君
五	依田稔君
五	中島一君
一〇	福澤平太郎君
五	佐藤太郎君
五	高橋偵造君
一〇	遠藤丈次君
二〇	關延世君
一〇	岩波義忠君
二	河西諏訪治君
一五	矢崎哲夫君
一〇	武川又兵衛君
五	岩波菊治君
五	宮坂弐郎君
三〇	小口大一君
二〇	小口大次君
一〇	藤森佐金次君
一〇	小平權一君
一〇	永田稠君
一〇	伊藤長七君
一五	小口朝重君
二〇	小口三藏君
三〇	宮坂義夫君
五	藤森達三君
三〇	小口宗雄君
二〇	小口治郎君
一	原田佳作君
一〇	福澤悦三郎君
一〇	加藤正治君
五	際旗元太郎君
五	高橋達太郎君
五	壚川佐久雄君

口數	氏名
三〇	名取夏司君
五	二木卯太郎君
五	小松豐作君
二〇	志賀三行君
二〇	依田源七君
一〇	宮下琢磨君
五	高野忠衛君
三〇	今井五介君
二〇	小川平吉君
一〇	本間利雄君
一〇	笠原忠造君
一〇	福澤春江君
三〇	上條信君
一〇	橋爪精一君
一〇	蜂須賀善亮君
一〇	五明正君
一〇	酒井祐之助君
一〇	熊谷村司君
一〇	細川幸次君
五〇	細川正男君
二〇	壚原副君
二〇	小松錄衛君
五	土橋源藏君
五	揮旗深志君
五	唐木覺太郎君
一〇	天野榮造君
一	稻垣乙丙君
一〇	相馬愛藏君
五	木村直交君
一〇	名取金六君
四〇	小川林君
一〇	伊藤喜閣君
一〇	名取亮君
一〇	名取爲吉君
二〇	細川玖琅君
五	今井文平君
五	上原和夫君
一〇	增田甚一郎君
一〇	手塚正次君
一〇	增田柳三君
二〇	有賀光豐君
五	小川子郎君
一	田中貫君
三〇	篠原秋次君
合計 一〇〇〇	八十二名

◎在外同胞に圖書の御寄贈を御願申ます

△諸君の讀み古した本の一冊でも
△万里の異郷に働く人の爲めに
△慰安と文化の糧を送つて下さい

大体の趣旨は前號に申上げました通りです

▲同胞の感謝と歡喜は次の書面にある通り到底其の境涯にある者でなければ味へない

▲纒まり次第中央會の方から海外へ送ります

外在同胞の聲

謹啓　鈴木貞次郎氏あて送くつて下さつた雜誌同氏より更に私共へ配布して吳れたので有難く拜讀して居ります。

私共は平時の戰士です。母國の同胞からこの種の寄贈を得たことは嬉しいかぎりて、海外生活を送くつた者でなくてはとても味はひ知ることの出來ぬものであります。かゝる點にお心づきお送り下さつた貴會に再び深く感謝すると共に、益々御繁榮あらんことを遙に神へいのります

早々敬白

三月廿五日

伯國サンパウロ州ノロエステ線
プロミツソン驛郵函九五
大石智覺

万里の異郷より一筆呈上仕候

御會益々御隆盛・慶至極に存じ奉候　降て吾々一同も御蔭を以て無事南米の一角に於て國家の爲めに奮闘致し居候間乍他事御放念被下度候

却說先日は婦女界澤山御送附被下何とも御禮の申樣も御座なく候　吾々一同再三再四面白く拜讀仕候　吾々異郷の空に居るものは內地の新聞雜誌に接するが何より樂しく御座候

此處に一同に代り厚く御禮を述べ御會の益々御發展遊ばされん事を祈るや痛切に御座候

早々

三月廿二日

伯國サンパウロ州ノロエステ線
イタコロミー殖民地に於て
上塚周平

此度の賜物は天外万里最も通信機關不便なる　當伯國住民に母國の大災洩れなく了承を得せしめたる　御好意は天惠として我れ〳〵は感謝と申すより外無之候　先は不取敢御禮迄如斯に御座候

伯國　菊地公雄

拜啓貴會益御活動之段奉賀候陳者今同は圖書御寄贈被下御厚情洵に辱く厚く御禮申上候

終りに爲邦家貴會の御發展を祈り奉り候先は不取敢御禮の御挨拶申上度如所に御座候　敬具

大正十三年四月十三日

南米ブラジル國ミナス州コンキスタ
福川薩然

拜啓益御發展邦家の爲め大賀此事に候、扨今般貴會寄贈相成候婦女界震災號配附を受け、母國未曾有の災害を眼のあたり見る心地致し、家內一同御好意を感謝致し居り候

先づは右御禮申述度如斯に御座候也

大正十三年四月十七日

サンパウロ州ノロエステ線
プロミツソン驛
榛葉彥平

謹啓　婦女界昨年十月號鈴木貞治郎氏より分附を受け　拜讀仕候處

編輯机上より

會費の取集めには、どちらでも御迷惑の樣ですから、支部と御相談の上、塲合に依りては集金郵便で戴く事に致しました、其の中に郵便局から、參るだらふと思ひます、どうぞ御支拂を願ひます

外國に在留するが爲に、徵兵猶豫を出願するには、其の年の四月十五日迄に、出願するのですが、願書に添附すべき、在留證明書が來ないので、家人は每年少からず、迷惑をして居られます、一時は縣で發給する、渡航証明書で間に合ふが、其の年は十一月末日迄に、在留証明書を添へたる、正式の猶豫願を、出さねばならぬ譯ですから、在外者諸君は此所に注意されて、なるべく家人に迷惑の懸らぬ樣にされ度いものです

海の外

定價

	一部	半ヶ年	一ヶ年
內地	廿錢	一圓十錢	二圓廿錢
外國	廿仙	一弗十仙	二弗廿仙

海外郵稅四錢

注意

▲御注文は凡て前金に申受く
▲廣告料は御照會次第詳細通知致します
▲御拂込は振替に依らるゝな最も便利さす

大正十三年六月三十一日

編輯人 永田稠
發行兼印刷人 藤森克
長野市南縣町
印刷所 信濃每日新聞社
長野市長野縣廳內
發行所 海の外社
振替口座長野二一四〇番 信濃海外協會

信濃海外協會
海の外社發行

目次

梅谷知事

落合警察部長

細川內務部長

本間總裁を送る

本會總裁本間閣下には今回山梨縣へ轉任せらるゝことゝなつた。滿腔の熱情を以て本會の發展を規畫せられたる總裁閣下の轉任は、眞に遺憾の極みである、今や我が海外協會の事業漸く緒に就いた時、突如轉任を見るに至りては、驚きの眼を瞠ると同時に轉蓬の如き餘りに頻繁なる交迭に對して不平なきを得ぬ、併し今日の場合は何と云ふても仕方がない。唯總裁の御努力に對し、滿腔の謝意を表しこゝに惜別の微衷を捧ぐるの外はない。

總裁閣下が本縣へ就任せられたのは一昨年の十一月である。折しも各府縣とも一般戰後好況の後を承けて、事業膨大に失し、時勢は整理緊縮を要求して居た、由來赫々の功業に滿腔の得意を滿喫するは、丈夫の本懷事で誰れしも倣さんと欲する處である、此の時に當りよく大局より觀察して繁を去り冗を省きて、緩急を稽へ、質實なる事業に力を注ぎ、隱忍自重徐ろに百年の長計を策するは、有爲轉變、漂蓬常なき現代に於ては寧ろ難事と云はねばならぬ、本間知事の選んだものは、一面整理を進めると同時に、一面將來の長計に確い根抵を樹てることであつた、而して本協

會のブラジルに於ける信濃村建設事業の如きは、總裁としてよりは寧ろ知事として、縣政の要義として最も熱心に唱導せられ、最も周密に計畫された事業の一ッである、否最も大なる一ッである。

抑ブラジルに於ける信濃村建設の如き、眼前算盤勘定で納得出來る仕事ではない、俚耳に入り難い事業である。併し國家の大局より觀て、人口過剩に土地狹少原料豊ならず、富力貧弱なる我國が將來如何にして活路を求むるか、之れを本縣現狀に觀るも小作爭議は所在勃發して、地主小作人共に倒れんとする狀況ではないか、古來の農法により多數の人が狹少なる田地によりて衣食するは旣に不可能となり來りつゝあるではないか、青年は如何、祖先よりの頒たるべき田地なく、多少の田地ありともこれによりて衣食を支ふべきなし、去り迚去りて他に職を求むるも身を立つるは容易ならず、此の時に於て行きつまれる農家に活路を與へ、鬱屈せる國民に針路を示し興國の意氣を示すに於て、海外發展獎勵の如き是れ程有意義の重大事業はあるまい、信濃村建設は信州の爲めに計るのみの事業ではなく、實に國家的の活模範を示す大業である。

總裁は常に『國家として海外發展の如き重大なる問題はない、自分は是れと終始するも悔いない』と言はれて居つた。朝に建て夕に滅び、數年前の規畫今日已に杳

として其の消息を知らざる如き、世情と何等關せざる閑事業、若しくは甲を乙にして乙を丙にし只遊戲的事業に沒頭するは行く水に數かくよりも果敢なき徒事である、信濃村建設の如き固より幾多の難事もあらう、時に消長はあつても眞に有意義の事業は決して滅亡しない。

今や事業も着々進捗して、永田幹事も使命を帶びて目的地に向つて居る、此の際總裁の轉任は閣下も不本意ならんも事業上よりは特に遺憾に堪えない、併し今や信州の此の壯擧は社會各方面に甚大なる、刺激を與へ、愛知山形各方面之れに倣はんとするの情勢である、天下の機運は漸く動かんとしつゝある。

新知事梅谷閣下は永く植民地に奉職され、活氣滿々俊敏なる手腕を以て聞へて居る、本縣が海外發展上新知事を迎へたる事を喜ぶものである、兩明府相會し事務引繼ぎの際、本事業につきては本間知事より特に梅谷知事に熱心引繼をされたと聞く、吾人は新知事に多大の信賴と期待をもつものである。

本間閣下は行雲流水灑然として物に凝滯せざる風格の深底に熱烈なる熱情を有つて居らるゝ、吾人は前途の益多幸ならんを祈り、猶本事業にも御聲援を賜らんことを切望に堪えないのである。

（天　籟）

重任を負ひて

信濃海外協會幹事　永田稠

信濃海外協會が、廿万圓の資金を得て南米ブラジルに、移住地の建設を企てたのは、昨年の五月であつた。關東の震災の爲めに一時運動を中止するの止むを得ざる事情にあつたが、震災の救護も一段落を告げたし、縣民の海外移住は、益々急を要することが、段々と明瞭になつて來ましたので、本間總裁は萬難を排して、移住地建設を急がるゝことになりました。豫定した金額も過半數に達し、愈々事業に着手し得ることになりましたので、私は選まれて南米に行き、土地の選定（これは先きに調査費をバウル領事に送り、輪湖俊午郎、北原地價藏の諸氏に候補地の選定を託してある）購入、區劃、及び適當なる信州人にしてブラジルの事情に通じたる者五六家族を入植せしむること、又、至る所の縣人會との聯絡交渉等の重任を負はされました、不肖なる私は、此重任の遂行が出來るや否知りませんが、多年の宿望でもありますので、全力を盡して其任務を全ふし、日本民族海外移住の先驅を、山國たる信州に於て遂行したいものと考へて、御引受けをすることになりました。

× × ×

本間總裁から、

『出來るなら、も一度長野に來給へ、送別會でもやろうから』と申されて縣廳を辭しましたが、其他の要務多忙の爲め、重ねて長野に參ることは出來ませんでした。併し、信濃海外協會東京支部では、丁抹の少年團世界大會に出席する平林廣人君と私の爲めに、五月廿三日の夜、丸の內保險協會で、送別會を開いて下さいました、信州出身の名士が五六十名御會合下され、誠に盛大で、私は愈々恐縮を感ずる次第でございました。

× × ×

小平權一君の御紹介で、山形縣自治講習所長加藤寬治君にお目にかゝりました。同氏も朝鮮及び南米方面に活動を開始すると語られ

『今日迄十年間、海外移住のことに不注意であつたのは、大なる失策であるから、これからしつかりやります』

と申されました。

三重縣の村長大瀨東作氏は、幾度も私を訪問せられ、南米移住につき相談をされたし、京都の農事試驗場長にして府立農學校長たる熊谷氏は、矢張り南米發展の必要を痛感せられ、其卒業生を私の手許に送られて必要なる教育を受けて居ります。

山崎延吉氏は私を船に送つて下さつて

『僕等の仲間も或はすぐに君の後を追ひかけてやるかも知れんから宜しくたのむよ』

と申されました。私の出發に當り、各方面に續々と同志者の表はれて來たことは誠に愉快でありますし、信濃土地購買利用信用組合は、小川、名取其他の諸氏の御盡力に依り、私の出發する日迄に九百七十五口の申込みに達しました。海外發展の氣運が日本にあふれて來たと申し得らるゝことゝ存します。

× × ×

私は五月廿七日の午后五時迄、中央會の事務を見て居ました。事務を見ると云ふても、ほんの席に居ると云ふ丈けで、仕事は宮下君が皆やつてくれる次第です。そして廿八日の午前八時に東京驛を出發しました。小川今井の兩顧問や、津崎氏などの五六人が送つて下さいました。宮下幹事は橫濱に先行して、船で種々御世話をして下さいました。藤森佐金次君は東京驛以來御世話を願い

ました。私の乘つた船太洋丸は、萬歲の聲に送られ、廿八日の正午に橫濱を出帆しました。實はシアトルへ先きに行き度いので、郵船會社の靜岡丸に乘り度かつたのですが米國の排日問題の爲め、米國に行く日本人が橫濱に殺倒した爲め、船は滿員でどうすることも出來ず、止むを得ず桑港に行くことに致しました。

× × ×

航海は非常に平安でありました。私の爲めには旅行は、休養と修養でありますから、多くの船客が遊んで居る間に、私は時間割を定めて、本を讀むことゝ、思索をすることゝ、通信を各方面にかくことゝ、二三等船客のお世話をする爲めや、下級船員達の爲めに何事かをすることに致しましたので、船中かなり多忙でありました。

ブラジルの　綠の岡に　日の本の
花を植えんと　我旅に立つ

聲をからし　旗を振りつゝ　送別の
歌を歌へり　我が若人は

紺碧の　潮をくみたる　船の湯の
瀨戶の湯槽の　うつくしくあり

など腰折れをよみて居る內に、滿八日と十幾時間を經て、六月五日午前十一時船はホノルルに着きました

× × ×

ホノルルでは、布哇新報、日布時事の兩新聞社、布哇日本人協會、布哇學校の原田教授、日本人中學校の淺野文學士、鵜澤浦田等の友人を訪問し、布哇に關する種々ある事情を拜聽したり、用務を辨したり致しました。

多くの船客はカナカ土人のフラフラ•ダンスや、水族館、ダイヤモンド、ヘッド、ヌアヌ•パリ公園、眞珠灣の要塞、乃至砂糖工塲などを見に行くのでありますが、私は遊覽に關する一切のことはせぬ決心をして來て居りますので、船の宿泊中の一切の時間を必要なる仕事に費しました。

× × ×

船は夜半の十二時に桑港に向け出帆しました。天の河原を其儘地上に持つて來た樣な、美はしいホノルルの市街をあとにして、眞ッ暗やみに向ふて進み出てました、明後六月十一日は船が桑港につき、又、多忙になると思ひますので、玆、大平洋の只中で、先つ第一信を書かせて戴いた次第であります、第二信は桑港から送ります。（六月九日）

北米合衆國見聞錄

坂井辰三郎

一

米化運動　Americanization

北米合衆國に於ては、歐州大戰後各種の方面に向つて革進の氣運旺盛であるが、就中敎育上將又國家的に米國精神の統一即ち米化運動が頗る熾んである。今現に問題となつてゐる排日法制定の如きも一部は此の運動の

現れとも見ることが出來る。

既に知らるゝが如く合衆國は、世界各國民から成つて居るやうな國であつて、何れの都市に行つて調べて見ても、其の人種は六十有余である。黑も白も半黑も居れば亦黄いものもゐる。試みにニユーヨーク市のコロンビア大學で、其の在學生の人種別を問ふたれば三十三種であるとのことである。而して同一人種間では己れの國語を用ひ、至る所自國語の新聞を發刊し、且家庭に於ける日常生活様式から食品に至るまで多少の相違があるやうな譯で、恰も世界各國の共同殖民地の如き觀がある。彼の大戰勃發以來軍人志望者の中に英語を解せぬものが澤山あり、又國民的精神に於ても幾多の欠陥あることが分つて來た。現に獨逸に對して宣戰を布告したのも、滿場一致にはあらずして、多數決に依つたのである。又戰時中對外的に異人種の國民的統一を圖る上に種々なる宣傳や、獨逸系米國民の取締りや、其他民心の歸向統一に苦い經驗を甞めたのである。

抑も米化問題は長い間の懸案であつたが、殊に歐州大戰に面接せると共に其の氣運を促進したのである。最近に於ける此の方面の運動を見るに、千九百十五年故大統領ルーズヴエルト氏の提唱せる米化案に其の端を發し、同年米國の國民教育會に於て特別委員を設けて、米國の市民を米國化する所の教育法を發表してゐる。所謂公民科 Civics の教育である。次で千九百十六年政府が特別委員を設けて矢張り此の方面のことを取調べて皆孰れも報告書を出してゐる。而して千九百十八年にはワシントンに全國の各方面の人々を集合せしめた。政府の招集に應じたものは、各州の知事、國防委員、實業家、教育者等約二百四十名である。而して玆に所謂米國民の國民化會議が開かれたのである。此際幾多の議論があつて會議は大いに緊張したそうであるが、結局米國に於ける道徳教育は、米國には異人種多民族が雜居してゐるが、此等を如何にして米國化するかと云ふことに最も力を注がなければならぬので、其れが道徳教育の中心問題であると云ふことになつた。即ち亞米利加合衆國は米國民の米國である。其の米國の國民を米國化し國民精神の統一を朝すると云ふ大責任大任務を持つて居

ると云ふことに歸著したのである。そして種々な具体案も論議せられた。仍ちそれ等の表現であるところに就て二三の見聞を次に畧述する。

小學校の教育上

北米合衆國の官公署公衙及び學校などは、屋上　又は庭上に國旗を高く日の出より日沒まで掲揚するは毎日の常習である。又諸種の公な會合には常に國旗を捧持し、國旗を中心として國民精神の統一を計つてゐる。小學校の各教室及講堂には其の正面又は一隅に米國旗を翳しておく。そして毎朝始業前若干時、國旗に對する挨拶を述ぶるのである。其の形式は兒童一同起立し國旗に面し、恰も軍人の敬禮に等しく右手を額側まで上げ挨拶の辭中の國旗なる言葉に至つて、其の右手を國旗に向つて伸すのである。今參考の爲め國旗に對する挨拶の辭の意味を譯述すれば次の如くである、

『我は一般に自由と正義を保有する、分つべからざる共和國に對し、及び其れを代表して立つところの國旗に對し忠順なるべきを宣誓する。』

或は又教室以外校庭に國旗を掲ぐる際に右の挨拶をやつてゐる學校もある。それから小學校の最上級では、公民科の教授をなすは勿論、補習學校でも中央職業教育局から、職業教育補習金の交附を受くる資格の一つに、公民科を課することが條件となつてゐる。

中等學校　High school

米國の中等教育の學制及内容は、頗る多種多様で一概に述べ盡し得ないが、概して男女共學が本体で、稀れ女子のみの中等學校と男子のみに入學を許すミリタリー、アカデミーとがある。而して小學校六ケ年の課程を終へて入學し、三ケ年で修了する初等中學校 Junior High school と更に其の上に、三ケ年課程の高等中學校 Senior High School もあれば、又小學校八ケ年卒業後入學して、二ケ年或は四ケ年で修得し得る中等學校

もある。教科課程などは、我が國の中學校又は高等女學校の如く千偏一律なものでなく、同一校にて大學入學準備科も文學科、家政科將又各種職業科等の分課になつてゐるから、生徒は己が個別性により、之が適應教課を任意撰擇し得る自由を與へられてゐる。

斯く多種多態であるが、各教課を卒業するまでの間に於て、或期間必ず公民科を修得することになつてゐる。それから國旗に對する挨拶は、小學校の如く毎朝之れを爲すが如きことはないが、一週間に二三回開かるゝ集會時 Assembly に演壇上に國旗を捧持し或は國歌或は例の國旗に對する挨拶の辭を述ぶるところもある。

又中等學校によつては、入學の際生徒の志望によつて軍事教練科と体操科二科の内必ず一教科を選ぶことになつてゐる。而して何れの分課に在學するものも、教練と体操兩科の内一科は必ず他の必須教科と併せ修得せざるを得ない規定である、軍事教練科の教官は概ね現役將校が之に當る。生徒は日常任意の服裝で登校してゐるが、この教練の際は教育課が公費で支給する軍服を着し、極めて眞面目に而も勇壯活潑に練習してゐるのみならず特に生徒より成る軍樂隊なども編成しておく。學校當事者も戰後特に之に力を致してゐる。所管陸軍師團から特に將校を派して、一年一回中等學校に於ける教練 Military Drill を檢閲し、優秀校を選賞する。此の推選を受けた學校に對し新聞社などから副賞として賞杯を贈る例もある。

以上述べた米化運動及軍事教練の爲めに、各學區をなせる市街教區又は郡部の地方教區にて設立せる教育課 Board of Education の内には、米化局 Americanization 及び豫備將校養成局 Reserve Officers' Training Corps＝R.O.T.C. なる分局ありて、學校教育上専門に該事項を取扱ふのみならず、一般市民の米化其他の事項にも干與してゐる。そしてこれ等の各分局は中央政府及各州の米化局及び豫備將校養成局と聯絡ある譯である。

大學校　College or University

公立大學に於ける豫備將校養成の狀況を知る參考に、余が嘗て雜誌農政研究に寄稿せる、オレゴン農業大學參觀の記事を引用する。

當大學はオレゴン州立大學の一つで、去る千八百八十五年同州コーバリス市に創始され、現在農科以外に農林科、工科、商科、師範科、家政科及び軍事科等併置さる、敷地四百英加、建物三十八棟、實習場は校舍附近と其外に同州内七ケ所の特産物ある地方に分在する。本年度（千九百二十三年）經費一百三十九万七千余弗にして、内約半額は國庫の補助による。現に三千三百余名の學生と二百八十余名の教師を有し、商科の八百余名が第一位にして、之に次ぐは農科の七百余名である。家政科に女子、軍事科に男子のみにして其他の各科は男女學共である。全校を通じて男學生一名に對し女學生二名の割合である。斯る現象は到底我が國で觀る事を得ぬ有樣で、如何に女子就學の旺盛なるかは唯々驚くの外なし、教授上内容の完備は云ふを俟たず。附設の圖書館、運動競技及び娛樂機關、女子のみに特設の寄宿舍等も亦其内容の充實せると、輪奐の整備せる點は殆ど間然せるところが無い、而して特に余が注意を引けるは、政府が直接巨費を投じ軍事教育に關する設備を爲して置くことである。

入學程度は四ケ年のハイスクール（中等學校）を終りたるものに對し、作文と文典だけの試驗を施す。修業年限は四ケ年で卒業生には學位を授く。授業料は年額一百五弗の規定なるも、入學の際國に戰役開始されたる場合に從軍すべき旨を誓約なせば授業料は全免され、且在學中最後の二ケ年は毎月十五弗宛政府より學費の補給を受くるのである、從て二三名の海外留學生を除き其他の男學生は全部服役誓約者である、此の誓約學生は每週四時間宛軍事教練を受くることゝ、在學中に開戰あつた場合には、陸軍中尉として從軍すべき義務を負ふてゐる、在學中の軍服及武器は陸軍省より支給を受くるも、卒業後は從軍の義務はないのである、本大學の一分科たる軍事科と其他各分科生に軍事教育を施す爲めに、陸軍省で特に年額二十五万弗を分擔し、現役中佐以下三十名の教官がある、而して陸軍省では每年一回之れが檢閲を行ふてゐる、

學生に所定の服裝なく何れも任意の服裝で居るが、新入學生一ヶ月間男學生は綠色のキャップを被り、女學生は一週に一回綠色のリボンを髮に飾すことになつてゐる。此の綠色學生は、校庭の芝生の上を横斷することを得ず、尚又講堂に於て綠色組の着席以外に着椅し得ぬとか、或又競技の終らぬ内に競技場から退場し得ずとか、其他或は何々とか幾多の制裁があつて、若しも之れを犯す時は、校友會の風紀係より嚴しき詰責を受くる。且又他校との競技に於ける優勝者には左腕に〇字のマークと、其回數によつて横線を附せるコートを學校より交附されるのである。彼の自由平等を標榜してゐる米國に於て、前述の慣例を見るは些か奇異なる感に打たるゝのである。

農科は日本のそれと大いに趣を異にし、農産製造科、家禽科、畜産科及農業土木農具科等の諸科に分れ、栽培學に關することは各分科に應じ一教科として課せられてゐる。

最後に附言すべきは貸費のことである。本大學昨年度貸費總額二万六千余弗であつて、此の金額の出途は特志家の寄附による元資金により年々支出してゐる。一學生に對し年額二百五十弗であつて、學習期間は八ヶ月であるから一ヶ月に對し三十余弗の割合に出る。之に加ふるに前述の如く上級生は毎月國庫より十五弗の補給あるを以て、資力乏しきも高等教育を受くる機會を均等に得らるゝのである。この從軍に伴ふ國庫補給制度の如き、其内容に立ち入れば、教育上論議すべき點多々あるべきも、こは暫く措き兎に角資力伴はざるも、各個性により天禀の性能を暢達し得る機會を均等に與へらるゝ事實は大いに注目すべきことである。殊に我が國に於ては最近益々高等教育機關は資力あるもののみ獨占する傾向にあり、資力なきものは蛟龍にして池中に永久蟄居せざるを得ず、生涯志を暢ぶるの機會に接せざる社會狀態の彌々濃厚ならんとする際、他山の石として大いに參考とすべきであると思ふ。

因に……歐米各國大學生が出征せるもの多く、爲めに一時大學を閉鎖したと云ふやうなことは、其當時開知

せるところである。余も亦昨年英領加奈陀トロント市にある大學を參觀せる際、同校で學生及び卒業生其他の寄附金により、六十五万弗の巨費を投じ記念ビルヂングの建造中であつた。是は彼の世界大戰の際同大學生の大部分が先を競ふて出征し、一時これが爲めに大學を閉鎖せりと云ふ。而して從軍學生の多くは戰死を遂げたそうである。該建物は之れ等戰死學生の記念ビルヂングであつた。歐米の大學生が何人にも先んじて出征するのは、前に述べた如き從軍誓約などの爲めに余議なく出兵するのでなく、其の多くは諸多の社會的制裁の下に、國家の爲め奮進蹶起するのであるそうだ。又同大學在學中、運動競技に於て得た修業證書は、軍人志願の際將校資格の一つとして考慮せらる。

ミリタリー、アカデミー　Military Academy

米國に於ける私立學校の一つである。概ね都市に設けられ、中には二千乃至三千の兒童生徒を收容してゐる大きなものもある。通常小學校より中等學校程度までである。其の教科に於ては他の公立諸學校と大差なきも、本校の特色とするところは、兒童生徒の通學を禁じ全部舍内に寄宿せしめ、稀れに歸宅せしむるのみである。而して日常の起臥動作は勿論其他訓育上、一切軍隊式に則り、且つ毎日午後の大部分は軍事教練或は軍隊的競技動作を課するのである。余がポートランド市のヒル、ミリタリー、アカデミーを視察せる時は、恰も雨の日の午後であつた。或一隊は雨を冒して校庭で教練を、或一隊は廊下で操銃を。或一隊は体操場で高塀の乘越しを行つてゐた、八才の幼童が我れ劣らじと年長者の助勢を得てこれが練習を強行してをつた樣は實に見上げたものであつた。兒童生徒が一般に元氣旺溢し、盛んに活躍してゐた狀況は、未だ余が念頭を去らない。

此程學校には、軍人志望者又は富豪階級或兩親若しくは其の一方が遠く異國に在ると云ふやうな事情あるものが多く入學するのである。固より直接軍人養成が主眼ではない。所謂軟教育の弊を避け、硬教育的訓練主義によるのである。隨分授業料は高いけれども、此の主義に贊し入學するもの多く、私立たるにも拘らず別に經

營難に陷らぬ狀勢である。特に國庫などから補助金の受附はないが、陸軍省から銃器下附の便宜があり、こゝの中學程度卒業者は、本人の志望により現役少尉に採用せらるゝ特典がある。

其他米化運動の現れ

其の一として本年貳月貳十日北米時事新聞の所載を掲ぐ。

全米四万の學生に
今夏軍隊教練を施す
米國市民の特權と義務を教へる陸軍の計劃
八月一日から向ふ三十日間

米國陸軍省では例年の通り、來る八月一日全米國陸軍團駐屯地に、キャンプ（假小屋又は天幕生活）を開いて市民に陸軍教練を施す豫定であるが、數日前同省から發表された計劃案によると、本年のキャンプ入隊者は十七才から二十四才までの學生四万人が該教練を受けることになつてゐる、此は千九百十五年故大統領ルーズヴエルト氏の提唱せる米化案の延長したるもので、キャンプの教練は三十日間とし、一切の費用は政府で負担するのである。入隊する學生はベシック（一年級）と赤、白、青の四科に分ち、初年級のベシック科生徒は、單に基礎的の軍隊的教練を受けるが、他の上級生は歩兵、騎兵、工兵等の專門的部門に亘つて訓練を受けるのである。千九百二十三年に於ける試驗の結果、陸軍省では今年から教練上に重大な變更をすることにしたが、是れは上級生を現役の正規兵と同列に入れて訓練することであるのみならず、現役兵の大部分は演習や訓練教育等の爲めに使用される關係上、豫備將校の召集をも行ふことになつた。陸軍教練キャンプ協會では陸軍省も協議の上、全米の青年市民にキャンプ加入の大宣傳を行ふことに決定した。陸軍省の聲明によると、キャンプ

開設の目的は、米國及外國生れの如何を問はず、有ゆるタイプの青年を集合し、米國の國家的及社會的統一の向上を計り、米國市民としての特權と義務を教授すると同時に、キャンプの教練が青年の好むところであるは固より、彼等の心身を練磨すると共に、眞のアメリカ主義が教へらるゝと云ふ實際の手本を一般國民に知らしめるのであると。

其の二……新移民にして小學校入學者に對しては、特別學級を編述し主として英語を授け、傍ら公民科及アメリカ歷史を教へ依而以て之れが同化を促進してゐる。又壯年移民者の爲めには夜學校若しくは講習會などの臨時施設によつて、前記の教科を授け、所定の試驗を經たる上、歐州移民に對しては市民權を附與し米國市民化を圖つてゐる。我が在米同胞子女の爲めに、日本語を教授する日本國語學校に對しては、一日中に貳時間以上の自國語を教へてはならぬとか、又は教科書として我か文部省制定の國語讀本を用ふる場合には、其の教材中我が皇室或は又我が國体、忠君愛國に關する事項は教授しないと云ふ條件附で許可さるゝのである。日本人にして該國語學校の教師たるにも、英語、國民科及アメリカ歷史等に就き正則の試驗に合格せるものたるを要すと云ふやうな取締りがある。

其の三……米國市民が國旗に對する熱情の發露、敬虔なる態度は、日章旗に對し冷々談々たる我が國民などの到底夢想だに及ばない。余は各所にて屢々薔薇祭に於ける花自動車の行列及び學校兒童生徒の特殊な趣向を凝らした發禮行列や、或は又前大統領ハーヂング氏の歡迎行列にも遭遇した。斯る行列の中には數梳の國旗が加はることが常である。國旗が忝しく捧持され途上通過の際、路傍に密集せる民衆の男子は脫帽して之を胸にあて、婦人は右手を胸上まで擧げて敬意を表するが、又は全衆一時に急霰の如き拍手を以て之を迎ふ。且又各種の演劇場或は諸種の會合の際、星條國旗が場面に現はれた場合、實に會場は碎け耳は當に聾せんばかりに打ち起る大喝釆、この凄しい嚴かな光景、頭上強く浴せられた余は、一種云ふべからざる深き思ひに打ち沈んだ

ことが屢々であつた。

其の四……大戰後アメリカ在鄕軍人團が、社會的に敬重され從て各方面に勢力を有するに至つた。彼のワシントン、オレゴン、カリフオルニア三州に於て、排日土地法及びオレゴン州に於ける營業制限法制定に際しても、其裏面にあつて例の白衣團 Ku.klux klan と共に之れが制度を助勢せるは隱れない事實である。實は該法制定に就ては、地代收得上地主の一部には之れに贊同しないものがあつたのである。之れを威壓し土地法制定を促したものは前述の二團体である。而して此の二團体は極端な國家主義的傾向を持つてゐる。從て在鄕軍人團の如きは例の米國化運動に向つても亦相當力を效してゐて、彼の國旗に對する禮式挨拶等の印刷物を官公衙及び諸學校などに頒布し、夫々の要所に掲示せしめて居る。これと相待てアメリカ獨立革命婦人團も亦右樣のものを扁額裝飾的樣式に印刷して各所に配布し、米化運動に盡力してゐる次第である。

國民兵團 National Zdarn

北米の旅行中彼等市民の胸部に少しく注意を拂ひば、直ちに目に映ずるものは、特定の徽章を佩びてゐるものが非常に多いことである。これは北米で有名な秘密結社員のマークである。即ち mason Club は曲尺とコンパスを交射し内にGなる文字を以て表彰し Elks Glub は大鹿の頭部と常に十一時を指示せる時計、Shriner Club は三日月と星と劍。 Aaiafellows は連鎖。 zrotto Club は人面の左右に牛角を附したるもの等、會合の際 Wood men Club 員は上官用軍服を纏ひ軍刀の代り斧を携ふるものもあれば、又 Shriner の如きは土斯古風の高帽及び美服を着け裝飾ある劍を帶ぶるものもあり、彼の白衣團と日本人が稱してゐる Ku Klux Klan. は日常何等のマークも附せず、時に臨んで或事を遂行する時又は示威運動の際に、頭上より白布を被り全身を覆ふ唯二個の眼穴を穿つのみで他は全部覆面の出で立ちである。其他何々クラブ何々結社等各特定のマークや、各種各態の服裝によるものありて實に枚擧に遑あらずである。

會員たり得るものは、米國生れの市民權あるもの、而して入會に際しては身元、素行、住所等を精査し紹介者ありて入會を許可さる。入會費は百貳拾弗位を要するものもあれば、又進級—各種階級を設け置く—の都度納金制

度あるものもあり。入會後はお互に同胞の契りをなし、一切クラブの主義綱領は極秘にして縱合己が家族と雖も漏すことを得ないことになつてゐる。入會式の際は會員によつて新奇意表な考案によつて試胆をなさる。會員には幾多の階級を設けられ其待遇を異にし、且つ其秩序は嚴守せらるゝそうである。會するものは宗教及政黨の如何を問はず、お互に社交的親睦を圖り病傷者の慰安、或は又功勞者の死去に際してはクラブ葬を行ふ。社會的位置の擁護、經濟上の幇助を爲し、或は罪惡などに對しては、縱合裁判所より無罪の宣告ありても、其事情によりては更にクラブ員にて審判して、其の善惡を判定し之れを所決する等のことによつて、各員お互の風紀肅正を計る。時々最寄りの都市に大會を催し、遠近を問はず各地方より私費を以て數百乃至數千集合し、一週間以上も滯在し會議を續け大々的に氣勢を擧げる。主催地は之れ亦幾多の便宜を與ふるは勿論歡待至れり盡せりである。

少しく問題外に亘つたが之れも余議無い次第である。彼の國民兵團なるものは、之れ等クラブ員の有志が私資を投じ編成しておくところものである。彼等は晝間各自の職業を有するから夜間を利用して集合し、公園の運動場又は其他の空地に於て例の軍隊教練を練習してゐる。そして偶々晝間演習と稱して砲の取附け或は取崩しなどの實演をやる。陸軍駐屯兵團の後援は勿論、大學の軍樂隊とも亦提携してゐる。固より斯る兵團の實戰的効果の微弱なるは云ふを俟たざるも、一般國民志氣の皷舞軍事思想の涵養に大いに與つて力あることと信せらるるのである。

斯くの如きことのみを書き連らぬると、如何にも軍國主義謳歌者であるかの如き譏りを受くるは勢ひ免れぬところであるが、事實を事實として報道するには敢て憚るところがないと信ずるが故に、最後に淸水大佐の直話を挿記して此稿を終る、淸水大佐は軍事視察の爲め昨年より本年にかけて、歐米各國を視察されたのである余は丁度サンフランシスコの客舍で邂逅した。其時同氏の會談の一節に次の如きことがあつた。

曰く『萬國陸戰條規に於て、毒瓦斯使用は嚴禁されてゐる、それにも拘らず歐州各國は、表面上毒瓦斯防と稱して盛に研究を續けてゐる。殊に北米合衆國は毒瓦斯研究は勿論のこと、これが爲めに特に聯隊まで編しておく』云々

ブラジル事情片鱗

大正十三年度ブラジル養蠶補助
（ブラジル時報所載）

本年度聯邦歲出豫算法中農務省所管中興味ある養蠶製絲事業の奬勵補助の費目が計上されてゐるそれに依ると國内に千五百コントス以上の資本金を以て設立される蠶業會社中最初の三社に五年間次のやうな特點補助が與へられる。

第一、蠶業會社工場設立及設備用の諸器械器具附屬品の輸入に對し一切の輸入税及通關手數料を免除する。

第二、養蠶者に供給さる精選蠶種一年一萬オンスを限り一オンスに付十ミルの補助をする尤も此の爲に養蠶家も利益を受けるので即ち會社は一オンス十五ミル以上には賣る事を許されず此最大限の十五ミルとしても十ミルの補助があるので養蠶家は五十ミルで買ひ得られる事になる。

第三、一年二十萬本を限り會社が養蠶家に供給する桑苗千本に付百ミルの補助をする此補助も第二の場合の如く養蠶家の利益となるので苗の原價は一本五十レースで供給される。

第四、一年二萬五千キロを限り内國産繭に依つて製絲した生絲一キロに付三ミルの賞金を與へる、

而して以上特點を享け得べき會社の義務は（イ）養蠶を增加し技術を宣傳して斯業の發達を計る（ロ）蠶絲生産原因蠶病を研究し一年一萬オンス以上の精選蠶種を作り之を供給し得る新設備の種蠶場を設ける（ハ）養蠶上最も有利な桑苗を養成栽培頒布する（ニ）養蠶法の無料實地敎授をなし六ヶ所以上適當な地方に實習學校或は模範養蠶場を設ける、（ホ）供給した蠶種から得た繭は總て購入する保證をなし前記各種特典に浴し得る能力を有する製絲工場を一ヶ所以上設ける等である。

大正十二年中サントスより聖州に入りたる移民數
（サンパウロ日伯新聞所載）

總計 四七二四九人

内

一二四二九人	イタリー	二八九〇人	ブラジル
一〇六六九人	ポルトガル	二四一八人	ドイツ
八二八二人	イスパニア	二一八八人	シリヤ
二〇三一人	ルーマニア	一四四四人	オーストリー
八九〇人	日本	七八五人	リスニア
六七一人	ユーゴースラブ	五七一人	ハンガリー
四四六人	ポーランド	二二五人	ロシア
一八三人	チエツコスラブ	一七六人	スイス
一〇六人	フランス	八四五人	其の他

浮腰の日本人は
早く消えて失くなれ（サンパウロ日伯新聞所載）

▲最近在留邦人で歸國する者が可なり多い、殆んど毎船五六十人、多い時は八九十人もある、而して渡來する方の移殖民は三ヶ月に一度四ヶ月に一度といふ所で、多くて四五百少い時は二三百しか來ない、全く以て不景氣なことである。

▲歸國の原因は單純なもので渡伯後十五六年にもなる、一度は日本の土も踏んで見たい親戚故舊にも會つて見たい、先祖の墓參りもし度い、或はもう老衰して此上の活動に堪えないから手脚の達者な内に早く故鄕に歸りたいと云つた程度のものだ。

▲今迄にも此考の者は到る所にあつたが、最近二三年間伯國爲替が下落に次ぐに下落を以てし殆んど停止する所を知らず、遂に一時は五ミル台迄にも落ちたので、其間爲替に引ずられてシビレを切らしながら歸國を延期した居たものだ。

▲それが去年の暮英國財務專門家の渡來を一轉期として伯國財界は忽然として復活の曙光が現はれることなり、爲替も鋭敏に恢復し始め昨今は圓が三ミル八九百レースとなつた。

▲此報に蘇生の思をしたのは本國歸りの日本人で此時だとばかり急いで歸ることゝなつた、船會社は運賃を改正する程に親切ではないが銀行だけは本國送金の律を改めてゐるから先づ〳〵申分はない。

▲歸國者に就いて種々の議論もあり此際歸國不利永住の利益を、喋々する道德屋もあるが吾人の看る所では歸り度い者はサッサと歸らすこと逃げ度いものは默つて逃がしてやるのが在伯日本人相互の爲めだと思ふからだ。

▲他なし之に依つて在留邦人を精選することが出來るからだ、即ち腰掛的出稼移民は万か五千の金が出來れば歸り度がる、歸らせばよい、彼等は決して邦人發展の土台をなすものでない、何時迄居つても出稼根性が抜けないから、することなすことが自我一點張りで伯國の繁榮は愚かなこと日本人將來の發展など眼中に

ない、

▲さすれば何としても伯人とは協調を保つて行くことは出來ない、居常伯國人側から變に見られるのは此クラスである、在留日本人全体の爲からいへば却つて邪魔になる、サツサと歸つて貰つた方がよい、

▲十年十五年掛つて金の五十か百コントスを作る迄には並大抵の苦勞ではない、而してイザ事業の土台も出來て此からといふ時に日本人は大抵腰を折つて引上げて歸つて仕舞ふ、從來の歸國者といふのがピンからキリまで此亞流でない者はなく何れも百コントス止りと云ふ所である。

伯國に限らず最初の百コントスには十年十五年の困難な歳月を要するが愈々出來た百コントスが二百になるのは桁外れた馬鹿な眞似さへせぬ限り左迄困難なものではない。而して最初程の長い月日を要するものでない、

▲所が歸國者には申合せた樣にこの第二段の道程に進むだけの根氣もなければ智慧もない、此第二道程にさへ入つて置けば歸國するにしても所謂觀光團の格で行けるし、一年や半歳不在であつても所得の減ずることはないだけの段取が出來るのである、

▲北米でも其昔は根こそぎ引揚歸國といふことが流行した時代もあつたが今では觀光の爲にしか歸らないやうになつた、茲ブラジルでも一度は在米同胞の二の舞を演せねばならぬものとすれば、成る可く早く演じ終つて、こりや結局イクないと合點することである、

▲吾人が歸國者はサッサと早く歸つて仕舞へと云ふのは實に此の理由からである、此等の浮腰者流が如何程多く伯國に居らうとも日本人の眞の發展には何の突張りにもならないし全然影を絶つて居なくなつても後に殘つた同胞は少しも困ることがない、

▲今現に奥地各方面では珈琲其他を植付けて一パシ立派にやつて居るが根を洗つて見ると賣り拔いて歸國と云ふのが可なり澤山にある、各地とも此クラスが立退いて後にこう始めて本邦人の實際的發展が望まれるであらう、

▲從つて農村に對する救濟機關其他は此際尚時期が早いと云ふ結論も生れて來る、他人の金で畑を立派にして賣拔いて立退かうと云ふのでは如何にお人好しの政府でもチョト考へさせられるであらふ、

▲吾人は此際歸り度いものは早く歸れと勸めたい、而して成る可く早く我殖民の素質を精選して愈々健實の

ものとなつた時、此に對する設備を考究し度い、

▲歸れ〳〵、他の健實なるものが一日も早く眞の發展を遂ぐる爲に浮腰の亡者は早く消えて失くなれ、吾人は百の浮腰者より一人の本腰者を歡迎し聲援する、殖民事業は要するに量よりも質だ、

ブラジル土地賣却廣告の一例

（大正十三年四月サンパウロ日伯新聞所載）

ソロカバーナ線プレジデンテウエンセスラウ驛カイウア驛プレジテンテエピタシオ驛に跨る五万アルケレスはリオ市メンデスカムポス商會の所有地で其内カイウア驛附近二千アルケーレスを限り日本人諸君に提供します

二十アルケーレスを一區とし日本人には特に十アルケーレス以上ならば賣却します　價額は距離の遠近に依つて高下あり停車場より五百メートル以上は一アルケール二百ミル乃至三百ミルですから早いが勝です

支拂方法　は四ケ年々賦とし入殖申込と同時に四分の一を拂ひ込めば直に地劵を渡します殘額は毎年一回收穫後とし全額一時拂に對しては二割五分割引します市街地として設定せられたる地區は間口二十奥行四十米突を一區とし每區二百五十ミルにて賣却します

視察者の御便利の爲め御希望の方に限り殖民地迄の片道汽車切符を差上ます

尚詳細は下記事務所に就いて御尋ね下さい

聖市テルゴサンベント拾貳番A
岸本テイシエラ商會
電話セントラール六一四八

追而手紙にて御照會の節は左記宛に願ひます

Kishimoto Teixeira &Co. C.P.1238, Paulo
Presidente Wenceslau L' Sorocabana
出張所

海外通信

燎原の勢を以て、瀰漫しそうだつた、排米運動も、國旗引下し事件後、一段落かの樣になつた、日覺めたのか、根氣が盡きたのか、餘りにサツサと片附過ぎる樣だ、それ共又大統領選擧の結

果を見てといふのか、大統領のあてにならぬは、般鑑遠からずではないか

國内の運動は、どうならふと構はぬが、在米同胞の苦境は、同情に値する、手紙每に窮狀を訴へて來る、だが、さすがに萬里の波濤を蹴つて、出懸けただけの氣魄は失せず、より好き天地を求めて、奮闘すべく、畫策しつゝ有るのは頼もしい

○吾人の前途は何處？

北米羅府　湯田維君

一別以來、御無沙汰ばかり致して、失禮でした、每度有益なる雜誌を、お送り下さいまして、厚く御禮を申上げます

知事閣下始め、皆々樣の御盡力に依りまして、我が縣民も、尊い自覺を持て、益々海外發展が、出來る樣に相成ました事を、非常に嬉しく存じます、

殊に雜誌海の外は、海外發展者、亦南進を目的に、活動して居る私共には、唯一の指導機關で、有る事を思ひます、時々元氣付けられ、そして信濃海外協會の爲め、微力なりと盡し度い考が、起つて參りました

在外數年の生活は、殆んど苦しみと、悲しみとの結晶でありました、豫想に反した、生活の中に置かれた時には、隨分西に東に、さまよひました

しかし二ケ年間の、墨國視察旅行と、在米三ケ年の生活の中より尊い而も、輝く希望を與へられました。

信濃海外協會が生るゝや、當南加長野縣人會は、直に支部を組織し、續いて當羅府市を中心として、南米ブラジル研究會が生れ、八方に行き詰まれる、在米同胞の唯一の南進指導機關として、活動する樣に相成ました

内外相呼應して、一齊に南進を叫び、行き詰まれる民族と、國家とを救ひ、名々新運命の開拓に、心血をそゝぐ樣に、相成ました事は、皆樣の御盡力の賜として、深く感謝致し、引續一層の御後援と、御指導とを切にお願申上げます

會小生も、墨國渡航者の爲めに、微力を盡さんと、二ケ年に亘る、墨國全部の、視察旅行より、得たるものを、報導致さんと、幾度か書き始めて、見ましたが、在外者の常として、仲々にその餘暇を見出す事も不可能で有り、殊に旅行者の常として、寸分のタイムもなく、思ひながら、發表する事が、出來ませんでした、最近になりまして、生活方面にも、亦仕事の方面にも、少しばか

り、タイムが都合付く樣に相成ました、以前の原稿に、今一回修正を加へて、段々と墨國の内狀、殊に同胞發展の方面たる、農業商業、格別有利なる、牧畜業より、最近長足の發展を致したる、北墨一帶の、棉花栽培を、一層細密に、御報申上ぐる心算で有ります、

永田力行會長は、排日移民法の通過、クーリッヂ大統領のサインを耳にするや一層聲を大にして、日墨攻守同盟を、叫んで居られます、在米青年の私共には、一層强く心の奥底にまで、響いて居ります

我が當局としても、亦國民としても、斯く顔に泥を塗られ、紳士協約迄踏にじられ、以上は、合衆國に對しても、將又白人に對ししても、氣兼する處は、分秒も無いと考へます、墨國に南米に、堅實なる移民と、資本とをドシ〳〵送り、禍を轉じて福となし、尊い國是の上に、益々民族を發展せしめねばならぬ事を、痛切に感じます

私共も只大言壯語のみならず、大和民族の一員として、最高物質文明の國より、得たる尊い經驗と、資力とを持つて、微力ながらも、此の方面に盡さんとして居ります

虐げられ、踏みにじられ、北米のみが、私共の生活の安定を得る處でありません、所有法網をくゞつてやつて居る同胞が、慘めでなりません、豐沃なる土地は、墨國に南米に、吾等を持ち、我等を招て居ります、墨國人は、同じく有色の人種なれば、我等の來りて、永住土着、歸化して彼等を指導する事を、歡迎して居ります

虐待屈辱を忍んで、當國に止まるも、將又猶額大の鄕國に歸りて、小競合をなさんも、結局自滅の外は有りません、尊い自覺の下に、自由を求めて、處女地に深く踏み入り、燃ゆる血潮のあらん限り、活動する事は尊い事で有り、眞に人間としての意氣で有り、其所に永年民族として、求めて得ざりし、麗しい生活の芽ばへが有ると信じます、

も早望みの無い、北米の事など、申述べるは愚かな事故、私の見た、墨國のほんの一部分を、書き續けて、御參考に供し度いと存じます、

歴史上よりも、人種上よりも、密接なる關係の有る國の事故、一度墨國に、足を踏み込んだ者の常として、白人との交際に於ては、味ひ得ざる甘味を、覺ゆるので有ります、農產物の豐富なるは、日本に於ては、想像だも及びません、首都メヒコを中心とせる、一大平

原は、腐植壤土を以て覆はれ、處々土人の、不活發なる、だらしなき、開拓を見るに過ぎません、一日間の汽車旅行に、山一つ見る事の出來ない、平々坦々たる草原は、吾人の來り住むを待つものゝ如く、默して横はつて居ります、尙小額の資本にて、何人にも着手の出來る、首府を中心としての、野菜栽培、花卉園藝は、將來極めて有望なるは、疑有りません、勤勉にして、而も農業に獨特の技能を有せる、吾邦人の將來は、一層面白く、安價なる墨國の勞働者を使用して、彼我共に有益なる、發展が出來る事と信じます、

殊に北墨視察に、約一ヶ年餘の日子を費やした私には、一層光明を認めました。故國の人々はよく、墨國の內亂云々と申しますが、これは左樣に永く續くものでは無く、必ず近き將來に立派なる國家として、平和の新紀元を見る事が出來ませう。何れの場所場合を問はず、完成された中には、新紀元も必要なく、大事業も大發展も出來ません、眞に混沌たる中に飛び込み、內亂の未だ止まない中に、飛び込んで行く處に、大發展も大事業も出來るものと思へば、徹々たる墨國の內亂は、寧渡墨者に取りて、絕好の機會で有ると思ひます

北墨一帶、殊に底加州の棉花の將來は、一度考へるさへ、心臟が高鳴り、肉が躍動します、人或は申さるゝでせう、然らば君は、なぜ其を見棄て、米國に這ひ込んだかと、正直の處、行く所迄、行て見度いと云ふ、初志の爲と、經驗とを得んが爲めでした、決して見棄てたのでも無ければ、失望したのでも無く、寧將來は、此の地に歸つてと考へつゝ、米國に入りました、今は只一日も早く南進の日の來るを待ちつゝ、着々準備をして居ります

今後は引續き、墨國視察記を書いて、御參考と致し、民族發展の爲、微力を盡す考で居ります、皆樣の御盡力にて、小生の旅行記が公開され、りれが渡墨圖南の士に、聊たりとも、貢獻する所有れば、小生の眞に滿足致す所で有ります、

信濃海外協會の、堅實なる發達と、皆樣の御健在とを祈りて止まざる次第で有ります、（五月廿九日）

○墨なる哉墨なる哉

加州サンペドロ　大澤開之進君

拜啓、炎熱凌ぎ難く相成候

本日當地新聞に相見え候、貴會に於て、信濃村建設に御盡力の趣、我等海外在米者は勿論、在郷者に至りても、誠に福音と存候、何れの國民にても、外國に發展するものに對しては、排斥は附物とは存候へ共、當米國の如く、極端に相成候ては、誠に困り物に御座候

小生は在米十五ヶ年、諸種の排斥を見せ付せられ、又私自身も、其の災を蒙りたる一人に御座候、實際在米同胞の困難は、一通ならず、昨日迄は廣大なる農場を、取扱ひ居りしものが、排日土地法の爲めに、一朝にして、無一物となるの狀に御座候、種々の事情に鑑みるに將來我が同胞の、發展すべき地方は、スペイン語使用の、區域以外には無之と存じ、墨國視察を思ひ立ち、昨年十二月より、約半ヶ年の日子を之に費し候、尤小生は、以前數年間、醫業を以て、墨國に滯在致し、其の間陸上の事情は、詳細調査研究を致し置候故、今回は主として、海產物に關する、研究を致候處、各種の魚類及、海老、蟹、さては貝類、海草類の豐富なるは、驚嘆に値するもの有之候、島帝國の建男兒、如何でか之れを見捨置くべき、三重縣內村民の、天草採集事業あり、近藤政治氏の、鮑キャンプあり、何れも同胞漁夫百餘名を使ひ居り候、されど墨國の、長き海岸に於ける、事業としては、極めて微々たるものにて、七百哩の長き間に、鑵詰會社只一個といふ有樣にて、同胞の來り取るを俟つと申すべく候

更に陸上には、一望千里の沃野あり、地下には無限の金屬、石油、大理石、を藏しながら、捨てゝ顧みられざるを見ては、墨國人の、如何に呑氣なるかに、驚かれ候、小生も今回、米國市場に近き、エンセナダに、殖民地として、二十英町を買收致し、漸次擴張致す積に御座候、萬一貴協會に於て、何等か調査等の必要も御座候はゞ、御遠慮なく御申越被下度候

同封の寫眞五枚は、何れも視察者一行を撮影したるものに御座候、御笑覽被下度候（大正十三年六月）

南洋砂糖の島より

ジャバ、マラン市　赤津傳君

拜啓貴社愈々御奮闘の段、母國の現狀並に將來の爲同慶の至に存候、陳ば昨年の三月頃か、貴誌を初めて手にして、御誌の御奮闘を知り、欣喜、其後引續き御送本に預り多大の刺戟を受け得しことを感謝仕候、不取敢本日郵便爲替にて、誌代並に郵稅二ヶ年分御送金申

上候間、御記帳被下度候、

當マラン市は、爪哇第一の商港 Suerabaia（スラバヤ）より南急行列車にて三時間程、マラン平野の中心、千三百尺の高地にて、氣候四時春の如く、年中バラやダリヤ、朝顏の花を眺め得べく、避暑の客も多く附近物產豐富にて商取引活潑に御座候、主なる物產は、ゴム、コーヒー、砂糖、米、タピオカ粉、玉蜀黍等にて、特に、コーヒーの栽培園は高原地方に多く、コーヒーは私共の最も註目すべき物なれ共、此取引には世界のコーヒー產額や世界各地の豐凶を知る必要あり殊にブラジルの市價に左右さるゝ事多きを以て伯國事情は私共に好個の參考資料に御座候、殊に本縣が、伯國に主力を集中して移殖民を獎勵し政府亦獎勵金を增加せしと聞き最も機宜の事業と信じ申候、小生の關係せる、東京修養團にても永田會長の御講演あり、引續き拓殖部を設け獎勵方法を講じ居る由これ亦小生快心の擧と存候

マラン地方は日本人の數漸く五十名、中マラン市內に美術雜貨店三戶、陶器綿布卸商三戶、理髮一戶、洋服商一、穀店一戶、他は多く市外に散在し半農半商と稱すべきものに候、即ち雜穀店を開きつゝ、りれの利益にて經費を取り、余力を以て、米、コーヒー、葉煙草、玉蜀黍等の賣買を爲すものに候、中には野菜や米の植付を爲すものも有之候、成功者は多く此半農半商者より出で何れも堅實なる地盤を築きつゝ、支那人の勢力を侵しつゝ有之候、此種商人のマラン地方に於ける地盤は新しけれ共、他地方十年以上の歷史を有する所あり、其大部分は長崎、和歌山縣人にて占められ居候、

マラン地方は千葉、山形其他各地の人を網羅し長野縣人としては小生兄弟三人及力行會の三澤網良君だけに候、小生兄弟はマラン市內にて陶器綿布等の卸賣業を爲し又製麵機を日本より引きて製麵販賣を兼ね候、其日本人向干うどんは小生が爪哇に於ける唯一の新鮮品供給者として歡迎を受け爪哇全土邦人の愛用を受け候、支店はコーヒー、ゴム園等の中心地方 Dampit 町にありて、Dampit より南方山を越へし海岸地方の爪哇には珍らしき、基督敎村に三澤網良君は米の賣買に携はり居候、米の賣買は收穫の折現物を買ふ方法と、植付後收穫前に契約する方法とあり、只今丁度收穫期にて取引價格ピコル（十六貫）替三盾七十五仙見當なれども、植付後の契約はピコルに付き一盾七十五仙乃至二盾五十仙にてその金を土人に貸して收穫物を受取る

ものに候、而して收穫期三四盾の安價なる籾が二三ヶ月後には、五六盾を普通價とし、コーヒーも亦二ヶ月後收穫期には、卅盾內外にて土人より買取るを普通とし、契約取引には、十三盾より廿五盾位にして收穫期を過ぐる二ヶ月後位には四十盾以上の價段を以て賣買さるを普通と致候、半農半商式の取引は大体に於て斯くの如く候へば美術雜貨商などより成功者を出だす率多きは當然なれ共日本人の癖として兎角田舍を嫌ひて都合に集中し小奇麗なる美術雜貨商を營むもの多き次第、私共も矢張り滯爪十年の大部は都會に過ごし今更後悔するものゝ一人に御座候、而して此半農半商式の人々には爪哇の風習に同化して土人を妻とし、日爪相愛の結晶たる愛孃愛息を有し居る人も四五名に上り日爪親善の好現象に候、而して特記すべき現象は市內の商人には妙なる競爭や驅引など行はるゝに反し、半農半商の人には或程度の連絡と提携をなし御互に扶け合ひつゝ、自他の向上を謀る氣分歷然たるもの有之ことにして、此點よりも爪哇に於ける邦人の堅實なる發展はこれ等地方邦人によりて得らる如き感じに御座候、

これ市內の雜貨商は大部スラバヤ方面の同胞より掛買等の便利と後援を得るに反し地方邦人は僅なる資本と土人の信頼外には無援孤立、獨立獨歩なれ共大自然を富の源泉とする底の大きく裕々たる點ある爲所謂無限の資產を自己の實力に應じて無制限に動かし得るためと存候、誌代御送附に際し井中の蛙見を附して御笑に供し申候　敬具

スラバヤは世界的に有名なる砂糖取引の盛なる地、これに關係ある大商社三井、三菱、鈴木、正金、台銀を初め數十の邦人商社ありて爪哇糖生產額の六割迄はこの邦人の手を經て1920年度是等邦人糖商の利益八千万圓爾後引續き二千万盾を下らざる由に候、同地に領事館の設けられしは四五年前、又バタビヤには總領事館あり、本月四日より、バタビヤにて南洋領事會議開催さる由に候。而して邦字新聞はバタビヤに只一つ有之爪哇日報と申候（六月三日）

信州記事

○地方官の更迭

地方官更迭が、全國的に行はれたが、知事、內務部長、警察部長と、三上局が、一度に變はつた事は、本縣とし

ては珍らしい、長官は山梨縣と入り代はりで、本縣へは梅谷光貞氏を迎へ、內務部長は、同じく秋田縣と交換で、細川長平氏を迎へ、村井警察部長は、大分縣に去り、本縣へは三重縣から落合慶四郎氏が來られた

○堀江上伊那支部長逝く

上伊那郡長堀江忠也氏は、今春以來、腦神經衰弱といふ難症に罹られ、五月中旬、長野市安藤病院にて、加療されたが、經過良好ならす、七月二日遂に長逝された、五ケ年の永き、郡長としても令聞あり、特に西天龍開發に全力を注ぎ、事業半にして、此の名郡宰を失ひたるは、共に惜むべきで有る、齡五十二、氏自身としても、將來活動の天地猶廣きに、運命とは言ひながら、遺憾至極で有る

○大町の腸チブス

北安大町には、先頃腸チブス患者が、俄に多數發生して、大騷きをした、當初チブスといふ事が、判明せず、急性腸炎では、無からふかなどの取沙汰に、一般に油斷をし、自宅療養を加へつゝ有る間に、漫延したものと見え、一時に六十名もの、眞症患者を出して終つた、學校も一時閉鎖し、女學校の寄宿者を臨時收容所に充てるなど、名狀すべからざる、騷ぎだつた、恰夏期大學や、登山の時期に、際會したので、それを當て込みの、旅館其の他の營業者は、大悄げの態で有た、が、チブスと事が決まり完全なる豫防消毒を施したので、昨今は大した危險も無くなつた

○豚の丹毒症

去年は、豚のコレラが、各府縣の畜産界を脅かしたが、幸に信州は其の厄を免かれた、處で本年は、豚の丹毒症が、先以て小諸に發生し、東信一帶に、漫延の兆ありといふので、飼育者を惱まして居る

養豚は、有利なる農家の副業と目され、縣に於ても、從來之を奬勵して來たので、昨今全縣下に普及し、相當に成績を收むる時期になつたのだから、速に病根を撲滅して、斯業に頓挫を來さぬ樣にし度いものである

○信州の暑熱

去年の今頃は、每日雨ばかり降つて、晴天の日とては殆んど無かつたが、今年はアベコベに、雨が少く每日の旱天で、灌漑用水は缺乏し、稻作には尠からざる、

迷惑をかけて居る、一方氣溫は、數年に無き高さで每日九十五六度を示して居る、ブラジルは暑い國だと、一口に言つて居るが、彼の地にも、こんな暑さは稀で、只暖い時期が、永く續くばかりだとの事、如何樣そうらしい、コンナ暑さが、一ケ月も續かふものなら、大槪の人は參入て終ふ、此の大陸的氣候で、鍊えた信州人ならば、世界中何處へ行つても、氣候に負ける樣な事は有るまい

○信越國境の開發

野尻湖を中心とし、飯繩、黑姬、妙高、三山に亘る裾野一帶は、輕井澤、富士見高原、と信州の三副對ともいふべき、形勝の地で有る事は、萬人の首肯する處で有るが、昨年久邇宮御一家が、永らく赤倉に、御滯在遊ばされたるを緣故に、今年は他の多くの宮樣方迄、御來遊有るやの取沙汰に刺戟され、信越聯合を以て、國境大開發の運動が始まつた、先以て、赤倉、野尻、戶隱を聯結する處の、自動車道を開鑿し、其の沿線何處にても、好みに任せて、別莊を建設せんとする者には、極めて廉價で敷地を提供して、外來人を歡迎すると、いふので有る、下伊那の天龍流域の開發と相俟つて、信州は國家的遊苑となるも、遠くは有るまい

本年五月中廣島縣の海外渡航者

（廣島縣海外協會機關紙大廣島縣所載）

廣島縣に於ける、五月中の海外渡航許可人員は、千百十三名で有るが、內北米合衆國七百二十八名、ハワイ二百八十二名、ブラジル六十九名、其の他の諸外國三十四名である、平年一ケ月の平均渡航者は、三百名內外であるが、四、五、六月は、丁度農繁期で有るので、多少の減少を見て居るのに、本年は排日法實施の爲、特に多くの渡航諸を見て居る

附廣島縣は、海外渡航では、さすが日本第一だけ有て、目下在外者六万餘、一ケ年の送金、一千數百萬圓、これが全然もとでいらずの金だから、信州あたりの、養蠶の收入の六七千万圓にも相當するだらふ、兎に角豪氣だ、某々數ケ村の如きは、其の送金の爲めに、財政頗豊富に、生活安易家屋の構造等、外見上も際立つて見えるとは、さも有るべきだ

編輯机上より

○北米に在留し、六七年も、たよりの無かつた、上水內郡出身、前島義男君の消息が、友人の親切に依つて判明し、家人は非常に喜んで居る、それにつけても、北佐久出身內堀源太郎君、下水內出身、河野保三君の消息を、得度いもので有る、在外諸君は、努めて鄕里に通信して、家人を安ずる樣希望する

○編輯机上も百度といふになつた、寧痛快で有る、心頭滅却……そんな事を言つて居る處にスキがあるブラジルでは、エンシャーダを揮つて森林を伐り倒して居る、倒れた木を燒いて居る、燒跡を掻廻はして燒ボツクリを片附けて居る、近い處ならゴーロ山を見ろ、四五貫もあるハンマーを振り上げて、金楔を打込んで居る、犀川端では四ツ這になつて田草を取つて居る女が有るぞ

海の外

定價	内地	外國
一部	廿錢	廿仙
半ケ年	一圓十錢	一弗十仙
一ケ年	二圓廿錢	二弗廿仙

海外郵税四錢

注意
▲御注文は凡て前金に申受く
▲廣告料は御照會次第詳細通知致します
▲御拂込は振替に依らるゝが最も便利です

大正十三年七月三十一日
編輯人 永田稠
發行兼印刷人 藤森克
印刷所 長野市南縣町 信濃每日新聞社
發行所 長野市長野縣廳內 海の外社
振替口座長野二一四〇番 信濃海外協會

復刻版
海の外　第1巻
第1回配本（全2巻）
２０２４年10月25日　第1刷発行
揃定価６６、０００円
（揃本体価格６０、０００円＋税10％）

編　集　森武麿
発行者　船橋竜祐
発行所　不二出版
東京都文京区水道２-10-10
TEL ０３（５９８１）６７０４
印刷所　栄　光
製本所　青木製本
乱丁・落丁はお取り替えいたします。

第1巻　ISBN978-4-8350-8835-8
第1回配本（全2巻 分売不可 セットISBN978-4-8350-8834-1）